DOUGLAS C. GIANCOLI

PHYSIQUE GÉNÉRALE 3

ONDES, OPTIQUE ET PHYSIQUE MODERNE

Consultants scientifiques

Louis-André Hamel, Ph. D.
Professeur
Département de physique
Université de Montréal

J. M. Luc Ouellet, Ph. D.
Physicien
Laboratoire de physique nucléaire
Université de Montréal

Auteur d'encadrés

Paul-Étienne Ouellette
Docteur en physique
Professeur
Collège Saint-Laurent

De Boeck Université

Physique générale

Ondes, optique et physique moderne

Traduction de: *Physics for Scientists and Engineers with Modern Physics* (second edition), de Douglas C. Giancoli, © 1989 by Prentice-Hall Inc., Englewood Cliffs, New Jersey.

Édition et production: **Les Éditions de la Chenelière inc. (Montréal)**
Traduction: François Gobeil
Révision linguistique: Isabelle Lefrançois
Correction d'épreuves: Caroline Baril

Maquette des pages intérieures: Lorraine Mullaney
Conception de la page couverture: ZAPP

Diffusion Europe: De Boeck-Wesmael S.A.
203, avenue Louise
1050 Bruxelles

L'Éditeur a fait tout ce qui était en son pouvoir pour retrouver les copyrights. On peut lui signaler tout renseignement menant à la correction d'erreurs ou d'omissions.

Dépôt légal: 1993/0074/35
Bibliothèque nationale du Québec
Bibliothèque nationale du Canada

Bien que le masculin soit utilisé dans le texte, les mots relatifs aux personnes désignent aussi bien les hommes que les femmes.

ISBN 2-8041-1702-2

Imprimé au Canada
1 2 3 4 5 97 96 95 94 93

Table des matières

Avant-propos IX

Notes aux étudiants et aux professeurs XIV

1
Le mouvement ondulatoire 1

1.1 Les caractéristiques du mouvement ondulatoire 2
1.2 Les types d'ondes 5
1.3 L'énergie transmise par les ondes 9
1.4 La représentation mathématique d'une onde progressive 10
1.5 L'équation d'onde 13
1.6 Le principe de superposition 16
1.7 La réflexion des ondes 17
1.8 La réfraction 21
1.9 L'interférence 23
1.10 La diffraction 25
1.11 Les ondes stationnaires et la résonance 26
RÉSUMÉ 30
QUESTIONS 31
PROBLÈMES 32

2
Le son 36

2.1 Les caractéristiques du son 36
2.2 La représentation mathématique des ondes longitudinales 37
2.3 L'intensité du son 39
2.4 Les sources du son: les cordes et les colonnes d'air en vibration 44
2.5 La qualité du son 48
2.6 L'interférence entre les ondes sonores; les battements 49
2.7 L'effet Doppler 51
2.8 Les ondes de choc et le bang supersonique 54
RÉSUMÉ 56
QUESTIONS 56
PROBLÈMES 57

3
La réflexion et la réfraction de la lumière 61

3.1 Le modèle particulaire de la lumière 61
3.2 La vitesse de la lumière et l'indice de réfraction 62
3.3 La réflexion; la formation d'images par un miroir plan 63
3.4 La formation d'images par des miroirs sphériques 67
3.5 La réfraction; la loi de Descartes 75
3.6 La réflexion interne totale; les fibres optiques 77
RÉSUMÉ 81
QUESTIONS 81
PROBLÈMES 82

4
Les lentilles et les instruments d'optique 85

4.1 La réfraction à une surface sphérique 85
4.2 Les lentilles minces 87
4.3 Les loupes 97
4.4 Les télescopes 99
4.5 Les microscopes 101

4.6 L'œil humain; les verres correcteurs 105
4.7 Les aberrations optiques 110
RÉSUMÉ 111
QUESTIONS 112
PROBLÈMES 113

5
LA NATURE ONDULATOIRE DE LA LUMIÈRE; L'INTERFÉRENCE 116

5.1 Des ondes ou des particules? Le principe de Huygens et la diffraction 116
5.2 Le principe de Huygens et la loi de la réfraction 117
5.3 L'interférence; l'expérience de la double fente de Young 121
5.4 La cohérence 124
5.5 Le spectre visible et la dispersion 125
5.6 L'intensité de la figure d'interférence produite par une double fente 129
5.7 L'intensité des sources cohérentes et incohérentes 134
5.8 L'interférence dans les couches minces 135
5.9 L'interféromètre de Michelson 138
5.10 L'intensité lumineuse 139
RÉSUMÉ 140
QUESTIONS 140
PROBLÈMES 141

6
LA DIFFRACTION 144

6.1 La diffraction par une fente unique 145
6.2 L'intensité dans la figure de diffraction par une fente unique 146
6.3 La diffraction dans l'expérience de la double fente 150
6.4 Le pouvoir de séparation et la limite de séparation; le critère de Rayleigh 152
6.5 La limite de séparation des télescopes et des microscopes 153
6.6 Le pouvoir de séparation de l'œil humain et le grossissement utile 158
6.7 Les fentes multiples — Le réseau de diffraction 159
6.8 Le spectroscope et la spectroscopie 161
6.9 Les diagrammes de phaseurs pour les fentes multiples; la largeur des pics 164
6.10 Le pouvoir de résolution d'un réseau de diffraction 168
6.11 Les rayons X et la diffraction des rayons X 170
RÉSUMÉ 172
QUESTIONS 172
PROBLÈMES 173

7
LA POLARISATION 176

7.1 La polarisation linéaire 176
7.2 La polarisation par réflexion 179
7.3 L'activité optique 182
7.4 La double réfraction: la biréfringence et le dichroïsme 183
7.5 Les polarisations circulaire et elliptique 185
7.6 La diffusion de la lumière par l'atmosphère 189
RÉSUMÉ 189
QUESTIONS 190
PROBLÈMES 190

8
LA THÉORIE DE LA RELATIVITÉ RESTREINTE 192

8.1 La relativité galiléenne ou newtonienne 192
8.2 L'expérience de Michelson-Morley 196
8.3 Les postulats de la théorie de la relativité restreinte 199
8.4 La simultanéité 201
8.5 La dilatation du temps et le paradoxe des jumeaux 203
8.6 La contraction des longueurs 207
8.7 L'espace-temps à quatre dimensions 209
8.8 Les transformations de Galilée et de Lorentz 210
8.9 La masse et la quantité de mouvement en mécanique relativiste 214
8.10 La vitesse limite 216
8.11 $E = mc^2$; la masse et l'énergie 217
8.12 L'impact de la théorie de la relativité restreinte 220
RÉSUMÉ 221
QUESTIONS 221
PROBLÈMES 222

9
LA PREMIÈRE THÉORIE DES QUANTA ET LES MODÈLES DE L'ATOME 225

9.1 L'hypothèse des quanta de Planck 225
9.2 La théorie photonique de la lumière et l'effet photoélectrique 227

9.3 Les photons et l'effet Compton 232
9.4 Les interactions des photons; la production de paires 234
9.5 La dualité onde-particule; le principe de complémentarité 235
9.6 La nature ondulatoire de la matière 236
9.7 Les microscopes électroniques 240
9.8 Les premiers modèles de l'atome 241
9.9 Les spectres atomiques: la clé de la structure de l'atome 242
9.10 Le modèle de Bohr 244
9.11 L'hypothèse de Louis de Broglie 249
RÉSUMÉ 250
QUESTIONS 251
PROBLÈMES 252

10
LA MÉCANIQUE QUANTIQUE 255

10.1 La mécanique quantique: une nouvelle théorie 255
10.2 La fonction d'onde et ses interprétations; l'expérience de la double fente 257
10.3 Le principe d'incertitude de Heisenberg 259
10.4 Les engagements philosophiques: probabilité ou déterminisme 265
10.5 L'équation de Schrödinger à une dimension — La forme indépendante du temps 266
10.6 L'équation de Schrödinger dépendante du temps 269
10.7 Les particules libres; les ondes planes et les paquets d'ondes 270
10.8 La particule dans un puits de potentiel 272
10.9 L'effet tunnel à travers une barrière de potentiel 277
RÉSUMÉ 281
QUESTIONS 281
PROBLÈMES 282

11
LA MÉCANIQUE QUANTIQUE DES ATOMES 285

11.1 La vision quantique des atomes 285
11.2 L'atome d'hydrogène: l'équation de Schrödinger et les nombres quantiques 286
11.3 Les fonctions d'onde de l'atome d'hydrogène 290
11.4 Les atomes complexes; le principe d'exclusion 293
11.5 Le tableau périodique des éléments 296
11.6 Les spectres des rayons X et le numéro atomique 298
11.7 Les moments magnétiques; le moment angulaire total 300
11.8 La fluorescence et la phosphorescence 303
11.9 Les lasers et l'holographie 304
RÉSUMÉ 311
QUESTIONS 311
PROBLÈMES 312

12
LES MOLÉCULES ET LES SOLIDES 316

12.1 La liaison chimique et les molécules 316
12.2 Les diagrammes d'énergie potentielle des molécules 319
12.3 Les liens faibles (ou de van der Waals) 327
12.4 Les spectres moléculaires 327
12.5 La liaison dans les solides 333
12.6 La théorie des électrons libres dans les métaux 335
12.7 La théorie des bandes dans les solides 340
12.8 Les semiconducteurs et le dopage 342
12.9 Les dispositifs semiconducteurs: les diodes et les transistors 343
RÉSUMÉ 347
QUESTIONS 348
PROBLÈMES 348

13
LA PHYSIQUE NUCLÉAIRE ET LA RADIOACTIVITÉ 352

13.1 La structure et les propriétés du noyau 352
13.2 L'énergie de liaison et les forces nucléaires 357
13.3 La radioactivité 359
13.4 La désintégration alpha 360
13.5 La désintégration bêta 362
13.6 La désintégration gamma 365
13.7 La conservation du nombre de nucléons et les autres lois de conservation 365
13.8 Les demi-vies et les taux de désintégration 365
13.9 Les séries radioactives 368
13.10 La datation radioactive 370
13.11 La détection de la radiation 370
RÉSUMÉ 373
QUESTIONS 373
PROBLÈMES 374

14

L'ÉNERGIE NUCLÉAIRE, SES EFFETS ET SES APPLICATIONS 377

14.1 Les réactions nucléaires et la transmutation d'éléments 377
14.2 La section efficace 380
14.3 La fission nucléaire; les réacteurs nucléaires 381
14.4 La fusion 389
14.5 Le passage de la radiation dans la matière; les dommages dus à la radiation 394
14.6 La mesure de la radiation: la dosimétrie 395
14.7 L'imagerie médicale: la tomographie, la TAO, la TEP 397
14.8 La résonance magnétique nucléaire (RMN) et l'imagerie RMN 401
RÉSUMÉ 404
QUESTIONS 405
PROBLÈMES 406

15

LES PARTICULES ÉLÉMENTAIRES 409

15.1 Les particules à haute énergie et les accélérateurs de particules 409
15.2 Les débuts de la physique des particules; la particule de Yukawa 415
15.3 Les particules et les antiparticules 418
15.4 Les interactions entre particules et les lois de la conservation 418
15.5 La classification des particules 420
15.6 Les particules instables et les résonances 421
15.7 Les particules étranges 422
15.8 Les quarks et le charme 423
15.9 Le «modèle normalisé»: la chromodynamique quantique (CDQ) et la théorie électrofaible 426
15.10 Les théories de grande unification 428
RÉSUMÉ 429
QUESTIONS 430
PROBLÈMES 430

16

L'ASTROPHYSIQUE ET LA COSMOLOGIE 433

16.1 Les étoiles et les galaxies 433
16.2 L'évolution stellaire; la naissance et la mort des étoiles 437
16.3 La relativité générale: la gravité et la courbure de l'espace 443
16.4 L'expansion de l'Univers 448
16.5 Le Big Bang et le fond de rayonnement cosmique 453
16.6 Le modèle cosmologique normalisé: les débuts de l'Univers 455
16.7 L'avenir de l'Univers 459
RÉSUMÉ 463
QUESTIONS 464
PROBLÈMES 464

APPENDICE A 467
FORMULES MATHÉMATIQUES

APPENDICE B 469
DÉRIVÉES ET INTÉGRALES

APPENDICE C 471
CONSTANTES ET FACTEURS DE CONVERSION

APPENDICE D 474
TABLEAU PÉRIODIQUE DES ÉLÉMENTS

APPENDICE E 476
LISTE D'ISOTOPES CHOISIS

APPENDICE F 480
CORRIGÉ DES PROBLÈMES IMPAIRS

INDEX 483

Liste des encadrés

Paul-Étienne Ouellette

1.1 De l'onde à l'équation d'onde 18
2.1 L'audiogramme 42
3.1 La lumière voyage-t-elle moins vite dans la matière? 64
3.2 Le rétroviseur jour-nuit 68
3.3 La réfraction 78
4.1 L'appareil photographique à soufflet 94
4.2 Le grossissement normal 102
4.3 La naissance de l'image optique 106
5.1 Le principe de Huygens-Fresnel 118
5.2 La couleur et la longueur d'onde 126
5.3 Newton et l'achromatisme 130
6.1 Le grossissement utile 156
6.2 Les raies spectrales de Fraunhofer 162
6.3 Des raies de Fraunhofer à la raie étalon ultime 166
7.1 Les lunettes de soleil 180
7.2 La biréfringence et la théorie ondulatoire de la lumière 186
9.1 La température de couleur 228
9.2 L'onde électronique 238
10.1 L'interprétation de la physique quantique 262
11.1 Des couleurs spectrales de Newton à l'atome quantique 294
11.2 Le disque numérique au laser 308
12.1 Les fenêtres électromagnétiques de l'atmosphère 322
13.1 Le neutron caché 354
14.1 Les centrales nucléaires 386

AVANT-PROPOS

Physique générale est la version française d'un ouvrage d'introduction à la physique, faisant appel au calcul différentiel et intégral, qui couvre tous les aspects importants de cette science. Constituée en trois tomes, cette collection s'adresse aux étudiants qui souhaitent se spécialiser en physique, en génie ou en d'autres sciences connexes. Écrit dans un style clair, le texte offre des explications précises et détaillées sur les principes de la physique. En outre, la résolution de problèmes y tient une place importante.

Au lieu de commencer par traiter les sujets de façon théorique et abstraite, comme c'est généralement le cas, pour les relier ensuite à l'expérience des étudiants, nous avons insisté sur le fait que la physique constitue une description de la réalité. Nous avons donc abordé chaque sujet par des observations concrètes et des expériences familières aux étudiants, afin d'amener graduellement ces derniers à l'étude théorique des concepts et des notions qui sont propres au sujet étudié. Non seulement cette méthode rend la matière plus intéressante et plus facile à comprendre, mais elle se rapproche davantage de la démarche scientifique. Les physiciens n'ont pas d'abord établi, par exemple, la loi de l'induction et cherché ensuite toutes ses conséquences possibles; ils ont plutôt proposé cette loi pour expliquer de façon générale les différents phénomènes observés.

Nous avons évité, d'une part, un étalage pédant de connaissances en donnant des explications aussi claires et concises que possible et, d'autre part, l'erreur trop commune de s'appesantir sur des éléments mineurs au point de les faire paraître importants (et, conséquemment, d'embrouiller les étudiants). Aussi nous n'avons pas laissé de sujets en suspens ou sans lien concret avec d'autres sujets, afin que les lecteurs n'aient pas à se demander pourquoi ils les ont étudiés. Nous avons le plus souvent indiqué l'importance de chacun d'eux tout en les traitant de la façon la plus complète possible. Ainsi, nous examinerons les forces statiques que peuvent subir les charpentes parce que, dans les situations concrètes, les matériaux, quoique élastiques, peuvent se rompre. Il sera donc question d'élasticité et de rupture dans le chapitre sur la statique. Nous devons cependant mentionner que certains sujets — peu nombreux en fait — (comme la forme différentielle des équations de Maxwell) n'ont été abordés que très brièvement. Notre objectif consistait à proposer aux étudiants une introduction qui facilitera leur compréhension lorsqu'ils reviendront sur ces sujets ultérieurement.

La division de la matière suit l'ordre traditionnel tout en permettant une grande flexibilité. Le tome 1 est consacré à la mécanique, y compris celle des fluides. Le tome 2 porte sur l'électricité et le magnétisme tandis que le tome 3 traite des ondes (chapitres 1 et 2), de la lumière (chapitres 3 à 5) et de la physique moderne.

À notre avis, aborder la physique par la mécanique se justifie dans la mesure où cette branche a été la première à se développer et que beaucoup d'autres parties de la physique en dépendent. À l'intérieur de ce champ d'étude, il existe différentes manières d'organiser les sujets. Aussi n'est-il pas essentiel de suivre l'ordre proposé ici. La statique, par exemple, peut être étudiée avant ou après la dynamique. Nous avons préféré la seconde possibilité, car nous avons observé que beaucoup d'étudiants éprouvent de la difficulté à assimiler le concept de force sans mouvement. Ils le comprennent plus facilement lorsqu'on leur explique d'abord le lien entre la force et le mouvement ainsi que la troisième loi de Newton. Cet ordre permet également d'étudier à fond le concept de moment de force, essentiel en statique, mais qui est parfois difficile à saisir en l'absence de mouvement. Néanmoins, la façon dont nous avons abordé la statique (chapitre 12 du tome 1) permet également de l'étudier avant la dynamique à condition de commencer par un bref exposé sur les vecteurs. Par ailleurs, les chapitres sur la lumière se trouvent dans le tome 3 selon l'ordre habituel et sont accompagnés des chapitres sur les ondes et le son (chapitres 1 et 2). Toutefois, il serait possible de les étudier à la suite du chapitre 15 (tome 1) pour relier entre eux tous les phénomènes oscillatoires. On pourrait aussi aborder la relativité (chapitre 8 du tome 3) avec la mécanique, par exemple, après le chapitre 9 du tome 1, puisqu'elle repose surtout sur les notions vues au cours des neuf premiers chapitres du tome 1 (sauf en ce qui a trait à la section 8.2 du tome 3).

Cette collection rend compte des domaines de la physique classique ainsi que d'un certain nombre de sujets plus modernes. Le tome 2 traite de la supraconductivité (chapitre 5), de la découverte de l'électron et de ses propriétés, du tube à rayons cathodiques et du spectromètre de masse (chapitre 7). Le tome 3 comporte un chapitre sur la relativité restreinte (chapitre 8) et un autre sur les débuts de la théorie quantique et les premiers modèles atomiques (chapitre 9). Dans le cadre des cours où la physique moderne doit être étudiée en profondeur, les chapitres 10 à 15 du même tome mettent en évidence les plus récents progrès scientifiques. Dans le chapitre 10, nous poursuivons l'analyse de la théorie quantique commencée au chapitre précédent, nous développons l'équation de Schrödinger et nous la résolvons en l'appliquant aux cas des puits carrés et de l'effet tunnel. Le chapitre 11 porte sur les solutions de cette équation pour l'atome d'hydrogène ainsi que sur les atomes complexes, les moments magnétiques et les moments cinétiques. Le chapitre 12 traite des liaisons et des spectres moléculaires, mais il est surtout consacré à la matière condensée (état solide) et aux liaisons qui la caractérisent, à la théorie des électrons libres dans les métaux et à la distribution de Fermi ainsi qu'à la théorie des bandes et aux semiconducteurs. Dans les chapitres 13 et 14, il est question de physique nucléaire, de la structure du noyau, de la radioactivité, de la fission, de la fusion et de leurs applications. Les derniers chapitres abordent deux des principaux sujets de la physique actuelle, soit les particules élémentaires et la cosmologie. Le chapitre 15 constitue un survol du domaine des particules élémentaires, des premières expériences, il y a 50 ans, jusqu'à la chromodynamique quantique, au modèle normalisé et aux théories d'unification. Enfin, le chapitre 16, sur l'astrophysique et la cosmologie, étudie l'évolution stellaire, la relativité générale et le modèle normalisé du big bang en le reliant aux particules élémentaires et en faisant état des résultats des recherches actuelles.

Nous supposons évidemment que les étudiants possèdent une certaine connaissance du calcul différentiel et intégral ou qu'ils l'étudient présentement. La dérivation est expliquée dans le chapitre 2 du tome 1; l'intégration apparaît d'abord à la fin du même chapitre (cinématique), mais on peut facilement reporter son étude à plus tard, par exemple au chapitre 7 du même tome (sur le travail et l'énergie) où, pour la première fois, les étudiants auront à utiliser cet outil de calcul. Le calcul différentiel et intégral est présenté par petites doses, surtout au début. En fait, tout au long de la collection, nous avons traité chaque sujet en commençant par les notions les plus élémentaires, de façon à le rendre compréhensible au plus grand nombre de lecteurs possible. Cependant, le niveau visé est rapidement atteint et, pour les étudiants particulièrement intéressés à la physique, des sujets de niveau «supérieur» ainsi que des problèmes classés comme relativement difficiles (niveau III) ont été prévus. Nous présentons les notions mathématiques au fur et à mesure qu'elles deviennent nécessaires: la dérivation et l'intégration sont expliquées aux chapitres 2 et 7 du tome 1, l'addition des vecteurs, au chapitre 3, le produit vectoriel, aux chapitres 7 et 11, etc. Nous avons préféré cette méthode surtout parce qu'elle est plus stimulante pour les étudiants (qui peuvent comprendre presque immédiatement pourquoi, par exemple, le produit vectoriel est défini de telle manière plutôt que de telle autre). Quelques sujets comme l'analyse dimensionnelle et l'évaluation des ordres de grandeur ont été traités dans le chapitre 1 du tome 1 pour permettre aux étudiants de les retrouver facilement sans avoir à parcourir les trois tomes. Ils peuvent être laissés de côté et repris plus tard lorsque le besoin s'en fera sentir.

Physique générale fournit donc aux étudiants une introduction complète aux sujets de base grâce à des exposés détaillés. Citons d'abord l'étude des lois de Newton aux chapitres 4 et 5 du tome 1. Ensuite, nous abordons certains sujets difficiles, comme la force de Coriolis et les forces d'inertie en général de même que les forces dépendant de la vitesse. (Ces sujets relativement complexes peuvent être considérés comme optionnels.) Enfin, l'introduction aux lois de Newton et à leurs applications constitue un instrument pédagogique d'une importance cruciale. À l'intérieur de ces chapitres, on trouve un grand nombre d'exemples, dont certains très simples, qui indiquent étape par étape la façon de procéder pour résoudre les problèmes de dynamique. Chacun d'eux présente un nouvel élément ou une nouvelle difficulté qui permet de progresser vers une plus grande complexité. Cette démarche devrait permettre à tous les étudiants, même les moins bien préparés en la matière, d'apprendre à appliquer correctement les lois de Newton, car s'ils ne parviennent pas à franchir cette étape fondamentale, il est à craindre que tous les autres domaines de la physique ne restent hors de leur portée.

La complexité des exemples illustrant ces lois augmente donc graduellement, les derniers étant particulièrement difficiles à résoudre. À ce titre, mentionnons les exemples portant sur le calcul des ordres de grandeur (ou approximation). De plus, nous avons observé une grande rigueur dans l'écriture des chiffres significatifs; ainsi, lorsque nous écrivons le chiffre 3 suivi de ses unités, il doit être considéré comme un 3 et non comme 3,0 ou 3,00. Nous avons accordé également une grande importance à la résolution de problèmes. Non seulement les exemples de problèmes résolus sont très nombreux et complets, mais il y a un très grand nombre de problèmes à la fin de chaque chapitre. Certains problèmes ont été énoncés de manière à donner une idée de la méthode à suivre pour les résoudre; d'autres demandent simplement une réponse, de sorte que les étudiants doivent en poser eux-mêmes les données. Nous offrons à quelques reprises des explications précises sur la façon d'aborder les problèmes (entre autres dans les sections 2.7, 4.8 et 4.9 du tome 1). Lorsqu'ils parviendront à cette dernière section intitulée «La résolution de problèmes», les étudiants posséderont déjà une certaine expérience en la matière; ils verront donc mieux l'intérêt de ces explications et les liront avec plus d'attention. Il leur est évidemment possible de prendre connaissance de cette section plus tôt.

Les problèmes sont classés par sections — un grand nombre d'entre eux sont accompagnés d'illustrations — et par niveaux de difficulté. Ceux du niveau I, très simples — il suffit généralement d'appliquer une équation —, sont conçus pour donner aux étudiants une certaine confiance en eux-mêmes; ceux du niveau II comportent des difficultés moyennes, exigeant un peu de réflexion et souvent l'utilisation de deux ou plusieurs concepts; quant à ceux du niveau III, les plus difficiles, ils sont destinés à mettre à l'épreuve les capacités des étudiants. La division par sections indique simplement que les problèmes proposés se rapportent à la matière étudiée jusqu'à cette section inclusivement — les problèmes des niveaux II et III en particulier sont souvent basés sur des sections ou même des chapitres précédents.

Tout au long de la collection, nous avons adopté les unités du SI (système international d'unités); nous avons défini celles du système britannique, mais sans les employer (à l'exception du «horse power» [hp]). Un petit nombre de problèmes, à la fin de certains chapitres, requièrent l'utilisation d'un ordinateur ou d'une calculatrice qu'on peut programmer. On trouvera aussi un bref exposé sur la manière de procéder à une intégration numérique dans la section 2.10 du tome 1. Les corrigés des problèmes impairs sont fournis à la fin de chaque tome. Chaque chapitre comprend également une série de questions auxquelles les étudiants peuvent répondre sans effectuer de calculs.

Nous avons cru essentiel d'accorder une attention particulière aux détails, surtout lorsqu'il s'agit d'établir un résultat important. Dans les explications, qu'elles soient de nature verbale ou mathématique, nous avons tâché d'indiquer chacune des étapes d'une démonstration pour éviter que les étudiants s'empêtrent dans des éléments insignifiants et ne puissent comprendre un concept dans son ensemble. Nous avons également établi une distinction nette entre les équations générales et celles qui ne le sont pas en précisant les limites d'application de ces dernières à l'intérieur de crochets, comme:

$$x = x_0 + v_0 t + \tfrac{1}{2}at^2. \qquad \text{[accélération constante]}$$

Ainsi, étant donné que l'étude du mouvement de rotation présente des difficultés pour la plupart des étudiants, nous avons pris soin d'indiquer clairement la différence entre le vecteur position d'un point ($\vec{\mathbf{r}}$) et la distance perpendiculaire entre ce point et l'axe (symbolisée par R avec une petite majuscule). Cette distinction (particulièrement importante lorsqu'il est question du moment de force, du moment d'inertie ou du moment cinétique) n'est pas toujours exprimée de façon évidente dans les manuels de physique — certains emploient $\vec{\mathbf{r}}$ pour désigner les deux concepts, ce qui ne peut qu'embrouiller les étudiants. Par ailleurs, nous avons analysé le mouvement de rotation en examinant d'abord le cas fort simple de la rotation autour d'un axe (chapitre 10 du tome 1) à l'aide des concepts de moment cinétique et d'énergie cinétique de rotation. Ce n'est qu'au chapitre 11 du tome 1 que nous avons étudié la situation plus générale de la rotation autour d'un point, et ce sujet plus complexe peut même être omis (sauf les sections 11.1 et 11.2 concernant les produits vectoriels et le vecteur moment cinétique).

Cette collection diffère également des ouvrages de physique traditionnels par d'autres aspects. Ainsi, le chapitre 8 du tome 2 porte à la fois sur le champ magnétique attribuable aux courants (le théorème d'Ampère et la loi de Biot-Savart) et sur les matériaux magnétiques, le ferromagnétisme, le paramagnétisme et le diamagnétisme. La présentation du sujet s'en trouve clarifiée, plus succincte, plus complète et mieux structurée. De même, le chapitre consacré à l'étude des forces conservatives et de la conservation de l'énergie (chapitre 8 du tome 1) a été rédigé avec soin (il montre explicitement, par exemple, pourquoi $W_{1\to2} = -W_{2\to1}$ dans le cas d'une force conservative).

Outre la version française révisée et adaptée par les consultants scientifiques, des encadrés s'insèrent à l'intérieur des chapitres et sont distribués également dans les trois tomes. Les auteurs d'encadrés abordent différents thèmes de l'histoire des sciences et soulignent les enjeux de la science et de la technologie dans notre société moderne.

Les encadrés traitant de l'histoire des sciences ne prétendent pas donner une vision complète de son déroulement, le domaine étant beaucoup trop vaste. Ils approfondissent plutôt des notions, déjà décrites dans les chapitres, dans une perspective historique. Certains d'entre eux toutefois présentent des notions dont l'utilisation n'est plus courante en physique mais qui, durant une certaine période, ont pu servir son développement. Le concept d'éther ou le principe d'action à distance sont deux exemples probants. D'autres encadrés mettent en évidence l'importance de la communication dans le domaine des sciences en constante ébullition. Les auteurs ont préféré étudier des groupes d'individus à des personnes en particulier, l'ouvrage contenant suffisamment de courtes biographies de grands physiciens.

Les encadrés traitant des enjeux de la science et de la technologie dans notre société offrent de nombreux points de vue. Parmi les sujets abordés, mentionnons la description et l'explication de certaines applications de la mécanique comme le gyroscope, très utile en navigation, ou la ferme de toit, essentielle à la construction des maisons; l'incidence sociale de la technologie, comme en témoignent la découverte de l'électricité ou celle de la radioactivité (les effets des radiations); l'histoire de certains produits dont on comprend le fonctionnement ou l'efficacité grâce à des notions de physique comme l'ampoule électrique, l'appareil photographique à soufflet ou les lunettes de soleil. D'autres encadrés expliquent des phénomènes ou des mécanismes naturels non traités dans le manuel, comme la différence entre le courant électrique et l'influx nerveux ou le comportement de la foudre. D'autres encore font mieux comprendre l'interaction entre le développement d'une science comme la physique et le contexte socio-économique, quelle que soit l'époque.

Ces encadrés n'ont pas été conçus comme des ajouts au contenu servant à l'évaluation. Les auteurs veulent plutôt susciter l'intérêt des étudiants en espérant que leurs textes deviennent un terrain propice au questionnement et à la réflexion.

L'éditeur remercie Charles Dufresne qui a coordonné la réalisation de la version française ainsi que les Éditions de la Chenelière.

Il faut également souligner la contribution exceptionnelle de scientifiques québécois très engagés dans le monde de l'éducation, soit à titre de professeurs ou de chercheurs. Marc-André Breton, Bernard Marcheterre, Louis-André Hamel et J. M. Luc Ouellet ont agi comme consultants scientifiques, alors que Bernard Marcheterre et Paul-Étienne Ouellette ont rédigé les textes des encadrés. Nous voulons leur témoigner toute notre gratitude.

NOTES AUX ÉTUDIANTS ET AUX PROFESSEURS

1. Nous avons employé les conventions habituelles: les quantités (comme *m* pour la masse) sont représentées par des symboles en italique et les unités (par exemple m pour mètre), par des caractères romains; les lettres en gras surmontées d'une demi-flèche ($\vec{\mathbf{F}}$) désignent les vecteurs.

2. Comme seules quelques équations se vérifient dans toutes les situations, nous avons indiqué entre crochets, lorsque cela était utile, les conditions ou limites d'utilisation des équations les plus importantes.

3. Les figures ont été tracées avec soin et les corps réels (les personnes, les tables, le sol, les instruments, etc.) sont représentés en couleur tandis que les indications analytiques (les vecteurs, les lignes de champ électrique, les graphiques, etc.) apparaissent en noir.

4. Les exemples, comprenant l'énoncé d'un problème et les différentes étapes de sa solution, sont mis en évidence grâce à un trait de couleur.

5. Le nombre de chiffres significatifs (voir section 1.3) ne doit jamais être considéré comme différent de celui qui est indiqué. Ainsi, lorsque nous avons écrit le chiffre 6 suivi d'unités, il s'agit bien de 6 et non de 6,0 ou de 6,00 (voir aussi section 1.7).

6. Chaque chapitre se termine par un résumé des concepts et des termes importants qui y sont étudiés. Ces résumés ne visent pas à expliquer les notions vues dans le texte; seule une lecture attentive du chapitre peut en assurer la compréhension.

7. Chaque résumé est suivi de questions, auxquelles les étudiants doivent tenter de répondre (ne fût-ce que pour leur propre bénéfice), et de problèmes classés par niveaux (I, II, III) selon leur degré de difficulté, ceux du niveau I étant les plus simples. Ces problèmes sont regroupés par sections, mais peuvent toujours porter sur la matière étudiée antérieurement.

8. Les appendices comprennent des formules mathématiques utiles (appendice A), les dérivées et les intégrales (appendice B), les constantes et les facteurs de conversion (appendice C), le tableau périodique des éléments (appendice D), une liste d'isotopes (appendice E) et le corrigé des problèmes impairs (appendice F).

CHAPITRE

1

LE MOUVEMENT ONDULATOIRE

Pour provoquer la formation de vagues circulaires à la surface d'un lac ou d'une flaque d'eau (figure 1.1), il suffit bien sûr d'y lancer un caillou; de même, pour provoquer la propagation d'ondes le long d'une corde reposant sur une table (figure 1.2), il suffit d'en secouer l'extrémité. Les vagues sur l'eau et les ondes sur la corde constituent deux exemples simples de mouvements ondulatoires. Le son se propage aussi comme une onde, et on peut considérer la lumière comme une onde de champ électromagnétique. Les composants ultimes de la matière, par exemple les électrons, se comportent aussi parfois comme des ondes. L'étude des phénomènes ondulatoires est donc très importante, car ceux-ci se retrouvent dans plusieurs domaines de la physique. Dans le présent chapitre, nous allons nous concentrer sur les **ondes mécaniques**, c'est-à-dire les ondes qui se propagent dans un milieu matériel, comme les vagues sur l'eau ou les ondes sur une corde. Nous étudierons d'autres types de mouvement ondulatoire dans les chapitres ultérieurs.

Toute onde mécanique, qu'il s'agisse d'une vague sur l'océan, d'une onde sur une corde, d'une onde sismique ou d'une onde sonore dans l'air, provient nécessairement d'une vibration. Dans le cas du son, non seulement la source de l'onde est-elle un objet vibrant mais aussi son détecteur (le tympan ou la membrane d'un microphone). En fait, le milieu dans lequel une onde se propage vibre lui-même.

Vous êtes-vous déjà demandé si les vagues de l'océan transportent de l'eau sur la plage? La réponse est non[†]. Bien sûr, les vagues se déplacent à une vitesse mesurable; chaque molécule d'eau ne fait néanmoins qu'osciller faiblement autour d'un point d'équilibre, comme on peut le démontrer facilement par l'observation du comportement des feuilles à la surface d'un étang agité. Les vagues n'entraînent pas les feuilles (ou un bouchon de liège) avec elles; les feuilles ne font qu'osciller autour d'un point d'équilibre obéissant ainsi au mouvement réel de l'eau. Autre exemple: l'onde sur la corde représentée à la figure 1.2 se déplace vers la droite, mais chaque particule de la corde ne fait qu'osciller de haut en bas. Voici donc une caractéristique générale des ondes: quoiqu'elles puissent voyager sur de grandes distances, les particules de leur milieu (l'eau ou la corde) ne bougent que de façon limitée. Ainsi, bien que les ondes ne soient pas de la matière, elles voyagent dans la matière. Une onde consiste en oscillations qui se déplacent sans transporter de matière.

Les ondes transportent de l'énergie d'un lieu à un autre. Ainsi, le jet d'un caillou à la mer ou le souffle du vent communiquent de l'énergie aux vagues, lesquelles transportent l'énergie jusqu'à la plage. Une vague de l'océan s'est-elle déjà brisée sur vous? Si oui, vous avez alors certainement fait l'expérience de ce transport d'énergie. La main oscillante de la figure 1.2 communique à la corde de l'énergie qui voyage le

[†] Ne vous laissez pas induire en erreur par le fait que les vagues de l'océan semblent parfois «monter à l'assaut» des récifs. Ce fait est dû à l'interaction des vagues avec le sol, les vagues n'étant plus alors de simples vagues. Par ailleurs, le vent peut souffler des objets, de la mer sur la plage ou inversement.

FIGURE 1.1 Vagues s'étendant en cercles concentriques à partir de la source. (D. C. Giancoli)

long de celle-ci jusqu'à un objet situé à l'autre extrémité. Tout mouvement ondulatoire, quelle que soit sa forme, transporte de l'énergie.

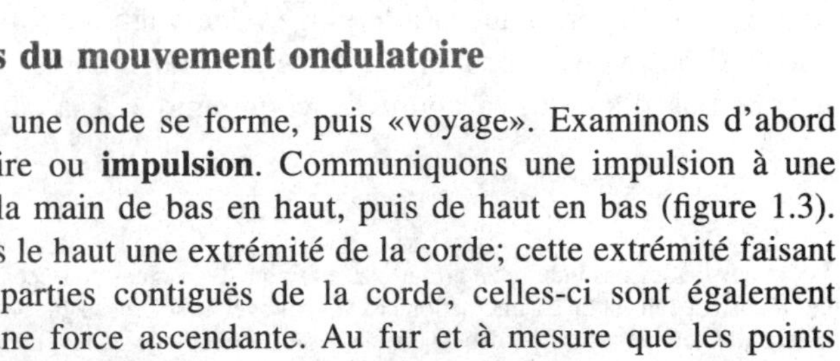

FIGURE 1.2 Onde se propageant sur une corde. L'onde voyage vers la droite sur la corde. Les particules de la corde oscillent transversalement sur le dessus de la table.

1.1 Les caractéristiques du mouvement ondulatoire

Voyons maintenant comment une onde se forme, puis «voyage». Examinons d'abord une seule secousse ondulatoire ou **impulsion**. Communiquons une impulsion à une corde en agitant rapidement la main de bas en haut, puis de haut en bas (figure 1.3). La main entraîne d'abord vers le haut une extrémité de la corde; cette extrémité faisant évidemment corps avec les parties contiguës de la corde, celles-ci sont également entraînées vers le haut par une force ascendante. Au fur et à mesure que les points

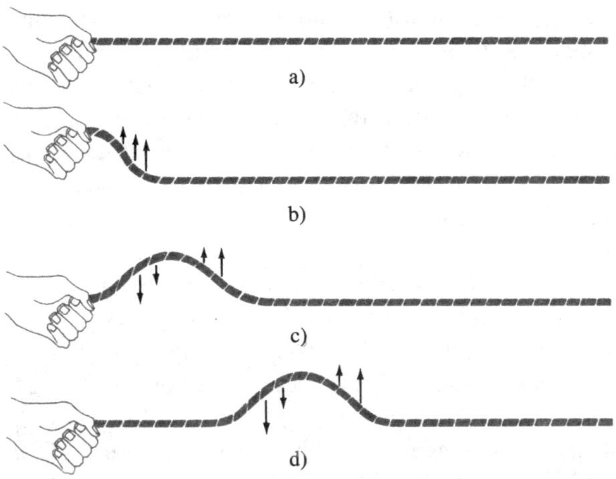

FIGURE 1.3 Mouvement d'une impulsion ondulatoire. Les flèches indiquent la vitesse des particules de corde. Remarquez que la vitesse de l'onde est orientée vers la droite.

successifs de la corde entraînent chaque point contigu suivant vers le haut, la crête de l'onde se déplace longitudinalement sur la corde vers l'autre extrémité. En même temps que cela se produit, la main revient à sa position initiale; chaque partie de la corde est ainsi ramenée vers le bas après avoir atteint son point le plus élevé. La source de l'impulsion ondulatoire est donc une perturbation, et les forces cohésives entre les parties contiguës de la corde font voyager l'impulsion longitudinalement sur la corde. Les ondes mécaniques se créent et se propagent de manière similaire dans tous les milieux élastiques.

La source d'une **onde continue** ou **périodique** (figure 1.2) est une perturbation continue et oscillante, en d'autres mots une *vibration* ou une *oscillation*. Dans la figure 1.2, la main fait osciller l'extrémité d'une corde. Pour produire des vagues, il suffit d'un objet vibrant à la surface de l'eau, votre main par exemple. Le souffle du vent, le jet d'un caillou ou d'une balle de tennis ont aussi pour effet de faire vibrer l'eau. Les vibrations d'un diapason ou de la membrane d'un tambour produisent dans l'air des ondes sonores. Nous verrons aussi, plus tard, que les ondes lumineuses sont produites par l'oscillation de charges électriques. En fait, presque n'importe quel objet vibrant émet des ondes.

La source de toute onde est donc une vibration. Et c'est cette *vibration* se propageant qui, en fait, constitue l'onde. Quand la source vibre de façon sinusoïdale, en mouvement harmonique simple, alors, si le milieu est parfaitement élastique, l'onde prend aussi une forme sinusoïdale dans le temps comme dans l'espace. Si on pouvait prendre une photographie du mouvement d'une telle onde dans l'espace à un instant donné, elle aurait la forme d'une fonction sinus ou cosinus. De plus, l'observation, sur une longue période, du mouvement du milieu en un endroit donné — l'observation, par exemple, des vagues entre les poteaux d'un quai ou à travers le hublot d'un bateau — révèle que les mouvements ascendants et descendants à cet endroit de l'eau sont des mouvements harmoniques simples — l'eau vibre verticalement de façon sinusoïdale dans le temps.

La figure 1.4 illustre quelques-unes des quantités importantes servant à décrire une onde sinusoïdale périodique. Les points les plus hauts d'une onde sont les crêtes, les points les plus bas, les creux. L'**amplitude** est la hauteur d'une crête, ou la pro-

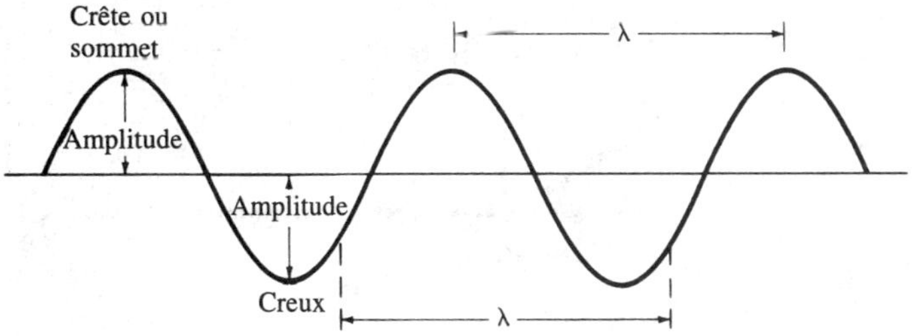

FIGURE 1.4 Caractéristiques d'une onde continue.

fondeur d'un creux, par rapport au niveau normal (ou d'équilibre). La distance transversale totale d'une crête à un creux est égale à deux fois l'amplitude. On appelle la distance entre deux crêtes successives la **longueur d'onde**, notée λ (la lettre grecque lambda). La longueur d'onde est aussi égale à la distance entre toute paire de points successifs et identiques de l'onde. La **fréquence**, f (parfois ν, la lettre grecque nu), est le nombre de crêtes (ou de cycles complets) qui passent par un point donné par unité de temps. La période, T, est bien sûr égale à $1/f$.

La **vitesse de l'onde**, v, est la vitesse à laquelle les crêtes semblent se déplacer. On appelle souvent cette vitesse la **vitesse de phase** et il convient de la distinguer de la vitesse d'une particule quelconque du milieu lui-même. Par exemple, dans le cas d'une onde voyageant le long d'une corde (figure 1.2), la vitesse de l'onde est parallèle à la corde, tandis que la vitesse d'un point quelconque de la corde est perpendiculaire à cette dernière.

Une crête parcourt une distance d'une longueur d'onde λ dans une période T. La vitesse v de l'onde est donc égale à λ/T, ou à:

$$v = \lambda f. \tag{1.1}$$

Considérons une onde ayant une longueur d'onde de 5 m et une fréquence de 3 Hz. Comme 3 crêtes passent par un point donné par seconde et que les crêtes sont distantes de 5 m les unes des autres, la première crête (ou une partie quelconque de l'onde) doit parcourir une distance de 15 m en une seconde; sa vitesse est donc de 15 m/s. L'équation 1.1 met v en relation avec λ et f. Prenez garde, toutefois, de supposer que si λ prend une valeur différente, v prendra nécessairement une valeur correspondante différente. En effet, pour plusieurs sortes d'ondes, v est indépendant (ou presque) de λ et f, auquel cas un λ différent signifie un f différent. Nous supposerons donc (sauf indication contraire) que v ne dépend pas de λ ou de f.

La vitesse d'une onde dépend des propriétés du milieu dans lequel elle voyage. La vitesse d'une onde voyageant, par exemple, sur une corde tendue dépend de la tension F_T dans la corde et de la masse par unité de longueur (masse linéique) de la corde, μ (la lettre grecque mu). Pour des ondes de faible amplitude, la relation est:

$$v = \sqrt{\frac{F_T}{\mu}}. \tag{1.2}$$

Avant de démontrer cette relation, il convient de noter qu'au moins qualitativement celle-ci peut se comprendre à partir de la mécanique newtonienne. D'après celle-ci, il faut s'attendre en effet à ce que la tension soit au numérateur et la masse linéique, au dénominateur, car plus la tension augmente, plus la vitesse doit aussi augmenter, chaque segment de corde ayant un contact plus fort avec le segment voisin. D'autre part, plus la masse linéique augmente, plus l'inertie de la corde augmente et plus la vitesse de l'onde diminue.

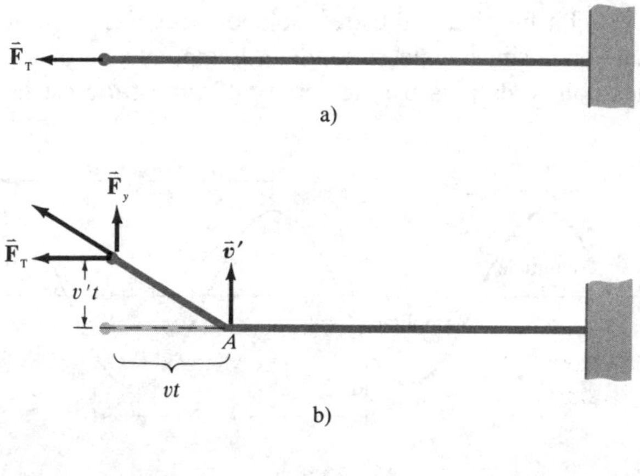

FIGURE 1.5 Diagramme d'une impulsion ondulatoire simple pour la démonstration de l'équation 1.2.

Pour démontrer l'équation 1.2, servons-nous du modèle simple d'une corde ayant une tension F_T (figure 1.5a). Une force F_y tire la corde vers le haut à une vitesse v'. Comme cela est illustré à la figure 1.5b, tous les points de la corde à la gauche du point A bougent vers le haut à la vitesse v', tandis que les points à la droite de A demeurent au repos. La vitesse de propagation, v, de cette impulsion ondulatoire est la vitesse du point A, soit le front de l'impulsion. Le point A parcourt vers la droite une distance vt dans un temps t, tandis que l'extrémité gauche de la corde parcourt vers le haut une distance $v't$. Par le théorème des triangles semblables, nous obtenons la relation approximative:

$$\frac{F_T}{F_y} = \frac{v}{v'},$$

qui est valable pour de petits déplacements ($v't << vt$) de sorte que F_T ne change pas de façon significative. Comme nous l'avons vu au chapitre 9 du tome 1, l'impulsion transférée à un objet est égale au changement de sa quantité de mouvement. Durant l'intervalle t, l'impulsion totale transférée verticalement est $F_y t = (v'/v)\, F_T t$. Le changement de la quantité de mouvement Δp de la corde est la masse du segment de corde bougeant vers le haut multipliée par sa vitesse. Comme la masse du segment de corde bougeant vers le haut est égale à la masse linéique μ multipliée par sa longueur vt, nous obtenons:

$$F_y t = \Delta p$$

$$\frac{v'}{v} F_T t = (\mu v t) v'.$$

En isolant v, nous obtenons $v = \sqrt{F_T/\mu}$, soit l'équation 1.2. Quoique nous ayons tiré cette équation d'une forme particulière d'impulsion, elle est néanmoins valide pour toutes les formes d'ondes puisque toute onde peut être considérée comme une suite de plusieurs de ces impulsions, chacune d'une longueur minuscule. L'équation n'est toutefois valide que pour les petits déplacements (comme notre démonstration). L'expérience confirme ce résultat obtenu à partir de la mécanique newtonienne.

EXEMPLE 1.1 Une onde, dont la longueur d'onde est 0,30 m, se propage sur un câble d'une longueur de 300 m et d'une masse totale de 30 kg. Si la tension dans le câble est de 400 N, quelle est la vitesse et la fréquence de l'onde?

SOLUTION Selon l'équation 1.2, la vitesse est:

$$v = \sqrt{\frac{400 \text{ N}}{(30 \text{ kg})/(300 \text{ m})}} = 63 \text{ m/s}.$$

La fréquence est donc:

$$f = \frac{v}{\lambda} = \frac{63 \text{ m/s}}{0{,}30 \text{ m}} = 2{,}1 \times 10^2 \text{ Hz}.$$

1.2 Les types d'ondes

Bien que les ondes puissent parcourir de longues distances, les particules du milieu vibrent seulement dans une région limitée de l'espace. Les particules d'une corde sur laquelle une onde se propage, disons de gauche à droite, vibrent dans une direction transversale (perpendiculaire) au mouvement de l'onde elle-même. Une telle onde s'appelle donc **onde transversale**. Il existe un autre type d'onde appelée **onde longitudinale**; les vibrations des particules du milieu dans lequel se propage ce type d'onde

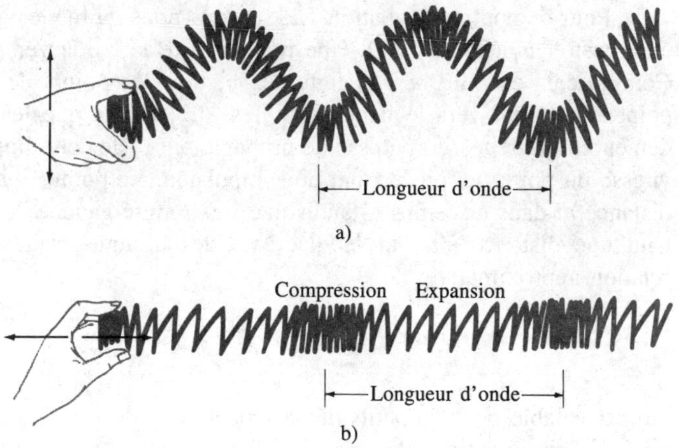

FIGURE 1.6 a) Onde transversale; b) onde longitudinale.

sont *parallèles* au mouvement de l'onde. On peut facilement créer des ondes longitudinales sur un ressort tendu en comprimant et en étirant alternativement un de ses bouts. Ceci est illustré à la figure 1.6b et peut être comparé à l'onde transversale illustrée à la figure 1.6a. Une série de compressions et d'expansions se propagent le long du ressort. Les *compressions* correspondent aux régions du ressort où les spires sont momentanément proches les unes des autres. Les *expansions* (que l'on appelle aussi parfois *raréfactions*) sont les régions où les spires sont momentanément plus distantes les unes des autres. Les compressions et les expansions correspondent aux crêtes et aux creux d'une onde transversale.

Les ondes sonores dans l'air constituent un exemple important d'ondes longitudinales. La membrane vibrante d'un tambour, par exemple, comprime et raréfie alternativement l'air et émet une onde longitudinale qui se propage dans l'air (figure 1.7).

Comme dans le cas des ondes transversales, chaque particule du milieu dans lequel une onde longitudinale se propage ne fait qu'osciller sur une petite distance même lorsque l'onde elle-même parcourt de grandes distances. Les notions de longueur d'onde, de fréquence et de vitesse ondulatoire servent également à caractériser une onde longitudinale. La longueur d'onde est la distance entre deux compressions successives (ou entre deux expansions successives); la fréquence est le nombre de compressions passant par un point donné par seconde; la vitesse de l'onde est la vitesse à laquelle chaque compression semble bouger et est égale au produit de la longueur d'onde et de la fréquence (équation 1.1).

On peut représenter graphiquement une onde longitudinale en traçant, sur un graphique, la densité des molécules d'air (ou des spires d'un ressort) en fonction de la position (figure 1.8). Nous nous servirons fréquemment de ce genre de représentation

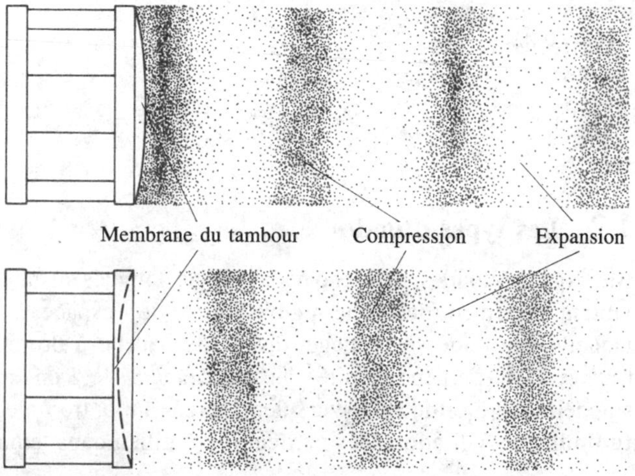

FIGURE 1.7 Production d'une onde sonore, qui est toujours longitudinale.

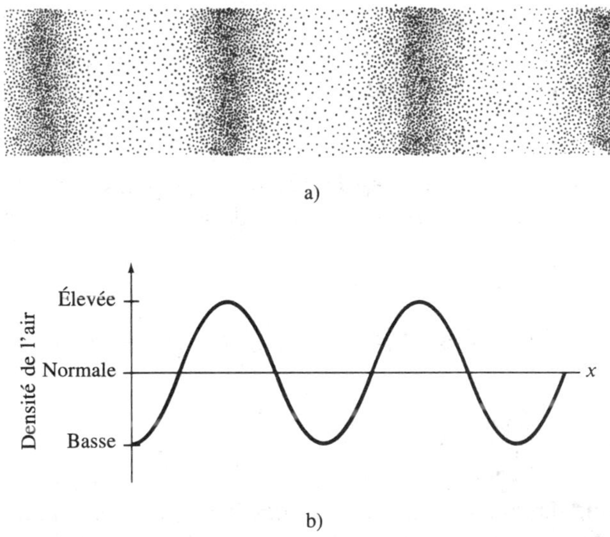

FIGURE 1.8 a) Onde longitudinale et b) sa représentation graphique.

graphique parce qu'il permet de visualiser plus facilement ce qui se passe. Notez que le graphique ressemble beaucoup à une onde transversale.

La vitesse d'une onde longitudinale a une forme similaire à celle d'une onde transversale parcourant une corde (équation 1.2), soit:

$$v = \sqrt{\frac{\text{facteur de force élastique}}{\text{facteur d'inertie}}}.$$

En particulier, dans le cas d'une onde longitudinale parcourant une tige solide,

$$v = \sqrt{\frac{E}{\rho}}, \qquad (1.3)$$

où E est le module d'élasticité longitudinal (ou module de Young) (section 12.4 du tome 1) du milieu matériel et ρ, sa masse volumique (masse par unité de volume). Dans le cas d'une onde longitudinale se propageant dans un liquide ou un gaz,

$$v = \sqrt{\frac{B}{\rho}}, \qquad (1.4)$$

où B est le module de compressibilité volumique (section 12.4 du tome 1) et ρ, la masse volumique.

Démontrons maintenant l'équation 1.4. Considérons une impulsion ondulatoire parcourant un fluide contenu dans un long tube et dont le mouvement est à une seule dimension. À $t = 0$, le fluide contenu dans le tube est de masse volumique uniforme ρ et de pression uniforme P_0 (figure 1.9a). À cet instant, le piston au bout du tube bouge vers la droite à une vitesse v', ce qui a pour effet de comprimer le fluide devant le piston. Durant le (court) intervalle t, le piston parcourt une distance $v't$. Le fluide comprimé bouge également à la vitesse v', mais la partie la plus avancée de la région comprimée se déplace vers la droite à la vitesse caractéristique v des ondes de compression dans ce fluide. Supposons que la vitesse de l'onde v soit beaucoup plus grande que la vitesse v'. Le front de l'onde de compression dans le fluide (qui au moment $t = 0$ se trouve à la surface du piston) parcourt donc une distance vt durant l'intervalle t (figure 1.9b). Supposons que la pression dans la région comprimée soit de $P_0 + \Delta P$, donc ΔP plus élevée que dans la partie non comprimée du fluide. Pour bouger le piston vers la droite, il faut exercer une force externe $(P_0 + \Delta P)A$ vers la droite où A est la section du tube. La force *nette* sur la région comprimée du fluide est:

$$(P_0 + \Delta P)A - P_0 A = A\Delta P,$$

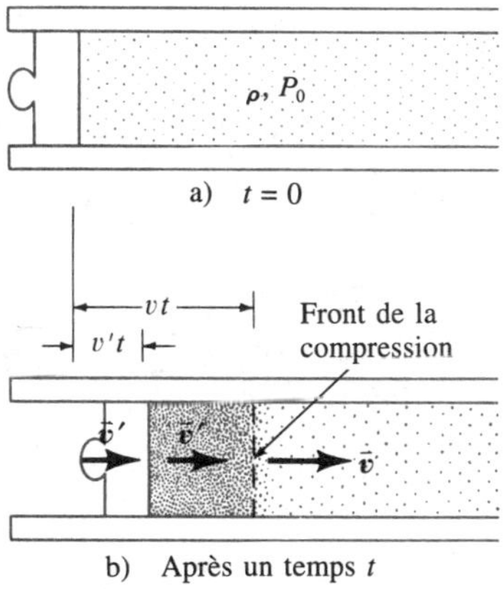

FIGURE 1.9 Détermination de la vitesse d'une onde longitudinale à une dimension dans un fluide contenu dans un long tube étroit.

puisque la partie non comprimée du fluide exerce vers la gauche une force P_0A sur la région comprimée. L'impulsion transmise à la partie comprimée du fluide, qui est égale au changement de sa quantité de mouvement, est donc:

$$A\,\Delta Pt = (\rho Avt)v',$$

où (ρAvt) représente la masse du fluide à laquelle est communiquée la vitesse v'; (en effet le piston de section A parcourt une distance vt (figure 1.9), de sorte que le volume déplacé est Avt). Nous obtenons donc:

$$\Delta P = \rho vv'.$$

D'après la définition du module de compressibilité volumique B (équation 12.7a du tome 1):

$$B = -\frac{\Delta P}{\Delta V/V_0} = -\frac{\rho vv'}{\Delta V/V_0},$$

où $\Delta V/V_0$ est la variation relative de volume due à la compression. Le volume initial du fluide comprimé était $V_0 = Avt$, et a été comprimé d'une quantité $\Delta V = -Av't$ (figure 1.9b), de sorte que

$$B = -\frac{\rho vv'}{\Delta V/V_0} = -\rho vv'\left(\frac{Avt}{-Av't}\right) = \rho v^2$$

et

$$v = \sqrt{\frac{B}{\rho}},$$

qui est l'équation 1.4. La démonstration de l'équation 1.3 se fait de façon similaire mais doit tenir compte de l'expansion du diamètre d'une tige lorsque l'extrémité de la tige est comprimée.

EXEMPLE 1.2 D'ordinaire, il est possible d'entendre l'approche d'un train en collant l'oreille aux rails. Combien l'onde prend-elle de temps pour parcourir les rails d'acier si le train est à 1,0 km?

SOLUTION En nous référant au tableau 12.1, «Modules de Young», et au tableau 13.1, «Masses volumiques de diverses substances», du tome 1, nous obtenons:

$$v = \sqrt{\frac{2{,}0 \times 10^{11}\ \mathrm{N/m^2}}{7{,}8 \times 10^3\ \mathrm{kg/m^3}}} = 5{,}1 \times 10^3\ \mathrm{m/s}.$$

Le temps t = distance/vitesse = $(1{,}0 \times 10^3\ \mathrm{m})/(5{,}1 \times 10^3\ \mathrm{m/s}) = 0{,}20$ s.

Les perturbations dues aux tremblements de terre produisent des ondes transversales et longitudinales. Les ondes transversales qui parcourent le corps de la Terre sont dites ondes S et les ondes longitudinales, ondes P. Les ondes transversales aussi bien que longitudinales peuvent voyager dans un solide puisque chaque atome ou molécule peut vibrer, autour de sa position d'équilibre, dans n'importe quelle direction. Dans un liquide, toutefois, seules les ondes longitudinales peuvent se propager. Ceci est dû au fait que dans un liquide, un mouvement transversal ne rencontre pas de force de rappel. Les géophysiciens s'appuient sur ce fait pour inférer que la pyrosphère est en fusion: on détecte des ondes longitudinales diamétralement à travers la Terre mais jamais d'ondes transversales; la seule explication à ce phénomène est que le noyau de la Terre est liquide.

Il existe un troisième type d'ondes appelées *ondes de surface*. Ce type d'ondes se propage à la frontière entre deux milieux. Une vague sur l'eau est en fait une onde de surface qui se déplace sur la frontière entre l'air et l'eau. Quand la longueur d'onde est plus petite que la profondeur, le mouvement de chaque particule d'eau à la surface est elliptique (figure 1.10); c'est donc une combinaison de mouvements transversaux et longitudinaux. Il y a aussi des mouvements ondulatoires transversaux et longitudinaux, de forme elliptique, sous la surface (tel qu'illustré); au fond de l'eau, le mouvement n'est que longitudinal. Des ondes de surface se produisent également à la surface de la Terre lors d'un tremblement de terre. Ces ondes parcourant la surface de la Terre sont les principales responsables des dommages alors causés.

Les ondes qui se propagent sur une ligne à une dimension, telles les ondes transversales sur une corde tendue ou les ondes longitudinales sur une tige ou dans un tube rempli de liquide, sont dites *linéiques* ou *à une dimension.* Les ondes de surface, telles les vagues sur l'eau représentées à la figure 1.1, sont des ondes à *deux dimensions*. Enfin, les ondes qui, à partir d'une source, se propagent dans toutes les directions, comme la voix humaine ou les ondes sismiques, sont dites *à trois dimensions.* Nous traiterons de ces trois types d'ondes mais plus particulièrement des ondes linéiques, car elles sont plus simples et plus faciles à comprendre.

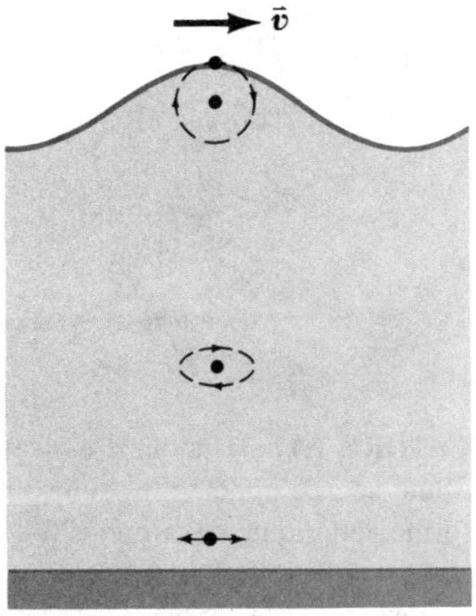

FIGURE 1.10 Une vague sur l'eau est un exemple d'*onde de surface* qui est une combinaison de mouvements transversaux et longitudinaux.

1.3 L'énergie transmise par les ondes

Les ondes transmettent de l'énergie d'un lieu à un autre. Lorsqu'une onde voyage dans un milieu, l'énergie est transmise, sous forme de vibrations, d'une particule à l'autre du milieu. Dans le cas d'une onde sinusoïdale de fréquence f, les particules (lorsqu'une telle onde passe) effectuent des mouvements harmoniques simples, de sorte que chaque particule a une énergie $E = \frac{1}{2}kD_M^2$, où D_M représente le déplacement maximal (l'amplitude) du mouvement, soit transversalement ou longitudinalement (voir l'équation 15.11a du tome 1 dans laquelle nous avons remplacé A par D_M). À l'aide de l'équation 15.8 du tome 1, nous pouvons exprimer k en fonction de la fréquence, $k = 4\pi^2 mf^2$, ce qui donne:

$$E = 2\pi^2 mf^2 D_M^2.$$

Pour des ondes à trois dimensions voyageant dans un milieu élastique, nous pouvons exprimer la masse comme $m = \rho V$, où ρ est la masse volumique du milieu et V, son volume. Le volume $V = Al$, où A est la section transversale à travers laquelle l'onde voyage. Nous pouvons exprimer l comme la distance que l'onde parcourt durant l'intervalle t, soit $l = vt$ (comme dans la figure 1.9), où v est la vitesse de l'onde. Donc, $m = \rho V = \rho Al = \rho Avt$ et

$$E = 2\pi^2 \rho Avtf^2 D_M^2. \tag{1.5}$$

Si nous considérons le front d'une onde sinusoïdale au moment de pénétrer dans une région où il n'y a pas de mouvement ondulatoire (figure 1.2), nous voyons que E, dans l'équation 1.5, représente l'énergie moyenne qui pénètre cette région durant l'intervalle t. Nous pouvons tirer de cette équation le résultat important suivant: *l'énergie transportée par une onde est proportionnelle au carré de l'amplitude.* Le *taux* moyen d'énergie transférée est la puissance moyenne $\overline{P}$:

$$\overline{P} = \frac{E}{t} = 2\pi^2 \rho Avf^2 D_M^2. \tag{1.6}$$

Enfin, on définit l'**intensité**, I, d'une onde comme la puissance moyenne transférée par unité de surface perpendiculaire à la direction de propagation de l'énergie:

$$I = \frac{\overline{P}}{A} = 2\pi^2 v\rho f^2 D_M^2. \tag{1.7}$$

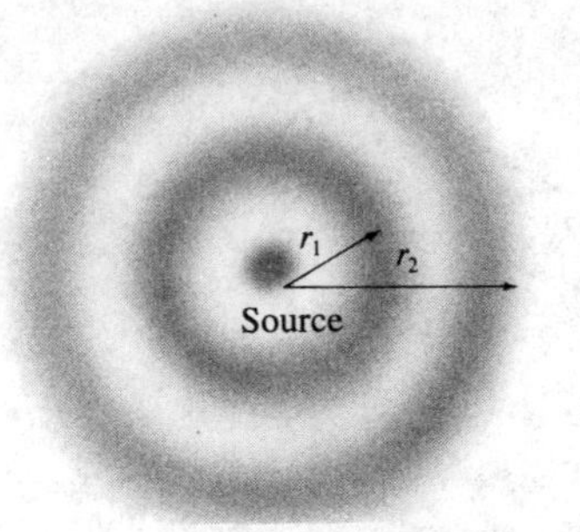

FIGURE 1.11 Une onde émise d'une source ponctuelle a une forme sphérique; deux crêtes (ou compressions) différentes sont représentées, de rayons r_1 et r_2 respectivement.

Nous voyons donc que l'*intensité d'une onde est proportionnelle au carré de son amplitude*.

Les ondes qui, à partir d'une source, voyagent dans toutes les directions sont dites à trois dimensions. En voici trois exemples: le son voyageant dans l'air, les ondes sismiques et les ondes lumineuses. Quand le milieu est isotrope (identique dans toutes les directions), alors l'onde prend une forme sphérique et est ainsi dite *onde sphérique* (figure 1.11). Au fur et à mesure que l'onde se propage, elle s'étend sur une surface de plus en plus grande puisque la surface d'une sphère de rayon r est $4\pi r^2$. Puisque l'énergie est conservée, nous pouvons voir à partir de l'équation 1.5, ou 1.6, que plus l'aire A augmente, plus l'amplitude D_M diminue. C'est-à-dire qu'à deux distances différentes de la source, r_1 et r_2 (figure 1.11), $A_1 D_{M1}^2 = A_2 D_{M2}^2$ avec D_{M1} et D_{M2}, les amplitudes de l'onde en r_1 et r_2 respectivement. Comme $A_1 = 4\pi r_1^2$ et $A_2 = 4\pi r_2^2$, nous obtenons $\left(D_{M1}^2 r_1^2\right) = \left(D_{M2}^2 r_2^2\right)$, ou

$$\frac{D_{M2}}{D_{M1}} = \frac{r_1}{r_2}.$$

L'amplitude diminue donc en raison inverse de la distance à la source. Lorsque l'onde est deux fois plus loin de la source, l'amplitude est deux fois plus petite, et ainsi de suite (quand on néglige l'amortissement due à la friction).

L'intensité I diminue également avec la distance. Comme I est proportionnelle à D_M^2 (équation 1.7), I doit diminuer inversement au *carré* de la distance à la source. Cette loi du carré inverse s'applique au son, à la lumière et à d'autres types d'ondes. Une autre façon de visualiser cela consiste à considérer, en même temps, deux points r_1 et r_2. Si la puissance émise demeure constante, alors l'intensité à r_1 est $I_1 = \overline{P}/4\pi r_1^2$ et à r_2, $I_2 = \overline{P}/4\pi r_2^2$. Donc,

$$\frac{I_2}{I_1} = \frac{r_1^2}{r_2^2}. \tag{1.8}$$

EXEMPLE 1.3 Si l'intensité d'une onde sismique de type P est de $1{,}0 \times 10^6$ W/m^2 à 100 km de la source, quelle est son intensité à 400 km de cette source?

SOLUTION L'intensité diminue en raison du carré de la distance à la source. Donc, à 400 km, l'intensité serait égale à $(1/4)^2 = 1/16$ de ce qu'elle est à 100 km, soit $6{,}2 \times 10^4$ W/m^2.

Il en va autrement pour une onde à une dimension, telle une onde transversale sur une corde ou une impulsion longitudinale parcourant une tige métallique uniforme. L'aire A demeure constante si bien que l'amplitude D_M le demeure aussi. L'intensité de même que l'amplitude ne diminuent donc pas avec la distance.

En pratique, il se produit généralement de l'amortissement frictionnel, et une partie de l'énergie est transformée en énergie thermique. L'amplitude et l'intensité d'une onde à une dimension diminuent donc avec la distance à la source et, dans le cas d'une onde à trois dimensions, la diminution est plus importante que celle décrite plus haut. L'effet, qui est souvent faible, peut néanmoins être très significatif pour les ondes sonores dans l'air. Les réflexions sur le sol (habituellement à proximité de la source) et sur d'autres surfaces modifient davantage la loi du carré inverse.

1.4 La représentation mathématique d'une onde progressive

Considérons maintenant une onde à une dimension se propageant le long de l'axe des x. Ce pourrait être une onde transversale sur une corde ou une onde longitudinale sur une tige ou dans un tube rempli de liquide. Supposons que l'onde soit sinusoïdale, que sa longueur d'onde soit λ et sa fréquence, f. Supposons aussi qu'à $t = 0$ la forme de l'onde soit donnée par l'équation:

$$D = D_M \sin \frac{2\pi}{\lambda} x, \tag{1.9}$$

illustrée par la courbe continue de la figure 1.12; D est le déplacement de l'onde à la position x et D_M, l'amplitude (le déplacement maximal) de l'onde. Cette relation donne une forme qui se répète de façon identique à chaque longueur d'onde (et c'est ce que nous voulons), le déplacement étant le même, par exemple, aux positions $x = 0$, $x = \lambda$, $x = 2\lambda$, et ainsi de suite (car $\sin 4\pi = \sin 2\pi = \sin 0$).

Supposons maintenant que l'onde se déplace vers la droite à une vitesse v. Après un temps t, chaque partie de l'onde (en fait, toute la «forme» de l'onde) aura parcouru une distance vt vers la droite (voir la courbe en tirets de la figure 1.12). Considérons un point quelconque de la courbe en $t = 0$, par exemple une crête qui se trouve en un point x donné. Après un temps t, cette crête aura parcouru une distance vt de sorte que sa nouvelle position sera vt plus grande que sa position initiale. Pour décrire ce même point sur la forme de la courbe, l'argument de la fonction sinus doit être le même et il nous faut donc remplacer x par $(x - vt)$ dans l'équation 1.9:

$$D = D_M \sin \left[\frac{2\pi}{\lambda}(x - vt)\right]. \tag{1.10a}$$

En d'autres mots, si vous chevauchez une crête, l'argument de la fonction sinus demeure le même ($= \pi/2$, $5\pi/2$, et ainsi de suite); au fur et à mesure que t augmente, x augmente aussi au même taux puisque $(x - vt)$ demeure constant.

L'équation 1.10a est la représentation mathématique d'une onde sinusoïdale voyageant le long de l'axe des x vers la droite (x croissant). Elle donne le déplacement D de la courbe en tout point x et en tout temps t. La fonction D décrit une courbe représentant la forme véritable de l'onde dans l'espace au temps t. Comme $v = \lambda f$ (équation 1.1), nous pouvons récrire l'équation 1.10a sous des formes plus commodes:

$$D = D_M \sin \left(\frac{2\pi x}{\lambda} - \frac{2\pi t}{T}\right), \tag{1.10b}$$

où $T = 1/f = \lambda/v$ est la période, ou encore

$$D = D_M \sin (kx - \omega t), \tag{1.10c}$$

où $\omega = 2\pi f = 2\pi/T$ est la fréquence angulaire, et

$$k = \frac{2\pi}{\lambda} \tag{1.11}$$

est appelé le **nombre d'onde**. (Ne confondez pas le nombre d'onde k avec la constante de ressort k: il s'agit de deux quantités tout à fait différentes). Les trois formes de l'équation, soit 1.10a, b et c, sont équivalentes. L'équation 1.10c est la plus simple et sans doute la plus courante. La quantité $(kx - \omega t)$, de même que ses formes équivalentes dans les deux autres équations, s'appelle la **phase** de l'onde. On peut exprimer

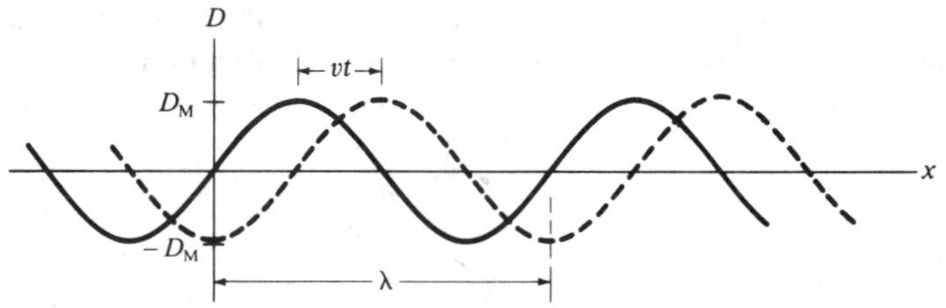

FIGURE 1.12 Onde progressive. En un temps t, l'onde parcourt une distance vt.

la vitesse v de l'onde, couramment appelée la **vitesse de phase**, étant donné qu'elle représente la vitesse de la phase (ou forme) de l'onde, en fonction de ω et k:

$$v = \lambda f = \left(\frac{2\pi}{k}\right)\left(\frac{\omega}{2\pi}\right) = \frac{\omega}{k}. \tag{1.12}$$

Dans le cas d'une onde voyageant vers la gauche le long de l'axe des x (les valeurs de x décroissantes), nous constatons, en nous référant à nouveau à l'équation 1.9, que la position d'un certain point de l'onde change de $-vt$ dans un temps t. Il faut donc remplacer x, dans l'équation 1.9, par $(x + vt)$. Par conséquent, dans le cas d'une onde voyageant vers la gauche à la vitesse v,

$$D = D_M \sin\left[\frac{2\pi}{\lambda}(x + vt)\right] \tag{1.13a}$$

$$= D_M \sin\left(\frac{2\pi x}{\lambda} + \frac{2\pi t}{T}\right) \tag{1.13b}$$

$$= D_M \sin(kx + \omega t). \tag{1.13c}$$

En d'autres mots, il nous faut simplement remplacer v dans les équations 1.10 par $-v$.

Examinons maintenant l'équation 1.13c (ou encore, l'équation 1.10c). Au temps $t = 0$, nous avons:

$$D = D_M \sin kx,$$

soit notre équation de départ décrivant une forme d'onde sinusoïdale. Si nous examinons la forme de l'onde à un temps ultérieur t_0, nous obtenons

$$D = D_M \sin(kx + \omega t_0).$$

Autrement dit, si nous prenions une photographie de l'onde à $t = t_0$, nous verrions une onde sinusoïdale ayant une phase ωt_0. Donc, au temps $t = t_0$ fixe, l'onde a une forme sinusoïdale dans l'espace. D'autre part, si nous considérons un point fixe de l'espace, par exemple $x = 0$, nous pouvons voir que l'onde varie dans le temps selon

$$D = D_M \sin \omega t$$

en utilisant l'équation 1.13c. C'est là l'équation d'un mouvement harmonique simple (voir l'équation 15.6 de la section 15.2 du tome 1). Pour toute autre valeur fixe de x, par exemple $x = x_0$, $D = D_M \sin(\omega t + kx_0)$ qui ne diffère de l'expression précédente que pour la phase kx_0. Donc, en tout point fixe de l'espace, le déplacement suit les oscillations d'un mouvement harmonique simple dans le temps. Les équations 1.10 et 1.13 combinent ces deux aspects et donnent une représentation d'une **onde sinusoïdale progressive** (également appelée **onde harmonique**).

Considérons maintenant une onde générale (ou une impulsion ondulatoire) de forme quelconque. L'expérience montre que si les pertes dues à la friction sont petites, l'onde conserve sa forme en voyageant. Nous pouvons donc utiliser les arguments déjà invoqués immédiatement après l'équation 1.9. Supposons que la forme de notre onde soit donnée par la formule:

$$D = f(x)$$

au temps $t = 0$, tel que D est le déplacement de l'onde en x et $f(x)$, une fonction de x. Un peu plus tard, si elle voyage vers la droite le long de l'axe des x, l'onde conservera la même forme, mais toutes ses parties auront bougé d'une distance vt tel que v est la vitesse de phase de l'onde. Nous devons donc remplacer x par $x - vt$ pour obtenir l'amplitude au temps t:

$$D = f(x - vt). \tag{1.14}$$

De la même façon, si l'onde se déplace vers la gauche, nous devons remplacer x par $x + vt$, de sorte que:

$$D = f(x + vt). \tag{1.15}$$

Par conséquent, toute onde voyageant le long de l'axe des x doit obéir à l'équation 1.14 ou 1.15. La fonction f donne la forme de l'onde.

EXEMPLE 1.4 On fait osciller transversalement, selon un mouvement harmonique simple, à une fréquence $f = 250$ Hz et à une amplitude de 2,6 cm, l'extrémité gauche d'une longue corde tendue horizontalement. La corde a une masse linéique $\mu = 0{,}12$ kg/m, et sa tension est de 140 N. Au temps $t = 0$, l'extrémité de la corde se trouve à 1,6 cm vers le haut et continue à monter. Déterminez *a*) la longueur d'onde des ondes ainsi produites et *b*) l'équation de l'onde.

SOLUTION *a*) La vitesse de l'onde est:

$$v = \sqrt{\frac{F_T}{\mu}} = \sqrt{\frac{140\ \text{N}}{0{,}12\ \text{kg/m}}} = 34\ \text{m/s}.$$

Donc,

$$\lambda = \frac{v}{f} = \frac{34\ \text{m/s}}{250\ \text{Hz}} = 0{,}14\ \text{m ou 14 cm}.$$

b) Posons que $x = 0$ à l'extrémité gauche de la corde. La phase de l'onde à $t = 0$ n'est pas en général zéro comme nous l'avions supposé dans les équations 1.9, 1.10, 1.11 et 1.13. L'expression générale d'une onde voyageant vers la droite est donc

$$D = D_M \sin(kx - \omega t + \phi),$$

où ϕ est l'angle de phase. Dans notre cas, l'amplitude $D_M = 2{,}6$ cm et à $t = 0$ et à $x = 0$, nous avons $D = 1{,}6$ cm. Par conséquent,

$$1{,}6 = 2{,}6 \sin \phi,$$

de sorte que $\phi = 38° = 0{,}66$ radian. Nous obtenons aussi $\omega = 2\pi f = 1571\ \text{s}^{-1}$ et $k = 2\pi/\lambda = 45\ \text{m}^{-1}$. D'où:

$$D = 0{,}026 \sin(45x - 1571t + 0{,}66),$$

où D et x sont en mètres et t, en secondes.

1.5 L'équation d'onde

Plusieurs types d'ondes vérifient une équation générale importante qui est l'équivalent de la seconde loi de Newton sur le mouvement des particules. Cette «équation du mouvement d'une onde» s'appelle l'**équation d'onde**. Nous allons maintenant la démontrer pour des ondes voyageant sur une corde tendue horizontalement.

Supposons d'abord que l'amplitude de l'onde est petite par rapport à sa longueur, de façon à pouvoir supposer que chaque point de la corde ne bouge que verticalement et que la tension F_T dans la corde ne varie pas durant une vibration. Appliquons maintenant la seconde loi de Newton, $F = ma$, au mouvement vertical d'un très petit segment de la corde (figure 1.13). L'amplitude de l'onde étant petite, les angles θ_1 et θ_2 que la corde fait avec l'horizontale seront petits. La longueur du segment est approximativement de Δx et sa masse, de $\mu \Delta x$, où μ est la masse linéique de la corde.

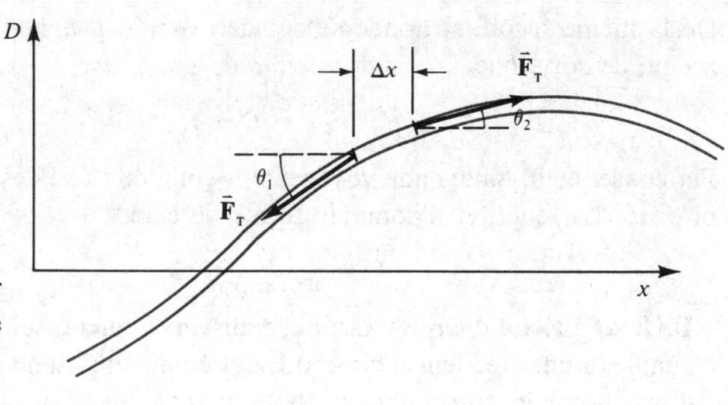

FIGURE 1.13 Démonstration de l'équation d'onde à partir de la seconde loi de Newton appliquée à un segment de corde soumis à une tension $\vec{\mathbf{F}}_T$.

La force verticale nette sur cette section de la corde est $F_T \sin\theta_2 - F_T \sin\theta_1$. La deuxième loi de Newton donne donc:

$$F = ma$$

$$F_T \sin\theta_2 - F_T \sin\theta_1 = (\mu\Delta x)\frac{\partial^2 D}{\partial t^2}.$$

Nous avons exprimé l'accélération comme $a = \partial^2 D/\partial t^2$, étant donné que le mouvement n'est que vertical. Nous utilisons la notation de dérivée partielle parce que le déplacement D est une fonction de x et de t, mais nous ne prenons toutefois que la (seconde) dérivée par rapport à t, avec x demeurant constant. Comme les angles θ_1 et θ_2 sont petits, $\sin\theta \approx \tan\theta$ et $\tan\theta$ est égal à la pente p de la corde en chaque point:

$$\sin\theta \approx \tan\theta = \frac{\partial D}{\partial x} = p.$$

L'équation ci-dessus devient donc:

$$F_T\,(p_2 - p_1) = \mu\Delta x\frac{\partial^2 D}{\partial t^2}$$

ou

$$F_T\frac{\Delta p}{\Delta x} = \mu\frac{\partial^2 D}{\partial t^2},$$

où $\Delta p = p_2 - p_1$ est la différence des pentes aux deux bouts de la petite section. Nous prenons maintenant la limite $\Delta x \to 0$, de sorte que:

$$F_T \lim_{\Delta x \to 0}\frac{\Delta p}{\Delta x} = F_T\frac{\partial p}{\partial x}$$

$$= F_T\frac{\partial}{\partial x}\left(\frac{\partial D}{\partial x}\right) = F_T\frac{\partial^2 D}{\partial x^2},$$

puisque la pente $p = \partial D/\partial x$, comme nous l'avons vu plus haut. En substituant ceci dans l'équation précédente, nous obtenons:

$$F_T\frac{\partial^2 D}{\partial x^2} = \mu\frac{\partial^2 D}{\partial t^2}$$

ou

$$\frac{\partial^2 D}{\partial t^2} = \frac{F_T}{\mu}\frac{\partial^2 D}{\partial t^2}.$$

Nous avons déjà vu, dans le présent chapitre (équation 1.2), que la vitesse des ondes sur une corde est donnée par $v = \sqrt{F_T/\mu}$. Nous pouvons donc écrire:

$$\frac{\partial^2 D}{\partial x^2} = \frac{1}{v^2}\frac{\partial^2 D}{\partial t^2}. \tag{1.16}$$

Cela est l'**équation d'onde à une dimension**. L'équation d'onde 1.16 décrit non seulement les ondes de faible amplitude sur une corde tendue mais aussi les ondes longitudinales de faible amplitude (telles les ondes sonores) dans les gaz, les liquides et les solides élastiques, auxquels cas D représente les variations de pression. L'équation d'onde est alors une conséquence directe de l'application de la seconde loi de Newton à un milieu élastique continu. L'équation d'onde décrit aussi les ondes électromagnétiques, auquel cas D représente le champ électrique ou magnétique, comme nous l'avons vu au chapitre 12 du tome 2. L'équation 1.16 ne s'applique qu'aux ondes qui se propagent dans une seule dimension. Pour les ondes se propageant dans les trois dimensions, l'équation d'onde est la même avec l'addition de $\partial^2D/\partial y^2$ et $\partial^2D/\partial z^2$ à la gauche de l'équation.

L'équation d'onde est une équation *linéaire*, ce qui veut dire qu'aucun de ses termes ne présente le déplacement D plus d'une fois. Aucun terme ne contient D^2 ou $D(\partial D/\partial x)$, ou toute autre expression présentant D plus d'une fois. Donc, si $D_1(x, t)$ et $D_2(x, t)$ sont deux solutions différentes d'une équation linéaire, telle l'équation d'onde, alors la combinaison linéaire:

$$D_3(x, t) = aD_1(x, t) + bD_2(x, t),$$

où a et b sont des constantes, est aussi une solution. Ce qu'on peut vérifier facilement par simple substitution dans l'équation d'onde. C'est l'essence même du *principe de superposition* dont nous traiterons à la section suivante. Fondamentalement, cela signifie que si deux ondes passent en même temps dans la même région de l'espace, le déplacement réel est la somme des deux déplacements individuels. Pour des ondes sur une corde ou pour des ondes sonores, ceci n'est valide que pour de faibles amplitudes. Lorsque les amplitudes ne sont pas suffisamment faibles, les équations décrivant la propagation des ondes peuvent devenir non linéaires. Dans ce cas, le principe de superposition n'est plus valide et de nouveaux phénomènes peuvent apparaître.

EXEMPLE 1.5 *a*) Montrez que l'onde sinusoïdale de l'équation 1.10c, soit $D = D_M \sin (kx - \omega t)$, vérifie l'équation d'onde. *b*) Vérifiez que la classe générale des fonctions $D = f(x - vt)$ et $D = f(x + vt)$ sont des solutions de l'équation d'onde quand f est une fonction différentiable quelconque de x et de t.

SOLUTION *a*) Déterminons d'abord les deux premières dérivées de l'équation 1.10c par rapport à t:

$$\frac{\partial D}{\partial t} = -\omega D_M \cos (kx - \omega t)$$

$$\frac{\partial^2 D}{\partial t^2} = -\omega^2 D_M \sin (kx - \omega t),$$

puis par rapport à x:

$$\frac{\partial D}{\partial x} = kD_M \cos (kx - \omega t)$$

$$\frac{\partial^2 D}{\partial x^2} = -k^2 D_M \sin (kx - \omega t).$$

En divisant les deux dérivées secondes, nous obtenons:

$$\frac{\partial^2 D/\partial t^2}{\partial^2 D/\partial x^2} = \frac{-\omega^2 D_M \sin (kx - \omega t)}{-k^2 D_M \sin (kx - \omega t)} = \frac{\omega^2}{k^2}.$$

D'après l'équation 1.12, nous savons que $\omega^2/k^2 = v^2$, ce qui démontre que l'équation 1.10 vérifie l'équation d'onde 1.16.

b) Représentons $(x - vt)$ par z (de sorte que $z = x - vt$). Alors si $D = f(x - vt)$, nous obtenons, en appliquant la règle de dérivation en chaîne:

$$\frac{\partial D}{\partial t} = \frac{\partial f}{\partial z}\frac{\partial z}{\partial t} = \frac{\partial f}{\partial z}(-v)$$

puisque $\partial z/\partial t = -v$. Par conséquent,

$$\frac{\partial^2 D}{\partial t^2} = \frac{\partial}{\partial t}\left(-v\frac{\partial f}{\partial z}\right) = -v\frac{\partial^2 f}{\partial z^2}\left(\frac{\partial z}{\partial t}\right) = v^2\frac{\partial^2 f}{\partial z^2}.$$

De même:

$$\frac{\partial D}{\partial x} = \frac{\partial f}{\partial z}\frac{\partial z}{\partial x} = \frac{\partial f}{\partial z}$$

car $\partial z/\partial x = 1$. Finalement

$$\frac{\partial^2 D}{\partial x^2} = \frac{\partial^2 f}{\partial z^2}.$$

Comme $\partial^2 D/\partial t^2 = v^2(\partial^2 f/\partial z^2)$ et $\partial^2 D/\partial x^2 = \partial^2 f/\partial z^2$, alors $\partial^2 D/\partial t^2 = v^2(\partial^2 D/\partial x^2)$, qui est l'équation d'onde. Pour $D = f(x + vt)$, la démonstration est identique.

1.6 Le principe de superposition

Quand deux ondes ou plus passent en même temps par une même région de l'espace, on observe que *le déplacement réel est la somme vectorielle (ou algébrique) des déplacements individuels.* Ce **principe de superposition** est valide pour les ondes mécaniques dont les déplacements ne sont pas trop grands et pour lesquelles il existe une relation linéaire entre le déplacement et la force de rappel du milieu élastique†. Si l'amplitude de l'onde mécanique, par exemple, est tellement grande qu'elle dépasse le domaine élastique du milieu et que la loi de Hooke ne s'applique plus, le principe de superposition ne s'applique plus de façon exacte‡. Nous traiterons surtout des systèmes pour lesquels on peut considérer que le principe de superposition s'applique.

Une des conséquences du principe de superposition est que si deux ondes traversent une même région de l'espace, elles continuent de se déplacer indépendamment l'une de l'autre. Vous avez sans doute remarqué, par exemple, que les vagues résultant du jet simultané, dans un étang, de deux cailloux à deux endroits différents se traversent mutuellement.

La figure 1.14 illustre ce principe de superposition: trois ondes, chacune d'une amplitude et d'une fréquence différentes, parcourent en même temps une corde tendue. En tout temps, par exemple à l'instant illustré, l'amplitude réelle en un point quelconque est égale à la somme algébrique des amplitudes de chacune des ondes en ce point. L'onde résultante n'est pas une onde sinusoïdale simple et s'appelle une *onde composite.* (Les amplitudes sont exagérées dans la figure 1.14.)

On peut démontrer que toute onde composite peut être considérée comme composée de plusieurs ondes sinusoïdales simples de différentes amplitudes, longueurs d'onde et fréquences. Cet énoncé est connu sous le nom de *théorème de Fourier.* On peut représenter une onde périodique composite de période T par une somme de termes sinusoïdaux purs dont les fréquences sont des multiples entiers de $f = 1/T$. Pour les ondes non périodiques, la somme devient une intégrale (appelée intégrale de Fourier).

† Le principe de superposition s'applique aussi dans le cas des ondes électromagnétiques que nous étudierons au chapitre 3.

‡ La distorsion par intermodulation dans les chaînes stéréophoniques haute fidélité constitue un exemple où le principe de superposition ne s'applique pas quand deux fréquences ne se combinent pas de façon linéaire dans les circuits électroniques.

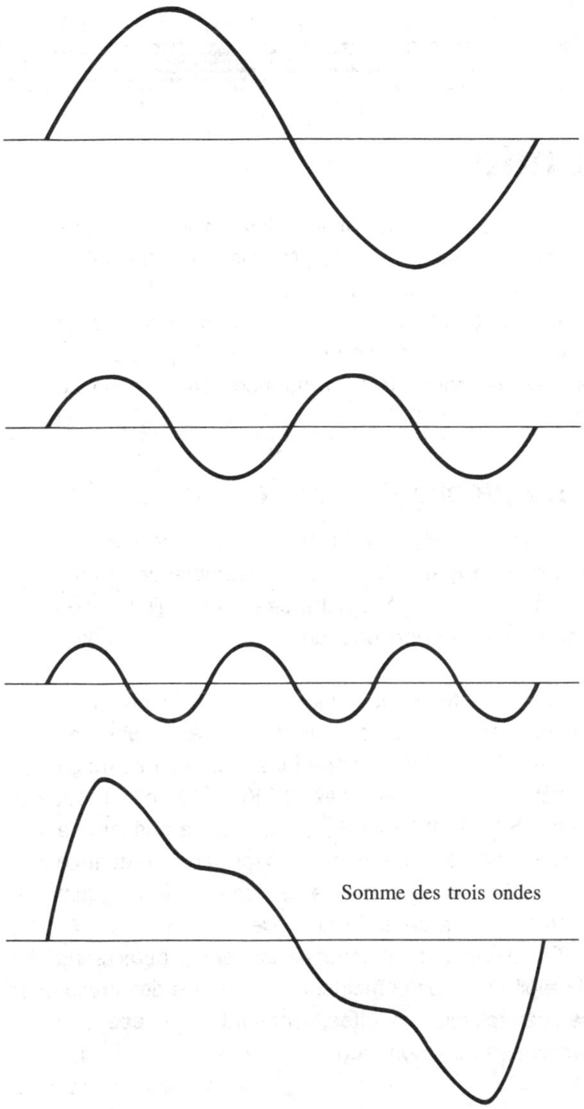

FIGURE 1.14 Le principe de superposition (onde à une dimension). Onde composite formée de trois ondes sinusoïdales de différentes amplitudes et fréquences (f_0, $2f_0$, $3f_0$). L'amplitude de l'onde composite en tout point de l'espace et en tout temps est la somme algébrique des amplitudes des ondes composantes. (Les amplitudes sont représentées de façon exagérée; pour que le principe de superposition s'applique, elles doivent être petites en comparaison des longueurs d'onde.)

Sans entrer dans les détails, nous pouvons voir maintenant l'importance de l'étude des ondes sinusoïdales (et du mouvement harmonique simple). En effet, on peut considérer toute autre forme d'onde comme la somme d'ondes sinusoïdales pures.

Dans certains milieux, la vitesse des ondes sinusoïdales dépend de la fréquence. Les ondes sinusoïdales élémentaires composant une onde composite voyagent alors à des vitesses légèrement différentes. Par conséquent, une onde composite change de forme en se propageant dans un milieu «dispersif». On appelle ce phénomène **dispersion**. Une onde sinusoïdale pure ne change toutefois pas de forme dans un tel milieu, sauf sous l'effet de forces de friction ou de forces dissipatives. Lorsqu'il n'y a pas de dispersion (ou de friction), même une onde linéique composite ne change pas de forme.

1.7 La réflexion des ondes

Une onde qui rencontre un obstacle ou qui arrive à la fin du milieu dans lequel elle se propage est au moins partiellement réfléchie. Sans doute avez-vous déjà observé comment les vagues sont réfléchies par un rocher dans l'eau ou les bords d'une piscine. De même, vous avez certainement déjà entendu la réflexion, ou l'«écho», d'un cri sur une falaise distante.

ENCADRÉ 1.1

De l'onde à l'équation d'onde

L'étude d'un phénomène ondulatoire se réalise généralement en trois temps. D'abord, on établit, à partir de principes de base de la physique (les lois de Newton en mécanique, les lois de Maxwell en électromagnétisme), une équation aux dérivées partielles régissant le phénomène qu'on appelle l'équation d'onde. Ensuite, on résout cette équation pour en trouver la solution, c'est-à-dire l'expression mathématique de l'onde elle-même. Finalement, on étudie les caractéristiques de l'onde obtenue, qui peut être stationnaire ou progressive.

Ainsi, pour une corde de masse linéique μ et de tension F, l'équation d'onde est:

$$\frac{\partial^2 D(x,t)}{\partial x^2} = \frac{\mu}{F}\frac{\partial^2 D(x,t)}{\partial t^2},$$

et l'onde est:

$$D(x,t),$$

où $D(x,t)$ représente le déplacement transversal (perpendiculaire à l'axe de la corde au repos) du point de la corde de position x, au temps t.

Si la corde est fixée à ses deux extrémités, la solution de l'équation d'onde montre que $D(x,t)$ a la forme générale (dans le cas d'un seul mode, fondamental ou harmonique):

$$D(x,t) = A\cos(\omega t + \theta)\cos(kx + \phi),$$

où A, θ et ϕ représentent des constantes dont les valeurs dépendent des conditions initiales et des positions respectives des extrémités de la corde, où k est le nombre d'onde angulaire et ω, la fréquence angulaire; les valeurs de k et de ω dépendent de la tension F et de la longueur de la corde.

Historiquement, cela s'est passé autrement. Une fois le concept d'onde imaginé, on s'est attardé à l'étude des caractéristiques d'ondes particulières. Il était difficile de faire autrement: la notion d'équation d'onde n'existait pas. Même pour ce qui avait trait aux caractéristiques de l'onde, tout était à inventer, comme les concepts de fréquence de l'onde, de vitesse de l'onde et de longueur d'onde. C'est seulement après qu'apparut l'équation d'onde.

L'onde sur une corde fixée à ses deux extrémités et l'onde sonore ont été les premières ondes étudiées. De plus, comme l'onde sur une corde produit une onde sonore, leurs histoires sont étroitement liées.

L'onde sur la corde limitée dans l'espace est dite stationnaire. L'onde sonore, produite dans un milieu ouvert, est dite progressive.

L'onde stationnaire a deux caractéristiques: la longueur et la fréquence de l'onde. L'onde progressive en a trois: la longueur, la fréquence et la vitesse de l'onde.

La fréquence de l'onde stationnaire

Aux VIe et Ve siècles avant Jésus-Christ, ce sont les pythagoriciens qui, selon toute vraisemblance, établirent qu'il y a consonance entre des sons émis par des cordes dont le rapport des longueurs est une fraction simple.

Ce n'est toutefois qu'au XVIIe siècle qu'on se rendit compte que la hauteur du son émis par une corde est directement déterminée par sa fréquence d'oscillation. René Descartes (1596–1650) et surtout Galilée (1564–1642) furent les premiers à associer la hauteur du son à la fréquence d'oscillation (fréquence avec laquelle l'air vient frapper le tympan). Ils relièrent cette fréquence à celle de la corde.

On expliquait la consonance entre deux sons par la répétition des coïncidences à l'oreille des impulsions respectives produites, l'intervalle de répétition déterminant la consonance.

Le mode fondamental de l'onde stationnaire sur une corde

Sachant que la hauteur du son produit par une corde est égale à la fréquence d'oscillation de cette corde, on voulut trouver le lien entre cette fréquence et les caractéristiques de la corde.

Marin Mersenne (1588–1648) découvrit la relation de proportionnalité entre la longueur de la corde, sa tension, sa section et sa fréquence d'oscillation. Il ne put cependant prouver théoriquement cette loi.

Vers 1673, Christiaan Huygens (1629–1695), faisant l'approximation que la masse de la corde est concentrée en son milieu, trouva la bonne expression, sauf pour la valeur de la constante de proportionnalité. En 1713, Joseph Sauveur (1653–1716), faisant l'approximation que la forme de la corde oscillante est parabolique, trouva un résultat où la valeur de la constante est presque exacte. La même année, Brook Taylor (1685–1731), l'auteur des séries de Taylor en mathématiques, obtint le résultat exact.

Les nœuds, les ventres et les harmoniques

À la fin du XVIIe siècle, on réalisa qu'une corde peut osciller suivant d'autres modes, les harmoniques, et qu'à la présence de ces harmoniques est liée l'existence de points stationnaires, les nœuds.

En 1677, John Wallis (1616–1703) décrivit le phénomène des nœuds, dont l'existence fut probablement découverte par des musiciens d'Oxford en 1674.

En France, Joseph Sauveur, de son côté, découvrit la relation entre les harmoniques et les nœuds; qui plus est, il explicita l'importance des harmoniques présents dans tous les sons musicaux. C'est lui qui inventa les termes *acoustique*, *harmonique*, *nœud* et *ventre*.

La superposition des ondes

À cette époque, on constatait déjà qu'un son est généralement composé de plusieurs harmoniques, ce qui suppose, pour la corde émettrice, l'existence simultanée de plusieurs modes harmoniques en plus du mode fondamental. On pouvait facilement visualiser l'onde quand la corde oscille suivant son mode fondamental, mais plus difficilement quand elle oscille suivant un de ses harmoniques. L'idée selon laquelle tout puisse se réaliser en même temps dépassait tout entendement.

De 1747 à 1748, Daniel Bernouilli (1700–1782) étudia les raisons de cette présence simultanée de plusieurs harmoniques, en montra la possibilité théorique et énonça son principe de la coexistence des petites oscillations, qui devint, dans le cadre des ondes en général, le principe de superposition des ondes.

L'onde sonore

Concurremment à l'étude des ondes stationnaires sur une corde, on portait attention à une onde progressive, l'onde sonore. Avant Isaac Newton (1643–1727), le seul aspect quantitatif de la théorie sur l'onde sonore se résumait à l'idée suivante: l'onde sonore est une série d'impulsions parvenant à l'oreille à une fréquence plus ou moins grande.

D'emblée, Newton attaqua le problème en l'exprimant en fonction des longueurs d'onde. D'ailleurs, dans son étude sur l'onde sonore, tous les éléments propres à une onde progressive étaient présents: la fréquence, la longueur et la vitesse de l'onde.

Il élabora un modèle de la propagation de l'onde dans l'air, à partir duquel il obtint une expression pour la vitesse de propagation du son.

L'équation d'onde et le principe de superposition des ondes

En 1747, Jean Le Rond d'Alembert (1717–1783) étudiait les ondes sur une corde fixée aux extrémités et obtenait l'équation d'onde:

$$\frac{\partial^2 D(x,t)}{\partial x^2} = \frac{1}{v^2}\frac{\partial^2 D(x,t)}{\partial t^2},$$

où D représente l'onde, v, la vitesse de l'onde, x, la position et t, le temps. On qualifie souvent cette équation d'onde de classique.

De plus, il obtint la solution générale de cette équation et montra qu'une onde stationnaire provient de la superposition d'ondes progressives voyageant dans les deux directions.

Aborder un problème d'onde stationnaire à partir d'ondes progressives n'est pas la seule façon de le résoudre. Joseph-Louis Lagrange (1736–1813), Leonhard Euler (1707–1783) et Lord Rayleigh (1842–1919) sont à l'origine d'un autre courant de pensée où la solution de l'équation d'onde est directement exprimée sous forme d'ondes stationnaires.

Vers 1753, Euler démontrait enfin la validité du principe de superposition des ondes en prouvant qu'il découle directement de la linéarité de l'équation d'onde. De ce fait, la somme de deux solutions de l'équation d'onde est aussi une solution.

Il ne faut pas croire que l'équation d'onde abordée ici, l'équation d'onde classique, soit la seule. Ainsi, pour le cas d'une tige mince et solide, l'équation d'onde régissant les ondes de flexion présente une

ENCADRÉ 1.1 (suite)

dérivée partielle du quatrième ordre par rapport à l'espace, plutôt que du deuxième ordre comme dans l'équation d'onde classique.

L'étude du phénomène ondulatoire aura pris moins d'un siècle à se concrétiser. Du milieu du XVIIe siècle au milieu du XVIIIe siècle, on est passé d'une onde qualitative à une onde mathématisée et prédite par une équation, l'équation d'onde, elle-même construite à partir de principes physiques fondamentaux.

P.-É. O.

Références

Sigalia DOSTROVSKY (1975). «Early Vibration Theory: Physics and Music in the Seventeenth Century», *Archive for History of Exact Sciences, 14*, 169–218.

R. B. LINDSAY (1966). «The Story of Acoustics», *Journal of the Acoustical Society of America, 39*, 629–644.

La figure 1.15 illustre la réflexion d'une impulsion ondulatoire se propageant sur une corde. Vous pouvez observer que, lorsque l'extrémité de la corde est fixe, l'impulsion réfléchie est inversée (figure 1.15a), alors qu'elle ne l'est pas lorsque l'extrémité de la corde est libre (figure 1.15b). Lorsqu'une impulsion atteint l'extrémité de la corde fixée à un support (figure 1.15a), elle exerce sur celui-ci une force (vers le haut). Le support exerce une force égale mais opposée (troisième loi de Newton), vers le bas, sur la corde. Cette dernière force «engendre» l'impulsion réfléchie inverse. On dit que l'inversion de l'impulsion réfléchie, illustrée en a), est un changement de phase de 180°. (Tout se passe en effet comme si la phase changeait de $\frac{1}{2}\lambda$ ou de 180° et que la crête devenait un creux.) Lorsqu'une onde se propage sur une corde dont une extrémité est fixe, l'onde réfléchie est donc déphasée de 180° par rapport à l'onde incidente. Le bout libre de la figure 1.15b ne subit aucune contrainte, ni d'un support, ni d'une longueur additionnelle de corde. Ce bout tend donc à dépasser l'amplitude normale de

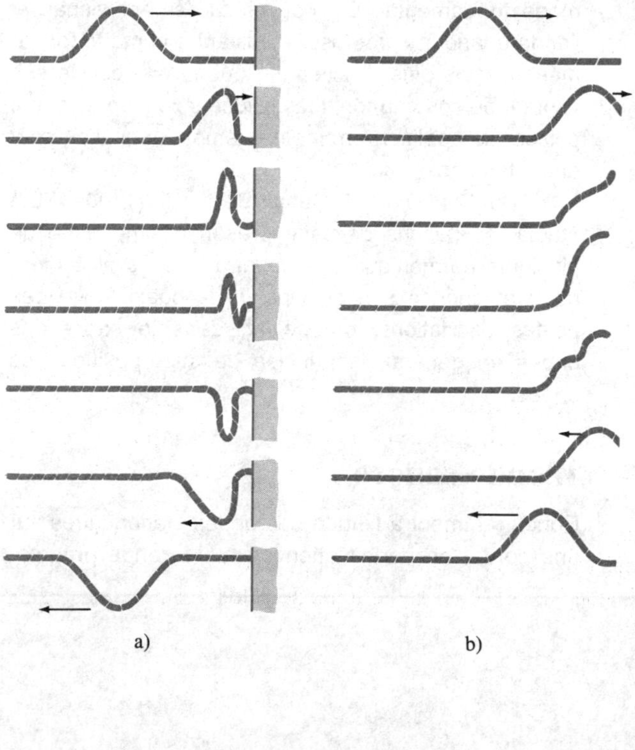

FIGURE 1.15 Réflexion d'une impulsion ondulatoire sur une corde dont une extrémité est a) fixe et b) libre.

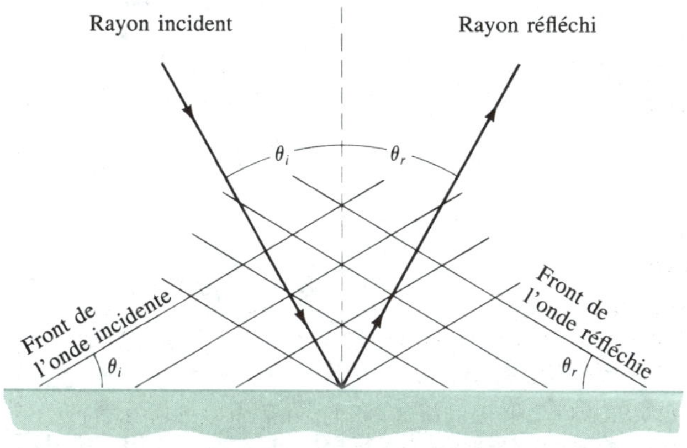

FIGURE 1.16 Loi de la réflexion.

l'onde, le déplacement étant momentanément plus grand que celui de l'impulsion se propageant sur la corde avant d'atteindre le bout. Le bout dont le déplacement est ainsi plus accentué tire la corde vers le haut, ce qui engendre l'impulsion réfléchie non inversée (la phase ne changeant pas).

Dans le cas des ondes à deux ou trois dimensions, telles les vagues sur l'eau, il importe de considérer le **front d'onde**, c'est-à-dire toute la largeur de la crête de l'onde, ou encore la ligne ou la surface de tous les points ayant la même phase totale. Une ligne tracée dans la direction du mouvement, perpendiculaire au front d'onde, s'appelle un *rayon*. Comme le montre la figure 1.16, l'angle de l'onde *incidente* avec la surface réfléchissante est égale à l'angle de l'onde réfléchie avec la même surface. Autrement dit, *l'angle de réflexion est égal à l'angle d'incidence.* On définit «l'angle d'incidence» comme l'angle entre le rayon incident et la normale à la surface réfléchissante (ou du front d'onde avec une tangente à la surface), «l'angle de réflexion» étant l'angle correspondant pour l'onde réfléchie.

Lorsque l'impulsion ondulatoire de la figure 1.15a atteint le mur, toute l'énergie n'est pas réfléchie. Une partie de celle-ci est absorbée par le mur. Une partie de l'énergie absorbée est transformée en énergie thermique et une autre partie continue à se propager dans le mur. On peut illustrer cela clairement si on considère une impulsion se propageant sur une corde dont une section est légère et une autre, lourde (figure 1.17). Lorsque l'onde atteint la frontière entre les deux sections, une partie de l'impulsion est réfléchie, et une autre est transmise à la partie lourde. Plus la deuxième section est lourde, plus la partie transmise est petite, et si la deuxième section consiste en un mur ou un support rigide, seule une très faible fraction de l'onde est transmise. Si la masse linéique de la deuxième section est plus grande que celle de la première, l'impulsion réfléchie est déphasée de 180°. Si cette masse linéique est au contraire plus petite, l'impulsion réfléchie n'est pas déphasée.

1.8 La réfraction

Quand une onde quelconque rencontre une frontière entre deux milieux, une partie de son énergie est réfléchie et une autre est transmise ou absorbée. Quand une onde à deux ou trois dimensions se propageant dans un milieu traverse la frontière avec un autre milieu dans lequel sa vitesse est différente, l'onde transmise peut se propager dans une direction différente de celle de l'onde incidente (figure 1.18). Ce phénomène s'appelle **réfraction**. Les vagues dont la vitesse diminue en eau basse, ce qui a pour effet de les réfracter, en constituent un exemple (figure 1.19). Dans la figure 1.18, la vitesse de l'onde dans le milieu 2 est plus petite que dans le milieu 1. La direction de l'onde change alors de façon à être plus près d'une normale à la frontière. Autrement dit, l'angle de réfraction θ_r est plus petit que l'angle d'incidence θ_i. Pour comprendre ceci et pour nous aider à établir une relation quantitative entre θ_r et θ_i, comparons chaque front d'onde à une ligne de soldats. Des soldats marchent d'abord sur un terrain

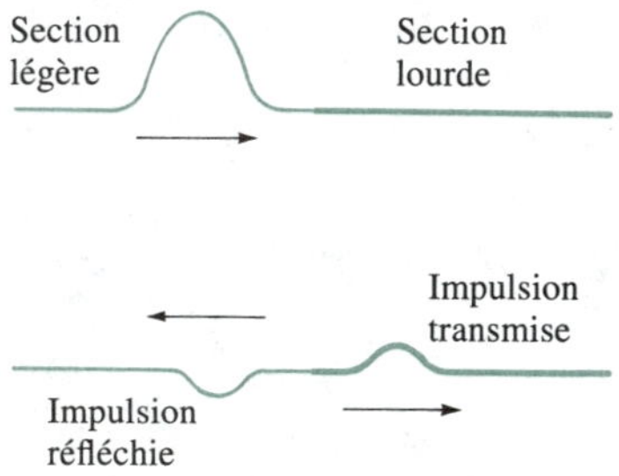

FIGURE 1.17 Quand une impulsion ondulatoire rencontre une discontinuité, une partie est réfléchie et une autre est transmise.

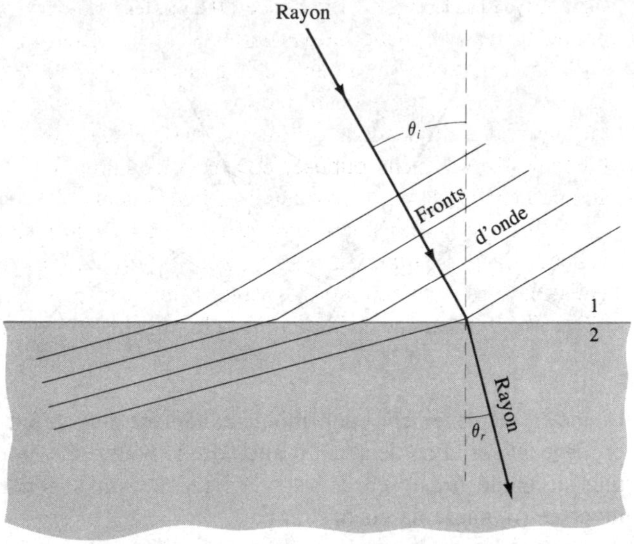

FIGURE 1.18 Réfraction d'ondes traversant une frontière entre deux milieux.

FIGURE 1.19 Les vagues venant du coin inférieur gauche se réfractent en s'approchant de la plage. (Gracieuseté de la U.S. Air Force, Cambridge Research Laboratories.)

ferme (milieu 1) et ensuite dans la boue (milieu 2); leur allure est par conséquent ralentie. Les soldats qui doivent avancer dans la boue en premier sont ralentis en premier, ce qui a pour effet d'infléchir leur ligne (figure 1.20a). Considérons le front d'onde (ou la ligne de soldats) désigné par la lettre A à la figure 1.20b. Dans le même temps t que A_1 prend pour franchir la distance $l_1 = v_1t$, nous voyons que A_2 franchit la distance $l_2 = v_2t$. Les deux triangles illustrés ont le côté commun a. Par conséquent,

$$\sin \theta_1 = \frac{l_1}{a} = \frac{v_1 t}{a},$$

et

$$\sin \theta_2 = \frac{l_2}{a} = \frac{v_2 t}{a}.$$

En divisant la deuxième équation par la première, nous obtenons:

$$\frac{\sin \theta_2}{\sin \theta_1} = \frac{v_2}{v_1}. \tag{1.17}$$

FIGURE 1.20 Analogie des soldats a) pour démontrer la loi de la réfraction des ondes b).

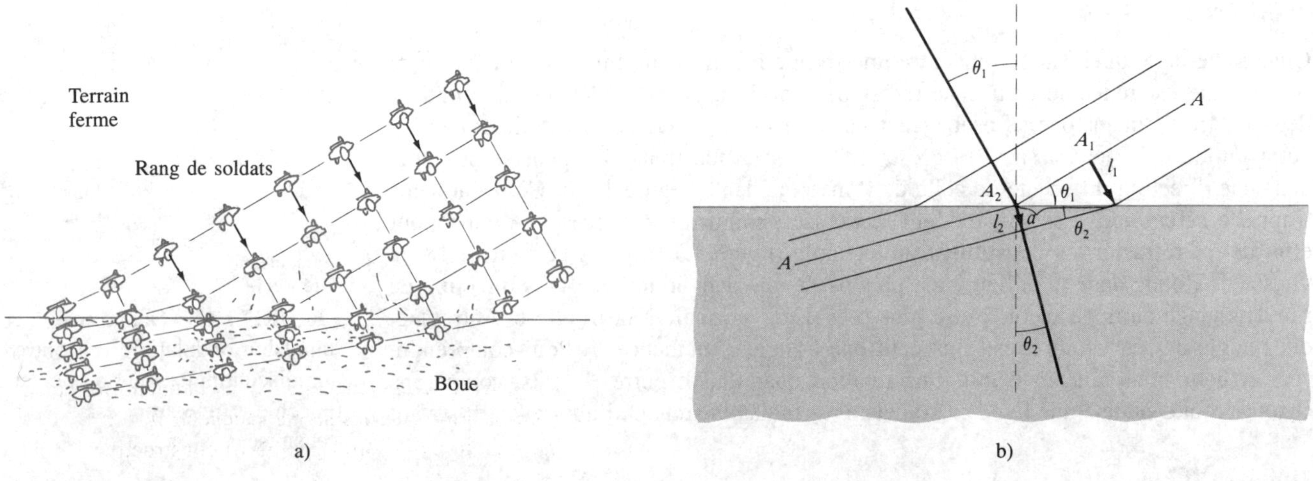

Comme θ_1 est l'angle d'incidence (θ_i) et θ_2, l'angle de réfraction (θ_r), l'équation 1.17 donne la relation quantitative entre les deux. Bien entendu, si l'onde allait dans la direction opposée, l'argument ne changerait pas, mais θ_1 et θ_2 échangeraient leurs rôles: θ_1 serait alors l'angle de réfraction et θ_2, l'angle d'incidence. Il devient donc clair qu'une onde entrant dans un milieu où sa vitesse de propagation est plus grande est infléchie dans le sens opposé, $\theta_r > \theta_i$. L'équation 1.17 montre que lorsque la vitesse augmente, l'angle augmente aussi et inversement.

Les ondes sismiques sont réfractées à l'intérieur de la Terre en passant d'une couche rocheuse à une autre de densité différente (ce qui modifie par conséquent leur vitesse), exactement comme les vagues sur l'eau. Les ondes lumineuses sont également réfractées. Lorsque nous étudierons la lumière, nous trouverons l'équation 1.17 très utile.

EXEMPLE 1.6 La vitesse de propagation d'une onde sismique *P* traversant la frontière entre deux couches rocheuses augmente de 6,5 km/s à 8,0 km/s. Si l'angle d'incidence de l'onde avec la frontière est de 30°, de combien est l'angle de réfraction?

SOLUTION Comme sin 30° = 0,50, l'équation 1.17 donne:

$$\sin\theta_2 = \left(\frac{8{,}0\ \text{m/s}}{6{,}5\ \text{m/s}}\right)(0{,}50) = 0{,}62,$$

et donc $\theta_2 = 38°$.

1.9 L'interférence

Quand deux ondes traversent, en même temps, une même région de l'espace, on dit qu'il y a interférence entre les deux ondes. C'est un exemple du principe de superposition. Considérons par exemple les deux impulsions ondulatoires qui se propagent l'une vers l'autre sur la corde illustrée à la figure 1.21. Dans l'illustration a), les deux impulsions ont la même amplitude, mais l'une est une crête tandis que l'autre est un creux; dans l'illustration b), elles sont toutes les deux des crêtes. Dans les deux cas, les ondes se rencontrent et se traversent mutuellement. Pendant qu'elles se rencontrent, le déplacement résultant est la somme algébrique de leurs déplacements respectifs, conformément au principe de superposition. La figure 1.21a illustre le cas où les amplitudes des deux ondes sont opposées, ce qui produit une **interférence destructive**. Dans la figure 1.21b, le déplacement résultant est plus grand que celui de l'une ou l'autre des impulsions, ce qui constitue une **interférence constructive**.

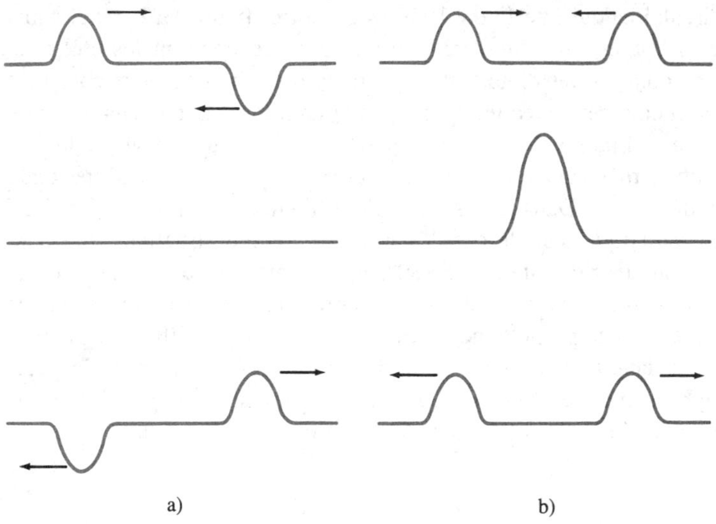

FIGURE 1.21 Deux impulsions ondulatoires se croisent. Lorsqu'elles se chevauchent, il y a interférence: a) destructive ou b) constructive.

a)

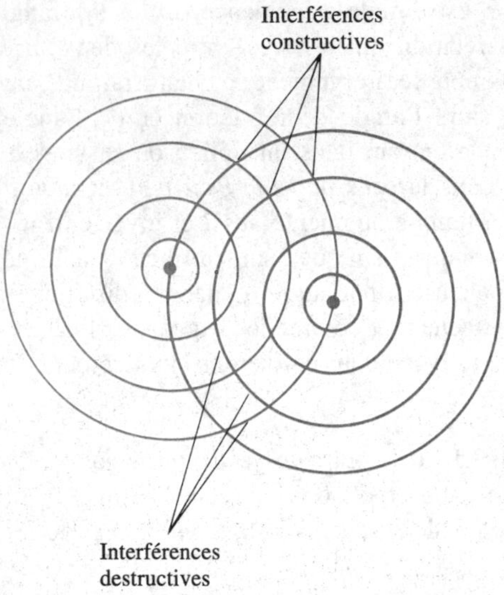

b)

FIGURE 1.22 Interférence de vagues sur l'eau.

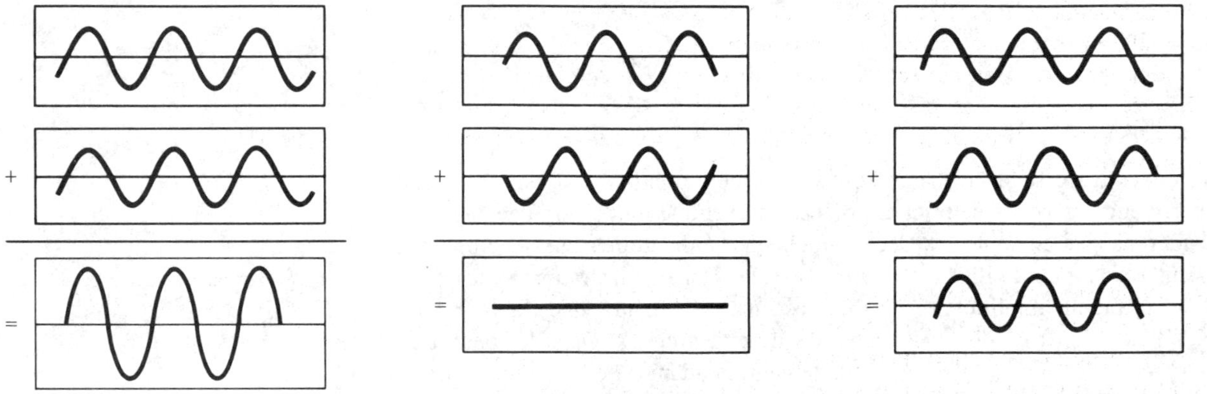

a) b) c)

FIGURE 1.23 Deux ondes interfèrent a) de façon constructive, b) de façon destructive et c) de façon partiellement destructive.

Le jet simultané de deux cailloux dans un étang provoque la formation de deux ensembles d'ondes circulaires qui interfèrent l'un avec l'autre (figure 1.22). À certains endroits où les ondes se superposent, les crêtes d'une onde rencontrent les crêtes de l'autre (ou les creux rencontrent les creux). Il s'agit donc d'une interférence constructive, et l'eau oscille verticalement avec une plus grande amplitude que si chaque onde oscillait séparément. Dans d'autres régions, une interférence destructive se produit de sorte que l'eau ne bouge même pas: ce sont les endroits où les crêtes d'une onde rencontrent les creux de l'autre. Dans le cas d'une interférence constructive, les deux ondes sont *en phase*, tandis que dans le cas d'une interférence destructive, elles sont *déphasées* d'une demi-longueur d'onde ou de 180°. Évidemment, la phase relative des deux ondes dans la plupart des endroits est intermédiaire entre ces deux extrêmes, ce qui a pour effet une interférence partiellement destructive. Ces trois différents cas sont illustrés à la figure 1.23 dans laquelle les amplitudes, en un point donné de l'espace, sont représentées graphiquement en fonction du temps. Nous traiterons plus à fond de l'interférence lorsque nous étudierons le son et la lumière.

FIGURE 1.24 Diffraction d'onde. Les vagues viennent du coin supérieur droit. Voyez comment elles s'infléchissent autour du cap et se progagent derrière celui-ci. Voyez aussi qu'elles s'infléchissent autour du rocher solitaire, des deux côtés, et se reforment derrière, à la manière illustrée à la figure 1.25b. (On peut considérer que le cap et le rocher solitaire forment une «fente» à travers laquelle les ondes passent puis s'étalent dans toutes les directions: comparez avec la figure 5.2c pour la lumière.) (D. Giancoli)

1.10 La diffraction

Les ondes présentent une autre caractéristique importante connue sous le nom de **diffraction**. Nous n'étudierons présentement celle-ci que sous son aspect qualitatif (nous décrirons ce phénomène mathématiquement lorsque nous traiterons de la lumière). La diffraction, illustrée à la figure 1.24 pour des vagues, se rapporte au fait que les ondes s'étendent en voyageant et que lorsqu'elles rencontrent un obstacle, elles fléchissent légèrement autour de celui-ci et passent dans la région derrière l'obstacle.

L'importance de la diffraction dépend de la longueur d'onde et de la taille de l'obstacle (figure 1.25). Si la longueur d'onde est beaucoup plus grande que l'objet, comme dans le cas des brindilles de gazon de la figure 1.25a, l'onde fléchit autour de l'objet presque comme s'il était absent. Dans le cas d'objets plus gros (figure 1.25a et b), il se produit comme une région d'«ombre» derrière l'obstacle. Remarquez que, dans le diagramme d, où l'obstacle est le même qu'en c mais où la longueur d'onde est plus grande, il y a davantage de réfraction dans la région d'ombre. De façon générale, ce n'est que lorsque la longueur d'onde est plus petite que l'objet qu'il se produit une région d'ombre importante.

Il est intéressant de noter que cette dernière observation vaut aussi pour la *réflexion* de l'onde sur l'obstacle. Une très petite partie de l'onde est réfléchie dans les figures 1.25a et b. Ce n'est que lorsque la longueur d'onde est plus petite que l'obstacle (figure 1.25c) qu'il y a une réflexion importante (mais elle n'est pas représentée sur le diagramme).

La façon dont les ondes transportent l'énergie derrière les obstacles en s'infléchissant autour de ceux-ci contraste avec la façon dont les particules matérielles transportent de l'énergie. En voici un bon exemple: si vous êtes caché derrière un mur, vous ne pouvez pas être frappé par une balle lancée à partir de l'autre côté du mur, mais

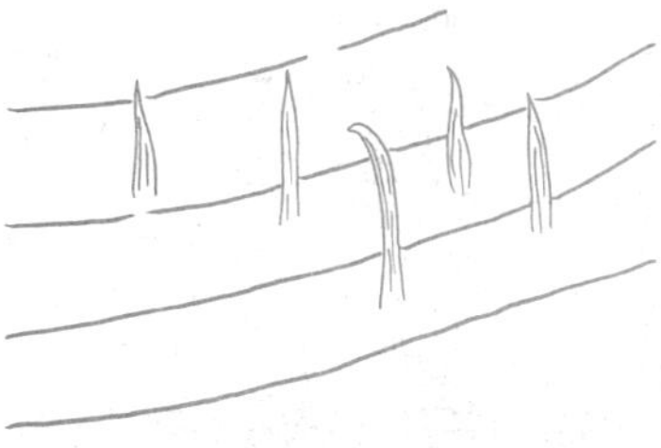

a) Vagues rencontrant des brindilles de gazon.

b) Branche dans l'eau.

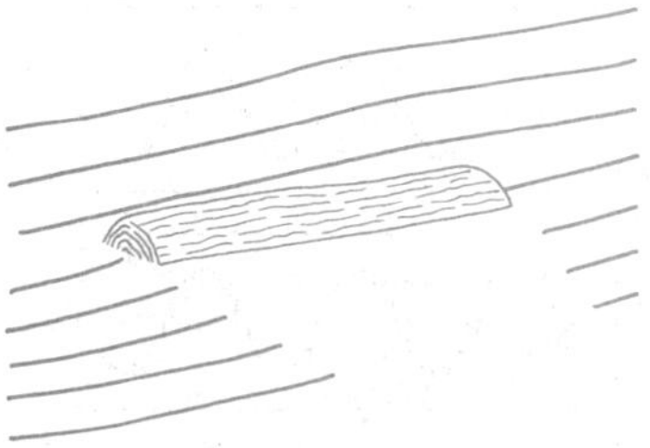

c) Vagues de courte longueur d'onde rencontrant une bûche.

d) Vagues de grande longueur d'onde rencontrant une bûche.

FIGURE 1.25 Vagues rencontrant des objets de dimensions différentes. Remarquez que plus la longueur d'onde est grande, comparativement à la grosseur de l'objet, plus il y a de diffraction dans la région d'«ombre».

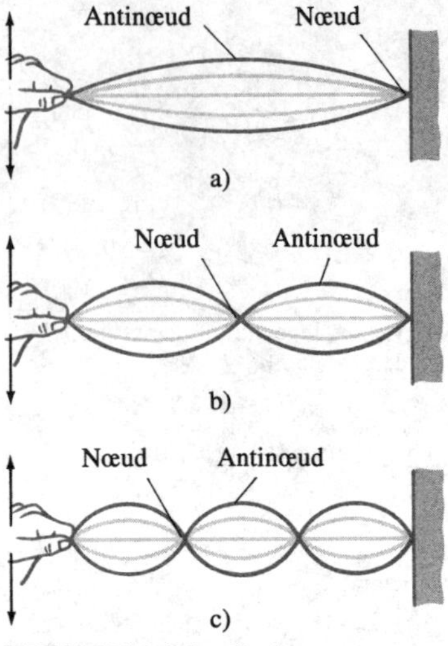

FIGURE 1.26 Ondes stationnaires correspondant à trois fréquences de résonance.

vous pouvez entendre un cri ou un son venant de cette direction à cause de la diffraction des ondes sonores sur les bords du mur.

L'interférence et la diffraction ne se produisent donc que dans le cas d'énergie véhiculée par des ondes et non par des particules matérielles. Cette distinction fut très importante pour comprendre la nature de la lumière ainsi que de la matière elle-même, comme nous allons le voir dans des chapitres ultérieurs.

1.11 Les ondes stationnaires et la résonance

Si vous agitez l'extrémité d'une corde (ou d'un ressort) dont l'autre extrémité est attachée à un support, une onde continue se propage jusqu'à l'extrémité fixe puis est réfléchie. Si vous continuez à agiter la corde, des ondes se propagent dans les deux directions, et l'onde se propageant vers la droite interférera avec celle se propageant vers la gauche. D'ordinaire, cela crée tout un méli-mélo. Si toutefois vous faites vibrer la corde juste à la bonne fréquence, les deux ondes interfèrent de façon à créer une **onde stationnaire** de grande amplitude (figure 1.26). Le terme «onde stationnaire» indique que l'onde résultante paraît immobile. Les points d'interférence destructive, appelés **nœuds,** et ceux d'interférence constructive, appelés **antinœuds** ou **ventres**, demeurent à des positions fixes. Les ondes stationnaires se produisent à plus d'une fréquence. La fréquence la plus basse produisant une onde stationnaire donne lieu au schéma illustré à la figure 1.26a. Les ondes stationnaires illustrées aux figures 1.26b et c sont produites à des fréquences exactement deux et trois fois plus élevées que la fréquence la plus basse, en supposant que la tension dans la corde est la même. La corde peut également vibrer avec quatre ventres à quatre fois la fréquence la plus basse, et ainsi de suite.

Les fréquences auxquelles des ondes stationnaires se produisent sont appelées les **fréquences naturelles** ou **de résonance** de la corde; les différents schémas d'onde stationnaire de la figure 1.26 correspondent à différents «modes résonants de vibration». En effet, quoique les ondes stationnaires résultent de l'interférence de deux ondes qui se propagent dans des directions opposées, elles constituent aussi un exemple d'objet vibrant en résonance. Lorsqu'une onde stationnaire se produit sur une corde,

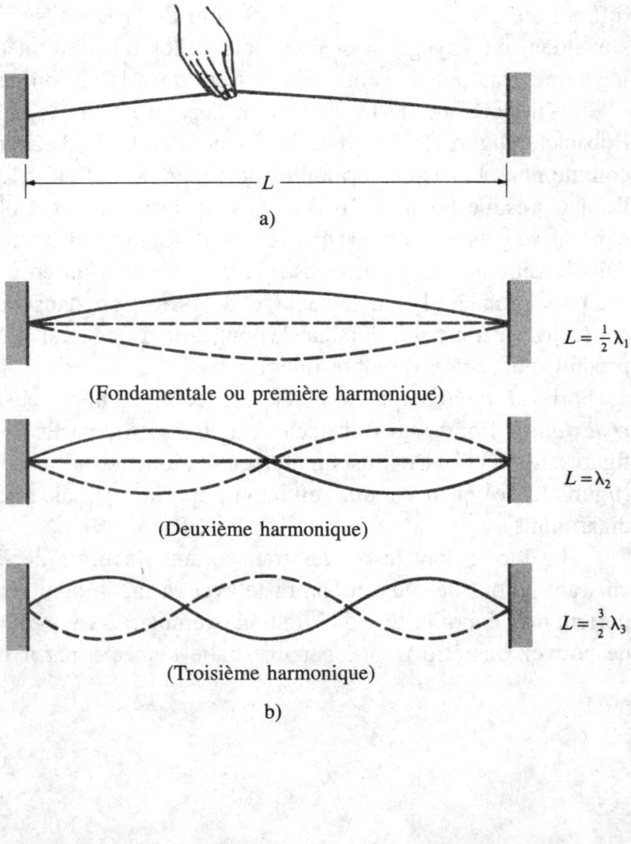

FIGURE 1.27 a) On pince une corde. b) Seules les ondes stationnaires, correspondant à des fréquences de résonance, persistent longtemps.

celle-ci vibre sans déplacement latéral de l'onde. Aux fréquences auxquelles la résonance se produit, peu d'effort est nécessaire pour atteindre une grande amplitude. Les ondes stationnaires représentent donc le même phénomène que la résonance d'un ressort ou d'un pendule oscillant dont nous avons traité au chapitre 15 du tome 1. La seule différence est qu'un ressort ou un pendule ne possède qu'une seule fréquence de résonance, tandis que la corde a plusieurs fréquences de résonance dont chacune est un multiple entier de la fréquence de résonance la plus basse.

Pinçons une corde tendue entre deux supports, telle une corde de guitare ou de violon (figure 1.27a): des ondes d'une grande variété de fréquences[†] se propagent alors sur la corde, dans les deux directions, jusqu'aux extrémités, où elles sont réfléchies dans la direction opposée. La plupart de ces ondes interfèrent de façon aléatoire les unes avec les autres et disparaissent rapidement. Cependant, les ondes correspondant aux fréquences naturelles (de résonance) de la corde persistent. Les extrémités de la corde, qui sont fixes, sont donc appelées des nœuds. D'autres nœuds peuvent également se produire. Quelques-uns des modes résonants de vibration (ondes stationnaires) sont illustrés à la figure 1.27b. Dans tous les cas, le mouvement est une combinaison de ces différents modes résonants, mais seules les fréquences correspondant à une fréquence de résonance persistent.

Pour déterminer les fréquences de résonance, notons d'abord qu'il existe une relation simple entre les longueurs d'onde des ondes stationnaires et la longueur L de la corde. La fréquence la plus basse, appelée **fréquence fondamentale**, correspond à un seul antinœud (ou ventre). Comme nous pouvons le voir à la figure 1.27b, la longueur entière de la corde correspond à une demi-longueur d'onde. Donc, $L = \frac{1}{2}\lambda_1$, où λ_1 représente la longueur d'onde fondamentale. Les autres fréquences naturelles, quand elles sont des multiples entiers de la fréquence fondamentale (comme dans le cas d'une corde), s'appellent les **harmoniques**[‡], la fréquence fondamentale étant désignée par l'expression **première harmonique**. Après la fréquence fondamentale, le mode suivant a deux ventres et est appelé la **deuxième harmonique**; la longueur d'onde de la corde L correspond à une longueur d'onde complète: $L = \lambda_2$. Pour les troisième et quatrième harmoniques, $L = \frac{3}{2}\lambda_3$ et $L = 2\lambda_4$, respectivement, et ainsi de suite. De façon générale, on peut écrire:

$$L = \frac{n\lambda_n}{2}, \qquad \text{où} \quad n = 1, 2, 3, \ldots$$

L'entier n correspond au numéro d'ordre de l'harmonique: $n = 1$ pour la fréquence fondamentale, $n = 2$ pour la deuxième harmonique, $n = 3$ pour la troisième, et ainsi de suite. En isolant λ_n, nous obtenons:

$$\lambda_n = \frac{2L}{n}, \qquad n = 1, 2, 3, \ldots \tag{1.18}$$

Afin de trouver la fréquence f de chaque harmonique, nous utilisons l'équation 1.1, $f = v/\lambda$.

Comme une onde stationnaire équivaut à deux ondes progressives se propageant dans des directions opposées, le concept de vitesse ondulatoire est encore pertinent. Celle-ci est donnée par l'équation 1.2 en fonction de la tension F_T dans la corde et de sa masse linéique μ: $v = \sqrt{F_T/\mu}$.

EXEMPLE 1.7 La longueur et la masse d'une corde de piano sont respectivement de 1,10 m et de 9,00 g. *a*) Quelle doit être la tension dans la corde si celle-ci doit vibrer à une fréquence fondamentale de 131 Hz? *b*) Quelles sont les fréquences des quatres premières harmoniques?

[†] L'analyse de Fourier (section 1.6) nous apprend que l'impulsion de forme triangulaire de la figure 1.27a peut s'exprimer comme la somme de plusieurs ondes sinusoïdales de différentes fréquences.
[‡] «Harmonique» est un terme de musique; les multiples entiers de fréquences sont en effet «harmonieux».

SOLUTION *a)* La longueur d'onde fondamentale est $\lambda = 2L = 2{,}20$ m (équation 1.18). La vitesse est donc $v = \lambda f = (2{,}20\ \text{m})(131\ \text{s}^{-1}) = 288$ m/s. Nous obtenons donc à partir de l'équation 1.2:

$$F_T = \mu v^2$$
$$= \left(\frac{9{,}00 \times 10^{-3}\ \text{kg}}{1{,}10\ \text{m}}\right)(288\ \text{m/s})^2 = 679\ \text{N}.$$

b) Les fréquences des deuxième, troisième et quatrième harmoniques égalent respectivement deux, trois et quatre fois la fréquence fondamentale, soit 262, 393 et 524 Hz.

Dans la section 1.4, nous avons montré comment l'équation du déplacement D d'une onde linéique progressive pouvait s'écrire comme une fonction de x et de t. Nous pouvons faire la même chose pour une onde stationnaire sur une corde. Nous avons déjà dit qu'on peut considérer une onde stationnaire comme deux ondes progressives se propageant dans des directions opposées. On peut exprimer cela de la manière suivante (voir les équations 1.10c et 1.13c):

$$D_1 = D_M \sin(kx - \omega t)$$
$$D_2 = D_M \sin(kx + \omega t)$$

puisque, en supposant qu'il n'y a pas d'amortissement, les amplitudes sont égales de même que les fréquences et les longueurs d'onde. La somme de ces deux ondes progressives produit une onde stationnaire qu'on peut exprimer mathématiquement par:

$$D = D_1 + D_2 = D_M[\sin(kx - \omega t) + \sin(kx + \omega t)].$$

En utilisant l'identité trigonométrique $\sin\theta_1 + \sin\theta_2 = 2\sin\frac{1}{2}(\theta_1 + \theta_2)\cos\frac{1}{2}(\theta_2 - \theta_1)$, nous obtenons:

$$D = 2D_M \sin kx \cos \omega t. \tag{1.19}$$

Si nous posons $x = 0$ à l'extrémité gauche de la corde, alors l'extrémité droite est $x = L$, où L est la longueur de la corde. Comme la corde est fixe aux deux bouts (figure 1.27), D doit être égal à zéro en $x = 0$ et en $x = L$. L'équation 1.19 vérifie la première condition ($D = 0$ à $x = 0$); elle vérifie aussi la seconde si:

$$kL = \pi, 2\pi, 3\pi, ..., n\pi, ...$$

pour n entier ou, comme $k = 2\pi/\lambda$,

$$\lambda = \frac{2L}{n},\ (n = \text{un entier}),$$

ce qui correspond exactement à l'équation 1.18.

Quand $\lambda = 2L/n$, l'équation 1.19 est la représentation mathématique d'une onde stationnaire. Nous voyons qu'une particule, en tout point x, vibre selon un mouvement harmonique simple (à cause du facteur $\cos \omega t$). Toutes les particules de la corde vibrent à la même fréquence $f = \omega/2\pi$, mais l'amplitude dépend de x et égale $2D_M \sin kx$. (Comparez ceci à une onde progressive pour laquelle toutes les particules vibrent à la même amplitude.) L'amplitude maximale, $2D_M$, se produit lorsque $kx = \pi/2$, $3\pi/2$, $5\pi/2$ et ainsi de suite, c'est-à-dire quand

$$x = \frac{\lambda}{4}, \frac{3\lambda}{4}, \frac{5\lambda}{4}, ...$$

Ces points correspondent évidemment aux positions des antinœuds (figure 1.27).

Une onde stationnaire semble effectivement immobile (et une onde progressive semble effectivement se déplacer). Le terme onde «stationnaire» est également significatif du point de vue de l'énergie. Comme la corde est au repos aux nœuds, aucune énergie ne passe par ces points. L'énergie demeure «stationnaire» dans la corde et n'est pas transmise le long de celle-ci.

On peut produire des ondes stationnaires non seulement sur des cordes mais aussi sur tout objet qu'on fait vibrer. Même dans une pierre ou un morceau de bois, on peut produire des ondes stationnaires qui correspondent aux fréquences de résonance naturelles de l'objet. En général, la fréquence de résonance dépend des dimensions de l'objet, tout comme elle dépend, dans le cas d'une corde, de la longueur de celle-ci. Par exemple, un petit objet n'a pas de fréquences de résonance aussi basses qu'un gros objet. La production de sons à l'aide d'instruments de musique, qu'il s'agisse d'instruments à corde ou à vent (dans lesquels une colonne d'air vibre à la manière d'une onde stationnaire), de tambours ou d'autres instruments de percussion, tient à la génération des ondes stationnaires. Nous étudierons cela plus à fond au chapitre suivant.

EXEMPLE 1.8 Deux ondes se propageant dans des directions opposées sur une corde fixée en $x = 0$ peuvent être représentées par les fonctions suivantes:

$$D_1 = (0{,}20\text{ m})\sin(2{,}0x - 4{,}0t)$$

$$D_2 = (0{,}20\text{ m})\sin(2{,}0x + 4{,}0t).$$

Elles produisent une onde stationnaire (x est exprimé en mètres et t, en secondes). *a*) Écrivez l'expression de l'onde stationnaire. *b*) Quelle est l'amplitude maximale en $x = 0{,}45$ m? *c*) En quel point est fixée l'autre extrémité ($x > 0$)? *d*) Quelle est l'amplitude maximale et où se produit-elle?

SOLUTION *a*) Les deux ondes ont la forme $D = D_M \sin(kx \pm \omega t)$, par conséquent:

$$k = 2{,}0\text{ m}^{-1} \quad \text{et} \quad \omega = 4{,}0\text{ s}^{-1}.$$

Elles se combinent et produisent une onde stationnaire de la forme de l'équation 1.19:

$$D = 2D_M \sin kx \cos \omega t = (0{,}40\text{ m})\sin(2{,}0x)\cos(4{,}0t).$$

b) En $x = 0{,}45$ m,

$$D = (0{,}40\text{ m})\sin(0{,}90)\cos(4{,}0t) = (0{,}31\text{ m})\cos(4{,}0t).$$

L'amplitude maximale en ce point est $D = 0{,}31$ m et se produit quand le cosinus égale 1.

c) L'onde étant stationnaire, les deux extrémités de la corde doivent donc être des nœuds. Ces nœuds se produisent à chaque demi-longueur d'onde, soit dans le cas de notre corde:

$$\frac{\lambda}{2} = \frac{1}{2}\frac{2\pi}{k} = \frac{\pi}{2{,}0}\text{m} = 1{,}6\text{ m}.$$

Si la corde ne comprend qu'un seul ventre, sa longueur correspond à $L = 1{,}6$ m. Mais comme nous manquons de données, l'onde pourrait, tout en prenant une forme d'onde stationnaire, comprendre deux ventres et être deux fois plus longue, soit $L = 3{,}1$ m, ou tout nombre entier multiplié par 1,6 m (figure 1.28).

d) Les nœuds se produisent en $x = 0$, $x = 1{,}6$ m et, si la corde est plus longue que $L = 1{,}6$ m, en $x = 3{,}1$ m, $x = 4{,}7$ m, et ainsi de suite. L'amplitude maximale (antinœud) est de 0,40 m [d'après *b*)] et se produit à mi-chemin entre les nœuds. Pour $L = 1{,}6$ m, il ne se produit qu'un antinœud, en $x = 0{,}79$ m.

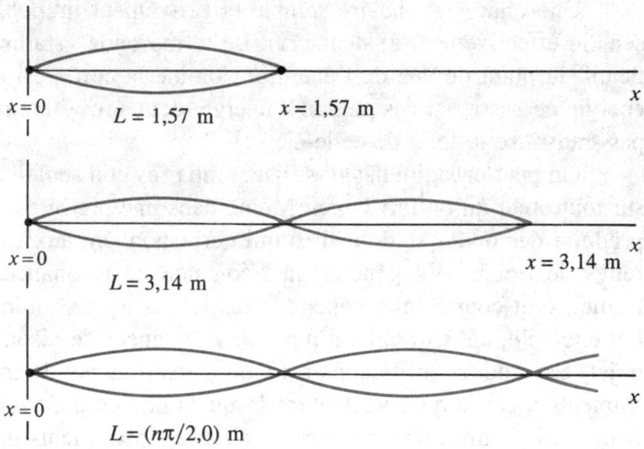

FIGURE 1.28 Exemple 1.8.

RÉSUMÉ

Les objets vibrants constituent des sources d'ondes qui se propagent à partir de la source. Les vagues sur l'eau et les ondes sur une corde en sont des exemples. L'onde peut être une *impulsion* (comportant une crête unique) ou être continue (si elle comprend plusieurs crêtes et plusieurs creux). La *longueur d'onde* d'une onde continue est la distance entre deux crêtes successives (ou entre deux points identiques de la forme de l'onde). La *fréquence* est le nombre de longueurs d'onde entières (ou de crêtes) passant par un point donné par unité de temps. La *vitesse de phase* (la rapidité avec laquelle une crête, ou toute autre partie de l'onde, se déplace) est égale au produit de la longueur d'onde par la fréquence, $v = \lambda f$. L'*amplitude de l'onde* est la hauteur maximale d'une crête, ou la profondeur maximale d'un creux, par rapport à la normale (ou au niveau d'équilibre).

Dans les *ondes transversales*, les oscillations sont perpendiculaires à la direction dans laquelle l'onde se propage. Exemple: une onde sur une corde. Dans une *onde longitudinale*, comme celle du son, les oscillations sont parallèles à la direction de la propagation de l'onde. La vitesse des ondes longitudinales ou transversales dans la matière est proportionnelle à la racine carrée du facteur de force d'élasticité divisé par le facteur d'inertie (ou densité).

Les ondes transportent de l'énergie d'un lieu à un autre sans transporter de matière. L'énergie transportée par une onde, la puissance (l'énergie transportée par unité de temps) et l'*intensité* de l'onde (énergie transportée par unité d'aire par unité de temps) sont toutes proportionnelles au carré de l'amplitude de l'onde. Dans le cas d'une onde en trois dimensions issue d'un point-source, l'intensité (si nous négligeons l'amortissement) diminue en raison inverse du carré de la distance à partir de la source, et l'amplitude diminue en raison inverse de la distance à la source.

On peut représenter une onde transversale à une dimension se propageant vers la droite le long de l'axe des x par une formule exprimant son amplitude en fonction de la position et du temps: $D = D_M \sin [(2\pi/\lambda)(x - vt)] = D_M \sin (kx - \omega t)$, où $k = 2\pi/\lambda$ et $\omega = 2\pi f$. Si l'onde se propage dans l'autre direction: $D = D_M \sin (kx + \omega t)$.

Quand deux ondes ou plus traversent la même région de l'espace en même temps, le déplacement en tout point est la somme vectorielle des déplacements dus à chacune des ondes. Ceci est le *principe de superposition*. Il est valide pour les ondes mécaniques dont les amplitudes sont suffisamment petites pour que la force de rappel du milieu soit proportionnelle au déplacement.

Les ondes sont réfléchies par les objets qu'elles rencontrent. Quand le *front d'onde* (d'une onde à deux ou trois dimensions) rencontre un objet, l'angle de réflexion est égal à l'angle d'incidence. Quand une onde rencontre la frontière entre deux milieux dans lesquels elle peut se propager, une partie en est réfléchie et une autre partie en est transmise. Le front de l'onde transmise subit une inflexion ou *réfraction*. La relation entre les angles d'incidence et de réfraction avec la frontière et les vitesses respectives des ondes incidante et réfractée est la suivante: $\sin \theta_1/\sin \theta_2 = v_1/v_2$. Quand deux ondes traversent une même région de l'espace en même temps, on dit qu'elles *interfèrent*. D'après le principe de superposition, le déplacement résultant en tout point et en tout temps est la somme de leurs déplacements respectifs. Ceci peut donner lieu à une *interférence constructive*, une *interférence destructive* ou quelque chose d'intermédiaire dépendant des amplitudes et des phases relatives des ondes. Les ondes peuvent aussi subir une *diffraction,* ce qui veut dire qu'elles peuvent s'infléchir autour d'obstacles, de sorte que le mouvement ondulatoire contourne partiellement l'obstacle. Plus la longueur d'onde est petite par rapport à l'objet, moins il y a de diffraction.

Les ondes se propageant sur une corde (ou dans un autre milieu) d'une longueur déterminée interfèrent avec les ondes qui, ayant été réfléchies à l'extrémité de la corde, se propagent dans la direction opposée. À certaines fréquences, des *ondes stationnaires* se produisent. Ce phénomène s'appelle résonance et les fréquences auxquelles des ondes stationnaires se produisent s'appellent les *fréquences de résonance.* Les points d'interférence destructive (aucune vibration) s'appellent des *nœuds,* tandis que les points d'interférence constructive (amplitude maximale de vibration) s'appellent des *antinœuds* (ou ventres).

QUESTIONS

1. La fréquence d'une onde périodique simple est-elle égale à la fréquence de sa source? Pourquoi?
2. Une onde transversale parcourt une corde. En quoi diffère la vitesse de l'onde transversale de celle d'une particule quelconque de la corde?
3. Pourquoi les cordes de piano pour les notes à basse fréquence sont-elles gainées de fil de fer?
4. Quelle sorte d'onde se propagera le long d'une barre de métal horizontale si vous frappez son extrémité *a*) verticalement, de haut en bas, et *b*) horizontalement, parallèlement à la barre.
5. Sachant que la densité de l'air diminue en raison inverse de la température et que le module de compressibilité volumique B est presque indépendant de la température, comment vous attendez-vous à ce que la vitesse du son varie en fonction de la température?
6. Deux barres solides, dont l'une est deux fois plus dense que l'autre, ont le même module de compressibilité volumique. Dans quelle barre la vitesse des ondes longitudinales sera-t-elle la plus grande et par quel facteur?
7. Donnez des exemples d'ondes à une, deux et trois dimensions, autres que ceux déjà mentionnés.
8. La vitesse du son dans la plupart des solides est un peu plus grande que dans l'air et pourtant la densité des solides est beaucoup plus grande (d'un facteur 10^3 à 10^4). Expliquez pourquoi.
9. Donnez deux raisons qui expliquent que l'amplitude des vagues circulaires à la surface de l'eau diminue au fur et à mesure que l'onde s'éloigne de sa source.
10. Deux ondes linéiques de même amplitude sont identiques sauf que la longueur d'onde de l'une est égale à la moitié de celle de l'autre. Laquelle de ces deux ondes transmet le plus d'énergie? Combien de fois plus d'énergie transmet-elle?
11. L'intensité du son, en réalité, ne décroît pas exactement en raison du carré de la distance de la source, conformément à l'équation 1.8. Pourquoi?
12. Est-ce que toute fonction de $(x - vt)$ représente un mouvement ondulatoire (voir l'équation 1.14)? Pourquoi? Dans la négative, donnez un exemple.
13. Quand une onde sinusoïdale traverse la frontière entre deux sections d'une corde (comme dans la figure 1.17), la fréquence, contrairement à la longueur d'onde et à la vitesse, ne change pas. Pourquoi?
14. Une onde sinusoïdale parcourant une corde à deux sections (figure 1.17) est inversée lorsqu'elle est réfléchie; l'onde transmise a-t-elle une longueur d'onde plus petite ou plus grande que l'onde incidente?
15. Est-ce que l'énergie est toujours conservée lorsque deux ondes interfèrent? Expliquez.
16. De l'énergie est transmise d'un endroit à un autre. Comment peut-on déterminer si elle est véhiculée par des particules (corps matériels) ou par des ondes?
17. On peut d'ordinaire capter les ondes radiophoniques AM derrière une colline mais rarement les ondes FM. Ce qui signifie que les ondes AM fléchissent plus que les ondes FM. Expliquez. (Les ondes radiophoniques, comme nous le verrons, sont des ondes électromagnétiques dont la longueur d'onde, dans le cas des ondes AM, est de 200 à 600 m et, dans le cas des ondes FM, d'environ 3 m.)
18. Peut-on toucher avec une lame de couteau, sans perturber le mouvement, plusieurs endroits d'une corde vibrant en trois segments?
19. Quand une onde stationnaire est produite sur une corde, les vibrations des ondes incidentes et réfléchies s'annulent aux nœuds. Est-ce que cela signifie que l'énergie est détruite?
20. Pourquoi ne pouvez-vous faire balancer l'eau d'un côté à l'autre d'un bac que si vous agitez celui-ci à une certaine fréquence?
21. L'amplitude des ondes stationnaires de la figure 1.26 peut-elle être plus grande que l'amplitude des vibrations qui les ont causées (les mouvements verticaux de la main ou d'un vibrateur)?
22. Quand on fait vibrer une corde, comme dans la figure 1.26, au moyen de la main ou d'un vibrateur mécanique, les «nœuds» ne sont pas tout à fait de vrais nœuds (au repos). Expliquez. (Indice: prenez en considération l'amortissement et l'énergie fournie par la main ou le vibrateur.)

PROBLÈMES

SECTION 1.1

1. (I) Un pêcheur remarque que des crêtes d'ondes passent, chaque 6,0 s, sous la proue de son bateau ancré. La distance entre deux crêtes est de 15 m. À quelle vitesse les ondes voyagent-elles?
2. (I) Les fréquences des ondes radio AM, lesquelles se propagent à une vitesse de $3{,}00 \times 10^8$ m/s, se situent entre 550 kHz et 1600 kHz (kilohertz). Quelles sont les longueurs d'onde de ces ondes? Les ondes FM se propagent à la même vitesse, mais leurs fréquences se situent entre 88 MHz et 108 MHz (mégahertz). Quelles sont leurs longueurs d'onde?
3. (I) Une corde d'une masse de 0,85 kg est tendue entre deux supports distants l'un de l'autre de 30 m. Si la tension dans la corde est de 120 N, combien de temps une impulsion prendra-t-elle pour aller d'un support à l'autre?
4. (II) Une corde de 0,40 kg est tendue entre deux supports distants l'un de l'autre de 4,8 m. Un coup de marteau sur un support provoque, sur la corde, une onde transversale qui atteint l'autre support en 0,85 s. Quelle est la tension dans la corde?
5. (II) Les longueurs d'onde des ondulations dans un sillon, situé à 10 cm du centre d'un disque de phonographe à 33 tours par minute, sont de 2,8 mm. Quelles seront les fréquences des sons émis?
6. (II) L'onde, sur la corde représentée à la figure 1.29, se propage vers la droite à une vitesse de 1,80 m/s. *a*) Tracez la forme de la corde 1,00 s plus tard et indiquez quelles parties de la corde bougeront vers le haut et vers le bas à cet instant. *b*) Quelle est, à l'instant représenté sur la figure, la vitesse verticale du point *A* sur la corde?

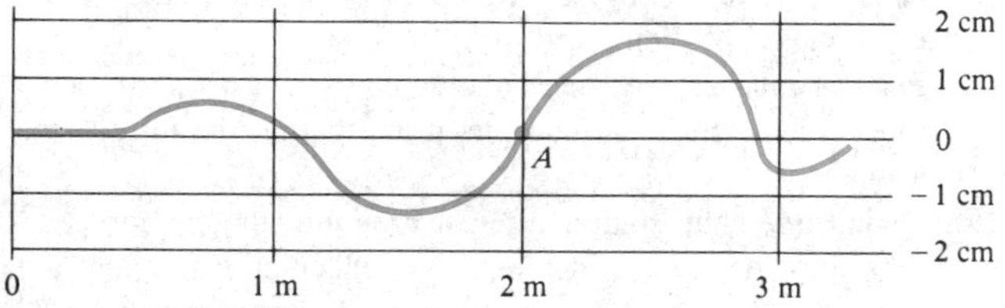

FIGURE 1.29 Problème 6.

SECTION 1.2

7. (I) Calculez la vitesse des ondes longitudinales *a*) dans l'eau et *b*) dans le granit.
8. (I) Déterminez la longueur d'onde d'une onde sonore de 5000 Hz se propageant le long d'une barre de fer.
9. (II) Un marin produit une onde sonore dans l'eau en frappant le flanc de son navire juste sous la surface de l'eau. Il entend, 2,5 s plus tard, l'écho lui parvenant du fond de l'océan juste au-dessous. Quelle est la profondeur de l'océan à cet endroit?
10. (II) Le fait que les ondes sismiques *S* et *P* se propagent à des vitesses différentes aide à déterminer le «foyer» du tremblement de terre (l'endroit où la perturbation a eu lieu). *a*) En supposant que les vitesses respectives des ondes *P* et *S* sont de 9,0 km/s et 5,0 km/s, à quelle distance s'est produit le tremblement de terre si une certaine station d'étude sismique détecte l'arrivée de ces deux types d'onde à exactement 94 s d'intervalle? *b*) Une seule station d'étude sismique suffit-elle à déterminer la position du foyer? Expliquez.
11. (II) Une corde uniforme de longueur *L* et de masse *m* est suspendue verticalement à un support. *a*) Montrez que la vitesse des ondes transversales dans cette corde est de $\sqrt{gh}$, où *h* est la hauteur au-dessus de l'extrémité inférieure de la corde. *b*) Combien de temps prend une impulsion pour aller d'une extrémité à l'autre de la corde?

SECTION 1.3

12. (I) Deux ondes sismiques se propageant dans la même partie de la croûte terrestre ont la même fréquence mais l'une véhicule deux fois plus d'énergie que l'autre. Quel est le rapport des amplitudes des deux ondes?
13. (I) Comparez *a*) les intensités et *b*) les amplitudes d'une onde sismique *P* en deux points situés respectivement à 10 km et 20 km de sa source.
14. (I) On estime qu'à une distance de 100 km de la source, l'intensité d'une onde sismique particulière est de $1{,}2 \times 10^6$ W/m^2. *a*) Quelle était l'intensité de l'onde en un point situé à seulement 2,0 km de la source? *b*) Quelle énergie totale traversa une section de 5,0 m^2 à une distance de 2,0 km?
15. (II) Montrez que lorsqu'on néglige l'amortissement, l'amplitude D_M des vagues circulaires sur l'eau décroît en raison de l'inverse de la racine carrée de la distance *r* de la source: $D_M \propto 1/\sqrt{r}$.
16. (II) *a*) Montrez que l'intensité d'une onde est égale à la densité d'énergie (l'énergie par unité de volume) de l'onde multipliée par la vitesse de l'onde. *b*) Quelle est la densité d'énergie à 2,0 m d'une ampoule donnant une lumière de 100 W? La lumière voyage à $3{,}0 \times 10^8$ m/s.
17. (II) *a*) Montrez que le déplacement dans une onde sphérique en expansion uniforme à partir d'une source située en un certain point peut être représenté par:

$$D = \left(\frac{A}{r}\right) \sin (kr - \omega t),$$

où *r* est la distance radiale depuis la source et *A*, une constante. (Voir aussi la section 1.4.)

18. (II) *a*) Montrez que le taux moyen auquel une onde mécanique de fréquence *f* et d'amplitude D_M véhicule l'énergie le long d'une corde est de:

$$\overline{P} = 2\pi^2 \mu v f^2 D_M^2,$$

où v est la vitesse de l'onde et μ, la masse linéique de la corde. *b*) Si la tension dans la corde est de $F_T = 100$ N et que sa masse linéique est de 0,10 kg/m, quelle est la puissance requise pour transmettre des ondes transversales de 120 Hz et de 2,00 cm d'amplitude?

SECTION 1.4

19. (I) Soit une onde dont la forme est, au temps $t = 0$, représentée par $D = D_M \sin (2\pi x/\lambda + \phi)$, c'est-à-dire par une équation différant de l'équation 1.9 par une phase constante ϕ.

Quelle sera son équation en fonction de x et de t s'il s'agit d'une onde se propageant vers la gauche le long de l'axe des x?

20. (II) Une onde transversale se propageant sur une corde est représentée par la relation $D = 0{,}48 \sin (5{,}6x + 84t)$ où D et x sont exprimés en mètres et t, en secondes. Déterminez *a*) la longueur d'onde, *b*) la fréquence, *c*) la vitesse (sa grandeur et sa direction), *d*) l'amplitude et *e*) les vitesses maximale et minimale des particules de la corde.

21. (II) Soit un point de la corde de l'exemple 1.4, situé à 1,00 m de l'extrémité gauche de la corde. Déterminez *a*) la vitesse maximale de ce point et *b*) son accélération maximale. *c*) Quelle est sa vitesse et son accélération en $t = 2{,}0$ s.

22. (II) La vitesse d'une onde longitudinale de 440 Hz dans l'air est de 345 m/s. *a*) Quelle est sa longueur d'onde? *b*) Combien de temps faut-il pour que la phase change de 90° en un point donné de l'espace? *c*) À un instant donné, quelle est la différence de phase (en degrés) entre deux points situés à 4,4 cm l'un de l'autre?

23. (II) Écrivez l'équation de l'onde du problème 22 si son amplitude est de 0,020 cm et que, en $t = 0$ et $x = 0$, $D = -0{,}020$ cm. L'onde se déplace vers les x positifs.

24. (II) Montrez que, pour une onde sinusoïdale transversale se propageant sur une corde, la pente de la corde en un point x est égale au rapport de la vitesse transversale de la corde à la vitesse de l'onde en ce point.

25. (II) Une impulsion ondulatoire transversale se propage vers la droite le long d'une corde à une vitesse $v = 2{,}0$ m/s. À $t = 0$, la forme de l'impulsion est donnée par la fonction:

$$D = 0{,}45 \cos (3{,}0x + 1{,}2),$$

où D et x sont exprimés en mètres. *a*) Représentez graphiquement D en fonction de x au temps $t = 0$. *b*) Trouvez une formule représentant l'impusion ondulatoire en tout temps t s'il n'y a pas de perte frictionnelle. *c*) Représentez graphiquement $D(x, t)$ en fonction de x à $t = 1{,}0$ s. *d*) Refaites *b*) et *c*) en supposant que l'onde se propage vers la gauche.

26. (II) Une impulsion ondulatoire transversale se propage vers la droite le long d'une corde à une vitesse $v = 3{,}0$ m/s. À $t = 0$, la forme de l'impulsion est donnée par la fonction

$$D = \frac{4{,}0}{x^2 - 2{,}0},$$

où D et x sont exprimés en mètres. *a*) Représentez graphiquement D en fonction de x au temps $t = 0$. *b*) Trouvez une formule représentant l'impulsion ondulatoire en tout temps t s'il n'y a pas de perte frictionnelle. *c*) Représentez graphiquement $D(x, t)$ en fonction de x à $t = 0{,}50$ s. *d*) Refaites *b*) et *c*) en supposant que l'onde se propage vers la gauche.

27. (II) Une onde sinusoïdale se propageant sur une corde dans la direction des x négatifs a une amplitude de 1,00 cm, une longueur d'onde de 3,00 cm et une fréquence de 200 Hz. À $t = 0$, la particule de corde au point $x = 0$ se trouve à une distance $D = 0{,}80$ cm au-dessus de l'origine et se déplace vers le haut. *a*) Tracez la forme de l'onde à $t = 0$ et *b*) déterminez la fonction de x et de t qui représente l'onde.

SECTION 1.5

28. (II) Déterminez si la fonction $D = D_M \sin kx \cos \omega t$ est une solution de l'équation d'onde.

29. (II) Démontrez par substitution directe que les fonctions suivantes vérifient l'équation d'onde: *a*) $D(x, t) = D_M \ln (x + vt)$; *b*) $D(x, t) = (x - vt)^4$.

30. (II) Montrez que les formes d'onde décrites par les équations 1.13 et 1.15 vérifient l'équation d'onde 1.16.

31. (II) Soit deux ondes représentées respectivement par $D_1 = f_1(x, t)$ et $D_2 = f_2\ (x, t)$. Si les deux ondes vérifient l'équation d'onde 1.16, montrez que toute combinaison $D = C_1D_1 + C_2D_2$ la vérifie également (C_1 et C_2 étant des constantes).

SECTION 1.7

32. (II) Soit une onde sinusoïdale se propageant sur la corde tendue à deux sections représentée à la figure 1.17. Établissez une formule donnant *a*) le rapport, v_2/v_1, des vitesses de l'onde dans les deux sections et *b*) le rapport des longueurs d'onde dans les deux sections. (La fréquence est la même dans les deux sections, pourquoi?) *c*) Dans quelle section de la corde, la plus lourde ou la plus légère, la longueur d'onde est-elle la plus grande?

33. (III) Soit une corde tendue comportant deux sections (comme dans la figure 1.17) dont les masses linéiques sont μ_1 pour celle de gauche et μ_2 pour celle de droite, et dans laquelle la tension est F_T. Soit $x = 0$, le point frontière entre les deux sections. Une partie de l'onde sinusoïdale $D = A \sin [k_1(x - v_1t)]$ provenant de l'extrémité gauche de la corde est réfléchie à la frontière et une autre partie est transmise. Les équations des ondes réfléchie et transmise sont respectivement $D = A_R \sin [k_1(x + v_1t)]$ et $D = A_T \sin [k_2(x - v_2t)]$. La fréquence étant la même dans les deux sections, nous avons $\omega_1 = \omega_2$ ou $k_1v_1 = k_2v_2$. *a*) Étant donné que la corde est continue (de sorte qu'un point situé à une distance infinitésimale à droite de la frontière a le même déplacement en tout temps — dû à l'onde incidente plus l'onde réfléchie — qu'un point situé immédiatement à gauche), montrez que $A = A_T + A_R$. *b*) En supposant que la pente $(\partial D/\partial x)$ de la corde juste à gauche de la frontière est la même que celle juste à droite, montrez que l'amplitude de l'onde réfléchie est donnée par:

$$A_R = \left(\frac{v_1 - v_2}{v_1 + v_2}\right) A = \left(\frac{k_2 - k_1}{k_2 + k_1}\right) A.$$

c) Exprimez A_T en fonction de A.

SECTION 1.8

34. (I) Une onde sismique P se propageant à 14,5 km/s atteint une frontière, à l'intérieur de la Terre, entre deux milieux. Si l'angle d'incidence de l'onde sismique avec la frontière est de 42° et que l'angle de réfraction est de 26°, quelle est la vitesse de l'onde dans le deuxième milieu?

35. (II) L'angle d'incidence d'une onde sismique longitudinale avec une frontière entre deux couches rocheuses est de 15°. Les densités de la première et de la deuxième couches rocheuses sont respectivement de 3,4 et 4,8. En supposant que le module de Young est le même pour les deux types de roches, déterminez l'angle de réfraction.

36. (II) On observe que pour toute onde, quel que soit son type, par exemple une onde sismique, qui atteint une frontière au-delà de laquelle sa vitesse augmente, il existe un angle d'incidence limite au-delà duquel aucune onde n'est transmise. Cet angle d'incidence maximal θ_{iM} correspond à un angle de réfraction égal à 90°. Si $\theta_i > \theta_{iM}$, toute l'onde est réfléchie à la frontière et aucune partie de l'onde n'est réfractée (parce que ceci signifierait que $\sin \theta_r > 1$, où θ_r est l'angle de réfraction, ce qui est impossible). On appelle ce phénomène la *réflexion interne totale*. *a*) Établissez une formule donnant θ_{iM} à l'aide de l'équation 1.17. *b*) À quels angles d'incidence n'y aura-t-il que de la réflexion et aucune transmission pour une onde sismique *P* qui se propage à une vitesse de 6,5 km/s et qui atteint une frontière avec une autre couche rocheuse dans laquelle la vitesse de propagation est de 8,2 km/s?

SECTION 1.9

37. (I) Les deux impulsions illustrées à la figure 1.30 vont à la rencontre l'une de l'autre. *a*) Tracez la forme de la corde au moment où les impulsions se chevauchent exactement. *b*) Tracez la forme de la corde quelques moments plus tard. *c*) Sur la figure 1.21a, la corde est droite au moment où les impulsions se chevauchent. Qu'advient-il de l'énergie à ce moment-là?

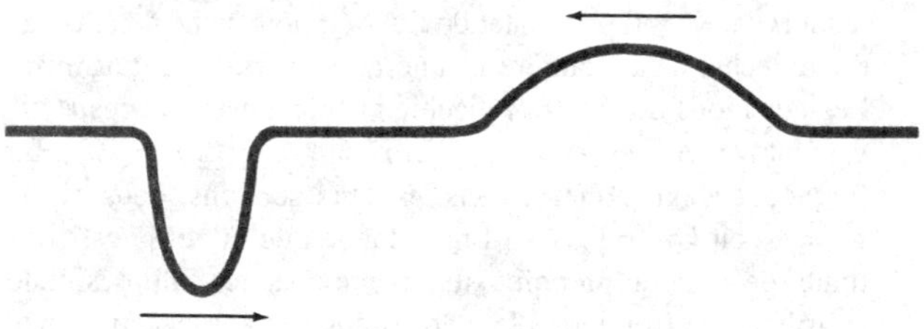

FIGURE 1.30 Problème 37.

38. (II) Soit deux ondes linéiques d'amplitudes et de fréquences égales se propageant dans un même milieu et dont la différence de phase est ϕ. On peut les représenter par les équations:

$$D_1 = D_M \sin (kx - \omega t)$$

$$D_2 = D_M \sin (kx - \omega t + \phi).$$

a) À l'aide de l'identité trigonométrique $\sin \theta_1 + \sin \theta_2 = 2 \sin \frac{1}{2}(\theta_1 + \theta_2) \cos \frac{1}{2}(\theta_1 - \theta_2)$, montrez que l'onde résultante est donnée par l'équation

$$D = \left[2D_M \cos \frac{\phi}{2}\right] \sin\left(kx - \omega t + \frac{\phi}{2}\right).$$

b) Quelle est l'amplitude de l'onde résultante? L'onde est-elle, oui ou non, purement sinusoïdale? *c*) Montrez qu'il se produit une interférence constructive si $\phi = 0$, $\phi = 2\pi$, $\phi = 4\pi$, et ainsi de suite, et une interférence destructive si $\phi = \pi$, $\phi = 3\pi$, $\phi = 5\pi$, et ainsi de suite. *d*) Décrivez, au moyen d'une équation et d'une phrase, l'onde résultante si $\phi = \pi/2$.

SECTION 1.11

39. (I) Une corde de violon vibre à 440 Hz lorsqu'on la relâche après l'avoir pincée. À quelle fréquence vibre-t-elle si on la pince après avoir diminué sa longueur de 25 %?

40. (I) Une corde particulière résonne avec quatre ventres à une fréquence de 294 Hz. Nommez au moins trois autres fréquences auxquelles elle résonne.

41. (I) La vitesse des ondes sur une corde est de 480 m/s. Si la fréquence des ondes stationnaires est de 131 Hz, à quelle distance les uns des autres les nœuds se trouvent-ils?

42. (II) Si deux harmoniques successives d'une corde vibrante sont 330 Hz et 380 Hz, quelle est la fréquence fondamentale?

43. (II) Montrez que la fréquence des ondes stationnaires sur une corde de longueur *L* et de masse linéique μ dans laquelle la tension est F_T est donnée par la formule suivante:

$$f = \frac{n}{2L}\sqrt{\frac{F_T}{\mu}},$$

dans laquelle *n* est un entier.

44. (II) On attache une corde horizontale d'une masse linéique de $4{,}2 \times 10^{-4}$ kg/m par l'une de ses extrémités à un vibrateur mécanique de petite amplitude oscillant à 60 Hz. La corde passe par une poulie située à une distance $L = 1{,}40$ m de l'extrémité attachée et des poids sont suspendus à l'extrémité libre. Quelle masse doit être suspendue à l'extrémité libre pour produire *a*) un ventre, *b*) deux ventres et *c*) cinq ventres d'une onde stationnaire? Supposez qu'un nœud se trouve à l'extrémité attachée au vibrateur, ce qui est presque vrai. Pourquoi l'amplitude de l'onde stationnaire peut-elle être beaucoup plus grande que celle des oscillations du vibrateur?

45. (II) Le déplacement d'une onde stationnaire est donné par $D = 8{,}6 \sin (0{,}60\, x) \cos (58t)$, où *x* et *D* sont en centimètres et *t*, en secondes. *a*) Quelle est la distance (en cm) entre les nœuds? *b*) Déterminez l'amplitude, la fréquence et la vitesse de chacune des ondes élémentaires qui la composent. *c*) Déterminez la vitesse de la particule de corde en $x = 3{,}20$ cm au temps $t = 2{,}5$ s.

46. (II) Le déplacement d'une onde transversale se propageant sur une corde est représenté par l'équation suivante: $D = 4{,}2 \sin (0{,}71x - 47t + 2{,}1)$. *a*) Trouvez l'équation d'une onde qui, en se propageant dans la direction inverse et en s'additionnant à l'onde précédente, produit une onde stationnaire. *b*) Quelle est l'équation de l'onde stationnaire?

47. (II) Quand vous faites balancer l'eau d'un côté à l'autre d'un bac à la fréquence appropriée, l'eau monte et descend alternativement aux deux bouts. Supposez que la fréquence qui produit une telle onde stationnaire dans un bac de 60 cm de largeur est 0,85 Hz. Quelle est la vitesse de l'onde dans l'eau?

48. (II) Une corde de guitare a une longueur de 90 cm et une masse de 3,6 g. La longueur effective de la corde d'un support à l'autre est $L = 60$ cm, et la tension est de 520 N. Quelles sont les fréquences correspondant à la fondamentale et aux deux harmoniques suivantes?

49. (II) Une certaine corde d'un violon donne un son ayant une fréquence de 294 Hz. Si on augmente de 10 % la tension dans la corde, quelle sera la nouvelle fréquence du son donné par la corde?

50. (II) Deux ondes progressives sont décrites par les fonctions suivantes:

$$D_1 = D_M \sin(kx - \omega t)$$

$$D_2 = D_M \sin(kx + \omega t),$$

où $D_M = 0{,}15$ m, $k = 3{,}5$ m^{-1} et $\omega = 1{,}2$ s^{-1}. *a*) Représentez graphiquement ces fonctions à des points situés à $\frac{1}{8}$ de longueur d'onde les uns des autres et allant de $x = 0$ à un point ($x > 0$) situé au moins une longueur d'onde complète plus loin. Choisissez $t = 1{,}0$ s. Représentez graphiquement la somme des deux ondes, indiquez les positions des nœuds et des antinœuds dans le graphique, puis comparez à la représentation analytique (mathématique).

51. (II) Représentez graphiquement les deux ondes du problème 50, ainsi que leur somme, en fonction du temps, de $t = 0$ à $t = T$ (une période). Choisissez *a*) $x = 0$ et *b*) $x = \lambda/4$. Discutez vos résultats.

52. (II) Une onde stationnaire sur une corde horizontale longue de 1,80 m présente trois ventres quand la corde vibre à 120 Hz. Le balancement maximal de la corde (de haut en bas) au centre de chaque ventre est de 12,0 cm. *a*) Quelle fonction décrit l'onde stationnaire? *b*) Quelles fonctions décrivent les deux ondes d'amplitudes égales qui se propagent dans des directions opposées et qui forment l'onde stationnaire?

53. (II) On accorde deux cordes d'un instrument de musique pour qu'elles produisent des sons de 392 Hz (sol) et 440 Hz (la) respectivement. *a*) Quelles sont les deux premières harmoniques pour chaque corde? *b*) Si les deux cordes ont la même longueur et la même tension, quel est le rapport de leurs masses (M_{sol}/M_{la})? *c*) Si au contraire les cordes, dans lesquelles la tension est égale, ont la même masse linéique, quel est le rapport de leurs longueurs (L_{sol}/L_{la})? *d*) Si leurs masses et leurs longueurs sont les mêmes, quel doit être le rapport des tensions dans les deux cordes?

54. (II) *a*) Montrez que si l'on change la tension dans une corde d'une quantité ΔF_T, la fréquence fondamentale est changée d'une quantité $\Delta f = \frac{1}{2}(\Delta F_T/F_T)f$. *b*) Quelle doit être l'augmentation ou la diminution, exprimée en pourcentage, de la tension dans la corde pour élever la fréquence de 438 Hz à 441 Hz? *c*) Est-ce que la formule de la partie *a*) s'applique aussi aux harmoniques?

CHAPITRE

2

LE SON

Notre perception du son est due à notre sens de l'ouïe et donc à la physiologie de nos oreilles et à la psychologie de notre cerveau, lequel interprète les stimulations de nos tympans. Le terme *son* désigne aussi, plus spécifiquement, les stimulations physiques (ondes longitudinales) qui induisent des sensations auditives dans nos oreilles.

Tout son se présente en trois étapes. Premièrement, il provient d'une *source* qui, comme toute source d'ondes, est constituée par un objet vibrant; deuxièmement, l'énergie émise par la source se propage sous forme d'*ondes* sonores longitudinales; et enfin, le son peut être *capté* par notre oreille ou par un instrument. Nous traiterons des sources et des capteurs de sons plus loin dans le présent chapitre. Examinons maintenant certains aspects des ondes sonores elles-mêmes.

2.1 Les caractéristiques du son

Au chapitre précédent, nous avons vu (figure 1.7) que les vibrations d'une membrane de tambour provoquent l'émission dans l'air d'ondes sonores. On pense souvent que les ondes sonores ne se propagent que dans l'air, car ce sont d'ordinaire les vibrations de l'air qui, par contact, font vibrer nos tympans. Les ondes sonores peuvent toutefois se propager dans d'autres milieux. Un nageur dont la tête est immergée peut entendre, sous l'eau, le choc de deux pierres, les vibrations produites par ce choc étant transmises à l'oreille par l'eau. Il est aussi possible d'entendre l'approche d'un train ou d'un camion en collant une oreille au sol. Dans ce cas, quoique le tympan ne touche pas directement le sol, on considère les ondes longitudinales transmises dans le sol comme des ondes sonores, les vibrations du sol se communiquant en effet à la structure externe de l'oreille et à l'air que celle-ci contient. C'est pourquoi on considère habituellement toute onde longitudinale, quel que soit le milieu matériel dans lequel elle se propage, comme une onde sonore. L'expérience montre clairement que le son ne peut voyager sans milieu matériel. Par exemple, il est impossible d'entendre une cloche agitée à l'intérieur d'un contenant dans lequel on a fait le vide.

La **vitesse du son** dépend du milieu dans lequel il se propage. Dans l'air, à 0 °C et à 1 atm, le son voyage à la vitesse de 331,3 m/s. Comme nous l'avons vu au chapitre précédent (équations 1.3 et 1.4), la vitesse dépend du module d'élasticité longitudinal B (ou du module de compressibilité volumique B) et de la densité du milieu matériel. Dans l'air et dans d'autres fluides,

$$v = \sqrt{\frac{B}{\rho}},$$

où B est le module de compressibilité volumique et ρ, la masse volumique du fluide. Dans l'hélium, dont la densité est très inférieure à celle de l'air mais dont le module de compressibilité volumique est presque le même, la vitesse est environ trois fois plus grande. Cette vitesse est encore beaucoup plus grande, toutefois, dans les liquides et les solides, leurs modules d'élasticité longitudinaux étant supérieurs en raison de leur bien moindre compressibilité. Le tableau 2.1 donne la vitesse du son dans différents matériaux. Cette vitesse dépend aussi, mais dans une faible mesure, de la température, cet effet étant surtout significatif pour les gaz. Par exemple, dans l'air, la vitesse augmente approximativement de 0,60 m/s pour toute augmentation de température d'un degré Celsius:

$$v \approx (331 + 0{,}60T)\ \text{m/s},$$

où T est la température en degrés Celsius. Par conséquent, à 20 °C par exemple, $v \approx [331 + (0{,}60)(20)]\ \text{m/s} = 343\ \text{m/s}$.

TABLEAU 2.1
Vitesse du son dans différents matériaux à 20 °C

Matériau	Vitesse (m/s)
Air	343
Air (0 °C)	331
Hélium	1005
Hydrogène	1300
Eau	1440
Eau de mer	1560
Fer et acier	≈ 5000
Verre	≈ 4500
Aluminium	≈ 5100
Bois dur	≈ 4000

L'être humain reconnaît immédiatement deux aspects d'un son quelconque: son «volume» et sa «hauteur». Ces termes désignent deux sensations dans la conscience de l'auditeur. Une quantité physique mesurable correspond toutefois à chacune de ces sensations subjectives. Le **volume** du son est corrélatif de l'intensité de l'onde sonore; nous en traiterons dans la section 2.3.

La **hauteur** réfère à la différence entre, par exemple, le son aigu d'un picolo ou d'un violon et celui, grave, d'une grosse caisse ou d'un violoncelle. Galilée fut le premier à noter que la quantité physique correspondant à la hauteur d'un son est la fréquence. La hauteur d'un son augmente ou diminue en même temps que la fréquence†. On appelle **domaine audible** la bande de fréquences à laquelle l'oreille humaine est sensible; elle va de 20 Hz à environ 20 000 Hz. L'étendue de ce domaine varie toutefois quelque peu d'une personne à une autre. De façon générale, la sensibilité aux hautes fréquences diminue avec le temps; après un certain âge, le domaine audible ne dépasse pas, chez certains individus, la limite supérieure de 10 000 Hz, ou même moins.

Nous ne sommes généralement pas conscients des ondes sonores dont la fréquence est au-dessus ou au-dessous du domaine audible quand elles atteignent notre oreille. Les fréquences au-dessus de 20 000 Hz sont dites **ultrasoniques** (ne pas confondre avec **supersonique**, qui désigne une vitesse supérieure à la vitesse du son). Plusieurs animaux perçoivent les fréquences ultrasoniques. Les chiens et les chauves-souris, par exemple, sont sensibles à des fréquences allant respectivement jusqu'à 50 000 Hz et 100 000 Hz. On utilise les ondes ultrasoniques dans plusieurs domaines, notamment en médecine.

Les ondes sonores dont les fréquences sont au-dessous du domaine audible (donc, au-dessous de 20 Hz) sont dites **infrasoniques**. Les tremblements de terre, le tonnerre, les volcans et les vibrations de machines lourdes sont des exemples de sources d'ondes infrasoniques. Les ondes induites par les vibrations de machines lourdes peuvent causer des ennuis aux travailleurs, car les ondes infrasoniques, quoique inaudibles, peuvent être dommageables au corps humain. En effet, ces ondes à basse fréquence font bouger en résonance certains organes internes du corps, ce qui entraîne leur irritation.

2.2 La représentation mathématique des ondes longitudinales

À la section 1.4, nous avons vu qu'il est possible de représenter une onde sinusoïdale à une dimension se propageant le long de l'axe des x par la relation suivante (équation 1.10c):

$$D = D_M \sin (kx - \omega t). \qquad (2.1)$$

Le nombre d'onde k est ici en relation avec la longueur d'onde λ puisque $k = 2\pi/\lambda$ et $\omega = 2\pi f$ où f est la fréquence; D est le déplacement à la position x et au temps t et D_M est le déplacement maximal (l'*amplitude*). Dans le cas d'une onde transversale (une onde se propageant sur une corde, par exemple), le déplacement D est perpendiculaire à la direction de la propagation de l'onde. Dans le cas d'une onde longitudinale, le

† Quoique la hauteur est surtout déterminée par la fréquence, elle dépend aussi dans une mesure restreinte de la force sonore. Ainsi, un son très fort peut sembler légèrement plus bas qu'un son moins fort de même fréquence.

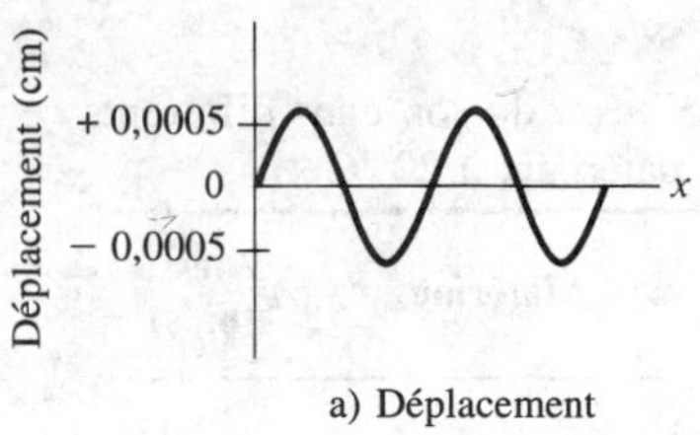

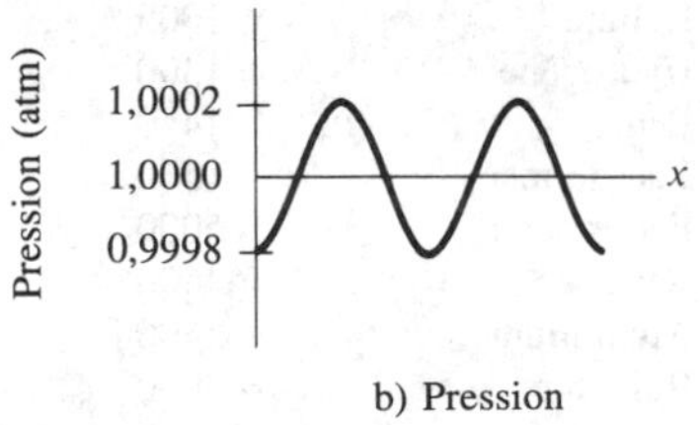

FIGURE 2.1 Représentation d'une onde sonore par a) le déplacement et b) la pression.

déplacement D est au contraire *parallèle à la direction de la propagation de l'onde* et, donc, parallèle à l'axe des x et représente le déplacement d'un élément de volume infinitésimal par rapport à sa position d'équilibre.

On peut aussi considérer les ondes longitudinales (le son) du point de vue des variations de pression plutôt que du déplacement. On les appelle d'ailleurs souvent des **ondes de pression**. Il est d'ordinaire plus facile de mesurer les variations de pression que le déplacement (voir l'exemple 1.2). Comme nous pouvons le voir à la figure 1.7, dans une «compression» d'onde (région où les molécules sont les plus rapprochées les unes des autres), la pression est plus élevée que la normale et dans une expansion (ou raréfaction), elle est plus basse. La figure 2.1 représente graphiquement une onde sonore dans l'air par *a*) le déplacement et *b*) la pression. Notez que le déplacement est déphasé d'un quart de longueur d'onde, ou de 90°, par rapport à la pression. Autrement dit, le déplacement par rapport au point d'équilibre est zéro quand la pression est maximale ou minimale, et il est maximal ou minimal quand la variation de pression est zéro. Nous verrons clairement pourquoi bientôt.

Démontrons maintenant la formule mathématique donnant la variation de pression dans une onde longitudinale progressive. Selon la définition du module de compressibilité volumique, B (équation 12.7a du tome 1):

$$\Delta P = -B\,(\Delta V/V),$$

où $(\Delta V/V)$ est la différence relative de volume du milieu résultant de la variation de pression ΔP. Pour simplifier, représentons la variation de pression par rapport à la pression normale P en l'absence d'onde par la lettre p, ce qui donne: $p = \Delta P$, de sorte que:

$$p = -B\,(\Delta V/V).$$

Le signe négatif reflète le fait que le volume diminue ($\Delta V < 0$) quand la pression augmente. Considérons une tranche de fluide à travers laquelle l'onde longitudinale passe (figure 2.2). Si cette couche a une épaisseur Δx et une section A, son volume est $V = A\,\Delta x$. En raison de la variation de pression dans l'onde, le volume subit une variation de $\Delta V = A\,\Delta D$, où ΔD est la variation d'épaisseur de cette couche au fur et à mesure qu'elle se comprime ou s'étend. (Souvenez-vous que D représente le déplacement du milieu.) Nous obtenons donc:

$$p = -B\frac{A\,\Delta D}{A\,\Delta x}.$$

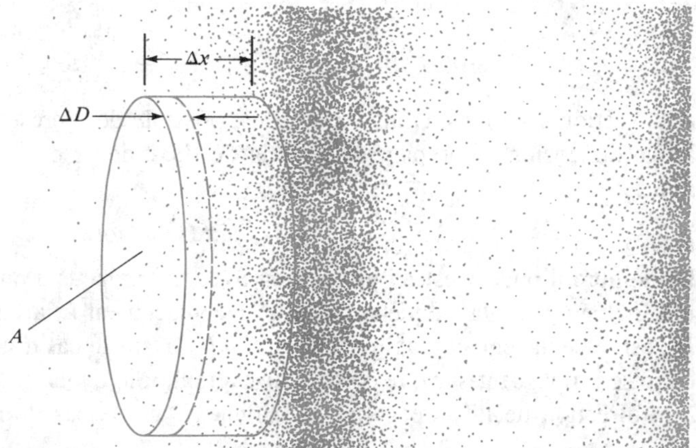

FIGURE 2.2 Onde longitudinale dans un fluide se déplaçant vers la droite. Une mince couche de fluide, dans un mince cylindre de section A et d'épaisseur Δx, subit une variation de volume à cause de la variation de pression lors du passage de l'onde. Au moment illustré, la pression va augmenter lorsque l'onde se déplacera vers la droite de sorte que l'épaisseur de la couche diminuera d'une quantité ΔD.

Pour plus de précision, prenons la limite lorsque $\Delta x \to 0$. Nous obtenons:

$$p = -B\frac{\partial D}{\partial x}, \tag{2.2}$$

où nous avons utilisé la notation de dérivée partielle étant donné que D est une fonction à la fois de x et de t. Si le déplacement D est sinusoïdal comme dans l'équation 2.1, nous obtenons à partir de l'équation 2.2:

$$p = -(BD_{\mathrm{M}}k)\cos(kx - \omega t). \tag{2.3}$$

La pression varie donc aussi de façon sinusoïdale mais elle est déphasée de 90° ou du quart d'une longueur d'onde par rapport au déplacement (figure 1.1). La quantité $BD_{\mathrm{M}}k$ s'appelle l'**amplitude de pression** p_{M}. Elle représente les variations maximale et minimale de la pression par rapport à la pression normale ambiante. Comme la vitesse de l'onde est donnée par $v = \sqrt{B/\rho}$, nous pouvons exprimer l'amplitude de pression au moyen de la formule:

$$\begin{aligned} p_{\mathrm{M}} &= BD_{\mathrm{M}}k \\ &= \rho v^2 D_{\mathrm{M}}k \\ &= 2\pi\rho v D_{\mathrm{M}} f \end{aligned} \tag{2.4}$$

et

$$p = -p_{\mathrm{M}}\cos(kx - \omega t). \tag{2.5}$$

2.3 L'intensité du son

De même que la hauteur, le *volume* d'un son est une sensation subjective. Cette sensation correspond aussi à une quantité physique mesurable: l'**intensité** de l'onde. On définit l'intensité comme l'énergie que transporte une onde par unité de temps et par unité de section et, comme nous l'avons vu au chapitre précédent, elle est proportionnelle au carré de l'amplitude de l'onde.

L'oreille humaine peut capter des sons d'intensité aussi basse que 10^{-12} W/m^2 et aussi élevée que 1 W/m^2 (et même plus, quoique au-dessus de cette intensité, l'audition du son devient douloureuse). Cet éventail d'intensités est incroyablement étendu, l'intensité la plus élevée étant égale à 10^{12} fois la plus basse. Sans doute à cause de l'ampleur de cet éventail, notre perception du niveau sonore n'est pas directement proportionnelle à l'intensité. Il est vrai que plus l'intensité est grande plus le son semble fort. Mais pour produire un son qui semble deux fois plus fort, il faut une onde sonore d'une intensité environ dix fois plus élevée. Cette relation est approximativement vérifiée pour tout niveau sonore et pour les fréquences près du milieu du domaine audible. Par exemple, un être humain moyen perçoit le volume d'une onde sonore d'intensité 10^{-2} W/m^2 comme environ deux fois plus élevé que celui d'une onde sonore d'intensité 10^{-3} W/m^2 et comme environ quatre fois plus élevé que celui d'une onde sonore d'intensité 10^{-4} W/m^2.

À cause de cette relation entre la sensation subjective «volume sonore» et la quantité mesurable «intensité», on exprime d'ordinaire le niveau d'intensité sonore à l'aide d'une échelle logarithmique. L'unité de cette échelle est un *bel*†, ou plus communément un *décibel* (dB) qui est $\frac{1}{10}$ bel (1 dB = 0,1 bel). On définit le **niveau d'intensité** β d'un son d'après son intensité I et par la relation:

$$\beta\,(\text{en dB}) = 10\log\frac{I}{I_0}, \tag{2.6}$$

† D'après l'inventeur, Alexander Graham Bell.

où I_0 est un niveau d'intensité de référence et le logarithme est à la base 10. I_0 est d'ordinaire l'intensité audible minimale pour une personne moyenne, le «seuil d'audition», soit $I_0 = 1{,}0 \times 10^{-12}$ W/m^2. Par exemple, le niveau d'intensité d'un son dont l'intensité est $I = 1{,}0 \times 10^{-10}$ W/m^2 est:

$$\beta = 10 \log \frac{10^{-10}}{10^{-12}} = 10 \log 100 = 20 \text{ dB},$$

étant donné que log 100 est égal à 2,0. Remarquez que le niveau d'intensité au seuil d'audition est 0 dB, c'est-à-dire que $\beta = 10 \log 10^{-12}/10^{-12} = 10 \log 1 = 0$ puisque $\log 1 = 0$. Remarquez aussi qu'une augmentation d'intensité par un facteur de 10 correspond à une augmentation de niveau de 10 dB. Une augmentation d'intensité par un facteur de 100 correspond à une augmentation de niveau de 20 dB. Un son de 50 dB est donc 100 fois plus intense qu'un son de 30 dB, et ainsi de suite.

Le tableau 2.2 donne les intensités et les niveaux d'intensité d'un certain nombre de sons coutumiers.

EXEMPLE 2.1 Selon la publicité, un haut-parleur de haute qualité reproduit, au volume maximum, les fréquences de 30 à 18 000 Hz, à une intensité uniforme à ± 3 dB. Autrement dit, dans cette bande de fréquences, le niveau d'intensité ne varie pas de plus de 3 dB par rapport à la moyenne. Par quel facteur l'intensité doit-elle varier pour obtenir un changement maximal de niveau d'intensité de 3 dB?

SOLUTION Soit I_1, l'intensité moyenne et β_1, le niveau moyen. L'intensité maximale I_2 correspond donc au niveau $\beta_2 = \beta_1 + 3$ dB. Donc,

$$\begin{aligned} \beta_2 - \beta_1 &= 10 \log \frac{I_2}{I_0} - 10 \log \frac{I_1}{I_0} \\ 3 \text{ dB} &= 10 \left(\log \frac{I_2}{I_0} - \log \frac{I_1}{I_0} \right) \\ &= 10 \log \frac{I_2}{I_1} \end{aligned}$$

puisque $(\log a - \log b) = \log a/b$. Par conséquent,

$$\log \frac{I_2}{I_1} = 0{,}30.$$

À l'aide d'une calculatrice, nous solutionnons 10^x avec $x = 0{,}30$ ou encore nous trouvons, dans une table de logarithmes, le nombre correspondant au logarithme de 0,30. Le résultat est 2,0, soit:

$$\frac{I_2}{I_1} = 2{,}0.$$

I_2 est donc deux fois supérieure à I_1.

Il convient de noter qu'une différence de niveau sonore de 3 dB (ce qui correspond à une intensité doublée, comme nous venons de le voir) ne correspond qu'à une très petite différence dans la sensation subjective du volume sonore. En effet, un être humain moyen ne peut distinguer une différence de niveau que d'environ 1 dB.

TABLEAU 2.2
Intensité de sons divers

Source du son	Niveau d'intensité (dB)	Intensité (W/m^2)
Avion à réaction, à 30 m	140	100
Seuil de la douleur	120	1
Concert de rock à l'intérieur	120	1
Sirène, à 30 m	100	1×10^{-2}
Intérieur d'automobile à 100 km/h	75	$3{,}2 \times 10^{-5}$
Circulation urbaine intense	70	1×10^{-5}
Conversation ordinaire, à 50 cm	65	$3{,}2 \times 10^{-6}$
Radio à bas volume	40	1×10^{-8}
Murmure	20	1×10^{-10}
Bruissement de feuilles	10	1×10^{-11}
Seuil de l'audition	0	1×10^{-12}

Comme nous l'avons vu au chapitre 1, l'intensité I est proportionnelle au carré de l'amplitude. Nous pouvons établir une relation quantitative entre l'amplitude et l'intensité I ou le niveau β à l'aide de l'équation 1.7, comme le montre l'exemple suivant.

EXEMPLE 2.2 *a*) Calculez le déplacement maximal des molécules d'air pour un son au seuil d'audition à une fréquence de 1000 Hz. *b*) Déterminez la variation de pression maximale pour une telle onde sonore.

SOLUTION *a*) Isolons D_M dans l'équation 1.7:

$$D_M = \frac{1}{\pi f}\sqrt{\frac{I}{2\rho v}}$$

$$= \frac{1}{(3{,}14)(1{,}0 \times 10^3 s^{-1})}\sqrt{\frac{1{,}0 \times 10^{-12}\ W/m^2}{(2)(1{,}29\ kg/m^3)(343\ m/s)}},$$

dans laquelle nous avons inséré la masse volumique de l'air, 1,29 kg/m^3, et la vitesse du son dans l'air, 343 m/s (à 20 °C). Le résultat est: $D_M = 1{,}1 \times 10^{-11}$ m.

b) À partir de l'équation 2.4, nous obtenons:

$$p_M = 2\pi\rho v D_M f = 3{,}0 \times 10^{-5}\ Pa$$

ou $3{,}0 \times 10^{-10}$ atm.

Ce résultat donne une bonne idée de la sensibilité de l'oreille humaine qui peut capter des déplacements de molécules plus petits que le diamètre d'un atome (d'environ 10^{-10} m)!

En combinant les équations 1.7 et 2.4, nous pouvons exprimer l'intensité en fonction de l'amplitude de pression, p_M:

$$I = 2\pi^2 v\rho f^2 D_M^2 = 2\pi^2 v\rho f^2 (p_M/2\pi\rho v f)^2$$

$$= \frac{p_M^2}{2v\rho}. \tag{2.7}$$

L'intensité ne dépend donc pas de la fréquence quand on l'exprime en fonction de l'amplitude de pression. On peut comparer directement les intensités de sons de diffé-

ENCADRÉ 2.1

L'audiogramme

L'intensité et la pression sonores

Les niveaux sonores, mesurés en dB, utilisent comme référence l'intensité sonore minimale audible correspondant à la pression différentielle sonore tout juste détectable par l'homme et fixée à 20 μPa. Cette pression traduit la moyenne du seuil d'audition binaurale dans l'intervalle des fréquences comprises entre 1 et 5 kHz.

L'intensité sonore dépend du carré de la pression différentielle sonore, de la vitesse du son et de la densité de l'air. Comme la vitesse du son et la densité de l'air varient selon la température, on spécifie généralement la référence de niveau sonore en pression sonore, soit 20 μPa†.

Une pression plutôt qu'une intensité a été choisie comme référence absolue parce que l'oreille et les audiomètres réagissent à la pression sonore. L'audiomètre (un microphone gradué) convertit les variations de pression produites par le son en signaux électriques proportionnels.

I_0 et p_0 représentant respectivement l'intensité et la pression sonores de référence ($p_0 = 20\ \mu$Pa), la valeur du niveau sonore β est donnée par:

$$\beta = 10 \log \frac{I}{I_0} = 20 \log \frac{p}{p_0}.$$

Parce que le log de 2 (dans la base 10) a une valeur très voisine de 0,3, doubler l'intensité a pour effet d'augmenter de 0,3 B, ou de 3 dB, la valeur de β, et doubler la pression a pour effet de l'augmenter de 6 dB.

Le seuil de sensibilité monaurale

L'audiogramme moyen d'un ensemble d'individus (dans la vingtaine) représenté à la figure 1 a trait à l'audition monaurale de sons produits dans un écouteur. Le graphique montre que l'oreille est particulièrement sensible aux fréquences comprises entre 0,5 et 5 kHz (fréquences de la voix humaine). À partir de 20 kHz, la sensibilité de l'oreille décroît rapidement. Au milieu

FIGURE 1 Le seuil de sensibilité monaurale.

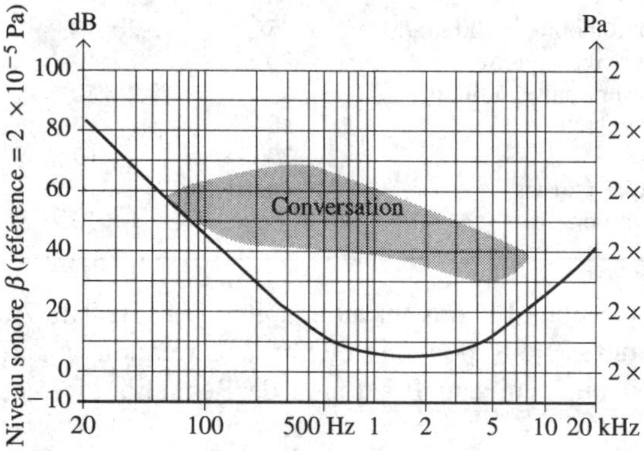

de la figure 1, la tache grise délimite les fréquences et les niveaux sonores de la conversation normale.

La figure 1 montre un seuil minimal un peu plus haut que 0 dB, qui est le seuil de détection de l'audition binaurale pour l'intervalle des fréquences entre 1 et 5 kHz.

Le seuil de sensibilité binaurale

La figure 2 illustre l'audiogramme moyen du même groupe d'individus pour l'audition binaurale de sons produits dans un espace libre à diverses fréquences

FIGURE 2 Les lignes isophoniques (écoute binaurale).

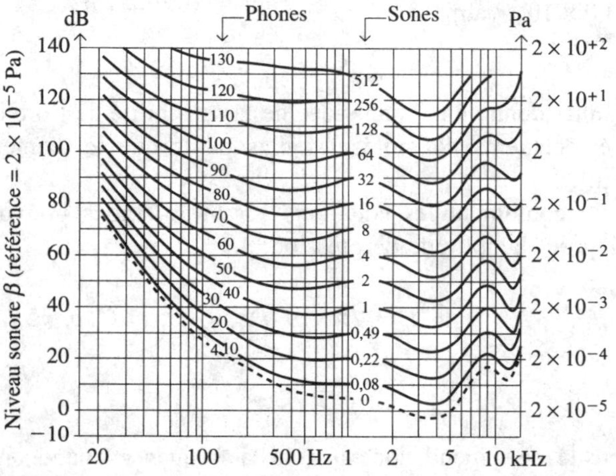

† En intensité sonore, la référence choisie est de 10^{-12} W · m^{-2}, qui correspond approximativement à la pression sonore de 20 μPa pour une onde pleine ou sphérique dans l'air, à la pression atmosphérique et à la température de 20 °C.

et à divers niveaux sonores. Ces courbes servent de références aussi bien en médecine qu'en acoustique.

Comparée à celle de la figure 1, la courbe tracée au moyen de tirets de la figure 2 présente des bosses et des creux qui sont causés, entre autres, par des phénomènes de résonance et par la diffraction du champ sonore. Vers 4 kHz, on note une sensibilité accrue de l'audition binaurale (− 3dB) par rapport à l'audition monaurale (+ 4 dB).

Le phone

Toute courbe en trait continu de la figure 2 correspond à des niveaux sonores de diverses fréquences et perçus à la même intensité subjective qu'un niveau sonore produit à 1 kHz. On a inventé une unité pour caractériser ces courbes: c'est le phone. Par définition, la valeur en phones d'une courbe égale la valeur de son niveau sonore en dB à la fréquence de 1 kHz; par exemple, la courbe de 10 phones passe, à la fréquence de 1 kHz, par le niveau 10 dB. Un son de 70 dB à 30 Hz et un autre de 30 dB à 9 kHz valent tous les deux 20 phones: ils ont la même intensité sonore subjective.

En résumé, le phone permet de comparer des sons de fréquences différentes ayant la même intensité subjective.

Le sone

Le sone a été inventé pour comparer des sons d'intensités subjectives différentes. Un son qu'on juge deux fois plus intense qu'un autre aura une valeur en sones deux fois plus grande. La référence du sone a été choisie de telle sorte que 40 phones correspondent à 1 sone.

On peut exprimer la variation du niveau sonore subjectif (si elle s'établit entre 30 et 130 dB de niveau sonore) par rapport à l'intensité (physique) sonore ou la pression sonore par la relation suivante:

$$\text{niveau subjectif sonore (en sones)} = \left(\frac{I}{I_0}\right)^{0,3} = \left(\frac{\rho}{\rho_0}\right)^{0,6}.$$

Ainsi, la perception du son par l'oreille suit une loi de puissance, à l'intérieur des limites mentionnées. Dans cette relation, si le rapport d'intensité sonore augmente de 10, le niveau subjectif sonore augmente de $10^{0,3}$, soit de 2.

Or, quand le rapport d'intensité sonore augmente de 10, le niveau sonore β augmente de 10 dB (voir la première équation de l'encadré). Donc, quand le niveau sonore augmente de 10 dB, le niveau sonore subjectif double (doublement de la valeur en sones), ce que montrent bien les valeurs en sones de la figure 2.

FIGURE 3 L'évolution de la presbyacousie.

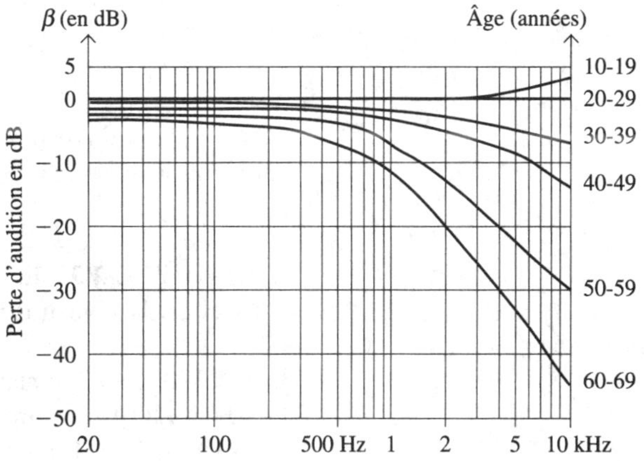

L'audiogramme et le vieillissement

Vieillir engendre inévitablement une perte de sensibilité de l'oreille aux hautes fréquences (voir figure 3). On appelle ce phénomène de vieillissement de l'oreille la presbyacousie, qui est analogue à la presbytie de l'œil.

P.-É. O.

rentes fréquences à l'aide d'instruments mesurant les variations de pression. (Ce qui ne pourrait pas se faire à l'aide d'un instrument mesurant le déplacement; voir l'équation 1.7).

Normalement, le volume ou l'intensité d'un son diminue en raison de l'éloignement de la source du son. Dans des pièces fermées, ce phénomène est moindre à cause de l'absorption ou de la réflexion par les murs. Toutefois, quand le son peut se propager dans toutes les directions, par exemple quand la source du son est à l'extérieur, l'intensité décroît en raison inverse du carré de la distance:

$$I \propto \frac{1}{r^2},$$

comme nous l'avons vu à la section 1.3 (équation 1.8). Bien sûr, si différentes structures ou le sol réfléchissent le son de façon significative, la situation se complique.

EXEMPLE 2.3 Le niveau d'intensité à 30 m d'un avion à réaction est de 140 dB. Quel est le niveau d'intensité à 300 m? (Négligez la réflexion sur le sol.)

SOLUTION L'équation 2.6 permet de déterminer l'intensité I à 30 m: 140 dB = 10 log $I/(10^{-12}\ \mathrm{W/m^2})$. En isolant I, nous obtenons: $I = 10^2\ \mathrm{W/m^2}$. À 300 m, soit dix fois plus loin, l'intensité est égale à $\left(\frac{1}{10}\right)^2 = 1/100$ de ce qu'elle est à 30 m, soit à 1 $\mathrm{W/m^2}$. Par conséquent, le niveau d'intensité $\beta = 10 \log (1/10^{-12}) = 120$ dB. Même à 300 m, le son nous amène au seuil de la douleur auditive. C'est pourquoi les travailleurs dans les aéroports utilisent des protège-oreilles.

2.4 Les sources du son: les cordes et les colonnes d'air en vibration

La source de tout son est un objet vibrant. Presque n'importe quel objet peut vibrer et devenir ainsi une source sonore. Nous allons maintenant traiter de quelques sources sonores simples, en particulier des instruments de musique. Dans les instruments de musique, on fait vibrer la source en la frappant, en la pinçant, en la frottant ou en soufflant sur elle. Ceci produit des ondes stationnaires, et l'objet vibre à ses fréquences de résonance naturelles. Un tambour est muni d'une membrane tendue qui vibre. Les xylophones et les marimbas sont munis de tiges de bois ou de métal que l'on fait vibrer. Les cloches, les cymbales et les gongs sont aussi faits de métal que l'on fait vibrer. Dans les instruments les plus utilisés, on fait vibrer soit des cordes, c'est le cas du violon, de la guitare et du piano, soit des colonnes d'air, c'est le cas de la flûte, de la trompette et de l'orgue.

Nous avons étudié au chapitre 1 (figure 1.27) la formation des ondes stationnaires sur une corde. Les ondes stationnaires sont la base de tous les instruments à cordes. La fréquence de résonance la plus basse, ou **fréquence fondamentale** (celle qui se produit lorsqu'il n'y a de nœuds qu'aux extrémités de la corde), sert d'ordinaire à déterminer la hauteur du son. La longueur d'onde de la fréquence fondamentale est égale à deux fois la longueur de la corde; par conséquent, la fréquence fondamentale $f = v/\lambda$ est égale à $v/2L$, où v est la vitesse de l'onde sur la corde. Quand on pose un doigt sur la corde d'une guitare ou d'un violon, par exemple, on diminue la longueur d'onde réelle de la corde; on élève ainsi la hauteur du son puisque la longueur d'onde de la fréquence fondamentale devient plus petite. Les cordes d'une guitare ou d'un violon sont toutes de même longueur. Leurs sons sont de différentes hauteurs parce qu'elles ont chacune une masse linéique, μ, différente, ce qui influe sur la vitesse, comme nous l'avons vu dans l'équation 1.2, $v = \sqrt{F_T/\mu}$. (La tension peut aussi être différente; on accorde l'instrument en réglant la tension.) Plus la corde est lourde, plus la vitesse diminue et plus aussi la fréquence diminue pour une même longueur d'onde. Les cordes du piano et de la harpe sont chacune d'une longueur différente. Celles des notes les plus basses sont non seulement plus longues mais aussi plus lourdes. L'exemple suivant en donne la raison.

EXEMPLE 2.4 La fréquence de la note la plus haute sur un piano est environ 150 fois celle de la note la plus basse. Si la corde de la note la plus haute a une longueur de 5,0 cm et si sa masse linéique ainsi que sa tension sont les mêmes que celles de la corde la plus basse, quelle est la longueur de la corde la plus basse?

SOLUTION La vitesse étant la même sur les deux cordes, la fréquence doit être inversement proportionnelle à la longueur L de la corde ($f = v/\lambda = v/2L$). Par conséquent,

$$\frac{L_b}{L_h} = \frac{f_h}{f_b},$$

où les indices b et h se rapportent respectivement à la note la plus basse et à la note la plus haute. Donc, $L_b = L_h(f_h/f_b) = (5{,}0\ \text{cm})(150) = 750\ \text{cm}$, ou 7,5 m. Cette longueur serait ridicule pour un piano. C'est pour éviter cela que les cordes les plus longues des notes les plus basses sont plus lourdes. En effet, même dans les pianos à queue, la longueur des cordes ne dépasse pas 3 m.

La puissance sonore des instruments à cordes ne serait pas très grande si les compressions et les expansions d'air de l'onde sonore n'étaient produites que par les cordes vibrantes, car celles-ci ne sont pas assez grosses pour remuer beaucoup d'air. Les instruments à cordes sont donc munis d'une sorte d'amplificateur mécanique, appelé *caisse de résonance*, qui amplifie le son en mettant une plus grande surface en contact avec l'air. Quand on fait vibrer les cordes, la caisse de résonance vibre également. Comme la surface en contact avec l'air de la caisse est beaucoup plus grande, l'onde sonore émise est beaucoup plus forte, le son étant ainsi amplifié. La boîte de résonance d'une guitare électrique n'est pas très importante car les vibrations de la corde sont amplifiées électriquement.

Dans les instruments comme les bois, les cuivres et l'orgue, ce sont les vibrations des colonnes d'air contenues dans des tubes ou des tuyaux qui produisent les sons. Des ondes stationnaires peuvent se produire dans l'air de toute cavité mais leurs fréquences sont difficiles à calculer sauf pour les cavités de forme simple, tels les longs tubes étroits. Heureusement, et pour de bonnes raisons, c'est le cas de la plupart des instruments à vent. Dans certains instruments, les vibrations d'une anche ou celles des lèvres du musicien contribuent à induire les vibrations de la colonne d'air. Dans d'autres instruments, on dirige le souffle dans l'embouchure ou le bec de l'instrument, ce qui provoque des turbulences qui induisent les vibrations. À cause de la perturbation, quelle que soit sa source, l'air dans le tube vibre à une diversité de fréquences dont seulement certaines persistent, soit celles qui correspondent à des ondes stationnaires. Nous avons vu que, dans le cas d'une corde attachée à ses deux bouts, les ondes stationnaires ont des nœuds (sans mouvement) aux deux bouts et un ou plusieurs antinœuds (grande amplitude de vibration) entre les deux extrémités, un nœud séparant deux antinœuds successifs. L'onde stationnaire de plus basse fréquence ne présente qu'un seul antinœud et on l'appelle la *fondamentale* ou *première harmonique*. Des ondes stationnaires se produisent aussi à des fréquences qui sont des multiples entiers de la fréquence fondamentale (voir figure 1.27). Ces ondes stationnaires d'ordres supérieurs sont désignées par les expressions deuxième harmonique (fréquence double de la fondamentale), troisième harmonique (fréquence triple de la fondamentale), etc.

Le cas d'une colonne d'air est semblable à celui d'une corde, mais c'est l'air qui vibre. On trouve nécessairement un nœud (déplacement) à l'extrémité fermée du tube,

FIGURE 2.3 Modes de vibration (ondes stationnaires) dans le cas a) d'un tube ouvert et b) d'un tube fermé. Ces diagrammes représentent les amplitudes de déplacement (non de pression). Quoique les amplitudes soient représentées verticalement, les molécules d'air oscillent en fait horizontalement le long du tube, ce qui est indiqué par les flèches sous le premier diagramme.

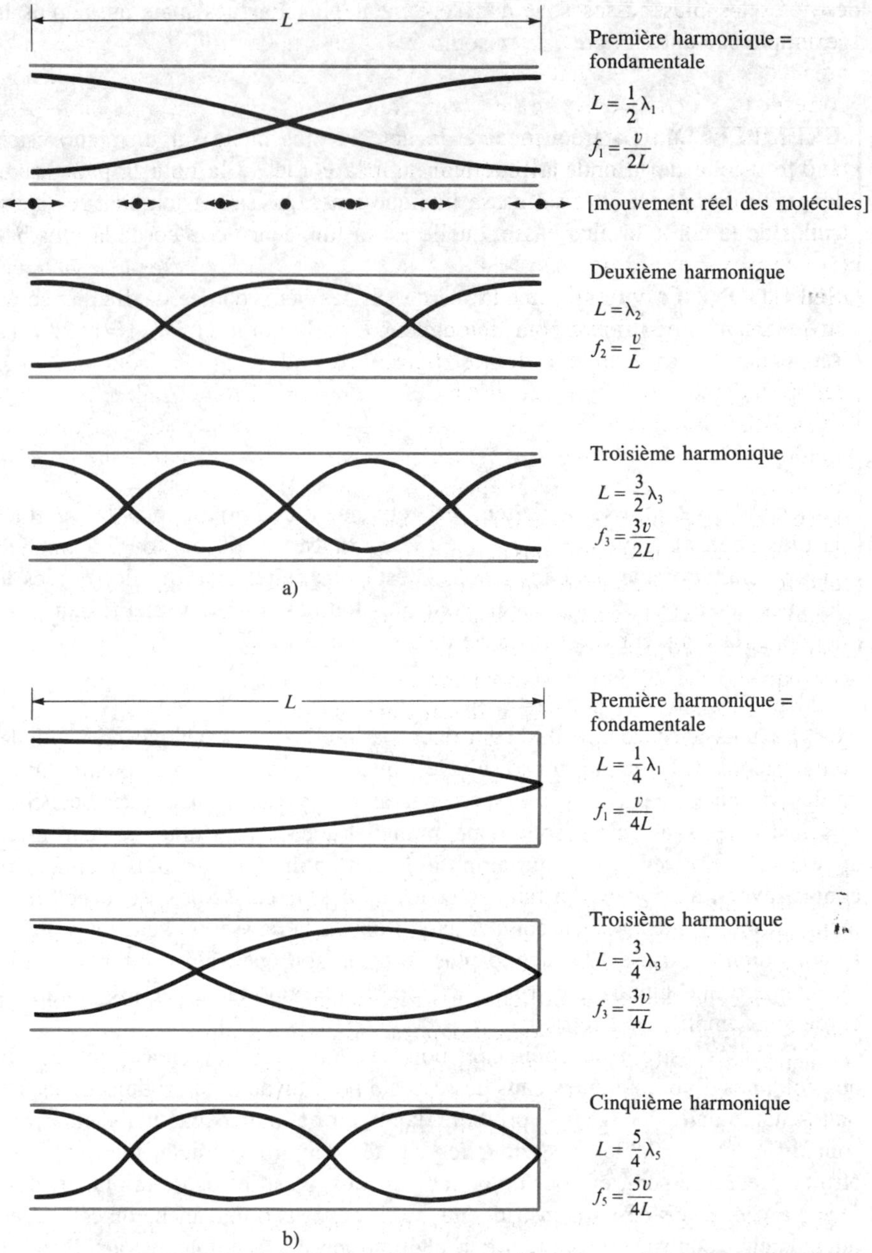

où l'air ne peut pas bouger, et nécessairement un antinœud à l'extrémité ouverte, où il peut bouger librement. L'air contenu dans le tube vibre sous la forme d'ondes stationnaires longitudinales. Les modes possibles de vibration, dans le cas d'un tube ouvert aux deux bouts (appelé un **tube ouvert**) et dans celui d'un tube ouvert à un seul des deux bouts (appelé un **tube fermé**), sont représentés graphiquement à la figure 2.3. Les graphiques représentent l'amplitude de déplacement de l'air vibrant dans le tube; notez que les molécules d'air oscillent horizontalement et parallèlement à la longueur du tube, comme l'indiquent les petites flèches sous le premier diagramme. Les antinœuds ne se produisent pas précisément aux extrémités ouvertes des tubes; la position d'un antinœud dépend du diamètre du tube. Mais si le diamètre est petit en comparaison de la longueur, ce qui est le cas le plus fréquent, l'antinœud se produit très près de l'extrémité, comme cela est illustré; nous supposerons que tel est le cas dans la suite. (La position de l'antinœud peut aussi légèrement dépendre de la longueur d'onde et d'autres facteurs.)

Considérons d'abord le tube ouvert de la figure 2.3a. Un tube ouvert a des antinœuds de déplacement aux deux bouts. Remarquez qu'il doit y avoir au moins un nœud dans un tube ouvert s'il s'y produit une onde stationnaire quelconque. Ceci correspond à la fréquence fondamentale du tube; comme la distance entre deux nœuds successifs, ou entre deux antinœuds successifs, est de $\frac{1}{2}\lambda$, il doit y avoir, dans ce cas, une demi-longueur d'onde à l'intérieur du tube: $L = \frac{1}{2}\lambda$; la fréquence fondamentale est donc $f_1 = v/\lambda = v/(2L)$, où v est la vitesse du son dans l'air. L'onde stationnaire avec deux nœuds est la deuxième harmonique et sa longueur d'onde est deux fois plus petite ($L = \lambda$), alors que sa fréquence est le double. La fréquence de chaque harmonique est d'ailleurs égale à un multiple entier de la fréquence fondamentale. Ceci correspond à ce que nous avons trouvé pour une corde.

Dans le cas d'un tube fermé (figure 2.3b), il se produit toujours un nœud de déplacement au bout fermé et un antinœud au bout ouvert. Comme la distance entre un nœud et l'antinœud le plus proche est de $\frac{1}{4}\lambda$, nous voyons que, dans ce cas, la longueur d'onde correspondant à la fondamentale est de seulement un quart de la longueur du tube: $L = \lambda/4$. La fréquence fondamentale est donc $f_1 = v/(4L)$ ou la moitié de ce qu'elle est pour un tube ouvert de même longueur. Il existe une autre différence. En effet, comme nous pouvons le voir à la figure 2.3b, il ne peut se produire, dans un tube fermé, que des harmoniques impaires: les harmoniques ont des fréquences égales à 1, 3, 5, 7... fois la fréquence fondamentale. Une onde ayant 2, 4... fois la fréquence fondamentale ne peut pas avoir un nœud à un bout et un antinœud à l'autre et, par conséquent, une telle onde stationnaire ne peut se produire dans un tube fermé.

Pour les orgues, on utilise des tuyaux ouverts et fermés. Les sons de hauteurs différentes sont produits au moyen de tuyaux dont les longueurs varient de quelques centimètres à 5 mètres ou plus. D'autres instruments de musique fonctionnent comme un tube ouvert ou fermé. Une flûte, par exemple, est un tube ouvert, non seulement du côté où on souffle mais aussi de l'autre côté. Pour jouer une note sur une flûte, comme sur beaucoup d'autres instruments, on ouvre des trous le long du tube, ce qui a pour effet de diminuer la longueur du tube. Sur une trompette, on augmente la longueur du tube en pressant des valves. Sur tous ces instruments, plus la colonne d'air vibrante est longue, plus le son est bas.

Les diagrammes de la figure 2.3 représentent le *déplacement* des ondes stationnaires. L'amplitude de *pression* est déphasée de 90° par rapport au déplacement, exactement comme pour une onde progressive. Il existe donc un nœud de pression à l'extrémité ouverte d'un tube (ce qui se comprend bien puisque l'extrémité est ouverte à l'atmosphère) et un antinœud de pression à l'extrémité fermée du tube.

EXEMPLE 2.5 Quelles sont les quatres premières harmoniques d'un tuyau d'orgue de 26 cm de long à 20 °C si le tuyau est *a*) ouvert et *b*) fermé?

SOLUTION À 20 °C, la vitesse du son dans l'air est de 343 m/s (section 2.1). *a*) Pour le tuyau ouvert, la fréquence fondamentale (première harmonique) est de:

$$f_1 = \frac{v}{2L} = \frac{343 \text{ m/s}}{2(0,26 \text{ m})} = 6,6 \times 10^2 \text{ Hz}.$$

Les harmoniques suivantes sont $1,3 \times 10^3$ Hz, $2,0 \times 10^3$ Hz, $2,6 \times 10^3$ Hz, et ainsi de suite.

b) En se reportant à la figure 2.3, nous voyons que:

$$f_1 = \frac{v}{4L} = \frac{343 \text{ m/s}}{4(0,26 \text{ m})} = 3,3 \times 10^2 \text{ Hz}.$$

Il ne se produira toutefois que des harmoniques impaires, les trois premières étant $9,9 \times 10^2$ Hz, $1,6 \times 10^3$ Hz et $2,3 \times 10^3$ Hz.

EXEMPLE 2.6 On fabrique une flûte de manière à ce qu'elle émette un do médian (264 Hz), soit sa fondamentale, lorsque ses trous sont bouchés. Quelle devrait être la distance approximative entre le bec et l'autre bout de la flûte? [*Note*: cette distance est seulement approximative parce que l'antinœud ne se produit pas précisément au bec.] Supposez que la température est de 20 °C.

SOLUTION La vitesse du son dans l'air à 20 °C est de 343 m/s (section 2.1). Tel qu'il est indiqué à la figure 2.3a, la fréquence fondamentale f_1 dépend de la longueur de la colonne d'air vibrante et est donnée par la relation: $f = v/(2L)$. En isolant L, on obtient:

$$L = \frac{v}{2f} = \frac{343 \text{ m/s}}{(2)(264 \text{ s}^{-1})} = 0{,}650 \text{ m}.$$

EXEMPLE 2.7 La température étant de seulement 10 °C, quelle sera la fréquence de la note émise par la flûte de l'exemple 2.6 si tous ses trous sont ouverts?

SOLUTION La longueur L est toujours de 65,0 cm. La vitesse du son est cependant plus petite puisqu'elle diminue de 0,60 m/s par °C. À une baisse de 10 °C correspond une diminution de vitesse de 6 m/s. La vitesse résultante est donc de 337 m/s. Par conséquent, la fréquence est:

$$f = \frac{v}{2L} = \frac{337 \text{ m/s}}{2(0{,}650 \text{ m})} = 259 \text{ Hz}.$$

Cet exemple montre pourquoi les joueurs d'instruments à vent prennent le temps de «réchauffer» leurs instruments pour les accorder. L'effet de la température sur les instruments à cordes est bien moindre.

2.5 La qualité du son

Quand nous entendons un son, tout particulièrement de la musique, nous sommes conscients de son volume, de sa hauteur et aussi d'un troisième aspect appelé «qualité». Ainsi, quand nous entendons une même note de même volume et de même hauteur sur un piano et sur un hautbois (do médian, par exemple), le son est nettement différent selon l'instrument. Il n'est pas possible de confondre le son d'un piano avec celui d'un hautbois. C'est ce qu'on entend par la **qualité**† d'un son; pour les instruments de musique, on emploie aussi les termes *timbre* ou *couleur*.

De même que pour le volume et la hauteur, la qualité d'un son est liée à une quantité physique mesurable. La qualité d'un son dépend de la présence d'harmoniques: de leur nombre et de leurs amplitudes relatives. Généralement, quand on produit une note à l'aide d'un instrument de musique, la fondamentale ainsi que les autres harmoniques sont produites simultanément. Nous avons vu, à la figure 1.14, que la superposition de trois ondes élémentaires, en l'occurrence la fondamentale et les deux harmoniques suivantes (d'amplitudes particulières), donne une *onde* composite. Bien entendu, on retrouve habituellement plus de deux harmoniques dans une note.

Les amplitudes relatives des différentes harmoniques varient selon l'instrument et c'est ce qui donne à chaque instrument sa qualité caractéristique ou son timbre. Un graphique donnant les amplitudes relatives des harmoniques produites par un instrument s'appelle un «spectre sonore»; des exemples typiques, pour différents instru-

† Remarquez que le terme «qualité», ici, ne réfère ni au fait que le son est agréable ou désagréable ni au talent de l'artisan qui a fabriqué l'instrument.

ments, apparaissent à la figure 2.4. Normalement, la fondamentale a la plus grande amplitude et sa fréquence détermine la hauteur du son.

La manière dont on joue d'un instrument influence grandement la qualité du son. Pincer une corde de violon, par exemple, produit un son très différent de celui qu'on obtient en frottant la corde avec un archet. Le spectre sonore au tout début (ou à la fin) d'une note (comme lorsqu'un marteau frappe une corde de piano) peut être très différent de celui du ton plus constant qu'on perçoit pendant la plus grande partie de la durée de la note. Ceci affecte également la qualité subjective du ton d'un instrument.

Un son ordinaire, celui résultant par exemple du choc de deux pierres, est un bruit ayant une certaine qualité, mais sa hauteur n'est pas clairement discernable. Un tel bruit est un mélange de plusieurs fréquences qui ont peu de relation les unes avec les autres. Si on faisait le spectre sonore d'un tel bruit, on n'y verrait pas de raies distinctes comme celles de la figure 2.4. On obtiendrait, au contraire, un spectre continu, ou presque, de fréquences.

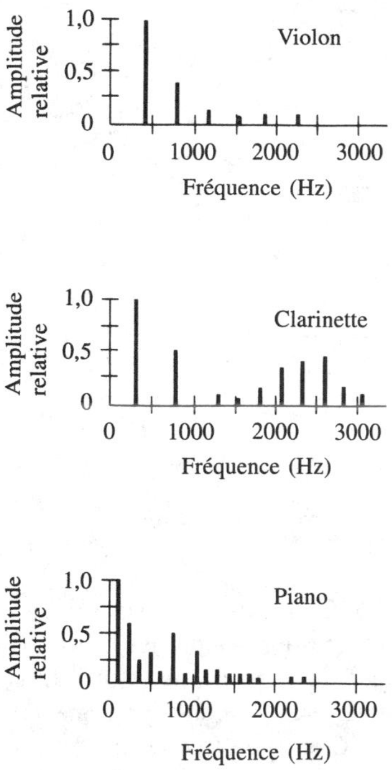

FIGURE 2.4 Spectres sonores de différents instruments.

2.6 L'interférence entre les ondes sonores; les battements

À la section 1.9, nous avons vu que deux ondes qui traversent simultanément une même région de l'espace interfèrent l'une avec l'autre. Ceci est vrai pour toutes les sortes d'ondes, y compris les ondes sonores.

En voici un exemple simple: supposons deux haut-parleurs, *A* et *B*, séparés par une distance *d* sur la tribune d'un auditorium (figure 2.5). Supposons aussi que les deux haut-parleurs émettent des ondes sonores d'une seule et même fréquence et qu'ils soient en phase, de sorte que lorsqu'un haut-parleur forme une compression, l'autre en forme une aussi. Les arcs de cercle du diagramme représentent les crêtes des ondes sonores émises par chaque haut-parleur. Bien sûr, il importe de ne pas oublier que, pour une onde sonore, une crête représente une compression dans l'air tandis qu'un creux — qui se produit entre deux crêtes — est une raréfaction. Une personne ou un détecteur en un point tel que *C*, équidistant des deux haut-parleurs, captera un son fort parce que l'interférence y est constructive. Par ailleurs, en un point tel que *D* dans le diagramme, on ne captera aucun son, ou presque, parce que l'interférence y sera destructive, les compressions d'une onde rencontrant les raréfactions de l'autre, et vice versa (voir la figure 1.22 et la discussion correspondante sur les vagues sur l'eau à la section 1.9). Pour une analyse claire de cet exemple, représentons graphiquement les ondes (figure 2.6). On voit ainsi qu'au point *C* (figure 2.6a), il y a interférence constructive puisque les ondes y ont simultanément soit des crêtes, soit des creux. La figure 2.6b illustre la situation pour le point *D*. L'onde émise par le haut-parleur *B* doit parcourir une plus grande distance que celle émise par *A*. L'onde *B* est donc en retard sur l'onde *A*. Dans ce diagramme, le point *E* est tel que la distance *ED* est égale à la distance *AD*. Nous voyons donc que lorsque la distance *BE* est égale à exactement la moitié de la longueur d'onde du son, les deux ondes sont exactement déphasées lorsqu'elles atteignent *D* et il y a interférence destructive. Il y a donc interférence destructive en tout point dont la distance à un haut-parleur dépasse la distance à l'autre haut-parleur par exactement une demi-longueur d'onde. Notez que si cette distance supplémentaire (*BE* dans le diagramme) est égale à une longueur d'onde entière (ou 2, 3... longueurs d'onde), alors les deux ondes sont en phase et il y a *interférence constructive.* Si la distance *BE* égale $\frac{1}{2}$, $1\frac{1}{2}$, $2\frac{1}{2}$... longueurs d'onde, il y a *interférence destructive.*

Quand un haut-parleur émet un éventail complet de fréquences, ce ne sont pas toutes les longueurs d'onde dont les interférences seront destructives en un point tel que *D*. En vertu du critère précédent, seulement certaines longueurs d'onde spécifiques interféreront de façon complètement destructive.

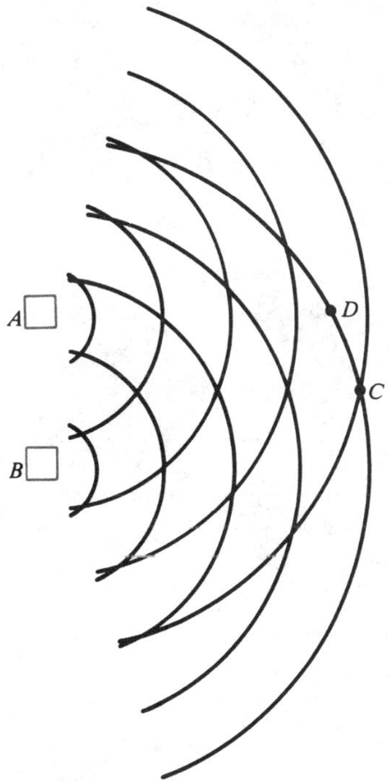

FIGURE 2.5 Interférence des ondes sonores émises par deux haut-parleurs.

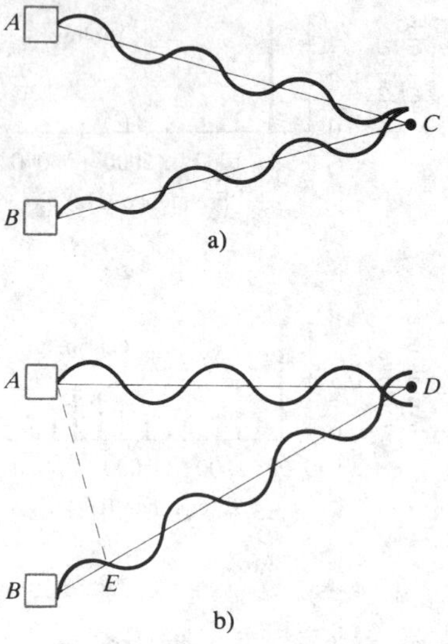

FIGURE 2.6 Les ondes sonores émises par les haut-parleurs A et B (voir figure 2.5) interfèrent a) constructivement en C et b) destructivement en D.

EXEMPLE 2.8 Les deux haut-parleurs de la figure 2.5 sont distants de 1,00 m et émettent un son de 1150 Hz à une température ambiante de 20 °C. Une personne se trouve à 4,00 m de l'un des haut-parleurs. De combien doit-elle être distante de l'autre haut-parleur pour pouvoir détecter une interférence destructive?

SOLUTION La longueur d'onde du son est:

$$\lambda = \frac{v}{f} = \frac{343 \text{ m/s}}{1150 \text{ Hz}} = 0{,}30 \text{ m}.$$

Pour qu'il y ait interférence destructive, la distance de la personne à un haut-parleur doit être supérieure d'une demi-longueur d'onde, soit de 0,15 m, à sa distance de l'autre haut-parleur. La personne doit donc se trouver à 4,15 m (ou 3,85 m) du second haut-parleur. Remarquez que, dans le présent exemple, si les haut-parleurs étaient distants de moins de 0,15 m, il n'y aurait aucun point situé à 0,15 m d'un haut-parleur ou de l'autre et il n'y aurait donc nulle part d'interférence destructive complète.

Le phénomène du **battement** est un exemple intéressant et important d'interférence. Ce phénomène se produit lorsque deux sources sonores, par exemple deux diapasons, sont de fréquences très proches mais non identiques. Les ondes sonores émises par les deux sources interfèrent les unes avec les autres et le niveau sonore croît et décroît alternativement. Les changements d'intensité régulièrement espacés s'appellent des battements et produisent un effet bizarre.

Pour voir comment se produisent les battements, considérons deux ondes sonores de même amplitude[†] et de fréquences $f_1 = 50$ Hz et $f_2 = 55$ Hz respectivement. En 1,00 s, la première source fait 50 vibrations et la seconde, 55. Examinons maintenant les ondes en un point de l'espace équidistant des deux sources. Les deux premières lignes de la figure 2.7 illustrent les formes des deux ondes en fonction du temps. La troisième ligne illustre la somme des deux ondes. Au temps $t = 0$, les deux ondes apparaissent en phase et interfèrent constructivement. Comme les deux ondes vibrent à des taux différents, elles sont complètement déphasées et interfèrent destructivement au temps $t = 0{,}10$ s. Au temps $t = 0{,}20$ s, elles sont de nouveau en phase et leur amplitude résultante est à nouveau grande. L'amplitude résultante est donc grande à chaque 0,20 s et elle tombe très significativement entre deux maxima. Nous percevons ces hausses et ces baisses d'intensité comme des battements. En l'occurrence, les battements se produisent à des intervalles réguliers de 0,20 s. Autrement dit, la **fréquence de battement** est de cinq à la seconde, soit 5 Hz. Voici maintenant une démonstration générale de ce dernier résultat selon lequel la fréquence de battement égale la différence des fréquences des deux ondes.

Représentons les deux ondes, de fréquences f_1 et f_2, en un point fixe de l'espace par les équations suivantes:

$$D_1 = D_M \sin 2\pi f_1 t$$

et

$$D_2 = D_M \sin 2\pi f_2 t.$$

Selon le principe de superposition, le déplacement résultant est:

$$D = D_1 + D_2 = D_M (\sin 2\pi f_1 t + \sin 2\pi f_2 t)$$

[†] On entend des battements même si les amplitudes ne sont pas égales, du moment que la différence n'est pas grande.

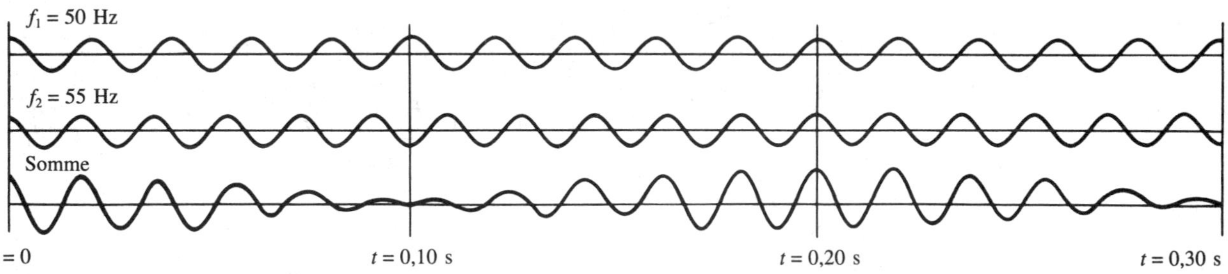

FIGURE 2.7 Les battements sont produits par la superposition de deux ondes sonores de fréquences légèrement différentes.

ou, en utilisant l'identité trigonométrique $\sin A + \sin B = 2 \sin \frac{1}{2}(A + B) \cos \frac{1}{2}(A - B)$, nous obtenons:

$$D = \left[2D_M \cos 2\pi\left(\frac{f_1 - f_2}{2}\right)t\right] \sin 2\pi\left(\frac{f_1 + f_2}{2}\right)t. \tag{2.8}$$

Nous pouvons interpréter l'équation 2.8 de la manière suivante. La superposition des deux ondes produit une onde qui vibre à la fréquence moyenne des deux ondes composantes, $(f_1 + f_2)/2$. L'amplitude de cette vibration est donnée par l'expression entre crochets et varie dans le temps, de zéro au maximum $2D_M$ (la somme des deux amplitudes individuelles), avec une fréquence de $(f_1 - f_2)/2$. Un battement se produit toutes les fois où $\cos 2\pi[(f_1 - f_2)/2]t$ égale +1 ou −1 (figure 2.7), autrement dit, deux battements se produisent par cycle. La fréquence des battements est donc le double de $(f_1 - f_2)/2$, soit $f_1 - f_2$, la différence de fréquences des ondes composantes.

Le phénomène de battement peut se produire avec n'importe quel type d'onde et constitue une méthode très efficace pour comparer les fréquences.

2.7 L'effet Doppler

Vous avez peut-être déjà remarqué que la hauteur du bruit de la sirène d'un camion de pompiers qui roule à grande vitesse diminue abruptement lorsque le camion passe près de vous. Ou peut-être avez-vous remarqué le changement de la hauteur du klaxon d'une voiture roulant à grande vitesse au moment où la voiture vous dépasse. La hauteur du bruit du moteur d'une voiture de course change aussi quand celle-ci passe près d'un observateur. La hauteur d'un son est plus élevée lorsque la source du son bouge vers un observateur que lorsqu'elle est au repos. Inversement, elle est plus basse lorsque la source s'éloigne de l'observateur. Ce phénomène connu sous le nom d'**effet Doppler** peut se produire pour toutes les sortes d'ondes. Voyons ce qui cause ce phénomène et calculons le changement de fréquence pour les ondes sonores.

Pour prendre un exemple concret, considérons un camion de pompiers au repos dont la sirène émet dans toutes les directions un son d'une certaine fréquence (figure 2.8a). Quand le camion roule, la sirène émet un son de même fréquence qu'avant mais les ondes sonores qu'elle émet vers l'avant sont maintenant plus proches les unes des autres (figure 2.8b). Cela est dû au fait que le camion «poursuit» les ondes émises précédemment. Un observateur sur le trottoir captera plus de crêtes d'onde par seconde et donc la fréquence est plus élevée. Les ondes émises vers l'arrière du camion seront au contraire plus éloignées qu'avant les unes des autres parce que le camion les «fuit» rapidement. Un observateur en arrière du camion captera moins de crêtes par seconde et donc la fréquence est moins élevée.

Pour calculer le changement de la longueur d'onde et de la fréquence, servons-nous de la figure 2.9 et supposons que l'air (ou un autre milieu) est au repos dans notre repère (autrement dit, l'air est immobile). Dans la figure 2.9a, la source du son (disons une sirène) est au repos. La figure montre deux crêtes d'onde successives dont la

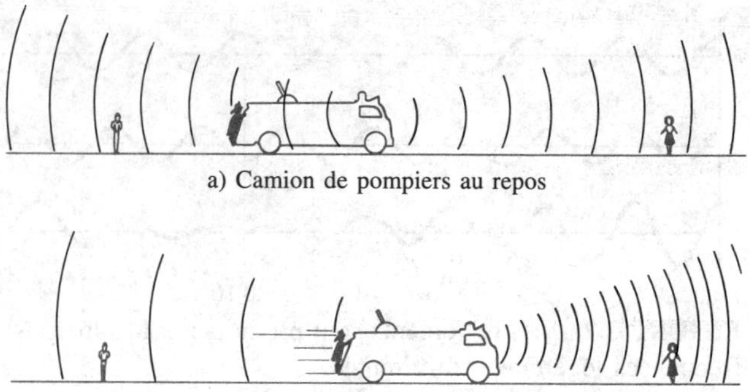

FIGURE 2.8 a) Les deux piétons immobiles entendent la même fréquence provenant du camion de pompiers au repos. b) Effet Doppler: le piéton vers lequel le camion de pompiers roule entend un son de fréquence plus haute et le piéton duquel le camion de pompiers s'éloigne entend un son de fréquence plus basse.

deuxième vient d'être émise. La distance entre les deux crêtes est λ, la longueur d'onde. Si la fréquence de la source est f, le temps entre chaque émission d'une crête d'onde est:

$$T = \frac{1}{f} = \frac{\lambda}{v}.$$

Dans la figure 2.9b, la source bouge à une vitesse v_s. Dans un temps T (tel que défini précédemment), la première crête d'onde parcourt une distance $d = \lambda = vT$, où v est la vitesse de l'onde sonore dans l'air (qui bien sûr est la même, que la source bouge ou non). Dans le même temps, la source parcourt une distance $d_s = v_s T$. La distance entre deux crêtes d'onde successives, qui est la nouvelle longueur d'onde λ', est donc:

$$\begin{aligned}\lambda' &= d - d_s \\ &= \lambda - v_s T \\ &= \lambda - v_s \frac{\lambda}{v} \\ &= \lambda\left(1 - \frac{v_s}{v}\right).\end{aligned}$$

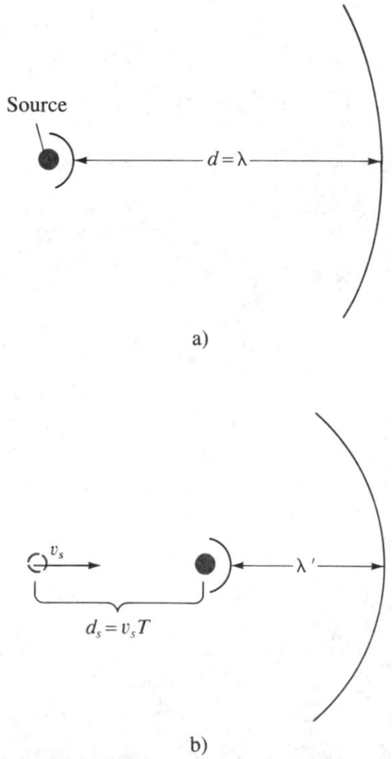

FIGURE 2.9 Détermination du décalage de fréquence résultant de l'effet Doppler.

La variation $\Delta\lambda$ de la longueur d'onde est donc:

$$\Delta\lambda = \lambda' - \lambda = -v_s \frac{\lambda}{v}.$$

La variation de la longueur d'onde est donc proportionnelle à la vitesse v_s de la source. Par ailleurs, la nouvelle fréquence est donnée par:

$$f' = \frac{v}{\lambda'} = \frac{v}{\lambda\left(1 - \frac{v_s}{v}\right)}$$

ou comme $v/\lambda = f$,

$$f' = \frac{1}{1 - \frac{v_s}{v}} f. \quad \left[\begin{array}{l}\text{source se rapprochant d'un} \\ \text{observateur immobile}\end{array}\right] \qquad (2.9a)$$

Comme le dénominateur est plus petit que 1, $f' > f$. Par exemple, si une source qui émet, au repos, un son d'une fréquence de 400 Hz se déplace à une vitesse de 30 m/s vers un observateur immobile, celui-ci entendra une fréquence (à 20 °C) de:

$$f' = \frac{400 \text{ Hz}}{1 - \frac{30 \text{ m/s}}{343 \text{ m/s}}} = 438 \text{ Hz}.$$

Si la source s'éloigne de l'observateur à une vitesse v_s, la nouvelle longueur d'onde sera:

$$\lambda' = d + d_s,$$

et la différence des longueurs d'onde sera:

$$\Delta\lambda = \lambda' - \lambda = +v_s \frac{\lambda}{v}.$$

La fréquence de l'onde sera donc:

$$f' = \frac{1}{1 + \frac{v_s}{v}} f. \quad \begin{bmatrix}\text{source s'éloignant d'un}\\ \text{observateur immobile}\end{bmatrix} \qquad (2.9b)$$

En l'occurrence, si une source vibrant à 400 Hz s'éloigne à 30 m/s d'un observateur immobile, ce dernier entendra une fréquence d'environ 368 Hz.

L'effet Doppler se produit aussi quand la source est au repos et que l'observateur bouge. Si l'observateur se rapproche de la source, la hauteur du son est plus élevée. Si, au contraire, il s'éloigne de la source, la hauteur du son diminue. Quantitativement, la variation de fréquence est légèrement différente de celle qu'on retrouve dans le cas d'une source en mouvement. Dans le présent cas, la distance entre les crêtes, la longueur d'onde λ, ne change pas. Mais la vitesse des crêtes par rapport à l'observateur change. Si l'observateur se rapproche de la source, la vitesse des ondes par rapport à l'observateur est $v' = v + v_o$, où v est la vitesse du son dans l'air (nous supposons que l'air est immobile) et v_o, la vitesse de l'observateur. La nouvelle fréquence est donc:

$$f' = \frac{v'}{\lambda} = \frac{v + v_0}{\lambda}$$

ou, comme $\lambda = v/f$,

$$f' = \left(1 + \frac{v_0}{v}\right) f. \quad \begin{bmatrix}\text{observateur se rapprochant}\\ \text{d'une source immobile}\end{bmatrix} \qquad (2.10a)$$

Si l'observateur s'éloigne de la source, la vitesse relative est $v' = v - v_o$ et

$$f' = \left(1 - \frac{v_0}{v}\right) f. \quad \begin{bmatrix}\text{observateur s'éloignant}\\ \text{d'une source immobile}\end{bmatrix} \qquad (2.10b)$$

Lorsqu'un obstacle en mouvement réfléchit une onde sonore, la fréquence de l'onde réfléchie est, à cause de l'effet Doppler, différente de celle de l'onde incidente, comme l'illustre l'exemple suivant.

EXEMPLE 2.9 On dirige une onde sonore de 5000 Hz sur un objet s'approchant à 3,50 m/s de la source (immobile). Quelle est la fréquence de l'onde réfléchie?

SOLUTION On assiste ici à deux effets Doppler distincts. Premièrement, l'objet tient lieu d'observateur en mouvement et «capte», à 20 °C, une onde sonore de fréquence:

$$f' = \left(1 + \frac{v_0}{v}\right) f = \left(1 + \frac{3,50 \text{ m/s}}{343 \text{ m/s}}\right)(5000 \text{ Hz}) = 5051 \text{ Hz}.$$

Deuxièmement, l'objet agit comme une source en mouvement en réémettant (réfléchissant) le son, la fréquence de l'onde réfléchie étant:

$$f'' = \frac{1}{1 - \frac{v_s}{v}} f' = \frac{5051 \text{ Hz}}{1 - \frac{3,50 \text{ m/s}}{343 \text{ m/s}}} = 5103 \text{ Hz}.$$

Le décalage en fréquence est donc de 103 Hz.

La combinaison (par exemple avec un appareil électronique) de l'onde incidente et de l'onde réfléchie produit une interférence qui cause des battements. La fréquence des battements est égale à la différence des deux fréquences; dans l'exemple précédent, elle serait de 103 Hz. Il existe plusieurs applications de l'effet Doppler en médecine où on utilise généralement des ondes ultrasoniques dans un domaine de fréquences se situant dans les mégahertz. Ainsi, les ondes ultrasoniques réfléchies par les globules rouges permettent de déterminer la vitesse du flot sanguin. On se sert aussi de cette technique pour détecter le mouvement de la poitrine d'un fœtus et pour mesurer son rythme cardiaque.

Pour la commodité, nous pouvons combiner les équations 2.9 et 2.10 en une seule, valide aussi bien pour les cas où la source est en mouvement que pour ceux où c'est l'observateur qui bouge:

$$f' = f\left(\frac{v \pm v_0}{v \mp v_s}\right).$$

Les signes du dessus s'appliquent si la source et l'observateur se rapprochent l'un de l'autre et les signes du dessous, s'ils s'éloignent.

L'effet Doppler se produit pour tous les types d'ondes. La lumière et autres ondes électromagnétiques présentent aussi un effet Doppler bien que dans ce cas, les formules donnant la variation de fréquence ne soient pas identiques aux équations 2.9 et 2.10. Une application importante de l'effet Doppler en astronomie consiste à déterminer les vitesses de galaxies éloignées en mesurant les décalages en fréquence. La lumière provenant de ces galaxies décale vers les basses fréquences (ce qu'on appelle «décalage vers le rouge», la lumière rouge ayant la fréquence la plus basse de la lumière visible), ce qui indique qu'elles s'éloignent de nous. Plus le décalage en fréquence est grand, plus la vitesse d'éloignement est grande. On a ainsi déterminé que plus les galaxies sont loin de nous, plus elles s'éloignent rapidement. L'idée selon laquelle l'univers est en expansion est basée sur cette observation (nous discuterons de cette question plus en détail à la section 16.4).

À un niveau plus terre-à-terre, le fonctionnement des radars, dont les policiers se servent pour déterminer la vitesse des véhicules, repose sur l'effet Doppler d'ondes électromagnétiques.

L'exactitude des équations 2.9 et 2.10 diminue si v_s ou v_o avoisinent la vitesse du son. Ceci est dû principalement au fait que la force de rappel n'est plus proportionnelle au déplacement du milieu (loi de Hooke), de sorte que notre développement théorique n'est plus valide.

2.8 Les ondes de choc et le bang supersonique

La vitesse d'un avion, ou de tout autre objet, qui voyage plus rapidement que le son est dite **vitesse supersonique.** On exprime souvent cette vitesse par le **nombre de Mach**† , qu'on définit comme le rapport de la vitesse de l'objet à celle du son dans le milieu où l'objet se déplace. Par exemple, le nombre de Mach d'un avion qui se

† D'après le physicien autrichien Ernst Mach (1838-1916).

déplace à 900 m/s dans la haute atmosphère où la vitesse du son est de seulement 300 m/s est de 3; on dit alors que l'avion vole à Mach 3.

Comme nous l'avons vu (effet Doppler), le déplacement à une vitesse subsonique de la source du son affecte la hauteur de celui-ci (voir aussi les figures 2.10a et b). Quand la vitesse de la source dépasse celle du son, un effet plus spectaculaire se produit: une **onde de choc.** Dans ce cas, la source dépasse les ondes qu'elle produit. Si la source voyage à la vitesse du son (figure 2.10c), les ondes «s'accumulent» juste devant elle. Si elle voyage à une vitesse supersonique, les ondes s'accumulent sur ses côtés (figure 2.10d). Les différentes crêtes se superposent et forment une seule crête de très grande amplitude qu'on appelle onde de choc. Derrière cette crête de grande amplitude se trouve d'ordinaire un très grand creux. C'est essentiellement l'interférence constructive d'un grand nombre d'ondes qui produit une onde de choc. Une onde de choc dans l'air est analogue au sillage d'un bateau qui se déplace plus rapidement que les vagues qu'il produit (figure 2.11).

Un avion qui voyage à une vitesse supersonique provoque un bruit et une perturbation de l'air sous forme d'onde de choc qui contient une quantité énorme d'énergie sonore. Une personne, au-dessus de laquelle l'onde de choc passe, entend un «bang supersonique» très puissant. Un bang supersonique ne dure qu'une fraction de seconde mais l'énergie qu'il contient suffit souvent à briser des vitres et à causer des dommages. Ce peut être aussi très éprouvant psychologiquement. En fait, le bang supersonique d'un avion supersonique est double puisqu'une onde de choc se forme à l'avant comme à l'arrière de l'avion (figure 2.12).

Un avion dont la vitesse avoisine celle du son rencontre un mur d'ondes sonores (figure 2.10c). Pour dépasser la vitesse du son, l'avion requiert une poussée supplémentaire pour «briser le mur du son». Une fois la vitesse supersonique atteinte, la poussée supplémentaire de l'avion peut être réduite. On croit à tort que c'est uniquement au moment où l'avion brise le mur du son qu'un bang supersonique a lieu. En fait, une onde de choc suit continuellement l'avion qui voyage à une vitesse supersonique. Une série d'observateurs sur terre entendent tous un puissant bang quand l'onde de choc passe (figure 2.12). L'onde de choc consiste en un cône dont le sommet coïncide avec l'avion. L'angle θ de ce cône (voir figure 2.10d) est donné par la formule suivante:

$$\sin\theta = \frac{v_{son}}{v_{obj}}, \tag{2.11}$$

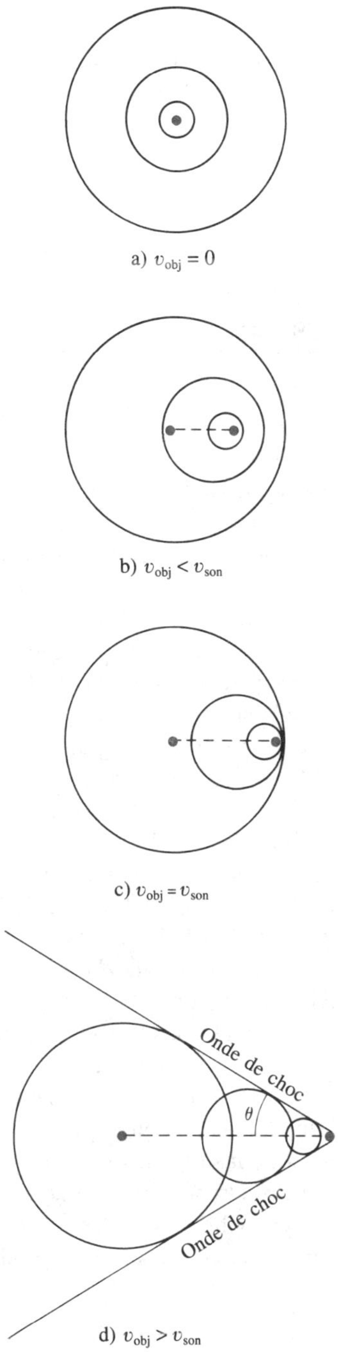

FIGURE 2.10 Les ondes sonores émises par un objet au repos (a) ou en mouvement (b, c, d). Si la vitesse de l'objet est plus petite que la vitesse du son, l'effet Doppler se produit (b); si sa vitesse est plus grande que la vitesse du son, une onde de choc se produit (d).

FIGURE 2.11 Lame de proue d'un navire. (Gracieuseté du Naval Photographic Center.)

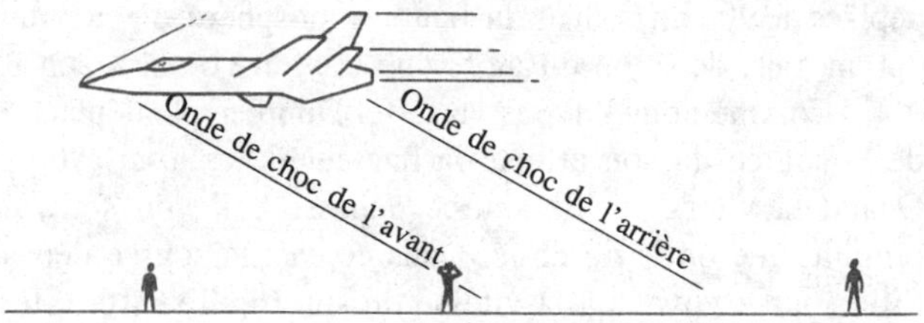

FIGURE 2.12 La personne à droite a déjà entendu le (double) bang supersonique. La personne au centre est en train de l'entendre et celle à gauche l'entendra bientôt.

où v_{obj} est la vitesse de l'objet (en l'occurrence l'avion) et v_{son} est la vitesse du son dans le milieu. (La démonstration de l'équation 2.11 fait l'objet du problème 66.)

RÉSUMÉ

Le son consiste en une onde longitudinale qui voyage dans l'air et dans d'autres milieux matériels. Dans l'air, la vitesse du son augmente avec la température; à 0 °C elle est d'environ 331 m/s. On peut exprimer une onde sonore aussi bien par le déplacement des molécules ou particules du milieu que par les variations de pression dans le milieu. L'onde de pression est déphasée de 90° par rapport à l'onde de déplacement, ce qui signifie que la crête de l'une suit la crête de l'autre d'un quart de longueur d'onde.

C'est la fréquence d'un son qui détermine sa *hauteur.* Plus la fréquence est grande, plus le son est haut. L'*échelle audible* de fréquences va de 20 à 20 000 Hz environ (1 Hz = 1 cycle par seconde). L'*intensité* d'un son est proportionnelle au carré de l'amplitude de l'onde. Comme l'oreille humaine est sensible à des intensités sonores allant de 10^{-12} W/m² à plus de 1 W/m², on exprime les niveaux d'intensité au moyen d'une échelle logarithmique. On définit le *niveau d'intensité* β, qu'on exprime en décibels, en fonction de l'intensité I par la formule suivante: $\beta = 10 \log(I/I_0)$, où on prend habituellement l'intensité de référence I_0 comme $1{,}0 \times 10^{-12}$ W/m². Une augmentation d'intensité par un facteur de 100, par exemple, correspond à une augmentation de niveau de 20 dB.

Les instruments de musique sont des sources d'ondes sonores stationnaires. Les cordes d'un instrument à cordes peuvent vibrer avec des nœuds seulement aux extrémités, auquel cas la fréquence de l'onde s'appelle la *fondamentale* ou *première harmonique.* Les cordes peuvent aussi vibrer à des fréquences plus élevées, auquel cas leurs fréquences sont appelées des *harmoniques* et les cordes présentent un ou plusieurs nœuds additionnels. La fréquence de chaque harmonique est un multiple entier de la fondamentale. Dans les instruments à vent, des ondes stationnaires sont induites dans la colonne d'air contenue dans un tube. La colonne d'air vibrant dans un tube ouvert (ouvert aux deux bouts) a des antinœuds aux deux bouts; la fréquence fondamentale correspond à une longueur d'onde égale à deux fois la longueur du tube. Les harmoniques supérieures ont des fréquences qui sont 2, 3, 4, ... fois plus élevées que la fréquence fondamentale. Dans un tube fermé (fermé à un seul bout), la fondamentale correspond à une longueur d'onde égale à quatre fois la longueur du tube; il ne se produit que des harmoniques impaires, à des fréquences égales à 1, 3, 5, 7, ... fois la fréquence fondamentale.

Les ondes sonores provenant de différentes sources peuvent interférer les unes avec les autres. Si deux sons ont des fréquences légèrement différentes, on peut entendre des *battements* à une fréquence égale à la différence des fréquences des ondes respectives des deux sources.

L'*effet Doppler* est le décalage de hauteur d'un son dû au mouvement soit de la source, soit de l'auditeur. Si la distance entre la source et l'auditeur diminue, la hauteur augmente; si cette distance augmente, la hauteur diminue.

QUESTIONS

1. Quelles sont les preuves que le son se propage à la manière d'une onde?
2. Quelles sont les preuves que le son est une forme d'énergie?
3. Les gens de la campagne savent, de façon empirique, que le retard entre la perception d'un éclair et l'audition du tonnerre donne une idée de la distance à laquelle la foudre est tombée et, en particulier, que chaque 5 s correspond à 1 mile. Expliquez. Exprimez une règle semblable pour déterminer la distance en kilomètres.
4. La nuit, en bateau sur un lac ou une rivière, on peut souvent entendre les voix ou la radio de gens qui sont à une bonne distance sur la rive. Pourtant, cela se produit rarement le jour.

On peut expliquer ce phénomène en considérant la réfraction du son due aux différentes densités des différentes couches d'air (à cause des différences de température). Dessinez un diagramme pour expliquer ce phénomène et déterminez si la couche d'air la plus près de la surface de l'eau est plus dense que celle au-dessus la nuit ou le jour.

5. Vous attendez-vous à ce que la fréquence ou la longueur d'onde d'une onde qui passe de l'air dans l'eau change?

6. Quelle preuve pouvez-vous donner que la vitesse du son dans l'air ne dépend pas de façon significative de la fréquence?

7. Quelle est la principale raison pour laquelle la vitesse du son est plus grande dans l'hydrogène que dans l'air?

8. Les molécules d'un gaz, tel que l'air, bougent en tous sens de façon aléatoire à des vitesses assez grandes. La distance moyenne entre les molécules est plusieurs fois plus grande que leur diamètre. Quand une onde passe à travers un gaz, l'impulsion donnée à une molécule est communiquée à une autre seulement si cette distance est parcourue et que les deux molécules se percutent. Vous attendez-vous donc à ce que la vitesse du son dans un gaz soit limitée par la vitesse moléculaire moyenne?

9. Deux diapasons oscillent à la même amplitude mais l'un a deux fois la fréquence de l'autre. Lequel produit le son le plus intense?

10. Comment une élévation de la température de l'air affecte-t-elle l'intensité d'un son venant d'une source de fréquence et d'amplitude fixes? (Supposez que la pression atmosphérique ne change pas.)

11. La voix d'une personne qui a aspiré de l'hélium est très aiguë. Pourquoi?

12. Pour quelle raison les cordes de boyaux utilisées pour certains instruments de musique sont-elles gainées d'un fin fil métallique?

13. Sifflez et décrivez comment vous contrôlez la hauteur de votre sifflet.

14. Pour chaque diagramme de la figure 2.3, faites un diagramme correspondant pour les ondes stationnaires de *pression* dans *a*) un tube ouvert et *b*) un tube fermé.

15. Expliquez comment il est possible d'utiliser un tube comme un filtre pour réduire l'amplitude des sons dans différentes échelles de fréquences. (Un silencieux d'automobile en est un exemple.) Y a-t-il une «suppression» des basses fréquences pour la transmission du son? Si oui, comment détermine-t-on la fréquence de «coupure»?

16. Comment la température de l'air dans une pièce affecte-t-elle la hauteur du son produit par les tuyaux d'orgues?

17. La réduction du bruit est aujourd'hui un objectif important. Une méthode pour ce faire consiste à réduire l'aire de vibration de machines bruyantes, par exemple en les fabriquant les plus petites possibles ou en les isolant (acoustiquement) du plancher et des murs. Une seconde méthode consiste à utiliser un matériau très épais pour la fabrication de leur surface. Expliquez comment chacune de ces méthodes permet de réduire le niveau de bruit.

18. Pourquoi les touchettes sur une guitare sont-elles plus rapprochées les unes des autres au fur et à mesure qu'on descend le doigt vers le pont?

19. On peut dire que les ondes stationnaires sont dues à de l'«interférence dans l'espace» tandis que les battements sont dus à de l'«interférence dans le temps». Expliquez.

20. À quelles conditions pourriez-vous entendre des battements entre les sons de deux diapasons qui ont exactement la même fréquence naturelle?

21. Supposez qu'une source sonore bouge, dans l'air immobile, perpendiculairement à la ligne de vision d'un auditeur au repos. Un effet Doppler se produira-t-il? Expliquez.

22. Le souffle du vent affecte-t-il la fréquence du son entendu par une personne qui se trouve au repos par rapport à la source? Est-ce que la longueur d'onde ou la vitesse est changée?

23. Un bang supersonique ressemble beaucoup à un bruit d'explosion. Expliquez la similarité entre les deux bruits.

PROBLÈMES

SECTION 2.1

1. (I) Les dauphins émettent des ondes ultrasoniques à des fréquences aussi élevées que 250 000 Hz. Quelle est la longueur d'onde d'une telle onde *a*) dans l'eau et *b*) dans l'air? Posez $T = 20$ °C.

2. (I) Un vacancier détermine la longueur d'un lac en écoutant l'écho de son cri réfléchi par une falaise au bout du lac. Il entend son écho 2,0 s après avoir crié. Quelle est la longueur du lac?

3. (II) On laisse tomber une pierre du haut d'une falaise. On entend, 4,0 s plus tard, le bruit que la pierre fait en touchant l'eau au-dessous. Quelle est la hauteur de la falaise? Posez $T = 20$ °C.

4. (II) Une personne voit une lourde pierre frapper la chaussée de béton. Un moment plus tard, elle entend deux sons provenant de l'impact: l'un voyage dans l'air et l'autre dans le béton et ils sont séparés par 2,0 s. À quelle distance l'impact s'est-il produit?

SECTION 2.2

5. (I) L'amplitude de pression d'une onde sonore se propageant dans l'air ($\rho = 1{,}29$ kg/m^3) à 0 °C est $3{,}0 \times 10^{-3}$ Pa. Quelle est l'amplitude de déplacement si la fréquence est *a*) 100 Hz et *b*) 10 kHz?

6. (I) Quelle doit être l'amplitude de pression d'une onde sonore se propageant dans l'air (à 0 °C) si les molécules d'air subissent un déplacement maximal égal au diamètre d'une molécule d'oxygène, environ 3×10^{-10} m? Supposez que la fréquence de l'onde sonore est de *a*) 50 Hz et *b*) 5,0 kHz.

7. (II) Écrivez une expression qui donne la variation de pression en fonction de x et de t pour les ondes décrites au problème 6.

8. (II) La variation de pression dans une onde sonore est donnée par:

$$p = 0{,}0025 \sin\left(\frac{\pi}{3{,}0}x - 1700\pi t\right),$$

où p est en pascals, x, en mètres et t, en secondes. Déterminez *a*) la longueur d'onde, *b*) la fréquence, *c*) la vitesse et *d*) l'amplitude de déplacement de l'onde. Supposez que la masse volumique du milieu est de $\rho = 2{,}7 \times 10^3$ kg/m^3.

9. (II) Les ondes ultrasoniques à des fréquences de quelques mégahertz servent souvent aux diagnostics médicaux. Une onde ultrasonique de 5,0 MHz passe d'un tissu musculaire, dans lequel sa vitesse est de 1200 m/s, à un tissu osseux, dans lequel sa vitesse est de 2800 m/s. Pour chaque milieu, déterminez l'expression mathématique donnant $p(x, t)$, la variation de pression de l'onde dans chaque milieu, *a*) en fonction de λ et v, et *b*) en fonction de λ et f. Représentez les amplitudes de pression respectives de l'onde dans les deux milieux par $p_{\text{M - muscle}}$ et $p_{\text{M - os}}$.

10. (II) Montrez que l'amplitude de pression d'une onde longitudinale à une dimension est égale au produit du module de compressibilité volumique du milieu avec le rapport de la vitesse maximale d'une particule ($\partial D/\partial t$) à la vitesse de l'onde.

SECTION 2.3

11. (I) Deux ondes sonores, dont l'une a deux fois la fréquence de l'autre, ont des amplitudes de déplacement égales. *a*) Laquelle des ondes a la plus grande amplitude de pression et par quel facteur? *b*) Quel est le rapport de leurs intensités?

12. (I) *a*) Quel est le niveau d'intensité d'un son dont l'intensité est $8{,}5 \times 10^{-8}$ W/m^2? *b*) Quelle est l'intensité d'un son dont le niveau d'intensité est 25 dB?

13. (I) Si l'amplitude d'une onde sonore est triplée, *a*) par quel facteur l'intensité augmente-t-elle? *b*) De combien de décibels le niveau d'intensité augmente-t-il?

14. (II) Quel est le niveau d'intensité (en dB) d'une onde sonore, se propageant dans l'air, pour laquelle l'amplitude de déplacement des molécules d'air est de 1,00 mm à 180 Hz?

15. (II) Le rapport signal-sur-bruit d'une enregistreuse magnétique est de 62 dB. Quel est le rapport des intensités du signal et du bruit de fond?

16. (II) Les êtres humains sont sensibles à des différences de niveaux d'intensité sonore de 1,0 dB. Quel est le rapport des amplitudes de deux sons dont les niveaux d'intensité diffèrent de cette quantité?

17. (II) *a*) Calculez le déplacement maximal des molécules d'air (à 20 °C) au moment du passage d'une onde de 200 Hz dont l'intensité est au seuil de la douleur (120 dB). *b*) Quelle est l'amplitude de pression de cette onde?

18. (II) Si deux pétards produisent un niveau d'intensité de 90 dB en un certain endroit, quel serait le niveau d'intensité si seulement un pétard explosait?

19. (II) Un moustique seul, à 10 m d'une personne, fait un son près du seuil d'audition humain (0 dB). Quel serait le niveau d'intensité de 1000 moustiques semblables?

20. (II) Une onde sonore de 65 dB frappe un tympan dont l'aire est de $5{,}0 \times 10^{-5}$ m^2. Combien d'énergie le tympan absorbe-t-il par seconde?

21. (II) *a*) Estimez la puissance émise par la voix d'une personne qui converse normalement. Utilisez le tableau 2.2. Supposez que la voix se répande uniformément sur un hémisphère devant la bouche. *b*) Combien de personnes conversant normalement faudrait-il pour produire un débit sonore total de 100 W?

22. (II) On estime que la puissance d'un amplificateur audio est, à 1000 Hz, de 25 W. Le débit chute de 2 dB à 20 Hz. Quelle est la puissance à 20 Hz?

23. (II) Quel est le niveau d'intensité résultant quand on entend simultanément un son de 80 dB et un autre de 85 dB?

24. (II) Dans les systèmes de son et de communication, on définit le *gain* β en décibels comme

$$\beta = 10 \log \frac{P_s}{P_e},$$

où P_e est la puissance du signal à l'entrée du système et P_s, la puissance à la sortie. Un certain amplificateur audio émet 50 W de puissance pour un signal d'entrée de 1,0 mW. Quel est le gain en dB.

25. (II) *a*) Montrez qu'on peut exprimer le niveau d'intensité β en fonction de l'amplitude de pression p_M, par la formule:

$$\beta(\text{dB}) = 20 \log \frac{p_M}{p_{M0}},$$

où p_{M0} est l'amplitude de pression d'un certain niveau de référence. *b*) On prend souvent comme niveau de référence p_{M0} le niveau $3{,}0 \times 10^{-5}$ N/m^2 qui correspond à une intensité de $1{,}0 \times 10^{-12}$ W/m^2. Quel serait le niveau d'intensité si p_M était 1 atm?

26. (II) Le niveau d'intensité, à une distance de 12,0 m d'un haut-parleur placé à l'air libre, est de 100 dB. Quelle est la puissance acoustique (en watts) du haut-parleur.

27. (II) Un avion à réaction émet $2{,}0 \times 10^5$ J d'énergie sonore par seconde. *a*) Quel est le niveau d'intensité à une distance de 40 m? L'air absorbe le son au taux d'environ 7 dB/km. Calculez le niveau d'intensité à *b*) 1 km et *c*) 5 km de distance de l'avion, en tenant compte de l'absorption dans l'air.

SECTION 2.4

28. (I) La fréquence fondamentale de la corde de sol d'un violon est de 196 Hz. La longueur de la partie vibrante est de 32 cm et sa masse, de 0,45 g. Quelle tension doit-il y avoir dans la corde?

29. (I) Une corde de guitare est longue de 0,700 m et est accordée de façon à pouvoir jouer mi en haut du do médian (330 Hz). À quelle distance du bout de la corde doit-on placer le doigt pour jouer la en haut du do médian (440 Hz)?

30. (I) À quelle distance du bout de la flûte de l'exemple 2.6 se trouve le trou devant être ouvert pour jouer ré au-dessus du do médian à 294 Hz?

31. (I) Déterminez la longueur d'un tuyau d'orgue fermé qui émet un do médian (264 Hz) à la température de 15 °C.

32. (II) Un orgue est accordé à 20 °C. De combien la fréquence sera-t-elle changée à 10 °C? Exprimez la réponse sous la forme d'une fraction.

33. (II) Calculez la fréquence de résonance de la colonne d'air, longue d'environ 2,5 cm, dans l'oreille externe d'un être humain.

34. (II) On conçoit un tuyau pour qu'il émette dans l'air, à 20 °C, deux harmoniques successives à 240 Hz et 280 Hz. Quelle doit être la longueur du tuyau et doit-il être fermé ou ouvert?

35. (II) Un tube uniformément étroit et long de 1,80 m est ouvert aux deux bouts. Il produit deux harmoniques successives de fréquences 380 Hz et 456 Hz. Quelle est la vitesse du son dans le gaz contenu dans le tube?

36. (II) Un violon est accordé de façon à ce que la fréquence de chaque corde soit $1\frac{1}{2}$ fois plus élevée que celle de la corde voisine. Si on met la même tension dans toutes les cordes, quelle doit être la masse linéique de chaque corde relativement à la corde la plus basse?

37. (II) La corde du *la* d'un violon mesure 32 cm et a une fréquence fondamentale de 440 Hz et une densité linéique de $5{,}0 \times 10^{-4}$ kg/m. *a*) Déterminez la vitesse ondulatoire et la tension dans la corde? *b*) Le tube d'un instrument à vent simple (un tuyau d'orgue, par exemple) est fermé à un bout et sa fondamentale est de 440 Hz; quelle est la longueur du tube si la vitesse du son dans l'air est de 343 m/s? *c*) Quelle est la fréquence de la deuxième harmonique de chaque instrument?

38. (II) *a*) À $T = 20$ °C, quelle doit être la longueur d'un tuyau d'orgue ouvert pour produire une fondamentale à 264 Hz? *b*) Si ce tuyau contenait de l'hélium, quelle serait sa fréquence fondamentale?

39. (II) On fait vibrer un diapason au-dessus d'un tube vertical ouvert rempli d'eau. On fait baisser le niveau d'eau lentement. Pendant que cela se produit, l'air dans le tube au-dessus de l'eau résonne avec le diapason lorsque la distance entre la surface de l'eau et l'ouverture du tuyau est de 0,125 m, puis de 0,395 m. Quelle est la fréquence du diapason? Supposez que $T = 20$ °C.

40. (II) Combien y a-t-il d'harmoniques dans l'échelle audible pour un tuyau d'orgue de 100 cm de long à 20 °C, *a*) si le tuyau est ouvert et *b*) s'il est fermé?

41. (II) On place une corde de guitare de 80 cm de long et d'une masse de 1,50 g près d'un tube ouvert à un bout et également long de 80 cm. Quelle tension doit-il y avoir dans la corde pour que sa troisième harmonique ait la même fréquence que la septième harmonique du tube? Supposez que $T = 20$ °C.

SECTION 2.5

42. (II) Quelles sont approximativement les intensités des deuxième et troisième harmoniques d'un violon relativement à la fondamentale? Combien de décibels de moins que la fondamentale produisent respectivement les deuxième et troisième harmoniques? (Voir figure 2.4.)

SECTION 2.6

43. (I) Quelle est la «fréquence de battement» si le do médian (262 Hz) et le do dièse (277 Hz) sont joués ensemble? Que se passe-t-il si chaque note est baissée de deux octaves (chaque fréquence réduite par un facteur 4)?

44. (I) Un accordeur de piano entend un battement chaque 2 s lorsqu'il essaie d'accorder deux cordes à la même note. Si l'une des cordes produit un son à une fréquence de 440 Hz, de combien (en Hz) la seconde corde est-elle fausse?

45. (II) Une personne entend un ton pur, provenant de deux sources et dont la fréquence se situe entre 500 et 1000 Hz. Le volume le plus élevé se trouve aux points équidistants des deux sources. Afin de déterminer exactement la fréquence, la personne se déplace ici et là et trouve que le niveau sonore est minimal à un point 0,22 m plus distant d'une source que de l'autre. Si $T = 20$ °C, quelle est la fréquence du son?

46. (II) Deux cordes de piano sont censées vibrer à 132 Hz mais un accordeur entend deux battements chaque seconde quand on les joue ensemble. *a*) Si l'une d'elles vibre à 132 Hz, quelle est la fréquence de l'autre? Y a-t-il une seule réponse? *b*) De combien doit-on, en pourcentage, augmenter ou diminuer la tension pour accorder les deux cordes.

47. (II) Deux flûtistes jouent le do médian (262 Hz) sur deux flûtes identiques dont la première est à 0 °C et la seconde à 20 °C. Combien de battements entendront-ils?

48. (II) Les deux sources sonores de la figure 2.5, qui se font face, émettent des sons déphasés de 180° mais d'amplitudes égales et de fréquences égales (250 Hz). Quelle doit être la distance minimale entre les deux haut-parleurs pour qu'il y ait quelque part *a*) interférence constructive complète et *b*) interférence destructive complète ($T = 20$ °C)?

49. (II) Montrez qu'il doit exister une distance minimale d, égale à une demi-longueur d'onde du son ($d = \lambda/2$), entre les deux haut-parleurs de la figure 2.5 pour que de l'interférence constructive se produise en un endroit quelconque. Les haut-parleurs sont en phase.

50. (II) Deux haut-parleurs sont distants de 2,5 m. Une personne se tient à 3,0 m de l'un d'eux et à 3,5 m de l'autre. *a*) Quelle est la fréquence la plus basse qui provoque une interférence destructive en ce point? *b*) Calculez deux autres fréquences qui provoquent de l'interférence destructive en ce point (donnez les deux fréquences supérieures suivantes). Supposez que $T = 20$ °C.

51. (II) Une source émet deux sons à des longueurs d'onde de 2,80 m et 3,10 m. *a*) Combien de battements par seconde entendra-t-on (supposez que $T = 20$ °C)? *b*) De quelle distance les régions d'intensité maximale sont-elles séparées?

52. (II) Les deux sources de la figure 2.5 émettent des ondes sonores, en phase, chacune d'une longueur d'onde λ et d'une amplitude D_M. Soit un point tel que C ou D dans le diagramme et soit r_A et r_B, les distances de ce point à la source A et à la source B, respectivement. Montrez que si les distances r_A et r_B sont presque égales ($r_A - r_B << r_A$), l'amplitude varie approximativement avec la position selon la formule:

$$\left(\frac{2D_M}{r_A}\right)\cos\frac{\pi}{\lambda}(r_A - r_B).$$

53. (III) Une source d'onde sonore (d'une longueur d'onde λ) se trouve à une distance l d'un détecteur. Le son atteint le détecteur directement et aussi en se réfléchissant sur un obstacle (figure 2.13). L'obstacle est équidistant de la source et du détecteur. Quand l'obstacle est à une distance d à la droite de la ligne de vision entre la source et le détecteur, comme dans la figure, les deux ondes arrivent en phase. De combien doit-on éloigner l'obstacle vers la droite pour déphaser les ondes de 180°, de façon à ce qu'il y ait interférence destructive? (Supposez que $\lambda << l, d$.)

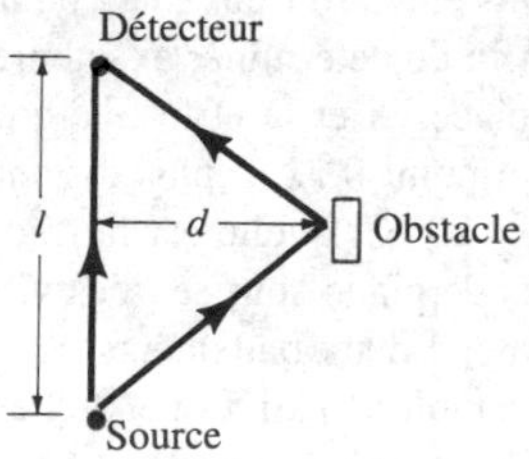

FIGURE 2.13 Problème 53.

SECTION 2.7

54. (I) La fréquence prédominante de la sirène d'une voiture de police au repos est de 1800 Hz. Quelle sera la fréquence détectée si la voiture *a*) roule vers un observateur stationnaire à 90 km/h et *b*) s'éloigne de l'observateur à la même vitesse? *c*) Quelles seront les fréquences si, la voiture de police demeurant au repos, la voiture de l'observateur s'en rapproche ou s'en éloigne à 90 km/h?

55. (II) Deux haut-parleurs se font face aux deux bouts d'un long corridor. Les haut-parleurs sont reliés à la même source qui produit un ton pur de 330 Hz. Une personne marche d'un haut-parleur à l'autre à une vitesse de 1,4 m/s. Quelle fréquence de «battements» la personne entend-elle?

56. (II) Deux trains sifflent à la même fréquence de 260 Hz. Si l'un des trains s'éloigne, à la vitesse de 80 km/h, d'un observateur au repos et que l'autre train est au repos, quelle fréquence de battement l'observateur détectera-t-il?

57. (II) La vitesse du flot sanguin dans l'aorte est normalement d'environ 0,28 m/s. Des ondes ultrasoniques de 4,20 MHz sont dirigées le long du flot sanguin et réfléchies par les globules rouges. Quelle fréquence de battement prévoyez-vous? Supposez que les ondes se propagent à une vitesse de $1,5 \times 10^3$ m/s, proche de celle du son dans l'eau.

58. (II) *a*) Utilisez le développement binomial pour montrer que les équations 2.9a et 2.10a deviennent pratiquement les mêmes pour une vitesse relative faible entre la source et l'observateur. *b*) Quelle serait le pourcentage d'erreur si on utilisait l'équation 2.10a au lieu de l'équation 2.9a pour une vitesse relative de 25 m/s?

59. (II) La fréquence du sifflement d'un train qui s'approche de vous est de 460 Hz. Après son passage près de vous, sa fréquence est de 300 Hz. Quelle est la vitesse du train? (Supposez qu'elle est constante.)

60. (II) On surveille les battements cardiaques d'un fœtus à l'aide de l'effet Doppler sur des ondes d'une fréquence de 2,25 MHz. On observe une fréquence de battement (maximale) de 600 Hz. En supposant que la vitesse du son dans les tissus est de $1,54 \times 10^3$ m/s, calculez la vitesse maximale de la surface du cœur qui bat.

61. (II) Dans le problème 60, on trouve que la fréquence de battement apparaît et disparaît 180 fois par minute, ce qui témoigne du fait que le coeur bat et que sa surface change de vitesse. Quel est le taux des battements cardiaques?

62. (II) Deux automobiles sont munies de klaxons de même fréquence. On entend une fréquence de battement de 6,0 Hz lorsqu'une voiture roule à 12 m/s vers un observateur et que l'autre est au repos. Quelle est la fréquence du son émis par les klaxons? Supposez que $T = 20$ °C.

63. (III) La fréquence de sifflement d'une manufacture est de 650 Hz. Lorsque le vent souffle du nord à une vitesse de 12,0 m/s, quelle fréquence entendront des observateurs immobiles situés *a*) plein nord, *b*) plein sud, *c*) plein est et *d*) plein ouest par rapport au sifflement? Quelle fréquence entendra un cycliste se dirigeant, dans la direction du sifflement et à une vitesse de 15,0 m/s, *e*) vers le nord ou *f*) vers l'ouest? ($T = 20$ °C.)

SECTION 2.8

64. (I) Un bateau naviguant à la vitesse de 9,2 m/s fait une vague de proue ayant un angle de 18° avec la direction de son mouvement. Quelle est la vitesse des vagues?

65. (II) Un missile voyage dans l'air à $^-10$ °C, près de la surface de la terre, à une vitesse de 1000 m/s. *a*) Quel est le nombre de Mach? *b*) Quel est l'angle au sommet du cône de l'onde de choc produite par le missile?

66. (II) Montrez que l'équation 2.11 donne l'angle θ que l'onde de choc d'un bang supersonique fait avec le trajet d'un objet supersonique.

67. (II) Un météorite, voyageant à la vitesse de 8000 m/s, frappe l'océan. Déterminez l'angle de l'onde de choc produite *a*) dans l'air juste avant d'entrer dans l'océan et *b*) dans l'eau juste après y être entré. Supposez que $T = 5$ °C.

68. (II) Un avion voyage à Mach 1,7 à un endroit où la vitesse du son est de 310 m/s. *a*) Quel angle l'onde de choc fait-elle avec la direction du mouvement de l'avion? *b*) Si l'avion vole à une altitude de 6500 m, combien de temps s'écoule avant qu'une personne au sol entende l'onde de choc après le passage de l'avion directement au-dessus de sa tête?

69. (II) L'excès de pression p dans un bang suppersonique décroît avec l'altitude h d'un avion selon la relation approximative

$$p \propto \frac{1}{h^{3/4}}.$$

Par quel facteur la pression excédentaire change-t-elle si l'avion vole deux fois plus haut? Comparez vos résultats à une loi en l'inverse du carré.

CHAPITRE

3

LA RÉFLEXION ET LA RÉFRACTION DE LA LUMIÈRE

Le sens de la vue est très important pour nous puisqu'il nous fournit une très grande partie de nos informations sur le monde. Comment voyons-nous? Qu'est-ce que cette chose appelée *lumière* qui cause la sensation de la vue en entrant dans nos yeux? Comment la lumière se comporte-t-elle pour que nous puissions voir toute l'étendue des phénomènes que nous voyons? Le sujet de la lumière fera l'objet de plusieurs chapitres.

Nous pouvons voir un objet selon l'une des deux manières suivantes: 1) l'objet peut être une source lumineuse, telle une ampoule, une flamme ou une étoile, et dans ce cas nous voyons la lumière émise directement par la source; ou 2) plus habituellement, nous voyons un objet par la lumière qu'il réfléchit. Dans ce dernier cas, la lumière peut provenir du Soleil, d'appareils lumineux ou d'autres sources. On n'a compris la façon dont les corps *émettent* de la lumière que durant les années 1920; nous en traiterons au chapitre 9. On a compris beaucoup plus tôt comment la lumière se réfléchit sur les objets; nous en traiterons à la section 3.5.

3.1 Le modèle particulaire de la lumière

Il existe de nombreuses preuves que la lumière voyage en ligne droite dans de nombreuses circonstances. Ainsi, une source lumineuse ponctuelle, comme le Soleil, projette des ombres aux contours très nets; le faisceau d'une lampe de poche est rectiligne. En fait, nous inférons la position des différents objets dans notre environnement en supposant que la lumière qui provient de l'objet atteint notre œil en suivant une ligne droite. Toute notre façon de nous orienter dans le monde physique repose sur cette supposition.

Cette hypothèse raisonnable a conduit au **modèle particulaire** de la lumière. Les parcours rectilignes que la lumière suit s'appellent des **rayons**. En fait, un rayon est une idéalisation qui sert à représenter un faisceau de lumière infiniment mince. Quand nous voyons un objet, la lumière qui atteint nos yeux provient de chaque point de l'objet. Quoique chaque point de l'objet émette des rayons dans toutes les directions, seul un petit nombre, ou faisceau, de ces rayons pénètre dans les yeux de l'observateur (figure 3.1). Si la personne bouge la tête de côté, un autre faisceau de rayons de lumière provenant de chaque point pénètre dans ses yeux.

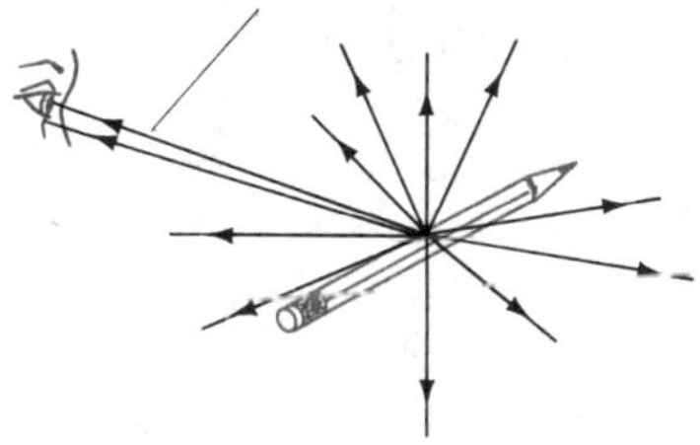

FIGURE 3.1 Des rayons lumineux partent de chaque point d'un objet. Un petit faisceau de rayons provenant d'un point entre dans l'œil d'une personne.

Nous avons vu au chapitre 12 du tome 2 qu'on peut considérer la lumière comme une onde électromagnétique. Quoique la représentation de la lumière par des rayons de particules ne tienne pas compte de cet aspect de la lumière (nous traiterons de la nature ondulatoire de la lumière à partir du chapitre 5), elle a tout de même permis de rendre compte de plusieurs aspects de la lumière: la réflexion, la réfraction, la formation d'images par les miroirs et les lentilles. Comme ces descriptions supposent des rayons lumineux rectilignes suivant différents angles, on appelle cette matière l'**optique géométrique**†.

3.2 La vitesse de la lumière et l'indice de réfraction

Galilée tenta de mesurer la vitesse de la lumière en essayant de mesurer le temps nécessaire à la lumière pour parcourir une distance connue entre deux sommets de colline. Installé sur un sommet, Galilée demanda à un assistant de s'installer sur un autre sommet et d'enlever le couvercle d'une lampe à l'instant même où il apercevrait la lumière provenant de sa lampe à lui. Après avoir mesuré le temps entre l'allumage de sa lampe et la perception de la lumière provenant de la lampe de son assistant, Galilée conclut que ce temps était si bref qu'il représentait simplement le temps de la réaction humaine et que la vitesse de la lumière devait être extrêmement grande.

C'est l'astronome danois Ole Roemer (1644-1710) qui réussit le premier à démontrer que la vitesse de la lumière était finie. Roemer avait remarqué que la période, méticuleusement mesurée, de l'une des lunes de Jupiter (Io, avec une période moyenne de 42,5 h) variait légèrement et que cette variation dépendait du mouvement relatif de la Terre et de Jupiter. Lorsque la Terre s'éloignait de Jupiter, la période de la Lune devenait un peu plus longue et lorsque la Terre se rapprochait de Jupiter, elle se faisait un peu plus courte. Il attribua cette variation au fait que le temps nécessaire à la lumière pour parcourir la distance entre la Terre et Jupiter augmentait ou diminuait selon que la Terre s'éloignait ou se rapprochait de Jupiter. Roemer en conclut que la vitesse de la lumière, quoique très grande, était finie.

FIGURE 3.2 Albert A. Michelson (1852-1931).

On a, depuis lors, utilisé plusieurs méthodes pour mesurer la vitesse de la lumière. L'une des plus importantes fut celle employée par l'Américain Albert Michelson (1852-1931; figure 3.2). Michelson utilisa le miroir rotatif représenté dans la figure 3.3 pour mener, de 1880 à 1920, une série d'expériences très précises. Il dirigea un faisceau de lumière provenant d'une source sur l'une des faces d'un miroir rotatif à huit faces. La lumière réfléchie par cette face parcourait une grande distance jusqu'à un miroir stationnaire d'où elle revenait, comme cela est représenté dans la figure. Lorsque le miroir rotatif tournait à la vitesse appropriée, le faisceau était alors réfléchi par l'une des faces du miroir dans un petit télescope à travers lequel l'expérimentateur observait. À une vitesse de rotation différente, le faisceau était dévié d'un côté de sorte que l'expérimentateur ne pouvait pas l'apercevoir. Michelson put calculer la vitesse de la lumière à partir de la vitesse de rotation requise du miroir rotatif et de la distance connue du miroir stationnaire. En 1920, Michelson installa son miroir rotatif sur le sommet du mont Wilson, dans le sud de la Californie, et le miroir stationnaire, sur le mont Baldy (mont San Antonio), à une distance de 35 km. Par la suite, il mesura la vitesse de la lumière dans le vide en utilisant un long tube dans lequel on avait fait le vide.

La valeur acceptée aujourd'hui pour la vitesse de la lumière, c, dans le vide est‡:

$$c = 2{,}99792458 \times 10^8 \text{ m/s}.$$

On utilise d'ordinaire la valeur arrondie

$$3{,}00 \times 10^8 \text{ m/s}$$

† En optique géométrique, on ne tient généralement pas compte des propriétés ondulatoires de la lumière. En conséquence, si la lumière passe à travers des objets ou dans une ouverture, ceux-ci doivent être très grands comparativement à la longueur d'onde de la lumière (de façon à ce qu'on puisse négliger les phénomènes d'interférence et de diffraction traités au chapitre 1); on ne tient pas compte, non plus, de ce qui arrive à la lumière aux bords des objets. Voir toutefois les chapitres 5 et 6.

‡ Quand on a redéfini le mètre en 1983 (section 1.4 du tome 1), on donna, par définition, cette valeur fixe à la vitesse de la lumière.

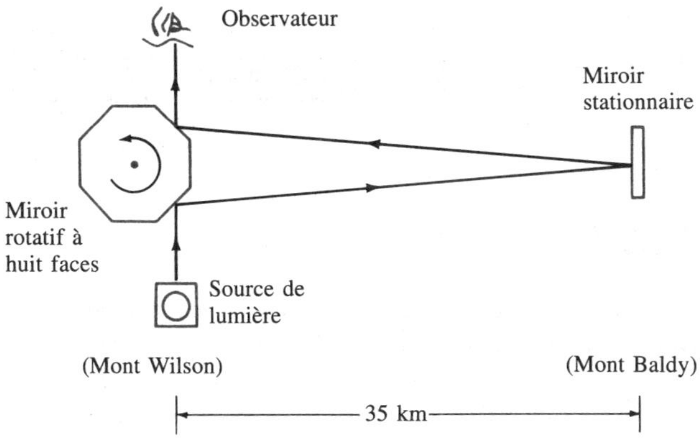

FIGURE 3.3 Appareil à mesurer la vitesse de la lumière de Michelson (non à l'échelle).

TABLEAU 3.1
Indices de réfraction†

Matériau	$n = c/v$
Air (à TPN)	1,0003
Eau (à 20 °C)	1,33
Alcool éthylique	1,36
Verre:	
Quartz fondu	1,46
Verre crown	1,52
Verre au plomb	1,58
Lucite ou plexiglas	1,51
Chlorure de sodium	1,53
Diamant	2,42

† $\lambda = 589$ nm

lorsqu'une mesure extrêmement précise n'est pas nécessaire. La vitesse de la lumière est seulement légèrement moindre dans l'air que dans le vide. Dans d'autres milieux matériels transparents, comme le verre ou l'eau, la vitesse de la lumière est toujours plus petite que dans le vide. Dans l'eau, par exemple, elle voyage à environ $\frac{3}{4}c$. Le rapport de la vitesse de la lumière dans le vide à la vitesse de la lumière v dans un milieu matériel donné est appelé l'**indice de réfraction** n de ce milieu matériel:

$$n = \frac{c}{v}. \tag{3.1}$$

Le tableau 3.1 donne l'indice de réfraction de différents milieux†. (Comme nous le verrons plus tard, n varie quelque peu avec la longueur d'onde de la lumière — sauf dans le vide — et une longueur d'onde est donc spécifiée; dans le tableau 3.1, elle correspond à la longueur d'onde de la lumière jaune, $\lambda = 589$ nm.) Par exemple, comme $n = 2{,}42$ pour le diamant, la vitesse de la lumière dans le diamant est:

$$v = c/n = (3{,}00 \times 10^8 \text{ m/s})/2{,}42 = 1{,}24 \times 10^8 \text{ m/s}.$$

3.3 La réflexion; la formation d'images par un miroir plan

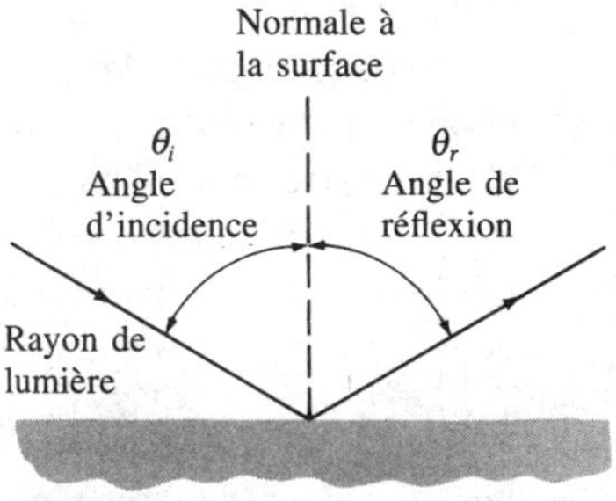

FIGURE 3.4 La loi de la réflexion.

Quand la lumière frappe la surface d'un objet, une partie en est réfléchie. Le reste est absorbé par l'objet (et transformé en chaleur) ou, si l'objet est transparent comme le verre ou l'eau, une partie est transmise au travers de l'objet. Dans le cas d'un objet très brillant, comme un miroir argenté, la lumière est réfléchie à plus de 95 %.

On définit l'**angle d'incidence**, θ_i, d'un faisceau étroit de lumière qui rencontre une surface plane comme l'angle que fait le faisceau incident avec la normale à la surface; de même, on définit l'**angle de réflexion**, θ_r, du faisceau avec la surface comme l'angle que fait le faisceau réfléchi avec la normale à la surface. Dans le cas de surfaces planes, on trouve que les rayons incidents et réfléchis appartiennent au même plan que la normale à la surface et que

l'angle d'incidence égale l'angle de réflexion.

C'est la **loi de la réflexion** (illustrée à la figure 3.4). Les Grecs de l'Antiquité la connaissaient déjà. Vous pouvez en faire vous-même la vérification en dirigeant un faisceau étroit de lumière, celui d'une lampe de poche par exemple, sur un miroir dans une pièce obscure.

La lumière qui rencontre une surface rugueuse, même microscopiquement rugueuse comme la présente page, est réfléchie dans toutes les directions (figure 3.5). Ce genre de réflexion est dite **réflexion diffuse**. La loi de la réflexion demeure cepen-

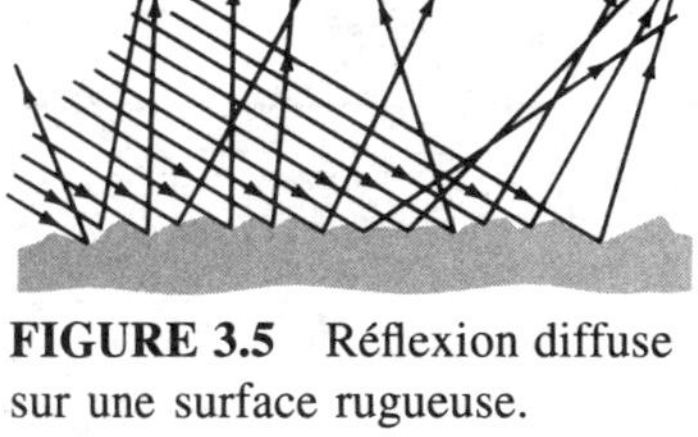

FIGURE 3.5 Réflexion diffuse sur une surface rugueuse.

† L'équation 12.18 du tome 1 permet d'établir clairement que $n = \sqrt{\kappa\kappa_m}$, où κ est la constante diélectrique du milieu matériel et κ_m, sa perméabilité magnétique relative.

ENCADRÉ 3.1

La lumière voyage-t-elle moins vite dans la matière?

La vitesse des ondes électromagnétiques dans le vide

L'onde électromagnétique se propage dans le vide à une vitesse dont la valeur est strictement indépendante de la fréquence: la variation du champ électrique engendre une variation du champ magnétique qui, à son tour, provoque une variation du champ électrique, et ainsi de suite. Cette vitesse, conventionnellement désignée par le symbole *c*, s'élève à 299 792 458 m/s (valeur exacte par définition, depuis 1983).

La vitesse des ondes électromagnétiques dans la matière

Dans la matière, à l'échelle microscopique, la lumière se propage encore dans le vide, entre les molécules, avec la même vitesse *c*, tout en venant interagir avec chacune des molécules du bloc de matière, qui, à leur tour, émettent d'autres ondes semblables, de même fréquence et voyageant à la même vitesse *c*.

L'onde primaire et les ondes secondaires

Comme il est dit plus haut, quand l'onde électromagnétique rencontre un solide, elle le traverse en provoquant d'autres ondes émises par chaque molécule du solide.

Toutes les ondes (l'onde primaire comme les ondes secondaires émises par les molécules) voyagent à la même vitesse *c*. De plus, elles interfèrent entre elles, vers l'arrière, vers les côtés et vers l'avant (voir figure 1). L'addition (interférence) de toutes ces ondes semble complexe alors que le résultat est simple: il en résulte vers l'avant une onde équivalente de vitesse différente de *c*. Les caractéristiques des molécules du milieu traversé ainsi que la fréquence de l'onde primaire permettent de calculer la valeur de cette vitesse.

FIGURE 1 L'onde primaire et les ondes secondaires réémises par une ligne de molécules.

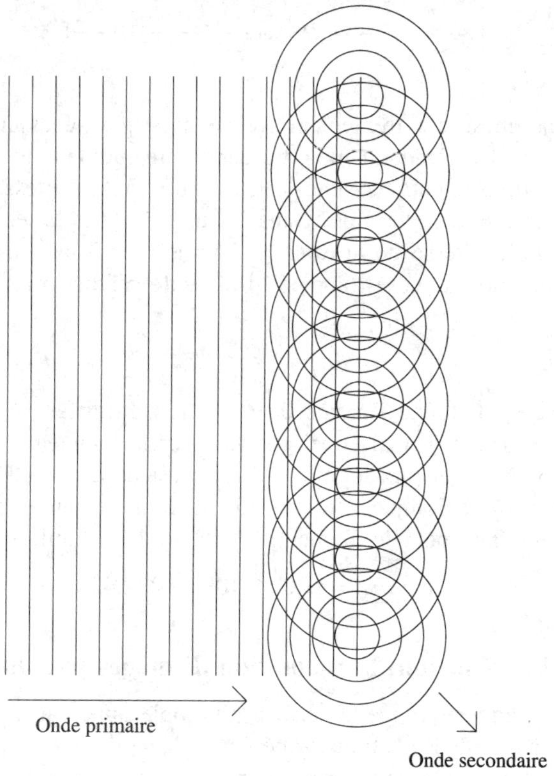

La vitesse de l'onde résultante

Montrons qu'il est possible que la vitesse de l'onde équivalente soit différente de *c*.

Prenons le cas le plus courant où les ondes réémises par les molécules sont pratiquement en phase (ni en retard, ni en avance) avec l'onde incidente. C'est approximativement le cas, dans le domaine des fréquences du visible, pour les milieux courants comme l'air, le verre et l'eau.

À la figure 2, une onde incidente plane voyage dans un milieu constitué de molécules. Examinons ce qui se passe en un point O. S_1 et S_2 représentent les

FIGURE 2 L'onde résultante E retarde sur l'onde primaire E_0.

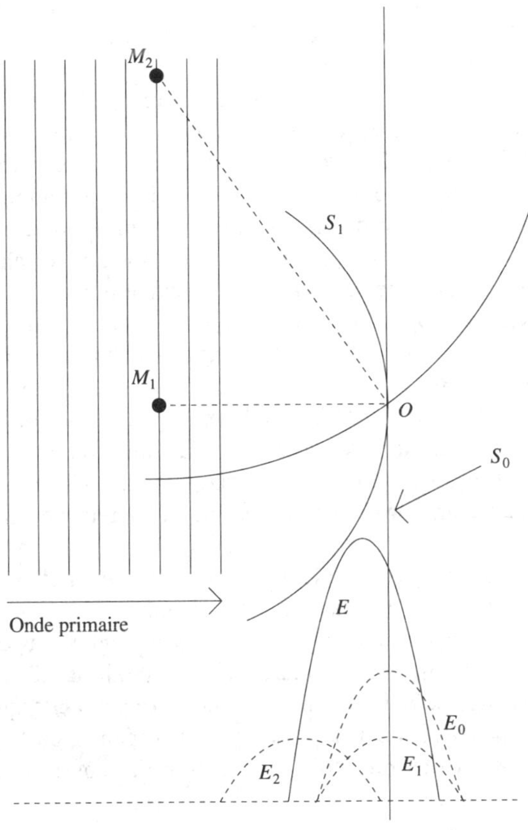

surfaces d'ondes secondaires passant par le point O et venant des molécules M_1 et M_2 respectivement. La surface d'onde de l'onde primaire E_0 passant par ce point est représentée par la ligne verticale.

Les portions de sinusoïdes au bas de la figure 2 indiquent, en un temps donné, autour du point O, les variations respectives spatiales des champs électriques des ondes en cause. E_0 désigne le champ électrique de l'onde primaire, E_1, celui de l'onde produite par M_1, E_2, celui de l'onde produite par M_2 et E représente le champ électrique de l'onde résultante. E_1 est en phase avec E_0 parce que la ligne joignant M_1 et O est perpendiculaire au front de l'onde primaire. Comme la distance entre M_2 et O est plus grande que celle entre M_1 et O, E_2 est en retard sur E_0.

Puisque E_2 est en retard sur E_0 et E_1, le champ résultant E, qui est la somme de E_0, E_1 et E_2, sera nécessairement un peu en retard sur E_0, le champ de l'onde primaire. Cela se voit à la figure 2, où le sommet de E est en retard sur le sommet de E_0.

D'une part, ce qui se produit pour M_1 et M_2 se produit aussi pour toutes les autres molécules situées sur la même ligne, ce qui concourt à un certain retard. D'autre part, les retards dus aux autres lignes rencontrées viendront s'ajouter. Aussi, le retard net sera d'autant plus grand que le bloc de matière traversé sera plus épais.

Qui dit retard, dit vitesse réduite. Tout mène à conclure que l'onde résultante voyage moins vite. Rappelons cependant qu'elle ne constitue que la somme d'ondes individuelles voyageant à la vitesse c.

Ceci montre que la vitesse de l'onde résultante doit être différente de c. Nous n'avons rien dit de la valeur théorique de cette vitesse pour tel ou tel milieu, constitué de telles ou telles molécules. Dépend-elle de la densité? Dépend-elle de la fréquence de l'onde? de la charge de l'électron? de la molécule? La réponse à ces questions est affirmative. Mais pour la comprendre et l'expliciter, il faut connaître en profondeur les caractéristiques de la structure d'une molécule et de son interaction avec l'onde électromagnétique.

En conclusion, un observateur placé en O perçoit une onde résultante décalée par rapport à l'onde qu'il recevrait s'il n'y avait pas de matière entre la source de l'onde primaire et lui. Il en déduit donc que l'onde résultante voyage moins vite.

P.-É. O.

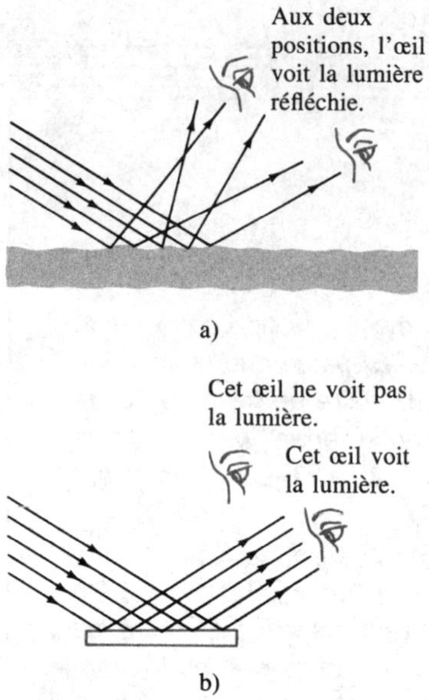

FIGURE 3.6 On dirige le faisceau de lumière d'une lampe de poche sur a) du papier blanc et b) un petit miroir. Dans le diagramme a), la lumière blanche peut être vue à différents points en raison de la réflexion diffuse. Dans le diagramme b), la lumière ne peut être vue que si l'œil de l'observateur est au bon endroit ($\theta_r = \theta_i$).

dant valide, dans un tel cas, pour chaque micro-parcelle de la surface. À cause de la réflexion diffuse, dans toutes les directions, on peut voir un objet ordinaire de plusieurs angles. Si on bouge la tête de côté, des rayons réfléchis à des angles différents par chaque point de l'objet atteignent notre œil (figure 3.6a). Par contre, lorsqu'un étroit faisceau de lumière se réfléchit sur un miroir, notre œil ne peut le voir que s'il se trouve exactement dans l'angle de réflexion du faisceau (figure 3.6b). C'est ce qui donne naissance aux propriétés inhabituelles des miroirs. (Galilée utilisa des arguments semblables† pour réfuter la croyance populaire voulant que la surface de la lune soit très lisse, comme celle d'un miroir, plutôt que rugueuse.)

Si vous regardez droit dans un miroir, vous voyez ce qui vous semble être vous-même ainsi que les différents objets qui vous entourent. Votre visage et les autres objets vous semblent être, et c'est faux bien sûr, devant vous, de l'autre côté du miroir. Ce que vous voyez dans le miroir est une **image** des objets.

La figure 3.7 montre la façon dont un miroir plan (c'est-à-dire plat) forme une image. Des rayons issus de deux points de l'objet sont représentés sur la figure. Quoique des rayons quittent chaque point de l'objet dans toutes les directions, seulement les rayons limites des faisceaux qui proviennent de deux points de l'objet et qui atteignent l'œil sont représentés dans la figure. Les rayons divergents qui pénètrent l'œil semblent provenir de derrière le miroir et avoir suivi les pointillés‡. Le point duquel chaque faisceau de rayons semble provenir est un point de l'image. À chaque point de l'objet correspond un point de l'image. Concentrons-nous sur les deux rayons qui quittent le point *A* de l'objet et frappe le miroir aux points *B* et *B'*. Les angles *ADB* et *CDB* sont des angles droits. De plus, les angles *ABD* et *CBD* sont égaux à cause de la loi de la réflexion. Par conséquent, les deux triangles *ABD* et *CBD* sont égaux et la longueur $AD = CD$. Autrement dit, l'image est aussi loin derrière le miroir que l'objet est loin devant: la **distance de l'image**, d_i, (distance du miroir à l'image, figure 3.7) est égale à la **distance de l'objet**, d_o. On peut voir, par la géométrie, que la hauteur de l'image est la même que celle de l'objet.

Les rayons de lumière ne traversent pas vraiment l'image. Ils *semblent* simplement en provenir, notre cerveau supposant que la lumière qui entre dans nos yeux provient de devant nous. Comme les rayons ne traversent pas vraiment l'image, un morceau de papier ou un film placé à la position de l'image ne détecterait pas d'image. L'image est donc dite **image virtuelle**, pour la distinguer d'une **image réelle** que la lumière traverse vraiment et qui, par conséquent, apparaîtrait sur le papier ou le film mis à la position de l'image. Nous verrons plus loin que les miroirs courbes et les lentilles peuvent former des images réelles.

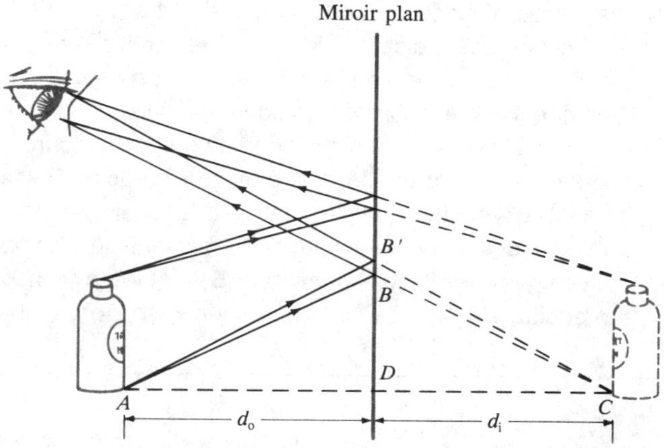

FIGURE 3.7 Formation d'une image virtuelle par un miroir plan.

† Galiléo GALILEI. *Dialogue concerning the Two Chief World Systems*, Berkeley, University of California Press, 1967.
‡ Nos yeux et notre cerveau interprètent la direction de tout rayon qui atteint la rétine comme une ligne droite.

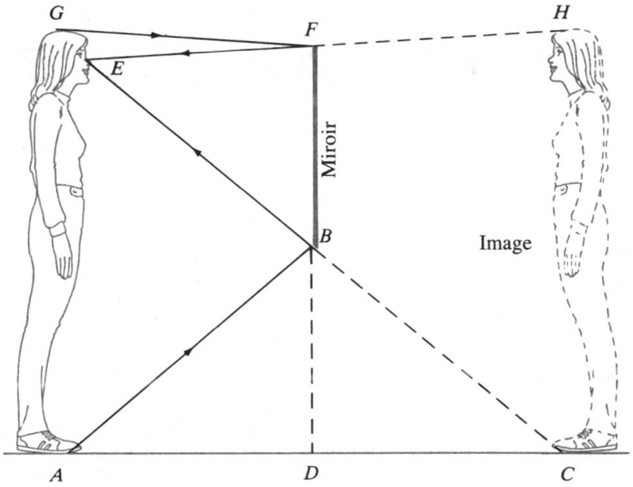

FIGURE 3.8 Jeune femme se regardant dans un miroir (exemple 3.1).

EXEMPLE 3.1 Une femme mesurant 1,60 m se tient debout devant un miroir plan vertical. Quelle est la hauteur minimale du miroir et à quelle hauteur du plancher doit se trouver son bord inférieur pour que la femme puisse voir tout son corps? (Supposez que que ses yeux se trouvent 10 cm au-dessous du haut de son crâne.)

SOLUTION Le diagramme de la figure 3.8 illustre les données du problème. Considérons d'abord le rayon *AB* provenant des orteils qui, en se réfléchissant, devient *BE* et entre dans l'œil *E.* Comme la lumière provenant de *A* (les orteils), qui entre dans l'œil, est réfléchie en *B,* le miroir n'a pas besoin de s'étendre plus bas que *B.* L'angle de réflexion étant égal à l'angle d'incidence, la hauteur *BD* équivaut à la moitié de la hauteur *AE.* Comme $AE = 1{,}60 \text{ m} - 0{,}10 \text{ m} = 1{,}50 \text{ m}$, $BD = 0{,}75$ m. De même, pour que la femme puisse voir le dessus de sa tête, le bord supérieur du miroir n'a pas besoin de s'étendre plus haut que le point *F,* qui se trouve 5 cm plus bas que le dessus de la tête de la femme (la moitié de $GE = 10$ cm). Par conséquent $DF = 1{,}55$ m. La hauteur minimale du miroir est donc de $1{,}55 \text{ m} - 0{,}75 \text{ m} = 0{,}80$ m et le bord inférieur du miroir se trouve 0,75 m au-dessus du plancher. En général, pour qu'une personne puisse se voir en entier dans un miroir, la hauteur de celui-ci doit égaler au moins la moitié de la hauteur de la personne. Ce résultat dépend-il de la distance de la personne au miroir?

3.4 La formation d'images par des miroirs sphériques

Il n'est pas nécessaire que les surfaces réfléchissantes soient planes. Les miroirs *courbes* les plus courants sont *sphériques,* ce qui signifie qu'ils forment une section de sphère. Un miroir sphérique est dit **convexe** si sa surface réfléchissante est la surface externe de la sphère, le centre du miroir bombant vers la personne qui s'y regarde; le miroir est dit **concave** si sa surface réfléchissante est la surface interne de la sphère, le centre du miroir étant plus éloigné de la personne qui s'y regarde que les bords.

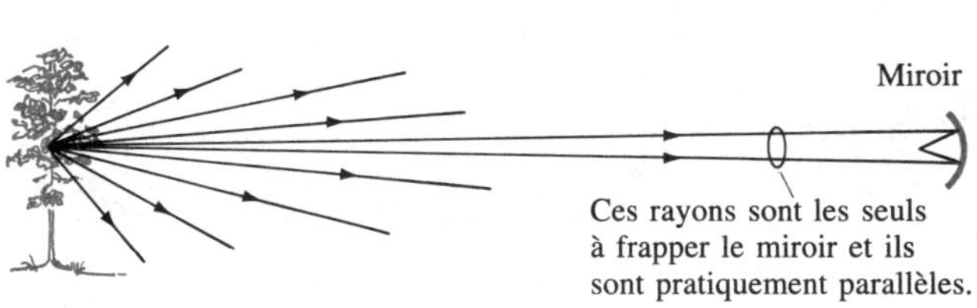

FIGURE 3.9 Quand la distance de l'objet est grande par rapport à la taille du miroir, les rayons sont presque parallèles.

ENCADRÉ 3.2

Le rétroviseur jour-nuit

Le principe et les caractéristiques du rétroviseur jour-nuit

Le rétroviseur jour-nuit permet au conducteur de voir à travers la lunette arrière de la voiture. Il comporte deux miroirs: un de jour qui est très réfléchissant, l'autre de nuit, qui l'est très peu, ce qui prévient les éblouissements susceptibles d'être causés par les phares des autres voitures.

FIGURE 1 Le schéma du rétroviseur.

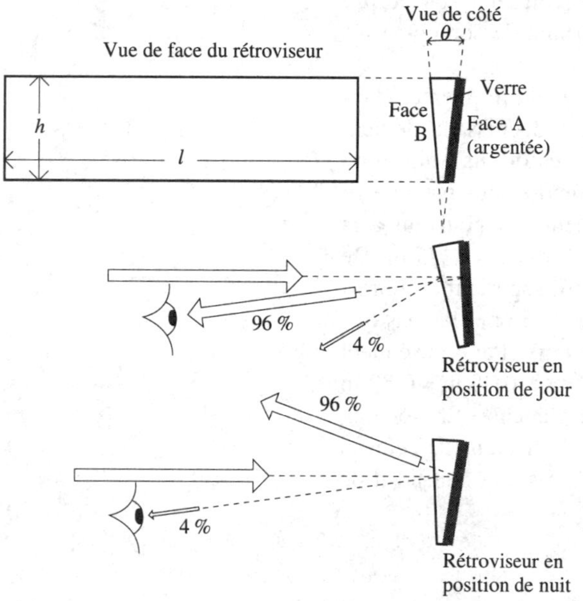

Le rétroviseur est ainsi construit qu'il permet au conducteur de passer rapidement du miroir de jour au miroir de nuit.

Le rétroviseur jour-nuit est fabriqué d'une lame de verre de section trapézoïdale. La face postérieure de la lame (la face A à la figure 1) est enduite d'argent et constitue le miroir de jour; la face antérieure (la face B à la figure 1) réfléchit peu la lumière (4 % environ à cause de la différence des indices de réfraction de l'air et du verre) et constitue le miroir de nuit.

Le rétroviseur jour-nuit est caractérisé par sa largeur l, sa hauteur h et l'angle θ entre ses deux faces; le même angle θ dont on fait pivoter le rétroviseur pour passer de la position de jour à celle de nuit, ou vice-versa.

La hauteur et la largeur du rétroviseur

Que ce soit de jour ou de nuit, le problème des dimensions du miroir est le même. Pour simplifier, prenons le cas où l'œil serait placé sur l'axe joignant le centre du miroir au centre de la vitre arrière, et considérons le miroir en position de jour.

La hauteur h du miroir et sa largeur l dépendent de la distance s entre l'œil du conducteur et le miroir, de la distance S entre la lunette arrière et le miroir, et aussi de la hauteur H et de la largeur L du cadre de la lunette.

Le schéma de la figure 2 montre comment calculer la valeur minimale de la hauteur h du miroir.

FIGURE 2 La détermination de la hauteur h du miroir.

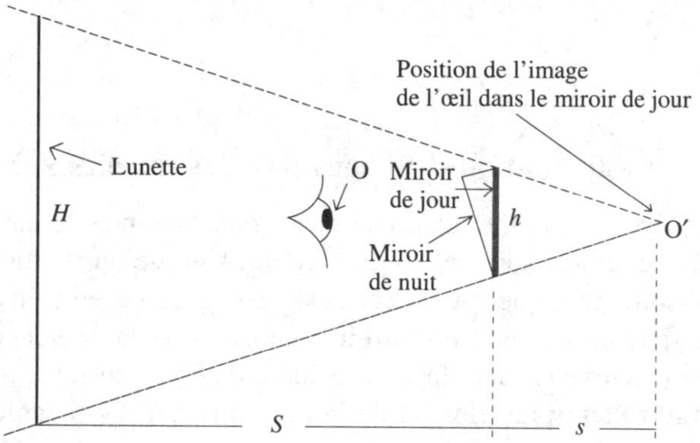

L'œil est au point O et son image dans le miroir, au point O′. On trace, à partir du point O′, deux droites tangentes au bas et au haut de la lunette. Ces droites déterminent la hauteur minimale h du miroir pour un champ de vision maximal dans le plan vertical.

En effet, tous les rayons de lumière passant à travers H, la hauteur de la lunette arrière, et se dirigeant vers O′ seront réfléchis nécessairement vers O (donc entreront dans l'œil) du fait que O′ est l'image de O.

Si la hauteur du miroir était plus petite que h, une partie des rayons se dirigeant vers O′ (condition nécessaire pour être réfléchis dans l'œil) ne serait pas captée et le champ de vision serait plus petit.

Par le théorème des triangles semblables, on obtient:

$$\frac{h}{H} = \frac{s}{S + s},$$

qui permet de trouver la valeur de h.

Pour la valeur minimale de la largeur l du miroir, on obtient de la même façon:

$$\frac{l}{L} = \frac{s}{S + s}.$$

L'angle entre les faces du rétroviseur

Pour passer de la position de jour de la figure 2 à la position de nuit de la figure 3, on fait pivoter le rétroviseur d'un angle θ dans un plan vertical.

Lors de la conduite de nuit, il faut que le champ de vision du miroir de nuit coïncide avec le cadre de la lunette arrière et que le champ de vision du miroir de jour soit tout juste en dehors de ce cadre; cette exigence permet de déterminer la valeur de θ.

Dans ces conditions, le champ de vision du miroir de jour donne soit sur le toit intérieur soit sur la banquette arrière; une situation ou l'autre est possible, suivant le premier réglage en position de jour. Dans les deux cas, le conducteur n'est pas gêné, car rien ne vient éclairer les sièges ou le toit intérieur, sauf en milieu urbain, situation où la position de nuit du rétroviseur n'est pas recommandée.

Pour représenter la situation où le champ de vision du miroir de jour tombe tout juste en dehors du cadre de la lunette, la figure 3 montre le champ de vision du miroir de nuit par des lignes tracées au moyen de tirets et le champ de vision du miroir de jour par des traits continus. On obtient ainsi la valeur correspondante de l'angle θ entre les deux faces du rétroviseur.

FIGURE 3 Le rétroviseur en position de nuit.

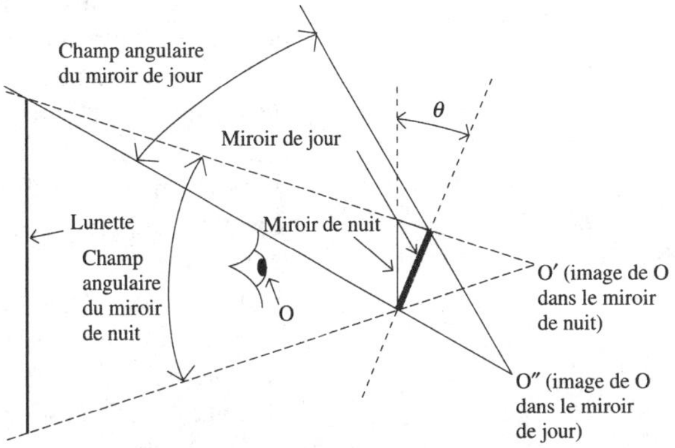

O′ est l'image du point O, c'est-à-dire l'œil, dans le miroir de nuit et O″ est son image dans le miroir de jour. Le champ de vision vertical du miroir de nuit coïncide évidemment avec le cadre du miroir et le cadre de la lunette arrière. Le champ de vision vertical du miroir de jour est déterminé à partir de O″ et des bords supérieur et inférieur du miroir.

En conclusion, le rétroviseur jour-nuit équivaut à deux miroirs, soit celui de jour qui réfléchit comme un miroir habituel et celui de nuit qui réfléchit à 4 %, ces deux miroirs formant entre eux un angle θ.

P.–É. O.

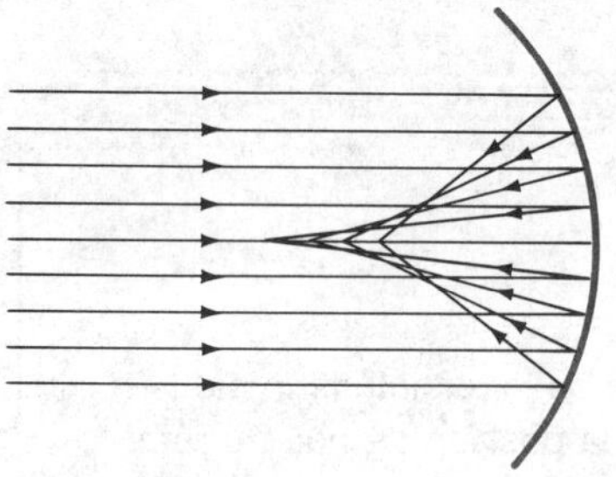

FIGURE 3.10 Les rayons parallèles qui frappent un miroir sphérique concave ne sont pas focalisés en un seul point.

Pour voir comment les miroirs sphériques forment des images, considérons d'abord un objet très éloigné d'un miroir concave. Dans ce cas, les rayons qui, provenant de chaque point de l'objet, atteignent le miroir sont presque parallèles (figure 3.9). *Les rayons provenant d'un objet infiniment distant* (le Soleil et les étoiles sont, pour ainsi dire, de tels objets) *seraient exactement parallèles.* Considérons maintenant de tels rayons parallèles rencontrant un miroir concave (figure 3.10). La loi de la réflexion demeure valide pour chacun de ces rayons au point où il frappe le miroir. Comme on peut le voir sur la figure, ils ne sont pas tous réfléchis vers un même point. Pour former une image nette, les rayons doivent tous se rencontrer en un même point. Un miroir sphérique ne forme donc pas une image aussi nette qu'un miroir plan. Toutefois, lorsque le miroir est petit devant son rayon de courbure, les rayons ne font qu'un petit angle en se réfléchissant et ceux-ci se croisent les uns les autres presque en un même point, ou **foyer** (figure 3.11). Dans le cas illustré, les rayons sont parallèles à l'**axe principal**, qu'on définit comme la droite perpendiculaire à la surface courbe en son centre (le segment CA sur le diagramme). Le point F, où les rayons parallèles à l'axe principal sont focalisés, s'appelle le **foyer** du miroir. La distance entre F et le centre du miroir, soit la longueur FA, s'appelle la **distance focale**, f, du miroir. On peut définir d'une autre façon le foyer en disant que c'est *l'image ponctuelle d'un objet infiniment distant* le long de l'axe principal. L'image du Soleil, par exemple, se trouverait essentiellement en F.

Démontrons maintenant que les rayons se croisent effectivement en un point commun, F, lorsque la largeur de la surface réfléchissante est petite devant le rayon de courbure du miroir; mais calculons d'abord la distance focale f. Considérons le rayon de la figure 3.11 qui frappe le miroir en B. Le point C est le centre de courbure du miroir (le centre de la sphère dont le miroir constitue une calotte). Le segment de droite tracé au moyen de tirets, CB, a une longueur égale à r, le rayon de courbure; CB est normal à la surface en B. D'après la loi de la réflexion et les lois de la géométrie, les trois angles notés θ sont égaux. Le triangle CBF est isocèle, deux de ses angles étant égaux. Par conséquent, la longueur $CF = BF$. Comme le miroir est, par hypothèse, petit en comparaison de son rayon de courbure, les angles sont petits et la longueur FB est presque égale à la longueur FA. Dans cette approximation, $FA = FC$. Mais $FA = f$, la distance focale, et $CA = 2FA = r$. La distance focale est donc égale à la moitié du rayon de courbure:

$$f = r/2. \tag{3.2}$$

Cette démonstration repose seulement sur l'hypothèse que l'angle θ est petit, et donc ce résultat vaut pour tous les autres rayons. Par conséquent, tous les rayons passent par le même point F dans cette approximation d'un miroir petit devant son rayon de courbure.

Comme il n'est qu'approximativement vrai que les rayons se croisent en un foyer parfait en F, plus le miroir est grand, moins l'approximation est bonne (figure 3.10) et plus l'image est floue. On appelle **aberration sphérique** ce «défaut» des miroirs sphériques; nous en reparlerons davantage lorsque nous étudierons les lentilles au

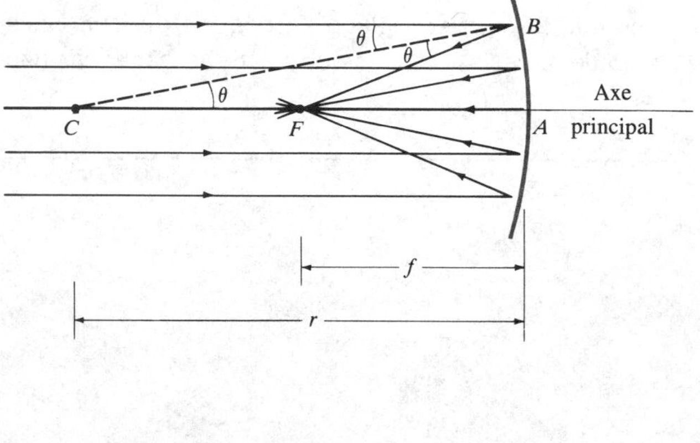

FIGURE 3.11 Les rayons parallèles à l'axe principal d'un miroir sphérique sont focalisés en F, appelé foyer, si le miroir est petit par rapport à son rayon de courbure.

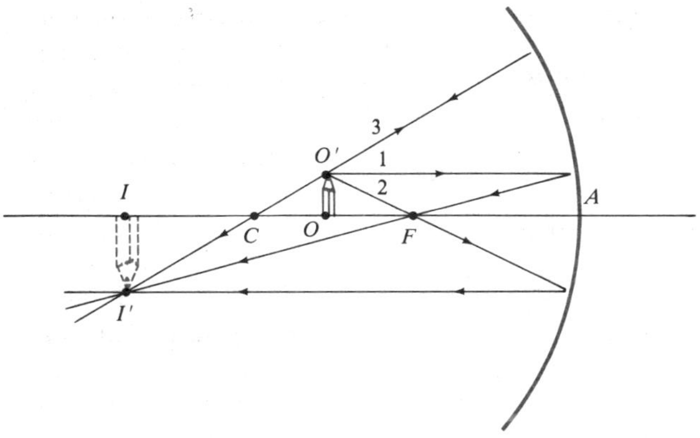

FIGURE 3.12 Les rayons provenant du point *O* sur l'objet forment une image en *I*.

chapitre 4. Un réflecteur *parabolique,* par contre, reflète les rayons en un foyer parfait. Toutefois, comme les formes paraboliques sont beaucoup plus difficiles à fabriquer et par conséquent plus coûteuses, on utilise la plupart du temps des miroirs sphériques. (Plusieurs télescopes astronomiques sont munis de réflecteurs paraboliques.) Nous n'étudierons ici que les miroirs sphériques qui sont petits devant leur rayon de courbure, dont l'image est donc nette et pour lesquels l'équation 3.2 est valide.

Nous avons vu que l'image d'un objet situé à l'infini se trouve au foyer d'un miroir sphérique concave et que $f = r/2$. Mais où se forme cette image lorsque l'objet n'est pas à l'infini? Considérons d'abord l'objet représenté à la figure 3.12, placé au point *O* entre *F* et *C*. Déterminons l'emplacement de l'image pour un point donné *O′* de l'objet. Pour cela, traçons plusieurs rayons émis de *O′* en nous assurant que leur angle de réflexion sur le miroir égale leur angle d'incidence. Déterminer la position de l'image est plus facile si nous considérons trois rayons particulièrement simples. Ce sont les rayons 1, 2 et 3 de la figure. Le rayon 1 est parallèle à l'axe; sa réflexion passe donc nécessairement par *F* (comme dans la figure 3.11). Et puisque le rayon 2 passe par *F*, sa réflexion est nécessairement parallèle à l'axe. Enfin, le rayon 3, qui passe par le centre de courbure, *C*, se trouve nécessairement sur un rayon de la surface sphérique et est donc perpendiculaire au miroir sur lequel il se réfléchit en revenant sur son chemin. Le point auquel ces rayons se croisent est le point image *I′*. Tous les autres rayons provenant du même point de l'objet passent par ce point image. On peut le démontrer à l'aide de la figure 3.13; cette démonstration nous fournira une formule pour déterminer la position de l'image d'un objet donné. Dans la figure 3.13, un rayon arbitraire (*OP*), provenant d'un point *O* de l'objet (nous avons choisi par commodité un point situé sur l'axe principal), est réfléchi par le miroir puis passe par le point *I* qui est son point image. Comme $\gamma + \phi = 180°$ et que la somme des angles d'un triangle est 180°, nous obtenons:

$$\alpha + 2\theta + \phi = 180° = \gamma + \phi$$

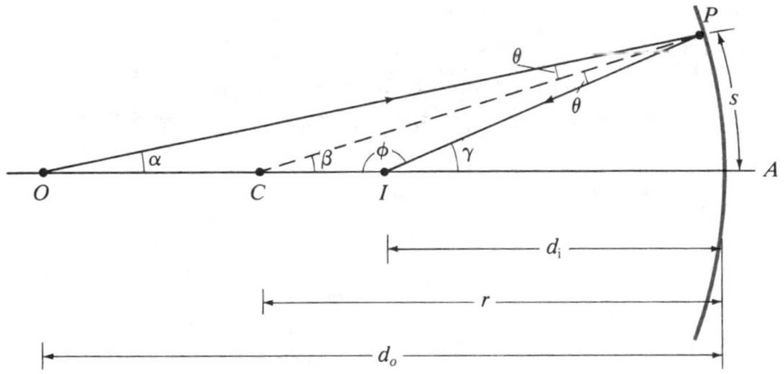

FIGURE 3.13 Détermination du point image *I* et démonstration de l'équation du miroir.

ou

$$\gamma = \alpha + 2\theta.$$

De même,

$$\beta = \alpha + \theta.$$

En éliminant θ de ces relations, nous obtenons:

$$\alpha + \gamma = 2\beta.$$

Si s est la longueur de l'arc PA, et α, γ et β sont de petits angles, on peut récrire cette relation (en radians) de la façon approximative suivante:

$$\frac{s}{d_o} + \frac{s}{d_i} = \frac{2s}{r},$$

où d_o est la *distance de l'objet* (la distance de l'objet au miroir), d_i, la *distance de l'image* et r, le rayon de courbure du miroir. En divisant les deux côtés de l'équation par s et en nous servant de l'équation 3.2 pour la distance focale, nous obtenons:

$$\frac{1}{d_o} + \frac{1}{d_i} = \frac{1}{f}. \qquad (3.3)$$

On appelle cette relation l'**équation du miroir**. Le fait que d_i dépende seulement de d_o et de f, et non de l'angle α du rayon OP, prouve que, dans le cas d'un miroir petit par rapport à son rayon de courbure et pour lequel les angles à considérer sont donc petits, tous les rayons provenant du point O ont leur image au même point I. Dans le cas de miroirs plus grands, l'approximation des petits angles n'est pas valide et l'image est donc floue, comme c'est indiqué sur la figure 3.10. Nous avons démontré l'équation 3.3 pour un point O sur l'axe principal. Cette équation est néanmoins également valide pour des points légèrement au-dessus ou au-dessous de l'axe étant donné qu'un miroir sphérique est symétrique. Deux points voisins d'un objet ont donc chacun leur image en des points voisins et l'ensemble des points de l'image forme une image complète de l'objet, comme l'indiquent les pointillés dans la figure 3.12. Comme la lumière passe vraiment par l'image elle-même, celle-ci est dite **image réelle**. Comparez-la à l'image virtuelle formée par un miroir plan.

L'équation 3.3 montre que d_i, la distance de l'image, est la même pour tous les rayons provenant d'un point de l'objet. Cette équation est aussi importante parce qu'elle nous fournit une méthode pour déterminer la position de l'image, la position de l'objet et la distance focale du miroir (ou le rayon de courbure) étant déjà données. Nous disposons donc de deux méthodes pour déterminer la position de l'image: nous pouvons, comme dans la figure 3.12, tracer les rayons 1, 2 et 3 (en fait, on n'a vraiment besoin que de deux de ces rayons mais le troisième sert à la vérification) ou nous pouvons utiliser l'équation 3.3. Cette dernière méthode étant analytique elle nous épargne la difficulté de tracer un diagramme précis. Néanmoins, il est presque toujours utile de

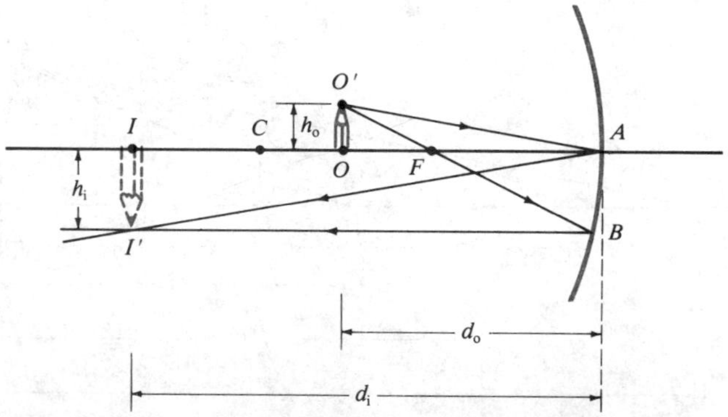

FIGURE 3.14 Diagramme pour déterminer le grandissement latéral d'un miroir sphérique.

tracer au moins un diagramme approximatif pour vérifier si le résultat analytique est raisonnable.

On définit le **grandissement latéral**, m, d'un miroir comme la hauteur, h_i, de l'image, divisée par la hauteur, h_o, de l'objet. Comme sur la figure 3.14, le rayon *O'AI'* obéit à la loi de la réflexion, le grandissement latéral est, en vertu du théorème des triangles semblables,

$$m = \frac{h_i}{h_o} = -\frac{d_i}{d_o}, \tag{3.4}$$

où le signe moins est une convention indiquant que l'image est inversée; par souci de cohérence, nous devons prendre garde aux signes de toutes les quantités dans l'équation 3.4. Nous utilisons les conventions suivantes: si on considère h_o positif, h_i est aussi positif si l'image est dans le même sens que l'objet, mais négatif si l'image est renversée ($h_i < 0$ dans la figure 3.14); d_i et d_o sont positifs si l'image et l'objet se trouvent du côté réfléchissant du miroir (comme dans la figure 3.14), mais si l'image ou l'objet se trouve derrière le miroir, la distance correspondante est négative (comme dans la figure 3.15 portant sur l'exemple 3.3). Le grandissement (équation 3.4) est donc positif pour une image à l'endroit et négatif pour une image renversée.

EXEMPLE 3.2 On place un objet de 1,50 cm de haut à 20,0 cm d'un miroir concave dont le rayon de courbure est 30,0 cm. Déterminez *a*) la position de l'image et *b*) sa hauteur.

SOLUTION *a*) La distance focale $f = r/2 = 15{,}0$ cm. Donc, comme $d_o = 20{,}0$ cm, nous obtenons à l'aide de l'équation 3.3:

$$\frac{1}{d_i} = \frac{1}{f} - \frac{1}{d_o} = \frac{1}{15{,}0\ \text{cm}} - \frac{1}{20{,}0\ \text{cm}} = 0{,}0167\ \text{cm}^{-1}.$$

Par conséquent, $d_i = 1/0{,}0167\ \text{cm}^{-1} = 60{,}0$ cm; l'image est à 60,0 cm du miroir et du même côté que l'objet. *b*) D'après l'équation 3.4, le grandissement latéral est $m = -60{,}0\ \text{cm}/20{,}0\ \text{cm} = -3{,}00$. Par conséquent, l'image est haute de $(-3{,}00)(1{,}5\ \text{cm}) = -4{,}5$ cm et est donc renversée.

EXEMPLE 3.3 On place un objet de 1,00 cm de haut à 10,0 cm d'un miroir concave dont le rayon de courbure est 30,0 cm. *a*) Tracez des rayons sur un diagramme afin de déterminer la position de l'image. *b*) Déterminez, de façon analytique, la position de l'image et le grandissement latéral.

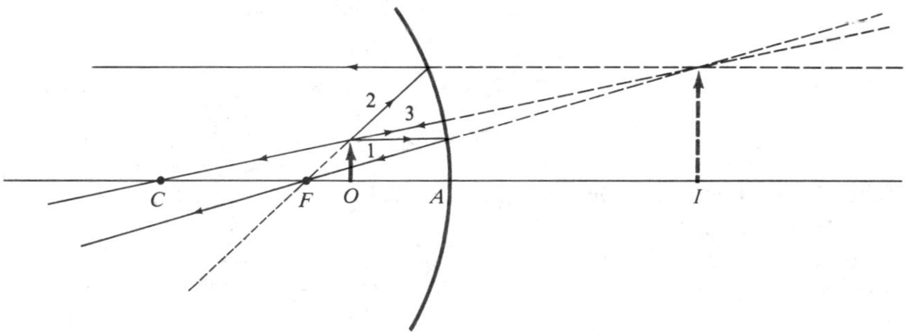

FIGURE 3.15 Objet placé à l'intérieur du foyer *F* (exemple 3.3). L'image est *derrière* le miroir et est *virtuelle.*

SOLUTION *a*) Comme $f = 15{,}0$ cm, l'objet se trouve entre le miroir et le foyer. Traçons les trois rayons de la façon décrite plus haut (figure 3.12), comme nous l'illustrons à la figure 3.15. Les rayons réfléchis par le miroir divergent et ne se croisent jamais. Ils semblent toutefois provenir d'un point derrière le miroir. L'image est donc derrière le miroir et est *virtuelle.* (Pourquoi?) *b*) Utilisons l'équation 3.3 pour trouver d_i pour $d_o = 10{,}0$ cm et $f = 15{,}0$ cm:

$$\frac{1}{d_i} = \frac{1}{15{,}0\ \text{cm}} - \frac{1}{10{,}0\ \text{cm}} = \frac{2-3}{30{,}0\ \text{cm}} = -\frac{1}{30{,}0\ \text{cm}}.$$

Par conséquent, $d_i = -30{,}0$ cm. Le signe négatif signifie que l'image est derrière le miroir. Le grandissement latéral est $m = -(-30{,}0\ \text{cm})/(10{,}0\ \text{cm}) = +3{,}00$. L'image est donc 3,00 fois plus grande que l'objet; le signe positif indique que l'image est à l'endroit.

Ces exemples montrent qu'un miroir sphérique peut produire une image agrandie, c'est-à-dire plus grande que l'objet. (Il existe une vieille histoire, fable serait peut-être un mot plus approprié, selon laquelle Jules César espionnait les forces britanniques au moyen d'un miroir courbe installé sur la côte de la Gaule. Est-ce raisonnable?)

Il est utile de comparer les figures 3.12 et 3.15. Nous voyons que si l'objet est à l'intérieur du foyer, comme dans la figure 3.15, l'image est virtuelle, à l'endroit et agrandie. Ceci permet de comprendre la façon dont fonctionne un miroir de maquillage ou de rasage: on doit placer son visage à l'intérieur du foyer pour se voir à l'endroit. Si l'objet est *au-delà* du foyer, comme dans la figure 3.12, l'image est réelle et renversée. La question de savoir si le grandissement est plus petit ou plus grand que 1 dépend de la position de l'objet par rapport au point C, le centre de courbure.

On peut appliquer aux miroirs *convexes* l'analyse effectuée pour les miroirs concaves. Même l'équation du miroir (3.3) est valide pour un miroir convexe, quoiqu'il faille définir soigneusement toutes les quantités. La figure 3.16a montre des rayons parallèles rencontrant un miroir convexe. Bien que l'aberration sphérique existe aussi dans le cas des miroirs convexes, nous supposons à nouveau que le miroir est petit par rapport à son rayon de courbure. Les rayons réfléchis divergent mais semblent provenir du point F derrière le miroir. F est le *foyer* et sa distance au centre du miroir est la distance focale f. On peut facilement démontrer, à nouveau, que $f = r/2$. Nous voyons

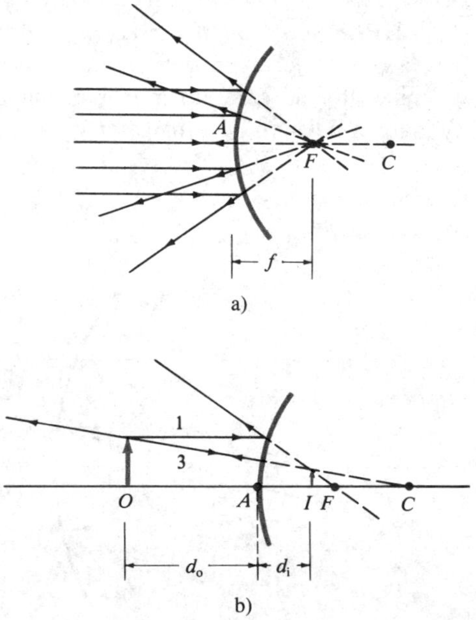

FIGURE 3.16 Miroir convexe: a) le foyer est en F, derrière le miroir; b) l'image I du point O sur l'objet est virtuelle à l'endroit et plus petite que l'objet.

qu'un objet à l'infini produit une image virtuelle dans un miroir convexe. En fait, quel que soit l'emplacement de l'objet du côté réfléchissant du miroir, l'image est toujours virtuelle et à l'endroit comme dans la figure 3.16b. Pour trouver la position et la grandeur de l'image, on trace les rayons 1 et 3 en suivant les mêmes règles que pour le miroir concave.

L'équation du miroir (équation 3.3) est valide pour les miroirs convexes, mais on doit considérer la distance focale f comme négative, de même que le rayon de courbure. La preuve de cela fait l'objet du problème 20. La preuve de la validité de l'équation 3.4 du grandissement, pour les miroirs convexes, fait l'objet du problème 17.

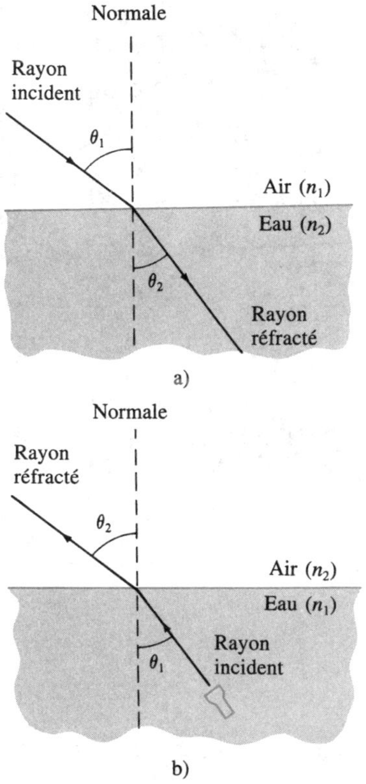

FIGURE 3.17 La réfraction.

EXEMPLE 3.4 Le rayon de courbure d'un rétroviseur convexe d'automobile est de 40,0 cm. Déterminez l'emplacement de l'image et son grandissement pour un objet à 10,0 m du miroir.

SOLUTION On utilise $r = -40{,}0$ cm, $f = -20{,}0$ cm et l'équation du miroir donne:

$$\frac{1}{d_i} = \frac{1}{f} - \frac{1}{d_o} = -\frac{1}{0{,}200 \text{ m}} - \frac{1}{10{,}0 \text{ m}} = -\frac{51{,}0}{10{,}0 \text{ m}}.$$

Par conséquent, $d_i = -0{,}196$ m ou 19,6 cm derrière le miroir. Le grandissement latéral est $m = -d_i/d_o = -(-0{,}196 \text{ m})/(10{,}0 \text{ m}) = 0{,}0196$ ou 1/51; l'image est à l'endroit et réduite par un facteur de 51.

En résumé, les règles sur les signes (**conventions de signes**) pour les équations 3.3 et 3.4 sur les miroirs concaves et convexes sont: *quand l'objet, l'image ou le foyer est du côté réfléchissant du miroir* (à gauche dans tous nos diagrammes), *on considère la distance correspondante comme positive; quand l'un des éléments précédents est derrière le miroir* (à droite), *on doit considérer la distance correspondante comme négative*[†]. *On considère les hauteurs de l'objet et de l'image, h_o et h_i, comme positives ou négatives selon que l'objet ou le point image est au-dessus ou au-dessous de l'axe principal.* Il est important d'appliquer ces règles de façon systématique.

3.5 La réfraction; la loi de Descartes

Quand la lumière passe d'un milieu à un autre, une partie de la lumière incidente est réfléchie à la frontière. Le reste passe dans le nouveau milieu. Un rayon lumineux qui rencontre la frontière à un certain angle (autre que perpendiculaire) est défléchi en entrant dans le nouveau milieu. Cette déflexion s'appelle **réfraction**. La figure 3.17a représente le passage d'un rayon de l'air dans l'eau. L'angle θ_1 est l'**angle d'incidence** et l'angle θ_2 est l'**angle de réfraction**. Remarquez que le rayon, en entrant dans l'eau, dévie vers la normale. C'est toujours ce qui se produit quand un rayon entre dans un milieu où la vitesse de la lumière est plus petite. Quand la lumière entre dans un milieu où sa vitesse est accrue, le rayon dévie du côté opposé à la normale; la figure 3.17b illustre ce phénomène pour un rayon passant de l'eau dans l'air.

La réfraction est la cause de nombreuses illusions d'optique courantes. Par exemple, les jambes d'une personne immergée dans l'eau jusqu'à la taille paraissent raccourcies (figure 3.18a). Ceci est dû au fait que les rayons provenant des pieds de la personne, par exemple, sont défléchis à la surface (figure 3.18b). L'œil (et le cerveau) de l'observateur supposent que les rayons ont suivi une droite, de sorte que les pieds

[†] Nous avons vu des exemples dans lesquels d_i et f sont négatifs. La distance d_o de l'objet est évidemment positive pour tout objet matériel. Toutefois, si on utilise un miroir en conjonction avec une lentille ou un autre miroir, l'image formée par le premier miroir, ou lentille, devient l'objet pour le second miroir. Il est alors possible pour un tel «objet» de se trouver derrière le miroir et, en ce cas, d_o devient négatif.

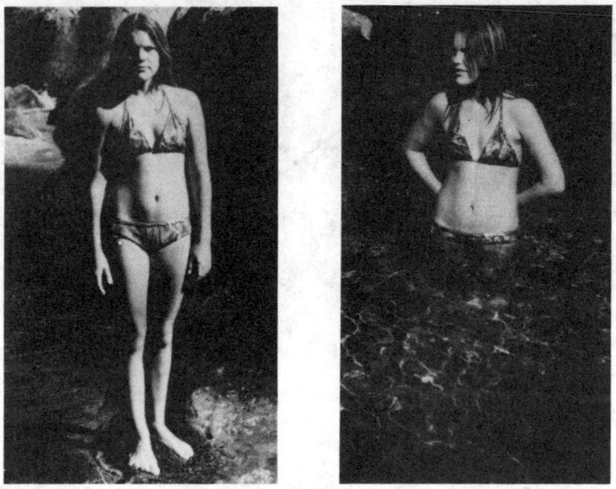

a)

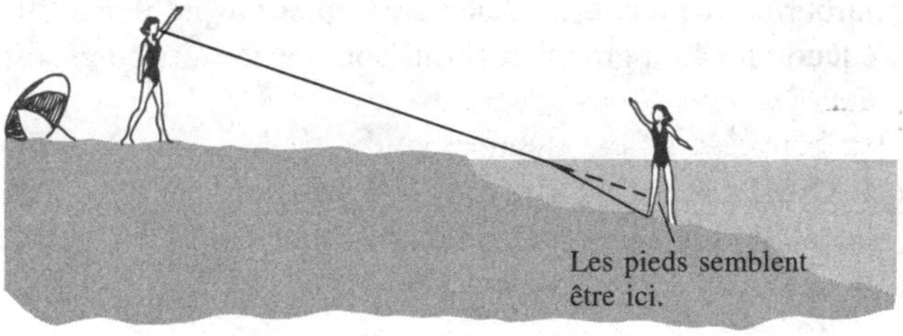

b)

FIGURE 3.18 À cause de la réfraction, les jambes d'une personne debout dans l'eau semblent raccourcies.

semblent plus hauts qu'ils ne le sont en réalité. De même, un bâton qu'on immerge partiellement semble plié.

L'angle de réfraction dépend de la vitesse de la lumière dans les deux milieux et de l'angle d'incidence. Willebrord Snell (1591-1626) et René Descartes (1596-1650) établirent expérimentalement et de façon indépendante la relation analytique entre θ_1 et θ_2 vers 1621. Cette relation connue sous le nom de **loi de Descartes** (ou de Snell) est la suivante:

$$n_1 \sin \theta_1 = n_2 \sin \theta_2, \tag{3.5}$$

où θ_1 est l'angle d'incidence, θ_2, l'angle de réfraction et n_1 et n_2, les indices de réfraction dans les milieux matériels respectifs (figure 3.17). La loi de Descartes constitue la **loi de la réfraction**†. On peut démontrer la loi de Descartes à partir de la théorie ondulatoire de la lumière (voir le prochain chapitre) et c'est ce que nous avons fait à la section 1.8 puisque l'équation 1.17 n'est qu'une combinaison des équations 3.5 et 3.1

La loi de Descartes établit clairement que si $n_2 > n_1$, alors $\theta_2 < \theta_1$, c'est-à-dire que si la lumière entre dans un milieu où n est plus grand (et la vitesse de la lumière, plus petite), le rayon dévie vers la normale, et que si $n_2 < n_1$, alors $\theta_2 > \theta_1$, de sorte que le rayon dévie du côté opposé à la normale. C'est ce que nous avons vu dans la figure 3.17.

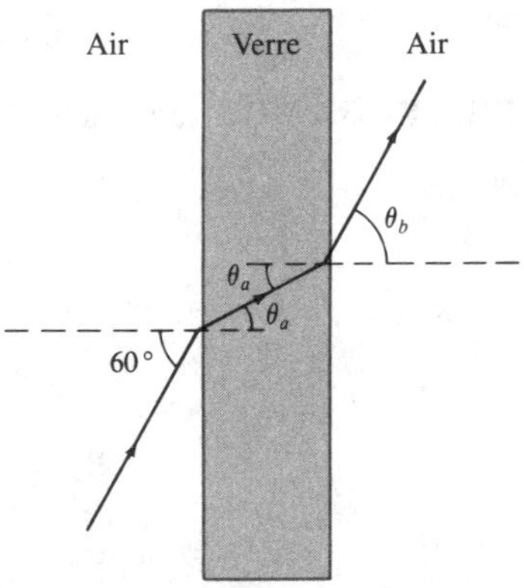

FIGURE 3.19 Rayon lumineux passant à travers une plaque de verre (exemple 3.5).

EXEMPLE 3.5 L'angle d'incidence d'un rayon lumineux avec une plaque de verre est de 60° (figure 3.19). Si l'indice de réfraction du verre est 1,50, *a*) quel est l'angle de réfraction θ_a dans le verre et *b*) quel est l'angle θ_b du rayon transmis à sa sortie de la plaque de verre?

SOLUTION *a*) Supposons que le rayon incident est dans l'air de sorte que $n_1 = 1{,}00$ et $n_2 = 1{,}50$. Alors, d'après l'équation 3.5,

$$\sin \theta_a = \frac{1{,}00}{1{,}50} \sin 60° = 0{,}577,$$

† Snell et Descartes, en fait, n'étaient pas conscients de la relation entre l'indice de réfraction et la vitesse de la lumière dans un milieu donné. On ne trouva que plus tard que l'indice de réfraction pouvait être écrit comme le rapport de la vitesse de la lumière dans le vide à celle dans le milieu matériel en question (équation 3.1).

de sorte que $\theta_a = 35{,}2°$. *b*) Comme les faces de la plaque de verre sont parallèles, l'angle d'incidence est, dans le présent cas, juste θ_a et, par conséquent, sin $\theta_a = 0{,}577$. Cette fois-ci $n_1 = 1{,}50$ et $n_2 = 1{,}00$. Par conséquent, θ_b (= θ_2) est:

$$\sin \theta_b = \frac{1{,}50}{1{,}00} \sin \theta_a = 0{,}866,$$

et $\theta_b = 60{,}0°$. La direction du rayon ne change donc pas du fait qu'il passe par un morceau de verre plat. Il est clair que ceci est vrai quel que soit l'angle d'incidence. Le rayon est toutefois déplacé légèrement d'un côté. On peut vérifier cela en regardant un objet, à un certain angle, à travers un morceau de verre (près du bord) puis en bougeant la tête rapidement de côté de façon à regarder l'objet directement.

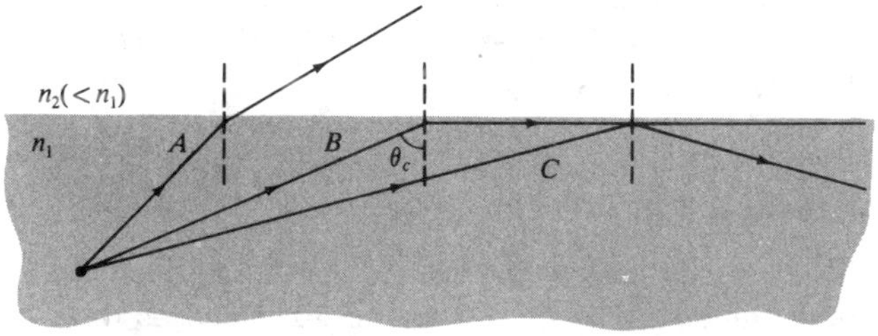

FIGURE 3.20 Comme $n_2 < n_1$, les rayons de lumière sont totalement réfléchis de façon interne si $\theta > \theta_c$, comme pour le rayon *C*. Si $\theta < \theta_c$, comme pour le rayon *A*, seulement une partie de la lumière est réfléchie (cette partie n'apparaît pas sur la figure) et le reste est réfracté.

3.6 La réflexion interne totale; les fibres optiques

Quand la lumière passe d'un milieu matériel à un autre d'indice de réfraction plus petit (par exemple de l'eau dans l'air), la lumière dévie dans la direction opposée à la normale (comme le rayon *A* dans la figure 3.20). À un angle d'incidence particulier, l'angle de réfraction est de 90° et le rayon réfracté rase la surface (rayon *B* dans la figure). L'angle d'incidence auquel cela se produit s'appelle l'*angle critique* θ_c; d'après la loi de Descartes, θ_c est donné par:

$$\sin \theta_c = \frac{n_2}{n_1} \sin 90° = \frac{n_2}{n_1}. \qquad (3.6)$$

Pour un angle d'incidence plus petit que θ_c, il y a un rayon réfracté quoique, comme nous l'avons déjà mentionné, une partie de la lumière est également réfléchie à la frontière. Toutefois, selon la loi de Descartes, pour les angles d'incidence plus grands que θ_c, sin θ_2 devrait être plus grand que 1. Or, le sinus d'un angle ne peut jamais dépasser 1. Pour les angles d'incidences plus grands que θ_c, il n'y a donc aucun rayon réfracté et *toute la lumière est réfléchie*, comme pour le rayon *C* dans le diagramme. On appelle ce phénomène **réflexion interne totale**. Mais notez que la réflexion interne totale ne peut se produire que si la lumière frappe une frontière au-delà de laquelle le milieu matériel est optiquement moins dense, c'est-à-dire dont l'indice de réfraction est plus petit.

EXEMPLE 3.6 Décrivez ce que verrait une personne regardant le monde de dessous la surface parfaitement lisse d'un lac ou d'une piscine.

SOLUTION Dans le cas d'une frontière air-eau, l'angle critique est donné par:

$$\sin \theta_c = \frac{1{,}00}{1{,}33} = 0{,}750.$$

Par conséquent, $\theta_c = 49°$. La personne verrait donc le monde extérieur comprimé dans un cône dont le bord ferait un angle de 49° avec la verticale. Au-delà de cet angle, la personne verrait les réflexions des côtés et du fond de la piscine ou du lac.

ENCADRÉ 3.3

La réfraction

Au IVe siècle avant Jésus-Christ, la loi de la réflexion était déjà connue. La loi de la réfraction, cependant, dut attendre le XVIIe siècle pour voir le jour.

Ptolémée (IIe siècle après Jésus-Christ), dans son livre sur l'optique, en plus de rapporter des expériences confirmant la loi de la réflexion, fit part de ses études sur la réfraction de la lumière qui passe de l'air à l'eau ou au verre, ou bien de l'eau au verre. Il mesura les valeurs des angles de réfraction correspondant à des angles d'incidence variant par sauts de 10°.

La loi de la réfraction

Avant Descartes: une loi approximative

On s'est vite aperçu que, pour de petits angles d'incidence, les valeurs des angles θ_r de réfraction pouvaient être liées à celles des angles θ_i d'incidence au moyen d'une relation du type:

$$\theta_r = \text{constante} \times \theta_i.$$

Cette expression permet, dans le cadre de l'approximation dite des rayons paraxiaux (rayons faisant un petit angle avec l'axe optique) de déduire la formule du dioptre, et donc aussi celle des lentilles.

D'ailleurs, Johannes Kepler (1571-1630), avant même que la loi exacte de la réfraction n'ait été découverte, se servit de cette ébauche le premier pour élaborer la théorie élémentaire des lentilles ainsi que celle du télescope.

Descartes: une loi restreinte

Si, par rapport à la normale au point d'incidence, θ_i désigne l'angle du faisceau incident et θ_r, l'angle du faisceau réfracté, si n_i désigne l'indice de réfraction du milieu du rayon d'incidence et n_r, celui du milieu du rayon réfracté, on obtient:

$$n_i \sin \theta_i = n_r \sin \theta_r.$$

En 1637, cette loi paraît dans *La Dioptrique* de René Descartes (1596-1650). Sa correspondance montre qu'il la connaissait déjà en 1626 ou 1627. Quant à la façon dont Descartes a trouvé sa loi, tout ce qu'on sait c'est qu'il y serait arrivé par déduction ou intuition et non par expérimentation.

Fort probablement, Willebrodus Snellius (1580-1626) découvrit la même loi entre les années 1621 et 1626. Tout lien entre sa découverte et celle de Descartes semble exclu. De plus, des recherches récentes ont montré qu'il existe un troisième auteur de cette loi en la personne de Thomas Harriott (1560-1621), sans qu'on ait pu prouver d'association avec les deux scientifiques précédents.

Fresnel: une loi générale

La loi des sinus ne fait que prévoir la direction du rayon réfracté. Elle ne dit rien sur les intensités relatives des faisceaux réfléchis et réfractés.

En 1823, Augustin Fresnel (1788-1827) résolvait le problème à partir d'une théorie élastique de la lumière où, par hypothèse, le milieu de propagation est à l'image d'un milieu solide élastique. Ces formules ont gardé leur validité. Elles ont simplement été réinterprétées à l'intérieur des théories de la réfraction qui ont suivi. Ces formules sont souvent appelées, encore aujourd'hui, les formules de Fresnel.

Les théories de la réfraction

On peut découvrir une loi à partir d'observations ou d'expériences, ou même à la suite d'intuitions, sans cependant développer une théorie complète du phénomène en cause. On peut trouver une explication facile sans fondement véritable, qu'on appelle une théorie *ad hoc*. La plupart des positions sur la réfraction précédant la fin du XVIIIe siècle étaient des théories *ad hoc*.

Les théories particulaires de la réfraction

Les principaux théoriciens de la période allant du Xe siècle au XVIIIe siècle qui se sont penchés sur le problème de la réfraction, que ce soit Ibn al Haytham (965?-1039), Descartes, Isaac Newton ou Christiaan Huygens (1596-1687), ont tous pris comme hypothèse un milieu de propagation composé de particules.

Ce jugement, sûrement abusif à bien des égards, a pour mérite de distinguer ces démarches des autres rapportées plus loin.

Une seule thèse s'est révélée intéressante, puisqu'elle a été reprise plusieurs années plus tard par Thomas Young (1773–1829) et Fresnel: c'est celle de Huygens, à l'origine du modèle ondulatoire de la lumière.

Dans toutes ces théories, on postulait des vitesses de la lumière différentes dans les deux milieux à l'interface desquels se fait la réfraction, sans réussir à expliquer la différence des vitesses. Or c'est là tout le problème de l'explication de la réfraction.

Les théories élastiques de la réfraction

À la suite de la découverte du fait que la lumière est une onde transverse — auparavant on comparait la lumière au son qui se propage sous forme d'onde longitudinale —, on se mit à comparer le milieu de propagation de la lumière à un milieu solide, où des ondes transverses peuvent se propager.

Fresnel, Augustin Cauchy (1789-1857), George Green (1793-1841), Franz Neumann (1798-1895), James MacCullagh (1809-1847), George Stokes (1819-1903) et d'autres élaborèrent différentes théories où l'éther (le milieu supposé de la propagation de la lumière) changeait, dans la matière, soit d'élasticité soit d'inertie. Ces modifications subies par l'éther devaient conduire, suivant la théorie élastique, à un changement de vitesse de la lumière.

Joseph Boussinesq (1842-1929), lui, supposa que l'éther demeure le même, dans la matière ou dans l'espace interplanétaire, et avança l'idée que les propriétés optiques de la matière résultent de l'interaction de l'éther avec les particules de la matière. Cette idée sera reprise avec succès dans le contexte des théories moléculaires de la réfraction.

Ces considérations eurent comme principal résultat les formules de Fresnel rapportées plus haut, qui prévoient la réflexion et la réfraction à partir de paramètres caractérisant les milieux de propagation, l'explication théorique de la valeur de ces paramètres faisant encore défaut.

Les théories diélectriques de la réfraction

Par la suite vinrent James Clerk Maxwell (1831-1879), Hermann von Helmholtz (1821-1894) et Heinrich Hertz (1857-1894), pour ne nommer que les principaux, qui montrèrent que la lumière n'est qu'une onde électromagnétique particulière. Ces chercheurs s'intéressèrent aussi, évidemment, à la propagation des ondes électromagnétiques dans la matière, décrites en fonction de la permittivité électrique et de la permittivité magnétique; les théories élastiques précédentes furent réinterprétées en fonction de ces paramètres.

Helmholtz, et non Maxwell comme on le croit généralement, redémontra les formules de Fresnel, les appliquant cette fois-ci à toutes les ondes électromagnétiques.

Les théories élastiques et diélectriques rapportées ici sont des théories essentiellement macroscopiques dans le sens où la matière est caractérisée par des paramètres, élastiques ou électromagnétiques, qui renvoient à une matière considérée continue et non composée d'entités individuelles.

Les théories moléculaires de la réfraction

À la fin du XIXe siècle, la découverte de l'électron et de l'architecture des molécules et des atomes conduisit naturellement à l'étude des phénomènes de propagation des ondes électromagnétiques, y compris la réflexion et la réfraction à partir des propriétés électroniques, moléculaires et atomiques.

Aujourd'hui, les formules de Fresnel sont complètement prouvées à partir d'une théorie microscopique où l'onde électromagnétique se propageant dans la matière interagit avec les molécules qui, à leur tour, émettent des ondes de même nature. L'ensemble de ces ondes donne la réflexion vers l'arrière et la transmission vers l'avant, avec changement de direction aux interfaces entre milieux différents.

Maintenant, on utilise couramment les formules de Fresnel. On les démontre soit à partir d'une théorie diélectrique, qui est macroscopique, soit à partir d'une théorie moléculaire, qui est microscopique.

La théorie diélectrique est plus utilisée parce que le traitement en est plus facile, mais la théorie microscopique a une plus grande portée explicative. De toute façon, on sait maintenant déduire les résultats de la théorie diélectrique depuis la théorie microscopique.

P.–É. O.

Références

A. I. SABRA (1981). *Theories of Light from Descartes to Newton*, Cambridge University Press.

Sir Edmund WHITTAKER (1951). *A History of the Theories of Aether and Electricity*, vol. 1.

Plusieurs instruments d'optique, les binoculaires par exemple, utilisent la réflexion interne totale à l'intérieur d'un prisme pour réfléchir la lumière. L'avantage de ceci est que presque 100 % de la lumière est réfléchie alors que même les meilleurs miroirs réfléchissent un peu moins que 100 %. L'image est donc plus brillante. Pour le verre, $n = 1{,}50$ et $\theta_c = 41{,}8°$. Par conséquent, les prismes de 45° réfléchissent de façon interne toute la lumière comme le montrent les binoculaires de la figure 3.21.

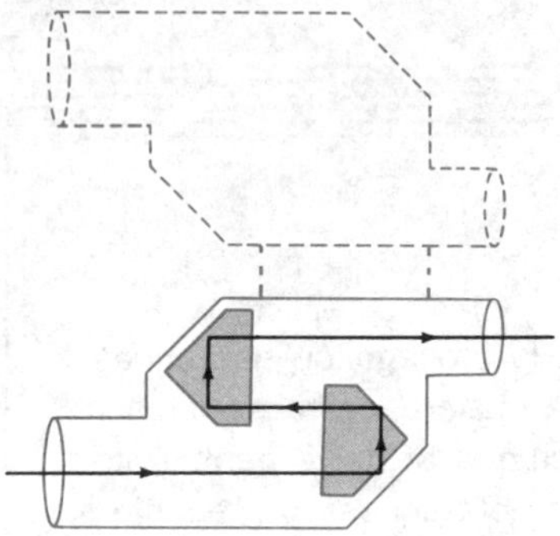

FIGURE 3.21 Prismes réfléchissant la lumière dans un binoculaire.

La réflexion interne totale est le principe de fonctionnement des **fibres optiques**. On peut maintenant fabriquer de très minces fibres de verre et de plastique, d'un diamètre d'à peine quelques micromètres. Un faisceau de ces fibres minuscules s'appelle un **guide de lumière**; on s'en sert pour conduire la lumière, sans presque aucune perte. La figure 3.22 montre que la lumière voyageant dans une fibre mince frappe les parois à des angles rasants, ce qui assure une réflexion interne totale. Même quand on plie le guide de lumière en lui donnant des formes compliquées, l'angle critique n'est pas (d'ordinaire) dépassé, de sorte que presque toute la lumière est transmise jusqu'à l'autre extrémité (figure 3.23).

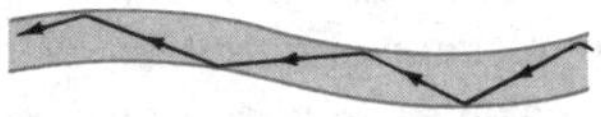

FIGURE 3.22 La lumière est totalement réfléchie à l'intérieur par la surface d'une fibre de verre ou de plastique transparent.

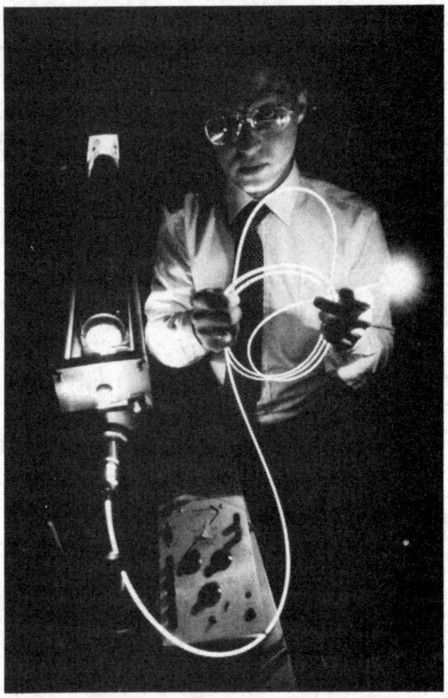

FIGURE 3.23 La réflexion totale interne à l'intérieur des minuscules fibres de ce guide de lumière permet de conduire la lumière sur un trajet compliqué avec une perte minime.

On utilise cet effet pour créer des lampes décoratives et pour illuminer les jets d'eau dans les fontaines. On utilise aussi les guides de lumière pour illuminer les endroits difficiles à atteindre, comme l'intérieur du corps humain. De même que pour transmettre des appels téléphoniques et autres signaux de communication; le signal est un faisceau de lumière modulé (intensité variable du faisceau de lumière) qui est transmis avec une perte inférieure à celle d'un signal électrique dans un fil de cuivre. On s'en sert aussi, notamment en médecine, pour transmettre une image claire (figure 3.24). Par exemple, on examine l'estomac d'un patient en insérant par sa bouche un guide de lumière. On envoie de la lumière dans l'estomac par un ensemble de fibres; on ramène la lumière réfléchie par un autre ensemble de fibres. La lumière frappant directement l'extrémité d'une fibre s'y engage et y voyage. Un observateur voit, à l'extrémité opposée, une série de taches claires et sombres, un peu comme sur un écran de télévision, c'est-à-dire une image de ce qui se trouve à l'autre extrémité†. Les fibres doivent être isolées optiquement les unes des autres, habituellement par une mince gaine faite d'un matériau d'indice de réfraction plus petit que celui de la fibre. Les

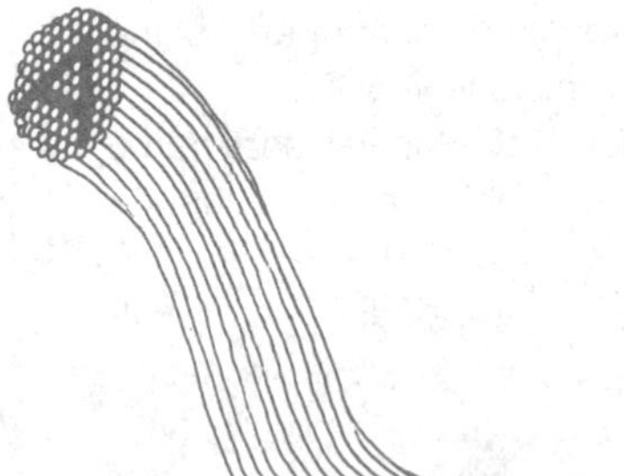

FIGURE 3.24 Image transmise par une fibre optique.

† On utilise des lentilles aux deux bouts; du côté de l'objet, afin de rendre les rayons parallèles à la fibre et, du côté de l'observateur, pour capter l'image, à l'aide d'un système télescopique.

fibres doivent être exactement parallèles, pour qu'on obtienne une image claire. Plus il y a de fibres et plus elles sont petites, plus l'image est précise. On utilise de tels «endoscopes» pour observer non seulement l'estomac mais aussi d'autres endroits du corps difficiles à atteindre, en vue d'une opération ou encore pour chercher des lésions sans pratiquer d'opération.

RÉSUMÉ

La lumière semble voyager en suivant des parcours rectilignes qu'on appelle *rayons*, à une vitesse v qui dépend de l'*indice de réfraction*, n, du milieu matériel: $v = c/n$, où c est la vitesse de la lumière dans le vide.

Quand la lumière est réfléchie par une surface plane, l'angle d'incidence égale l'angle de réfraction. Cette *loi de la réflexion* permet d'expliquer pourquoi les miroirs forment des *images*. Dans un miroir plan, l'image est virtuelle, à l'endroit, de la même taille que l'objet et aussi loin derrière le miroir que ce dernier se trouve devant.

Les miroirs sphériques, convexes ou concaves, peuvent former des images réelles ou virtuelles. Le *foyer* d'un miroir sphérique est le point de l'image d'un objet à l'infini (rayons incidents parallèles) sur l'axe principal du miroir. La distance du foyer au centre du miroir est la *distance focale*, f, et est égale à la moitié du rayon de courbure, r, de la surface du miroir ($f = r/2$). L'*équation du miroir* met en relation la distance de l'objet, d_o, la distance de l'image, d_i, et la distance focale: $1/d_o + 1/d_i = 1/f$. Le rapport de la hauteur de l'image à la hauteur de l'objet est le grandissement latéral, noté $m = (h_i/h_o) = -(d_i/d_o)$.

Quand la lumière passe d'un milieu transparent dans un autre, les rayons dévient ou se réfractent. Selon la *loi de la réfraction* (la *loi de Descartes*), $n_1 \sin \theta_1 = n_2 \sin \theta_2$, où n_1 et θ_1 sont l'indice de réfraction et l'angle avec la normale à la surface du rayon incident, et n_2 et θ_2, ceux du rayon réfracté.

Quand les rayons de lumière atteignent la frontière d'un milieu matériel où l'indice de réfraction augmente, les rayons subissent une *réflexion interne totale* si l'angle d'incidence, θ_1, est tel que la loi de Descartes prédit que $\sin \theta_2 > 1$, ce qui se produit lorsque θ_1 dépasse l'angle critique θ_c donné par $\theta_c = n_2/n_1$.

QUESTIONS

1. Pouvez-vous donner des arguments tendant à démontrer que la surface de la lune est rugueuse plutôt que lisse comme celle d'un miroir?
2. Quand vous vous regardez dans un miroir plan, vous voyez la même portion de votre corps que vous soyez près ou loin du miroir. (Essayez-le, vous verrez.) Tracez un diagramme des rayons pour montrer pourquoi il en est ainsi.
3. La réflexion de la lune sur une mer ondoyante semble allongée. Pourquoi?
4. Serait-il possible de voir la surface d'un miroir plan parfait qui réfléchirait 100 % de la lumière incidente?
5. Un miroir plan n'inverse pas le haut et le bas bien qu'il inverse la droite et la gauche. Pourquoi?
6. On dit qu'Archimède a brûlé toute la flotte romaine dans le port de Syracuse en concentrant les rayons du soleil avec un immense miroir sphérique. Est-ce possible?
7. Montrez, à l'aide d'un diagramme, que le grandissement d'un miroir concave est plus petit que 1 si l'objet est au-delà du centre de courbure C, et plus grand que 1 s'il est à l'intérieur de ce point.
8. Si l'image d'un miroir concave est réelle, est-elle nécessairement renversée?
9. Vous ne pouvez pas voir une image renversée de vous-même dans un miroir concave, sauf si vous placez votre visage au-delà du centre de courbure C. Pourtant, vous pouvez voir l'image renversée d'un autre objet placé entre C et F, comme dans la figure 3.12. Comment cela se fait-il? (Indice: vous ne pouvez voir une image réelle que si votre œil est derrière l'image, de sorte qu'elle puisse se former.)
10. En utilisant les règles pour les trois rayons dont il fut question dans la figure 3.12, tracez le rayon 2 dans la figure 3.16b.
11. Quelle est la distance focale d'un miroir plan?
12. L'équation du miroir (3.3) est-elle valide pour un miroir plan? Expliquez.
13. Déterminez le grandissement pour un miroir plan.
14. Comment pourriez-vous déterminer la vitesse de la lumière dans un objet solide, rectangulaire et transparent?
15. Quand un large faisceau de rayons de lumière parallèles entre dans l'eau selon un certain angle, le faisceau s'élargit. Pourquoi?
16. Expliquez l'origine des mirages, notamment le renversement des images d'automobiles vues de loin sur une autoroute par temps de grande chaleur. (Indice: considérez la variation de la densité en fonction de la température et la variation consécutive de l'indice de réfraction de l'air.)

17. Quel est l'angle de réfraction d'un rayon lumineux qui rencontre perpendiculairement la frontière entre deux milieux?

18. En regardant le fond d'une piscine ou d'un lac, est-il plus probable que l'on en surestime ou sous-estime la profondeur? Expliquez pourquoi. Comment la profondeur apparente varie-t-elle en fonction de l'angle de vision? (Utilisez un diagramme de rayons.)

19. Tracez un diagramme de rayons montrant pourquoi un bâton semble plié quand une partie en est immergée.

20. Comment se fait-il qu'on puisse «voir» une goutte d'eau ronde sur une table si l'eau est transparente et sans couleur?

21. Un rayon lumineux qui voyage dans l'air peut-il être totalement réfléchi en frappant une surface d'eau lisse à un angle approprié?

22. Un objet, dans l'air, qu'on regarde de dessous la surface de l'eau dans une piscine semble-t-il de mêmes dimensions que lorsqu'on le regarde directement dans l'air? Expliquez.

PROBLÈMES

SECTION 3.2

1. (I) Quelle est la vitesse de la lumière dans *a*) l'alcool éthylique et *b*) la lucite?

2. (I) La vitesse de la lumière dans la glace équivaut à $2{,}29 \times 10^8$ m/s. Quel est l'indice de réfraction de la glace?

3. (I) Une ampoule à filament ordinaire émet de la lumière en trains d'ondes successifs d'environ 10^{-8} s de durée chacun. Quelle est la longueur dans l'espace de ces trains d'ondes?

4. (I) Combien la lumière du Soleil, distant de $1{,}49 \times 10^8$ km, prend-elle de temps à nous parvenir?

5. (I) L'étoile la plus proche de la Terre (autre que le Soleil) est distante de 4,2 années-lumière, sa lumière prenant 4,2 années pour nous parvenir. Exprimez, en mètres, la distance de l'étoile à la Terre.

6. (II) Si $n = 1{,}00030 \pm 0{,}000010$ pour l'air, quelle incertitude cela implique-t-il pour la vitesse de la lumière?

7. (II) À quelle vitesse angulaire minimale le miroir rotatif à huit faces de Michelson devrait-il tourner pour que la lumière soit réfléchie dans l'œil de l'observateur par les faces successives du miroir (figure 3.3)?

SECTION 3.3

8. (I) Vous voulez vous photographier en vous regardant dans un miroir distant de 2,2 m. À quelle distance devriez-vous focaliser la lentille de votre appareil photographique?

9. (II) Deux miroirs plans verticaux sont à angle droit (figure 3.25). En vous regardant dans ce miroir double, vous vous voyez tel que les autres vous voient (au lieu de voir une image inversée de vous-même comme dans un miroir simple). Dessinez un diagramme de rayons montrant comment cela se produit.

10. (II) Une personne dont les yeux se trouvent 1,48 m au-dessus du plancher se tient à 2,40 m d'un miroir plan dont le bord inférieur est à 40 cm au-dessus du plancher. À quelle distance horizontale de la base du mur supportant le miroir se trouve le point le plus proche du plancher réfléchi dans le miroir vers les yeux de l'observateur?

11. (II) Vous vous trouvez à 60 cm d'un miroir plan et votre pupille fait 5,5 mm de diamètre. Quelle aire du miroir réfléchit les rayons qui, provenant d'un point sur le bout de votre nez, entrent dans l'un de vos yeux?

12. (II) Deux miroirs plans se rencontrent à un angle ϕ. Montrez qu'un rayon réfléchi (successivement) par les deux miroirs subit une déviation de 2ϕ, quel que soit l'angle d'incidence. Supposez que $\phi < 90°$ pour que seulement deux réflexions, une par miroir, aient lieu.

13. (III) On place un troisième miroir horizontalement sous les deux miroirs de la figure 3.25, de façon à ce que les trois soient perpendiculaires les uns aux autres. *a*) Montrez que pour un tel «réflecteur en coin», tout rayon incident retourne dans sa direction initiale après trois réflexions. *b*) Que se passe-t-il si un rayon n'est réfléchi que deux fois?

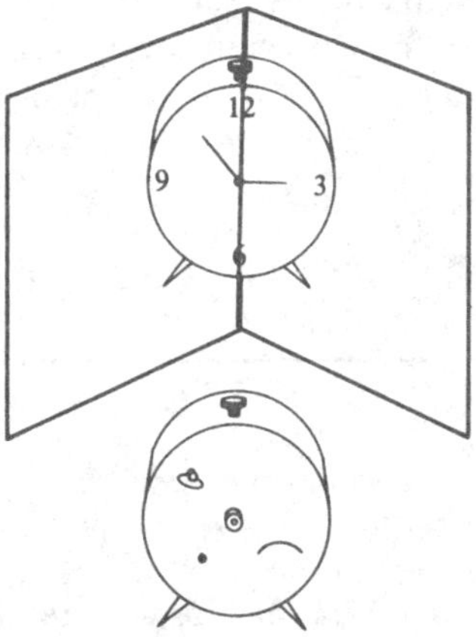

FIGURE 3.25 Problèmes 9 et 13.

SECTION 3.4

14. (I) Trouvez le rayon d'une surface concave qui réfléchit la lumière parallèle à un foyer distant de 18,9 cm de la surface.

15. (I) À quelle distance d'un miroir concave (rayon de 24,0 cm) doit-on placer un objet pour que son image se trouve à l'infini?

16. (I) Vous essayez de vous regarder dans une boule argentée de 56,0 cm de diamètre, distante de 2,30 m. Où votre image se trouve-t-elle? Est-elle virtuelle ou réelle? Vous voyez-vous clairement?

17. (II) Montrez à l'aide d'un diagramme que, pour un miroir convexe, le grandissement m est le même que pour un miroir concave: $m = -d_i/d_o$. (Indice: tracez un rayon provenant du sommet de l'objet et réfléchi au centre du miroir.)

18. (II) Un dentiste veut un petit miroir qui, à 2,10 cm d'une dent, produit une image à l'endroit et grandie 5,5 fois. Quelle sorte de miroir lui faut-il et quel doit en être le rayon de courbure?

19. (II) On place un objet lumineux de 3,0 mm de haut à 20 cm d'un miroir convexe d'un rayon de courbure de 20 cm. *a*) Montrez, à l'aide d'un diagramme de rayons, que l'image est virtuelle et estimez la distance de celle-ci. *b*) Montrez que pour calculer cette distance (négative) de l'image à l'aide de l'équation 3.3, il suffit de considérer que la distance focale est de −10 cm. *c*) Calculez la hauteur de l'image à l'aide de l'équation 3.4.

20. (II) Montrez que l'équation du miroir, 3.3, est valide pour un miroir convexe à condition qu'on considère f négatif.

21. (II) Montrez, à l'aide de l'équation du miroir, que le module du grandissement d'un miroir concave est plus petit que 1, si l'objet se trouve au-delà du centre de courbure C ($d_o > r$), et est plus grand que 1, si l'objet est à l'intérieur de C ($d_o < r$).

22. (II) On place un objet de 2,40 cm de hauteur à 22,0 cm d'un miroir sphérique. Le miroir produit une image virtuelle de 3,20 cm de haut. *a*) De quel type de miroir s'agit-il? *b*) Où l'image se trouve-t-elle? *c*) Quel est le rayon de courbure du miroir?

23. (II) Le grandissement d'un miroir convexe est de 0,35 pour un objet distant de 4,0 m. Quelle est la distance focale du miroir?

24. (II) *a*) On peut considérer un miroir plan comme un cas limite du miroir sphérique. Spécifiez quelle est cette limite. *b*) Déterminez l'équation reliant les distances de l'image et de l'objet dans cette limite du miroir plan. *c*) Déterminez le grandissement d'un miroir plan dans cette même limite. *d*) Vos résultats en *b*) et *c*) sont-ils compatibles avec le traitement de la section 3.3 sur les miroirs plans?

25. (II) Quel est le rayon d'un miroir concave qui grandit par un facteur de 1,6 un visage distant de 30 cm?

26. (II) Une personne mesurant 1,58 m se tient à 4,50 m d'un miroir convexe et remarque qu'elle semble moitié moins grande que dans un miroir plan placé à la même distance. Quel est le rayon de courbure du miroir convexe? (Supposez que $\sin \theta \approx \theta$.)

27. (III) On place un objet court et mince (par exemple un fil court), de longueur l, sur l'axe principal d'un miroir sphérique et parallèlement à cet axe. Montrez que la longueur de l'image est $l' = m^2 l$, le *grandissement longitudinal* étant donc égal à $-m^2$ où m est le grandissement latéral (équation 3.4). D'où vient le signe négatif? (Indice: trouvez les positions de l'image des deux bouts du fil et supposez l très petit.)

SECTION 3.5

28. (I) Un plongeur sous l'eau pointe une lampe de poche allumée vers la surface à un angle de 23,0° avec la verticale. À quel angle la lumière quitte-t-elle l'eau?

29. (I) À quel angle au-dessus de l'horizon se trouve le Soleil si ses rayons font, sous l'eau, un angle de 40° avec la verticale?

30. (II) De la lumière frappe, à un angle de 45,0°, une face d'un prisme de verre crown équilatéral (figure 3.26). Calculez l'angle auquel la lumière sort de la face opposée. Supposez que $n = 1{,}56$.

31. (II) Une lumière brillante se trouve à 2,50 m sous la surface dans une piscine et à 1,45 m d'un côté de la piscine. À quel angle la lumière quitte-t-elle l'eau au bord de la piscine? La piscine est remplie jusqu'au bord.

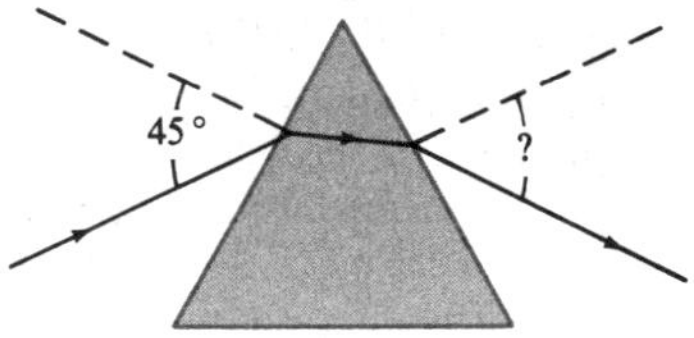

FIGURE 3.26 Problèmes 30 et 41.

32. (II) Montrez que pour un faisceau de lumière frappant une plaque uniforme faite d'un matériau transparent (figure 3.19), la direction du faisceau sortant est parallèle à celle du faisceau incident quels que soient l'angle d'incidence θ et l'épaisseur de la dalle. Supposez que le milieu de chaque côté de la dalle est le même.

33. (II) Si le milieu à gauche de la plaque de la figure 3.19 est différent de celui à droite (de sorte qu'il y a trois milieux avec trois indices de réfraction différents), montrez que l'angle de réfraction dans le troisième milieu (du côté droit de la plaque) est le même que si la lumière passait directement du premier milieu au troisième (comme si l'épaisseur de la dalle était nulle).

34. (II) Les côtés d'un aquarium rempli d'eau sont en verre plat d'un indice de réfraction de 1,58. Un faisceau de lumière frappe le verre, du dehors de l'aquarium, à un angle de 43,7° par rapport à la perpendiculaire. Quel est l'angle de ce rayon lumineux dans le verre, puis dans l'eau? Quel serait l'angle si le rayon entrait directement dans l'eau?

35. (II) Quand un rayon lumineux passe dans un prisme, l'angle entre le rayon sortant et le rayon incident s'appelle l'angle de déviation δ (figure 3.27). Cet angle est minimal quand le rayon passe dans le prisme symétriquement, c'est-à-dire, pour un prisme en forme de triangle isocèle, quand le rayon à l'intérieur du prisme est parallèle à la base. Montrez que la relation entre l'angle de déviation minimal δ_m et l'indice de réfraction n est donnée par

$$n = \frac{\sin \frac{1}{2}(\phi + \delta_m)}{\sin \phi/2},$$

où ϕ est l'angle au sommet.

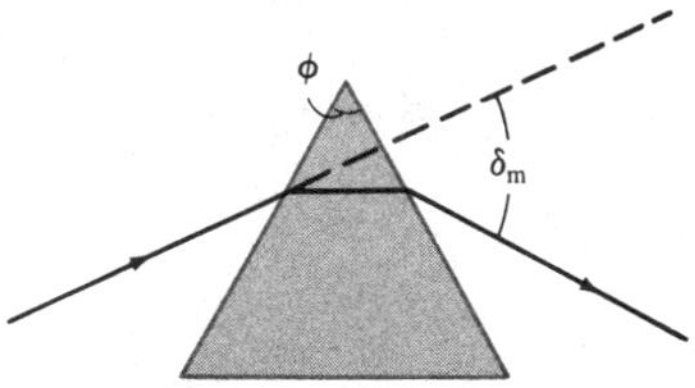

FIGURE 3.27 Problèmes 35 et 43.

36. (II) Montrez que si l'angle d'incidence θ d'un rayon avec une plaque de verre (comme dans la figure 3.19) est petit, alors le rayon est déplacé à la sortie d'une distance $d = t\theta(n - 1)/n$, où t est l'épaisseur du verre et θ est en radians.

37. (III) Selon le *principe de Fermat*, «la lumière voyage entre deux points en suivant le chemin le plus rapide». Démontrez à partir de ce principe *a*) la loi de la réflexion ($\theta_i = \theta_r$) et *b*) la

loi de la réfraction (loi de Descartes). (Indice: choisissez deux points tels qu'un rayon puisse être réfléchi ou réfracté de l'un vers l'autre; tracez un chemin approximatif du rayon entre ces points; trouvez une expression du temps requis par la lumière pour parcourir le chemin choisi puis dérivez cette expression et trouvez le minimum.)

SECTION 3.6

38. (I) L'angle critique à une certaine interface liquide-air est de 57°. Quel est l'indice de réfraction du liquide?

39. (II) Un faisceau de lumière est émis à 6,0 cm sous la surface d'un liquide et frappe la surface à 4,0 cm du point juste au-dessus de la source. S'il y a réflexion interne totale, que pouvez-vous dire de l'indice de réfraction du liquide?

40. (II) Les faces des bouts d'un cylindre en verre (n = 1,54) sont perpendiculaires aux côtés. Montrez qu'un rayon lumineux entrant à un angle quelconque par une des faces subit une réflexion interne totale, dans la barre, lorsqu'il frappe les côtés. Supposez que la barre se trouve dans l'air. Que se passerait-il si elle se trouvait dans l'eau?

41. (II) Un rayon frappe à un angle de 45° la face gauche du prisme de la figure 3.26 et subit une réflexion totale interne à la face opposée. Si l'angle au sommet est $\phi = 75°$, que pouvez-vous dire sur l'indice de réfraction du prisme?

42. (II) *a*) Quel est l'indice de réfraction minimal d'un prisme de verre ou de plastique qu'on veut utiliser pour des binoculaires (figure 3.21) de façon à ce qu'il y ait réflexion interne totale à 45°? *b*) Les binoculaires fonctionnent-ils quand leurs prismes sont immergés dans l'eau? Supposez que n = 1,50. *c*) Quel est le n minimal requis lorsque les prismes sont immergés dans l'eau?

43. (II) Si l'angle au sommet d'un prisme est $\phi = 70°$ (voir la figure 3.27), quel doit être l'angle d'incidence minimal d'un rayon pour qu'il puisse ressortir du côté opposé, si n = 1,58?

CHAPITRE

4

LES LENTILLES ET LES INSTRUMENTS D'OPTIQUE

L'analyse de plusieurs instruments d'optique repose sur les lois de la réflexion et, plus particulièrement, de la réfraction. Dans le présent chapitre, nous appliquerons l'optique géométrique, présentée au chapitre précédent, à l'étude des lentilles. Nous traiterons, par la même occasion, de l'œil humain et d'un certain nombre d'instruments d'optique, du verre grossissant aux télescopes et aux microscopes.

4.1 La réfraction à une surface sphérique

En préparation pour la section suivante sur les lentilles, nous étudierons d'abord la réfraction de rayons à une surface sphérique transparente, telle qu'une face de lentille. Considérons d'abord le cas général suivant: un objet est situé dans un milieu dont l'indice de réfraction est n_1; des rayons provenant de chacun de ses points entrent dans un milieu dont l'indice de réfraction est n_2; le rayon de courbure de la frontière sphérique est R et son centre de courbure se trouve au point C (figure 4.1). Montrons maintenant que tous les rayons provenant du point O sur l'objet, et dont les angles les uns avec les autres et avec l'axe sont petits (de tels rayons s'appellent des **rayons paraxiaux**), sont focalisés en un même point I, le point image. Soit un rayon unique provenant du point O (figure 4.2). D'après la loi de Descartes (équation 3.5), nous avons:

$$n_1 \sin \theta_1 = n_2 \sin \theta_2.$$

Étant donné que par hypothèse θ_1, θ_2, α, β et γ sont petits, $\sin \theta \approx \theta$ (en radians); la loi de Descartes devient donc, approximativement,

$$n_1\theta_1 = n_2\theta_2.$$

De plus, $\beta + \phi = 180°$ et $\theta_2 + \gamma + \phi = 180°$; par conséquent,

$$\beta = \gamma + \theta_2.$$

De même pour le triangle OPC,

$$\theta_1 = \alpha + \beta.$$

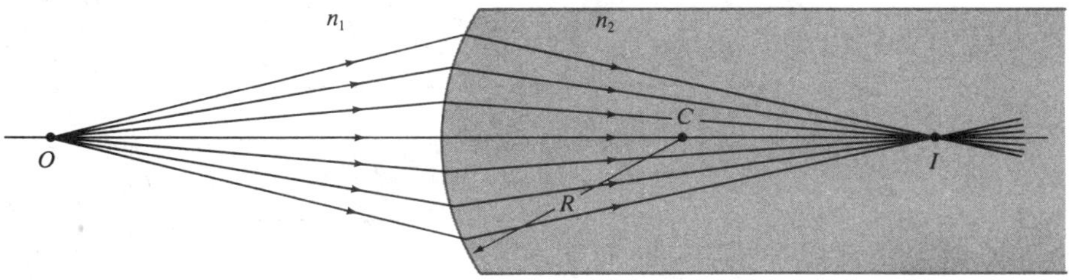

FIGURE 4.1 Les rayons issus d'un point O d'un objet sont focalisés en un même point image I par la frontière sphérique entre deux milieux transparents, pourvu que l'angle des rayons avec l'axe soit petit ($n_2 > n_1$).

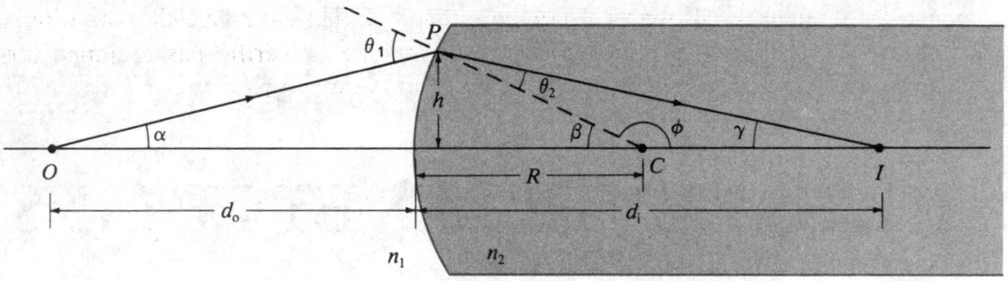

FIGURE 4.2 Diagramme démontrant que tous les rayons paraxiaux provenant de O sont focalisés en un même point I ($n_2 > n_1$).

En combinant ces trois relations, on obtient:

$$n_1\alpha + n_2\gamma = (n_2 - n_1)\beta.$$

Comme nous ne considérons que les petits angles, nous pouvons écrire, approximativement,

$$\alpha = \frac{h}{d_o}, \quad \beta = \frac{h}{R}, \quad \gamma = \frac{h}{d_i},$$

où d_o et d_i sont les distances de l'objet et de l'image et h est la hauteur du point P (figure 4.2). En substituant les valeurs ci-dessus dans l'équation précédente et en divisant chaque côté par h, nous obtenons:

$$\frac{n_1}{d_o} + \frac{n_2}{d_i} = \frac{n_2 - n_1}{R}. \tag{4.1}$$

Pour une distance donnée de l'objet, d_o, il est donc clair que d_i, la distance de l'image, ne dépend pas de l'angle du rayon. Par conséquent, tous les rayons paraxiaux se croisent au même point I. Évidemment, ceci n'est vrai que pour les rayons dont les angles les uns avec les autres et avec l'axe sont petits, ce qui revient à supposer que la dimension de la surface sphérique réfringente est petite comparativement à son rayon de courbure, de sorte que seulement les rayons paraxiaux sont réfractés. Dans le cas contraire, les rayons ne se croisent pas en un point; tout comme pour un miroir (voir la figure 3.10), il se produit une aberration sphérique et l'image est floue. (Nous traiterons davantage des aberrations sphériques à la section 4.7).

La démonstration de l'équation 4.1 s'appuyait sur la figure 4.2 dans laquelle la surface sphérique est convexe (par rapport au rayon incident). L'équation est aussi valide pour une surface concave (comme on peut le voir à l'aide de la figure 4.3) pourvu que nous respections les conventions suivantes:

1. Lorsque la surface est convexe (le centre de courbure C se trouvant du côté de la surface opposé à celui d'où vient la lumière), R est positif; lorsqu'elle est concave (C du côté d'où vient la lumière) R est négatif.

2. Même convention pour la distance de l'image, d_i, qui est donc positive quand l'image est du côté opposé à celui d'où vient la lumière et négative quand l'image est du côté d'où vient la lumière.

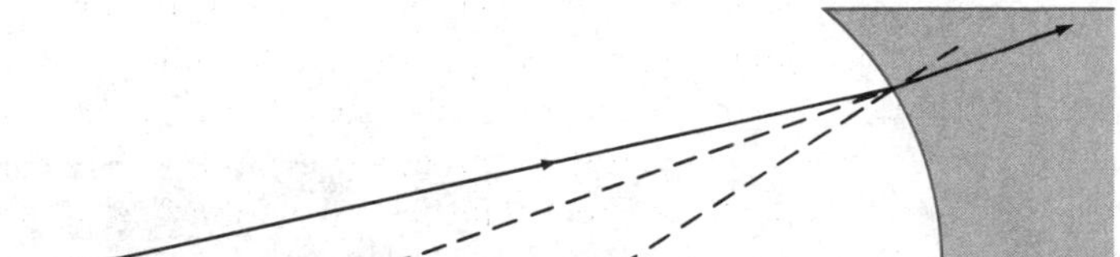

FIGURE 4.3 Les rayons provenant du point O réfractés par la surface concave forment une image virtuelle ($n_2 > n_1$).

3. La distance de l'objet est positive quand l'objet se trouve du côté d'où vient la lumière (c'est le cas le plus fréquent mais qui ne se vérifie pas toujours, lorsque plusieurs surfaces font dévier la lumière) et négative quand il se trouve du côté opposé à celui d'où la lumière vient.

Dans le cas d'une surface concave, comme celle de la figure 4.3, on doit affecter R et d_i de signes négatifs pour les utiliser dans l'équation 4.1. Notez que, dans ce cas, l'image est virtuelle.

EXEMPLE 4.1 Une personne regarde le fond d'un lac profond de 4,0 m. Quelle est la profondeur apparente du lac?

SOLUTION Le point O du diagramme de rayons de la figure 4.4 représente un point au fond du lac. Les rayons divergent et semblent provenir du point I, l'image. Nous avons $d_o = 4{,}0$ m et, pour une surface plane, $R = \infty$. L'équation 4.1 devient donc

$$\frac{1{,}33}{4{,}0\ \text{m}} + \frac{1{,}00}{d_i} = \frac{(1{,}00 - 1{,}33)}{\infty} = 0$$

Par conséquent, $d_i = -(4{,}0\ \text{m})/(1{,}33) = -3{,}0$ m. La profondeur apparente du lac est donc égale aux trois quarts de la profondeur réelle. (À des angles de vision différents, cette conclusion doit être modifiée.) Le signe négatif indique que le point image I est du même côté de la surface que O; l'image est donc virtuelle.

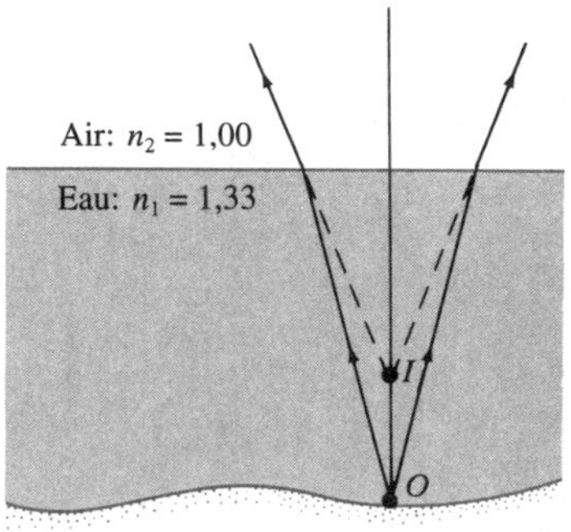

FIGURE 4.4 Exemple 4.1.

4.2 Les lentilles minces

Les lentilles minces constituent sans nul doute l'instrument d'optique le plus important. L'invention de systèmes d'optique comportant des lentilles remonte aux XVIe et XVIIe siècles, quoique les plus anciens verres correcteurs de la vue que nous connaissons datent du XIIIe siècle. Dans le cas le plus fréquent, chacune des deux faces d'une lentille mince est une section d'une surface sphérique, les lentilles étant ordinairement rondes. (Il existe des surfaces cylindriques, mais nous étudierons surtout les surfaces sphériques.) Chaque face peut être concave, convexe ou plane (figure 4.5). C'est la propriété des lentilles de former des images d'objets qui les rend si utiles; on peut analyser une lentille en appliquant à ses deux faces les résultats de la section précédente. Mais examinons d'abord les propriétés générales des lentilles.

Soit les rayons parallèles à l'axe de la lentille biconvexe, vue en coupe à la figure 4.6a, et dont on suppose qu'elle est en verre ou en plastique transparent (de façon à ce que son indice de réfraction soit supérieur à celui de l'air environnant). Selon la loi de Descartes, chaque rayon s'infléchit vers l'axe, aux deux faces de la lentille (les lignes en tirets sur chaque face indiquent la normale à la surface pour le rayon du haut). Une lentille mince focalise les rayons incidents, parallèles à l'axe principal, en un point appelé le **foyer**, *F.* Ceci n'est pas tout à fait vrai pour une lentille avec des faces sphériques; mais c'est presque vrai (autrement dit, les rayons parallèles sont focalisés en une région minuscule presque de la taille d'un point) quand le diamètre de la lentille est petit comparativement aux rayons de courbure respectifs des deux faces de la lentille. Les **lentilles minces**, c'est-à-dire celles qui sont très minces par rapport à leur diamètre, vérifient cette condition; nous n'analyserons ici que les lentilles minces.

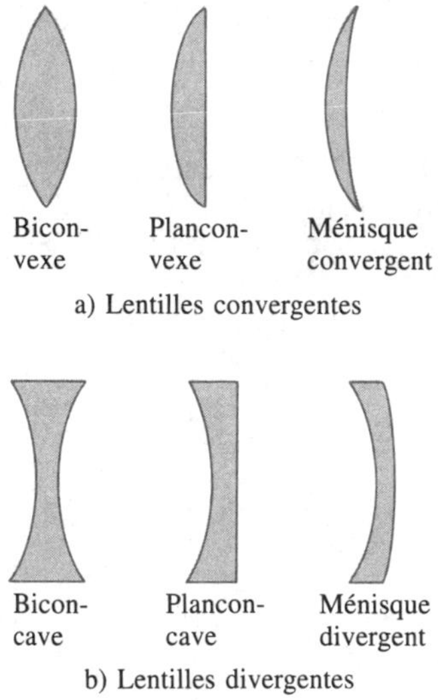

FIGURE 4.5 Types de lentilles.

Comme les rayons issus d'un objet distant sont quasi parallèles (voir la figure 3.9), nous pouvons aussi conclure de ce qui précède que *le foyer est le point image d'un objet situé à l'infini sur l'axe principal.* On appelle **distance focale**, f, la distance du point focal au centre de la lentille. Dans le cas d'une lentille mince, cette distance

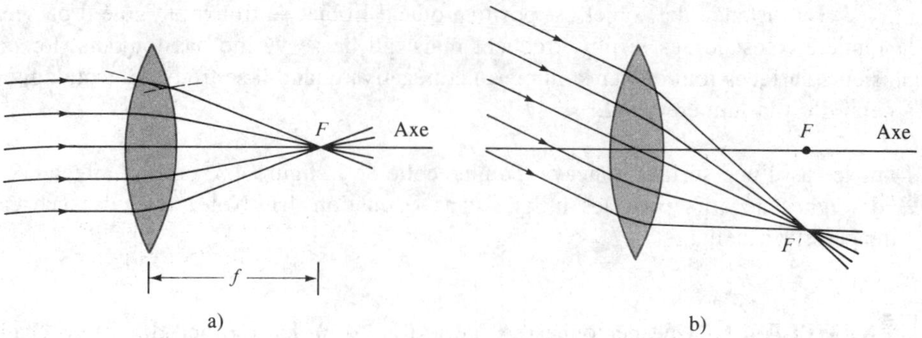

FIGURE 4.6 Une lentille convergente focalise les rayons parallèles.

peut être mesurée sans erreur significative en partant du centre de la lentille ou de son pourtour. Comme nous le verrons bientôt, le fait d'inverser une lentille, de manière à présenter l'autre face à la lumière incidente, n'affecte aucunement la distance focale; celle-ci est identique pour les deux faces même lorsque leurs courbures respectives sont différentes. La lentille focalise les rayons parallèles formant un même angle d'incidence avec l'axe principal (figure 4.6b) en un point F'. On appelle **plan focal** d'une lentille l'ensemble de tous les points tels que F et F'.

Une lentille plus épaisse en son centre qu'en ses pourtours fait converger en un même point les rayons parallèles et est donc dite **convergente** (figure 4.5a). Une lentille plus mince en son centre qu'en ses pourtours (figure 4.5b) fait diverger les rayons parallèles (figure 4.7) et est donc dite **divergente**. On définit le *foyer* F d'une lentille divergente comme le point d'où les rayons réfractés d'un faisceau de rayons incidents parallèles à l'axe principal semblent provenir (figure 4.7). Tout comme pour une lentille convergente, on appelle distance focale la distance de F au centre de la lentille. Nous pouvons déterminer l'emplacement de l'image d'un objet quelconque en traçant les rayons issus de chaque point de l'objet. Nous n'avons besoin de tracer que trois rayons particuliers (figure 4.8). Les trois rayons de la figure 4.8 sont tracés comme si la lentille était infiniment mince (d'où l'infléchissement subit des rayons au centre de la lentille). La lentille réfracte le rayon 1, qui est parallèle à l'axe, vers le foyer F derrière la lentille. Comme le rayon 2 passe par le foyer F' du même côté de la lentille que l'objet, il ressort par l'autre face de la lentille parallèlement à l'axe. Enfin, comme le rayon 3 passe exactement par le centre de la lentille où les deux faces sont pratiquement parallèles l'une à l'autre, l'angle de sortie de ce rayon est donc égal à son angle d'entrée dans la lentille. Comme nous l'avons vu dans l'exemple 3.5, le rayon devrait être déplacé légèrement d'un côté; mais, comme nous avons supposé que la lentille était mince, nous pouvons tracer le rayon 3 comme une droite traversant la lentille (figure 4.8). En fait, deux de ces rayons suffisent à déterminer l'emplacement du point image, c'est-à-dire le point où ils se croisent. Le troisième rayon permet de confirmer le résultat.

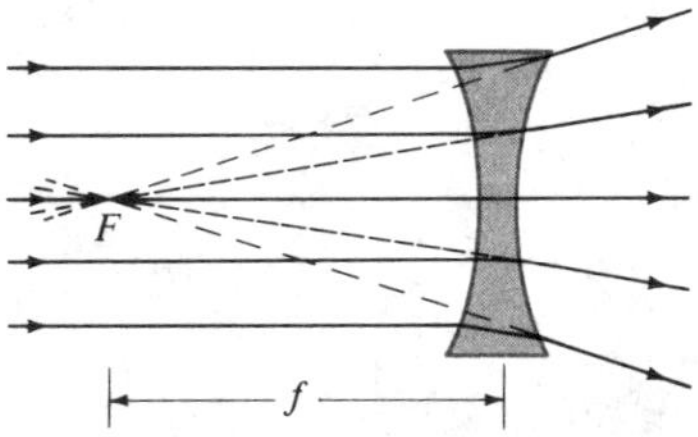

FIGURE 4.7 Lentille divergente.

On peut ainsi trouver le point image d'un point quelconque de l'objet (par exemple, le sommet de la flèche dans la figure 4.8). En déterminant les points images de tous les points de l'objet, on trace l'image complète de l'objet. Dans le cas illustré, les rayons passent réellement par l'image, il s'agit donc d'une **image réelle**.

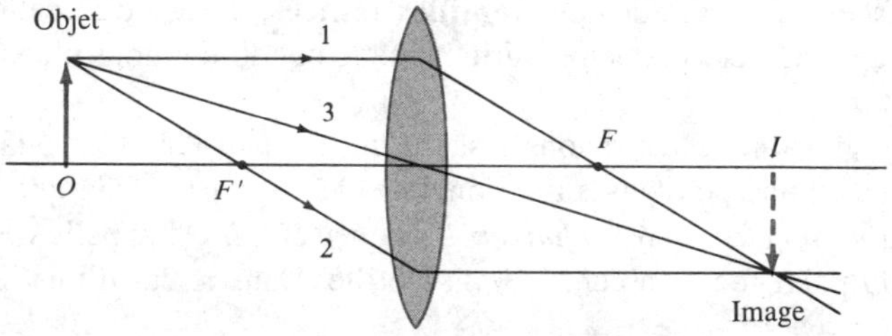

FIGURE 4.8 Détermination de l'emplacement de l'image par le tracé des rayons (lentille convergente).

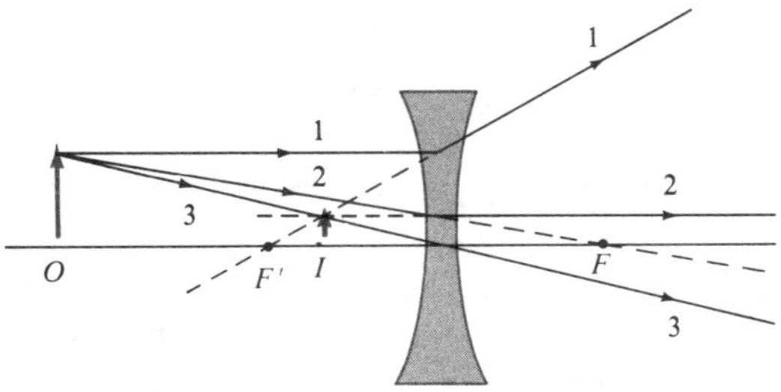

FIGURE 4.9 Détermination de l'emplacement de l'image par le tracé des rayons (lentille divergente).

En traçant trois rayons de façon similaire, on peut aussi déterminer l'emplacement de l'image formée par une lentille divergente (figure 4.9). Notez que le rayon 1 est parallèle à l'axe mais qu'il ne passe pas par le foyer F derrière la lentille; il semble au contraire provenir du foyer F' devant la lentille (droite en tirets). Le rayon 2 est dirigé vers F mais est réfracté parallèlement à l'axe par la lentille. Le rayon 3 passe au centre de la lentille sans être dévié. Les trois rayons réfractés semblent provenir d'un point à gauche de la lentille. Ce point est le point image, I. Cette fois-ci, les rayons ne passent pas réellement par l'image, il s'agit donc d'une **image virtuelle**.

Trouvons maintenant la relation entre la distance de l'image, celle de l'objet et les propriétés d'une lentille mince. Soit la lentille mince, dont l'épaisseur au centre est t, représentée à la figure 4.10. La lentille focalise les rayons provenant d'un point O d'un certain objet en un point I, le point image. Quoique, pour plus de clarté, les angles des rayons soient exagérément grands dans le diagramme, on suppose que les rayons sont paraxiaux. Sur la surface avant de la lentille, l'équation 4.1 donne

$$\frac{1}{d_o} + \frac{n}{d_i'} = \frac{n-1}{R_1},$$

où on a utilisé R_1, le rayon de courbure de la face avant, $n_1 = 1$ pour l'air et $n_2 = n$ pour la lentille. La mesure de d_o de même que celle de d_i' (qui n'est la distance de l'image que pour la première face) se fait à partir de la face avant; dans le cas illustré, d_i' est négatif (l'image est virtuelle, au point O'). Appliquons maintenant l'équation 4.1 à la seconde face. La direction des rayons incidents à la seconde face est telle que ceux-ci semblent provenir du point O'. La distance objet pour la seconde face est donc $d_o' = -d_i' + t$, où le signe négatif est nécessaire étant donné que $d_i' < 0$. Par conséquent, l'équation 4.1 donne

$$\frac{n}{-d_i' + t} + \frac{1}{d_i} = \frac{1-n}{R_2},$$

où R_2 est le rayon de courbure de la seconde face (et est négatif dans ce cas). Supposons maintenant que l'épaisseur t de la lentille soit petite devant les autres distances

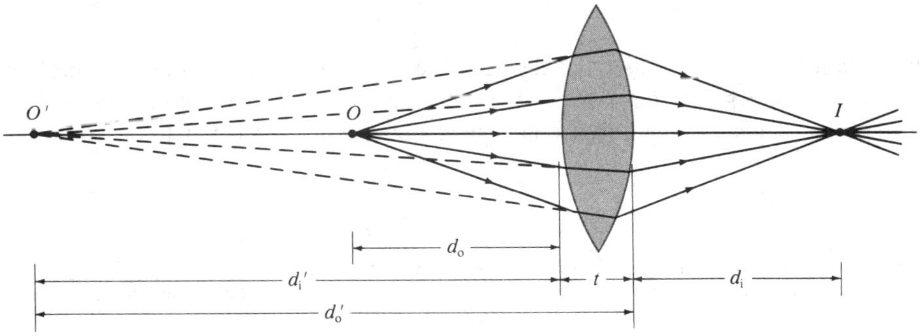

FIGURE 4.10 Démonstration de l'équation de la lentille.

en jeu, et posons $t = 0$. En éliminant d_i' dans les deux équations précédentes, nous obtenons:

$$\frac{1}{d_o} + \frac{1}{d_i} = (n - 1)\left(\frac{1}{R_1} - \frac{1}{R_2}\right). \tag{4.2}$$

C'est la relation que nous voulions obtenir entre la distance de l'objet d_o, celle de l'image d_i (la distance de la lentille à l'image finale formée par la lentille) et les propriétés R_1, R_2 et n de la lentille. Elle n'est valide, bien sûr, que pour les rayons paraxiaux et seulement quand la lentille est très mince. Notez que d_i ne dépend pas de l'angle des rayons et que, par conséquent, tous les rayons paraxiaux convergent en un même point. Pour les rayons non paraxiaux et pour les lentilles épaisses, l'image peut ne pas être nette (nous verrons cela plus en détail plus loin).

Considérons un objet à l'infini ($d_o = \infty$); dans ce cas, la distance image est la distance focale, $d_i = f$, et l'équation 4.2 devient:

$$\frac{1}{f} = (n - 1)\left(\frac{1}{R_1} - \frac{1}{R_2}\right). \tag{4.3}$$

Cette équation, intitulée l'**équation du lunetier**, met en relation la distance focale d'une lentille quelconque, le rayon de courbure de ses deux faces et son indice de réfraction. Comme nous l'avons vu à la section 4.1, le rayon de courbure d'une surface est positif si la surface est convexe par rapport à la lumière incidente et négatif si la surface est concave†. Notez aussi que lorsqu'on inverse la lentille, R_1 et R_2 échangent leurs rôles respectifs dans l'équation 4.3 et changent également de signe si bien que la valeur de f n'est pas changée. La position du foyer F est donc la même de chaque côté d'une lentille, comme nous le disions plus haut.

EXEMPLE 4.2 L'une des faces d'une lentille planconcave en lucite (figure 4.5) est plane; le rayon de courbure de l'autre est $R = 18{,}4$ cm. Quelle est la distance focale?

SOLUTION D'après le tableau 3.1, n est 1,51 pour la lucite. Le rayon de courbure d'une surface plane est infini; appelons ce rayon R_1 (du côté de la source de lumière). Nous obtenons: $1/R_1 = 0$. Par conséquent,

$$\frac{1}{f} = (1{,}51 - 1{,}00)\left(-\frac{1}{18{,}4\ \text{cm}}\right).$$

Donc $f = (-18{,}4\ \text{cm})/(0{,}51) = -36$ cm, et la lentille est divergente.

En combinant les équations 4.3 et 4.2, nous obtenons:

$$\frac{1}{d_o} + \frac{1}{d_i} = \frac{1}{f}. \tag{4.4}$$

Cette équation, l'une des plus utiles de l'optique géométrique, est intitulée l'**équation des lentilles minces**. Lorsqu'on connaît la distance focale d'une lentille, elle permet de trouver la distance image d'un objet quelconque dont on connaît la distance à la lentille.

† On peut se souvenir de cela en disant que $R > 0$ si le centre de courbure est «en aval» (du côté de la lentille opposée à la source de lumière), et que $R < 0$ si le centre de courbure est en «amont» (du même côté que la source de lumière).

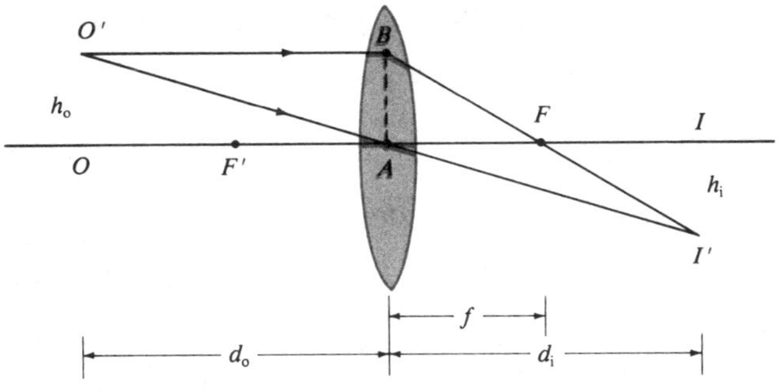

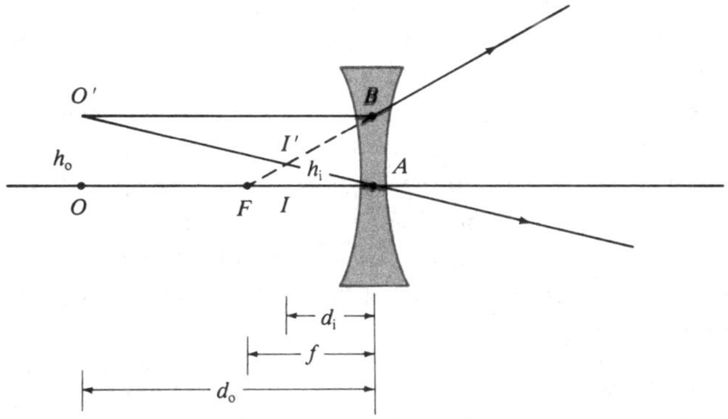

FIGURE 4.11 Démonstration de l'équation de la lentille mince pour a) une lentille convergente et b) une lentille divergente.

Les constructions graphiques sont souvent utiles; nous nous en servirons maintenant pour démontrer l'équation des lentilles minces et trouver le grandissement d'une lentille, ce qui nous permettra de vérifier la cohérence de nos résultats. Considérons les deux rayons incidents à la lentille convergente (par supposition, très mince) de la figure 4.11a; h_o et h_i représentent les hauteurs respectives de l'objet et de l'image et d_o et d_i, leurs distances respectives à la lentille. Les triangles FII' et FBA sont semblables; par conséquent,

$$\frac{-h_i}{h_o} = \frac{d_i - f}{f},$$

puisque la longueur $AB = h_o$ et que h_i est négative; en effet, par convention, h_i (ou h_o) est négative quand le point I' (ou O') est sous l'axe. (Par conséquent $-h_i$ est positive dans le cas illustré.) Les triangles OAO' et IAI' sont semblables. Donc,

$$-\frac{h_i}{h_o} = \frac{d_i}{d_o}.$$

Les côtés gauches de ces deux équations sont identiques. On met donc les côtés droits en équation et, en divisant cette nouvelle équation par d_i puis en la réordonnant, on obtient:

$$\frac{1}{d_o} + \frac{1}{d_i} = \frac{1}{f}.$$

Démontrons maintenant l'équation des lentilles minces pour une lentille divergente. Soit les rayons de la figure 4.11b. Les triangles IAI' et OAO' sont semblables, de même que les triangles IFI' et AFB. Nous obtenons donc (en vertu de nos conventions de la section 4.1, $d_i < 0$ dans la figure 4.11b et $-d_i$ est donc une quantité positive):

$$\frac{h_i}{h_o} = \frac{-d_i}{d_o} \quad \text{et} \quad \frac{h_i}{h_o} = \frac{f - (-d_i)}{f}.$$

En mettant en équation les côtés droits de ces équations, puis en simplifiant l'équation obtenue, on obtient:

$$\frac{1}{d_o} + \frac{1}{d_i} = -\frac{1}{f}.$$

En affectant f d'un signe négatif pour une lentille divergente, cette équation devient identique à l'équation 4.4. L'équation 4.4 est donc valide aussi bien pour les lentilles convergentes que divergentes et pour toutes les positions possibles de l'objet et de l'image, lorsque sont appliquées les conventions suivantes (qui sont compatibles avec celles de la section 4.1 et avec nos démonstrations antérieures des équations 4.2 à 4.4.):

1. La distance focale est positive pour les lentilles convergentes et négative pour les lentilles divergentes. Le rayon de courbure est positif quand la face par où la lumière entre est convexe et négatif quand elle est concave.

2. La distance d'un objet situé du côté d'où la lumière vient est positive (c'est le cas le plus fréquent mais qui ne se réalise pas toujours, notamment quand on combine plusieurs lentilles); autrement, elle est négative.

3. La distance image est positive si l'image est située du côté opposé à celui d'où vient la lumière et négative dans le cas contraire. De même, la distance image est positive pour une image réelle et négative pour une image virtuelle.

4. Les hauteurs respectives de l'objet et de l'image, h_o et h_i, sont positives pour les points situés au-dessus de l'axe et négatives pour les points au-dessous.

On définit le **grandissement latéral** m d'une lentille comme le rapport de la hauteur de l'image à celle de l'objet, $m = h_i/h_o$. D'après la figure 4.11 et les conventions énoncées ci-dessus, nous obtenons:

$$m = \frac{h_i}{h_o} = -\frac{d_i}{d_o}. \qquad (4.5)$$

Le grandissement est positif quand l'image est à l'endroit et négatif quand l'image est renversée.

Notons que les équations 4.4 (l'équation des lentilles minces) et 4.5 ont la même forme que les équations équivalentes pour un miroir (équations 3.3 et 3.4). Les conventions de signe ne sont toutefois pas les mêmes.

EXEMPLE 4.3 Quelle est la position et la taille de l'image d'un insecte géant haut de 22,4 cm et distant de 1,50 m d'une lentille de caméra dont la distance focale est de +50,0 mm?

SOLUTION La lentille de la caméra est convergente, avec $f = +5{,}00$ cm; l'équation 4.4 donne donc:

$$\frac{1}{d_i} = \frac{1}{f} - \frac{1}{d_o} = \frac{1}{5{,}00 \text{ cm}} - \frac{1}{150 \text{ cm}} = \frac{30{,}0 - 1{,}00}{150 \text{ cm}},$$

et $d_i = 150$ cm/29,0 = 5,17 cm ou 51,7 mm derrière la lentille. Le grandissement $m = -d_i/d_o = -5{,}17$ cm/150 cm $= -0{,}0345$ et, par conséquent, la taille de l'insecte correspond à $h_i = (-0{,}0345)(22{,}4 \text{ cm}) = -0{,}773$ cm. La hauteur de l'image est de 7,73 mm et est renversée comme dans la figure 4.11a. Notez que l'image est 1,7 mm plus éloignée de la lentille que le serait l'image d'un objet situé à l'infini. Cet exemple permet de comprendre pourquoi plus un objet est proche d'une caméra, plus la lentille doit être éloignée du film pour obtenir une image nette.

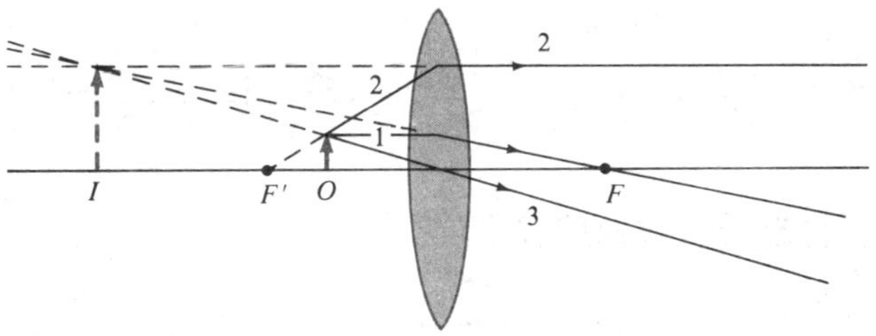

FIGURE 4.12 L'image d'un objet placé en deçà du foyer d'une lentille convergente est virtuelle (exemple 4.4).

EXEMPLE 4.4 Un objet est distant de 10 cm d'une lentille convergente dont la distance focale est de 15 cm. Déterminez la position et la taille de l'image *a*) algébriquement et *b*) à l'aide d'un diagramme des rayons.

SOLUTION *a*) Comme $f = 15$ cm et $d_o = 10$ cm,

$$\frac{1}{d_i} = \frac{1}{15\text{ cm}} - \frac{1}{10\text{ cm}} = -\frac{1}{30\text{ cm}},$$

et donc $d_i = -30$ cm. Comme d_i est négative, l'image est virtuelle et du même côté de la lentille que l'objet. Le grandissement $m = -(-30\text{ cm})/(10\text{ cm}) = 3{,}0$; l'image est donc trois fois plus grande que l'objet et à l'endroit. (C'est le principe des verres grossissants simples dont nous parlerons dans la prochaine section.) *b*) La figure 4.12 est le diagramme des rayons demandé qui confirme les résultats obtenus en *a*).

EXEMPLE 4.5 Où faut-il placer un objet pour qu'une lentille divergente, dont la distance focale est de 25,0 cm, en forme une image à 20,0 cm devant la lentille?

SOLUTION Comme $f = -25{,}0$ cm et $d_i = -20{,}0$ cm,

$$\frac{1}{d_o} = -\frac{1}{25{,}0\text{ cm}} + \frac{1}{20{,}0\text{ cm}} = \frac{1}{100\text{ cm}}.$$

Il faut donc placer l'objet à 100 cm de la lentille. Le diagramme des rayons est semblable à celui de la figure 4.11b.

EXEMPLE 4.6 On juxtapose une lentille convergente à une lentille divergente afin de mesurer la distance focale de celle-ci (figure 4.13). Le système des deux lentilles focalise les rayons du soleil en un point situé à 28,5 cm derrière elles. Si la distance focale f_C de la lentille convergente est de 16,0 cm, quelle est la distance focale f_D de la lentille divergente?

SOLUTION Posons que $f_T = 28{,}5$ cm représente la distance focale du système. Sans la lentille divergente, la lentille convergente formerait l'image en son foyer, soit à

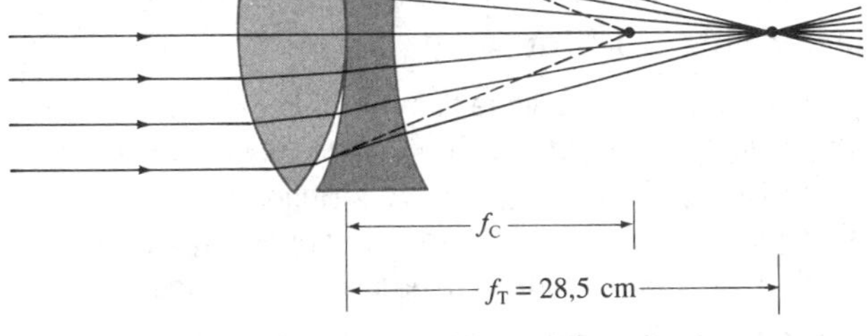

FIGURE 4.13 Mesure de la distance focale d'une lentille divergente (exemple 4.6).

ENCADRÉ 4.1

L'appareil photographique à soufflet

La quasi-totalité des appareils photo vendus aujourd'hui sont composés d'un objectif et d'un porte-film dont les plans sont parallèles.

Cependant, il existe des appareils (à soufflet) qui permettent de faire la mise au point sur tout plan objet, peu importe son orientation, et de changer à volonté la perspective d'un plan objet particulier.

L'appareil photographique à soufflet

Le soufflet sépare les actions du plan objectif et du plan film de l'appareil photo à soufflet. La figure 1 rend compte de certains mouvements possibles de l'objectif et du film. Les décentrements dans le plan horizontal ne sont pas représentés.

FIGURE 1 L'appareil photo à soufflet.

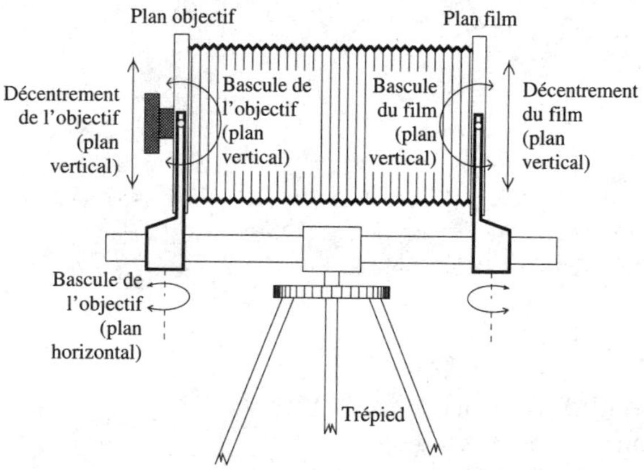

La photographie en position neutre

La figure 2 illustre un schéma optique de l'appareil photo où les réglages sont en position neutre (plan objectif et plan film parallèles entre eux et perpendiculaires à l'axe optique) et où la mise au point est faite sur le plan objet montré, le plan image coïncidant donc avec le plan film.

Dans cette même figure, on voit l'angle de couverture de l'objectif utilisé, le champ angulaire de l'appareil et la profondeur du champ *d*.

L'angle de couverture indique la région à l'intérieur de laquelle le film pourra être décentré tout en ayant une image de qualité acceptable, compte tenu des aberrations toujours présentes; la fabrication d'un objectif est d'autant plus délicate qu'on désire un grand angle d'ouverture.

FIGURE 2 L'appareil photo en position neutre.

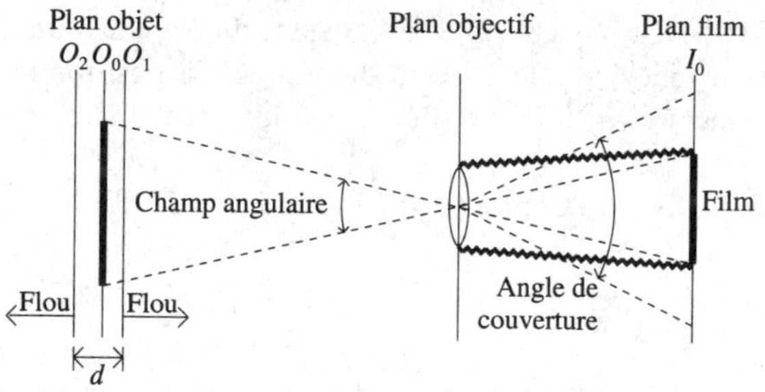

Le champ angulaire définit la région du plan objet dont l'image apparaît sur le film; il est délimité par le cadre du porte-film. La grandeur du champ angulaire que peut remplir un objectif dépend de sa distance focale. L'angle de couverture doit être plus grand que l'angle du champ angulaire, car, selon les réglages de l'appareil, l'image de l'objet est souvent excentrique par rapport à l'axe optique.

La profondeur de champ *d* désigne la distance entre deux plans objets extrêmes (O_2 et O_1 à la figure 2) à l'intérieur desquels chaque point objet produit, sur le plan film, une tache image de diamètre suffisamment petit: sur la photo finale, les images des objets situés entre ces deux plans seront jugées nettes.

Si l'ouverture ou la distance focale de l'objectif augmentent, ou si on focalise sur un objet plus rapproché, la profondeur de champ diminue rapidement.

Les décentrements

Pour pouvoir décentrer, il faut que l'angle de couverture soit plus grand que celui du champ angulaire.

À la figure 2, le décentrement du film vers le haut (de l'objectif vers le bas) permet d'enregistrer une partie du bas du plan objet, dont l'image serait autrement en dehors du film.

Les bascules

La bascule du film

Qu'arrive-t-il si on bascule le film par rapport à l'objet? La bascule du plan film autour d'un axe laisse inchangée sur l'image la convergence vers l'infini des lignes parallèles à cet axe. Par contre, elle apporte généralement un changement de convergence des lignes qui

FIGURE 3 La bascule du film.

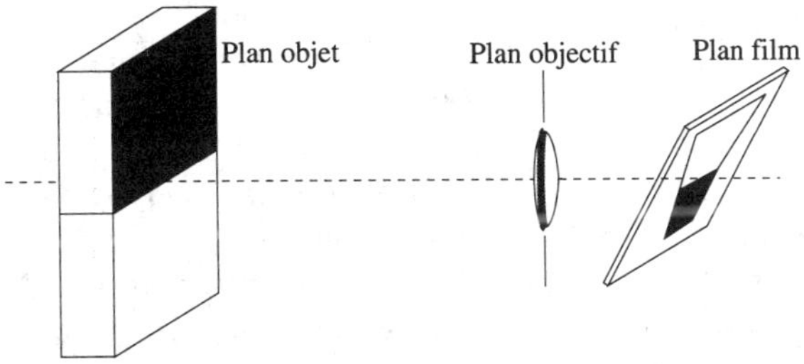

lui sont perpendiculaires. Le cas d'exception est celui des lignes appartenant à un plan objet parallèle au plan film; cela revient à dire qu'une simple bascule de l'objectif n'apporte pas de distorsion (voir «La règle sur la convergence» du présent encadré).

Ainsi, à la figure 3, la rotation du plan film autour d'un axe horizontal a laissé inchangée la convergence vers l'infini des lignes horizontales, alors que les lignes verticales ont maintenant un point de fuite. On peut donc contrôler la perspective par la bascule du film.

La bascule de l'objectif

Qu'arrive-t-il si on bascule l'objectif d'un angle plus petit qu'environ 25°? Une partie de l'image enregistrée perdra de la netteté. Il n'y aura pas ou peu de distorsion de l'image; deux lignes parallèles dans le plan objet garderont leur parallélisme sur l'image enregistrée par le film. Pourquoi cette absence de distorsion?

FIGURE 4 La bascule de l'objectif.

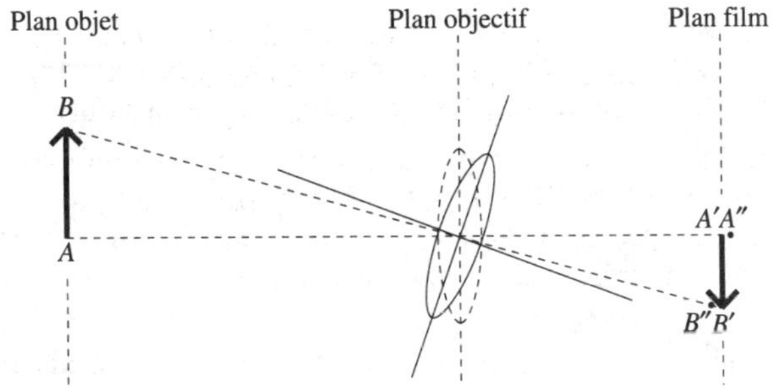

La figure 4 représente deux positions angulaires différentes de l'objectif: la position neutre (ligne tracée au moyen de tirets) et la nouvelle position (ligne continue). Avant la rotation de l'objectif, les points A et B avaient comme images nettes les points A' et B'; après la rotation de l'objectif, l'image de A devient A'' et l'image de B devient B''.

La bascule de l'objectif n'introduit pas de distorsion mais diminue légèrement la netteté. D'une part, parce qu'un point image se situe toujours sur la ligne unissant le point objet et le centre de la lentille (loi élémentaire de l'optique), les points A, A' et A'' se retrouvent sur une même ligne, de même que les points B, B' et B'', ce qui n'introduit pas de distorsion. D'autre part, pour les points objets A et B, par exemple, l'image est enregistrée non pas en A'' et B'' mais bien en A' et B' (sur le film), ce qui donne une netteté moins grande.

Par ailleurs, après la bascule de l'objectif, il existe une ligne objet inclinée par rapport à la ligne AB, dont l'image est au point sur le plan film. Ceci est mis à profit au moyen de la règle de Scheimpflug démontrée plus loin.

Les règles d'utilisation

La règle sur la convergence

En vertu de ce qui a été dit sur la bascule du film par rapport à l'objet, le parallélisme de deux lignes d'un plan objet sera respecté sur l'image enregistrée dans la mesure où la bascule se fait autour d'un axe parallèle à ces deux lignes.

FIGURE 5 Le contrôle de la perspective.

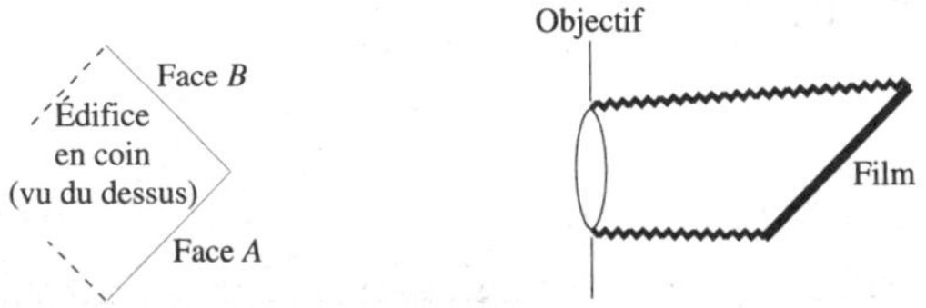

Ainsi, à la figure 5, pour que les lignes verticales des faces A et B de l'édifice le demeurent sur l'image enregistrée, on a placé le film dans un plan vertical.

De plus, pour que les lignes horizontales de la face A le demeurent sur la photo, on a orienté le film dans un plan parallèle à celui de la face A. (Ceci correspond au cas d'exception mentionné précédemment dans le traitement de la bascule du film.) Par contre pour la face B, il y a changement de la perspective horizontale. Les lignes horizontales ne sont plus parallèles sur la photo; elles ont maintenant un point de fuite. (La photo correspondant à la situation de la figure 5 est représentée à la figure 6.)

ENCADRÉ 4.1 (suite)

FIGURE 6 Le changement de perspective.

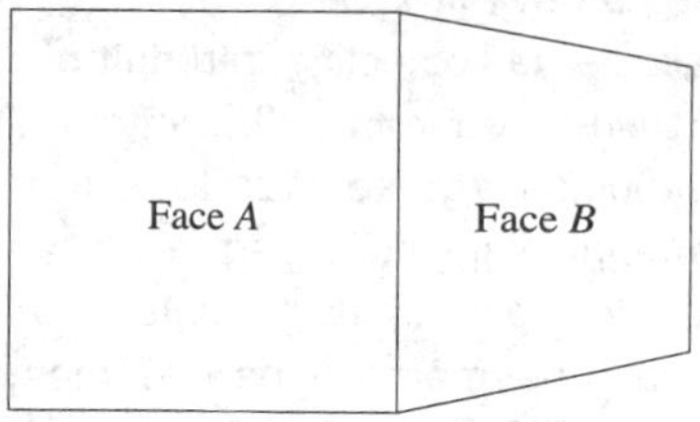

La règle sur la netteté (règle de Scheimpflug)

Considérons un plan objet en particulier. La règle de Scheimpflug établit que l'image de ce plan objet sur le film sera nette (son image coïncide alors avec le film) si ce plan objet, le plan objectif et le plan film se rencontrent sur une même ligne. Prouver la véracité de cette règle est chose facile. Servons-nous de la figure 7.

FIGURE 7 La règle de Scheimpflug.

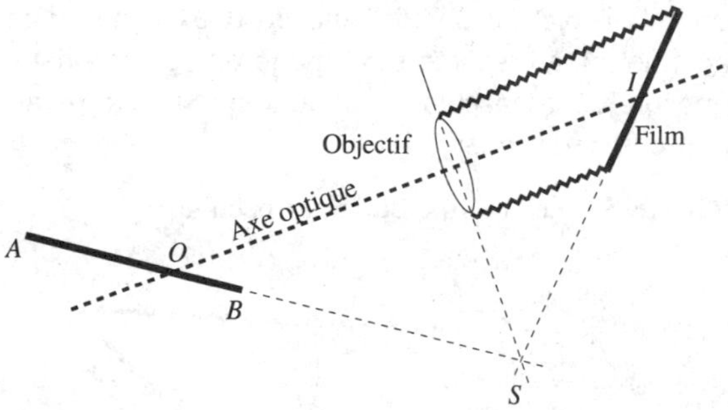

Supposons, pour simplifier, que le plan objet, le plan objectif et le plan film sont tous les trois perpendiculaires à la feuille de papier. *AB* est un segment de ligne du plan objet. *S* est la trace de la ligne de rencontre des trois plans. *O* est un point objet sur l'axe optique dont l'image se trouve en *I*. Le rayon lumineux venant de *O* et rencontrant le plan objectif en *S* serait réfracté dans la direction de *I* qui est son image. Or tous les points lumineux du segment *AB* envoient chacun un rayon passant par *S*. Ces rayons seraient tous réfractés vers *I*; ils auront donc tous leur image sur la ligne *SI*, c'est-à-dire sur le film.

Le fait que le point *S* soit en dehors de l'objectif ne change rien à la démonstration. En effet, la formule des lentilles vaut pour tout rayon hypothétique rencontrant le plan objectif. Aussi, n'importe quel rayon venant d'un point objet et rencontrant le plan objectif peut être utilisé pour prévoir la position de l'image correspondante.

La règle de Scheimpflug est généralement mise à profit par la bascule de l'objectif, celle du film étant réservée au changement de convergence.

L'utilisation de l'appareil photo à soufflet

L'appareil photo à soufflet est utilisé pour photographier des paysages et des édifices. Cependant, on l'emploie surtout en publicité pour mettre en évidence un aspect du sujet à photographier.

La plupart des négatifs utilisés avec de tels appareils mesurent 4 po sur 5 po (10,2 cm sur 12,7 cm) ou même 8 po sur 10 po (20,4 cm sur 25,4 cm), formats recherchés par les éditeurs de magazines.

P.–É. O.

une distance de $f_C = 16{,}0$ cm derrière elle (les lignes en tirets dans la figure 4.13). Dès qu'on juxtapose les lentilles, l'image formée par la première lentille, convergente, devient l'*objet* de la deuxième lentille, divergente (on suppose que les deux lentilles sont minces et que la distance entre elles est négligeable). Comme cet objet se trouve, dans notre exemple, à droite de la lentille divergente, d_o est négatif. Par conséquent, pour la lentille divergente l'objet est virtuel et $d_o = -16{,}0$ cm; d'après les données du problème, la lentille divergente forme l'image à une distance $d_i = 28{,}5$ cm. Donc,

$$\frac{1}{f_D} = \frac{1}{d_o} + \frac{1}{d_i} = -\frac{1}{16{,}0 \text{ cm}} + \frac{1}{28{,}5 \text{ cm}} = -0{,}0274 \text{ cm}^{-1}.$$

Par conséquent, $f_D = -1/(0{,}0274 \text{ cm}^{-1}) = -36{,}5$ cm. Notez que la distance focale de la lentille convergente doit être inférieure à celle de la lentille divergente pour que cette technique fonctionne.

C'est notre premier exemple d'un système de plusieurs lentilles. De façon générale, pour un tel système, l'image formée par une des lentilles est l'objet de la lentille suivante. Le grandissement total est le produit des grandissements séparés de chaque lentille. Nous verrons d'autres exemples semblables dans le présent chapitre.

EXEMPLE 4.7 L'indice de réfraction d'une lentille ménisque convexe en verre est de $n = 1{,}50$ (figure 4.5a). Le rayon de courbure de la face convexe est de 22,4 cm et celui de la face concave est de 46,2 cm. *a*) Quelle est la distance focale? *b*) Où la lentille focalise-t-elle un objet distant de 2,00 m?

SOLUTION *a*) $R_1 = 22{,}4$ cm et $R_2 = 46{,}2$ cm; les deux rayons de courbure sont positifs puisque les deux faces sont convexes par rapport à la lumière incidente (provenant de la gauche). Par conséquent,

$$\frac{1}{f} = (1{,}50 - 1{,}00)\left(\frac{1}{22{,}4 \text{ cm}} - \frac{1}{46{,}2 \text{ cm}}\right) = 0{,}011 \text{ cm}^{-1}.$$

Donc, $f = 87$ cm et la lentille est convergente. Remarquez que le résultat n'est pas modifié lorsqu'on tourne la lentille de manière que $R_1 = -46{,}2$ cm et $R_2 = -22{,}4$ cm. *b*) D'après l'équation des lentilles minces,

$$\frac{1}{d_\text{i}} = \frac{1}{f} - \frac{1}{d_\text{o}} = \frac{1}{0{,}87 \text{ m}} - \frac{1}{2{,}00 \text{ m}} = 0{,}65 \text{ m}^{-1},$$

et donc $d_\text{i} = 1{,}5$ m.

Faites attention de ne pas vous laisser induire en erreur par les termes *convexe* et *concave*: les deux faces d'une lentille dite biconvexe, par exemple celle représentée à la figure 4.5a, sont convexes vues de l'extérieur, d'où son nom. Mais lorsqu'il faut affecter d'un signe les rayons de courbure, il ne faut pas oublier que la seconde face est en fait concave par rapport à la lumière incidente venant de l'autre face.

4.3 Les loupes

La présente section, ainsi que les suivantes, traitent de certains instruments d'optique qui permettent d'obtenir des images d'objets grossies. Voyons d'abord les *loupes* ou *verres grossissants simples*, lesquels sont tout simplement des lentilles convergentes.

La grosseur apparente d'un objet et la quantité de détails que nous en distinguons dépendent de l'angle, sous-tendu par les rayons qui, issus de l'objet, atteignent l'œil. Ainsi, un sou tenu à 30 cm de l'œil semble deux fois plus gros qu'un sou tenu à 60 cm parce que l'angle sous-tendu par le premier est deux fois plus grand que celui sous-tendu par le second (figure 4.14). Pour mieux voir les détails d'un objet, nous le rapprochons de nos yeux de façon à agrandir l'angle qu'il sous-tend. Nos yeux ne peuvent toutefois s'accommoder à la distance que jusqu'à un certain point. Le point le plus proche auquel un œil voit distinctement s'appelle le *point proche*; il varie d'une personne à une autre (section 4.6). Toutefois, une bonne moyenne pour ce point est d'environ 25 cm; nous considérerons cette valeur comme le point proche «normal» dans la suite du chapitre. Le point le plus lointain auquel un œil voit distinctement s'appelle le *point distant.* C'est ce point que l'œil regarde quand ses muscles sont détendus; pour un œil «normal», le point éloigné est très grand et on peut considérer qu'il est égal à l'infini.

Les verres grossissants permettent de rapprocher un objet de l'œil de façon à agrandir l'angle sous-tendu par l'objet. Lorsque l'objet se trouve au foyer ou juste en

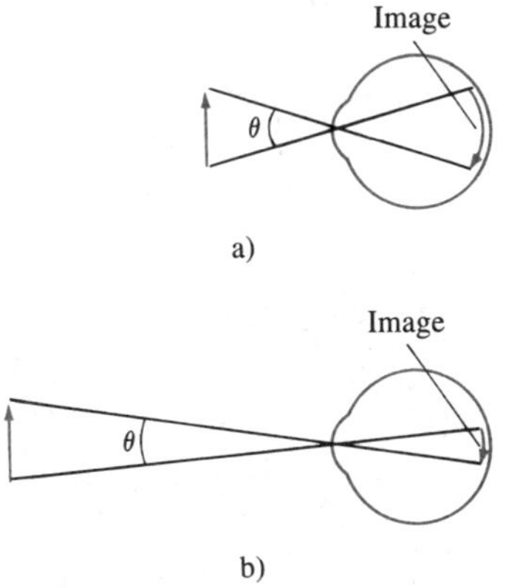

FIGURE 4.14 Quand le même objet est vu à une plus petite distance, l'image sur la rétine est plus grande. L'objet semble donc plus grand et on en distingue davantage les détails. L'angle θ sous-tendu en a) est plus grand qu'en b).

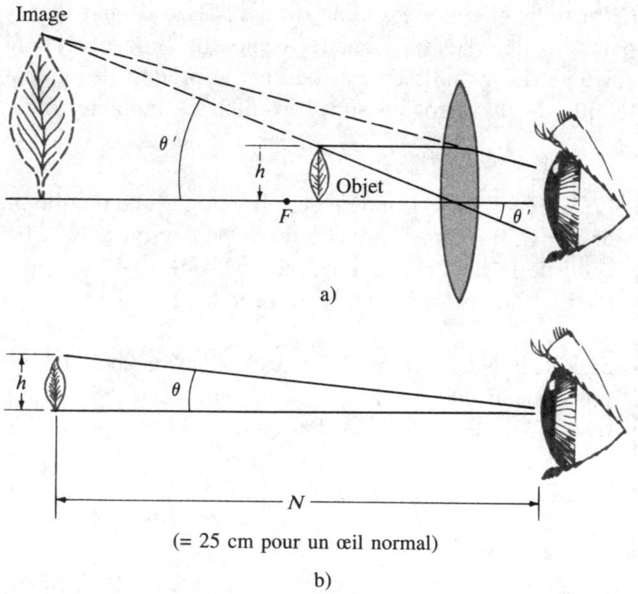

FIGURE 4.15 Feuille d'arbre vue a) au travers d'un verre grossissant et b) à l'œil nu regardant en son point proche.

deça (figure 4.15a), la lentille convergente en forme une image virtuelle qui peut se trouver au moins à 25 cm de l'œil pour permettre à l'œil de la voir distinctement. Si l'œil est détendu, l'image doit se trouver à l'infini et, dans ce cas, l'objet doit être exactement au foyer. (On effectue soi-même cette légère accommodation en bougeant la lentille pour permettre une bonne focalisation.)

On constate, par comparaison, que l'angle sous-tendu par l'objet dans la figure 4.15a, où l'œil voit l'objet au travers d'une lentille, est beaucoup plus grand que l'angle sous-tendu par le même objet dans la figure 4.15b, où l'œil nu voit l'objet au point proche. On définit le **grossissement angulaire** ou la **puissance de grossissement**, M, de la lentille comme le rapport de l'angle sous-tendu par un objet vu au travers de la lentille à l'angle sous-tendu par le même objet vu à l'œil nu, l'objet étant situé au point proche de l'œil (25 cm pour un œil normal):

$$M = \frac{\theta'}{\theta},$$

où θ et θ' sont les angles illustrés à la figure 4.15. On peut exprimer M en fonction de la distance focale f de la lentille de la manière suivante. Supposons d'abord que l'image dans la figure 4.15a est au point proche N de l'œil: $d_i = -N$, où $N = 25$ cm pour l'œil normal. La distance de l'objet, d_o, est donc donnée par:

$$\frac{1}{d_o} = \frac{1}{f} - \frac{1}{d_i} = \frac{1}{f} + \frac{1}{N}$$

ou $d_o = Nf/(f + N)$. (Nous pouvons voir par cette équation que $d_o < f$, comme il est illustré à la figure 4.15a, étant donné que $N/(f + N)$ doit être inférieur à 1.) Appelons h la hauteur de l'objet, et supposons que h est petit de façon que les angles θ et θ' soient approximativement égaux à leurs sinus et tangentes; dans ce cas, $\theta' = h/d_o = (f + N)h/(Nf)$ et $\theta = h/N$. Par conséquent,

$$M = \frac{\theta'}{\theta} = \frac{(f + N)h}{Nf}\left(\frac{N}{h}\right)$$

ou

$$M = 1 + \frac{N}{f}. \quad \begin{bmatrix}\text{l'œil regardant en son point proche, } N; \\ N = 25 \text{ cm pour un œil normal}\end{bmatrix} \tag{4.6a}$$

Si l'œil qui regarde par le verre grossissant est détendu, l'image doit alors être à l'infini et l'objet, précisément au foyer. Dans ce cas, $\theta' = h/f$ et

$$M = \frac{\theta'}{\theta} = \left(\frac{h}{f}\right)\left(\frac{N}{h}\right) = \frac{N}{f}. \quad \begin{bmatrix}\text{l'œil regardant à } \infty;\ N = 25 \text{ cm} \\ \text{pour un œil normal}\end{bmatrix} \tag{4.6b}$$

Il est clair que le grossissement est légèrement supérieur lorsque l'œil, plutôt que d'être détendu, regarde à son point proche; et plus la distance focale diminue, plus le grossissement augmente.

EXEMPLE 4.8 Une personne dont les yeux sont normaux utilise comme loupe une lentille convergente dont la distance focale est de 8 cm. Calculez *a*) le grossissement maximal et *b*) le grossissement lorsque l'œil est détendu.

SOLUTION *a*) La personne obtient le grossissement maximal quand l'œil regarde à son point proche:

$$M = 1 + \frac{N}{f} = 1 + \frac{25}{8} \approx 4\text{X}.$$

b) Quand l'œil regarde à l'infini, $M = 25 \text{ cm}/8 \text{ cm} \approx 3\text{X}$.

4.4 Les télescopes

Les télescopes servent à grossir des objets très éloignés; dans la plupart des cas, on peut considérer l'objet comme situé à l'infini.

Quoiqu'il ne l'ait pas inventé†, Galilée a perfectionné le télescope qui est devenu, grâce à lui, un instrument extrêmement utile. Il fut le premier à s'en servir pour observer les cieux, ce qui lui permit de faire des découvertes qui ont eu un retentissement dans le monde entier (il découvrit, notamment, les Lunes de Jupiter, les phases de Vénus, les taches solaires, le relief de la surface de la Lune, le fait que la Voie lactée est composée d'un grand nombre d'étoiles individuelles).

Il existe plusieurs types de télescopes. Le type *réfracteur,* qui est le plus courant et qui est parfois appelé «képlérien», est composé d'un long tube; à chaque extrémité de ce tube est encastrée une lentille convergente (figure 4.16). La lentille la plus proche de l'objet, appelée **objectif**, forme en son foyer F_{ob} (ou près de ce point si l'objet n'est pas à l'infini) une image réelle I_1 de l'objet. Quoique plus petite que l'objet initial, l'image I_1, qui est très près de la seconde lentille qu'on appelle **oculaire**, est grossie par cette dernière. Autrement dit, l'oculaire forme une seconde image, I_2, virtuelle, qui est un fort grossissement de la première. Si l'œil est détendu, l'oculaire doit être réglé de manière que I_2 se trouve à l'infini et, dans ce cas, l'image réelle I_1 doit se trouver au foyer F_{oc} de l'oculaire; pour un objet à l'infini, la distance entre les lentilles doit donc être de $f_{ob} + f_{oc}$.

Pour trouver le grossissement total d'un télescope, notons que l'angle sous-tendu par un objet vu à l'œil nu est aussi grand que l'angle θ sous-tendu par l'objet à l'objectif du télescope. La figure 4.16 montre que $\theta \approx h/f_{ob}$, où h est la hauteur de l'image I_1 et où θ est censé être petit de sorte que tan $\theta \approx \theta$. Notons aussi que, dans

† Galilée construisit son premier télescope après avoir entendu parler de l'existence d'un tel instrument en Hollande. L'agrandissement des premiers télescopes n'était que de trois ou quatre fois la grandeur réelle mais Galilée construisit bientôt un instrument capable d'agrandir un objet trente fois. Le premier télescope hollandais date d'environ 1604, mais une référence semble indiquer qu'il a peut-être été copié d'un télescope italien datant de 1590. Kepler (voir le chapitre 6 du tome 1) a donné une description du parcours des rayons (1611) pour les télescopes képlérien aussi bien que galiléen (c'est-à-dire des télescopes à deux lentilles). Les premiers portent son nom parce qu'il est le premier à les avoir décrits, même s'il n'en a construit aucun.

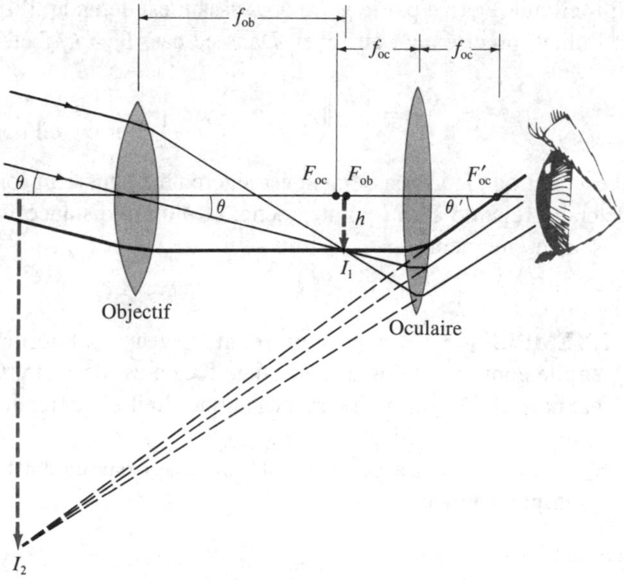

FIGURE 4.16 Télescope astronomique (réfracteur).

la figure, celui des trois rayons dont le tracé est le plus épais est parallèle à l'axe avant de frapper l'oculaire et qu'il passe donc par le point focal F'_{oc}. Par conséquent, comme $\theta' \approx h/f_{oc}$, la puissance de grossissement totale du télescope (grossissement angulaire†) est:

$$M = \frac{\theta'}{\theta} = -\frac{f_{ob}}{f_{oc}}, \tag{4.7}$$

où le signe négatif indique que l'image est renversée. Pour obtenir un grossissement angulaire maximum, il faut maximiser la distance focale de l'objectif ou minimiser celle de l'oculaire.

Pour obtenir des images brillantes des étoiles éloignées, l'objectif du télescope astronomique doit être le plus grand possible de façon à capter le plus de lumière possible. Pour un télescope astronomique, le diamètre de l'objectif (et par conséquent, la quantité de lumière qu'il permet de capter) est même le paramètre le plus important; c'est pourquoi on classe les grands télescopes en spécifiant le diamètre de leur objectif. Comme il est très difficile de façonner et de tailler d'immenses lentilles, les grands télescopes sont des télescopes *à réflecteur* dont l'objectif est un miroir courbe (figure 4.17); en effet, il n'est nécessaire de façonner et de polir qu'une seule surface d'un miroir et, de plus, on peut supporter un tel miroir sur la totalité de l'une de ses surfaces (une immense lentille qui ne serait supportée qu'à ses pourtours se déformerait sous son propre poids‡.) Habituellement, on enlève la lentille ou le miroir oculaire (figure 4.17) du télescope de manière à pouvoir enregistrer sur film l'image réelle obtenue par l'objectif.

Les *télescopes terrestres* ou lunettes d'approche, contrairement aux télescopes astronomiques, doivent former une image à l'endroit. Deux modèles en sont représentés à la figure 4.18. L'oculaire du modèle galiléen (figure 4.18a) qui permit à Galilée de faire ses grandes découvertes astronomiques est une lentille divergente qui capte les rayons convergents provenant de l'objectif avant qu'ils n'atteignent leur foyer pour former une image virtuelle redressée de l'objet. On utilise couramment ce modèle pour

† Après tout, l'un des usages principaux des télescopes astronomiques est d'observer les galaxies. Et l'immensité de celles-ci fait que le grossissement latéral doit être très petit (voir équation 4.5).

‡ Un autre avantage des miroirs tient dans le fait qu'ils ne produisent aucune aberration chromatique (voir section 4.7) puisque la lumière ne les traverse pas. Les miroirs peuvent aussi être taillés selon une forme parabolique (voir section 4.7). Le télescope à réflecteur fut inventé par Newton.

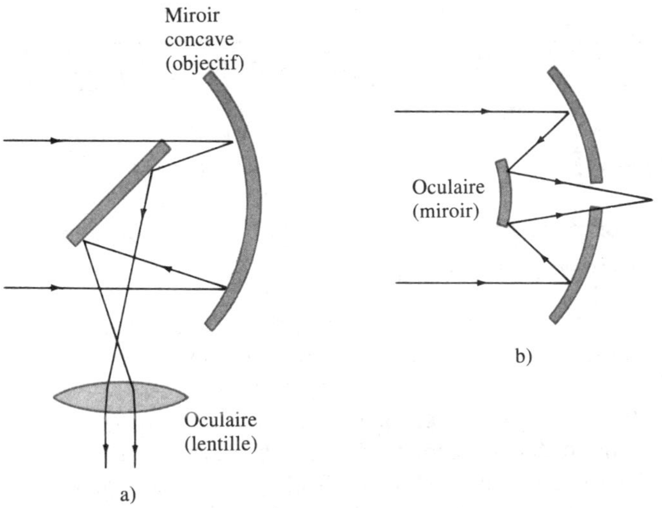

FIGURE 4.17 On peut utiliser un miroir concave comme objectif d'un télescope astronomique et une lentille ou un miroir comme oculaire. L'arrangement a) s'appelle un télescope newtonien et le b), un télescope cassegrain. D'autres arrangements sont possibles.

les lunettes d'approche d'opéra. Le tube est raisonnablement court mais le champ de vision est petit. Dans le deuxième modèle de lunette d'approche, appelé *longue-vue*, représenté à la figure 4.18b, c'est une troisième lentille («lentille de champ») qui redresse l'image. Un tel modèle de lunette d'approche doit être très long. Le modèle le plus pratique aujourd'hui est la *jumelle à prisme* (figure 3.21). L'objectif et l'oculaire sont des lentilles convergentes. Le prisme, qui permet une diminution de la taille de l'instrument, réfléchit les rayons par réflexion totale interne et redresse l'image; un prisme renverse l'image dans le plan vertical, l'autre dans le plan horizontal.

EXEMPLE 4.9 La distance focale de l'objectif d'un télescope galiléen est de 28 cm et celle de l'oculaire est de −8,0 cm. Quel est le grossissement angulaire?

SOLUTION $M = -f_{ob}/f_{oc} = -(28\text{ cm})/(-8{,}0\text{ cm}) = 3{,}5$ X.

FIGURE 4.18 Les télescopes terrestres dont l'image est à l'endroit: a) celui de Galilée; b) une lunette d'approche.

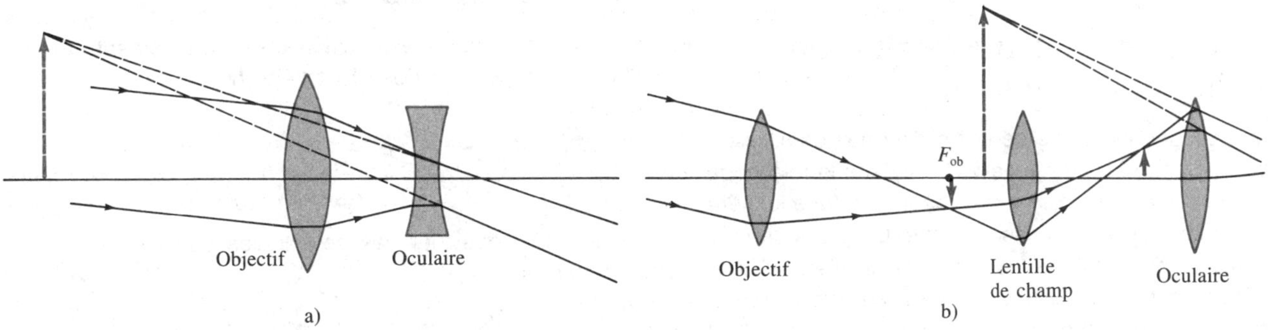

4.5 Les microscopes

Le microscope comporte, tout comme le télescope, un objectif et un oculaire (figure 4.19). Sa conception diffère toutefois de celle du télescope car il sert, contrairement à ce dernier, à examiner des objets très proches. Comme il est illustré à la figure 4.19, on place l'objet juste au-delà du foyer de l'objectif. L'image I_1 formée par l'objectif est réelle, très distante de la lentille et très grossie. L'oculaire grossit cette image en une image virtuelle très grande, I_2, vue par l'œil.

ENCADRÉ 4.2

Le grossissement normal

Jamais la Lune ne nous apparaîtra plus lumineuse à travers un télescope plutôt qu'à l'œil nu.

Les objets qu'on regarde à travers le télescope — lorsque le grossissement est normal — nous apparaissent donc aussi lumineux qu'à l'œil nu, s'il n'y a pas de perte de lumière par absorption et diffusion (ce que l'on suppose dans le présent encadré).

L'éclairement de la rétine

Regarder un objet ponctuel à travers un télescope augmente sa luminosité *apparente*. Cependant, on ne considère ici que des objets étendus.

Quand l'œil regarde un objet étendu, il se forme sur sa rétine une image de l'objet. La quantité de flux lumineux (quantité de lumière par unité de temps) par unité d'aire éclairée de la rétine est appelée éclairement de la rétine. Plus l'éclairement rétinien est grand (pour un même diamètre de la pupille de l'œil), plus la luminosité de l'objet regardé nous apparaît grande.

La pupille de sortie d'un télescope

Toute la lumière sortant d'un télescope passe par la pupille de sortie. Le contour de l'objectif, par lequel passe toute la lumière entrant dans le télescope, s'appelle la pupille d'entrée.

La détermination expérimentale de la pupille de sortie

Déterminons la pupille de sortie d'un des deux télescopes d'une paire de jumelles. On place le télescope à la verticale, l'objectif tourné vers le ciel (une lumière diffuse artificielle fait aussi l'affaire). On place dans le voisinage de l'oculaire un carton blanc disposé horizontalement. À environ 1 cm de l'oculaire se forme une tache nette circulaire et brillante dont le contour est l'image de celui de l'objectif par rapport à la lentille que forme l'oculaire: c'est la trace de la pupille de sortie. La distance du carton à l'oculaire fournit la position de la pupille alors que le diamètre de la tache fournit la grandeur de son diamètre.

La détermination géométrique de la pupille de sortie

On peut déterminer par géométrie la position et la grandeur de la pupille de sortie. Sur le schéma à l'échelle du télescope (représenté à la figure 1), les points A et B qui font partie du contour de l'objectif sont considérés comme des objets placés devant la lentille que constitue l'oculaire et ils ont comme images correspondantes les points A' et B'. Ces deux points déterminent la position et la grandeur de la pupille de sortie.

Pourquoi en est-il ainsi sur le schéma? Tout rayon entrant dans le télescope passe nécessairement entre les points A et B, donc entre les points A' et B' qui délimitent la pupille de sortie.

FIGURE 1 Les pupilles d'un télescope.

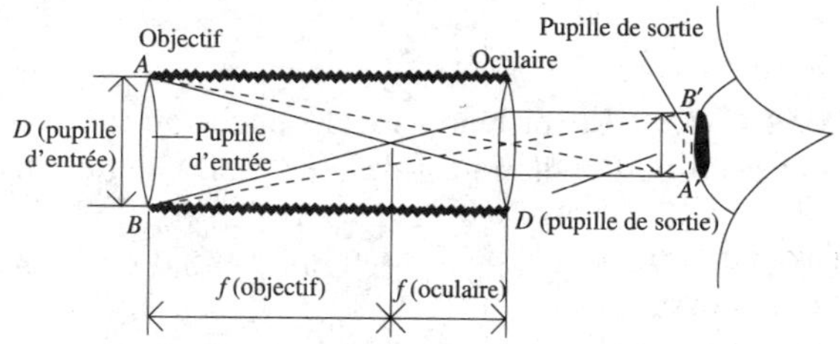

Le grossissement et la grandeur relative des pupilles

Comme on le sait, l'expression du grossissement G d'un télescope (cas des objets éloignés) est donnée par:

$$G = \frac{f_{\text{objectif}}}{f_{\text{oculaire}}}.$$

Or, à cause des triangles semblables que l'on peut voir à la figure 1,

$$\frac{D_{\text{pupille d'entrée}}}{f_{\text{objectif}}} = \frac{D_{\text{pupille de sortie}}}{f_{\text{oculaire}}},$$

on obtient donc:

$$G = \frac{D_{\text{pupille d'entrée}}}{D_{\text{pupille de sortie}}}.$$

Le grossissement normal et l'éclairement de la rétine

Comme nous l'avons dit en introduction, pour que la luminosité d'un objet vu à travers un télescope soit jugée la même qu'à l'œil nu, il faut que le grossissement du télescope soit normal, c'est-à-dire que la valeur de d (le diamètre de la pupille de l'œil) soit égale à la valeur de $D_{\text{pupille de sortie}}$ (le diamètre de la pupille de sortie). Il faut aussi que la pupille de l'œil, pour qu'elle reçoive toute la lumière entrant dans le télescope, soit centrée sur la pupille de sortie de ce dernier.

Montrons, grâce à un exemple numérique, que l'éclairement de la rétine reste alors le même, que l'œil observe un objet à l'aide d'un télescope ou à l'œil nu.

Choisissons un grossissement normal de sept. Cela veut dire que l'image rétinienne d'un objet regardé au télescope est sept fois plus haute et plus large que si l'objet était regardé à l'œil nu. Cela signifie également que la pupille d'entrée atteint un diamètre sept fois plus grand que celui de la pupille de l'œil (puisque le grossissement est normal). L'aire de la pupille d'entrée est alors 49 fois plus grande; c'est donc dire que 49 fois plus de lumière parvient jusqu'à l'œil à travers l'objectif du télescope.

Cependant, l'image rétinienne étant sept fois plus grande (en hauteur et en largeur), la lumière projetée sur la rétine couvre une aire 49 fois plus étendue.

Par conséquent, l'éclairement de la rétine à travers le télescope demeure le même qu'à l'œil nu, puisque l'éclairement correspond au flux lumineux par unité d'aire; on juge alors que la luminosité de l'objet regardé à travers le télescope ne change pas.

Le cas d'une pupille de sortie plus petite que la pupille de l'œil

Pour la même pupille d'entrée que dans le cas précédent, si on diminue le diamètre de la pupille de sortie, on obtient un grossissement supérieur au grossissement normal. Par contre, l'éclairement de la rétine diminuera et la luminosité sera moins grande.

Prenons le cas d'un grossissement de 14 obtenu si on diminue la pupille de sortie de moitié (pour ce faire, il suffit de réduire de moitié la distance focale de l'oculaire ou de doubler celle de l'objectif). Comme le diamètre de l'objectif n'a pas changé et vaut toujours 7 fois le diamètre de la pupille de l'œil, il y aura encore 49 fois plus de lumière entrant dans l'œil par rapport à l'observation à l'œil nu. Cependant, cette lumière se répartira sur une image rétinienne d'aire 196 fois plus considérable à cause du grossissement de 14. L'éclairement de la rétine sera donc de $\frac{196}{49}$ fois moins grand, soit 4 fois moins grand, et la luminosité apparente également.

Le cas d'une pupille de sortie plus grande que la pupille de l'œil

Si on laisse encore inchangé le diamètre de la pupille d'entrée du télescope et si maintenant on augmente le diamètre de sa pupille de sortie à deux fois celui de la pupille de l'œil, il y aura $\frac{49}{4}$ fois plus de lumière entrant dans l'œil et la valeur du grossissement diminuera à $\frac{7}{2}$. Ce surcroît de lumière de $\frac{49}{4}$ se répartira sur une image rétinienne d'aire $\frac{49}{4}$ fois plus considérable, car le grossissement est de $\frac{7}{2}$. L'éclairement rétinien restera donc le même que pour l'observation à l'œil nu.

Le choix d'une paire de jumelles

Le jour, à l'ombre, la pupille de l'œil garde un diamètre d'environ 5 mm; la nuit il atteint 7 à 8 mm.

Si on parle de jumelles 7×35, on désigne des jumelles dont le diamètre des objectifs est de 35 mm et le grossissement, de 7. Il en résulte que chaque pupille de sortie a un diamètre de 5 mm. Le jour, le grossissement de ces jumelles est normal. On peut les utiliser la nuit, mais l'éclairement de la rétine diminue par rapport à l'observation à l'œil nu.

Le diamètre des objectifs de jumelles 7×49 est de 49 mm, et le diamètre des pupilles de sortie, de 7 mm. La nuit, leur grossissement est normal, car l'éclairement de la rétine n'est pas diminué par rapport à l'observation à l'œil nu. De plus, les utiliser le jour ne diminue pas l'éclairement de la rétine; leur surcroît de poids et de prix est alors inutile.

P.-É. O.

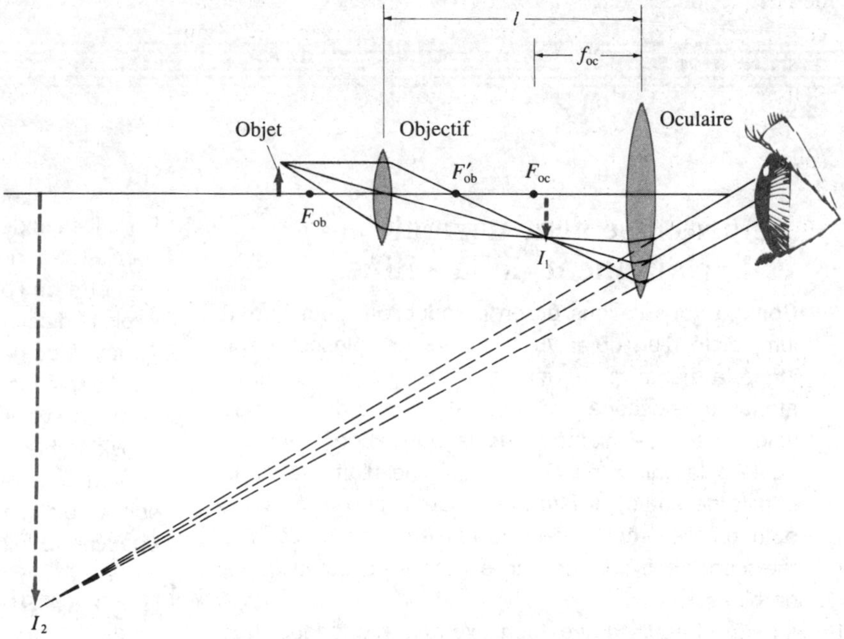

FIGURE 4.19 Diagramme de rayons dans un microscope.

Le grossissement total d'un microscope est le produit des grossissements de chacune de ses lentilles. L'image I_1 formée par l'objectif est un grossissement par un facteur M_{ob} de l'objet lui-même; d'après la figure 4.19 et l'équation 4.5 donnant le grossissement d'une lentille simple, nous avons:

$$M_o = \frac{d_i}{d_o} = \frac{l - f_{oc}}{d_{ob}},$$

où l est la distance entre les lentilles (égale à la longueur du tube) et où nous n'avons pas tenu compte du signe négatif dans l'équation 4.5 qui ne fait qu'indiquer le renversement de l'image. L'oculaire joue le rôle d'une loupe; si nous supposons que l'œil est détendu, son grossissement angulaire M_{oc} est (d'après l'équation 4.6b):

$$M_{oc} = \frac{N}{f_{oc}},$$

où le point proche $N = 25$ cm pour l'œil normal. Comme l'oculaire grossit l'image formée par l'objectif, le grossissement total M est:

$$M = M_{oc}M_{ob} = \left(\frac{N}{f_{oc}}\right)\left(\frac{l - f_{oc}}{d_{ob}}\right) \tag{4.8a}$$

$$\approx \frac{Nl}{f_{oc}f_{ob}}. \tag{4.8b}$$

L'équation 4.8b est approximative et est valable quand f_{oc} et f_{ob} sont petits devant l de sorte que $l - f_{oc} \approx l$ et $d_o \approx f_{ob}$ (figure 4.19). L'approximation est très bonne pour de forts grossissements qui nécessitent que f_{oc} et f_{ob} soient très petits (ils sont au dénominateur de l'équation 4.8b). (Pour fabriquer des lentilles de très petite distance focale, ce qui est plus facile pour l'objectif qui est plus petit, on doit utiliser des lentilles composées comportant plusieurs éléments afin d'éviter des aberrations sérieuses, comme nous le verrons à la section 4.7.)

EXEMPLE 4.10 La distance entre l'oculaire de 10 X et l'objectif de 50 X d'un microscope est de 18,0 cm. Déterminez *a*) le grossissement total, *b*) la distance focale de chaque lentille et *c*) la position de l'objet si l'image finale est nette lorsque l'œil est détendu. Supposez que l'œil est normal avec $N = 25$ cm.

SOLUTION *a*) Le grossissement total est $10 \times 50 = 500$ X. *b*) La distance focale de l'oculaire est $f_{oc} = N/M_{oc} = 25$ cm$/10 = 2{,}5$ cm. Il est plus facile de trouver d_o (partie *c*) avant de trouver f_{ob} parce que nous pouvons utiliser les équations 4.8a et 4.8b pour M_{ob}; en isolant d_o, nous obtenons $d_o = (l - f_{oc})/M_{ob} = 15{,}5$ cm$/50 = 0{,}31$ cm. Puis, d'après l'équation des lentilles minces,

$$\frac{1}{f_{ob}} = \frac{1}{d_o} + \frac{1}{d_i} = \frac{1}{0{,}31\text{ cm}} + \frac{1}{15{,}5\text{ cm}} = \frac{51}{15{,}5\text{ cm}};$$

par conséquent, $f_{ob} = 0{,}30$ cm. *c*) Nous venons de calculer que $d_o = 0{,}31$ cm, ce qui est proche de f_{ob}.

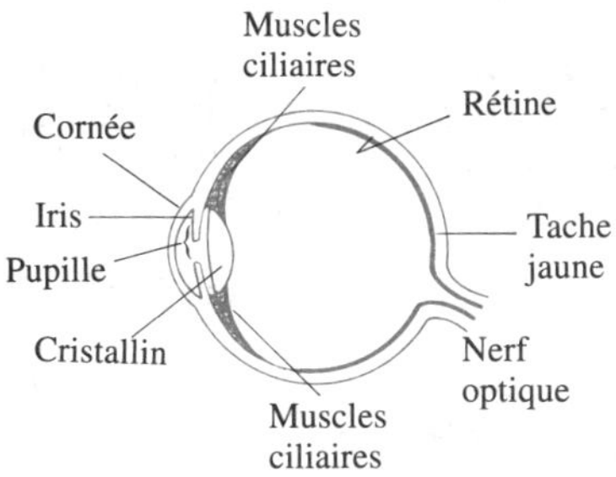

FIGURE 4.20 Diagramme d'un œil humain.

4.6 L'œil humain; les verres correcteurs

L'œil humain (figure 4.20) consiste en un volume fermé dans lequel la lumière entre par une lentille. Un diaphragme appelé *iris* (la partie colorée de l'œil) règle automatiquement l'ouverture de l'œil de manière à contrôler la quantité de lumière qui y entre. Le trou au milieu, à travers lequel la lumière passe (la *pupille*), semble noir parce que l'intérieur de l'œil réfléchit très peu de lumière à l'extérieur. La *rétine*, qui joue le rôle du film dans une caméra, tapisse la surface courbe à l'intérieur de l'œil. Elle consiste en un ensemble complexe de nerfs et de récepteurs appelés bâtonnets et cônes qui transforment l'énergie lumineuse en signaux électriques, lesquels cheminent le long des nerfs. C'est principalement le cerveau qui, à partir des signaux de tous ces petits récepteurs, procède à la construction de l'image, mais le réseau complexe de nerfs interreliés de la rétine semble participer à cette construction. Au centre de la rétine se trouve une petite aire, d'environ 0,25 mm de diamètre, appelée la *tache jaune*, où la densité des cônes est particulièrement grande et où l'image est la plus nette et les couleurs sont les plus différenciées.

La lentille de l'œil, appelée *cristallin*, contribue très peu à fléchir les rayons de lumière. La plus grande partie de la réfraction a lieu à la surface antérieure de la *cornée*, qui sert aussi de couche protectrice. Le cristallin adapte l'œil à la distance de l'objet observé pour projeter une image nette de l'objet sur la rétine. Cette tâche est effectuée par les muscles ciliaires (figure 4.20) qui font varier la courbure du cristallin de manière à en modifier la distance focale. Quand on regarde un objet distant, les muscles se détendent, ce qui a pour effet d'amincir le cristallin (figure 4.21a). Quand on regarde un objet proche, les muscles se contractent, ce qui a pour effet de bomber le cristallin (figure 4.21b) et de diminuer sa distance focale. Cette adaptation s'appelle **accommodation**. Comme nous le disions plus tôt, la distance la plus proche à laquelle l'œil peut s'accommoder nettement s'appelle le **point proche** de l'œil. Cette distance est normalement, pour les jeunes adultes, de 25 cm; de jeunes enfants peuvent souvent regarder des objets d'aussi proches qu'à 10 cm. Plus une personne prend de l'âge, moins ses yeux s'accommodent facilement à la distance, et le point proche s'éloigne. Le **point distant** d'une personne est le point le plus éloigné auquel elle peut voir un objet distinctement. Il est parfois utile de parler d'un *œil normal* (une sorte de moyenne de la population) qu'on définit comme un œil dont le point proche est à 25 cm et le point distant, à l'infini, comme nous l'avons mentionné à la section 4.3.

Deux défauts fréquents de l'œil sont la myopie et l'hypermétropie. Une personne atteinte de *myopie* ne peut focaliser nettement que les rayons provenant des objets proches; comme son point distant n'est pas à l'infini mais à une distance moindre, elle ne peut voir distinctement les objets distants. La myopie est habituellement causée par un globe oculaire trop long ou, parfois, par une trop grande courbure de la cornée. Dans les deux cas, les images des objets distants se forment en avant de la rétine. On

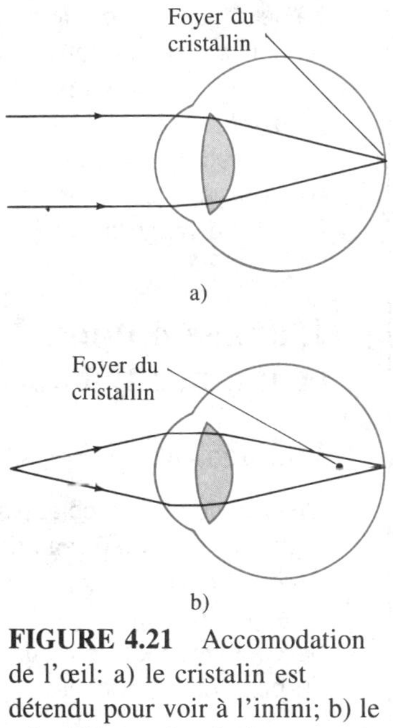

FIGURE 4.21 Accomodation de l'œil: a) le cristalin est détendu pour voir à l'infini; b) le cristallin est plus épais pour voir un objet proche.

ENCADRÉ 4.3

La naissance de l'image optique

Le concept d'image optique ayant une existence propre, indépendante du processus de vision ou indépendante de tout écran récepteur, ne fut acquis qu'après plusieurs siècles de tâtonnements.

Ce qu'on voit dans les dioptres, les miroirs et les lentilles a longtemps été perçu comme des images peu fiables et souvent déformées de la réalité. Ainsi, les lentilles, dont la fabrication remonte à la fin du XIIIe siècle, ont été considérées jusqu'au XVIIe siècle comme des objets n'ayant aucun intérêt scientifique. Pendant longtemps, on s'intéressa peu à ces images trompeuses, bien qu'on ait quand même établi certaines règles approximatives sur leur position apparente.

Pour discuter de la vision des images optiques, il faut tenir compte des illusions éventuelles (illusions d'optique) que peut provoquer l'environnement. Or on s'intéressait plutôt à la *vraie* réalité, c'est-à-dire à l'objet en tant que tel et à la façon dont on le percevait, et non à l'image en soi.

Avant le XIe siècle, et même plus tard, pour certains savants, on supposait qu'on voyait l'objet dans son tout; on ne pensait pas à le concevoir comme constitué d'un ensemble de points; on pensait selon une vision globale et non selon une vision analytique. Les atomistes, par exemple, qui supposaient que l'objet envoie une trace (*eidola*) de lui-même dans l'œil, se demandaient comment une copie conforme de l'objet pouvait bien se retrouver dans l'œil. D'autre part, il ne venait à l'idée de personne que la vision puisse se faire à travers une image intermédiaire.

C'est quand même la recherche de l'explication de la vision qui a permis une première approche du concept d'image optique.

L'image optique et l'image trompeuse

L'image optique

Chaque point d'un objet placé devant un système optique envoie un faisceau de lumière dans le système. À ce faisceau entrant correspond un faisceau sortant divergent (ou convergent). Le point de divergence (ou de convergence) correspond à l'image optique finale du point objet en cause.

L'image trompeuse, une illusion d'optique

L'image trompeuse est toujours causée par l'image optique. Cette dernière est mal interprétée par l'observateur qui la voit par exemple ailleurs, ou encore plus grosse ou plus petite qu'elle ne l'est en réalité.

Pour illustrer un cas d'image trompeuse, plaçons un objet à une distance égale à deux fois la distance focale d'une lentille convergente (voir figure 1). La position de l'image optique se trouve de l'autre côté de la lentille, aussi à une distance égale à deux fois la distance focale.

Demandons à un observateur de se placer devant la lentille à une distance égale, par exemple, à quatre fois la distance focale. Demandons-lui de situer l'image. Plus souvent qu'autrement, à moins qu'il ne soit prévenu d'une illusion éventuelle, il répondra qu'elle se trouve à la surface de la lentille: c'est l'image trompeuse qu'il «voit». Il est sous le coup d'une véritable illusion occasionnée par l'environnement.

FIGURE 1 L'illusion d'optique.

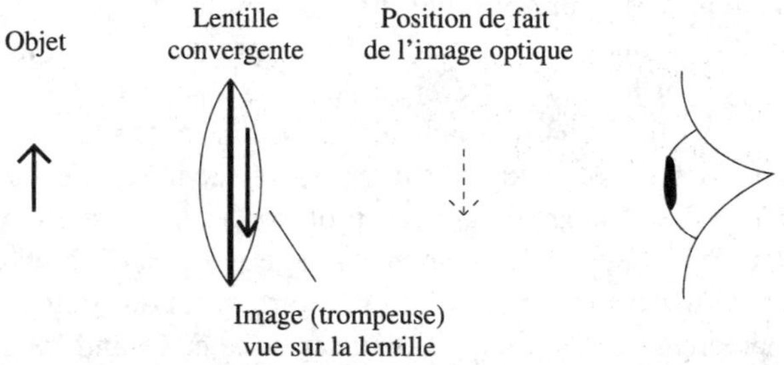

La «désillusion» d'optique

Répétons l'opération en prenant toutes les précautions pour éviter que l'environnement extérieur n'induise en erreur l'observateur. Prenons comme objet une ampoule électrique allumée, disposée tête vers le bas et placée à une distance égale à deux fois la distance focale (voir figure 2). On utilise une lentille d'assez grand diamètre (pour augmenter le champ de vision) encastrée dans un mur afin de cacher le montage objet. Du côté image, plaçons un réceptacle (sans ampoule électrique) à une distance de la lentille aussi égale à deux fois la distance focale et à une hauteur telle que son ouverture coïncide exactement avec le bas de l'image optique de l'ampoule allumée.

FIGURE 2 La désillusion d'optique.

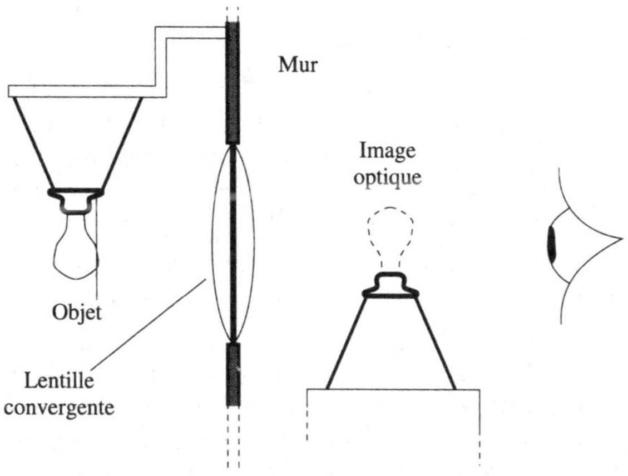

Tout environnement trompeur ayant été supprimé, l'observateur verra l'image optique exactement là où elle se trouve, soit juste au-dessus du réceptacle vide. S'il bouge latéralement la tête, l'image lui apparaîtra toujours au-dessus du réceptacle vide, comme il se doit. Il pourrait même être dupé et croire que c'est la véritable ampoule. Ce phénomène, qui n'est pas une illusion d'optique, prouve que l'image reproduit exactement l'objet.

La vision analytique

C'est Ibn al-Haytham (965-1039) qui, le premier, proposa une explication valable de la vision quant à son aspect optique. Celui-ci remarqua que l'observation d'objets de grande intensité lumineuse est pénible pour l'œil; ce fait ne s'explique très bien que dans la théorie des atomistes, où l'objet est l'agent premier de la vision (en émettant la lumière vers et dans l'œil). Par contre, penser comme les atomistes que la vision se fait synthétiquement, c'est-à-dire qu'entre dans l'œil une copie tridimensionnelle de l'objet, est difficilement concevable. En effet, on ne peut voir de l'objet que la face qui s'offre à l'œil.

Adopter la vision synthétique tout en conservant l'approche de l'objet en tant qu'agent émetteur ne résiste donc pas à l'examen. La vision ne peut qu'être analytique: l'objet est vu point par point. C'est un grand pas conceptuel dont l'auteur est, selon toute vraisemblance historique, Ibn al-Haytham.

Ce processus analytique de la vision demande que la lumière qui arrive dans l'œil conserve l'organisation spatiale des points de l'objet. Comment l'ordre est-il gardé, alors que chaque point de l'objet envoie plus d'un rayon dans l'œil? Les rayons venant d'un point de l'objet ne vont-ils pas se confondre aux autres rayons venant des autres points? Ibn al-Haytham résout la difficulté en supposant que seul le rayon qui arrive perpendiculairement à la surface de l'œil est visuellement efficace; les autres sont affaiblis par le phénomène de réfraction. De cette façon, à chaque point de l'objet ne correspond qu'un seul rayon arrivant jusqu'à l'œil. Tous les rayons efficaces conservent l'ordre relatif des points de l'objet dont ils sont issus et sont acheminés par un canal vers le cerveau.

L'image rétinienne (*pictura*)

Johannes Kepler (1571-1630) tenta de comprendre le phénomène de la vision parce qu'il joue un rôle capital dans les observations astronomiques.

Il poussa plus loin l'idée d'Ibn al-Haytham sur le processus analytique de la vision. Vers 1604, il affirma, et corrobora par des expériences simulatrices, que se forme sur la rétine de l'œil une image renversée (*pictura*) de l'objet regardé. On sait aujourd'hui qu'il en est bien ainsi: l'information rétinienne est acheminée au cerveau qui reconstruit l'objet, selon un processus fort complexe et non encore complètement résolu.

Ses expériences ne lui permirent pas de présenter une théorie complète sur les images produites par des objets réfracteurs de lumière comme les sphères d'eau et de verre. Plusieurs de ses affirmations montrent qu'il n'avait pas une conception claire de l'image de l'objet, en particulier du fait qu'elle a une position bien précise dans l'espace. Kepler fut l'objet d'illusions d'optique: les images qu'il voyait (images trompeuses) ne coïncidaient pas avec les images optiques qu'il déduisait autrement. Comme il ne prêtait foi qu'aux premières, il ne pouvait conclure à l'existence d'une image optique ayant une existence en soi.

L'image optique

À la même époque, le télescope apparut avant même qu'une théorie sur son fonctionnement ait été élaborée. Kepler, fort de ses recherches sur la vision, se

ENCADRÉ 4.3(suite)

pencha sur l'étude du télescope et des lentilles convergentes et divergentes, objets auparavant considérés sans valeur scientifique. Bien qu'on en fut encore loin, la conception actuelle de l'image optique (complètement dissociée de toute image trompeuse causée par une illusion) commença alors à émerger.

Par la suite, la théorie des miroirs et des dioptres sphériques reçut beaucoup d'attention. C'est vers le dernier tiers du XVIIe siècle que le concept d'image optique prit le sens qu'on lui connaît aujourd'hui, grâce surtout aux travaux d'Isaac Barrow (1630-1677). Ses *Optical Lectures* de 1669 sont consacrées essentiellement à la théorie de l'image optique qu'il associe à l'image perçue par l'œil. Il fut connu à la fin du XVIIe siècle et au XVIIIe siècle par son principe de la localisation de l'image, couramment et faussement attribué aujourd'hui à Kepler. Ce principe affirme que l'image (d'un point) est à l'endroit d'où divergent les rayons entrant dans un seul œil; il s'ensuit que l'image perçue est identique à l'image optique. On perdit trace aux XIXe et XXe siècles des origines de ce principe que l'on considère aujourd'hui presque évident.

Barrow ne fut pas le seul à se préoccuper de la question de la localisation de l'image par l'œil. Outre Kepler et Barrow, on peut mentionner les Gregory (1638-1675), Huygens (1629-1695), Berkeley (1685-1753) et Bouguer (1698-1758).

P.–É. O.

Références

Antoni MALET (1990). «Keplerian Illusions: Geometrical pictures vs Optical Images in Kepler's Visual Theory», *Studies in History and Philosophy of Science*, *21*, 1–40.

Alan E. SHAPIRO (1990). «The Optical Lectures and the Foundations of the Theory of Optical Imagery», dans M. Feingold, éd., *Before Newton: The Life and Times of Isaac Barrow* (chapitre 2), Cambridge University Press. (Il s'agit des «Optical Lectures» de I. Barrow.)

corrige ce défaut par une lentille divergente qui, en faisant diverger les rayons parallèles, focalise les rayons sur la rétine (figure 4.22a). Une personne atteinte d'*hypermétropie* ne peut focaliser nettement les rayons issus d'objets proches. Quoique l'hypermétrope puisse voir distinctement les objets distants, son point proche est plus éloigné que celui d'un œil normal, donc se trouve à plus de 25 cm, ce qui rend la lecture difficile. Ce défaut est causé par un globe oculaire trop court ou (moins fréquemment) par une cornée dont la courbure n'est pas suffisante. Des lentilles convergentes peuvent corriger ce problème (figure 4.22b). La *presbytie* est semblable à l'hypermétropie et est définie par l'amoindrissement de l'aptitude de l'œil, consécutif au vieillissement, à s'accommoder à une courte distance, le point proche s'éloignant de l'œil. Les lentilles convergentes peuvent également corriger ce défaut. L'*astigma-*

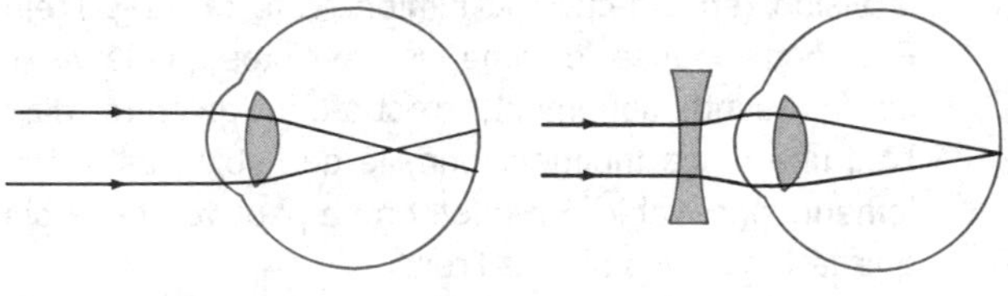
a) Œil myope

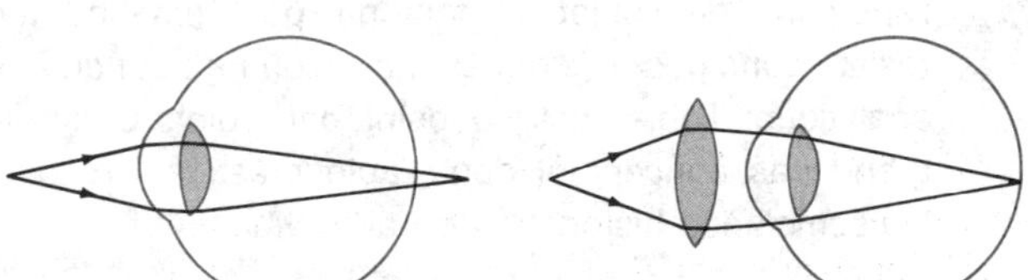
b) Œil hypermétrope

FIGURE 4.22 a) Un œil myope ne focalise pas sur la rétine les rayons provenant d'objets lointains; on peut corriger la myopie par l'emploi de lentilles divergentes. b) Un œil hypermétrope ne focalise pas bien les rayons provenant d'objets proches; on peut corriger l'hypermétropie par l'emploi de lentilles convergentes.

tisme est habituellement causé par une courbure inégale de la cornée ou de la lentille; l'astigmate voit les objets ponctuels comme de courts segments. Tout se passe comme si la cornée de l'astigmate était sphérique mais recouverte d'une section cylindrique. L'image formée par une lentille cylindrique d'un point est un segment de droite parallèle à l'axe (figure 4.23). Un œil astigmate focalise les rayons dans le plan vertical, par exemple, à une distance plus courte que les rayons dans le plan horizontal. On corrige l'astigmatisme par des lentilles cylindriques appropriées. Des surfaces sphériques et cylindriques sont superposées pour corriger la myopie ou l'hypermétropie accompagnée d'astigmatisme de façon à faire varier le rayon de courbure de la lentille dans différents plans.

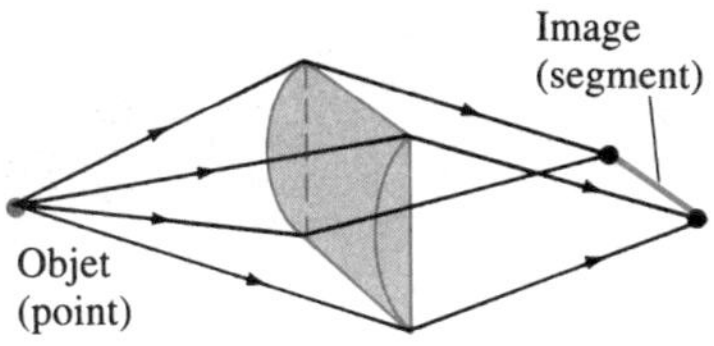

FIGURE 4.23 L'image formée par une lentille cylindrique d'un objet ponctuel est un segment parce que les rayons convergent dans un plan seulement.

Au lieu d'utiliser la distance focale, les optométristes et les ophtalmologues utilisent l'inverse de la distance focale pour spécifier la force de la lentille. Cette quantité s'appelle la *puissance*, *P*, de la lentille:

$$P = \frac{1}{f}.$$

L'unité de puissance d'une lentille est la dioptrie (D) qui est l'inverse du mètre: $1\ \text{D} = 1\ \text{m}^{-1}$. La puissance d'une lentille d'une distance focale de 20 cm, par exemple, est de $P = 1/0{,}20\ \text{m} = 5{,}0\ \text{D}$. La puissance d'une lentille convergente est positive et celle d'une lentille divergente est négative (étant donné que f est négatif, voir la convention 1 de la section 4.2).

EXEMPLE 4.11 Le point proche d'un certain hypermétrope est à 100 cm. Quelle doit être la puissance de ses verres de lecture pour qu'il puisse lire un journal à une distance de 25 cm? Supposez que les verres sont placés très près des yeux.

SOLUTION Quand l'objet est placé à 25 cm de la lentille, il faut que l'image soit à une distance de 100 cm du *même* côté de la lentille et, donc, qu'elle soit virtuelle (figure 4.24). Ainsi, $d_o = 25$ cm, $d_i = -100$ cm et

$$\frac{1}{f} = \frac{1}{25\ \text{cm}} + \frac{1}{-100\ \text{cm}} = \frac{1}{33\ \text{cm}}.$$

Par conséquent $f = 33\ \text{cm} = 0{,}33\ \text{m}$. La puissance P de la lentille est $P = 1/f = +3{,}0\ \text{D}$. Le signe positif indique que les verres sont convergents.

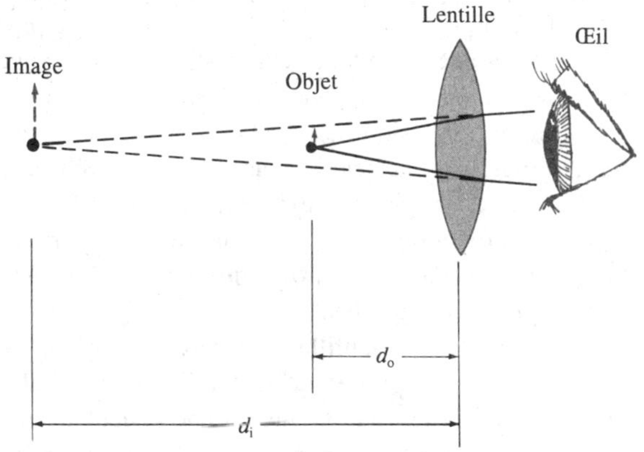

FIGURE 4.24 Lentille d'un verre de lecture (exemple 4.11).

EXEMPLE 4.12 Les points proche et distant d'un myope sont respectivement à 12 cm et 17 cm. Quelle doit être la puissance de ses verres pour que ce myope puisse voir distinctement des objets distants et à quelle distance se situe alors son point proche? Supposez que chaque verre est à 2,0 cm de l'œil.

SOLUTION L'image donnée par la lentille d'objets distants ($d_o = \infty$) doit être à 17 cm de l'œil ou 15 cm devant la lentille ($d_i = -15$ cm):

$$\frac{1}{f} = -\frac{1}{15\text{ cm}} + \frac{1}{\infty} = -\frac{1}{15\text{ cm}}.$$

Par conséquent, $f = -15$ cm $= -0{,}15$ m ou $P = 1/f = -6{,}7$ D; le signe négatif indique que les verres sont divergents. L'image du point proche se trouve à 12 cm de l'œil ou à 10 cm du verre et donc $d_i = -0{,}10$ m et

$$\frac{1}{d_o} = \frac{1}{f} - \frac{1}{d_i} = \frac{1}{0{,}15\text{ m}} + \frac{1}{0{,}10\text{ m}} = \frac{1}{0{,}30\text{ m}}.$$

Par conséquent, $d_o = 30$ cm, ce qui signifie que le point proche de la personne est à 30 cm devant ses verres lorsqu'elle les porte.

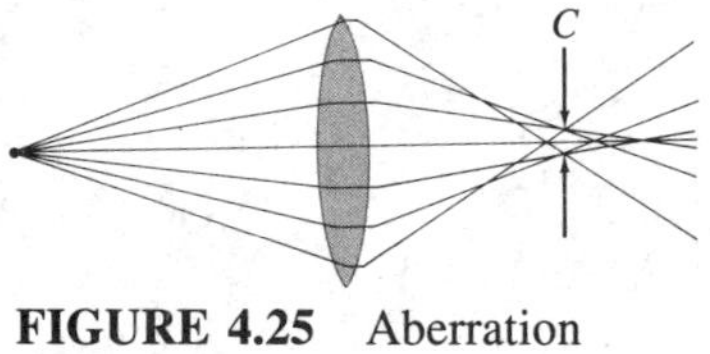

FIGURE 4.25 Aberration sphérique (exagérée). Le cercle de moindre confusion obtenu en *C*.

On pourrait, dans le dernier exemple, utiliser des lentilles de contact pour corriger le défaut de l'œil. Comme on place les lentilles de contact directement sur la cornée, nous ne soustrairions pas alors le 2,0 cm. Autrement dit, dans ce cas, pour des objets distants, $d_i = -17$ cm et $P = 1/f = -5{,}9$ D. Nous voyons que, pour un même œil, les distances focales des verres et des lentilles de contact diffèrent légèrement parce qu'on les place différemment devant l'œil.

4.7 Les aberrations optiques

Aux sections 4.1 et 4.2, nous avons élaboré une théorie de l'image que forme une lentille mince. Nous avons trouvé que tous les rayons provenant d'un point quelconque de l'objet convergent en un même point image. Ce résultat, et d'autres, reposaient sur des approximations, par exemple celle que les angles des rayons entre eux sont petits et qu'on peut donc utiliser $\sin\theta \approx \theta$. Étant donné ces suppositions, la théorie comporte des exceptions qu'on appelle des *aberrations optiques*. Il existe différents types d'aberrations; nous allons traiter de chacun de ces types séparément, même s'ils peuvent se produire simultanément.

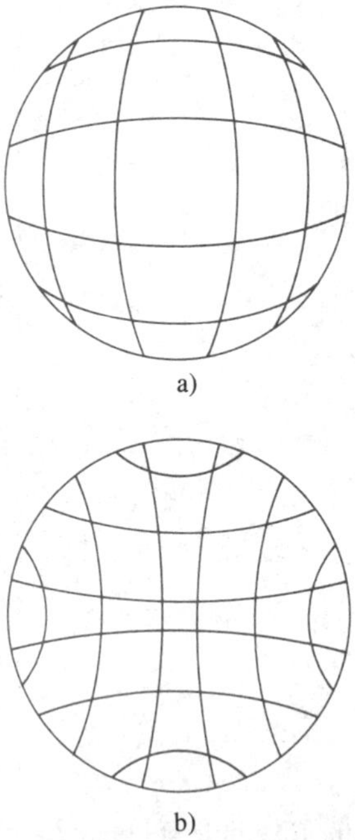

FIGURE 4.26 Distorsion. L'image formée par une lentille d'une grille carrée de droites perpendiculaires peut être a) une distorsion en baril ou b) une distorsion en pelotte d'épingles.

Soit les rayons issus d'un objet ponctuel sur l'axe d'une lentille. Il y a **aberration sphérique** lorsque les rayons passant par les régions excentriques de la lentille et ceux passant par le centre de la lentille sont focalisés en des points différents. La figure 4.25 illustre ce type d'aberration de façon exagérée. L'image que l'on pourrait enregistrer, par exemple sur un film, ne serait donc pas un point mais une petite tache circulaire de lumière. En plaçant le film au point *C* indiqué, le cercle aurait son diamètre le plus petit et on l'appellerait alors le **cercle de moindre confusion**. Une aberration sphérique se produit toutes les fois où on utilise des surfaces sphériques. On peut corriger cette aberration au moyen de surfaces de lentille non sphériques, mais la fabrication de telles lentilles est très coûteuse. On peut diminuer ces aberrations au moyen de surfaces sphériques dont les courbures sont telles que l'angle de déviation des rayons est le même à chaque surface; une telle lentille ne fonctionne que pour une distance particulière d'un objet. On corrige (ou plutôt: on réduit de beaucoup) ordinairement l'aberration sphérique par l'emploi conjugué de plusieurs lentilles.

Pour les objets ponctuels hors de l'axe de la lentille, d'autres aberrations se produisent. Les rayons qui passent par différentes parties de la lentille font s'étaler l'image qui n'est plus circulaire. Sans entrer dans les détails, mentionnons deux effets: **virgule** (parce que l'image a la forme d'une virgule plutôt que d'un cercle) et **astigmatisme hors axe**[†]. De plus, les points images des objets, situés hors de l'axe mais à

[†] Quoique l'effet soit le même que pour l'astigmatisme dans l'œil (section 4.6), la cause en est différente. L'astigmatisme hors axe n'est pas un problème dans l'œil parce que les objets ne sont clairement vus que sur la tache jaune qui se trouve sur l'axe du cristallin.

la même distance de la lentille, ne se trouvent pas sur un plan mais sur une surface courbe; autrement dit, le «plan» focal n'est pas plan. (Ceci est prévisible parce que les points sur un plan, par exemple sur le film d'une caméra, ne sont pas équidistants de la lentille.) Cette aberration s'appelle une **courbure de champ** et pose évidemment un problème dans les caméras et les autres appareils dans lesquels les films sont placés dans un plan. Dans l'œil toutefois, la rétine est courbe, ce qui contrebalance cet effet. Une autre aberration, nommée **distorsion**, résulte des variations de grossissement à différentes distances de l'axe de la lentille. Ainsi, l'image d'un objet en forme de segment de droite qui ne passe pas par l'axe peut être courbe. Une grille carrée composée de segments de droite peut donner une distorsion en forme de pelote d'épingles ou en baril (figure 4.26); cette dernière distorsion se produit souvent avec les lentilles à très grand angle.

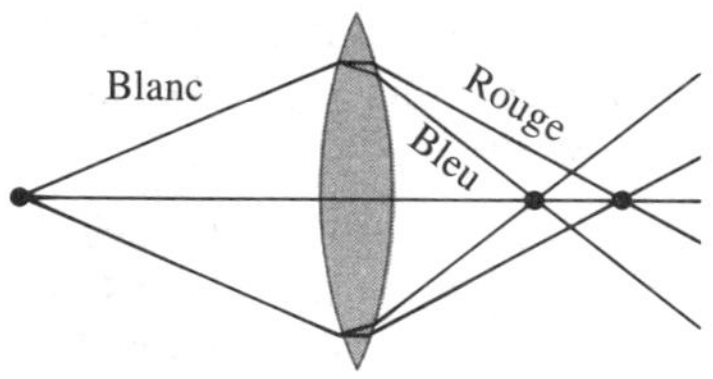

FIGURE 4.27 Aberration chromatique. Les différentes couleurs sont focalisées en différents points.

Toutes les aberrations énumérées précédemment se produisent avec la lumière monochromatique et sont donc appelées des *aberrations monochromatiques.* Quand la lumière n'est pas monochromatique, il peut aussi se produire une **aberration chromatique**. Ce type d'aberration résulte de la dispersion — la variation de l'indice de réfraction d'un même milieu transparent pour différentes longueurs d'onde (section 5.5). Par exemple, le verre fléchit davantage la lumière bleue que la lumière rouge. Donc, lorsque de la lumière blanche rencontre une lentille, les différentes couleurs sont focalisées en différents points (figure 4.27) et il se produit dans l'image des franges colorées. On peut éliminer l'aberration chromatique pour une paire quelconque de couleurs (et grandement la réduire pour toutes les autres) par l'emploi de deux lentilles faites de matériaux différents ayant des indices de réfraction et de dispersion différents. Normalement on colle une lentille convergente sur une lentille divergente (figure 4.28). On appelle une telle double lentille un *doublet achromatique* (ou lentille à «couleurs corrigées»).

Il n'est pas possible de corriger complètement toutes les aberrations. Cependant, l'emploi conjugué de deux lentilles ou plus peut les diminuer. Les lentilles de haute qualité utilisées dans les caméras, les microscopes et les autres appareils sont des **lentilles composites** faites de plusieurs lentilles simples (appelées **éléments**). Une lentille de caméra de haute qualité peut contenir de six à huit éléments (ou plus).

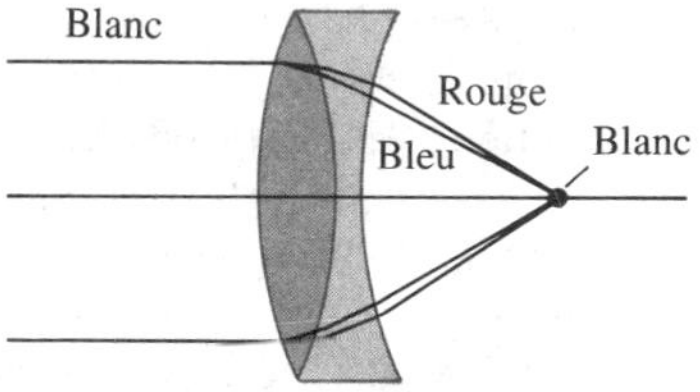

FIGURE 4.28 Doublet achromatique.

Pour plus de clarté, la plupart des lentilles illustrées dans les figures sont des lentilles simples. Rappelez-vous, toutefois, que les lentilles de haute qualité sont des lentilles composites.

RÉSUMÉ

Les lentilles forment, par réfraction, des images réelles ou virtuelles. Le *foyer*, *F*, d'une lentille est le point image d'un objet à l'infini (rayons incidents parallèles). La distance du foyer à la lentille s'appelle la *distance focale*, *f*, de la lentille. L'*équation du lunetier* met en relation la distance focale, l'indice de réfraction et les rayons de courbure de la lentille: $1/f = (n - 1)(1/R_1 - 1/R_2)$. On peut trouver la position et la grandeur de l'image formée par une lentille d'un certain objet en traçant un diagramme des rayons. La relation entre les distances de l'image et de l'objet, d_i et d_o, et la distance focale est donnée par l'*équation des lentilles minces*:

$$\frac{1}{d_o} + \frac{1}{d_i} = \frac{1}{f}.$$

Le rapport de la hauteur de l'image à celle de l'objet, qui est égal au grandissement latéral, est donné par l'équation suivante: $m = (h_i/h_o) = -(d_i/d_o)$.

Pour utiliser les différentes équations de l'optique géométrique, il faut appliquer strictement certaines conventions de signe.

Une *loupe* simple est une lentille convergente qui forme une image virtuelle d'un objet placé au foyer (ou en deçà de ce point). Le grossissement angulaire, lorsque l'image est vue par un œil normal et détendu, est $M = N/f$, où f est la distance focale de la lentille et N, le point proche de l'œil (25 cm pour un œil «normal»).

Un *télescope astronomique* est composé d'un objectif (lentille ou miroir) et d'un oculaire qui grossit l'image réelle formée par l'objectif. Le grossissement est égal au rapport des distances focales de l'objectif et de l'oculaire, et l'image est renversée. Dans un télescope terrestre, on utilise des lentilles supplémentaires, des prismes ou une lentille divergente comme oculaire, pour redresser l'image.

Un *microscope* comporte aussi un objectif et un oculaire, et son image finale est renversée. Le grossissement total est le produit du grossissement des deux lentilles et est approximativement de $(N/f_{oc})(l/f_{ob})$, où l est la distance entre les lentilles. N est le point proche de l'œil (qu'on considère habituellement de 25 cm) et f_{ob} et f_{oc} sont les distances focales de l'objectif et de l'oculaire respectivement.

QUESTIONS

1. Où doit-on placer le film pour que soit distincte l'image d'un objet très éloigné, obtenue avec une lentille de caméra?

2. L'image donnée par une lentille divergente peut-elle être réelle dans certaines circonstances? Expliquez.

3. Pourquoi faut-il que la distance focale d'une lentille convergente soit plus petite que celle d'une lentille divergente dont on veut mesurer la distance focale en les conjuguant comme dans l'exemple 4.6?

4. Plus épais est le centre d'une lentille biconvexe comparativement à son épaisseur à sa périphérie, plus la distance focale de la lentille est petite, pour un diamètre donné. Expliquez.

5. Une lentille, faite d'un matériau dont l'indice de réfraction est $n = 1{,}30$, est convergente dans l'air. La lentille est-elle toujours convergente si on l'immerge dans l'eau. Justifiez votre réponse à l'aide d'un diagramme de rayons.

6. Comparez l'équation du miroir, 3.3, avec l'équation de la lentille, 4.4. Expliquez en quoi elles sont semblables et en quoi elles sont différentes. Comparez en particulier les conventions sur les signes des quantités pertinentes.

7. Montrez que l'image d'un objet réel, obtenue à l'aide d'une lentille, est nécessairement renversée si elle est réelle, et qu'elle est nécessairement à l'endroit si elle est virtuelle.

8. Les rayons de lumière sont réversibles. Cette affirmation est-elle compatible avec l'équation de la lentille?

9. Peut-on projeter des images réelles sur un écran? Et des images virtuelles? Peut-on photographier les unes et les autres? Justifiez vos réponses soigneusement.

10. Soit l'image obtenue avec une lentille asymétrique (par exemple, une lentille planconvexe) d'un objet proche. Est-ce que le point image se déplace si on inverse la lentille?

11. On rapproche une lentille convergente mince d'un objet proche. Est-ce que l'image réelle donnée par la lentille change *a*) de position et *b*) de taille? Si oui, décrivez comment ceci se produit.

12. Énoncez les conditions dans lesquelles une lentille convergente donne *a*) une image plus grande que l'objet, *b*) une image virtuelle, *c*) une image à l'endroit et *d*) un grandissement de $+1$ ou de -1.

13. Énoncez les conditions dans lesquelles une lentille divergente donne *a*) une image plus grande que l'objet, *b*) une image virtuelle, *c*) une image à l'endroit et *d*) un grandissement de $+1$ ou de -1.

14. La distance focale d'une lentille dépend-elle du milieu dans lequel la lentille est plongée? Qu'en est-il de la distance focale d'un miroir sphérique? Justifiez vos réponses.

15. Une lentille immergée dans l'eau consiste en un contenant de plastique de forme appropriée, à parois minces, rempli d'air. Quelle doit être sa forme si elle est *a*) convergente et *b*) divergente? Justifiez vos réponses à l'aide d'un diagramme de rayons.

16. Dans quelles conditions la lentille biconvexe de la figure 4.5a peut-elle être divergente?

17. Complétez le diagramme de rayons de la figure 4.18a en représentant l'image intermédiaire et les foyers.

18. Vous voulez mettre au point une lentille de caméra sur un objet plus proche. Pourquoi devez-vous éloigner la lentille du film?

19. Dans une caméra «à trou d'épingle», un trou d'épingle tient lieu de lentille. Montrez, à l'aide d'un diagramme de rayons, combien les images obtenues à l'aide de cette caméra peuvent être raisonnablement distinctes. Considérez, en particulier, deux objets ponctuels séparés par 2,0 cm et distants de 1,0 m d'un trou d'épingle de 1 mm de diamètre. Montrez que chaque objet produit, sur un film situé 5 cm derrière le trou d'épingle, une tache minuscule facilement résoluble.

20. Pourquoi les gens âgés, plutôt que les jeunes, ont-ils davantage besoin de verres à double foyer?

21. Pourquoi la perception d'objets distants par des nageurs sous l'eau, dont la vue est excellente, est-elle floue? Montrez, à l'aide d'un diagramme de rayons, comment il est possible de régler ce problème au moyen de lunettes de plongée.

22. Un myope qui porte des verres correcteurs peut-il voir clairement sous l'eau avec ces verres? Justifiez votre réponse à l'aide d'un diagramme de rayons.

23. L'œil humain est très semblable à une caméra. Cependant, lorsqu'on laisse l'obturateur d'une caméra ouvert et qu'on bouge la caméra, l'image est floue. Par contre, quand on bouge la tête en gardant les yeux ouverts, on voit tout aussi clairement. Pourquoi?

24. Pour des verres de lecture, on utilise des lentilles convergentes. Une loupe simple est aussi une lentille convergente. Les verres de lecture sont-ils donc aussi des loupes? Expliquez en quoi les lentilles convergentes utilisées pour des verres de lecture sont semblables à celles utilisées pour des loupes, et en quoi elles sont différentes.

25. L'image formée sur la rétine d'un œil humain est-elle renversée? Qu'est-ce que cela suppose pour notre perception des objets?
26. Les images données par les microscopes bon marché pour enfants sont habituellement colorées en périphérie. Pourquoi?
27. L'aberration sphérique dans une lentille mince est minimisée si les rayons sont fléchis également par les deux surfaces. Si l'image réelle d'un objet à l'infini est formée par une lentille planconvexe, quelle face de la lentille devrait être du côté de l'objet? Justifiez votre réponse à l'aide d'un diagramme de rayons.
28. Certaines aberrations qui se produisent dans une lentille simple ne se produisent pas (ou sont grandement réduites) dans l'œil humain. Quelles sont-elles?
29. Pourquoi les aberrations chromatiques se produisent-elles dans les lentilles minces et non dans les miroirs?

PROBLÈMES

SECTION 4.1

1. (II) *a*) Supposez que le rayon de courbure de la surface dans la figure 4.1 est $R = 32$ cm. Si $n_1 = 1{,}00$ et $n_2 = 1{,}50$, où les rayons provenant d'un objet à l'infini seront-ils focalisés? *b*) Pourriez-vous appeler ceci le foyer de la surface? Si oui, existe-t-il un second foyer (comme pour une lentille)? Si oui, où est-il? *c*) Où est l'image d'un objet à 1,12 m de la surface?
2. (II) Un morceau de verre ($n = 1{,}56$) plan épais de 20 cm se trouve à la surface de l'eau dans un bac profond de 20 cm. *a*) À quelle profondeur sous la face supérieure du morceau de verre le fond du bac semble-t-il se trouver, vu directement d'au-dessus? *b*) Quelle est votre réponse si le fond est vu à un angle de 45°?
3. (II) Un poisson nage dans un bocal sphérique en verre uniformément épais rempli d'eau. Le rayon de courbure du bocal est de 15 cm. Déterminez l'emplacement de l'image du poisson, s'il est situé *a*) au centre du bocal, *b*) à 10 cm du bord du bocal entre l'observateur et le centre du bocal. [Indice pour *a*): quel est l'angle d'incidence de la lumière qui frappe l'interface eau-verre? Étant donné cela, où se trouve l'image? Finalement, vérifiez votre résultat par calcul en gardant en mémoire que R doit être négatif.]
4. (III) Montrez que l'équation 4.1 est valide aussi bien pour les surfaces convexes que concaves et quelles que soient les positions des objets et des images, pourvu que les conventions énoncées à la section 4.1 soient respectées. Montrez cela, pour tous les cas possibles, à l'aide de diagrammes semblables à ceux de la figure 4.2. Supposez d'abord que $n_2 > n_1$, puis que $n_2 < n_1$.
5. (III) Quelle est la profondeur apparente du lac de l'exemple 4.1 si l'observateur regarde le fond à un angle de 45°?

SECTION 4.2

6. (I) Une certaine lentille focalise les rayons provenant d'un objet situé à 32,0 cm en une image située à 43,0 cm de l'autre côté de la lentille. De quelle sorte de lentille s'agit-il et quelle est sa distance focale? L'image est-elle réelle ou virtuelle?
7. (I) Montrez que si on retourne la lentille de l'exemple 4.2 de sorte que la lumière y entre par la surface courbe, la distance focale n'est pas changée.
8. (I) L'image d'un objet situé à 34,0 cm devant une certaine lentille se trouve à 11,0 cm devant la lentille (du même côté que l'objet). De quelle sorte de lentille s'agit-il et quelle est sa distance focale? L'image est-elle réelle ou virtuelle?
9. (I) Les rayons de courbure des deux faces d'une lentille biconvexe sont chacun de 28,0 cm. Si la distance focale est de 26,2 cm, quel est l'indice de réfraction du matériau de la lentille?
10. (I) On fabrique une lentille planconvexe dont la distance focale doit être de 18,0 cm. Si la lentille est faite de quartz fondu, quel doit être le rayon de courbure de la surface convexe?
11. (I) Quelle est la taille de l'image du Soleil sur le film utilisé dans une caméra avec une lentille d'une distance focale de 50 mm? Le diamètre du Soleil, qui se trouve à une distance de $1{,}5 \times 10^8$ km, est de $1{,}4 \times 10^6$ km.
12. (II) Une lentille convergente dont la distance focale est de 22,0 cm se trouve à 15,0 cm derrière une lentille divergente. Un faisceau de rayons de lumière parallèles frappe la lentille divergente; après être passés par la lentille convergente, les rayons redeviennent parallèles. Quelle est la distance focale de la lentille divergente?
13. (II) *a*) Un insecte haut de 1,50 cm se trouve à 1,3 m d'une lentille dont la distance focale est de + 135 mm. Où se trouve l'image, quelle est sa hauteur, et de quelle sorte est-elle? *b*) Répondez aux mêmes questions en supposant que la distance focale de la lentille (divergente) est de -135 mm.
14. (II) Montrez, de façon algébrique, qu'une lentille divergente ne peut jamais donner d'un objet réel une image réelle. Pouvez-vous décrire un exemple de situation où une lentille divergente donne une image réelle?
15. (II) On immerge une lentille dont l'indice de réfraction est n dans un milieu dont l'indice de réfraction est n' ($n' \neq 1$). Démontrez les équations équivalentes de 4.2, 4.3, 4.4 et 4.5 pour cette lentille.
16. (II) À quelle distance d'une lentille convergente dont la distance focale est de 21,5 cm doit-on placer un objet pour que son image grandie trois fois soit *a*) virtuelle, *b*) réelle? *c*) Répondez aux mêmes questions pour une lentille divergente de même distance focale.
17. (II) On projette une diapositive de 35 mm (la taille du film est en fait de 24 mm × 36 mm) sur un écran de 1,20 m × 1,80 m, éloigné de 45,0 m du projecteur. Quelle devrait être la distance focale de la lentille pour que l'image remplisse tout l'écran?
18. (II) Montrez, de façon algébrique, que l'image formée par une lentille convergente est réelle et renversée si l'objet se

trouve au-delà du foyer ($d_o > f$) et qu'elle est virtuelle et à l'endroit si l'objet se trouve en deçà du foyer ($d_o < f$). Décrivez l'image si l'objet est une image virtuelle (formée par une autre lentille) pour laquelle $-d_o > f$ et pour laquelle $0 < -d_o < f$.

19. (II) On juxtapose une lentille divergente à une lentille convergente d'une distance focale f_C (comme dans la figure 4.13). Si f_T représente la distance focale des deux lentilles combinées, montrez que la distance focale de la lentille divergente, f_D, est donnée par:

$$\frac{1}{f_D} = \frac{1}{f_T} - \frac{1}{f_C}.$$

20. (II) *a*) Montrez que si on juxtapose deux lentilles dont les distances focales respectives sont f_1 et f_2, la distance focale f_T des deux lentilles combinées est $f_T = f_1 f_2/(f_1 + f_2)$. *b*) Généralisez cette formule pour le cas de trois lentilles minces juxtaposées.

21. (II) Quelle est la distance entre un objet et son image formée par une lentille convergente d'une distance focale de 65 cm si l'image est réelle et trois fois plus grande que l'objet?

22. (II) Les rayons de courbure d'une lentille biconvexe (figure 4.5a) en verre crown sont de 21,5 cm et de 17,2 cm. Où est l'image et quel est son grandissement si l'objet est *a*) à 135 cm de la lentille et *b*) à 46,5 cm de la lentille?

23. (II) Montrez qu'on peut écrire l'équation de la lentille sous la *forme newtonnienne*:

$$xx' = f^2,$$

où x est la distance de l'objet au foyer devant la lentille et x', la distance de l'image au foyer de l'autre côté de la lentille.

24. (II) On place une lentille divergente pour laquelle $f = -32{,}5$ cm à une distance de 11,0 cm derrière une lentille convergente pour laquelle $f = 14{,}5$ cm. Où les rayons provenant d'un objet à l'infini seront-ils focalisés?

25. (II) On place deux lentilles convergentes, chacune d'une distance focale de 32,0 cm, à 21,5 cm l'une de l'autre. On pose un objet à 55,0 cm devant l'une des lentilles. Où l'image finale formée par la seconde lentille se trouve-t-elle? Quel est le grandissement total?

26. (II) On place un objet brillant devant une lentille convergente d'une distance focale f; un écran blanc se trouve derrière la lentille, permettant le visionnement de l'image. On fait bouger la lentille tout en gardant constante la distance $d_T = d_i + d_o$ entre l'objet et l'écran. Montrez que *a*) si $d_T > 4f$, l'image projetée sur l'écran est distincte pour *deux* positions de la lentille; *b*) si $d_T < 4f$, l'image projetée sur l'écran n'est distincte pour aucune position de la lentille. *c*) Déterminez la distance entre les deux images dans la partie *a*) ainsi que le rapport de leurs tailles.

SECTION 4.3

27. (I) On évalue une loupe à 3,0 X pour un œil normal regardant une image en son point proche. *a*) Quelle est la distance focale de la loupe? *b*) Quelle serait-elle si le grossissement était de 3,0 X pour un œil détendu?

28. (I) On utilise comme loupe une lentille d'une distance focale de 6,0 cm. Pour obtenir un grossissement maximal pour un œil normal, où doit-on placer l'objet?

29. (II) Le point proche d'un enfant est à 10 cm. Quel grossissement maximal l'enfant peut-il obtenir à l'aide d'une loupe d'une distance focale de 8,8 cm? Comparez ce grossissement à celui obtenu par un œil normal avec la même loupe.

30. (II) Un œil normal regarde en son point proche une pierre large de 2,50 mm à travers une lentille d'une distance focale de 8,50 cm. Calculez *a*) le grossissement angulaire, *b*) la largeur de l'image et *c*) la distance de l'objet à la lentille.

31. (II) On place un petit insecte à 3,80 cm d'une lentille d'une distance focale de +4,00 cm. Calculez *a*) la position de l'image et *b*) le grossissement angulaire.

32. (II) On évalue une loupe à 3,3 X pour un œil normal détendu. Quel serait le grossissement pour un œil détendu dont le point proche serait *a*) à 40 cm et *b*) à 15 cm?

SECTION 4.4

33. (I) Quel est le grossissement d'un télescope astronomique dont l'objectif a une distance focale de 50 cm et dont l'oculaire a une distance focale de 3,1 cm? Quelle est la longueur totale du télescope lorsqu'on le met au point pour un œil détendu?

34. (I) Un télescope astronomique a un objectif d'une distance focale de 80 cm et un oculaire de +46 D. Quel est le grossissement total? (Indice: voir la note du problème 36.)

35. (I) Quelle est la puissance de grossissement d'un télescope astronomique composé d'un miroir dont le rayon de courbure est de 4,80 m et d'un oculaire dont la distance focale est de 2,6 cm?

36. (II) Un physicien perdu dans une montagne essaie de faire un télescope à l'aide des lentilles de ses verres de lecture. Leurs puissances respectives sont de +1,5 D et de +6,0 D. *a*) Quel grossissement maximal peut-il obtenir? *b*) Quelle lentille devrait-il utiliser comme oculaire? [Note: on définit la puissance P d'une lentille comme $P = 1/f$ et on l'exprime en dioptrie (D) tel que $1\ \mathrm{D} = 1\ \mathrm{m}^{-1}$. Voir section 4.6.]

37. (II) La longueur d'un télescope galiléen que l'on a mis au point pour un œil détendu est de 33 cm. Si la distance focale de l'objectif est de 36 cm, quel est le grossissement?

38. (II) La distance entre les deux lentilles d'un télescope astronomique de 50 X, que l'on a mis au point pour un œil détendu, est de 84 cm. Quelle est la distance focale de chaque lentille?

39. (II) La distance focale des objectifs d'une paire de binoculaires de 6,0 X est de 24 cm. Si on met les binoculaires au point sur un objet éloigné de 4,0 m, quel est le grossissement? (Le 6,0 X se rapporte à un objet à l'infini; l'équation 4.7 n'est valide que pour les objets à l'infini et non pour les objets proches.)

SECTION 4.5

40. (I) La distance focale de l'objectif d'un microscope de 900 X est de 0,40 cm. Si la longueur du tube est de 16,8 cm, quelle est la distance focale de l'oculaire? Supposez que l'œil est normal et que l'image finale se trouve à l'infini.

41. (II) La distance focale de l'oculaire d'un microscope est de 2,50 cm et celle de son objectif est de 0,800 cm. On place un objet à 0,850 cm de l'objectif. Calculez *a*) la distance entre les lentilles quand le microscope est au point pour un œil détendu et *b*) le grossissement total.

42. (II) L'oculaire de 15 X et l'objectif de 40 X d'un microscope sont séparés de 17,5 cm. Déterminez *a*) le grossissement total, *b*) la distance focale de chaque lentille et *c*) la position que doit avoir l'objet pour qu'un œil normal détendu le voit distinctement.

43. (II) La distance focale de l'oculaire d'un microscope est de 2,0 cm et celle de son objectif, de 1,0 cm. Calculez, pour un œil détendu, *a*) la position de l'objet si la distance entre les lentilles est de 18,0 cm et *b*) le grossissement total.

44. (II) Refaites le problème 43 en supposant que l'image finale se trouve à 25 cm de l'oculaire (le point proche d'un œil normal).

SECTION 4.6

45. (I) Une personne, dont le point proche est à 120 cm, veut lire à une distance de 25 cm à l'aide de verres de lecture. Quelle doit être la puissance de ces verres? Supposez que la distance entre l'œil et les verres est de 2,0 cm.

46. (I) On corrige l'œil gauche d'une personne à l'aide d'une lentille de −6,5 D. *a*) Cette personne est-elle myope ou hypermétrope? *b*) Quel est le point éloigné de cette personne sans verres?

47. (I) L'œil gauche d'une personne peut voir des objets clairement seulement s'ils se trouvent à une distance de 18 cm à 36 cm. *a*) Quelle est la puissance des lentilles de contact dont il a besoin pour voir distinctement les objets éloignés? *b*) Quel sera alors son point proche?

48. (II) Un homme de 50 ans utilise des lentilles de +2,5 D pour lire un journal à 25 cm. Dix ans plus tard, il trouve qu'il doit tenir son journal à 45 cm pour le voir distinctement avec les mêmes lentilles. Quelle est la puissance des lentilles dont il a besoin maintenant?

49. (II) Une femme ne voit clairement avec son œil droit que si les objets sont entre 35 cm et 210 cm de distance. Quelle devrait être la puissance de chaque partie de ses verres double foyer pour qu'elle puisse voir clairement des objets éloignés (partie supérieure) et lire un livre à 25 cm de distance (partie inférieure)? Supposez que ses verres sont à 2,0 cm de ses yeux.

50. (II) On tient une lentille de −3,0 D à 20 cm d'une fourmi haute de 1,0 mm. Quelle est la position de l'image, de quelle sorte est-elle et quelle est sa hauteur?

51. (II) La puissance d'une lentille de verre ($n = 1{,}55$) dans l'air est de +3,0 D. Quelle serait sa puissance si on l'immergeait dans l'eau?

52. (II) *a*) Montrez que si on juxtapose deux lentilles de puissances respectives P_1 et P_2, la puissance conjuguée P des deux lentilles est $P = P_1 + P_2$. *b*) Un optométriste trouve qu'un patient voit clairement lorsqu'il juxtapose des lentilles dont les distances focales respectives sont de 60 cm, de −20 cm et de 100 cm. Quelle puissance de lentilles devrait-il prescrire?

53. (II) Un des verres d'une personne myope a une distance focale de −22,0 cm et est distante de 1,6 cm de l'œil. Si la personne utilise des verres déposés directement sur l'œil, quelle devrait être la distance focale du verre de contact correspondant?

54. (II) De combien l'œil myope de l'exemple 4.12 est-il approximativement plus long que l'œil normal d'une longueur de 2,00 cm?

CHAPITRE

5

LA NATURE ONDULATOIRE DE LA LUMIÈRE; L'INTERFÉRENCE

La lumière transporte de l'énergie: voilà qui est évident pour toute personne qui s'est un jour amusée à brûler un trou dans un papier en y concentrant, avec une loupe, les rayons du soleil. Mais comment la lumière voyage-t-elle et sous quelle forme transporte-t-elle cette énergie? Au chapitre 1, nous avons vu que l'énergie peut être transportée d'un lieu à un autre de deux manières: par des particules ou par des ondes. Dans le premier cas, ce sont des corps matériels, ou des particules, qui transportent l'énergie, comme une balle de baseball lancée à une certaine vitesse ou de l'eau qui bouge rapidement. Dans le deuxième cas, des vagues sur l'eau ou des ondes sonores, par exemple, peuvent transporter de l'énergie sur de longues distances même lorsque aucune masse ne parcourt ces distances. Quelle est donc la nature de la lumière? Voyage-t-elle sous la forme d'un courant de particules ou sous la forme d'ondes? Historiquement, cette question s'est révélée difficile. Aucune observation ne prouve de façon évidente que la lumière est composée de particules minuscules mais, d'autre part, jamais non plus n'a-t-on observé le passage d'ondes lumineuses minuscules comparables aux vagues sur l'eau. Les données empiriques ont semblé corroborer une thèse, puis l'autre, jusqu'en 1830 environ, la plupart des physiciens ayant alors accepté la théorie ondulatoire de la lumière. Vers la fin du XIXe siècle, on a établi que la lumière constituait une *onde électromagnétique* (voir le chapitre 12 du tome 2). Quoiqu'elle fut modifiée au XXe siècle (voir le chapitre 9), la théorie ondulatoire de la lumière s'est révélée très utile. Dans le présent chapitre, nous étudierons les arguments en faveur de celle-ci et nous verrons comment elle permet d'expliquer un vaste éventail de phénomènes.

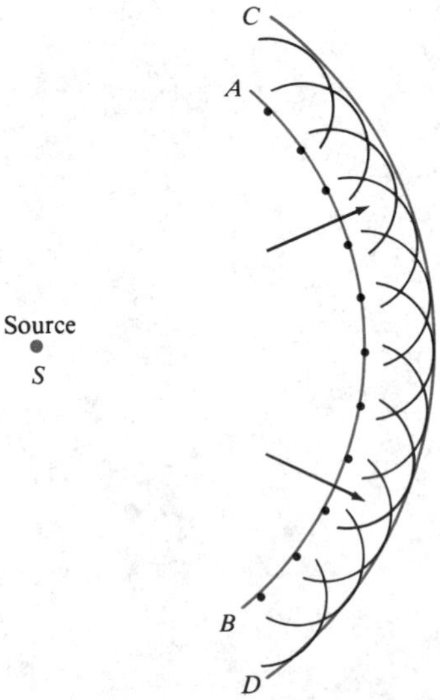

FIGURE 5.1 Le principe de Huygens utilisé pour déterminer le front d'onde *CD* quand *AB* est donné.

5.1 Des ondes ou des particules? Le principe de Huygens et la diffraction

Le scientifique hollandais Christian Huygens (1629-1695), un contemporain de Newton, a proposé une théorie ondulatoire de la lumière pleine d'intérêt. Il mit notamment au point une méthode, encore utilisée aujourd'hui, pour prédire la position future d'un front d'onde dont on connaît une position antérieure. Cette méthode, connue comme le **principe de Huygens**, peut s'énoncer ainsi: *tout point d'un front d'onde peut être considéré comme la source d'ondelettes minuscules qui se propagent vers l'avant à la même vitesse que l'onde; le nouveau front d'onde est l'enveloppe de toutes les ondelettes* (c'est-à-dire *la tangente à toutes ces ondelettes*).

Voici une démonstration simple de la façon d'appliquer le principe de Huygens. Soit le front d'onde *AB* (figure 5.1) qui se propage à partir de la source *S* dans un milieu *isotrope* (c'est-à-dire dans lequel la vitesse v des ondes est la même dans toutes les directions). Pour déterminer la position du front d'onde un court temps t après qu'il se soit trouvé en *AB*, on trace des cercles minuscules de rayon $r = vt$ et qui représentent

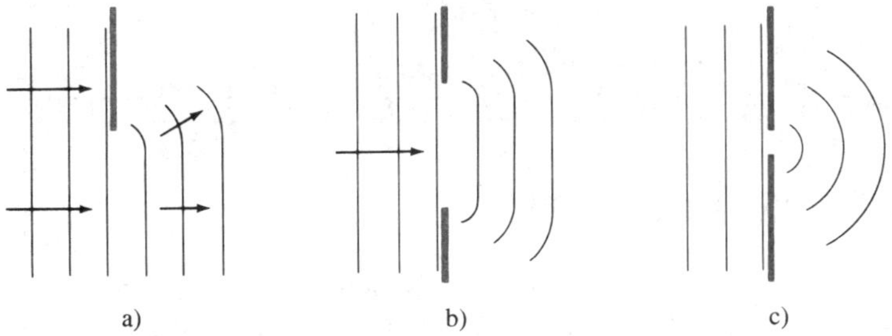

FIGURE 5.2 Le principe de Huygens décrit correctement la diffraction a) au bord d'un obstacle b) à travers un grand trou et c) à travers un petit trou dont la taille est de l'ordre de grandeur de la longueur d'onde.

les ondelettes de Huygens. Les centres de ces cercles minuscules se trouvent sur le front d'onde initial *AB*. La tangente à toutes ces ondelettes, soit le segment *CD*, est la nouvelle position du front d'onde.

Particulièrement utile pour décrire ce qui se passe quand des ondes rencontrent un obstacle et que les fronts d'onde sont en partie brisés, le principe de Huygens permet de prédire l'infléchissement des ondes derrière un obstacle (comme dans la figure 5.2). Or, comme nous l'avons vu au chapitre 1, les vagues sur l'eau s'infléchissent effectivement derrière un obstacle (figures 1.24 et 1.25). Cet infléchissement des ondes, dans la «région d'ombre» derrière un obstacle, s'appelle **diffraction**. Comme la diffraction est un phénomène ondulaloire qui ne se produit pas pour les particules, elle constitue une indication décisive sur la nature de la lumière.

Le phénomène de diffraction existe-t-il pour la lumière? Selon une observation, faite au milieu du XVIIe siècle par le jésuite Francesco Grimaldi (1618-1663), le diamètre de la tache de lumière, projetée sur le mur d'une chambre obscure par la lumière du soleil à travers un trou minuscule percé dans un écran, est plus grand que le diamètre prédit par l'optique géométrique. Grimaldi observa aussi que la périphérie de l'image n'était pas claire et qu'elle était constituée de franges colorées. Selon lui, ce phénomène s'expliquait par la diffraction de la lumière. Newton, qui soutenait la théorie corpusculaire de la lumière, était au courant de l'observation de Grimaldi. Il attribuait toutefois ce phénomène à l'interaction des corpuscules de lumière («petits corps») avec le pourtour du trou car, disait-il, si la lumière était une onde, l'infléchissement des ondes lumineuses serait plus important que celui qui était observé. Cet argument de Newton semblait raisonnable. Cependant, comme nous l'avons vu au chapitre 1, la diffraction n'est importante que lorsque la taille de l'obstacle ou du trou est du même ordre de grandeur que la longueur d'onde (figure 1.25). Newton n'imaginait pas que les longueurs d'onde de la lumière visible puissent être si incroyablement courtes et qu'en conséquence la diffraction puisse être très petite. (C'est d'ailleurs ce qui explique le succès de l'optique géométrique basée sur la représentation de la lumière par des rayons. En effet, les ouvertures et les obstacles sont d'ordinaire beaucoup plus grands que la longueur d'onde de la lumière et il ne se produit donc que relativement peu de diffraction.)

5.2 Le principe de Huygens et la loi de la réfraction

Les lois de la réflexion et de la réfraction étaient connues à l'époque de Newton. La loi de la réflexion ne permettait pas de décider entre les deux théories, ondulatoire et particulaire, de la lumière. En effet, tout comme pour une onde (figure 1.16), l'angle d'incidence d'une particule sur un obstacle est égal à l'angle de réflexion (exemple: une balle de tennis qui, sans tourner, frappe une surface plane).

Il en est autrement de la loi de la réfraction. Considérons la déviation vers la normale d'un faisceau de lumière passant d'un milieu à un autre, par exemple de l'air à l'eau. Comme on peut le voir à la figure 5.3, le principe de Huygens permet de représenter graphiquement ce phénomène si on suppose que la vitesse de la lumière est moindre dans le deuxième milieu. En effet, en un temps t, le point B sur le front d'onde AB parcourt une distance $v_1 t$ jusqu'au point D, et le point A, une distance $v_2 t$

ENCADRÉ 5.1

Le principe de Huygens-Fresnel

La lumière au temps de Huygens

Au temps de Christiaan Huygens (1629-1695) on affirmait que la lumière se propage en ligne droite (phénomène facilement expliqué par une théorie particulaire de la lumière) et que le son se propage circulairement comme l'onde à la surface de l'eau.

Il était difficile de penser que la lumière puisse se propager, en même temps, en ligne droite et de façon circulaire. Ainsi, pour René Descartes (1596-1650), dont le texte *La Dioptrique* parut en 1637, la lumière est un mouvement communiqué circulairement et instantanément à un milieu de propagation, si vaste soit-il. Pourtant, cette définition de la lumière donnée par le physicien contredit ses propres explications de la réflexion et de la réfraction, qui s'apparentent plutôt à une théorie particulaire de la lumière.

Pendant presque tout le XVIIe siècle, c'est-à-dire jusqu'à ce que Isaac Newton (1643-1727) et Huygens aient présenté leur explication de la réfraction, Thomas Hobbes (1588-1679) demeura l'unique opposant de Descartes. Le philosophe anglais concevait la lumière comme un front (de lumière) qui se propage selon une ligne droite, se réfléchit et se réfracte. Ce front ressemblait tellement, conceptuellement et graphiquement, à un front d'onde, que Thomas Young (1773-1829) interpréta la théorie de Hobbes comme une théorie ondulatoire. Hobbes présenta cette théorie, largement connue au XVIIe siècle, dans son livre *Tractus Opticus* qui parut en 1644. C'est lui qui, le premier, a pensé à la possibilité d'un rayon de lumière normal au front de lumière. Il fut probablement inspiré par Johannes Kepler (1571-1630) qui associait des surfaces de lumière aux rayons de lumière. On peut donc affirmer que Kepler et Hobbes préparèrent le terrain à l'éclosion des notions de front d'onde et de rayon perpendiculaires l'un à l'autre, concepts essentiels à une théorie ondulatoire de la lumière.

Le Traité de la lumière de Huygens

Le *Traité de la lumière* de Huygens constitue le point culminant de la tradition du XVIIe siècle, où on concevait la lumière comme la perturbation d'un certain milieu. On y définit le front d'onde comme le lieu de tous les points de la perturbation, à un temps donné.

Voici quelques événements qui ont précédé la publication du traité de Huygens: en 1672, Huygens commenca ses études sur la double réfraction du spath d'Islande; en 1676, Olaüs Römer (1644-1710) publia des travaux expérimentaux sur les éclipses des satellites de Jupiter qui démontrèrent que la vitesse de la lumière est finie; en 1677, Huygens formula sa théorie de la double réfraction et l'année suivante, il présenta son *Traité de la lumière* à l'Académie royale des sciences, traité publié en 1690.

Le principe de Huygens

Le principe de Huygens doit son existence à l'idée que se faisait le physicien hollandais de l'éther comme milieu de propagation de la lumière. Il imaginait que l'éther était constitué de particules contiguës: la lumière émise pousse sur une particule qui, à son tour, pousse sur les particules voisines, et ainsi de suite. Évidemment, ces chocs successifs supposent une durée. Aussi est-ce avec soulagement qu'il apprit que la vitesse de la lumière n'est pas infinie.

Huygens utilise un exemple très simple, soit une série de billes dures formant une ligne droite. On pousse la première qui vient pousser la deuxième; la première s'immobilise, la deuxième pousse la troisième, et ainsi de suite (voir figure 1).

FIGURE 1 Le principe de superposition†.

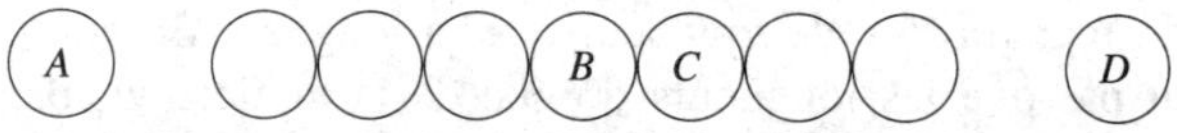

† Christiaan HUYGENS (1690). *Traité de la lumière*, Leide, p. 16.

Il démontre, à l'aide de cet exemple, que *le principe de superposition* s'applique à la lumière: si les billes *A* et *D* viennent frapper simultanément la rangée de billes, elles vont toutes les deux rebondir; leurs actions respectives se sont donc transmises à travers les boules sans se détruire l'une l'autre, ce qui correspond au principe de superposition.

Dans un deuxième exemple plus concret (figure 2), Huygens présente, dans un plan, l'action d'une bille sur un groupe de billes: la bille *A*, poussée par la bille *B*, pousse les trois billes contiguës *C* qui, à leur tour, agiront sur les billes qui leur sont contiguës. Il en résulte une transmission d'impulsion vers l'avant selon la ligne *BAC*.

Pour Huygens, l'onde lumineuse n'était pas périodique (propagation de proche en proche d'une oscillation périodique) mais impulsive, à l'image des

FIGURE 2 La propagation de la lumière†.

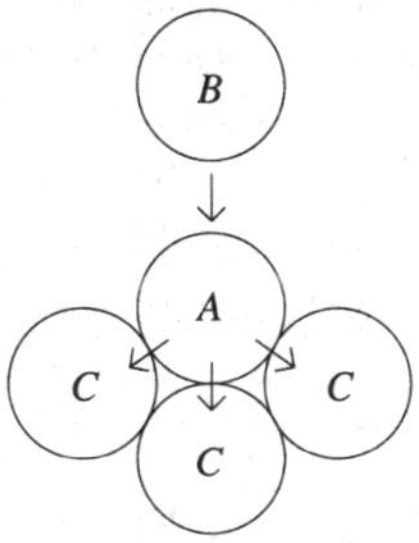

† *Op. cit.*

poussées dont il est question dans les exemples précédents.

Venons-en à l'essence de son principe (voir figure 3). Une action lumineuse est produite en *A*. Cette action se communique aux particules avoisinantes (de l'éther) suivant des fronts d'onde qui ne peuvent être que sphériques. Considérons le front d'onde *HBGI*.

FIGURE 3 La propagation rectiligne†.

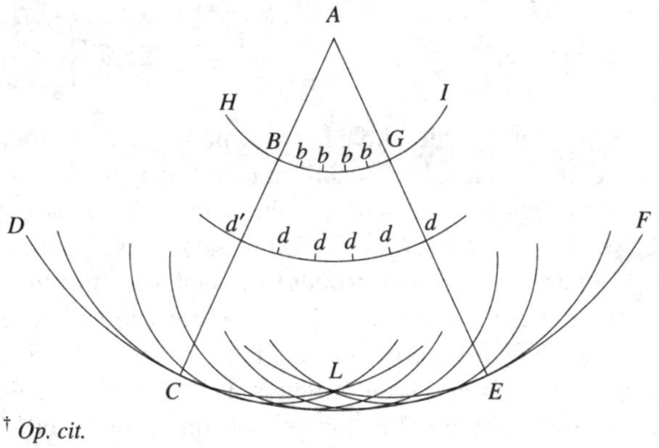

† *Op. cit.*

Tout front d'onde ultérieur, comme le front *DCEF*, peut se former à partir de l'enveloppe des petits fronts d'onde (ondelettes) émis par les différents points (particules de l'éther) du front *HBGI*, à la façon des billes que l'on pousse les unes sur les autres. Telle est l'essence du *principe de Huygens*.

À partir de ce principe, le physicien expliqua (ou tenta d'expliquer) la propagation rectiligne de la lumière d'une portion de ce front d'onde sphérique, portion obtenue au moyen d'un écran percé d'un trou. Supposons, toujours à la figure 3, qu'un écran placé en *HI* est percé d'un trou *BG*. Si la propagation de la lumière venant de *A* est rectiligne, il n'y aura de la lumière sur la circonférence *DF* qu'entre *C* et *E*. C'est ce que Huygens tenta de prouver en affirmant que la somme des ondelettes issues des différents points *b* de l'ouverture *BG* n'est efficace que sur le front d'onde *CE*. À l'extérieur (vers *D* d'un côté et vers *F* de l'autre), sa contribution est négligeable. Affirmation dont la véracité — on le sait aujourd'hui grâce à Fresnel (1788-1827) — dépend des valeurs relatives de la longueur d'onde de la lumière et du diamètre de l'ouverture *BG*.

C'est dans la démonstration de la double réfraction [découverte par Érasmus Bartholin (1625-1698)] que le principe de Huygens se révéla fécond; d'ailleurs, pour Huygens, le bien-fondé de ce principe s'en trouvait ainsi justifié.

Le principe de Huygens-Fresnel

En ajoutant le principe d'interférence des ondes au principe de Huygens, Fresnel pourra finalement expliquer (pour des longueurs d'onde de valeurs relativement petites) la propagation en ligne droite de la lumière à l'intérieur d'une théorie ondulatoire. Il en résulte alors un nouveau principe de portée plus étendue, le *principe de Huygens-Fresnel* (quelquefois appelé simplement principe de Huygens).

Aujourd'hui, le principe de Huygens-Fresnel sert surtout à établir la théorie de la diffraction de la lumière, phénomène découvert par Francesco Grimaldi (1618-1663). Huygens était au courant de cette dernière découverte mais il n'y porta pas attention; il était apparemment peu convaincu de sa validité.

Ainsi, toujours à la figure 3, dans le cas d'une ouverture en *BG*, les ondelettes produisent de la lumière en dehors de l'arc *CE*. C'est l'interférence de ces ondelettes qui cause les franges de lumière en dehors de cet arc. Dans le cas de longueurs d'onde de petites valeurs comparées à celle du diamètre de l'ouverture *BG*, ces franges de lumière sont pratiquement inexistantes, ce qui explique la propagation rectiligne.

Le principe de Huygens-Fresnel veut que la perturbation lumineuse en un point *P* puisse être reconstruite à partir de la superposition d'ondes secondaires venant des points d'une surface située entre ce point *P* et la source de lumière. Près de deux siècles plus tard, en 1882, Gustav Kirchhoff (1824-1887) justifia

ENCADRÉ 5.1(suite)

mathématiquement ce procédé en montrant qu'il constitue l'approximation d'un théorème permettant d'exprimer la solution d'une équation d'onde en un point du champ, à partir des valeurs de la solution (et de ses dérivées) à tous les points d'une surface fermée enveloppant le point P.

P.–É. O.

Références

Christiaan HUYGENS (1690). *Traité de la lumière*, Leide.

Alan E. SHAPIRO (1973). «Kinematic Optics: A Study of the Wave Theory of Light in the Seventeenth Century», *Archive for History of Exact Sciences*, *11*, 134-266.

Jean-Pierre VERDET (1978). «La théorie de la lumière de Huygens et la découverte de Römer», *Römer et la vitesse de la lumière*, Table ronde du Centre national de la recherche scientifique, Vrin, Paris, p. 169-178.

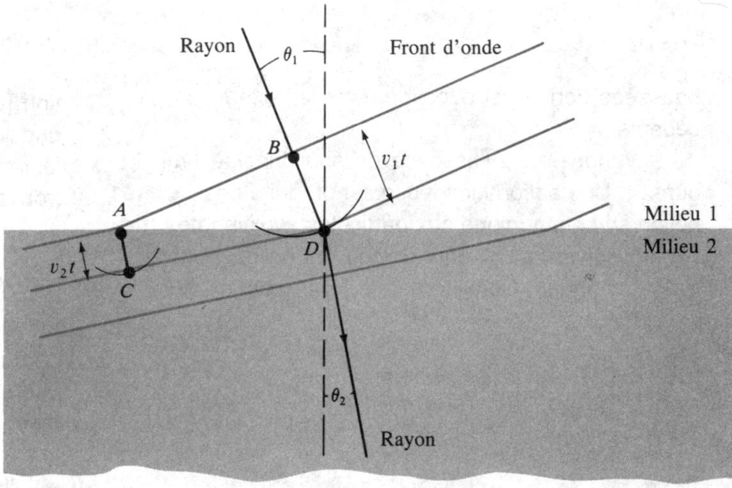

FIGURE 5.3 Description de la réfraction par le principe de Huygens.

jusqu'au point C. L'application du principe de Huygens aux points A et B donne les ondelettes représentées en C et D. Comme le front d'onde est tangent à ces deux ondelettes, le nouveau front d'onde est donc le segment de droite CD. (Notez que le front d'onde n'est jamais brisé et qu'il ne fait que s'infléchir.) C'est pourquoi les rayons (lesquels sont perpendiculaires aux fronts d'onde) dévient vers la normale si $v_2 < v_1$ (figure 5.3)†. Selon la théorie corpusculaire de Newton, c'est toutefois le contraire qui devrait se produire. Newton pensait, en effet, que le changement de direction des corpuscules de lumière entrant dans un nouveau milieu était dû à une force exercée par le milieu sur les corpuscules à la frontière. Newton pensait que cette force s'exerçait perpendiculairement à la frontière et donc qu'elle n'affectait que la composante perpendiculaire du vecteur vitesse de la lumière. Or, pour que la lumière dévie vers la normale en entrant dans un milieu tel que l'eau, la force devrait accélérer les corpuscules et augmenter ainsi la composante perpendiculaire du vecteur vitesse; ce n'est qu'à cette condition que l'angle de réfraction peut être plus petit que l'angle d'incidence. Il s'ensuit que, selon la théorie corpusculaire de Newton, la vitesse de la lumière devrait être plus grande dans le deuxième milieu ($v_2 > v_1$) en contradiction avec la théorie ondulatoire. Ce n'est que vers 1850 que le physicien français Jean Foucault put mesurer la vitesse de la lumière dans l'eau et ainsi montrer expérimentalement qu'elle était inférieure à celle de la lumière dans l'air. Mais, nous le verrons à la section suivante, la théorie ondulatoire était déjà acceptée à ce moment-là.

† Ce qui est fondamentalement similaire au cas traité dans la figure 1.20.

Il est facile de montrer que la loi de la réfraction de Descartes découle directement du principe de Huygens si la vitesse de la lumière v, dans un milieu quelconque, ne dépend que de la vitesse de la lumière dans le vide c et de l'indice de réfraction n (équation 3.1): $v = c/n$. D'après la construction de Huygens présentée à la figure 5.3, l'angle ADC est égal à θ_2 et l'angle BAD est égal à θ_1. Donc, comme les deux triangles ont le côté commun AD, nous avons:

$$\sin \theta_1 = \frac{v_1 t}{AD}, \qquad \sin \theta_2 = \frac{v_2 t}{AD}.$$

En divisant ces deux équations l'une par l'autre, on obtient:

$$\frac{\sin \theta_1}{\sin \theta_2} = \frac{v_1}{v_2},$$

ou, puisque $v_1 = c/n_1$ et $v_2 = c/n_2$,

$$n_1 \sin \theta_1 = n_2 \sin \theta_2,$$

ce qui est la loi de la réfraction de Descartes (équation 3.5). (On peut de la même façon démontrer que la loi de la réflexion découle aussi du principe de Huygens; cette démonstration fait l'objet du problème 1, à la fin du chapitre.)

Quoique la fréquence d'une onde lumineuse qui passe d'un milieu à un autre demeure constante, sa longueur d'onde varie. On peut le voir clairement à la figure 5.3, dans laquelle chacune des lignes qui représentent un front d'onde correspond à une crête d'onde. La distance entre les fronts d'onde est donc égale à la longueur d'onde et

$$\frac{\lambda_2}{\lambda_1} = \frac{v_2 t}{v_1 t} = \frac{v_2}{v_1} = \frac{n_1}{n_2}.$$

Si le milieu 1 est le vide (ou l'air), alors $n_1 = 1$, $v_1 = c$ et nous pouvons appeler λ_1 simplement λ; par conséquent, la longueur d'onde dans un autre milieu dont l'indice de réfraction est n ($= n_2$) est:

$$\lambda_n = \frac{\lambda}{n}. \tag{5.1}$$

Ce résultat concorde avec le fait que la fréquence f demeure constante, puisque $c = f\lambda$. En combinant cette dernière équation avec $v = f\lambda_n$ dans un milieu où $v = c/n$, nous obtenons $\lambda_n = v/f = c/nf = f\lambda/nf = \lambda/n$.

Habituellement, quand nous mentionnons une longueur d'onde, il s'agit de la longueur d'onde dans le vide.

5.3 L'interférence; l'expérience de la double fente de Young

En 1801, l'Anglais Thomas Young (1773-1829; figure 5.4) démontra la nature ondulatoire de la lumière et mesura même sa longueur d'onde. La figure 5.5 illustre la fameuse expérience de la double fente de Young. La lumière issue d'une certaine source (Young utilisait le Soleil) passe par une fente F dans un premier écran (produisant ainsi un étroit faisceau de rayons parallèles), puis par deux autres fentes F_1 et F_2, très proches l'une de l'autre, dans un deuxième écran. Si la lumière consistait en des particules, deux lignes brillantes devraient apparaître sur un troisième écran placé derrière les fentes (comme dans le diagramme b). Or, Young observa au contraire une série de lignes brillantes (comme dans le diagramme c) sur le troisième écran. Il montra que ce phénomène pouvait s'expliquer par les interférences entre les ondes. Voyons cela en considérant les ondes lumineuses planes d'une seule longueur d'onde (dites «monochromatiques») qui passent par les deux fentes représentées à la figure 5.6. En vertu de la loi de la diffraction, à partir des deux petites fentes, les ondes se propagent comme sur la figure, laquelle est équivalente à la figure d'interférence que produit le jet simultané de deux cailloux dans un lac (figure 1.22) ou l'émission simultanée d'ondes sonores par deux haut-parleurs (figure 2.6).

FIGURE 5.4 Thomas Young (1773-1829).

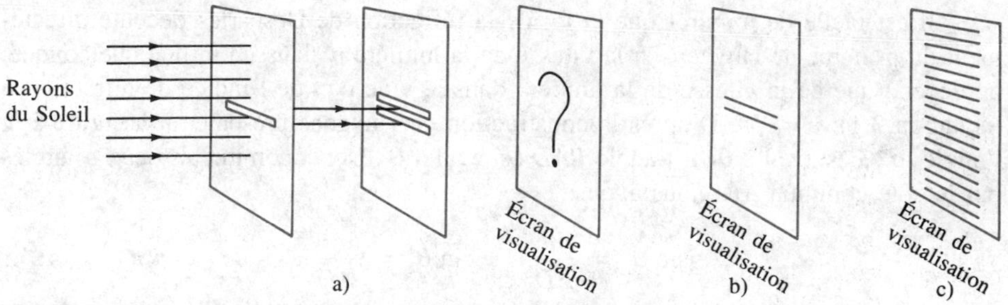

FIGURE 5.5 a) Expérience de la double fente de Young. b) Si la lumière était constituée de particules, nous devrions nous attendre à voir deux lignes brillantes sur l'écran de visualisation derrière les fentes. c) Young observa plusieurs lignes.

La figure 5.7 illustre la façon dont la figure d'interférence est produite sur l'écran. Des ondes de longueur d'onde λ passent par les fentes F_1 et F_2 séparées par une distance *d*. Après les fentes, les ondes se propagent dans toutes les directions; la figure 5.7, toutefois, n'illustre que trois directions. Le diagramme a) illustre les ondes qui atteignent le centre de l'écran ($\theta = 0$). Comme on peut le voir, les ondes issues des deux fentes

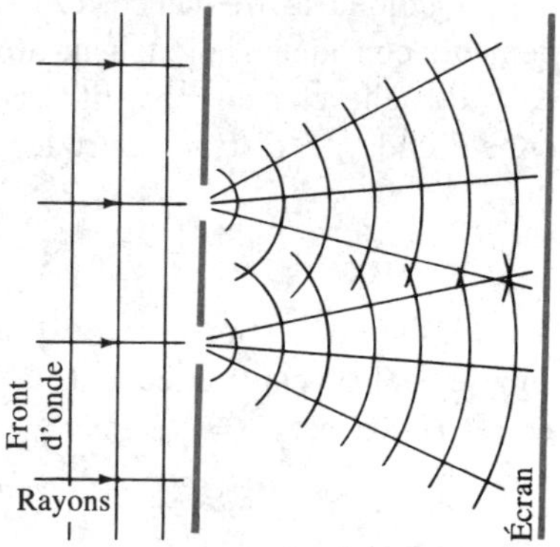

FIGURE 5.6 Si la lumière est une onde, la lumière passant par l'une des deux fentes doit interférer avec la lumière passant par l'autre fente.

parcourent la même distance et, par conséquent, sont en phase; elles interfèrent donc constructivement et une tache brillante apparaît au centre de l'écran. Il y a aussi interférence constructive entre deux rayons dont les parcours diffèrent d'une longueur d'onde (ou de tout nombre entier de longueurs d'onde) comme on peut le voir dans le diagramme b). Mais si un des rayons parcourt une distance supplémentaire d'une demi-longueur d'onde (ou $\frac{3}{2}\lambda$, $\frac{5}{2}\lambda$, et ainsi de suite), les deux ondes sont complètement déphasées lorsqu'elles atteignent l'écran; il y a donc interférence destructive et l'écran

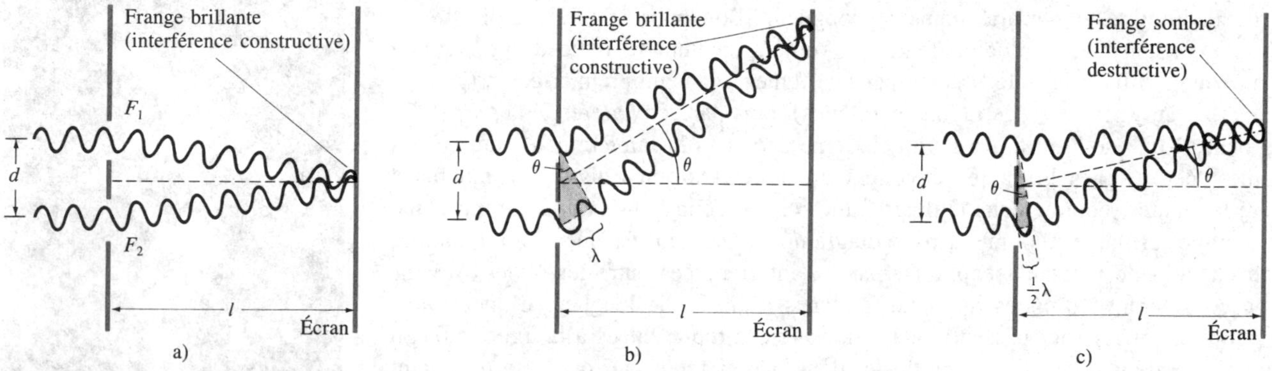

FIGURE 5.7 Explication par la théorie ondulatoire de la figure d'interférence produite par une double fente.

reste sombre en ces points (figure 5.7c). Une série de bandes brillantes et sombres (ou *franges*) apparaissent donc à l'écran.

Pour déterminer exactement où se trouvent les lignes brillantes, notons d'abord que la figure 5.7 n'est pas à l'échelle; dans l'expérience réelle, la distance d entre les fentes est très petite par rapport à la distance l entre les deux écrans. Les rayons provenant de chaque fente sont donc, dans chaque cas, pratiquement parallèles et θ est l'angle qu'ils font avec l'horizontale dans la figure 5.7). D'après le triangle rectangle ombragé dans la figure 5.7b, la distance supplémentaire parcourue par le rayon inférieur est $d \sin \theta$. Il y a *interférence constructive* à l'écran quand $d \sin \theta$ égale un nombre entier de longueurs d'onde:

$$d \sin \theta = m\lambda. \qquad m = 0, 1, 2, \ldots \qquad \begin{bmatrix}\text{interférence}\\ \text{constructive}\end{bmatrix} \tag{5.2a}$$

La valeur de m s'appelle l'**ordre** de la frange d'interférence. L'ordre zéro ($m = 0$) réfère à la frange centrale (à $\theta = 0$). L'ordre suivant ($m = 1$) réfère à la première frange de chaque côté du centre. Il y a *interférence destructive* quand la distance supplémentaire $d \sin \theta$ est $\frac{1}{2}\lambda, \frac{3}{2}\lambda$, et ainsi de suite:

$$d \sin \theta = (m + \tfrac{1}{2})\lambda. \qquad m = 0, 1, 2, \ldots \qquad \begin{bmatrix}\text{interférence}\\ \text{destructive}\end{bmatrix} \tag{5.2b}$$

La figure 5.8 montre la figure d'interférence enregistrée, lors d'une expérience semblable, sur un écran constitué d'une pellicule photographique.

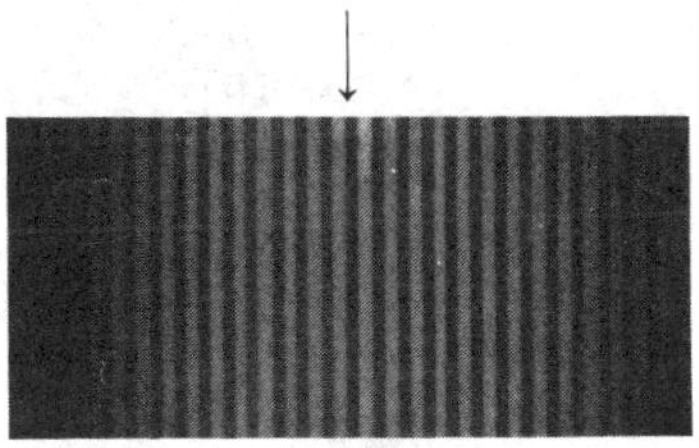

FIGURE 5.8 Franges d'interférence, résultant d'une expérience de la double fente, enregistrées par un film photographique placé sur un écran de visualisation. La flèche indique la frange zéro. (Emprunté de *College Physics,* F. W. Sears, M. W. Zemansky et Hugh D. Young, quatrième édition, © 1974, Addison-Wesley Publishing Co., Inc., Reading, Mass., Figure 42.3. Réimprimé avec autorisation.)

EXEMPLE 5.1 La distance entre un premier écran, sur lequel se trouvent deux fentes distantes de 0,100 mm, et un deuxième est de 1,20 m. De la lumière à une longueur d'onde $\lambda = 500$ nm, issue d'une source éloignée, passe par les deux fentes. Quelle est la distance approximative entre les franges brillantes sur le deuxième écran?

SOLUTION Comme $d = 0{,}100 \text{ mm} = 1{,}00 \times 10^{-4}$ m et que $l = 1{,}20$ m, la frange de premier ordre ($m = 1$) se produit à un angle θ donné par:

$$\sin \theta_1 = \frac{m\lambda}{d} = \frac{(1)(500 \times 10^{-9} \text{ m})}{1{,}00 \times 10^{-4} \text{ m}} = 5{,}00 \times 10^{-3}.$$

Comme il s'agit d'un angle très petit, nous pouvons considérer que $\sin \theta = \theta$. La frange de premier ordre se produit donc au-dessus (et au-dessous) du centre de l'écran à une distance x_1 donnée par $x_1/l = \theta_1$ et, par conséquent,

$$x_1 = l\theta_1 = (1{,}20 \text{ m})(5{,}00 \times 10^{-3}) = 6{,}00 \text{ mm}.$$

La frange de deuxième ordre ($m = 2$) se produit à

$$x_2 = l\theta_2 = l\frac{2\lambda}{d} = 12{,}0 \text{ mm}$$

au-dessus (et au-dessous) du centre, et ainsi de suite. Les franges sont donc distantes de 6,00 mm.

D'après les équations 5.2 a et b, nous pouvons voir que, sauf pour la frange d'ordre zéro au centre, la position des franges dépend de la longueur d'onde. Comme le découvrit Young, en utilisant de la lumière blanche, la frange centrale est blanche mais les franges de premier ordre (et d'ordres supérieurs) sont comme de petits arcs-en-ciel; l'expérience montre que θ est plus petit pour la lumière violette et plus grand pour la lumière rouge. En mesurant la position de ces franges, Young put, le premier, déterminer les longueurs d'onde de la lumière visible (au moyen de l'équation 5.2). Il démontra ainsi que c'est la longueur d'onde qui distingue physiquement les différentes couleurs, confirmant une idée émise par Grimaldi en 1665.

EXEMPLE 5.2 La distance entre un premier écran, sur lequel se trouvent deux fentes distantes de 0,50 mm, et un second est de 2,5 m. De la lumière blanche passe par les deux fentes. Les franges de premier ordre de la figure d'interférence ressemblent à un arc-en-ciel avec de la lumière violette d'un côté et rouge de l'autre. La lumière violette se trouve à environ 2,0 mm et la lumière rouge, à environ 3,5 mm du centre de la frange centrale blanche. Estimez les longueurs d'onde des lumières violette et rouge.

SOLUTION En nous servant de l'équation 5.2a avec $m = 1$ et $\sin\theta = \theta$, nous obtenons, pour la lumière violette en $x = 2{,}0$ mm,

$$\lambda = \frac{d\theta}{m} = \frac{d\,x}{m\,l} = \frac{(5{,}0 \times 10^{-4}\ \text{m})}{1}\frac{(2{,}0 \times 10^{-3}\ \text{m})}{(2{,}5\ \text{m})} = 4{,}0 \times 10^{-7}\ \text{m}$$

ou 400 nm. Pour la lumière rouge, $x = 3{,}5$ mm et λ est donc d'environ 700 nm.

5.4 La cohérence

Les deux fentes représentées à la figure 5.7 sont assimilables à des sources de radiation. La relation de phase entre les ondes qui en sont issues étant constante, on dit qu'il s'agit de **sources cohérentes**. Seules les sources cohérentes produisent des figures d'interférence. Si au lieu des deux fentes on avait deux petites lampes (ou si chaque fente était éclairée par une lampe différente), il n'y aurait aucune figure d'interférence. En effet, la phase de la lumière émise par l'une des lampes serait aléatoire par rapport à celle de la lumière émise par l'autre et l'écran serait donc plus ou moins uniformément éclairé. De telles sources sont appelées **sources incohérentes**. La cohérence est un phénomène très compliqué et nous n'en traiterons que brièvement. Il n'est pas nécessaire que deux faisceaux de lumière soient en phase pour être cohérents et produire une figure d'interférence. Plaçons, par exemple, devant la fente inférieure de la figure 5.7, un morceau de verre juste assez épais pour ralentir la lumière de manière à la retarder, au moment d'entrer dans la fente inférieure, d'une demi-longueur d'onde par rapport à la lumière entrant dans la fente supérieure. Quoique désormais constamment déphasés de 180°, les deux faisceaux produisent néanmoins une figure d'interférence à l'écran. (À quoi, selon vous, la figure d'interférence ressemble-t-elle? Indice: le centre est sombre et non brillant.) Deux faisceaux peuvent être cohérents, qu'ils soient ou non en phase; il doit toutefois exister une relation de phase *constante* dans le temps entre les deux faisceaux.

Il est plus facile d'obtenir des sources cohérentes de vagues ou d'ondes sonores que de lumière; par exemple, deux haut-parleurs qui émettent la même fréquence pure sont des sources cohérentes. Deux antennes reliées au même oscillateur LC peuvent aussi constituer des sources cohérentes d'ondes électromagnétiques à basses fréquences. Il n'existe toutefois pas d'oscillateurs LC pour les hautes fréquences de la lumière visible (10^{15} Hz) car il n'est pas possible d'obtenir des valeurs d'inductance L et de capacitance C suffisamment petites (équation 11.14 du tome 2). Pour les sources de lumière visible, nous devons recourir aux oscillations (ou à l'accélération) des charges électriques à l'intérieur des atomes. Par exemple, dans une lampe à incandescence, les atomes du filament sont excités par l'échauffement et se «désexcitent» en émettant des «trains» d'ondes lumineuses, dont chacun ne dure qu'environ 10^{-8} s. La lumière émise par la lampe est constituée par la superposition d'un grand nombre de tels trains d'ondes dont les relations de phase sont aléatoires. Il s'ensuit que deux lampes ne peuvent être cohérentes, donc ne peuvent produire de figure d'interférence. On peut réaliser l'expérience de la double fente avec une seule lampe en illuminant les deux fentes également par la même partie de filament; chaque train d'ondes sphériques doit passer également par les deux fentes pour que les amplitudes et les phases des faisceaux issus de chacune des fentes soient en tout temps pratiquement égales. Toutefois, lorsque la lumière issue des fentes provient de différentes parties du filament, il y a incohérence parce que les phases des trains d'ondes provenant de différentes parties (c'est-à-dire de différents atomes, lesquels constituent les sources microscopiques de la lumière) sont aléatoires; dans ce cas, la figure d'inferférence est donc brouillée jusqu'à un certain point car les deux fentes ne sont pas des sources parfaitement cohérentes.

Comme toute source macroscopique est constituée de plusieurs sources microscopiques (atomes), nous pouvons parler de la cohérence d'une source unique. Une lampe à incandescence ne constitue pas une source très cohérente parce que les relations de phase entre les ondes émises par les différentes parties du filament ne sont pas constantes. Il a fallu attendre les années 1950 pour qu'une source lumineuse vraiment cohérente soit développée: le *laser*†. En raison de sa cohérence, cette lumière produit sur un écran, au travers d'une double fente, une figure d'interférence très «nette».

La cohérence est un concept relatif. Dans un faisceau parfaitement cohérent, la lumière est parfaitement sinusoïdale (d'une seule fréquence) en tout temps; dans un faisceau complètement incohérent, la relation de phase entre les ondes est au contraire aléatoire en tout temps. On peut mesurer la «cohérence relative» d'un faisceau en fonction de la netteté de la figure d'interférence produite par deux fentes.

Les différentes fréquences présentes dans une onde affectent beaucoup la cohérence. Considérons, par exemple, deux haut-parleurs qui émettent un ton d'une fréquence pure. La phase entre les deux ondes dépend de l'endroit où a lieu l'audition (voir l'exemple 2.8) mais, en un endroit donné, la phase relative demeure constante en tout temps et les ondes sont par conséquent cohérentes. Lorsque les deux fréquences sont légèrement différentes, leur phase relative change lentement (on entend alors des battements) et elles ne sont plus cohérentes. Imaginons que les haut-parleurs émettent le même son mais que ce son comporte plusieurs fréquences (comme dans le cas de la musique) qui changent dans le temps. Si vous vous trouvez exactement à mi-chemin entre les deux haut-parleurs, les deux ondes sont toujours en phase. Mais en tout autre endroit, les deux ondes doivent parcourir des distances différentes; comme la phase relative dépend de la fréquence et que cette dernière change continuellement, la phase entre les deux ondes change donc aussi constamment, et celles-ci sont partiellement incohérentes.

5.5 Le spectre visible et la dispersion

La théorie ondulatoire de la lumière permet de rendre compte facilement des deux propriétés les plus évidentes de la lumière, soit son intensité (sa brillance) et sa couleur. L'*intensité* de la lumière dépend du carré de l'amplitude de l'onde, comme pour toute onde (voir la section 1.3 de ce tome ou les équations 12.15 et 12.17 du tome 2), et la *couleur* de la lumière dépend de sa longueur d'onde ou de sa fréquence. La longueur d'onde de la lumière visible (celle à laquelle nos yeux sont sensibles) se situe dans le

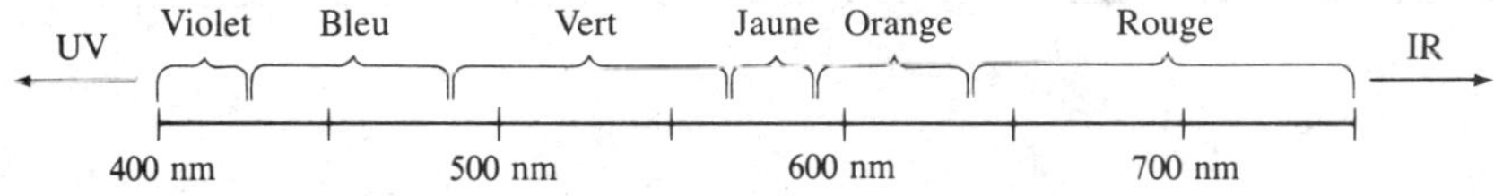

FIGURE 5.9 Le spectre de la lumière visible indiquant les longueurs d'onde des différentes couleurs.

† La façon dont un laser produit son faisceau cohérent étroit ainsi que certains usages du laser sont traités au chapitre 11.

ENCADRÉ 5.2

La couleur et la longueur d'onde

L'ouïe et la vision sont des sens analogues.

L'onde sonore fait vibrer la structure de l'oreille interne dotée de plusieurs fréquences de résonance. L'oreille interne achemine au cerveau l'information auditive codée selon la fréquence et l'intensité.

René Descartes (1596-1650) et surtout Galilée (1564-1642) ont été les premiers, au début du XVIIe siècle, à identifier la hauteur du son à la fréquence d'oscillation (fréquence avec laquelle l'air vient frapper le tympan) et à relier cette fréquence à celle de la source de l'onde sonore.

L'onde lumineuse est perçue de façon similaire par l'œil, dont la rétine comporte elle aussi des structures dotées de fréquences de résonance (trois larges bandes de fréquence qui empiètent partiellement les unes sur les autres). L'information codée selon les bandes de fréquence et leurs intensités respectives est acheminée de la rétine au cerveau et est décodée sous forme de couleurs.

C'est au milieu du XIXe siècle qu'apparurent les notions de longueur d'onde et de fréquence dans le traitement de la lumière; on commença dès lors à comprendre la chaîne des opérations en cause dans la vision des couleurs.

La couleur distincte de la lumière

Pendant longtemps on considéra que la couleur était distincte de la lumière. On croyait que lumière permettait seulement de voir la couleur des objets.

Cette conception remonte à Aristote (383-322 avant J.-C.) et prédomina largement en Occident jusqu'à l'arrivée de Descartes (1596-1650).

La couleur, coloration de la lumière

Déjà, chez Descartes, la couleur et la lumière ne sont plus des entités séparées. Le point objet envoie la lumière vers l'œil en poussant, selon une ligne droite, sur le milieu de propagation; en même temps, il communique aux parties du milieu rencontré par la lumière un mouvement circulaire dont l'état dépend de la couleur. Donc, chez Descartes, la couleur est une qualité, une réalité du rayon de lumière. Tout cela n'est cependant qu'hypothèse.

En 1672, Isaac Newton (1643-1727) rapporta une expérience devenue célèbre où il montra que la lumière du Soleil passant à travers un prisme se décompose en une suite continue de couleurs. Chacune de ces couleurs n'est plus à nouveau décomposable et leur réunion redonne la lumière blanche. Le physicien anglais conclut donc que la couleur est une qualité intrinsèque du rayon de lumière et qu'à chaque couleur correspond une valeur particulière de l'indice de réfraction. Ce classement des couleurs par leur effet (l'indice de réfraction) n'en révèle pas pour autant l'essence et n'explique pas, par exemple, en quoi le rayon rouge diffère du rayon bleu.

Newton, lors de ses expériences minutieuses, remarqua qu'une couleur pure (obtenue par décomposition de la lumière blanche au moyen du prisme) peut être reproduite par le mélange de deux autres couleurs pures. Par exemple, un rouge et un vert combinés peuvent donner un jaune. En fait, c'est l'œil qui est responsable de cet état de chose.

La couleur remplacée par la longueur d'onde

Les observations de Grimaldi (1618-1663) et de Robert Hooke (1635-1703) et les expériences sur les phénomènes d'interférence et de diffraction de Newton, de Thomas Young (1773-1829) et d'Augustin Fresnel (1788-1827) modifièrent notre façon de concevoir le rayon coloré.

La lumière blanche qui vient rencontrer une lame mince d'épaisseur variable comme une feuille de mica produit un patron de franges multicolores. Ceci s'explique très bien si on considère la lumière comme une onde dont la longueur d'onde dépend de la couleur. Chaque couleur (chaque lumière de longueur d'onde donnée) est réfléchie sur chacune des deux faces; les rayons (ondes) réfléchis interfèrent négativement ou positivement selon la couleur (la longueur d'onde) et l'épaisseur, ce qui produit le patron multicolore.

Young, qui découvrit une forme limitée de la loi de l'interférence (interférence par paires de rayons seulement), utilisa sa loi, en 1802 et 1803, pour expliquer les franges multicolores produites par les couches minces. On croit qu'il a été le premier à obtenir une valeur approximative de la longueur d'onde de la lumière, grâce justement à ces études sur les franges multicolores.

Dans ce nouveau cadre, les divers faisceaux colorés issus de la décomposition de la lumière blanche par le prisme ne se différencient que par leur longueur d'onde. Il en résulte une unification, une réunion sous le même chapeau conceptuel de toutes les lumières (les couleurs): elles sont toutes onde lumineuse, elles ont toutes le même statut.

Vers la fin du XIXe siècle, le physicien ne parlait généralement plus de couleur mais bien de longueur d'onde ou de fréquence, sauf s'il discutait de vision des couleurs.

À une lumière de longueur d'onde donnée, on peut toujours associer une couleur bien déterminée; comme Newton l'a découvert expérimentalement, l'inverse n'est pas vrai: la même couleur peut être obtenue par une seule longueur d'onde ou par un mélange de deux longueurs d'onde ou plus.

La couleur naît d'une opération combinée de l'œil et du cerveau

La théorie physiologique des couleurs tire profit des études sur le daltonisme. John Dalton (1766-1844) donna son nom à ce trouble de la perception des couleurs; il fut le premier à étudier cette déficience dont lui-même était affecté. En 1794, il publia un article sur la question. Cependant, il demeure que plus de 99,5 % des femmes et 92 % des hommes profitent d'une vision normale des couleurs.

En 1801, Thomas Young affirmait qu'il était impossible que chaque particule réceptrice de la rétine soit également sensible à toutes les fréquences de la lumière. Il supposa qu'il y avait plutôt trois sortes de récepteurs rétiniens, chacun étant sensible à une certaine bande distincte de fréquences. Ce nombre de trois n'était pas avancé au hasard. Depuis le milieu du XVIIIe siècle, certains faits laissaient soupçonner la trichromatie de la vision; par exemple, il existait déjà à Londres, vers 1719, un procédé d'impression basé sur trois couleurs.

Les suggestions de Young furent reprises et développées par Hermann von Helmholtz (1821-1894) cinquante ans plus tard.

On sait maintenant que la vision de jour (grande luminance) est possible grâce à trois sortes de récepteurs rétiniens appelés cônes, tandis qu'une seule sorte de récepteurs, les bâtonnets, facilite la vision de nuit (faible luminance), sans toutefois permettre de distinguer la couleur d'un objet.

En vision de jour, par des moyens non encore complètement élucidés, on peut juger de la couleur d'une lumière simple ou complexe en comparant les signaux envoyés par les trois cônes, qui ont chacun une sensibilité différente selon la fréquence (la longueur d'onde) de la lumière.

On peut reproduire cette même couleur par une combinaison de trois autres lumières de fréquences différentes. À cause de cela, la couleur n'est pas une signature univoque de la lumière ou de l'objet émetteur de lumière.

En conclusion, la lumière n'est plus étiquetée en couleur mais bien en longueur d'onde ou en fréquence. Par ailleurs, on juge de la couleur causée par une lumière en comparant les trois influx nerveux venant des trois récepteurs rétiniens qui ont une sensibilité différente selon les diverses composantes en longueur d'onde de cette lumière; ce sont les trois bandes de fréquence mentionnées en introduction. Dans ce sens, on peut dire que la couleur naît d'une opération combinée de l'œil et du cerveau.

P.-É. O.

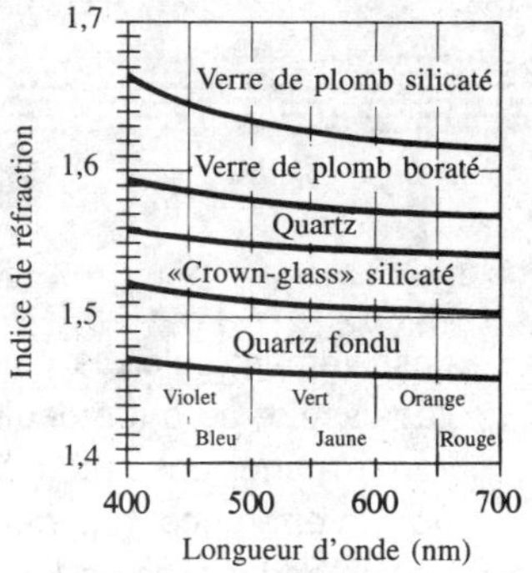

FIGURE 5.10 Indices de réfraction en fonction de la longueur d'onde.

domaine compris entre 400 nm et 750 nm environ†. Ce domaine comprend toutes les couleurs, du violet au rouge (figure 5.9) et on l'appelle le **spectre visible**. La lumière dont la longueur d'onde est plus petite que 400 nm est dite ultraviolette (UV); celle dont la longueur d'onde est plus grande que 750 nm est dite infrarouge (IR)‡. Les yeux humains ne sont pas sensibles aux rayons ultraviolets ou infrarouges, mais certains types de pellicule photographique peuvent les enregistrer.

La propriété des prismes de séparer la lumière blanche en un arc-en-ciel de couleurs est bien connue; cette propriété s'explique par le fait que l'indice de réfraction d'un matériau dépend de la longueur d'onde, comme on peut le voir à la figure 5.10 pour plusieurs matériaux. La lumière blanche est un mélange de toutes les longueurs d'onde visibles. Un prisme dévie à différents angles les rayons de différentes longueurs d'onde d'un faisceau incident de lumière blanche (figure 5.11). Comme l'indice de réfraction varie en raison inverse de la longueur d'onde, la lumière violette s'infléchit le plus et la lumière rouge le moins, comme on le voit dans la figure. Cette séparation de la lumière blanche en toutes les couleurs du spectre s'appelle **dispersion**.

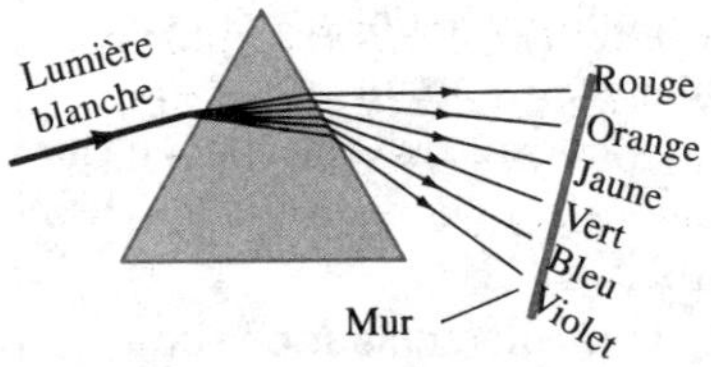

FIGURE 5.11 Séparation de la lumière blanche par un prisme en un spectre des couleurs visibles.

Les arcs-en-ciel sont des exemples spectaculaires de dispersion (par les gouttes d'eau). On les aperçoit lorsqu'on regarde tomber de l'eau au loin avec le Soleil dans le dos. La figure 5.12 montre comment les gouttelettes d'eau sphériques séparent les rayons rouges et violets en les faisant s'infléchir différemment puis en les réfléchissant sur la surface arrière des gouttelettes. Le rouge s'infléchissant moins, il n'atteint les yeux de l'observateur qu'à partir de gouttelettes situées plus haut dans le ciel. Le sommet de l'arc-en-ciel est donc rouge.

L'éclat des diamants résulte tout à la fois de la dispersion et de la réflexion totale interne. Comme leur indice de réfraction est d'environ 2,4, ce qui est incroyablement élevé, l'angle critique pour la réflexion totale interne n'est que de 25° environ. Un rayon de lumière incidente frappe donc, en moyenne, plusieurs surfaces internes avant d'en frapper une à un angle inférieur à 25° et de ressortir du diamant. Après plusieurs réflexions à l'intérieur du cristal, la distance parcourue par la lumière est assez grande

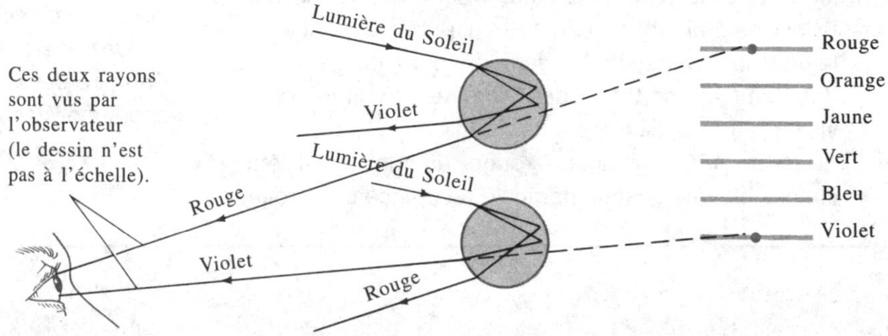

FIGURE 5.12 Formation d'un arc-en-ciel.

† On utilise parfois l'unité Angstrom (Å) lorsqu'on se réfère à la lumière: 1Å = 1 × 10^{-10} m; la lumière visible se trouve donc dans le domaine de longueurs d'onde allant de 4000 Å à 7500 Å.
‡ Le spectre électromagnétique complet est illustré à la figure 12.13 du tome 2.

pour causer une séparation importante des couleurs; celles-ci sont donc vues individuellement, d'où leur éclat.

5.6 L'intensité de la figure d'interférence produite par une double fente

Nous avons vu, à la section 5.3, que la figure d'interférence résultant du passage par deux fentes, F_1 et F_2 (figures 5.7 et 5.8), de lumière cohérente consiste en une série de franges brillantes et sombres. Si les deux ondes monochromatiques de longueur d'onde λ sont en phase aux fentes, les maxima (les points les plus brillants) se produisent aux angles θ donnés par:

$$d \sin \theta = m\lambda,$$

et les minima (les points les plus sombres) aux angles θ donnés par:

$$d \sin \theta = (m + \tfrac{1}{2})\lambda,$$

où m est un entier ($m = 0, 1, 2, ...$).

Déterminons maintenant l'intensité de la lumière à tous les points de la figure (c'est-à-dire pour tous les angles θ). Pour plus de simplicité, supposons que, si on bloque une fente, la diffraction de la lumière passant par l'autre fente est suffisante pour illuminer uniformément une grande partie de l'écran. L'intensité I de la lumière en tout point est proportionnelle au carré de l'amplitude de l'onde (section 1.3). En considérant la lumière comme une onde électromagnétique, on trouve que I est proportionnelle au carré du champ électrique E ou du champ magnétique B (section 12.7 du tome 2). Comme E et B sont proportionnels l'un à l'autre, il n'importe pas d'utiliser l'un plutôt que l'autre mais il est de convention d'utiliser E et de représenter l'intensité comme $I \propto E^2$. Le champ électrique $\vec{\mathbf{E}}$ en tout point P (figure 5.13) est la somme des vecteurs champ électrique des ondes provenant de chacune des deux fentes, $\vec{\mathbf{E}}_1$ et $\vec{\mathbf{E}}_2$. Comme $\vec{\mathbf{E}}_1$ et $\vec{\mathbf{E}}_2$ sont pratiquement parallèles, la grandeur du champ électrique à l'angle θ (c'est-à-dire au point P) est:

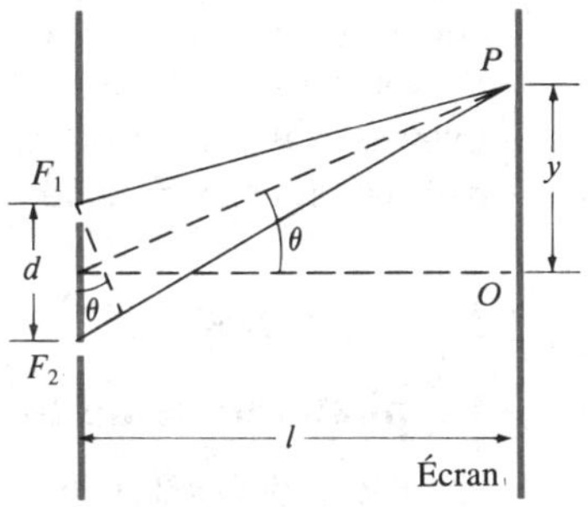

FIGURE 5.13 Détermination de l'intensité dans une figure d'interférence produite par une double fente.

$$E_\theta = E_1 + E_2.$$

E_1 de même que E_2 varient sinusoïdalement à la fréquence $f = c/\lambda$ mais leur phase relative varie comme la différence de leurs parcours depuis les fentes. On peut représenter le champ électrique en P pour la lumière provenant de chaque fente par:

$$\begin{aligned} E_1 &= E_{10} \sin 2\pi f t \\ E_2 &= E_{20} \sin (2\pi f t + \delta), \end{aligned} \tag{5.3}$$

où E_{10} et E_{20} sont leurs amplitudes respectives et δ est la différence de phase. La valeur de δ dépend de l'angle θ; déterminons donc δ en fonction de θ. Au centre de l'écran (point O), $\delta = 0$. Si la différence des longueurs des parcours de F_1 à P et de F_2 à P est $d \sin \theta = \lambda/2$, les deux ondes sont totalement déphasées et donc $\delta = \pi$ (ou 180°). Si $d \sin \theta = \lambda$, la différence de phase entre les deux ondes est de $\delta = 2\pi$. De façon générale, la relation entre δ et θ est donc:

$$\frac{\delta}{2\pi} = \frac{d \sin \theta}{\lambda}$$

ou

$$\delta = \frac{2\pi}{\lambda} d \sin \theta. \tag{5.4}$$

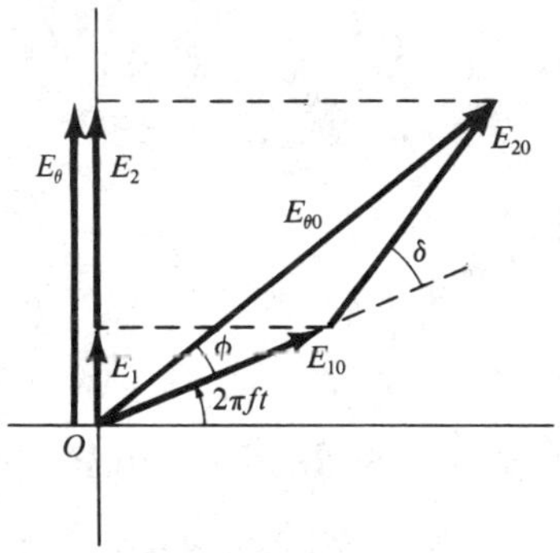

FIGURE 5.14 Diagramme des phaseurs pour la figure d'interférence produite par une double fente.

Pour déterminer $E_\theta = E_1 + E_2$, nous additionnons les deux scalaires E_1 et E_2 qui sont des fonctions sinusoïdales déphasées de δ. Une façon de déterminer la somme de E_1 et E_2 est d'utiliser la **méthode des phaseurs**. (Nous avons déjà utilisé cette technique au chapitre 11 du tome 2.) Comme le montre la figure 5.14, on trace d'abord un

ENCADRÉ 5.3

Newton et l'achromatisme

Toute lentille souffre d'aberration chromatique: les lumières de diverses couleurs ne se focalisent pas au même endroit.

Pourtant, tout système optique moderne destiné à la vision ou à la photographie est achromatique afin de produire des images non irisées, les lumières de diverses couleurs se focalisant alors au même endroit. Pour cela il faut corriger l'aberration chromatique dont souffre n'importe quelle lentille, ce qu'Isaac Newton prétendait impossible (il se trompait). On y arrive en doublant (ou même en triplant) chaque lentille d'une autre lentille dont le matériau possède une dispersion relative et un indice de réfraction différents. Ce doublet est dit achromatique.

La dispersion

Le phénomène de la dispersion

La valeur de l'indice de réfraction n d'un matériau dépend de la fréquence de la lumière, donc aussi de sa longueur d'onde, phénomène qu'on appelle dispersion. C'est pour cette raison qu'une lumière polychromatique (composée de plusieurs longueurs d'onde) passant à travers un prisme de verre ou d'un autre matériau transparent se disperse angulairement à la sortie selon ses diverses longueurs d'onde, comme le montre la figure 1. Le terme *dispersion* origine de cet effet.

FIGURE 1 Le phénomène de dispersion.

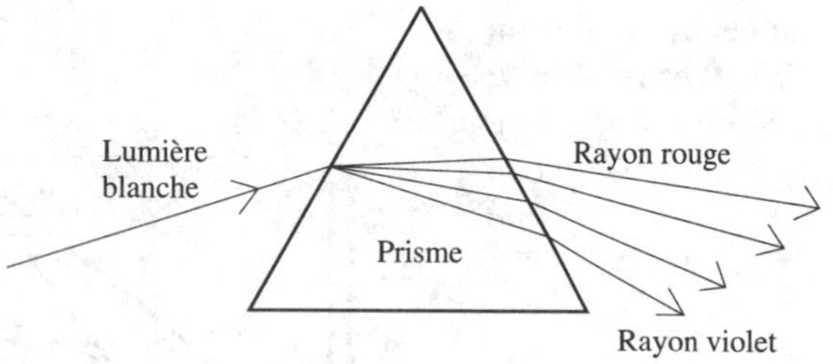

La définition de la dispersion relative

Pour de petits angles δ de déviation de la lumière au sortir d'un prisme, on a:

$$\omega = \frac{\delta_F - \delta_C}{\delta_d} = \frac{n_F - n_C}{n_d - 1}.$$

Les symboles F, C et d désignent trois raies spectrales représentatives du spectre visible et facilement reproductibles: la raie F (486,1 nm) est bleue, la raie C (656,3 nm) est rouge, et la raie d (587,6 nm) est jaune et se trouve approximativement au milieu du visible. Ces raies ont été choisies par Joseph Fraunhofer (1787-1826) et sont traitées dans l'encadré 6.2.

Le premier terme de cette équation exprime la dispersion angulaire des extrémités du domaine visible par rapport à la déviation δ de la lumière jaune (représentative du domaine du visible parce qu'elle se trouve approximativement en son milieu).

Parce qu'il est fonction des indices de réfraction qui sont caractéristiques des matériaux, on a plutôt préféré le second terme de l'équation comme définition de la dispersion relative.

On définit donc la dispersion relative ω par:

$$\omega = \frac{n_F - n_C}{n_d - 1}.$$

L'aberration chromatique

La distance focale d'une lentille dépend de l'indice de réfraction du verre dont elle est faite et, à cause de la dispersion, varie selon la longueur d'onde de la lumière. C'est pourquoi toute lentille produit une image irisée à partir d'une lumière blanche, phénomène qu'on appelle aberration chromatique (figure 2).

FIGURE 2 L'aberration chromatique.

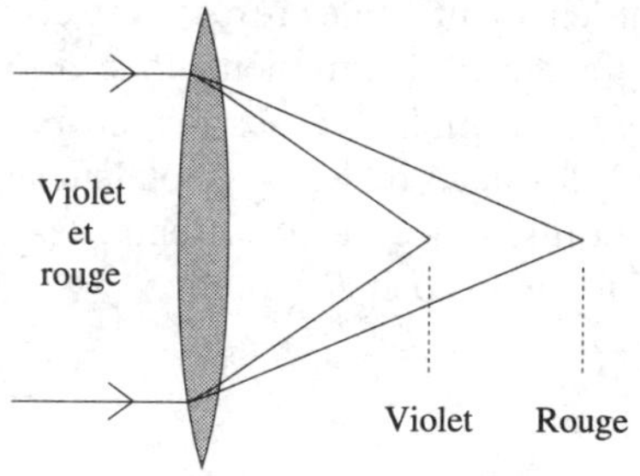

La fausse loi de dispersion de Newton

Comme il l'avait fait dans le cas de la mécanique et de la gravitation, Newton (1643-1727) rêvait de concevoir une théorie mathématique de la lumière. Il consacra beaucoup de temps à la recherche d'une loi pouvant rendre compte d'une façon unifiée des couleurs de la lumière, donc de la dispersion de la lumière blanche à travers le prisme. Il opta finalement pour une loi où la dispersion relative (telle qu'elle est définie précédemment) était la même pour tout matériau. Il n'apporta comme confirmation qu'une expérience, où seuls deux matériaux (l'eau et le verre) étaient considérés.

Newton obtenait ainsi une théorie unifiée où l'indice moyen de réfraction de la lumière (approximativement celui de la lumière jaune) dépendait du matériau, mais où l'étalement angulaire à la sortie du prisme demeurait une propriété intrinsèque de la lumière, puisque la dispersion relative y était indépendante du matériau.

La correction de l'aberration chromatique et la loi de dispersion de Newton

On peut espérer corriger l'aberration chromatique d'une lentille convergente en la doublant d'une lentille divergente. La première ferait converger différemment les diverses couleurs; la seconde, tout en n'annulant pas totalement l'effet de la première, pourrait permettre la convergence des rayons bleu et rouge au même point.

Comme la dispersion relative rend compte (approximativement en tout cas) de la variation relative de déviation angulaire entre le bleu et le rouge, la dispersion relative du matériau de la lentille divergente doit être de valeur différente de celle du matériau de la lentille convergente. Autrement, pour avoir une dispersion nulle des couleurs, il faudrait ramener à zéro la convergence totale du doublet formé par les deux lentilles.

La correction de l'aberration chromatique est donc impossible selon la loi de Newton, où la dispersion relative est indépendante de la nature du matériau.

Newton avait une autre raison de croire à l'impossibilité de corriger cette aberration; en effet, il venait d'inventer un télescope réflecteur, dont l'objectif n'était entaché d'aucune aberration chromatique.

En 1749, environ 45 ans après que Newton eut publié sa loi de la dispersion, Leonahrd Euler (1707-1783) publiait une première tentative de solution au problème de l'aberration chromatique. Les travaux du mathématicien suisse furent vivement contestés par l'opticien anglais John Dollond (1706-1761) qui s'indignait qu'on puisse mettre ainsi en doute l'expérience de Newton attestant de la validité de sa loi de la dispersion et de l'impossibilité de corriger cette aberration. Peu de temps après, Samuel Klingenstierna (1698-1765) faisait remarquer à Dollond certaines incohérences dans le traitement que faisait Newton de la dispersion, si bien que, quelques années plus tard, Dollond se mettait à l'œuvre et fabriquait ses premiers doublets achromatiques. Autour de 1760, les Euler, Clairaut (1713-1765), d'Alembert (1717-1783) et Boscovic (1711-1787) mirent au point la théorie moderne de l'achromatisme.

La vraie loi de dispersion

La loi de dispersion de Newton est fausse puisque la dispersion relative d'un matériau dépend en fait de la nature de ce matériau.

La vraie loi de la dispersion trouve son explication dans l'interaction entre la lumière et la matière. On l'exprime par une relation entre l'indice de réfraction et la longueur d'onde de la lumière.

La relation obtenue est compliquée mais expliquée théoriquement dans ses moindres détails. Le graphique présente des pics; du côté d'un pic où la pente est négative, la dispersion est dite normale; de l'autre côté, on la dit anormale. Chacun de ces pics démontre une interaction forte entre la lumière et les molécules ou les atomes du milieu, comme dans le cas où un système oscillant (un pendule par exemple) est excité à sa fréquence naturelle. Pour des matériaux comme l'eau, l'air et le verre, les pics se retrouvent dans l'infrarouge et dans l'ultraviolet; dans le domaine visible, la pente est positive et la dispersion est normale (figure 3).

La correction de l'aberration chromatique

La correction de l'aberration chromatique est d'autant plus facile que l'on utilise deux matériaux dont les dispersions relatives ont des valeurs très différentes. Le doublet achromatique est construit d'un verre *flint* et d'un verre *crown*. La valeur du nombre d'Abbe (l'in-

FIGURE 3 La courbe d'indice de réfraction d'un verre typique.

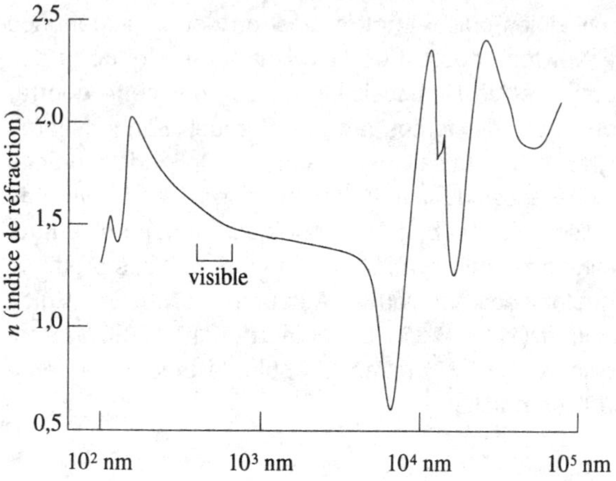

FIGURE 4 Doublet achromatique convergent.

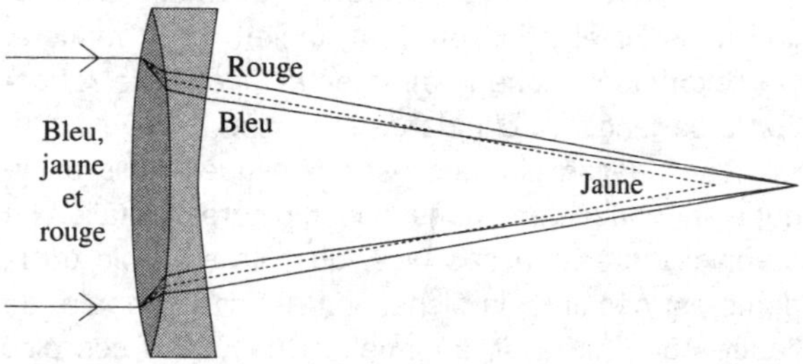

verse de la dispersion relative) des verres *crown* varie entre 20 et 50. Celle des *flint* varie entre 50 et 85.

Le calcul d'un doublet achromatique fait intervenir la différence entre les nombres d'Abbe des matériaux respectifs des deux lentilles, l'une convergente et l'autre divergente. Le doublet peut être convergent, comme celui de la figure 4, ou divergent.

Il faut mentionner que l'achromatisme n'est jamais parfait, bien que la distance focale du doublet soit strictement la même pour deux longueurs d'onde, choisies généralement aux extrémités du domaine visible (couleurs bleue et rouge). Pour un doublet achromatique typique, la valeur de la distance focale au centre du domaine sera différente d'au plus 1/2000; cette variation est de 30 à 40 fois plus grande dans le cas d'une lentille ordinaire.

Il est possible de corriger l'aberration chromatique pour trois longueurs d'onde et, par le fait même, de diminuer davantage la variation de la distance focale: on se retrouve alors avec un groupe de trois lentilles, soit un triplet apochromatique.

FIGURE 5 Le doublet achromatique et le triplet apochromatique.

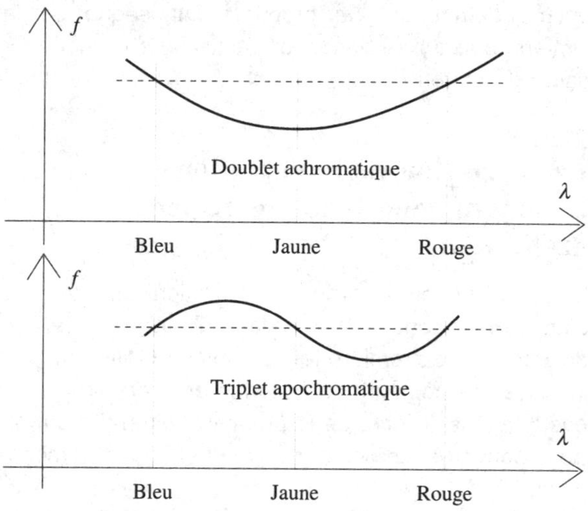

La figure 5 montre la variation de la distance focale f selon la longueur d'onde λ, pour un doublet achromatique et un triplet apochromatique.

On doit se féliciter que Newton ait eu tort; autrement, les systèmes optiques n'auraient jamais atteint leur perfection actuelle.

P.–É. O.

Références

Zev BECHLER (1975). «'A Less Agreeable Matter': The Disagreeable Case of Newton and Achromatic Refraction», *The British Journal for the History of Science*, *8*, 101-126.

Isaac NEWTON (1787). *Optique*, traduit de l'anglais par Jean-Paul Marat (1717), 2e édition.

Alan E. SHAPIRO (1979). «Newton's "Achromatic" Dispersion Law: Theoretical Background and Experimental Evidence», *Archive for History of Exact Sciences*, *21*, 91-128.

vecteur, appelé phaseur, de longueur E_{10} représentant l'amplitude de E_1 (équation 5.3), puis on trace à un angle fixe δ avec E_{10} un phaseur de longueur E_{20} représentant l'amplitude de E_2. Quand le diagramme tourne à une fréquence f autour de l'origine, les projections de E_{10} et de E_{20} sur l'axe vertical représentent E_1 et E_2 en fonction du temps (équation 5.3). Appelons $E_{\theta 0}$ la somme «vectorielle»† de E_{10} et E_{20}; c'est l'amplitude de la somme $E_\theta = E_1 + E_2$ et la projection de $E_{\theta 0}$ sur l'axe vertical donne E_θ. Si l'intensité de lumière émise par chacune des deux fentes est la même, de sorte que $E_{10} = E_{20} = E_0$, alors d'après le diagramme $\phi = \delta/2$, et nous obtenons:

$$E_\theta = E_{\theta 0} \sin\left(2\pi f t + \frac{\delta}{2}\right); \qquad (5.5a)$$

d'après le diagramme, nous voyons aussi que

$$E_{\theta 0} = 2E_0 \cos\phi = 2E_0 \cos\frac{\delta}{2}, \qquad (5.5b)$$

où δ est donné par l'équation 5.4.

La variation de E_θ en fonction du temps ne nous intéresse pas vraiment, car la fréquence de la lumière visible (de 10^{14} à 10^{15} Hz) est beaucoup trop haute pour que nous puissions la remarquer. Nous ne percevons que l'intensité moyenne qui est proportionnelle au carré de l'amplitude, $E_{\theta 0}^2$. Laissons tomber maintenant le mot «moyenne» et posons que I_θ ($I_\theta \propto E_\theta^2$) est l'intensité au point P à un angle θ avec l'horizontale; posons aussi que I_0 est l'intensité au point O, le centre de l'écran, où $\theta = \delta = 0$, de sorte que $I_0 \propto (E_{10} + E_{20})^2 = (2E_0)^2$. Le rapport I_θ/I_0 est donc égal au rapport des carrés des amplitudes des champs électriques en ces deux points:

$$\frac{I_\theta}{I_0} = \frac{E_{\theta 0}^2}{(2E_0)^2} = \cos^2\frac{\delta}{2},$$

où nous avons utilisé l'équation 5.5b. La relation entre l'intensité I_θ en tout point et l'intensité maximale au centre de l'écran est donc:

$$I_\theta = I_0 \cos^2\frac{\delta}{2}, \qquad (5.6)$$

où δ est donné par l'équation 5.4. C'est la relation que nous cherchions. D'après l'équation 5.6, nous voyons que les maxima se produisent quand $\cos\delta/2 = \pm 1$, ce qui correspond à $\delta = 0, 2\pi, 4\pi, ...$; d'après l'équation 5.4, δ a ces valeurs quand:

$$d\sin\theta = m\lambda, \qquad m = 0, 1, 2, ...$$

Les minima se produisent en $\delta = \pi, 3\pi, 5\pi, ...$, ce qui correspond à

$$d\sin\theta = (m + \tfrac{1}{2})\lambda, \qquad m = 0, 1, 2, ...$$

Nous avions déjà obtenu ces résultats à la section 5.3. Toutefois, non seulement nous connaissons maintenant les positions des maxima et des minima, mais nous pouvons aussi déterminer, à l'aide de l'équation 5.6, l'intensité en tout point.

Si la distance l des fentes à l'écran est grande devant la distance entre les fentes d ($l >> d$), et si nous ne considérons que les points P dont la distance y du centre (point O) est petite par rapport à l ($y << l$) (voir la figure 5.13) alors

$$\sin\theta = \frac{y}{l},$$

d'où nous tirons que

$$\delta = \frac{2\pi d}{\lambda\, l}\, y.$$

† Nous n'additionnons pas les vecteurs champ électrique véritables; nous additionnons plutôt les «phaseurs» de manière à obtenir l'amplitude, en tenant compte de la différence de phase des deux ondes.

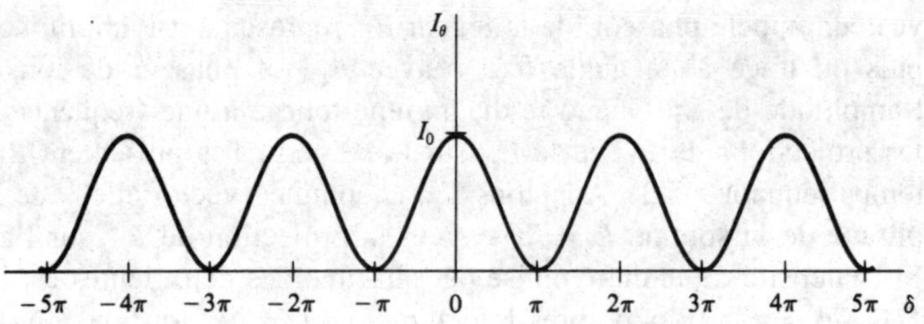

FIGURE 5.15 Intensité I en fonction de la différence de phase δ ou de la position y sur l'écran (en supposant $y << l$).

L'équation 5.6 devient alors

$$I_\theta = I_0\left[\cos\left(\frac{\pi d}{\lambda l}y\right)\right]^2. \qquad [y << l,\ d << l] \tag{5.7}$$

La figure 5.15 représente l'intensité I_θ en fonction de la différence de phase δ. Dans l'approximation de l'équation 5.7, l'axe horizontal pourrait tout aussi bien être y, la position sur l'écran.

La figure d'intensité décrit par les équations 5.6 et 5.7 et représentée à la figure 5.15 montre une série de maxima d'égale hauteur et repose sur l'hypothèse que chaque fente, prise seule, peut illuminer l'écran uniformément, ce qui n'est jamais tout à fait exact, comme il est dit au chapitre suivant, qui traite de la diffraction. Nous verrons, en effet, que le maximum du centre est le plus élevé et que chaque maximum successif, de chaque côté, est de moins en moins élevé.

5.7 L'intensité des sources cohérentes et incohérentes

Considérons brièvement la figure d'intensité qui résulterait du remplacement des deux fentes par deux sources *incohérentes* d'égales intensités ($E_{10} = E_{20} = E_0$). Supposons encore une fois qu'il y a illumination uniforme de l'écran. La différence de phase δ entre les deux ondes varie de façon aléatoire en tout point P; nous devons donc utiliser la moyenne sur le temps de $\cos^2 \delta/2$ dans l'équation 5.6, qui est $\frac{1}{2}$. L'intensité, I_{inc}, due à deux sources incohérentes est donc:

$$I_{inc} = \tfrac{1}{2} I_{coh},$$

où I_{coh} est l'intensité due à deux sources cohérentes au maximum (I_{coh} est le I_0 de l'équation 5.6). On peut parvenir au même résultat (lequel est vérifié expérimentalement) d'une autre manière: quand les sources sont cohérentes, leurs amplitudes s'additionnent et on obtient l'intensité en élevant au carré l'amplitude résultante:

$$I_{coh} \propto (E_{10} + E_{20})^2,$$

comme dans la section précédente. Mais si les sources sont incohérentes, l'intensité produite par chaque source est sans relation avec l'autre et les deux intensités s'additionnent:

$$I_{inc} \propto E_{10}^2 + E_{20}^2;$$

c'est-à-dire qu'il faut mettre les amplitudes au carré et *ensuite* les additionner. Si $E_{10} = E_{20} = E_0$, alors les deux relations ci-dessus deviennent:

$$I_{coh} \propto (2E_0)^2 = 4E_0^2$$

$$I_{inc} \propto E_0^2 + E_0^2 = 2E_0^2,$$

si bien que

$$I_{inc} = \tfrac{1}{2} I_{coh},$$

ce qui concorde avec notre résultat antérieur.

Il convient de noter que l'énergie totale projetée sur l'écran est identique dans les deux cas, cohérent et incohérent (si les sources sont de même intensité). Pour deux sources incohérentes, l'énergie est distribuée uniformément avec une intensité $\frac{1}{2}I_0$. Pour deux sources cohérentes, l'énergie est distribuée sinusoïdalement mais la moyenne demeure de $\frac{1}{2}I_0$, de sorte que la valeur moyenne de $\cos^2 \delta/2$ dans l'équation 5.6 est de $\frac{1}{2}$. Nos résultats sont donc en accord avec la conservation de l'énergie.

5.8 L'interférence dans les couches minces

L'interférence de la lumière permet d'expliquer de nombreux phénomènes faciles à observer, telles les couleurs des bulles de savon et celles des pellicules d'huile sur l'eau. Pour comprendre, imaginons une mince couche d'huile à la surface de l'eau (figure 5.16) dont la surface supérieure réfléchit en C un rayon de lumière venant d'un point lumineux et dont la surface inférieure en réfléchit un autre (venant du même point lumineux) en B, ce dernier repassant par C. Le rayon réfléchi par la surface inférieure parcourt la distance supplémentaire ABC. Si la distance ABC est égale à une longueur d'onde ou à un nombre entier de longueurs d'onde, les deux rayons qui sont cohérents (provenant du même point lumineux) interfèrent de façon constructive, ce qui augmente l'intensité de la lumière réfléchie†. Par contre, si ABC égale $\frac{1}{2}\lambda$, $\frac{3}{2}\lambda$, et ainsi de suite, les deux rayons sont déphasés et interfèrent de façon destructive. La longueur d'onde λ à considérer dans ce calcul est celle dans la couche (voir l'équation 5.1).

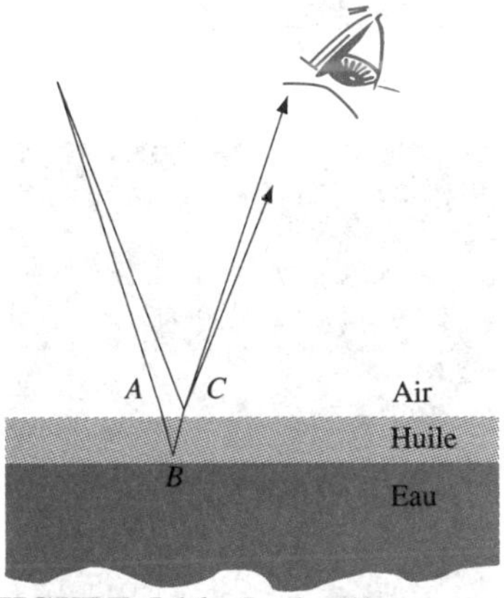

FIGURE 5.16 La lumière réfléchie par les surfaces supérieure et inférieure d'une mince pellicule d'huile sur l'eau.

Soit de la lumière blanche qui vient d'un point lumineux et qui frappe une telle couche mince d'inégale épaisseur; ce n'est que pour certains points de la couche que la longueur du parcours ABC égale λ (ou $m\lambda$, avec m = un entier). La couleur correspondante est alors dominante en ces points. La couleur d'une région de la couche dépend donc de l'épaisseur à cet endroit. Si la source de lumière est étendue, chacun des points lumineux envoie deux rayons interférant en C. Comme l'ouverture de l'œil est petite et que la couche est mince (de l'ordre de λ), l'œil ne reçoit du point C que des rayons venant d'un petit groupe de points lumineux voisins, et la longueur ABC est presque la même pour chacun des couples de rayons venant de ces points lumineux. La couche mince présente donc pour une source étendue la même apparence que pour une source ponctuelle, avec des couleurs beaucoup plus intenses cependant.

Lorsqu'on superpose, comme dans la figure 5.17, une surface de verre courbe à une surface de verre plat, toutes deux éclairées d'en haut avec de la lumière monochromatique, il se produit une série d'anneaux concentriques appelés **anneaux de Newton**‡. Ce phénomène s'explique par l'interférence entre les rayons réfléchis par les

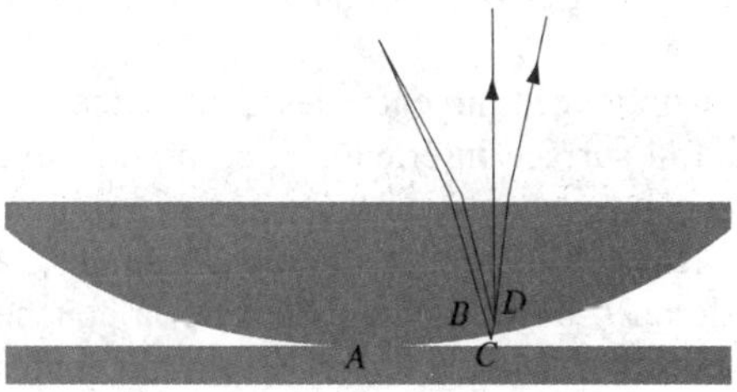

a)

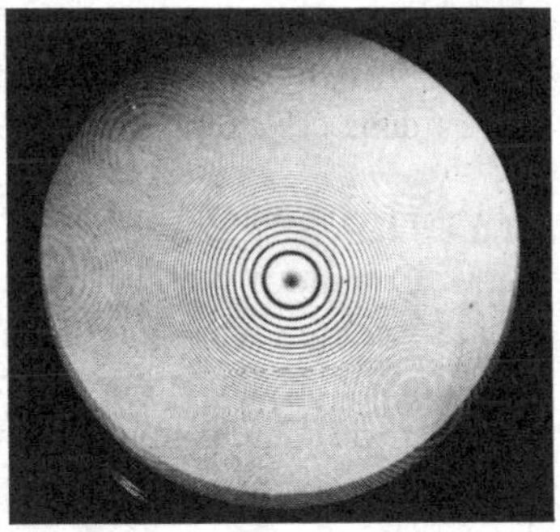

b)

FIGURE 5.17 Anneaux de Newton. (Les moirures circulaires en différents endroits de la photographie des anneaux résultent du procédé d'impression. La photographie est une gracieuseté de Bausch & Lomb Incorporated.)

† Comme nous en discutons brièvement, ceci est vrai si l'indice de réfraction de l'huile est plus petit que celui de l'eau.

‡ Quoique Newton en donna une description élaborée, ces anneaux avaient d'abord été observés et décrits par son contemporain Robert Hooke. Newton ne se rendait pas compte qu'ils constituaient des arguments en faveur de la théorie ondulatoire de la lumière.

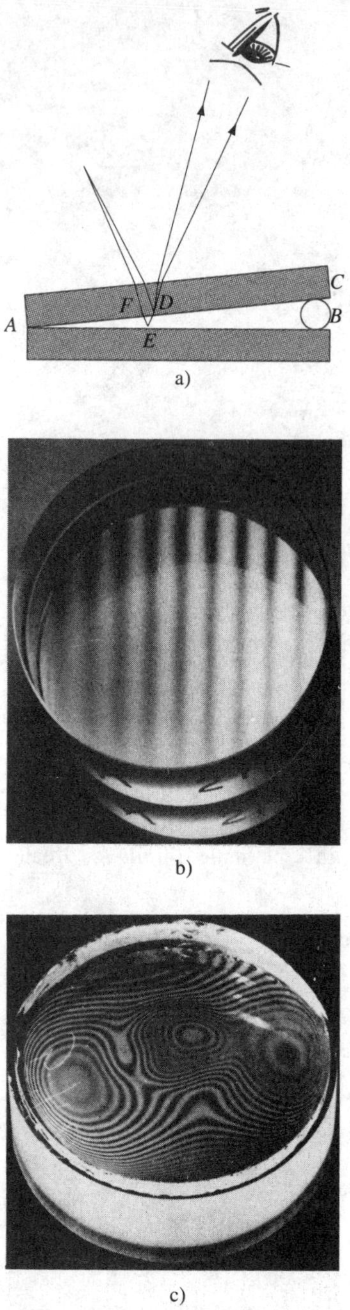

FIGURE 5.18 a) L'interférence des rayons de lumière réfléchis par les surfaces supérieure et inférieure d'un mince coin optique d'air produit des lignes brillantes et sombres. b) La figure d'interférence qu'on observe quand les lames de verre sont optiquement planes (gracieuseté de The Van Keuren Co.). c) La figure d'interférence qu'on observe quand les lames ne sont pas parfaitement planes (gracieuseté de Bausch & Lomb Incorporated).

surfaces supérieure et inférieure de la *couche d'air* entre les deux surfaces de verre. Comme l'épaisseur de cette couche augmente du point de contact central jusqu'à la périphérie, le parcours supplémentaire (égale à BCD) des rayons réfléchis par la surface inférieure varie avec la distance depuis le point de contact A. Toutes les fois où ce parcours est égal à 0, $\frac{1}{2}\lambda$, λ, $\frac{3}{2}\lambda$, 2λ, et ainsi de suite, il se produit de l'interférence soit constructive soit destructive, ce qui cause la série de cercles brillants et sombres qu'on voit à la figure 5.17b.

Dans la figure 5.17b, le point central, correspondant au point de contact des deux surfaces de verre (A dans la figure 5.17a), est sombre. Or, on pourrait s'attendre à ce que les rayons réfléchis par chaque surface en ce point soient en phase et que le point, en conséquence, soit brillant, puisque la différence de marche (ou différence de parcours) est nulle en ce point. Mais le point est sombre, ce qui indique que les deux rayons sont déphasés de 180°; il faut donc nécessairement qu'une des ondes subisse, en se réfléchissant, un déphasage de 180°. De fait, cette expérience, parmi d'autres, montre qu'*un faisceau de lumière réfléchi par un milieu dont l'indice de réfraction est plus grand que celui du milieu dans lequel le faisceau voyage subit un déphasage de 180°.* Lorsque l'indice est plus petit que celui du milieu dans lequel le faisceau voyage, il ne se produit aucun déphasage. (On peut démontrer cette loi à l'aide des équations de Maxwell; la situation que la loi décrit correspond à la réflexion d'une onde qui se propage le long d'une corde faite de deux sections, chacune d'une masse linéique différente; quand la seconde section est plus lourde que la première, l'onde réfléchie à la frontière est inversée, comme nous l'avons vu à la figure 1.17, et quand, au contraire, elle est plus légère, l'onde ne change pas de phase.) Par conséquent, le rayon réfléchi par la surface courbe au-dessus de la couche d'air, dans la figure 5.17a, ne subit aucun déphasage; celui qui est réfléchi par la surface inférieure, où le faisceau dans l'air frappe le verre, subit un changement de phase de 180°. Les deux rayons réfléchis au point de contact A des deux surfaces de verre (où l'épaisseur de la couche d'air avoisine zéro) sont déphasés de 180°, ou $\frac{1}{2}\lambda$, et un point sombre se produit en cet endroit. Les lignes sombres se produisent toutes les fois où la différence de marche, BCD dans la figure 6.17a, égale un nombre entier de longueurs d'onde. Et les lignes brillantes se produisent toutes les fois où la différence de marche égale $\frac{1}{2}\lambda$, $\frac{3}{2}\lambda$, et ainsi de suite, étant donné que le changement de phase à la surface inférieure ajoute en fait un autre $\frac{1}{2}\lambda$.

EXEMPLE 5.3 Un fil très mince de $7{,}35 \times 10^{-3}$ mm de diamètre est placé entre les deux lames de verre planes représentées à la figure 5.18a. Une lumière dont la longueur d'onde dans l'air est de 600 nm frappe perpendiculairement les lames et est observée perpendiculairement à elles; il en résulte l'apparition de bandes brillantes et sombres (figure 5.18b). Combien de bandes brillantes et sombres sont-elles produites dans cet exemple? La région avoisinant le fil est-elle brillante ou sombre?

SOLUTION La couche mince est un coin optique d'air entre les deux lames de verre. Comme il y a changement de phase à la surface inférieure, il se produit une bande sombre toutes les fois où la différence de marche est de 0, λ, 2λ, 3λ, et ainsi de suite. Étant donné que les rayons de lumière sont perpendiculaires aux lames, la longueur de marche supplémentaire est égale à $2t$, où t est l'épaisseur de la couche d'air en un point quelconque. Par conséquent, une bande sombre se produit toutes les fois où

$$2t = m\lambda. \qquad m = 0, 1, 2, \ldots$$

Une bande brillante se produit toutes les fois où $2t = (m + \frac{1}{2})\lambda$, où m est un entier. À la position du fil, $t = 7{,}35 \times 10^{-6}$ m. À ce point, il y a $(2)(7{,}35 \times 10^{-6}\ \text{m})/(6{,}00 \times 10^{-7}\ \text{m}) = 24{,}5$ longueurs d'onde. Comme il s'agit d'un «demi-entier», la région avoisinant le fil est brillante. On peut donc voir sur les lames un total de 25 bandes sombres correspondant aux longueurs de marche 0λ, 1λ, 2λ, 3λ, ... 24λ, comprenant celle due au point de contact A ($m = 0$). On peut aussi voir 24 bandes brillantes, entre les bandes sombres, plus une autre à la fin, soit un total de 25. Les bandes brillantes et sombres ne sont rectilignes que si les surfaces des lames de verre sont extrêmement planes. Quand ce n'est pas le cas, les bandes ne sont pas rectilignes (figure 5.18c). Ce qui donne un moyen très précis de vérifier si une surface est plane.

Si l'espace entre les deux lames de verre de l'exemple 5.3 est rempli d'une substance transparente autre que l'air (l'eau, par exemple), la figure d'interférence change. Ceci s'explique par le fait que la longueur d'onde de la lumière change. Dans un milieu où l'indice de réfraction est n, la longueur d'onde est $\lambda_n = \lambda/n$, où λ est la longueur d'onde dans le vide. Si donc on remplit d'eau le mince espace entre les lames de l'exemple 5.3, $\lambda_n = 600\ \text{nm}/1{,}33 = 450\ \text{nm}$, et il se produit 33 bandes sombres au lieu de 25.

Si, au lieu d'être monochromatique, la lumière incidente dans les figures 5.17a ou 5.18a est blanche, on voit alors une série de bandes de couleur. Celles-ci s'expliquent car l'interférence constructive se produit à différents endroits de la pellicule pour différentes longueurs d'onde. La variation d'épaisseur explique en partie les couleurs brillantes d'une bulle de savon ou d'une mince couche d'huile à la surface d'une mare d'eau ou d'un lac; la longueur d'onde qui apparaît la plus brillante en un point donné dépend aussi de l'angle de vision, comme nous l'avons mentionné plus haut.

EXEMPLE 5.4 Une bulle de savon est verte ($\lambda = 540$ nm) en son point le plus rapproché de l'observateur. Quelle est son épaisseur minimale? Supposez que $n = 1{,}35$.

SOLUTION Au point le plus rapproché, la lumière est réfléchie perpendiculairement à la surface sphérique. Par conséquent, la différence de marche est de $2t$, où t est l'épaisseur de la pellicule de savon. La lumière réfléchie par la surface externe de la pellicule subit un déphasage de 180° alors que celle réfléchie par la surface interne n'en subit aucun. La couleur dominante est donc le vert quand la différence de marche minimale égale $\frac{1}{2}\lambda$. Ainsi, $2t = \lambda/2n$ et $t = 540\ \text{nm}/(4)(1{,}35) = 100\ \text{nm}$. Cette valeur est l'épaisseur minimale. La bulle serait aussi verte si $2t = 3\lambda/2n$, et ainsi de suite.

Une application importante de l'interférence dans les couches minces consiste à donner au verre, particulièrement aux lentilles, un revêtement «anti-reflets». Le verre réfléchit environ 4 % de la lumière incidente. Les instruments d'optique, notamment les appareils photo et les microscopes de bonne qualité, peuvent contenir de six à dix lentilles minces. La somme des réflexions à chaque surface peut réduire considérablement la quantité de lumière; de plus, les réflexions multiples produisent un bruit de fond qui réduit la qualité de l'image. L'application d'un très mince revêtement sur les surfaces des lentilles permet de diminuer énormément ce problème. La fraction de lumière réfléchie à une frontière dépend de la différence des indices de réfraction de chaque milieu. Idéalement, l'indice de réfraction du revêtement devrait être égal à la moyenne géométrique de ceux de l'air et du verre; de cette façon, la quantité de lumière réfléchie à chaque surface est presque égale. Alors, la lumière réfléchie peut interférer de façon presque complètement destructive, pour une longueur d'onde particulière, selon l'épaisseur du revêtement. Les longueurs d'onde voisines interfèrent de façon destructive au moins partiellement, mais il est clair qu'un seul revêtement ne peut éliminer les réflexions à toutes les longueurs d'onde. Néanmoins, un seul revêtement peut diminuer la réflexion totale de 4 % à 1 % de la lumière incidente. Souvent, le revêtement est conçu pour éliminer la réflexion au centre du spectre (environ 550 nm); les longueurs d'onde aux extrémités du spectre (rouge et violet) ne sont pas autant réduites. Comme un mélange de rouge et de violet produit du mauve, les reflets de lumière sur ces lentilles apparaissent mauves. Les lentilles à deux ou trois revêtements superposés d'épaisseurs différentes réduisent encore davantage les reflets d'un éventail plus large de longueurs d'onde.

EXEMPLE 5.5 Un revêtement optique de MgF_2, dont l'indice de réfraction est $n = 1{,}38$, est conçu pour éliminer les réflexions aux longueurs d'onde centrées à 550 nm à un angle d'incidence de 90° sur du verre; quelle est l'épaisseur du revêtement si l'indice de réfraction du verre est de $n = 1{,}50$?

SOLUTION La lumière réfléchie sur les surfaces avant et arrière du revêtement subit un déphasage de 180°. Par conséquent, si l'angle d'incidence est de 90°, l'épaisseur du revêtement doit être égal à un nombre demi-entier de longueurs d'onde pour qu'il y ait interférence destructive. C'est-à-dire que $2t = (m + \frac{1}{2})\lambda$, où m est un entier. On choisit d'ordinaire l'épaisseur minimale ($m = 0$) parce qu'il y a alors interférence destructive pour un éventail de longueurs d'onde plus large. Par conséquent, $t = \lambda_n/4 = \lambda/4n = (550\ \text{nm})/(4)(1{,}38) = 99{,}6\ \text{nm}$.

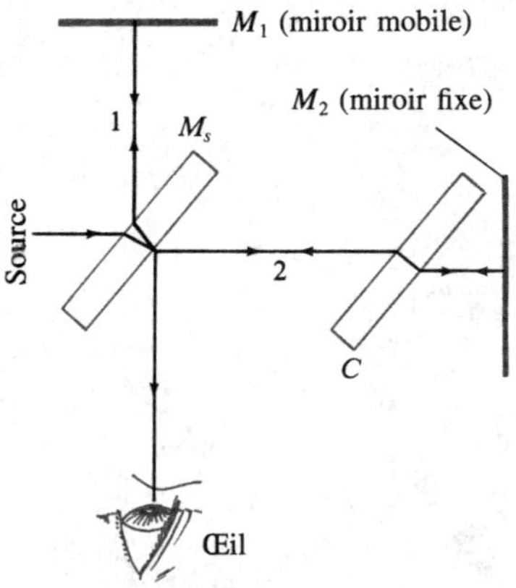

FIGURE 5.19 Interféromètre de Michelson.

5.9 L'interféromètre de Michelson

Le principe de fonctionnement de l'*interféromètre de Michelson* (figure 5.19)‡, inventé par l'Américain Albert A. Michelson (section 3.2), repose sur l'interférence dans les couches minces. La lumière monochromatique provenant d'un point donné d'une source étendue frappe un miroir semi-transparent M_s (appelé le *diviseur de faisceau*). Une moitié du faisceau est transmise vers un miroir fixe M_2 où elle est réfléchie et l'autre moitié se réfléchit sur M_s jusqu'à un miroir M_1, qui peut être bougé au moyen d'une vis micrométrique. Au retour, une partie du faisceau 1 traverse M_s et atteint l'œil, alors qu'une partie du faisceau 2 est réfléchie dans l'œil. (Une plaque de compensation C en verre transparent, habituellement découpée sur la même plaque que M_s, est placée sur le trajet du faisceau 2 de façon à ce que les deux faisceaux traversent la même épaisseur de verre, à une fraction de longueur d'onde près.) Si les longueurs des deux trajets sont identiques, les deux faisceaux cohérents qui entrent dans l'œil interfèrent constructivement. Si on déplace le miroir mobile d'une distance $\lambda/4$, un des faisceaux parcourt une distance supplémentaire égale à $\lambda/2$ (parce qu'il fait la distance aller et retour) et les deux faisceaux interfèrent destructivement. Si on déplace M_1 davantage, l'intensité observée passe alternativement par des maxima (quand la différence de marche est de λ) et des minima.

Pour des parcours 1 et 2 très voisins, l'image de M_2 paraît très près de la position de M_1; il peut y avoir, en fait, une mince couche d'air entre cette image et M_1. Si on penche M_1 légèrement, alors la couche d'air prend la forme d'un coin optique comme dans la figure 5.18 et une série de lignes brillantes et sombres apparaissent; si on déplace alors le miroir M_1, les lignes brillantes et sombres bougent vers la gauche ou la droite. Quand la différence de marche est de plusieurs longueurs d'onde et que les miroirs M_1 et M_2 sont alignés précisément, l'observateur ne voit pas non plus une intensité uniforme. Comme la différence de marche est différente pour différents angles de vision, l'observateur voit une série d'anneaux, très semblables aux anneaux de

† Il existe d'autres types d'interféromètres, mais celui de Michelson est le plus connu.

Newton de la figure 5.17b. Quand on déplace le miroir M_1, des taches sombres et brillantes semblent apparaître (ou disparaître) au centre de la figure d'interférence.

Un interféromètre permet d'effectuer des mesures de longueur très précises. Le déplacement du miroir M_1 de seulement $\frac{1}{4}\lambda$ produit une nette différence d'intensité. Quand $\lambda = 400$ nm, cela équivaut à une précision de 100 nm ou 10^{-4} mm! En observant le mouvement latéral des franges quand les miroirs ne sont pas précisément alignés, on peut obtenir une précision encore plus grande. En comptant le nombre de franges, ou des fractions de franges, on peut effectuer des mesures de longueur extrêmement précises.

Michelson a vu que l'interféromètre pouvait servir à déterminer la longueur du mètre étalon en fonction de la longueur d'onde d'une lumière particulière. En 1960, on a choisi comme étalon une ligne orange-rouge particulière du spectre du krypton−86 (l'atome de krypton de masse atomique 86). En mesurant méticuleusement plusieurs fois l'ancien mètre étalon (la distance entre deux marques sur une barre de platine iridié conservée à Paris), on a déterminé que 1 mètre correspondait à 1 650 763,73 longueurs d'onde de cette lumière. En 1983, on a redéfini le mètre en fonction de la vitesse de la lumière (section 1.4 du tome 1).

5.10 L'intensité lumineuse

On mesure l'*intensité* de la lumière en W/m², par le vecteur de Poynting (comme pour toute onde électromagnétique) et la puissance totale d'une source, en watts (qu'on appelle le *flux d'énergie rayonnée*). Ces unités de mesure ne sont toutefois pas adéquates pour mesurer la sensation visuelle appelée brillance. En effet, la mesure de la brillance ne doit porter que sur le spectre visible; or les deux quantités précédentes constituent des mesures sur toutes les longueurs d'onde présentes. La mesure doit aussi tenir compte de la variation de la sensibilité de l'œil aux différentes longueurs d'onde; l'œil étant plus sensible au jaune qui, à 550 nm, correspond à la partie centrale du spectre, une source jaune semble donc plus brillante qu'une source rouge ou bleue de même puissance.

Pour tenir compte de ces facteurs, on utilise le *flux lumineux F*, dont l'unité est le *lumen* (lm). On définit expérimentalement un lumen comme la brillance d'une surface de $\frac{1}{60}$ cm² en platine au point de fusion (1770 °C). Le lumen équivaut à $\frac{1}{621}$ watt de lumière à 550 nm.

Comme le flux lumineux provenant d'une source n'est pas nécessairement uniforme dans toutes les directions, on définit l'*intensité lumineuse* I_l comme le flux lumineux par unité d'angle solide (le stéradian). L'unité en est le candela (cd) défini tel que 1 cd = 1 lm/sr.

L'*éclairement*, E, est le flux lumineux par unité de surface: $E = F/A$. Son unité est le lumen par mètre carré (lm/m²) et elle constitue évidemment une mesure de l'éclairement d'une surface†.

Nous n'étudierons pas ce sujet plus à fond. Nous avons introduit ces unités de mesure pour être exhaustif étant donné que l'*intensité lumineuse*, mesurée par le candela, constitue l'une des sept unités de base du Système International (SI). (Voir la section 1.5 et le tableau 1.2 du tome 1.) Nous avons déjà fait la connaissance des six autres grandeurs (et de leurs unités): la longueur (m), le temps (s), la masse (kg), le courant électrique (A), la température (K) et la quantité de matière (mol).

EXEMPLE 5.6 On évalue à 1700 lm la brillance d'un type particulier d'ampoule lumineuse de 100 W. Déterminez *a*) l'intensité lumineuse et *b*) l'éclairement à une

† L'unité britannique est le «foot-candle», ou lumen par pied carré.

distance de 2,0 m. Supposez que le débit de lumière est uniforme dans toutes les directions.

SOLUTION *a*) Une sphère entière correspond à 4π sr. Par conséquent, $I_l = 1700\ \text{lm}/4\pi\ \text{sr} = 135$ cd. Le résultat ne dépend pas de la distance. *b*) À $d = 2{,}0$ m de la source, le flux lumineux par unité d'aire est:

$$E = F/4\pi d^2 = 1700\ \text{lm}/(4\pi)(2{,}0\ \text{m})^2 = 34\ \text{lm/m}^2.$$

L'éclairement diminue en raison de l'inverse du carré de la distance.

RÉSUMÉ

L'existence des phénomènes d'interférence et de diffraction pour la lumière constitue un argument majeur en faveur de la théorie ondulatoire de la lumière. Cette dernière permet également d'expliquer la réfraction de la lumière et le fait que la lumière voyage plus lentement dans les solides et les liquides transparents que dans l'air. La longueur d'onde de la lumière dans un milieu d'indice de réfraction n est $\lambda_n = \lambda/n$, où λ est la longueur d'onde dans le vide; la fréquence n'est pas changée.

L'expérience de la double fente de Young démontre clairement l'interférence de la lumière. Les régions brillantes de la figure d'interférence s'expliquent par l'interférence constructive entre les faisceaux incidents passant par les deux fentes, la différence de parcours entre ces faisceaux étant égale à un nombre entier de longueurs d'onde. Les régions sombres entre les régions brillantes s'expliquent par l'interférence destructive qui se produit lorsque la différence entre les longueurs des parcours est de $\frac{1}{2}\lambda$, $\frac{3}{2}\lambda$, et ainsi de suite. Les angles θ auxquels il y a interférence constructive sont donnés par $\sin\theta = m\lambda/d$, où λ est la longueur d'onde de la lumière, d, la distance entre les fentes et m, un entier (0, 1, 2, ...). Les angles θ auxquels il y a interférence destructive complète sont donnés par $\sin\theta = (m + \frac{1}{2})\lambda/d$. On peut calculer l'intensité de la lumière I_θ en tout point de la figure d'interférence à l'aide d'un diagramme de phaseurs, ce qui permet de prédire que $I_\theta = I_0 \cos^2 \delta/2$, où I_0 est l'intensité à $\theta = 0$ et l'angle de phase $\delta = 2\pi d \sin\theta/\lambda$.

Deux sources de lumière sont parfaitement *cohérentes* si les ondes qu'elles émettent sont de même fréquence et que la relation de phase entre elles est constante dans le temps. Si la relation de phase entre les ondes lumineuses des deux sources est aléatoire (comme c'est le cas pour deux lampes à incandescence), les deux sources sont *incohérentes.*

La longueur d'onde de la lumière détermine sa couleur; le spectre visible s'étend de 400 nm (violet) à environ 750 nm (rouge). Les prismes en verre (et autres matières transparentes) peuvent séparer la lumière blanche en ses composantes de couleur parce que l'indice de réfraction varie selon la longueur d'onde, phénomène appelé *dispersion.*

La lumière réfléchie par les surfaces avant et arrière d'une couche transparente mince peut interférer. Il existe de nombreuses applications de l'interférence dans les couches minces, notamment les anneaux de Newton et les revêtements anti-reflets sur les lentilles.

QUESTIONS

1. Le principe de Huygens s'applique-t-il aux ondes sonores? Aux vagues sur l'eau?

2. Quelles sont les preuves que la lumière transporte de l'énergie?

3. Pourquoi décrit-on la lumière parfois comme des rayons et parfois comme des ondes?

4. Il est possible d'entendre un son qui contourne un mur mais on ne voit pas de lumière contourner le mur. Pourtant le son et la lumière sont des ondes. Expliquez la différence.

5. Peut-on déterminer la longueur d'onde de la lumière à l'aide de mesures de réflexion ou de réfraction?

6. L'observation de la figure d'interférence produite par une double fente constitua une preuve plus concluante de la théorie ondulatoire de la lumière que l'observation de la diffraction. Pourquoi?

7. De la lumière blanche éclaire les deux fentes de la figure 5.7; l'une est cependant couverte d'un filtre rouge (700 nm) et l'autre d'un filtre bleu (450 nm). Décrivez la figure sur l'écran.

8. Pourquoi la fréquence d'une onde lumineuse qui passe d'un milieu à un autre ne varie-t-elle pas?
9. Comparez une expérience de la double fente avec des ondes sonores à la même expérience avec des ondes lumineuses. Décrivez les similitudes et les différences.
10. Pour que deux rayons de lumière provenant d'une même source interfèrent destructivement, de combien leurs parcours respectifs doivent-ils différer?
11. Si on effectuait l'expérience de la double fente de Young dans l'eau, comment la figure d'interférence serait-elle modifiée?
12. Comment peut-on produire des «battements» (phénomène très connu pour les ondes sonores) avec des ondes lumineuses? Comment peut-on détecter des «battements» lumineux?
13. À quoi sert le premier écran à une seule fente de la figure 5.5? Que se passe-t-il quand cette fente n'est pas très étroite? Que se passe-t-il si vous utilisez une source laser plutôt que la lumière du Soleil?
14. Pourquoi la lumière provenant des deux phares d'une automobile éloignée ne produit-elle pas une figure d'interférence?
15. Une vitre plate ne sépare pas, comme un prisme, la lumière blanche en plusieurs couleurs. Pourquoi?
16. Expliquez pourquoi la distance focale d'une lentille, que celle-ci soit convergente ou divergente, n'est pas identique pour la lumière rouge et pour la lumière violette.
17. Précisez les distinctions à faire entre les angles θ, ϕ et δ dont il est question à la section 5.6 (voir la figure 5.14).
18. Pourquoi les franges d'interférence ne sont-elles observables que pour une couche *mince* comme une bulle de savon et non pour une vitre épaisse par exemple?
19. Pourquoi les anneaux de Newton (figure 5.17) sont-ils plus près les uns des autres au fur et à mesure qu'on s'éloigne du centre?
20. Certaines lentilles traitées pour réduire les reflets sont d'un jaune verdâtre quand on les voit à la lumière réfléchie. À quelles longueurs d'onde sont-elles censées éliminer totalement les réflexions?
21. Une goutte d'huile à la surface d'un étang est brillante à son pourtour, là où son épaisseur est bien moindre que les longueurs d'onde de la lumière visible. Que pouvez-vous dire de l'indice de réfraction de l'huile?
22. Expliquez comment on pourrait utiliser l'interféromètre de Michelson pour mesurer l'indice de réfraction de l'air.

PROBLÈMES

SECTION 5.2

1. (II) Démontrez la loi de la réflexion (c'est-à-dire que l'angle d'incidence est égal à l'angle de réflexion sur une surface plane) à partir du principe de Huygens pour les ondes.

SECTION 5.3

2. (I) De la lumière monochromatique éclairant deux fentes séparées de 0,026 mm produit une frange d'ordre 4 à un angle de 6,4°. Quelle est la longueur d'onde de la lumière utilisée?
3. (I) De la lumière d'une longueur d'onde de 680 nm éclaire deux fentes et produit une figure d'interférence dans laquelle la frange d'ordre 4 se trouve à 28 mm de la frange centrale sur un écran à 1,0 m de distance. Quelle est la séparation des deux fentes?
4. (II) Les ondes de radio et de télévision se réfléchissent parfois sur les montagnes avoisinantes ou sur les avions; les réflexions peuvent interférer avec les signaux provenant directement du poste émetteur. *a*) Si un récepteur capte des signaux de télévision de 75 MHz provenant directement du poste ainsi que ces mêmes signaux réfléchis par un avion situé 138 m directement au-dessus du récepteur, quelle sorte d'interférence se produit-il? (Supposez qu'il ne se produit aucun changement de phase lors de la réflexion.) *b*) Quelle sorte d'interférence se produit-il lorsque l'avion s'est déplacé de 57,5 m plus loin vers la station?
5. (II) Une source émettant à la plus courte longueur d'onde visible éclaire deux fentes séparées par $2{,}80 \times 10^{-2}$ mm. On immerge dans l'eau les fentes de même que l'écran de visualisation distant de 18,5 cm. À quelle distance les unes des autres se trouvent les franges sur l'écran?
6. (II) De la lumière de 520 nm et de 660 nm traverse deux fentes espacées de 0,50 mm. De combien sont distantes les franges d'ordre 2, pour ces deux longueurs d'onde, sur un écran situé à 1,5 m des fentes?
7. (II) On place un mince morceau de verre plat devant la fente du bas de la figure 5.7 de manière que les ondes traversant les fentes soient déphasées de 180°. Décrivez, de façon détaillée, la figure d'interférence sur l'écran.
8. (II) En voyageant dans un milieu transparent à une vitesse v_p supérieure à celle de la lumière ($v = c/n$) dans ce milieu, une particule chargée, par exemple un proton, émet des radiations électromagnétiques (lumière), appelées *radiations Cerenkov*, qui constituent un phénomène électromagnétique analogue à une onde de choc (voir la section 2.8). Ces radiations ne sont émises qu'à un angle particulier qui dépend de v_p et de v. Déterminez cet angle pour un proton voyageant à $2{,}21 \times 10^8$ m/s dans un plastique dont l'indice de réfraction est 1,52.
9. (II) Une feuille de plastique ($n = 1{,}60$) très mince recouvre une fente d'un dispositif à double fente illuminé par une lumière de 510 nm. Le point central sur l'écran de visualisation est noir au lieu d'être au maximum d'intensité. Quelle est l'épaisseur (minimale) du plastique?
10. (II) De la lumière de longueur d'onde λ frappe à un angle θ_i avec la normale un écran percé de deux fentes distantes de *d*. Déterminez l'angle θ_m auquel le maximum d'ordre *m* se produit.

SECTION 5.4

11. (I) Estimez les valeurs de *L* et de *C* (inductance et capacitance) nécessaires pour qu'un oscillateur produise des fréquences correspondant à la lumière visible. Sont-elles raisonnables?

SECTION 5.5

12. (I) Par quel pourcentage, environ, la vitesse de la lumière rouge (700 nm) dépasse-t-elle celle de la lumière violette (400 nm) dans du verre de plomb de silice? (Voir la figure 5.10.)

13. (II) Un faisceau de rayons lumineux parallèles contenant deux longueurs d'onde $\lambda_1 = 400$ nm et $\lambda_2 = 650$ nm frappe un morceau de verre de plomb de silice à un angle d'incidence de 56,0°. Calculez l'angle entre les deux faisceaux de couleur à l'intérieur du verre. (Voir la figure 5.10.)

14. (II) Un faisceau de lumière frappe un morceau de verre à un angle d'incidence de 35,00°. Le faisceau contient deux longueurs d'onde, 500,0 nm et 712,0 nm, pour lesquelles l'indice de réfraction du verre est respectivement de 1,4810 et de 1,4742. Déterminez l'angle entre les deux faisceaux réfractés.

15. (II) Le faisceau de lumière décrit au problème 14 entre dans un prisme équilatéral. Le faisceau incident est parallèle à la base du prisme (figure 5.20). À quel angle chaque faisceau ressort-il du prisme? (Trouvez l'angle avec la normale à la face de sortie.)

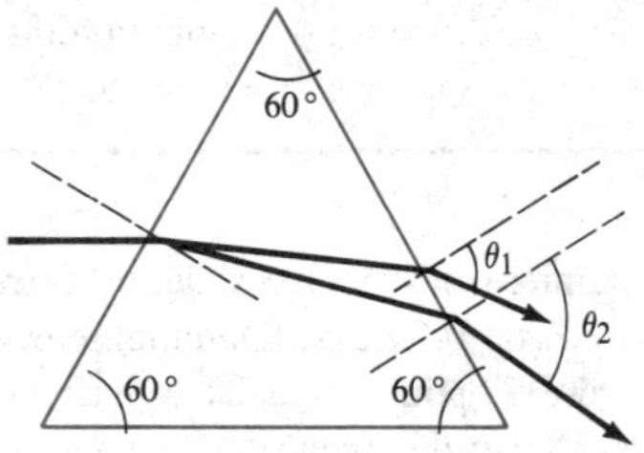

FIGURE 5.20 Problème 15.

16. (II) Les rayons de courbure d'une lentille biconvexe en crown-glass sont tous deux de 18,0 cm. Trouvez la distance entre les foyers pour la lumière violette (400 nm) et la lumière rouge (700 nm).

SECTION 5.6

17. (I) Si l'une des fentes de la figure 5.13 est recouverte, par quel facteur l'intensité au centre de l'écran change-t-elle?

18. (II) Montrez que la largeur angulaire totale à mi-hauteur du sommet central dans une figure d'interférence produite par un écran à double fente est donnée par $\Delta\theta = \lambda/2d$ si $\lambda << d$.

19. (II) Démontrez algébriquement l'équation 5.5b, sans utiliser la méthode des phaseurs.

20. (II) L'une des fentes d'un dispositif à double fente étant plus large que l'autre, l'intensité de la lumière qui la traverse est deux fois plus grande. Déterminez l'intensité I en fonction de la position θ sur l'écran, pour de la lumière cohérente.

21. (III) *a*) Trois sources cohérentes de lumière (celles qui résulteraient, par exemple, de l'addition d'une troisième fente aux deux fentes de la figure 5.13) sont également espacées et d'égale intensité. Utilisez la méthode des phaseurs pour déterminer l'intensité en fonction de la différence de phase δ (équation 5.4). *b*) Déterminez les positions des maxima et des minima.

22. (III) Généralisez la méthode des phaseurs de façon à pouvoir l'utiliser pour un dispositif à quatre fentes parallèles toutes également espacées de d. Supposez que la lumière est cohérente pour déterminer l'intensité en fonction de la position sur l'écran et trouver les positions des maxima et des minima.

SECTION 5.8

23. (I) Si une bulle de savon a une membrane de 120 nm d'épaisseur, quelle sera sa couleur au centre de la surface si elle est illuminée selon la normale avec de la lumière blanche? Supposez que $n = 1{,}34$.

24. (I) Quelle doit être l'épaisseur (minimale) de la couche d'air entre les deux surfaces d'un morceau verre plat pour que le verre soit brillant quand on l'illumine selon la normale avec de la lumière de 640 nm? Quelle doit être cette épaisseur pour que le verre soit sombre?

25. (II) Une lentille de verre est d'un jaune verdâtre ($\lambda = 570$ nm est la longueur d'onde la plus intense) quand de la lumière blanche s'y réfléchit. Quelle est selon vous l'épaisseur minimale du revêtement ($n = 1{,}25$) sur la lentille, et pourquoi?

26. (II) Imaginez que vous voyez la lumière *transmise* par une couche mince sur un morceau de verre plat. Tracez un diagramme, semblable à celui de la figure 5.16, et décrivez les conditions requises pour les maxima et les minima; considérez toutes les valeurs possibles de l'indice de réfraction. Discutez des grandeurs relatives des minima comparativement aux maxima et à zéro.

27. (II) Le *miroir de Lloyd* permet d'obtenir une figure d'interférence de double fente à partir d'une seule source, de façon à ce que la lumière soit cohérente. Comme on peut le voir à la figure 5.21, la lumière qui se réfléchit sur le miroir plan semble provenir de l'image virtuelle de la fente. Décrivez en détail la figure d'interférence apparaissant à l'écran.

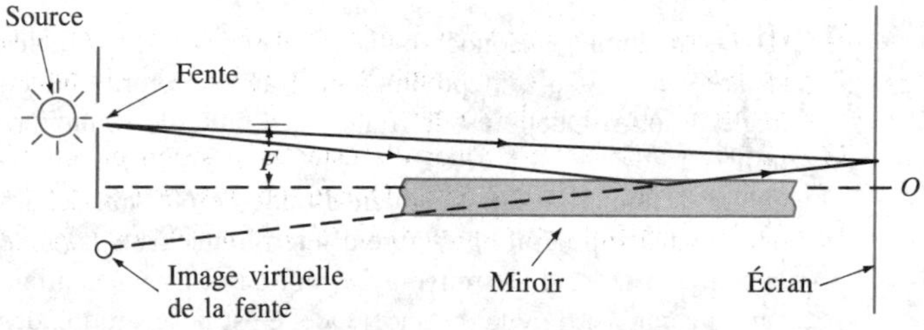

FIGURE 5.21 Problème 27.

28. (II) On observe un total de 33 anneaux de Newton brillants et de 33 anneaux sombres lorsque de la lumière de 450 nm frappe selon la normale une lentille planconvexe reposant sur une surface de verre plat (figure 5.17). De combien le centre est-il plus épais que les pourtours?

29. (II) Une mince feuille de métal sépare, à un bout, deux lames de verre optiquement plat comme dans la figure 5.18. Lorsque la longueur d'onde de la lumière incidente parallèlement à la normale est de 450 nm, 52 lignes sombres apparaissent. Quelle est l'épaisseur de la feuille?

30. (II) Le diamètre du huitième anneau sombre de Newton produit par un dispositif de lentilles (figure 5.17) diminue de 2,92 cm à 2,48 cm quand on immerge le dispositif dans un liquide. Quel est l'indice de réfraction de ce liquide?

31. (II) De la lumière monochromatique de longueur d'onde variable frappe selon la normale une mince couche de plastique, dans l'air. La lumière réfléchie est à un minimum seulement pour $\lambda = 520$ nm et $\lambda = 650$ nm dans le spectre visible. Quelle est l'épaisseur du film ($n = 1{,}60$)?

32. (II) Une mince couche d'alcool ($n = 1{,}36$) repose sur une lame en verre ($n = 1{,}58$). Lorsque des rayons de lumière monochromatique dont la longueur d'onde peut être changée frappe la couche selon la normale, la lumière réfléchie est à un minimum pour $\lambda = 520$ nm et à un maximum pour $\lambda = 640$ nm. Quelle est l'épaisseur de la couche?

33. (II) Montrez que le rayon r du m^e anneau sombre de Newton vu directement d'au-dessus (figure 5.17b) est donné par $r = \sqrt{m\lambda R}$, où R est le rayon de courbure de la surface en verre, courbe, et λ est la longueur d'onde de la lumière utilisée. Supposez que l'épaisseur de la couche d'air soit beaucoup plus petite que R en tout point et que $r << R$.

34. (II) Utilisez le résultat du problème 33 pour montrer que la distance entre deux anneaux de Newton adjacents est:

$$\Delta r \approx \sqrt{\lambda R / 4m}$$

pour le m^e anneau, en supposant que $m >> 1$.

35. (II) Une lentille planconvexe en lucite d'un diamètre de 3,4 cm repose sur une lame en verre plat, comme dans la figure 5.17. Lorsque de la lumière de 580 nm frappe la lentille selon la normale, on observe 88 anneaux brillants, le dernier se trouvant juste au pourtour de la lentille. Quel est le rayon de courbure de la face de la lentille et quelle est sa distance focale?

36. (III) Un seul revêtement optique suffit pour réduire à zéro la réflexion pour $\lambda = 550$ nm. Par quel facteur l'intensité est-elle réduite par le revêtement pour $\lambda = 450$ nm et $\lambda = 700$ nm? Supposez que les rayons incidents frappent la lentille selon la normale.

SECTION 5.9

37. (II) Quelle est la longueur d'onde de la lumière entrant dans un interféromètre si on compte 850 franges quand le miroir mobile bouge de 0,356 mm?

38. (II) Un micromètre permet d'ajuster la position du miroir mobile d'un interféromètre. Quand on insère une mince feuille de métal entre le micromètre et le miroir, on observe un déplacement, comparé au micromètre vide, d'un nombre net de 328 franges. Quelle est l'épaisseur de la feuille? La longueur d'onde de la lumière utilisée est de 586 nm.

39. (II) L'un des faisceaux d'un interféromètre passe par un petit contenant en verre dont la cavité mesure 1,40 cm de longueur. Au fur et à mesure qu'un gaz remplit lentement le contenant, un total de 225 franges sombres passent devant une ligne de référence. La longueur d'onde de la lumière utilisée est de 546 nm. Calculez l'indice de réfraction du gaz en supposant que l'interféromètre est dans le vide.

40. (III) Les miroirs d'un interféromètre de Michelson sont parfaitement alignés et les longueurs des parcours des miroirs M_1 et M_2 sont identiques, de sorte que l'observateur voit un maximum brillant au centre de l'aire de visualisation. Trouvez une formule donnant l'intensité au centre de l'aire de visualisation en fonction de x, la distance dont le miroir mobile est déplacé à partir des conditions initiales.

41. (III) Les lignes jaunes du sodium ont des longueurs d'onde de 589,0 nm et de 589,6 nm. Quand on les utilise pour illuminer un interféromètre de Michelson, on remarque que les franges d'interférence apparaissent et disparaissent alternativement au fur et à mesure qu'on déplace le miroir M_1. Pourquoi cela se produit-il? De combien doit-on déplacer le miroir entre une disparition et la suivante?

SECTION 5.10

42. (I) L'éclairement solaire direct de la Terre est d'environ 10^5 lm/m^2. Estimez l'intensité lumineuse et le flux lumineux du Soleil.

43. (II) L'*efficacité lumineuse* d'une ampoule lumineuse est le rapport du flux lumineux à la puissance électrique consommée. *a*) Quelle est l'efficacité lumineuse d'une ampoule de 100 W donnant 1700 lm? *b*) Combien faut-il de tubes fluorescents de 40 W donnant 60 lm/W pour que l'éclairement d'un plancher de manufacture, d'une superficie de 25 m × 30 m, soit de 250 lm/m^2? Supposez que les tubes se trouvent à 10 m au-dessus du plancher et que la moitié de leur flux atteint le plancher.

CHAPITRE

6
LA DIFFRACTION

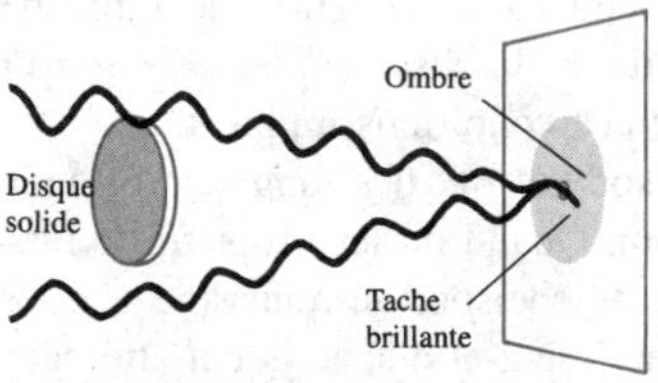

FIGURE 6.1 Si la lumière est une onde, une tache brillante doit apparaître au centre de l'ombre d'un disque solide illuminé par une source ponctuelle de lumière monochromatique.

L'expérience de la double fente de Young établit la théorie ondulatoire de la lumière sur des bases solides. Celle-ci ne fut toutefois pleinement acceptée qu'à la suite d'études sur la diffraction menées plus d'une décennie plus tard.

Nous avons déjà traité brièvement de la diffraction, pour les vagues sur l'eau (section 1.10) et pour la lumière (section 5.1); nous avions alors vu qu'elle consistait en un étalement ou une déflexion des ondes aux arêtes d'un corps. Nous étudierons à présent ce phénomène plus à fond.

En 1819, Augustin Fresnel (1788-1827) présenta, à l'Académie française, une théorie ondulatoire de la lumière qui expliquait les phénomènes d'interférence et de diffraction. Siméon Poisson (1781-1840) indiqua, peu après l'émission de la théorie de Fresnel, que l'une des conséquences de celle-ci était intuitivement peu plausible. Poisson montra en effet qu'on devait en inférer que la lumière diffractée autour des bords d'un disque solide éclairé par une source lumineuse ponctuelle interférait constructivement au centre de l'ombre (figure 6.1). Cette conséquence de la théorie semblait très peu vraisemblable. Or, François Arago confirma expérimentalement qu'un point brillant apparaissait au centre de l'ombre! Cette confirmation constitua un argument décisif en faveur de la théorie ondulatoire de la lumière.

La figure 6.2a est une photographie de l'ombre d'une pièce de monnaie éclairée par une source lumineuse (presque) ponctuelle (en l'occurrence, un laser). Notez le point brillant bien visible au centre de l'ombre ainsi que les franges brillantes et sombres autour de l'ombre. Celles-ci rappellent les franges d'interférence d'une double fente et s'expliquent effectivement par l'interférence des ondes diffractées autour des différentes parties du disque; l'ensemble de ces franges constitue une **figure de diffraction**. Une figure de diffraction apparaît autour de tout objet aux arêtes découpées

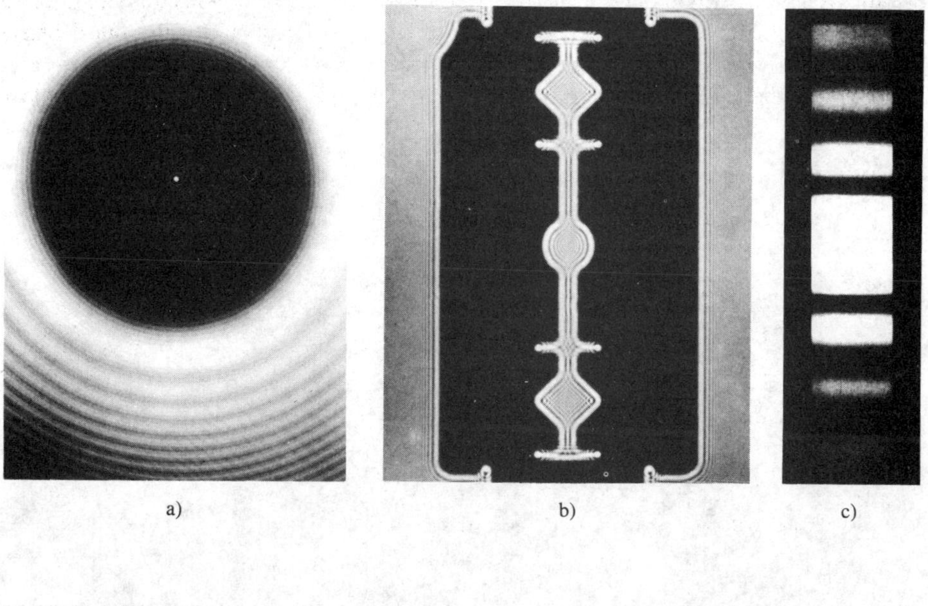

FIGURE 6.2 La figure de diffraction a) d'un sou (gracieuseté de P. M. Rinard, tirée de *Am. J. Phys.* 44 (1976), p. 70); b) d'une lame de rasoir (tirée de F. W. Sears, *Optics*, ©1949, Addison-Wesley Publishing Co., Inc., Reading, Mass., Figure 9-8; reproduit avec permission); c) d'une fente unique illuminée par une source ponctuelle de lumière monochromatique (tirée de M. Cagnet, M. Françon et J. C. Thrierr, *Atlas of Optical Phenomena*, Springer-Verlag, Berlin, 1962).

éclairé par une source ponctuelle (figures 6.2b et 6.2c). Comme les sources lumineuses ponctuelles sont rares dans la vie de tous les jours, nous ignorons la plupart du temps l'existence de la diffraction; en effet, la lumière provenant des différentes parties d'une source non ponctuelle fait disparaître toute figure d'interférence.

6.1 La diffraction par une fente unique

Voyons comment une figure de diffraction apparaît; dans ce but, nous analyserons le cas important de lumière monochromatique passant par une fente étroite. Soit des rayons lumineux parallèles (ou des ondes planes) incidents à la fente de largeur D de la figure 6.3. Quand l'écran de visualisation est infiniment loin, ou quand on place une lentille derrière la fente pour focaliser les rayons parallèles sur l'écran, la figure de diffraction résultante s'appelle une **diffraction de Fraunhofer**. Quand l'écran est proche et qu'on n'utilise pas de lentille, la figure de diffraction s'appelle une **diffraction de Fresnel**. L'analyse de ce dernier cas étant assez compliquée, nous ne considérerons que le cas limite de la diffraction de Fraunhofer. Comme nous le savons par l'étude des vagues et par l'application du principe de Huygens, les ondes qui passent par une fente se propagent dans toutes les directions. Voyons maintenant comment les ondes passant par différentes parties de la fente interfèrent les unes avec les autres.

Comme, d'après notre supposition, l'écran se trouve très loin, tous les rayons dirigés vers un point quelconque de l'écran sont quasi parallèles. Considérons d'abord les rayons qui passent en ligne droite (figure 6.3a). Comme ils sont tous en phase, ils forment un point brillant au centre de l'écran. À la figure 6.3b, les rayons sont dirigés selon un angle θ tel que la distance parcourue par le plus haut rayon de la fente est exactement une longueur d'onde de plus que celle parcourue par le plus bas rayon de la fente. La distance parcourue par le rayon passant exactement par le centre de la fente est supérieure d'une demi-longueur d'onde à celle parcourue par le plus bas rayon de la fente. Ces rayons sont exactement déphasés et interfèrent donc de façon destructive. De même, un rayon juste au-dessus du plus bas annule le rayon correspondant juste au-dessus du rayon central. Tous les rayons interfèrent donc destructivement un à un et aucune lumière dirigée selon cet angle n'atteint l'écran. On peut voir d'après le diagramme que l'angle θ auquel ces interférences destructives se produisent est tel que $\lambda = D \sin \theta$ et par conséquent:

$$\sin \theta = \lambda/D. \qquad \text{(premier minimum)} \qquad (6.1)$$

L'intensité lumineuse est maximale à $\theta = 0°$ et minimale (intensité = zéro) à un angle θ donné par l'équation 6.1.

Considérons maintenant un angle θ, plus grand, tel que le plus haut rayon parcourt $\frac{3}{2}\lambda$ de plus que le plus bas (figure 6.3c). Dans ce cas, les rayons du tiers inférieur de la fente et ceux du tiers central s'annulent deux par deux puisqu'ils sont déphasés de $\lambda/2$. La lumière du tiers supérieur de la fente atteint toutefois l'écran, créant ainsi un point brillant, mais moins brillant que le point central à $\theta = 0°$. Pour un angle θ,

FIGURE 6.3 Analyse des figures de diffraction formées par de la lumière passant par une fente étroite.

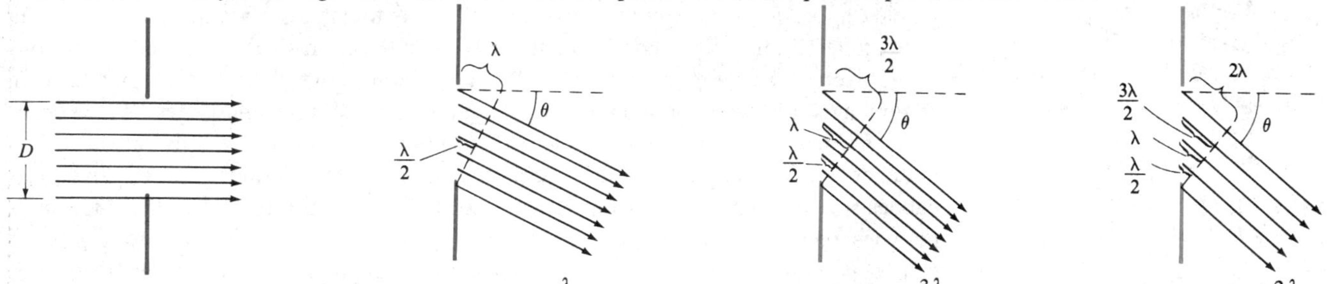

a) $\theta = 0$
Frange brillante

b) $\sin \theta = \dfrac{\lambda}{D}$
Frange sombre

c) $\sin \theta = \dfrac{3\lambda}{2D}$
Frange brillante

d) $\sin \theta = \dfrac{2\lambda}{D}$
Frange sombre

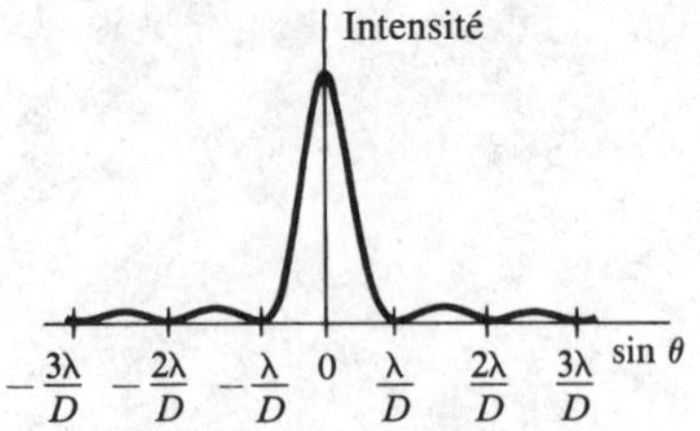

FIGURE 6.4 Intensité dans la figure de diffraction par une fente unique en fonction de sin θ.

encore plus grand, tel que le plus haut rayon parcourt 2λ de plus que le plus bas (figure 6.3d), les rayons du quart le plus bas de la fente s'annulent avec ceux du quart juste au-dessus, c'est-à-dire avec ceux dont la différence des longueurs des chemins optiques (ou différence de marche) sont de $\lambda/2$. Les rayons du quart de la fente juste au-dessus du milieu de celle-ci s'annulent avec ceux du quart le plus haut. À cet angle, l'intensité est minimale, soit de zéro, dans la figure de diffraction. La figure 6.4 donne un graphique de l'intensité en fonction de l'angle. Ce graphique est conforme à la photographie de la figure 6.2c. Notez que les minima (intensité zéro) se produisent quand:

$$D \sin \theta = m\lambda, \quad m = 1, 2, 3, ..., \tag{6.2}$$

mais non en $m = 0$, où se produit le maximum le plus fort. Entre les minima, des maxima de moindre brillance se produisent.

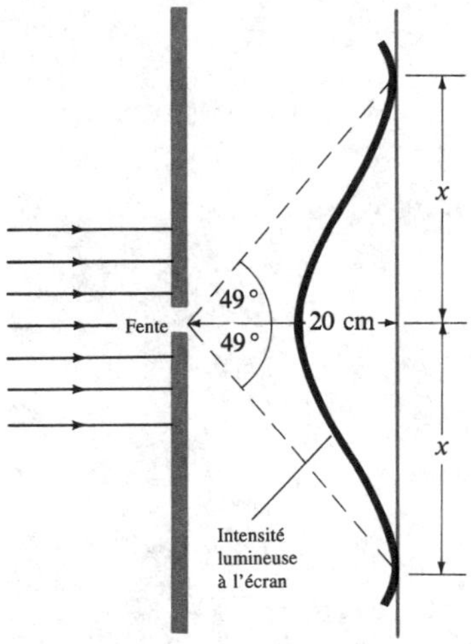

FIGURE 6.5 Exemple 6.1.

EXEMPLE 6.1 De la lumière d'une longueur d'onde de 750 nm passe par une fente large de $1{,}0 \times 10^{-3}$ mm. Quelle est la largeur du maximum central *a*) en degrés et *b*) en centimètres, sur un écran distant de 20 cm?

SOLUTION *a*) Le premier minimum se produit à:

$$\sin \theta = \frac{\lambda}{D} = \frac{7{,}5 \times 10^{-7} \text{ m}}{1 \times 10^{-6} \text{ m}} = 0{,}75.$$

Et donc, $\theta = 49°$. Il s'agit de l'angle entre le centre et le premier minimum (figure 6.5). L'angle sous-tendu par tout le maximum central, entre les minima au-dessous et au-dessus du centre, est le double, soit 98°. *b*) La largeur du maximum central est de $2x$, où $\tan \theta = x/20$ cm. Donc $2x = 2(20\text{cm})(\tan 49°) = 46$ cm et une grande partie de l'écran est illuminée. L'écran ne devient pas très brillant, normalement, parce que la quantité de lumière qui passe par une telle fente est petite et s'étale sur une grande surface.

D'après l'équation 6.1, nous voyons que plus l'ouverture D est petite, plus le maximum de diffraction central est grand. Ceci confirme ce que nous avons appris sur les ondes au chapitre 1.

6.2 L'intensité dans la figure de diffraction par une fente unique

Nous avons déterminé les positions des minima dans la figure de diffraction produite par de la lumière passant par une fente unique (équation 6.2). Nous étudierons maintenant une méthode permettant de trouver l'amplitude et l'intensité en un point quelconque de la figure; cette méthode fait appel aux diagrammes de phaseurs étudiés à la section 5.6.

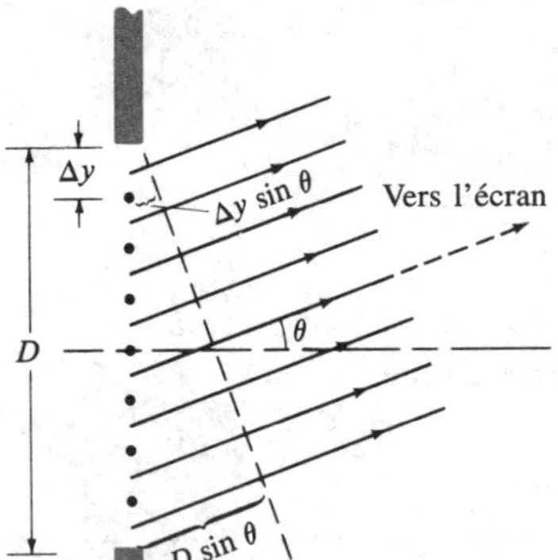

FIGURE 6.6 Fente de largeur D divisée en N bandes de largeur Δy.

Soit une fente horizontale divisée en N bandes très minces de largeur Δy (figure 6.6). Chaque bande envoie de la lumière dans toutes les directions, vers un écran à la droite. Comme il s'agit à nouveau d'une diffraction de Fraunhofer, les rayons dirigés vers tout point particulier de l'écran lointain sont parallèles et font tous un angle θ avec l'horizontale, comme dans la figure. Choisissons une largeur Δy de beaucoup inférieure à la longueur d'onde λ de la lumière monochromatique incidente à la fente, de manière que toute la lumière provenant d'une fente donnée soit en phase. Les bandes sont de mêmes dimensions et si toute la fente est uniformément illuminée, nous pouvons considérer les amplitudes ΔE_0 provenant de chaque bande étroite comme égales, pourvu que θ ne soit pas trop grand. Les amplitudes séparées des différentes bandes diffèrent toutefois de phase. La différence de phase de la lumière provenant de bandes adjacentes (voir section 5.6, équation 5.4) est:

$$\Delta\beta = \frac{2\pi}{\lambda}\,\Delta y \sin\theta, \tag{6.3}$$

étant donné que la différence des longeurs de marche est de Δy sin θ.

L'amplitude totale sur l'écran, à tout angle θ, est la somme des amplitudes des ondes dues à chaque bande. Ces ondelettes ont la même amplitude ΔE_0 mais des phases différentes. Pour obtenir l'amplitude totale, nous pouvons utiliser un diagramme de phaseurs comme à la section 5.6 (figure 5.14). Les diagrammes de phaseurs pour les différents angles θ apparaissent à la figure 6.7. Au centre de l'écran, où $\theta = 0$, les ondes de chaque bande sont toutes en phase ($\Delta\beta = 0$, voir l'équation 6.3), de sorte que les flèches représentant chaque ΔE_0 sont alignées comme dans la figure 6.7a. L'amplitude totale de la lumière incidente au centre de l'écran est donc $E_0 = N\,\Delta E_0$. À un petit

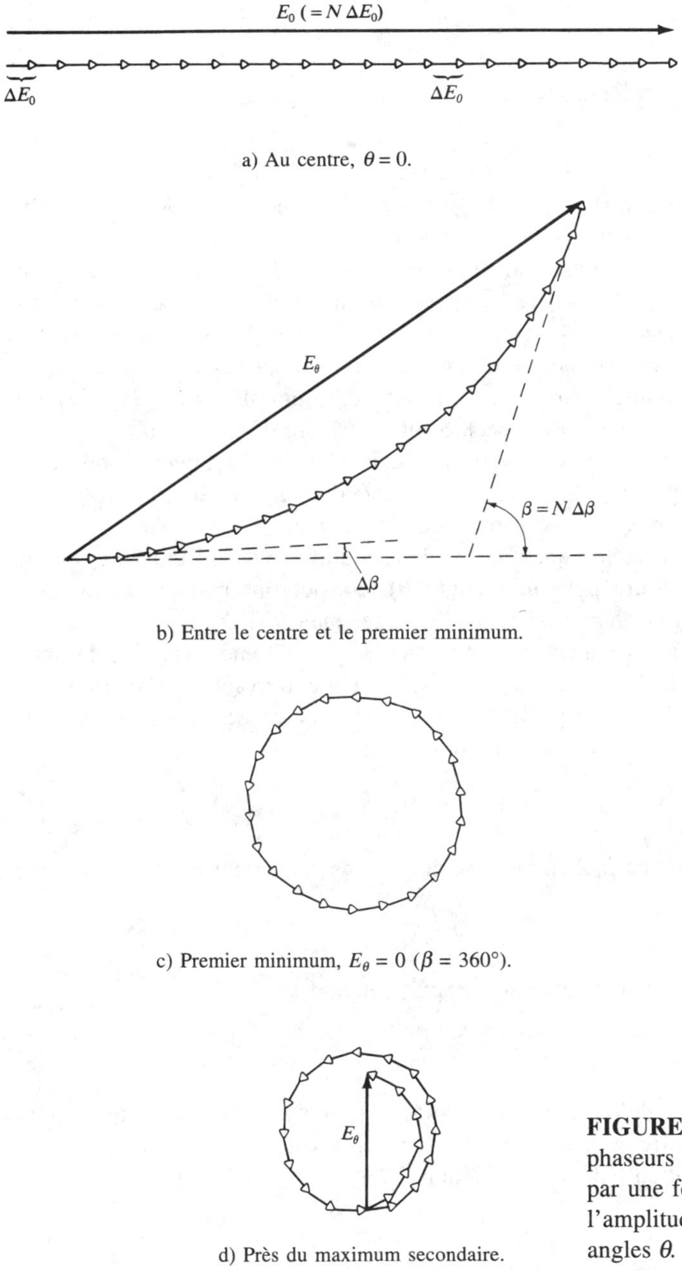

FIGURE 6.7 Diagramme de phaseurs de la diffraction produite par une fente unique, donnant l'amplitude totale E_θ pour différent angles θ.

angle θ, non loin du centre, on peut voir, dans la figure 6.7b, comment les ondelettes d'amplitude ΔE_0 s'additionnent pour donner E_θ, l'amplitude totale sur l'écran à cet angle θ. La différence de phase entre les ondelettes des limites supérieure et inférieure de la fente est:

$$\beta = N\,\Delta\beta = \frac{2\pi}{\lambda} N\,\Delta y \sin\theta = \frac{2\pi}{\lambda} D \sin\theta, \tag{6.4}$$

où $D = N\,\Delta y$ est la largeur totale de la fente. Quoique la longueur de l'«arc» (figure 6.7b) soit de $N\,\Delta E_0$ et donc de E_0, l'amplitude de l'onde totale E_θ est la somme *vectorielle* des amplitudes de chaque ondelette et est donc égale à la longueur de la corde dans la figure. On voit clairement que $E_\theta < E_0$.

Pour un θ plus grand, voyons le cas illustré à la figure 6.7c, où la chaîne de flèches se referme sur elle-même. La somme vectorielle est nulle et par conséquent $E_\theta = 0$ à cet angle θ, ce qui correspond au premier minimum. Comme, dans ce cas, $\beta = N\,\Delta\beta$ égale 360° ou 2π, nous avons, d'après l'équation 6.3,

$$2\pi = N\,\Delta\beta = N\left(\frac{2\pi}{\lambda}\,\Delta y \sin\theta\right)$$

ou, puisque la largeur de la fente $D = N\,\Delta y$,

$$\sin\theta = \frac{\lambda}{D}.$$

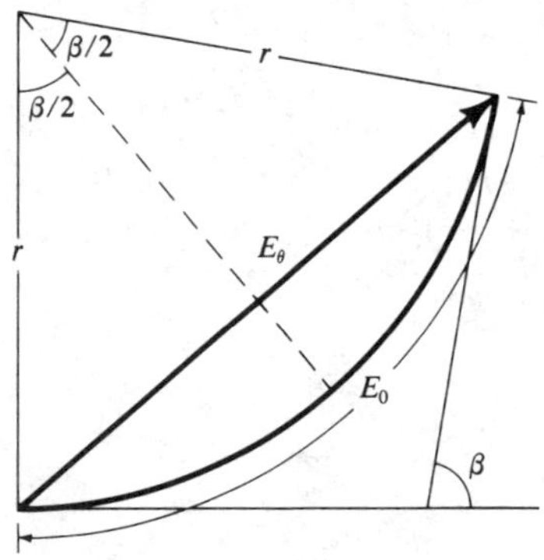

FIGURE 6.8 Détermination de l'amplitude E_θ en fonction de θ pour une figure de diffraction obtenue avec une fente unique.

Par conséquent, le premier minimum ($E_\theta = 0$) se produit quand $\sin\theta = \lambda/D$; ce résultat est identique à celui obtenu dans la section précédente (équation 6.1).

Pour des valeurs encore plus grandes de θ, la chaîne de flèches fait une spirale de plus de 360°. La figure 6.7d illustre le cas près du maximum secondaire suivant le premier minimum; ici, $\beta = N\,\Delta\beta \approx 360° + 180° = 540°$ ou 3π. (Notez que même si $\beta \approx 540°$, l'angle θ peut néanmoins être très petit, selon les valeurs de D et λ.) Quand $\beta = 4\pi$, nous avons un cercle double, donc un nouveau minimum ($\sin\theta = 2\lambda/D$; ce qui correspond à $m = 2$ dans l'équation 6.2). Si on considère des angles θ plus grands, de nouveaux maxima et minima se produisent. Mais comme la longueur totale de la spirale est constante et égale à $N\,\Delta E_0$ ($= E_0$), chaque maximum consécutif est plus petit que le précédent lorsque la spirale s'enroule sur elle-même.

Pour obtenir une expression quantitative de l'amplitude (et de l'intensité) en tout point sur l'écran (c'est-à-dire pour tout angle θ), considérons maintenant la limite $N \to \infty$ de façon que Δy devienne la largeur infinitésimale dy. Dans ce cas, les diagrammes de la figure 6.7 deviennent des courbes lisses dont l'une apparaît à la figure 6.8. Pour tout angle θ, la longueur de l'arc est E_0, comme avant, et l'amplitude de l'onde à l'écran est E_θ, qui correspond à la longueur de la corde dans la figure. Si r est le rayon de courbure de l'arc, alors la demi-longueur de la corde est:

$$\frac{E_\theta}{2} = r \sin\frac{\beta}{2}.$$

Et, en exprimant la mesure de $\beta/2$ en radians, nous obtenons la demi-longueur de l'arc:

$$\frac{E_0}{2} = r\,\frac{\beta}{2}.$$

En combinant ces deux dernières équations, nous obtenons:

$$E_\theta = E_0\,\frac{\sin\beta/2}{\beta/2}. \tag{6.5}$$

L'angle β est la différence de phase entre les ondes des limites supérieure et inférieure de la fente; comme la différence de marche pour ces rayons est $D \sin\theta$ (voir la figure 6.6 ainsi que l'équation 6.4), nous obtenons:

$$\beta = \frac{2\pi}{\lambda} D \sin\theta. \tag{6.6}$$

Étant donné que l'intensité est proportionnelle au carré de l'amplitude de l'onde, l'intensité I_θ pour tout angle θ est, d'après l'équation 6.5,

$$I_\theta = I_0\left(\frac{\sin \beta/2}{\beta/2}\right)^2, \tag{6.7}$$

où $I_0(\propto E_0^2)$ est l'intensité pour $\theta = 0$ (le maximum central). En combinant les équations 6.7 et 6.6 (quoiqu'il soit souvent plus simple de les laisser distinctes), nous obtenons:

$$I_\theta = I_0\left[\frac{\sin\left(\pi D \sin \theta/\lambda\right)}{\pi D \sin \theta/\lambda}\right]^2. \tag{6.8}$$

Notez que les minima ($I_\theta = 0$) se produisent quand $\sin(\pi D \sin \theta/\lambda) = 0$, ce qui signifie que $\pi D \sin \theta/\lambda$ doit être π, 2π, 3π, et ainsi de suite, ou

$$D \sin \theta = m\lambda, \quad m = 1, 2, 3, ...,$$

ce qui correspond au résultat obtenu précédemment (équation 6.2). Notez que m ne peut pas être nul, car, lorsque $\beta/2 = \pi D \sin \theta/\lambda = 0$, le dénominateur de même que le numérateur dans l'équation 6.7 ou 6.8 s'annulent. Nous pouvons évaluer l'intensité en prenant la limite $\theta \to 0$ (ou $\beta \to 0$); pour de très petits angles, $\sin \beta/2 \approx \beta/2$, de sorte que $(\sin \beta/2)/(\beta/2) \to 1$ et $I_\theta = I_0$, soit le maximum au centre de la figure. L'intensité I_θ en fonction de θ, donnée par l'équation 6.8, correspond au diagramme de la figure 6.4.

EXEMPLE 6.2 Déterminez approximativement les intensités des maxima secondaires ($m = 1, 2, ...$).

SOLUTION Les maxima secondaires se produisent près du point milieu entre les minima à:

$$\frac{\beta}{2} = \frac{\pi D \sin \theta}{\lambda} \approx \left(m + \tfrac{1}{2}\right)\pi. \qquad m = 1, 2, 3, \ldots$$

(Les maxima réels ne sont pas tout à fait à ces points. On peut déterminer leurs positions en différentiant l'équation 6.7; voir le problème 7.) Et donc,

$$I_\theta = \frac{I_0}{\left(m + \frac{1}{2}\right)^2 \pi^2}. \qquad m = 1, 2, 3, \ldots$$

Pour $m = 1$, 2 et 3, nous obtenons:

$$I_\theta = \frac{I_0}{22,2} = 0,045\, I_0 \qquad [m = 1]$$

$$I_\theta = \frac{I_0}{61,7} = 0,016\, I_0 \qquad [m = 2]$$

$$I_\theta = \frac{I_0}{121} = 0,0083\, I_0. \qquad [m = 3]$$

L'intensité du premier maximum à côté du pic central n'est que $1/22$ (ou 4,5 %) de l'intensité centrale, et les maxima suivants sont encore plus petits. Ceci correspond à la figure 6.4. Notez toutefois que cette relation n'est pas évidente dans la figure 6.2c qui fut surexposée de façon à rendre visibles les maxima secondaires.

La figure de diffraction produite par une ouverture circulaire est similaire (quoique circulaire plutôt que rectangulaire) et d'une grande importance pratique étant donné que les lentilles sont des ouvertures circulaires traversées par de la lumière. Nous traiterons de ce point à la section 6.4 et nous verrons comment la diffraction limite la résolution (ou netteté) des images.

6.3 La diffraction dans l'expérience de la double fente

À la section 5.6, dans notre analyse de l'expérience de la double fente de Young, nous supposions que la partie centrale de l'écran était uniformément illuminée, ce qui équivaut à supposer que la largeur des fentes est infinitésimale, de sorte que le pic de diffraction central, dû à chaque fente, s'étale sur tout l'écran. Dans la réalité, cela ne peut jamais être le cas, bien entendu, et la diffraction atténue l'intensité des franges d'interférence brillantes à mesure qu'on s'éloigne du centre, de sorte qu'elles ne sont pas toutes de même intensité comme il était indiqué à la figure 5.15.

Calculons l'intensité dans une figure d'interférence produite par une double fente, en tenant compte de la diffraction. Les fentes sont de même largeur D et la distance entre leurs centres est de d. Comme la distance à l'écran est grande comparativement à la distance entre les fentes d (nous supposons qu'il s'agit d'une diffraction de Fraunhofer), l'amplitude de l'onde due à chaque fente est donnée par l'équation 6.5. En conséquence, l'amplitude résultante à un angle θ de la figure d'interférence n'est plus:

$$E_{\theta 0} = 2E_0 \cos \delta/2,$$

comme le prévoyait l'équation 5.5b. Pour tenir compte de la diffraction, ce résultat doit être modifié à l'aide de l'équation 6.5, de sorte que:

$$E_{\theta 0} = 2E_0\left(\frac{\sin \beta/2}{\beta/2}\right)\cos\frac{\delta}{2}.$$

(Notez que nous n'avions traité jusqu'ici, dans le présent chapitre, que de l'amplitude de E et que nous écrivions donc E_θ plutôt que $E_{\theta 0}$, comme nous l'avions fait au chapitre 5.) L'intensité est donnée par:

$$I_\theta = I_0\left(\frac{\sin \beta/2}{\beta/2}\right)^2\left(\cos\frac{\delta}{2}\right)^2, \tag{6.9}$$

où

$$\frac{\beta}{2} = \frac{\pi}{\lambda} D \sin\theta \qquad \text{et} \qquad \frac{\delta}{2} = \frac{\pi}{\lambda} d \sin\theta.$$

(Ces résultats découlent des équations 6.6 et 5.4). On appelle parfois le terme dans la première parenthèse de l'équation 6.9 le «facteur de diffraction» et le terme dans la deuxième parenthèse, le «facteur d'interférence». Les figures 6.9a et 6.9b sont des graphiques de ces facteurs, avec $d = 6D$ et $D = 10\lambda$. (La figure 6.9b est identique à la figure 5.15, sauf pour le facteur I_0.) La figure 6.9c représente le produit de ces deux courbes, multiplié par la constante I_0, ce qui représente l'intensité réelle en fonction de θ (ou en fonction de la position sur l'écran quand θ n'est pas trop grand) donnée par l'équation 6.9. Comme l'indiquent les tirets dans la figure 6.9c, le facteur de diffraction joue le rôle d'une sorte d'enveloppe qui limite la hauteur des pics d'interférence. Déjà visible dans la figure 5.8, la diminution d'intensité des franges d'interférence loin du centre l'est davantage dans la figure 6.10, où le rapport d/D est plus petit.

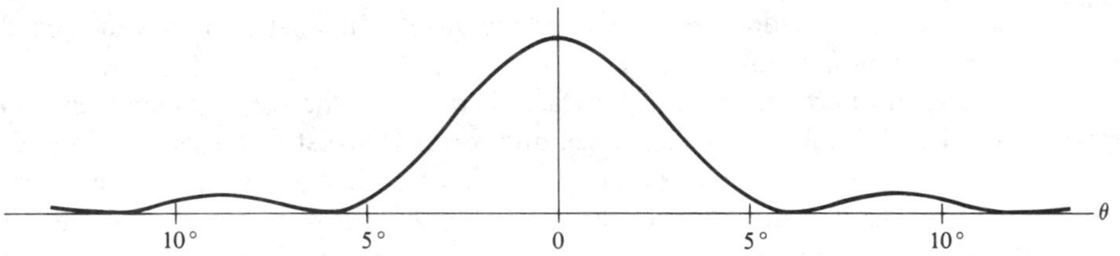

a) Facteur de diffraction, $(\sin^2 \beta/2)/(\beta/2)^2$ en fonction de θ.

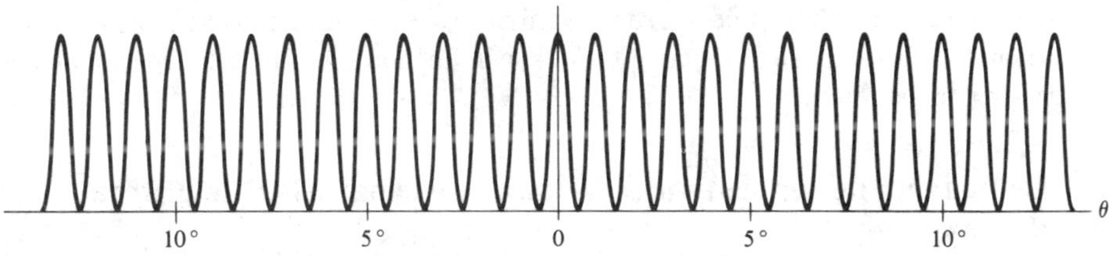

b) Facteur d'interférence, $\cos^2 \delta/2$ en fonction de θ.

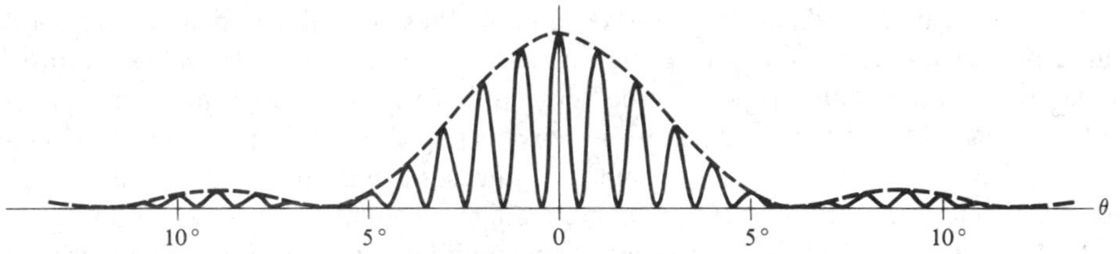

c) Intensité, I_θ en fonction de θ.

FIGURE 6.9 a) Facteur de diffraction, b) facteur d'interférence et c) intensité résultante I_θ, représentés en fonction de θ pour $d = 6D = 60\lambda$.

EXEMPLE 6.3 Pourquoi le pic de diffraction central dans la figure 6.9 contient-il 11 franges d'interférence?

SOLUTION Le premier minimum dans la figure de diffraction se produit quand:

$$\sin \theta = \lambda/D.$$

Comme $d = 6D$,

$$d \sin \theta = 6D\,(\lambda/D) = 6\lambda.$$

D'après l'équation 5.2a, les pics d'interférence (maxima) se produisent quand $d \sin \theta = m\lambda$, où m peut être 0, 1, ... ou tout entier. Le minimum de diffraction coïncide donc avec $m = 6$ dans la figure d'interférence, de sorte que le sommet $m = 6$ n'apparaît pas. Le pic de diffraction central enveloppe donc le pic d'interférence central ($m = 0$) et cinq pics ($m = 1$ à 5) de chaque côté, ce qui fait un total de 11. Comme le pic d'ordre 6 n'apparaît pas, on dit qu'il s'agit d'un «ordre manquant».

Notez que, d'après le dernier exemple, le nombre de franges d'interférence dans le pic de diffraction central dépend seulement du rapport d/D et non de la longueur d'onde λ. L'espacement entre les franges (en angle ou en position sur l'écran) dépend de λ. Pour

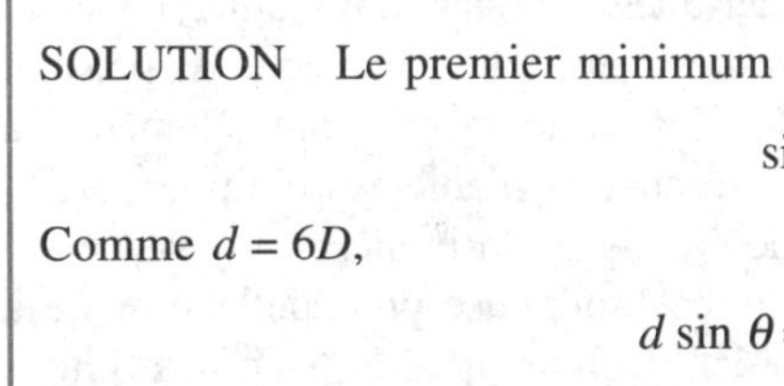

FIGURE 6.10 Photographies (trois expositions à différentes intensités) de la figure d'interférence par une double fente montrant les effets de la diffraction; $d = 6D$. (Tirées de F. A. Jenkins et H. E. White, *Fundamental of Optics*, *quatrième édition*, © 1976 par McGraw-Hill, Inc.; reproduites avec la permission de McGraw-Hill Book Co.)

le cas illustré, $D = 10\lambda$, et donc le premier minimum de diffraction se produit quand $\sin\,\theta = \lambda/D = 0{,}10$ ou à environ 6°.

Les figures d'interférence et de diffraction résultent du même phénomène: la superposition d'ondes cohérentes de phases différentes. La distinction entre l'interférence et la diffraction n'est donc pas physique et constitue un simple procédé de description; ainsi, dans la présente section, nous avons analysé la figure produite par une double fente en termes d'interférence et de diffraction séparément. En général, on utilise le terme «diffraction» quand on se réfère à une analyse par superposition de plusieurs sources infinitésimales et habituellement contiguës (par exemple, quand on divise une source en de multiples parties infinitésimales); on utilise le terme «interférence» quand on superpose les ondes émises par un nombre fini (et habituellement petit) de sources cohérentes.

6.4 Le pouvoir de séparation et la limite de séparation; le critère de Rayleigh

On appelle **pouvoir de séparation** le pouvoir d'une lentille de former des images distinctes de deux objets ponctuels situés très près l'un de l'autre. On appelle limite de séparation l'inverse du pouvoir de séparation. Plus les images distinctes qu'une lentille permet d'obtenir sont près l'une de l'autre (sans produire de taches confuses qui se chevauchent), plus le pouvoir de séparation de la lentille est élevé et plus la limite de séparation est petite. On exprime souvent le pouvoir de séparation, par exemple d'une lentille de caméra, par le nombre de lignes par millimètre qu'on peut distinguer[†]. On détermine ce nombre en photographiant un nombre normalisé de lignes parallèles sur un film à grain fin: l'espacement minimal entre des lignes distinctes sur la photographie ainsi obtenue donne la limite de séparation de la lentille.

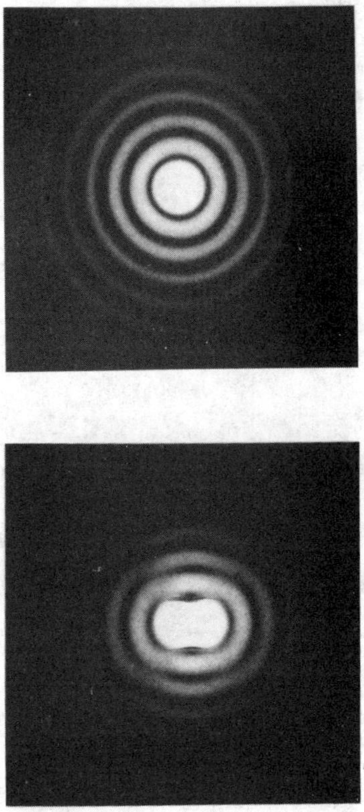

FIGURE 6.11 Photographies d'images (très agrandies) formées par une lentille: a) un objet ponctuel unique; b) deux objets ponctuels presque résolus. (Tirées de M. Cagnet, M. Françon et J.C. Thrierr, *Atlas of Optical Phenomena*, Springer-Verlag, Berlin, 1962.)

Deux facteurs principaux limitent le pouvoir de séparation d'une lentille. Les aberrations de la lentille constituent le premier facteur. Nous avons déjà vu en effet qu'à cause de différentes aberrations, notamment sphériques, l'image d'un objet ponctuel n'est pas un point mais une tache confuse. Des lentilles composites bien conçues peuvent réduire les aberrations de façon significative mais ne les éliminent pas complètement. La *diffraction* constitue le deuxième facteur; il n'existe aucune manière d'éliminer la diffraction parce que celle-ci résulte de la nature ondulatoire de la lumière. Voyons cela.

À la section 6.1, nous avons vu qu'une source lumineuse ponctuelle projette à travers une fente une figure de diffraction sur un écran (figures 6.2 et 6.4). Les limites périphériques (ou pourtours) d'une lentille jouent le rôle d'une fente. L'image d'un objet ponctuel formée par une lentille est en fait une minuscule figure de diffraction. Même en l'absence d'aberrations optiques, l'image serait donc brouillée.

Dans l'analyse suivante, nous supposerons que la lentille ne présente aucune aberration, de façon à pouvoir nous concentrer sur les effets de la diffraction et sur la façon dont celle-ci limite le pouvoir de séparation d'une lentille. La figure 6.4 nous a permis de voir que la figure de diffraction résultant d'une fente rectangulaire a un maximum central où se concentre la plus grande partie de la lumière. Ce pic central est borné par un minimum de chaque côté à un angle $\theta \approx \sin\,\theta = \lambda/D$ (équation 6.1), où D est le diamètre de la fente, λ, la longueur d'onde de la lumière utilisée et où on a supposé θ petit. Des franges de plus faible intensité se produisent également au-delà du minimum. Pour une lentille, ou n'importe quel trou circulaire, l'image d'un objet ponctuel consiste en un pic central *circulaire* (appelé *tache de diffraction* ou *disque d'Airy*) entouré d'anneaux concentriques de moins en moins brillants (figure 6.11a). La demi-largeur angulaire du maximum central est donnée par:

$$\theta = \frac{1{,}22\lambda}{D}.$$

† On peut exprimer ce pouvoir de séparation au centre du champ de vision ou à sa périphérie, où il est d'ordinaire moindre à cause des aberrations hors-axe.

Ce résultat diffère par un facteur de 1,22 de celui obtenu pour une fente (équation 6.1). Ce facteur résulte du fait que la largeur d'un trou circulaire n'est pas uniforme (comme celui d'une fente rectangulaire) mais varie du diamètre D à zéro. Une analyse minutieuse montre que la largeur «moyenne» est de $D/1{,}22$, d'où l'équation de la page précédente plutôt que l'équation 6.1. L'intensité de la lumière dans la figure de diffraction de l'ouverture circulaire apparaît à la figure 6.12. Toute image est donc une figure de diffraction complexe. La plupart du temps, seul le disque central nous intéresse, car les anneaux circulaires concentriques sont beaucoup moins brillants.

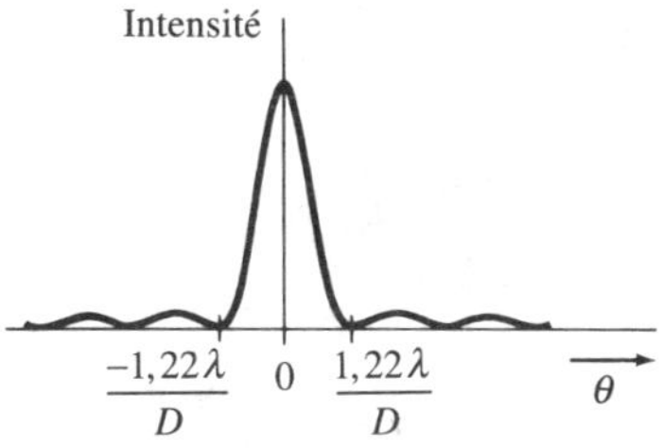

FIGURE 6.12 Intensité dans la figure de diffraction par un trou circulaire.

Quand deux objets ponctuels sont très près l'un de l'autre, les figures de diffraction de leurs images se chevauchent comme dans la figure 6.11b. Au fur et à mesure qu'on rapproche les objets, on tend vers un point auquel on ne peut pas dire s'il y a deux images qui se chevauchent ou une seule image. Ce point peut être différent pour des observateurs différents. Toutefois, on accepte généralement le critère proposé par Lord Rayleigh (1842-1919). Selon le **critère de Rayleigh**, *deux images sont juste séparées quand le maximum central de la figure de diffraction de l'un coïncide exactement avec le premier minimum de la figure de diffraction de l'autre* (figure 6.13). Comme le premier minimum est à un angle $\theta = 1{,}22\lambda/D$ du maximum central, on peut considérer, en vertu du critère de Rayleigh, que ces deux objets sont à la limite de séparation s'ils sont séparés par cet angle θ:

$$\theta = \frac{1{,}22\lambda}{D}. \qquad (6.10)$$

C'est la nature ondulatoire de la lumière qui, en causant la diffraction, impose cette limite de séparation. Rappelons que plus la limite de séparation est petite, plus le pouvoir de séparation est grand.

6.5 La limite de séparation des télescopes et des microscopes

Certains croient sans doute possible de réaliser des microscopes ou des télescopes donnant un grossissement à l'infini simplement en choisissant la distance focale des lentilles. Mais la diffraction rend impossible la conception de tels instruments. Au-delà d'un certain point, un grossissement accru ne donne lieu qu'à un grossissement de la figure de diffraction. Voilà qui peut être trompeur si un observateur confond les détails d'un objet avec ceux de la figure de diffraction. Vérifions ce fait en appliquant le critère de Rayleigh, l'équation 6.10:

$$\theta = \frac{1{,}22\lambda}{D},$$

qui est valide pour un microscope ou un télescope et où D est le diamètre de l'objectif. On exprime la limite de séparation d'un télescope en spécifiant l'angle θ donné par cette équation[†].

Il est plus commode de préciser la limite de séparation d'un microscope grâce à la distance réelle d entre deux points juste résolubles (figure 6.13). Comme on place habituellement les objets près du foyer de l'objectif, $\theta = d/f$ ou $d = f\theta$. En combinant cette dernière équation avec l'équation 6.10, nous obtenons la **limite de séparation** (LS).

$$LS = d = f\theta = \frac{1{,}22\lambda f}{D}. \qquad (6.11)$$

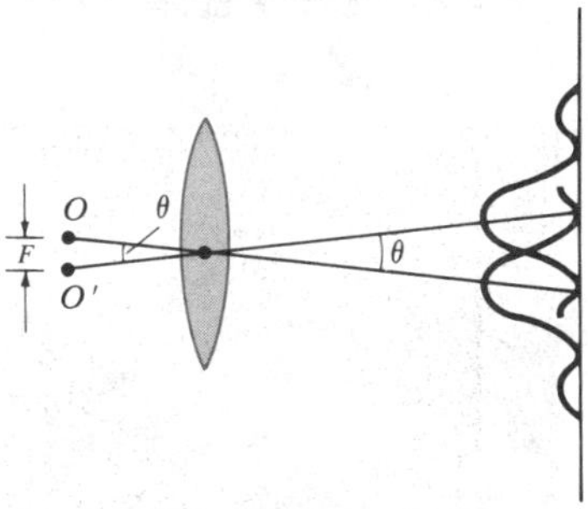

FIGURE 6.13 Le *critère de Rayleigh.* Deux images sont juste séparables quand le centre du sommet de diffraction de l'une est directement sur le premier minimum de la figure de diffraction de l'autre. Les deux objets ponctuels O et O' soustendent un angle θ à la lentille; on trace seulement un rayon pour chaque objet, de façon à indiquer le centre de la figure de diffraction de son image.

† Le plus souvent, ce n'est pas la diffraction qui limite le pouvoir de séparation des télescopes à objectifs de grand diamètre, mais d'autres facteurs comme la turbulence dans l'atmosphère. Par contre, le pouvoir de séparation d'un microscope de haute qualité est le plus souvent limité par la diffraction. En effet, les objectifs de microscopes sont des lentilles composites complexes contenant plusieurs éléments de petit diamètre (étant donné que f est petit).

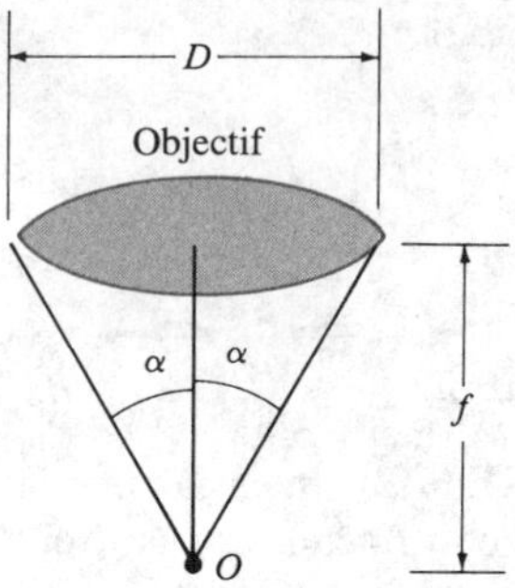

FIGURE 6.14 L'objectif d'un microscope montrant l'ouverture angulaire, α.

On nomme cette distance d la limite de séparation de la lentille parce qu'elle constitue la distance minimale entre deux objets ponctuels juste résolubles. On écrit souvent cette équation en fonction de l'ouverture angulaire α de l'objectif telle qu'elle est définie dans la figure 6.14. La démonstration† de cette équation fait l'objet du problème 23 à la fin du chapitre; le résultat est:

$$LS = d = \frac{1{,}22\lambda}{2 \sin \alpha} = \frac{0{,}61\lambda}{\sin \alpha}. \tag{6.12a}$$

On peut augmenter le pouvoir de séparation en immergeant l'objet et la surface avant de l'objectif dans une goutte d'huile. On appelle un tel objectif un *objectif à immersion.* La longueur d'onde de la lumière est, dans l'huile, réduite à λ/n, où n est l'indice de réfraction de l'huile. La limite de séparation devient donc:

$$LS = \frac{0{,}61\lambda}{n \sin \alpha}. \tag{6.12b}$$

L'indice de réfraction de l'huile est d'ordinaire de $n \approx 1{,}5$, mais il peut parfois atteindre la valeur de 1,8. L'immersion dans l'huile augmente donc la résolution de 50 % ou plus.

La quantité (n sin α) se nomme l'*ouverture numérique* (*ON*) de la lentille:

$$ON = n \sin \alpha.$$

Celle-ci est d'ordinaire inscrite, de même que le grossissement, sur le boîtier de la lentille. Plus la valeur de *ON* est grande, plus la limite de séparation est fine.

EXEMPLE 6.4 Quelle est la séparation angulaire théorique minimale de deux étoiles juste résolubles par *a*) le télescope de 5,1 m du mont Palomar et *b*) le radio-

FIGURE 6.15 Le radiotélescope de 300 mètres à Arecibo, Porto Rico.

† Quand l'angle α est petit, la démonstration est facile puisqu'en ce cas $\sin \alpha = \tan \alpha = \alpha = D/2f$ (figure 6.14) ou $f/D = 1/(2 \sin \alpha)$. Par conséquent $d = 1{,}22\lambda f/D = 1{,}22\lambda/2 \sin \alpha$. Le cas général fait l'objet du problème 23.

télescope d'Arecibo (figure 6.15) dont le diamètre est de 300 m et le rayon de courbure, de 300 m également. Supposez que $\lambda = 550$ nm pour le télescope à lumière visible de la partie *a*) et que $\lambda = 4$ cm (la plus petite longueur d'onde à laquelle on a fait fonctionner le radiotélescope) pour la partie *b*).

SOLUTION *a*) Comme $D = 5{,}1$ m, nous tirons de l'équation 6.10 que $\theta = 1{,}22\lambda/D = 1{,}22(5{,}50 \times 10^{-7}\ \text{m})/5{,}1\ \text{m} = 1{,}3 \times 10^{-7}$ rad ou $0{,}75 \times 10^{-5}$ degré. C'est la limite de séparation imposée par la diffraction. En fait, la séparation n'est jamais aussi bonne à cause des aberrations et, plus encore, à cause de la turbulence dans l'atmosphère. Pour cette raison, les objectifs à très grand diamètre n'ont surtout pas pour but d'atteindre à un plus grand pouvoir de résolution mais de capter davantage de lumière, ce qui permet de percevoir des objets moins brillants.

b) La turbulence atmosphérique ne nuit pas au radiotélescope. Pour les ondes radio de longueur d'onde $\lambda = 0{,}04$ m, la limite de séparation est $\theta = 1{,}22(0{,}04\ \text{m})/300\ \text{m} = 1{,}6 \times 10^{-4}$ rad.

EXEMPLE 6.5 Déterminez l'ouverture numérique et la limite de séparation des meilleurs microscopes à immersion lorsque l'indice de réfraction de l'huile est $n = 1{,}8$ et que $\sin\alpha \approx 0{,}90$. Supposez que $\lambda = 550$ nm.

SOLUTION L'ouverture numérique $= ON = n \sin\alpha = 1{,}6$. La limite de séparation $(LS) = 0{,}61\lambda/ON = (0{,}61)(5{,}50 \times 10^{-7}\ \text{m})/(1{,}6) \approx 2 \times 10^{-7}\ \text{m} = 200$ nm. Ceci est la meilleure séparation possible pour un microscope à lumière visible.

La diffraction impose une limite ultime aux détails qu'on peut voir d'un objet quelconque. Dans l'équation 6.11, on ne peut rendre la distance focale d'une lentille plus petite (approximativement) que le rayon de la lentille, ce qui est d'ailleurs très difficile (voir l'équation du lunetier, 4.3); dans ce cas idéal[†], l'équation 6.11 donne, avec $f \approx D/2$,

$$LS \approx \frac{\lambda}{2}. \tag{6.13}$$

Nous pouvons donc dire qu'à un facteur de 2 près,

> **il n'est pas possible de séparer les détails d'un objet plus petit que la longueur d'onde du rayonnement utilisé.**

Il s'agit d'une règle approximative importante et très utile.

La conception des lentilles composites est maintenant tellement perfectionnée que la limite réelle de séparation est souvent imposée par la diffraction, c'est-à-dire par la longueur d'onde de la lumière utilisée. Pour obtenir plus de détails, on doit utiliser un rayonnement de plus petite longueur d'onde. L'utilisation du rayonnement ultra-violet (UV) permet d'augmenter le pouvoir de séparation par un facteur d'environ 2. La découverte, au début du XXe siècle, des propriétés ondulatoires des électrons (voir le chapitre 9) et de l'extrême petitesse de leurs longueurs d'onde est à cet égard très importante puisqu'elle a mené au développement du microscope électronique (voir la section 9.7) qui peut grossir un objet de 100 à 1000 fois plus qu'un microscope à lumière visible. Les rayons X aussi ont des longueurs d'onde très courtes et on les utilise souvent pour étudier les détails infimes d'un objet à l'aide de techniques spécialisées (section 6.11).

[†] On peut obtenir le même résultat au moyen de l'équation 6.12a, puisque $\sin\alpha$ ne peut jamais dépasser 1 et qu'il est normalement, au plus, de 0,6 à 0,9. Avec immersion dans l'huile, l'équation 6.12b donne, dans le meilleur des cas, $LS \approx \lambda/3$, ce qui correspond au résultat de l'exemple 6.5.

ENCADRÉ 6.1

Le grossissement utile

L'aspect essentiel du grossissement d'un instrument d'optique consiste dans la séparation optique de points trop rapprochés pour être distingués par un récepteur de lumière comme l'œil. Pour séparer optiquement deux points, l'instrument doit en produire des images dont les maxima centraux des patrons de diffraction soient résolus (critère de Rayleigh).

Trois définitions du grossissement sont à distinguer: les grossissements optique, normal et utile. Si on prend l'œil en considération, le grossissement optique s'applique à l'augmentation de la grandeur de l'image rétinienne de l'objet regardé; le grossissement normal, une valeur particulière du grossissement optique, s'applique à l'éclairement de l'image rétinienne (voir l'encadré 4.2). Le grossissement utile, lui aussi une valeur particulière du grossissement optique, s'applique à l'amélioration de la limite de séparation. C'est le plus important des trois; il fait l'objet de cet encadré, où nous nous limitons au cas du télescope.

La limite de séparation et le pouvoir de séparation

On définit la limite de séparation d'un instrument par la distance, linéaire ou angulaire, entre les points les plus rapprochés qu'il peut résoudre. Et on définit le pouvoir de séparation par l'inverse de la limite de séparation. Plus la limite de séparation d'un instrument est petite, plus son pouvoir de séparation est grand et plus l'instrument est performant; la diffraction et les aberrations sphérique, chromatique et autres détériorent la limite de séparation, donc augmentent sa valeur.

La limite de séparation de l'œil

Selon le diamètre de la pupille de l'œil et selon l'éclairement (lumière par unité de surface) de l'image rétinienne, la limite de séparation angulaire de l'œil varie entre 30 secondes et 5 minutes d'arc. Le plus souvent, c'est-à-dire dans des conditions normales, elle varie entre 1 et 3 minutes d'arc. Sous un bon éclairage et un diamètre de pupille de 2 mm, par exemple, elle est voisine de 1 minute d'arc. Ceci correspond sensiblement à la séparation angulaire permise par la diffraction à travers un trou d'un tel diamètre. Sous un éclairage plus faible, le diamètre de la pupille augmente et la diffraction diminue, ce qui devrait améliorer le pouvoir de séparation; c'est le contraire qui se produit, à cause de l'aberration sphérique de la lentille de l'œil qui devient alors plus considérable.

Le grossissement utile

Les deux propriétés importantes d'un instrument d'optique sont sa limite de séparation propre et sa capacité de grossir. Si le grossissement est suffisant pour que l'œil (ou un autre récepteur) puisse distinguer les points déjà séparés optiquement par l'instrument, la valeur du grossissement est dite utile. S'il est plus grand, on parle de grossissement vide.

Prenons un exemple simple pour illustrer le fait que la valeur du grossissement utile d'un instrument d'optique doit être d'autant plus grande que la limite de séparation du récepteur est grande (se détériore). Considérons deux télescopes ayant la même limite de séparation intrinsèque, couplés à des plaques photographiques (placées aux foyers) de limites de séparation différentes, et chacun réglé à sa valeur de grossissement utile. Ce sont des télescopes sans oculaire; l'idée de grossissement optique s'applique donc, ici, à la grandeur de l'image optique obtenue au foyer de l'objectif du télescope, et non à celle de l'image rétinienne, ce qui est le cas des télescopes visuels.

Comme ces deux télescopes ont la même limite de séparation intrinsèque, leurs objectifs doivent être de même diamètre. Celui doté d'une plaque photo de plus grande (moins bonne) limite de séparation nécessitera un grossissement optique plus grand pour atteindre sa valeur de grossissement utile et devra donc être doté d'un objectif de distance focale de valeur plus grande. Notons que la limite de séparation intrinsèque d'un objectif diminue (devient meilleure) avec la grandeur de son diamètre et est indépendante de sa distance focale.

La figure 1 montre ces deux objectifs de même diamètre mais de distances focales différentes. Les points éloignés A et B sont à la limite de séparation des objectifs. Les images respectives A' et B' sont à la limite de séparation des plaques photo. Le grossissement est donc utile dans un cas comme dans l'autre. Le grossissement utile est plus grand (donc plus grande distance focale) dans le cas de la plaque photo de grande (moins bonne) limite de séparation.

FIGURE 1 Deux télescopes réglés à leur valeur de grossissement utile.

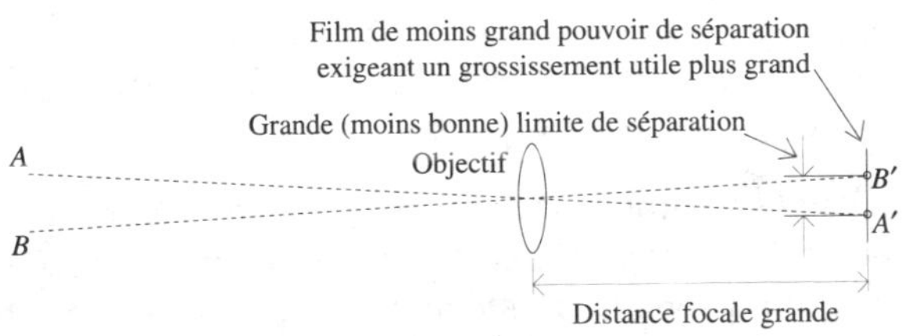

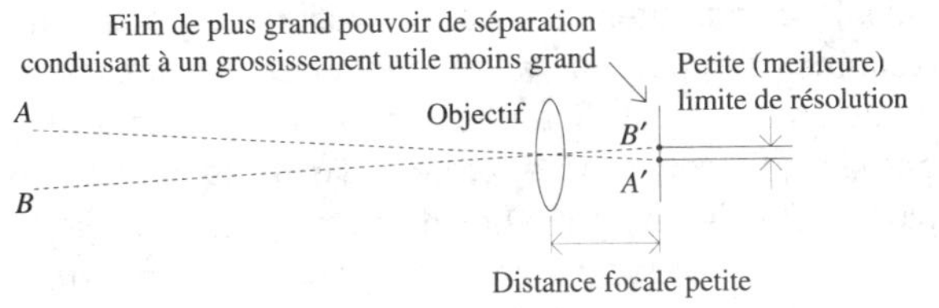

Rappelons cependant que la plaque photo, si performante soit-elle, ne peut résoudre des points non préalablement séparés par l'objectif et ce, quelle que soit la valeur de la distance focale.

La détermination du grossissement utile

Comme nous l'avons mentionné précédemment, le grossissement optique d'un instrument atteint sa valeur utile quand l'œil (ou le récepteur) réussit à séparer les points que l'instrument lui-même peut séparer.

Le grossissement optique G d'un télescope correspond au rapport de l'angle ϕ sous-tendu par l'image vue dans l'instrument à l'angle θ sous-tendu par l'objet vu à l'œil nu:

$$G = \frac{\phi}{\theta}.$$

Considérons deux points rapprochés à la limite de séparation angulaire de l'instrument. Comme on veut connaître de combien l'instrument doit grossir pour que l'œil réussisse à distinguer ces deux points (grossissement utile), on prend comme valeur de l'angle θ la limite de séparation angulaire de l'instrument. Lorsque le grossissement est égal à sa valeur utile, l'œil qui regarde dans l'instrument doit tout juste séparer ces deux points; on prend donc comme valeur de ϕ la limite de séparation angulaire de l'œil.

On a donc:

$$G_{\text{utile}} = \frac{\text{limite de séparation de l'œil}}{\text{limite de séparation de l'instrument}}.$$

On peut définir trois grossissements utiles, soit G_1, G_2 et G_3, correspondant respectivement aux trois limites (1, 2 et 3 minutes d'arc) de séparation angulaire de l'œil. Ainsi, $G_3 = 3G_1$ et $G_2 = 2G_1$.

Le grossissement utile G_1 correspond au cas idéal; la limite de 1 minute d'arc de séparation de l'œil n'est alors causée que par le phénomène de diffraction, comme il en a été question précédemment.

Le grossissement utile du télescope

Calculons le grossissement utile G_1 du télescope dont l'objectif a un diamètre D:

$$\phi = 1 \text{ minute} = 3{,}0 \times 10^{-4} \text{ radian}.$$

En vertu du critère de Rayleigh, on a:

$$\theta = \frac{1{,}22\lambda}{D}.$$

Pour G_1, on a donc:

$$G_1 = \frac{3{,}0 \times 10^{-4} \text{ rad}}{\dfrac{1{,}22\lambda}{D_{\text{objectif}}}}.$$

Si on prend 550 nm comme valeur représentative de λ, on obtient:

$$G_1 = 5 \times D,$$
$$G_2 = 10 \times D,$$
$$G_3 = 15 \times D,$$

où, dans les trois équations précédentes, D est en centimètres.

On n'a pas tenu compte ici des autres facteurs pouvant limiter le pouvoir de séparation d'un télescope, comme la variation des valeurs d'indice de réfraction des diverses couches de l'atmosphère, par exemple.

Le grossissement normal et le grossissement utile du télescope

Il est très avantageux que la valeur du grossissement optique soit non seulement à sa valeur utile, mais

ENCADRÉ 6.1(suite)

aussi à sa valeur normale. En effet, quand la valeur du grossissement est normale, l'image rétinienne atteint son maximum d'éclairement (quantité de lumière par unité de surface).

Montrons que, si les limites de séparation du télescope et de l'œil sont idéales (uniquement déterminées par le phénomène de diffraction), les valeurs des grossissements utile et normal sont égales. Dans ces conditions, la valeur du grossissement utile (ici G_1, qui correspond au cas idéal) est donnée par:

$$G_1 = \frac{\dfrac{1{,}22\lambda}{d}}{\dfrac{1{,}22\lambda}{D}},$$

où d est le diamètre de la pupille de l'œil, et D, celui de l'objectif.

En simplifiant, on obtient:

$$G_1 = \frac{D}{d},$$

ce qui correspond au grossissement normal d'un télescope (voir l'encadré 4.2).

La signification du grossissement utile d'un instrument

La valeur du grossissement utile d'un instrument d'optique ne chiffre pas directement sa performance; elle nous dit de combien l'instrument doit grossir si on veut l'utiliser de façon optimale (du point de vue de la résolution), compte tenu de la résolution du récepteur. Néanmoins, pour un même récepteur, la valeur du grossissement utile d'un instrument est d'autant plus grande qu'il est plus performant (limite de séparation plus petite); ainsi, pour un même récepteur, le grossissement utile d'un microscope électronique est sûrement plus grand que celui d'un microscope optique.

P.-É. O.

6.6 Le pouvoir de séparation de l'œil humain et le grossissement utile

Plusieurs facteurs limitent le pouvoir de séparation de l'œil humain, chacun à peu près du même ordre de grandeur. C'est sur la tache jaune où la distance entre les cônes est minimale, environ 3 μm (= 3000 nm), que le pouvoir de séparation est maximal. Le diamètre de la pupille varie d'environ 0,1 cm à environ 0,8 cm. Par conséquent, pour $\lambda = 550$ nm (là où la sensibilité de l'œil est la plus grande), la limite de séparation imposée par la diffraction est $\theta \approx 1{,}22\lambda/D$, soit entre 8×10^{-5} rad et 6×10^{-4} rad. La longueur de l'œil étant d'environ 2 cm, sa limite de séparation est au mieux de $d = f\theta \approx (2 \times 10^{-2}\ \text{m}) \times (8 \times 10^{-5}\ \text{rad}) \approx 2\ \mu\text{m}$ et au pire d'environ 15 μm (petite pupille). Les aberrations sphérique et chromatique limitent aussi la séparation à environ 10 μm. Le résultat net est que l'œil peut résoudre des objets dont la séparation angulaire est au mieux d'environ 5×10^{-4} rad. Ce qui veut dire qu'un œil peut distinguer des objets séparés de 1 cm à une distance d'environ 20 m. Normalement, le point proche d'un œil humain est à environ 25 cm. À cette distance, l'œil peut distinguer des objets qui sont séparés de $(25\ \text{cm})(5 \times 10^{-4}\ \text{rad}) \approx 10^{-4}$ m. Comme les meilleurs microscopes à lumière ne peuvent pas résoudre des objets de moins de 200 nm (voir l'exemple 6.5), le grossissement utile est d'environ:

$$\frac{10^{-4}\ \text{m}}{200 \times 10^{-9}\ \text{m}} = 500\text{X}.$$

En pratique, on utilise souvent un grossissement de 1000X pour diminuer les efforts des yeux. Tout grossissement supérieur ne fait que rendre visible la figure de diffraction produite par l'objectif.

6.7 Les fentes multiples — Le réseau de diffraction

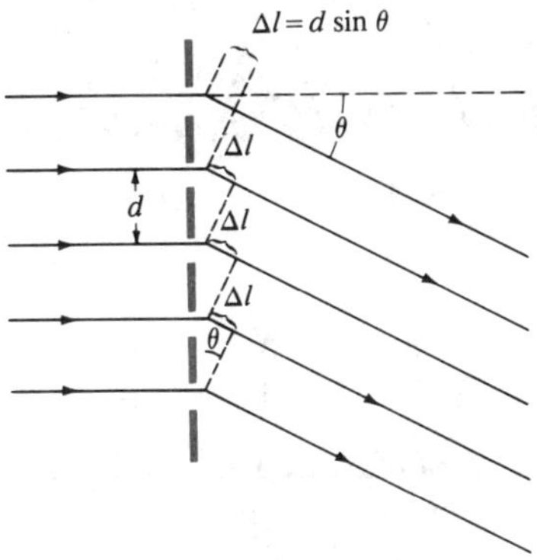

FIGURE 6.16 Réseau de diffraction.

Les trois premières sections du présent chapitre ont porté sur les figures de diffraction formées par des rayons lumineux traversant une ou deux fentes. Nous étudierons maintenant un appareil aux applications très diverses, appelé **réseau de diffraction**, et qui est constitué d'un très grand nombre de fentes parallèles également espacées. On fabrique généralement les réseaux en gravant sur du verre, avec une pointe de diamant, une série de traits parallèles très fins. L'espace intact entre les traits constitue une fente. Les diapositives photographiques d'un tel réseau peuvent servir de réseaux à prix modique. Les réseaux comprenant jusqu'à 10 000 traits par centimètre sont courants aujourd'hui; on s'en sert, notamment, pour mesurer les longueurs d'onde avec une grande précision (voir la section suivante). Un réseau de diffraction contenant des fentes s'appelle un **réseau à transmission**. Il existe aussi des **réseaux à réflexion**; on les fabrique en gravant des traits extrêmement fins sur une surface de métal ou de verre réfléchissant. L'analyse de ces réseaux est à peu de chose près identique à celle des réseaux à transmission; nous n'étudierons ici que ces derniers.

L'analyse d'un réseau de diffraction est très semblable à celle de l'expérience de la double fente de Young. Les rayons parallèles doivent tomber sur le réseau, comme dans la figure 6.16, et les fentes doivent être suffisamment étroites pour que la diffraction, produite par chacune d'elle, disperse la lumière, sur un très grand angle, sur un écran loin derrière le réseau et pour que les rayons provenant d'une fente interfèrent avec ceux provenant de toutes les autres fentes. Tous les rayons de lumière qui passent sans déviation par chaque fente ($\theta = 0°$) interfèrent constructivement, ce qui projette une tache brillante au centre. À un angle θ, tel que les rayons provenant de fentes adjacentes parcourent une distance supplémentaire $\Delta l = m\lambda$ où m est un entier, il se produit également de l'interférence constructive. Par conséquent, si d est la distance entre les fentes,

$$\sin\theta = \frac{m\lambda}{d}, \qquad m = 0,\ 1,\ 2,\ \ldots \qquad \text{[maxima principaux]} \qquad (6.14)$$

donne les positions des maxima. Il s'agit de la même équation que pour l'expérience de la double fente et, dans ce cas-ci également, on appelle m l'*ordre* de la figure.

Il existe toutefois une différence importante entre les figures produites par une double fente et celles produites par des fentes multiples. Dans le cas d'un réseau, en effet, les maxima de brillance sont beaucoup plus *nets* et *étroits*. Voyons pourquoi il en est ainsi. Supposons qu'on augmente l'angle θ d'une quantité légèrement supérieure à ce qu'il faut pour obtenir un maximum. Dans un dispositif à deux fentes seulement, les deux ondes ne sont que légèrement déphasées et il en résulte une interférence presque complètement constructive, ce qui entraîne des maxima larges (figure 5.15). Dans un réseau, les ondes provenant de deux fentes adjacentes ne sont pas non plus déphasées de façon significative. Toutefois, les ondes provenant d'une fente peuvent être totalement déphasées avec celles provenant d'une autre, quelques centaines de fentes plus loin; tous ces rayons de lumière, ou presque, s'annulent donc deux par deux. Par exemple, supposons que l'angle θ soit différent du maximum de premier ordre, de sorte que la longueur de marche supplémentaire n'est pas exactement λ mais $1{,}0010\lambda$. Par conséquent, une onde passant par une fente quelconque et une autre passant par une fente située 500 fentes plus bas sont déphasées de $1{,}5000\lambda$ ou de $1\frac{1}{2}$ longueur d'onde exactement et s'annulent donc l'une l'autre. La même chose se produit pour chaque paire de fentes dont l'une et l'autre sont situées juste sous les fentes précédentes. Autrement dit, la lumière passant par la fente 1 s'annule avec celle passant par la fente 501, celle passant par la fente 2 s'annule avec celle passant par la fente 502, et ainsi de suite. Par conséquent, même pour un très petit angle[†] correspondant à une

[†] Selon le nombre de fentes, il peut ou non y avoir annulation complète pour un tel angle, de sorte qu'il se produira des pics minuscules entre les maxima principaux (figure 6.17b), si minuscules, en fait, qu'on ne peut habituellement pas les voir. Nous traiterons de cela de façon plus détaillée à la section 6.9.

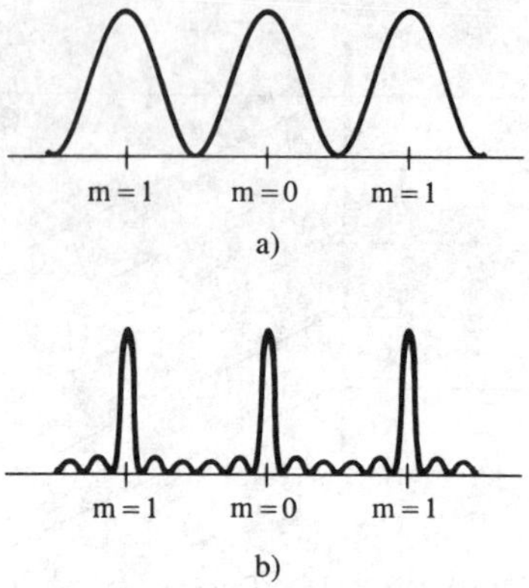

FIGURE 6.17 L'intensité en fonction de l'angle de vision θ (ou position à l'écran) pour a) deux fentes, b) six fentes. Pour un réseau de diffraction, le nombre de fentes est très grand ($\approx 10^4$) et les pics sont encore plus étroits.

longueur de marche supplémentaire de $\frac{1}{1000}\lambda$, il se produit beaucoup d'interférence destructive et le maximum doit donc être très étroit. Plus il y a de lignes dans un réseau, plus nets sont les maxima (figure 6.17). Puisqu'un réseau produit des lignes beaucoup plus nettes (et brillantes) qu'un dispositif à deux fentes, il est beaucoup plus précis pour mesurer les longueurs d'onde.

Lorsque la lumière illuminant un réseau de diffraction n'est pas monochromatique, c'est-à-dire composée de deux fréquences distinctes ou plus, chaque longueur d'onde, pour tous les ordres différents de $m = 0$, produit un maximum à un angle différent (figure 6.18a). Quand la lumière illuminant le réseau est blanche, le maximum central ($m = 0$) est net et blanc, mais, pour tous les autres ordres, le maximum consiste en un arc-en-ciel distinct réparti sur une certaine plage angulaire (figure 6.18b). Comme un réseau de diffraction disperse la lumière en ses différentes longueurs d'onde composantes, on appelle la figure résultante un *spectre*.

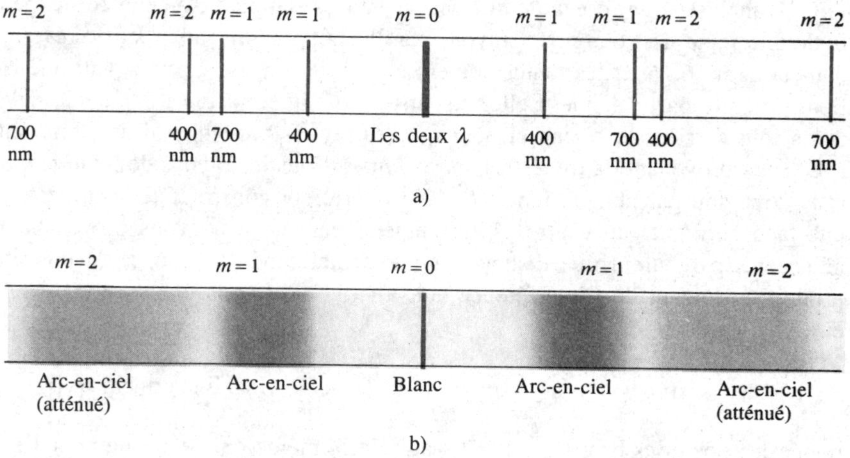

FIGURE 6.18 Spectres produits par un réseau: a) deux longueurs d'onde, 400 nm et 700 nm; b) lumière blanche. Normalement, le second ordre est moins brillant que le premier ordre; si le pas du réseau est assez petit, le second ordre peut être manquant. (Les ordres plus élevés n'apparaissent pas.)

EXEMPLE 6.6 Calculez les angles de premier et de second ordres pour de la lumière aux longueurs d'onde de 400 nm et de 700 nm si le réseau contient 10 000 traits par centimètre.

SOLUTION Comme le réseau contient 10^4 traits/cm = 10^6 traits/m, l'espace entre les fentes est de $d = 1/10^6\ \text{m}^{-1} = 1{,}0 \times 10^{-6}$ m. Dans le premier ordre ($m = 1$), les angles sont donnés par:

$$\sin\theta_{400} = \frac{m\lambda}{d} = \frac{1(4{,}0 \times 10^{-7}\ \text{m})}{1{,}0 \times 10^{-6}\ \text{m}} = 0{,}400$$

$$\sin\theta_{700} = 0{,}700,$$

par conséquent, $\theta_{400} = 23{,}6°$ et $\theta_{700} = 44{,}0°$. Dans le second ordre ($m = 2$),

$$\sin\theta_{400} = \frac{2(4{,}0 \times 10^{-7}\ \text{m})}{1{,}0 \times 10^{-6}\ \text{m}} = 0{,}800$$

$$\sin\theta_{700} = 1{,}40,$$

par conséquent $\theta_{400} = 53{,}0°$, mais le second ordre n'existe pas pour $\lambda = 700$ nm puisque $\sin\theta$ ne peut pas dépasser 1. Il n'existe pas d'ordre supérieur à $m = 2$.

EXEMPLE 6.7 On illumine un réseau contenant 4000 traits/cm avec de la lumière contenant des longueurs d'onde de 400 à 750 nm. Montrez que le violet du spectre de troisième ordre chevauche le rouge du spectre de deuxième ordre.

SOLUTION L'espacement entre les fentes du réseau est $d = 1/(4000\ \text{cm}^{-1}) = 2{,}50 \times 10^{-6}$ m. Le violet du troisième ordre se produit à un angle θ donné par:

$$\sin\theta = \frac{(3)(4{,}00 \times 10^{-7}\ \text{m})}{(2{,}50 \times 10^{-6}\ \text{m})} = 0{,}480.$$

Le rouge du second ordre se produit à:

$$\sin\theta = \frac{(2)(7{,}50 \times 10^{-7}\ \text{m})}{(2{,}50 \times 10^{-6}\ \text{m})} = 0{,}600,$$

ce qui correspond évidemment à un plus grand angle.

Le réseau de diffraction est essentiel au fonctionnement du spectroscope; ce dernier dispositif sert à mesurer les longueurs d'onde et nous l'étudierons à la section suivante.

6.8 Le spectroscope et la spectroscopie

Le **spectroscope** (figure 6.19) est un instrument servant à mesurer les longueurs d'onde avec un grand degré de précision et dans lequel un réseau de diffraction (section 6.7) ou un prisme sépare les différentes longueurs d'onde d'une lumière. La lumière provenant d'une certaine source passe par une fente étroite F dans le collimateur. La fente se trouve au foyer de la lentille L; la lumière incidente au réseau est donc parallèle. Le télescope mobile permet de focaliser les rayons vers l'œil ou un détecteur. On ne peut rien voir dans le télescope sauf s'il est orienté à un angle θ correspondant à un sommet de diffraction (on utilise d'ordinaire le premier ordre) d'une longueur d'onde émise par la source. On peut mesurer† l'angle θ avec une très grande précision, ce qui permet également de déterminer la longueur d'onde d'une raie avec une très grande précision, au moyen de l'équation 6.14:

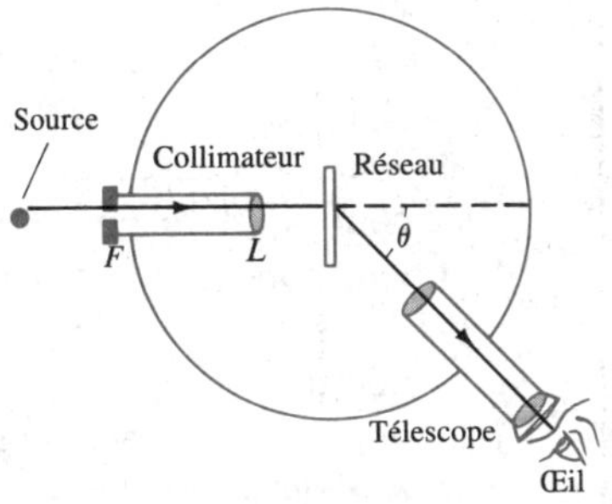

FIGURE 6.19 Spectroscope.

$$\sin\theta = \frac{m\lambda}{d},$$

où m est un entier représentant l'ordre et d, la distance entre les traits du réseau. (Chaque raie vue dans le spectroscope, correspondant à une longueur d'onde particulière, constitue toutefois une image de la fente F; par conséquent, plus étroite est la fente, plus étroite (mais plus pâle) est la raie et plus précise est la mesure. Si la lumière contient une plage continue de longueurs d'onde, on voit un spectre continu dans le spectroscope.)

Dans certains spectroscopes, on utilise un réseau par réflexion ou un prisme. Le prisme, à cause de la dispersion (section 5.5), a la propriété de dévier la lumière de différentes longueurs d'onde selon différents angles. L'inconvénient du prisme est la moindre netteté des raies qu'il permet d'obtenir et, par conséquent, son moindre pouvoir de séparation de raies très rapprochées. Par contre, le prisme dévie plus de lumière (ce qui est un avantage pour des sources lumineuses faibles) qu'un réseau de diffraction normal, lequel laisse passer librement vers le sommet central la plus grande partie de la lumière. On fabrique toutefois aujourd'hui des réseaux de réflexion avec des sillons ayant des formes définies qui ont la propriété de réfléchir une grande partie de la lumière à un angle approprié, ce qui donne un fort sommet de premier ordre.

† On mesure ordinairement l'angle θ d'une longueur d'onde donnée des deux côtés du centre parce qu'il n'est pas toujours possible d'aligner le réseau précisément; on prend alors la moyenne de ces deux valeurs.

ENCADRÉ 6.2

Les raies spectrales de Fraunhofer

Les raies d'absorption du spectre continu brillant de la photosphère du Soleil ont été mesurées et utilisées systématiquement pour la première fois par Joseph von Fraunhofer (1787-1826), au début du XIXe siècle. Certaines de ces raies spectrales servent encore aujourd'hui de longueurs d'onde de référence dans la spécification des verres optiques.

La découverte des raies de Fraunhofer

Joseph von Fraunhofer, orphelin dès l'âge de douze ans, s'engagea dans divers ateliers où on concevait et fabriquait des instruments d'optique. Le jeune Allemand reconnut la nécessité de mesurer avec une très grande précision les indices de réfraction des verres. En effet, le calcul de systèmes optiques achromatiques exige de connaître les dispersions relatives des matériaux, lesquelles sont fonction de la différence d'indices de réfraction de valeurs très semblables: il faut donc connaître ces valeurs avec une très grande précision si on veut calculer la dispersion relative avec une précision acceptable.

Fraunhofer fabriqua un spectromètre à partir d'un théodolite en lui adjoignant un prisme placé devant le télescope. Il remarqua une raie prononcée de couleur jaune dans le spectre de la lumière d'une lampe brûlant de l'huile de mouton. Cette raie avait déjà été observée par W. H. Wollaston (1766-1828) en 1802. Fraunhofer montra qu'elle était composée de raies très voisines. Il s'en servit comme repère de position et lui attribua le symbole *R* (qu'il remplaça plus tard par *D*).

Le physicien divisa en six parties le spectre de la lumière produite à la sortie du prisme. Cependant, la largeur des parties du spectre affectait la précision des mesures. C'est alors qu'une découverte majeure permit d'accroître la précision des mesures de dispersion de deux ordres de grandeur.

En tentant de trouver cette raie *R* dans la lumière solaire qu'il examinait à travers une fente très étroite pratiquée dans le volet d'une pièce, Fraunhofer observa que le spectre était composé, en plus des couleurs habituelles, d'une suite discontinue de raies noires. L'une d'elles, que le savant dénomma *D*, coïncidait avec la raie brillante *R* qu'il recherchait. Wollaston, qui fut le premier à remarquer ces raies noires, avança l'hypothèse qu'elles séparaient les couleurs du spectre. On traite de la cause des raies de Fraunhofer dans l'encadré 11.1.

Il est étonnant que Newton (1643-1727), qui fit un grand nombre d'expériences avec le spectre de la lumière solaire, plus d'un siècle auparavant, n'ait pas découvert ces raies. Il faut dire qu'il utilisait généralement un trou plutôt qu'une fente pour intercepter la lumière solaire, ce qui diminuait le pouvoir de séparation du prisme; également, selon ses propres dires, le verre des prismes qu'il utilisait était loin d'être optiquement parfait.

Les raies de Fraunhofer: les «couleurs» de référence

Quelles que soient les conditions dans lesquelles elles sont observées, ces raies noires du spectre solaire gardent les mêmes positions relatives. Fraunhofer comprit qu'elles pouvaient servir de références bien plus précises que les six régions du spectre qu'il utilisait jusqu'alors.

Il choisit huit raies représentatives des diverses couleurs du spectre et les désigna au moyen des huit premières lettres de l'alphabet. La figure 1 montre ces principales raies. Il en dénombra 574 entre les raies *B* (rouge) et *H* (violet).

Autour de 1890, H. A. Rowland (1848-1901) publia un atlas photographique des raies de Fraunhofer; il compila une liste des longueurs d'onde pour 15 000 d'entre elles, soit celles entre 300 nm et 6 500 nm.

FIGURE 1 Les principales raies spectrales de Fraunhofer.

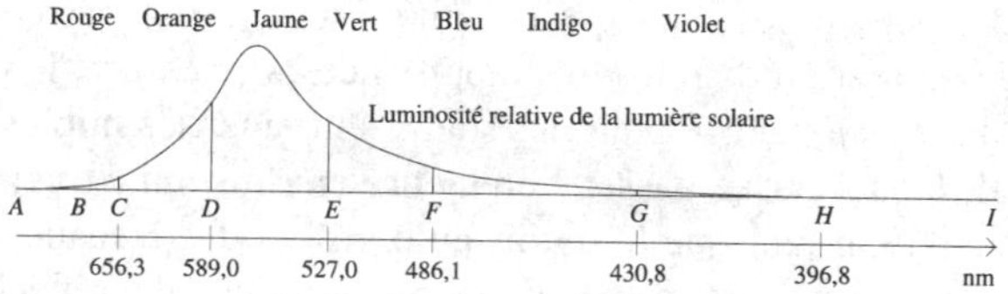

Les principales raies de Fraunhofer qui parsèment le spectre de la lumière solaire s'avèrent un excellent moyen d'étiqueter avec précision les diverses régions colorées. Dans le calcul de la dispersion d'un verre, trois régions sont importantes: la partie jaune pour laquelle l'œil a le maximum de sensibilité et les parties bleue et rouge, les deux extrêmes de la région de sensibilité de l'œil. Pendant longtemps, on a choisi les raies *C* (rouge), *D* (jaune) et *F* (bleu). La raie *D* a été remplacée par sa voisine, la raie *d*, qui est plus affinée.

À cause de ces raies de référence et de la précision de sa technique de mesure, Fraunhofer obtint les valeurs des indices de réfraction de plusieurs liquides et solides qui sont valides jusqu'au sixième chiffre significatif.

La longueur d'onde des raies de Fraunhofer

C'est Young (1773-1829) qui, le premier, mesura la longueur d'onde d'une lumière. Le physicien anglais avait imaginé une forme limitée de la loi de l'interférence (interférence par paires de rayons seulement). En 1802, il utilisa sa loi pour expliquer les franges multicolores produites par les couches minces. En se servant des mesures de l'épaisseur des couches minces à des endroits de différentes couleurs, mesures qui avaient été faites par Newton, il put calculer les longueurs d'onde des sept couleurs assignées par Newton au spectre solaire et affirmer que le spectre s'étendait de 675 nm à 424 nm, ce en quoi il avait raison.

Voyons maintenant comment Fraunhofer put obtenir un spectre beaucoup plus détaillé des raies d'absorption du spectre solaire et aussi mesurer leurs longueurs d'onde.

Voulant élargir ses connaissances sur la diffraction de la lumière, Fraunhofer examina à travers un télescope le patron de diffraction d'une fente étroite. Le patron qu'il observait équivaut théoriquement au patron à l'infini (sans télescope) d'une fente, d'où l'expression actuelle «patron de diffraction de Fraunhofer». Le physicien remarqua que le déplacement parallèle de la fente dans son plan ne changeait pas la position des franges du patron de diffraction. Il en déduisit que placer plusieurs fentes parallèles entre elles devant le télescope ne ferait qu'augmenter la luminosité du patron. À sa grande surprise, le maximum central (large pour une fente étroite) fut plutôt remplacé par une série de maxima séparés par un écart augmentant avec la diminution de distance entre les fentes: un très mince et très brillant maximum au centre, et d'autres disposés symétriquement de chaque côté et montrant chacun le spectre de la lumière solaire.

Il rapporta ses expériences sur les réseaux (groupes de fentes parallèles) vers 1821. David Rittenhouse (1732-1796) avait déjà remarqué cette dispersion en 1785, à travers un réseau grossier; Young avait observé le même phénomène en 1801, mais par réflexion de la lumière sur une surface striée.

Fraunhofer se mit à fabriquer des réseaux aux lignes de plus en plus serrées où des stries, pratiquées sur des films d'or ou sur des plaques de verre, remplaçaient les fils. La dispersion angulaire augmentant à mesure du resserrement des lignes, il réussit ainsi à séparer les raies de Fraunhofer.

En possession de la formule (voir l'encadré 9.2) reliant la longueur d'onde, le pas du réseau et la position angulaire de la raie (formule non disponible dans le cas du prisme), il put déterminer les longueurs d'onde des principales raies de Fraunhofer et ce, avec une précision de plus en plus grande.

En même temps, et c'est là un point majeur, ces raies de Fraunhofer devenaient les premiers «objets» lumineux de longueur d'onde connue du monde atomique. Elles pouvaient servir en retour de référence pour évaluer les instruments de mesure des longueurs d'onde, et même d'étalon de mesure des longueurs.

P.-É. O.

Références

Henry C. KING (1955). *The History of the Telescope*, Éditions Dover (1979).

Alfred LEITNER (1975). «The Life and Work of Joseph Fraunhofer (1787-1826)», *American Journal of Physics*, *43*, 59-168.

Ernst MACH (1913). *The Principles of Physical Optics. An Historical and Philosophical Treatment*, traduction anglaise (1926).

Quand on enregistre le spectre d'une source (par exemple, sur un film) au lieu de le regarder directement, le **spectroscope** se nomme un **spectrographe** (quoique ces termes soient parfois utilisés indifféremment l'un pour l'autre). Les instruments qui permettent aussi de mesurer l'intensité de la lumière d'une longueur d'onde donnée s'appellent des **spectrophotomètres.**

Une application très importante de ces appareils consiste à identifier des atomes ou des molécules. Un gaz chauffé ou parcouru par une décharge électrique produit un **spectre de raies** caractéristique; un gaz donné n'émet en effet qu'à certaines longueurs d'onde lumineuses qui diffèrent selon les différents éléments et composés qu'il contient†. Les spectres de raies d'un certain nombre d'éléments à l'état gazeux sont présentés à la figure 6.20 (voir après la page 178). Seuls les gaz à haute température et à basse pression donnent des spectres de raies. La lumière émise par un solide chauffé (par exemple un filament de lampe ou même un objet gazeux dense comme le Soleil) donne un **spectre continu** comprenant un large domaine de longueurs d'onde.

Le «spectre continu» du Soleil présenté à la figure 6.20 contient un certain nombre de raies *sombres* (en fait, seules les plus proéminentes apparaissent), appelées *raies d'absorption.* Les atomes et les molécules peuvent absorber les mêmes longueurs d'onde lumineuses qu'ils peuvent émettre. Les raies d'absorption du Soleil sont dues, d'une part, à l'absorption par les atomes et les molécules de l'atmosphère périphérique moins chaude du Soleil et, d'autre part, à l'absorption par les atomes et les molécules de l'atmosphère terrestre. Une analyse rigoureuse de ces milliers de raies montre que l'atmosphère du Soleil contient au moins deux tiers de tous les éléments chimiques. La spectroscopie permet aussi de déterminer la présence et l'abondance d'éléments dans l'atmosphère d'autres planètes, dans l'espace interstellaire et dans les étoiles.

Une autre application de la spectroscopie consiste à déterminer la présence de certains types de molécules dans des échantillons de laboratoire dont l'analyse chimique est difficile. Ainsi, l'ADN biologique et différents types de protéines absorbent la lumière de certaines régions du spectre (en particulier la lumière ultra-violette). On place donc l'échantillon à examiner, le plus souvent dans une solution, sous un faisceau de lumière monochromatique dont on choisit la longueur d'onde à l'aide d'un prisme ou d'un réseau de diffraction. La quantité d'absorption obtenue est ensuite comparée à celle obtenue avec une solution témoin ne contenant pas l'échantillon. Cette comparaison donne une indication non seulement de la présence d'un type particulier de molécule mais aussi de sa concentration.

L'émission et l'absorption de lumière se produisent également dans les régions invisibles du spectre, ultra-violettes (UV) ou infra-rouges (IR). Comme le verre absorbe la lumière dans ces régions, on utilise des réseaux par réflexion et des miroirs (plutôt que des lentilles). On se sert de types spéciaux de films ou de détecteurs optiques pour la détection.

6.9 Les diagrammes de phaseurs pour les fentes multiples; la largeur des pics

Nous allons maintenant étudier les maxima produits par un réseau à fentes multiples, à l'aide d'un diagramme de phaseurs; nous établirons d'abord une formule donnant la largeur de chaque pic, puis nous verrons pourquoi il y a des maxima minuscules entre des maxima principaux, comme l'illustre la figure 6.17b. Notons d'abord que les figures produites par des réseaux à deux fentes et à six fentes sur la figure 6.17 furent tracés en supposant les fentes très étroites pour que la diffraction ne limite pas la hauteur des pics, ce qui n'est normalement pas le cas pour des réseaux de diffraction réels. La plupart du temps, la largeur des fentes, *D*, d'un réseau réel n'est pas beaucoup plus

† Pendant de nombreuses années, la raison de l'émission par les atomes et les molécules de spectres de raies demeura très mystérieuse; ce mystère joua un rôle central dans le développement de la théorie moderne des quanta, comme nous le verrons au chapitre 9.

petite que l'espacement entre les fentes, d; la diffraction limite donc l'intensité des pics, de sorte que le sommet central ($m = 0$) est plus brillant que les sommets latéraux. Les conséquences de ce fait sur l'intensité ne nous retiendront pas; notons toutefois que lorsqu'un minimum de diffraction coïncide avec un ordre particulier de la figure d'interférence, cet ordre n'apparaît pas. (Par exemple, quand $d = 2D$, tous les ordres pairs, $m = 2, 4, \ldots$, manquent. Voyez-vous pourquoi? Indice: référez-vous à l'exemple 6.3.)

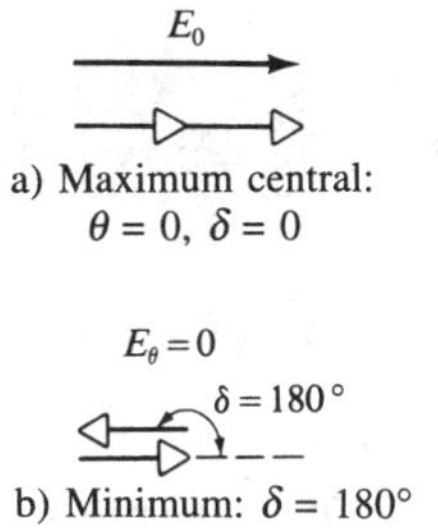

FIGURE 6.21 Diagramme de phaseurs pour deux fentes a) au maximum central, b) au minimum.

Les figures 6.21 et 6.22 montrent, respectivement, les diagrammes de phaseurs d'un réseau à deux fentes et d'un réseau à six fentes. Chaque courte flèche représente l'amplitude d'une onde provenant d'une fente unique et la somme vectorielle de toutes ces flèches représente l'amplitude totale à un angle d'observation θ donné. La partie a) de chaque figure montre le diagramme de phaseurs à $\theta = 0°$, au centre de la figure, qui est le maximum central ($m = 0$). La partie b) de chaque figure montre la situation pour le minimum adjacent: là où les flèches se referment en premier sur elles-mêmes (leur somme étant nulle) de sorte que l'amplitude E_θ est nulle. Pour deux fentes, ceci se produit quand les deux amplitudes séparées sont déphasées de 180° et, pour six fentes, quand chaque amplitude fait un angle de 60° avec l'amplitude voisine. Pour deux fentes, le minimum se produit donc quand la phase entre les fentes est de $2\pi/2$ (en radians) et, pour six, quand la phase δ est de $2\pi/6$; dans le cas général de N fentes, le premier minimum se produit quand la différence de phase entre les fentes adjacentes est de:

$$\delta = \frac{2\pi}{N}. \tag{6.15}$$

À quoi cela correspond-il pour θ? Notons d'abord la relation suivante entre δ et θ:

$$\frac{\delta}{2\pi} = \frac{d \sin \theta}{\lambda} \text{ ou } \delta = \frac{2\pi}{\lambda} d \sin \theta, \tag{6.16}$$

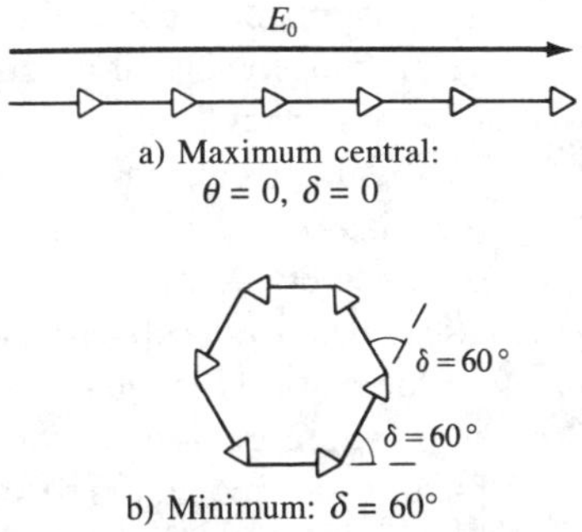

FIGURE 6.22 Diagramme de phaseurs pour six fentes a) au maximum central, b) au minimum.

tout comme dans l'équation 5.4. Appelons $\Delta\theta_0$ la position angulaire du premier minimum à côté du pic à $\theta = 0°$. Ceci correspond à une longueur de marche supplémentaire entre les fentes adjacentes (figure 6.16) de $\Delta l = d \sin \Delta\theta_0$, et donc:

$$\frac{\delta}{2\pi} = \frac{\Delta l}{\lambda} = \frac{d \sin \Delta\theta_0}{\lambda}.$$

En remplaçant δ par sa valeur d'après l'équation 6.15, nous obtenons:

$$\sin \Delta\theta_0 = \frac{\lambda}{Nd}. \tag{6.17a}$$

Comme $\Delta\theta_0$ est habituellement petit (N est habituellement très grand pour un réseau), $\sin \Delta\theta_0 \approx \Delta\theta_0$, de sorte que dans la limite des petits angles nous pouvons écrire:

$$\Delta\theta_0 = \frac{\lambda}{Nd}. \tag{6.17b}$$

Chacune des deux dernières relations permet de voir clairement que plus N est grand, plus le pic central est étroit. (Pour $N = 2$, $\sin \Delta\theta_0 = \lambda/2d$, ce qui correspond au résultat obtenu antérieurement pour la double fente, équation 5.2b avec $m = 0$.)

Chacune des équations 6.17a et 6.17b permet de comprendre pourquoi les pics deviennent plus étroits quand N est plus grand. On peut déduire du diagramme de la figure 6.23 l'origine des petits maxima secondaires entre les sommets principaux (voir la figure 6.17b). Ceci est similaire à la figure 6.22b (où $\delta = 60°$); mais maintenant la phase δ a été augmentée presque jusqu'à 90°, où E_θ est un maximum secondaire. Notez que E_θ est beaucoup plus petit que E_0 (figure 6.22a), de sorte que l'intensité dans ce maximum secondaire est beaucoup moindre que dans un sommet principal. Au fur et à mesure que δ (et θ) augmente, E_θ diminue à nouveau jusqu'à zéro (un «double cercle»), puis atteint un autre petit maximum, et ainsi de suite. Finalement, le diagramme se déroule à nouveau et, quand $\delta = 360°$, toutes les amplitudes se trouvent à

FIGURE 6.23 Diagramme de phaseurs pour le pic secondaire.

ENCADRÉ 6.3

Des raies de Fraunhofer à la raie étalon ultime

Comme on le sait, le prisme et le réseau de diffraction décomposent la lumière selon la longueur d'onde. Le résultat de la décomposition s'appelle *spectre*, mot inventé par Isaac Newton (1643-1727) qui, vers 1666, entreprit des recherches systématiques sur la décomposition de la lumière solaire par le prisme.

En 1802, William Hyde Wollaston (1766-1828) observa des raies noires (raies d'absorption) dans le spectre de la lumière solaire. Ces raies gardaient les mêmes positions relatives, quels que soient l'appareil ou le matériau du prisme. Joseph von Fraunhofer (1787-1826) en comprit tout l'avantage: elles pourraient servir de références. C'est ainsi que naquirent les raies de Fraunhofer qui, par milliers, parsèment le spectre de la lumière solaire. Dans le domaine de la spectroscopie, les raies de Fraunhofer ont servi de spectre de référence avant d'être remplacées par des raies atomiques produites en laboratoire. Notons que le terme spectroscopie n'apparut que vers les années 1880, pour remplacer graduellement l'expression *analyse spectrale.*

Au fur et à mesure des progrès théoriques et techniques, les raies spectrales jouèrent un rôle d'importance croissante en métrologie, jusqu'au choix, en 1983, d'une raie spectrale comme étalon des unités de temps et de longueur.

Avant de rendre compte de cette progression, parlons du spectromètre, qui sert à la mesure des longueur d'onde des raies spectrales; il demeure un instrument extrêmement courant dans de nombreux domaines, en particulier celui de l'analyse spectrochimique, bien qu'il ait cédé la place à l'interféromètre dans les mesures de précision.

Le spectromètre

Le spectromètre désigne l'instrument constitué non seulement du prisme (réseau) mais aussi du collimateur et du télescope. Le collimateur rend parallèle le faisceau issu de la fente d'entrée. Ce faisceau vient rencontrer le prisme ou le réseau, selon le cas. Le télescope sert à augmenter, pour fin de visionnement, l'étendue angulaire du spectre produit.

Le spectromètre, avec tous ses éléments, s'est construit peu à peu. La figure 1 représente un spectromètre utilisé couramment jusqu'à l'apparition de l'émulsion photographique et de la cellule photoélectrique; la figure nous renseigne aussi sur les dates d'apparition approximatives de ses divers éléments ainsi que sur les noms des inventeurs probables, dont Jacques Babinet (1794-1872) et Pierre Vernier (1580-1637).

FIGURE 1 Le spectromètre.

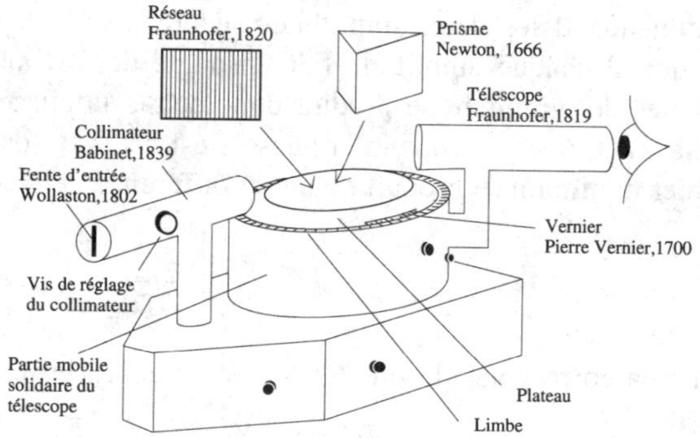

Les raies de Fraunhofer inaugurent la spectroscopie

La numérotation de Kirchhoff (1859 à 1869)

En 1859, on savait déjà que l'analyse spectrale allait devenir un domaine important de la physique. Il fallait alors un spectre de référence auquel l'expérimentateur puisse comparer ses résultats. C'est Gustav Robert Kirchhoff (1824-1887) qui le fournit. Il choisit les raies les plus distinctives du spectre solaire et leur assigna un nombre en se servant des graduations de son instrument. À partir de ce moment, le physicien calibrait son instrument à partir de l'observation des raies de Fraunhofer et de la numérotation de Kirchhoff.

La mesure en longueur d'onde (1869 à 1907)

Pour mesurer la longueur d'onde λ d'une raie spectrale au moyen d'un réseau, on applique la formule $\Delta\theta = \dfrac{\lambda}{d}$, où $\Delta\theta$ représente l'écart angulaire entre deux franges d'interférence successives et *d*, le pas du réseau (voir l'encadré 9.2).

Bien que Fraunhofer eut déjà mesuré les longueurs d'onde de quelques raies qui portent son nom, c'est Anders Jonas Ångström (1814-1874) qui, le premier, en 1869, mesura environ mille d'entre elles au moyen de réseaux de diffraction. Il utilisa comme unité le dix millionième de millimètre (10^{-10} m), appelé par la suite *ångström*. Ces mesures remplacèrent graduellement la numérotation de Kirchhoff et, jusque vers 1890, demeurèrent le système universel de référence des longueurs d'onde des raies spectrales. Dès 1887, Henry Rowland (1848-1901) entreprit une nouvelle série de mesures des longueurs d'onde des raies de Fraunhofer en utilisant de meilleurs réseaux et en s'aidant de la photographie. À partir des longueurs d'onde de ces raies, on trouve par interpolation la longueur d'onde de la raie étudiée.

Des raies du Soleil à celles du laboratoire

L'utilisation des raies solaires comme spectre de référence posait des problèmes d'observation. Il allait donc de soi que le Soleil soit éventuellement détrôné par des sources spectrales artificielles. On distingue les sources à arc électrique, dont le spectre est caractéristique du matériau des électrodes, et les sources à décharge, dont le spectre est caractéristique du gaz dans lequel se fait la décharge.

Les raies spectrales des gaz rares et les raies spectrales de l'atome de fer prirent la relève pour deux raisons: elles sont faciles à produire et remplissent le domaine spectral allant de l'infrarouge à l'ultraviolet tout autant que les raies de Fraunhofer. Plusieurs de ces raies d'émission se retrouvent comme raies d'absorption dans le spectre solaire. Le problème de l'origine des raies de Fraunhofer est abordé dans l'encadré 11.1.

Une raie spectrale déloge le mètre étalon (1960)

En 1893, Albert Michelson (1852-1931) et René Benoît (1844-1922) utilisaient l'interféromètre de Michelson pour mesurer les longueurs d'onde de trois raies du cadmium, à partir du mètre international constitué d'une barre de platine iridié marquée de deux traits, étalon adopté en 1889 et gardé au Bureau international des poids et mesures à Sèvres, en France. En 1900, Charles Fabry (1867-1945) et Pérot (1863-1925) mesurèrent par interférométrie les longueurs d'onde de raies d'autres éléments et confirmèrent les conclusions de Benoît et Michelson selon lesquelles les raies de référence de Rowland étaient entachées d'erreurs absolues aussi bien que relatives.

En 1907, à la suite de ces travaux, on adopta la raie rouge du cadmium (643,846 96 nm) comme référence primaire de longueur d'onde des raies spectrales, les autres longueurs d'onde étant mesurées par comparaison avec celle-ci. En 1922, après la guerre, on établit plusieurs références secondaires parmi les raies du spectre du fer et des spectres des gaz rares.

De nombreuses recherches montrèrent qu'il existait des raies plus fines que celles qui furent choisies en 1907. On en arriva aussi à la conclusion que la longueur d'onde d'une raie étalon serait bien plus précise que la longueur de la barre de platine iridié choisie en 1889. En 1960, on choisit donc une raie rouge du krypton 86 dont la longueur d'onde fut fixée à 605,780 210 6 nanomètres. La longueur du mètre devenait égale à 1 650 763,73 longueurs d'onde (dans le vide) de cette raie.

Une raie spectrale déloge l'horloge terrestre (1967)

En 1967, à cause de la reproductibilité, de la permanence, de la petitesse relative et de la précision de mesure des périodes des raies atomiques, on décida de remplacer, comme étalon de temps, la période de la révolution de la Terre autour du Soleil par la période d'une raie atomique. Aussi pour des raisons de précision, on choisit une raie émise par l'atome de césium 133 (voir l'encadré 15.2 du tome 1), de fréquence égale à 9 192 631 770 Hz et d'environ 3,25 cm de longueur d'onde. Ceci définissait la seconde comme étant égale à la durée de 9 192 631 770 périodes de la raie du césium.

Une seule raie spectrale régit l'espace et le temps (1983)

Une raie spectrale est caractérisée par sa fréquence f et sa longueur d'onde λ. Ces deux concepts ainsi que la vitesse de la lumière c sont reliés par l'équation $\lambda = c/f$. Or, la relativité restreinte exige que la vitesse de la lumière soit constante, ce que de nombreuses mesures ont corroboré. Si on donne par définition une valeur exacte à cette vitesse, l'équation mentionnée rend caduque une des deux raies étalon (celle de fréquence fixe ou celle de longueur d'onde fixe). On a choisi la raie du césium 133 dont la mesure de la fréquence a une précision bien plus grande que celle de la longueur d'onde de la raie du krypton 86.

Il était cependant important de garder ou même d'augmenter la précision des longueurs d'onde dans le domaine visible où se trouve la raie du krypton 86. Pour ce faire, il fallait pouvoir mesurer avec une précision suffisante les fréquences dans le visible, ce qu'on a pu commencer à faire dans les années 70. C'est pourquoi, en 1983, on laissait tomber la raie étalon des longueurs d'onde et on donnait à la vitesse de la lumière la valeur exacte de 299 792 458 m/s. La raie du césium 133 devenait la seule raie étalon à la fois du temps et de l'espace; le mètre devenait la longueur du trajet parcouru dans le vide par la lumière en 1/299 792 458 seconde. De cette façon, les valeurs antérieures des longueurs d'onde et des fréquences des raies de référence, tout en restant pratiquement inchangées, demeurent sujettes à révision selon l'amélioration de la précision des mesures des fréquences. Seule la fréquence de la raie du césium 133 reste fixée à 9 192 631 770 Hz; la durée de la seconde reste conséquemment aussi fixée à 9 192 631 770 périodes de cette raie.

P.-É. O.

nouveau sur une droite (figure 6.22a) correspondant au maximum principal suivant ($m = 1$ dans l'équation 6.14).

L'équation 6.17b donne la demi-largeur du pic central ($m = 0$). Pour déterminer la demi-largeur des pics d'ordres plus élevés, $\Delta\theta_m$ pour l'ordre m, nous différentions l'équation 6.16 de façon à obtenir une relation entre la variation $\Delta\delta$ de δ et la variation $\Delta\theta$ de l'angle θ:

$$\Delta\delta \approx \frac{d\delta}{d\theta}\,\Delta\theta = \frac{2\pi d}{\lambda}\cos\theta\,\Delta\theta.$$

Si $\Delta\theta_m$ représente la demi-largeur du pic d'ordre m ($m = 1, 2, ...$), soit l'angle entre le maximum d'un pic et son minimum de chaque côté, alors $\Delta\delta = 2\pi/N$ conformément à l'équation 6.15. En insérant ceci dans l'équation ci-dessus, nous trouvons:

$$\Delta\theta_m = \frac{\lambda}{Nd\cos\theta_m}, \tag{6.18}$$

où θ_m est la position angulaire du m^e sommet donnée par l'équation 6.14. Cette démonstration n'est valide, évidemment, que pour un petit $\Delta\delta$ ($= 2\pi/N$), ce qui est le cas des réseaux réels puisque N est de l'ordre de 10^4 ou plus.

6.10 Le pouvoir de résolution d'un réseau de diffraction

Les réseaux de diffraction utilisés dans les spectroscopes ont la propriété importante de résoudre deux longueurs d'onde très proches l'une de l'autre.

On définit la *dispersion angulaire* d'un réseau comme le taux de variation de l'angle (pour un ordre donné) par rapport à la longueur d'onde $d\theta/d\lambda$. D'après l'équation 6.14, l'angle θ auquel une longueur d'onde λ est diffractée par un réseau dont les traits sont espacés de d est:

$$\sin \theta = \frac{m\lambda}{d},$$

où m est l'ordre. En différentiant cette relation, on obtient:

$$\cos \theta \, d\theta = \frac{m}{d} \, d\lambda,$$

de sorte que la dispersion angulaire est:

$$\frac{d\theta}{d\lambda} = \frac{m}{d \cos \theta}. \tag{6.19}$$

Pour qu'on puisse distinguer, dans un spectroscope, deux ondes monochromatiques respectivement de longueur d'onde λ_1 et λ_2, l'angle $\Delta\theta$ entre leurs raies (à un ordre donné m) doit être au moins égal à la largeur de leurs pics de diffraction (le critère de Rayleigh). D'après l'équation 6.18, l'angle $\Delta\theta$ (entre un pic et le premier minimum à son côté) est donné par:

$$\Delta\theta = \frac{\lambda}{Nd \cos \theta},$$

où N est le nombre total de traits du réseau (et où nous laissons tomber l'indice m). La séparation résoluble minimale entre deux longueurs d'onde, $\Delta\lambda = \lambda_1 - \lambda_2$, est:

$$\Delta\lambda \approx \frac{d\lambda}{d\theta} \Delta\theta = \left(\frac{d \cos \theta}{m}\right)\left(\frac{\lambda}{Nd \cos \theta}\right),$$

où nous avons utilisé l'équation 6.19 et posé $\lambda_1 \approx \lambda_2 = \lambda$. Cette expression peut être simplifiée ainsi:

$$\Delta\lambda = \frac{\lambda}{Nm}. \tag{6.20}$$

On définit le *pouvoir de résolution* R d'un réseau comme:

$$R = \frac{\lambda}{\Delta\lambda}. \tag{6.21}$$

À l'aide de l'équation 6.20, cette expression devient:

$$R = Nm. \tag{6.22}$$

Plus la valeur de R est grande, plus on peut résoudre deux longueurs d'onde rapprochées. Quand R est donné, la séparation minimale $\Delta\lambda$ entre deux longueurs d'onde près de λ est (voir les deux équations précédentes):

$$\Delta\lambda = \frac{\lambda}{R}.$$

EXEMPLE 6.8 On éclaire un réseau de diffraction de 7500 traits/cm avec la lumière jaune du sodium, laquelle est composée de deux longueurs d'onde, $\lambda_1 = 589{,}00$ nm et $\lambda_2 = 589{,}59$ nm. Déterminez *a*) l'ordre maximal m auquel on trouve la lumière du sodium, *b*) la dispersion angulaire du réseau, *c*) la dimension du réseau nécessaire pour résoudre les deux raies du sodium, *d*) le pouvoir de résolution du réseau en ce cas, *e*) la largeur angulaire de chaque raie du sodium.

SOLUTION *a*) Comme $d = 1$ cm/7500 $= 1{,}33 \times 10^{-6}$ m, on peut trouver la valeur maximale de m quand $\lambda = 589$ nm à l'aide de l'équation 6.14 avec $\sin \theta \leq 1$:

$$m = \frac{d}{\lambda} \sin \theta \leq \frac{1{,}33 \times 10^{-6} \text{ m}}{5{,}89 \times 10^{-7} \text{ m}} = 2{,}25,$$

et donc $m = 2$ est l'ordre maximal que présente la lumière du sodium.

b) D'après l'équation 6.19, la dispersion angulaire est:

$$\frac{d\theta}{d\lambda} = \frac{m}{d\cos\theta}.$$

Les raies du sodium de l'ordre 2 se produisent dans le cas où $\sin\theta = 2\lambda/d = 2(589\times10^{-9}\text{ m})/(1{,}33\times10^{-6}\text{ m}) = 0{,}886$, et donc quand $\cos\theta = \sqrt{1-\sin^2\theta} = 0{,}464$. Par conséquent,

$$\frac{d\theta}{d\lambda} = \frac{2}{(1{,}33\times10^{-6}\text{ m})(0{,}464)} = 3{,}24\times10^{-3}\text{ rad/nm},$$

ou 0,186 degré/nm.

c) Le pouvoir de résolution requis est:

$$R = \frac{\lambda}{\Delta\lambda} = \frac{589\text{ nm}}{0{,}59\text{ nm}} = 1{,}0\times10^{3}.$$

D'après l'équation 6.22, le nombre total N de traits est:

$$N = \frac{R}{m} = \frac{1000}{2} = 5{,}0\times10^{2},$$

et la dimension du réseau ne doit donc être que de $500/7500\text{ cm}^{-1} = 0{,}0667$ cm. La dimension typique d'un réseau est de quelques centimètres, ce qui suffit à résoudre les deux raies.

d) Comme nous l'avons déjà calculé, le pouvoir de résolution quand $N = 500$, $m = 2$, est de 1000. Si la largeur du réseau était de 3,0 cm, il contiendrait 22 500 traits et le pouvoir de résolution serait de 45 000.

e) Pour un réseau contenant 500 traits, la largeur angulaire (équation 6.18) pour $m = 2$ est:

$$\Delta\theta = \frac{\lambda}{Nd\cos\theta} = \frac{589\times10^{-9}\text{ m}}{(500)(1{,}33\times10^{-6}\text{ m})(0{,}464)} = 0{,}0019\text{ rad},$$

ou 0,11°.

6.11 Les rayons X et la diffraction des rayons X

En 1895, W. C. Röntgen (1845-1923) découvrit que le bombardement d'une surface de verre (ou de métal) par des électrons accélérés par un haut voltage dans un tube à vide provoquait, à une certaine distance, la luminescence de minéraux fluorescents (luminescence qu'il captait sur film). Röntgen attribua ce phénomène à un nouveau type de radiation, différent des rayons cathodiques. On nomma rayons X cette radiation, d'après le symbole algébrique x qui sert à désigner une quantité inconnue. Röntgen trouva bientôt que les rayons X pénétraient dans certains milieux matériels plus facilement que dans d'autres et après quelques semaines de recherche, il présenta la première photographie aux rayons X (celle de la main de sa femme). Aujourd'hui, on produit les rayons X dans des tubes (figure 6.24) semblables à celui de Röntgen, avec ordinairement un voltage de 30 kV à 150 kV.

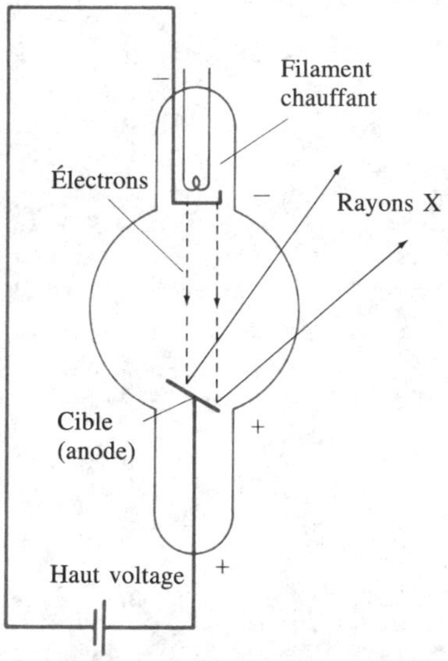

FIGURE 6.24 Tube à rayons X. Les électrons émis par un filament chauffé dans un tube à vide sont accélérés par un haut voltage. Lorsqu'ils frappent la surface de l'anode, c'est-à-dire la «cible», des rayons X sont émis.

Les recherches sur la nature des rayons X montrèrent que, n'étant pas déviés par des champs électriques ou magnétiques, ceux-ci ne pouvaient être constitués de particules chargées (comme les électrons). On pensa qu'il pouvait s'agir d'une forme de lumière invisible. Mais les réseaux ordinaires ne permettaient pas de mettre en évidence la diffraction et l'interférence des rayons X. Ceci pouvait toutefois s'expliquer par l'hypothèse que la longueur d'onde des rayons X était beaucoup plus petite que l'espacement typique entre les fentes des réseaux courants, qui est de l'ordre de 10^{-6} m ($= 10^3$ nm). Vers 1912, Max von Laue (1879-1960) suggéra que si la disposition des atomes dans un cristal était effectivement régulière, conformément à la théorie généralement acceptée par les scientifiques mais non encore pleinement démontrée, on pourrait se servir de cristaux comme réseaux de diffraction pour des longueurs d'onde très petites, de l'ordre de l'espacement entre les atomes, estimé à environ 1 = 10^{-10} m (= 10^{-1} nm). Des expériences montrèrent peu après que les rayons X dispersés par un cristal présentaient, en effet, les sommets et les creux d'une figure de diffraction (figure 6.25). On démontra donc du même coup la nature ondulatoire des rayons X et la disposition régulière des atomes dans un cristal. On considère aujourd'hui les rayons X comme des radiations électromagnétiques dont les longueurs d'onde se situent entre 10^{-2} nm et 10 nm, ce qui correspond au domaine de longueurs d'onde facilement réalisable avec un tube à rayons X.

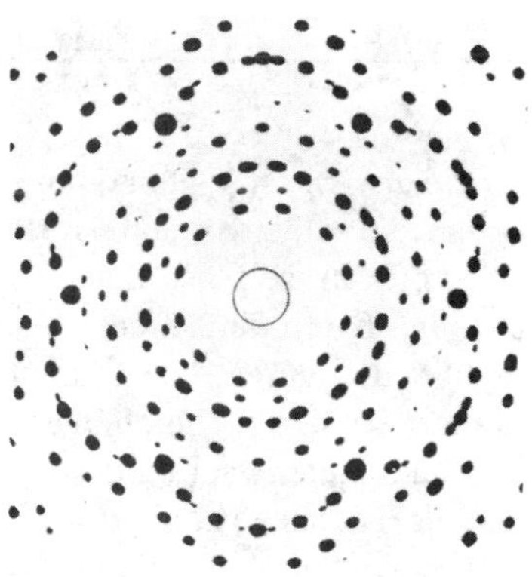

FIGURE 6.25 Figure de diffraction produite par des rayons X diffusés par un cristal de beryl. (Gracieuseté de Eastman Kodak.)

Nous avons vu aux sections 6.4 et 6.5 que, pour l'examen microscopique d'un objet, des longueurs d'onde plus petites donnent une plus grande résolution. Comme les rayons X ont des longueurs d'onde beaucoup plus petites que la lumière visible, ils devraient en principe fournir une résolution beaucoup plus grande. Il ne semble toutefois pas exister de matériau approprié pour fabriquer des lentilles adaptées aux très petites longueurs d'onde des rayons X. On utilise plutôt la technique efficace et ingénieuse, mais très compliquée, de la *diffraction des rayons X* (ou *cristallographie*) pour explorer le monde microscopique des atomes et des molécules. Dans un cristal simple comme le NaCl, les atomes sont disposés régulièrement aux sommets de cubes adjacents (figure 6.26), l'espacement entre les plans d'atomes étant de d. Supposons qu'un faisceau de rayons X tombe sur la surface d'un tel cristal à un angle θ et que les deux rayons illustrés soient réfléchis par deux plans subséquents d'atomes, comme dans la figure. Les deux rayons interfèrent constructivement si la distance supplémentaire parcourue par le rayon I, par rapport au rayon II, est égale à un nombre entier de longueurs d'onde. Cette distance supplémentaire est de $2d \sin \theta$. Par conséquent, il y a interférence constructive quand:

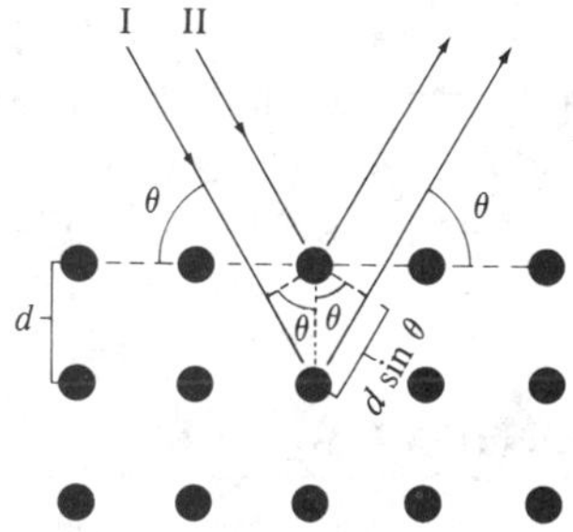

FIGURE 6.26 Diffraction de rayons X par un cristal.

$$m\lambda = 2d \sin \theta, \quad m = 1, 2, 3, \ldots, \qquad (6.23)$$

où m est un entier quelconque. (Notez que θ *n'est pas* l'angle fait avec la normale à la surface). Cette équation s'intitule l'*équation de Bragg* d'après le nom de son découvreur W. L. Bragg (1890-1971), lequel mit au point, en 1912-1913, avec son père W. H. Bragg (1862-1942), la théorie et la technique de la diffraction des rayons X par les cristaux. Si donc on connaît la longueur d'onde d'un rayon X et la mesure de l'angle θ auquel il y a interférence constructive, on peut obtenir d. C'est la base de la cristallographie au moyen des rayons X.

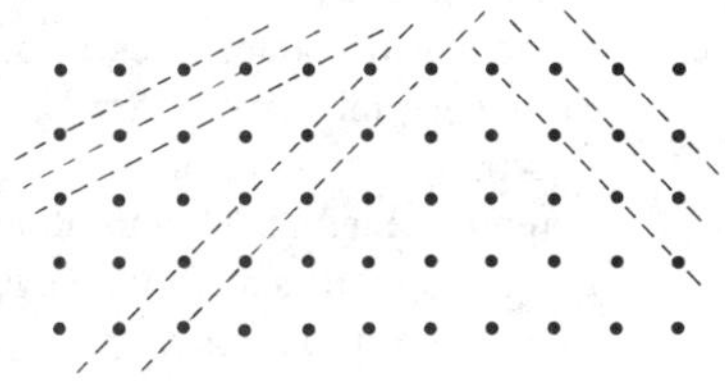

FIGURE 6.27 À l'intérieur d'un cristal, il existe plusieurs plans d'atomes pouvant diffracter les rayons X.

Les figures de diffraction des rayons X sont en fait très compliquées. En premier lieu, un cristal est un objet à trois dimensions et les rayons X peuvent être diffractés par différents plans à différents angles dans le cristal (figure 6.27). En dépit des difficultés de l'analyse, cette technique fournit beaucoup d'information sur toute substance qu'on peut mettre sous forme cristalline. Quand la substance n'est pas un cristal unique mais un mélange de plusieurs petits cristaux (comme dans un métal ou une poudre), on obtient, au lieu d'une série de taches (figure 6.25), une série de cercles (figure 6.28). Chaque cercle correspond à la diffraction d'un certain ordre m (équation 6.23) par un ensemble particulier de plans parallèles.

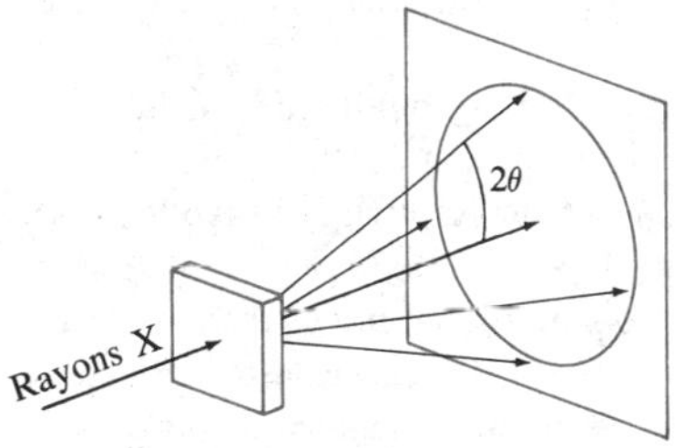

a)

b)

FIGURE 6.28 a) La diffraction de rayons X par une substance polycristalline produit une série d'anneaux circulaires comme dans la photographie de la partie b (obtenue au moyen de l'acétoacétate de sodium polycristallin.) (Partie b: Lester V. Bergman & Assoc., Inc.)

RÉSUMÉ

La *diffraction* est le nom donné à la déviation de la lumière, comme à celui des autres ondes, autour des bords d'un objet ou à travers des fentes étroites. Cette déviation produit une figure de diffraction due à l'interférence entre les rayons de lumière parcourant différentes distances. La lumière passant par une fente très étroite de largeur D produit une figure ayant un maximum central brillant de demi-largeur θ donnée par $\sin \theta = \lambda/D$ et des franges plus faibles de chaque côté. Les minima dans la figure de diffraction se produisent quand $D \sin \theta = m\lambda$ où $m = 1, 2, 3, ...$, mais où $m \neq 0$ (valeur correspondant au maximum le plus intense de la figure).

On peut calculer l'intensité en un point quelconque d'une figure de diffraction par une fente unique en utilisant des diagrammes de phaseurs. On peut aussi utiliser cette technique pour déterminer l'intensité de la figure produite par deux fentes; on peut alors décrire la figure comme une série de maxima dus à l'interférence de la lumière provenant des deux fentes, modifiée par une «enveloppe» due à la diffraction par chaque fente.

La nature ondulatoire de la lumière limite la netteté ou la résolution des images. À cause de la diffraction, il n'est pas possible de discerner des détails plus petits que la longueur d'onde de la radiation utilisée.

Un *réseau de diffraction* consiste en une série de fentes ou de traits parallèles, chacun séparé du suivant par une distance d. Les pics d'interférence constructive se produisent aux angles θ donnés par $\sin \theta = m\lambda/d$, où $m = 0, 1, 2, ...$ Les pics sont beaucoup plus brillants et nets dans le cas d'un réseau de diffraction que dans celui d'un dispositif plus simple à deux fentes; la largeur des pics est inversement proportionnelle au nombre total de traits dans le réseau.

On se sert, dans un *spectroscope*, d'un réseau de diffraction (ou d'un prisme) pour séparer les différentes couleurs ou observer des *spectres de raies*, étant donné que pour un ordre donné m, θ dépend de λ; on peut donc déterminer précisément une longueur d'onde à l'aide d'un spectroscope en mesurant soigneusement θ.

QUESTIONS

1. Les ondes radio et la lumière sont toutes deux des ondes électromagnétiques. Pourquoi pouvons-nous capter un signal radio derrière une colline alors que nous ne pouvons pas voir l'antenne émettrice?
2. En tenant une main près de vos yeux, regardez une source lumineuse lointaine au travers de la fente étroite entre deux de vos doigts. (Serrez plus ou moins les doigts de façon à obtenir la meilleure figure de diffraction.) Décrivez la figure de diffraction que vous voyez. S'agit-il d'une figure de Fresnel ou de Fraunhofer?
3. Une fente rectangulaire est deux fois plus haute que large. La lumière se disperse-t-elle davantage dans le plan vertical ou dans le plan horizontal? Décrivez la figure.
4. Pourquoi est-il plus difficile d'obtenir des figures de diffraction avec des sources lumineuses étendues plutôt que ponctuelles? Comparez aussi une source monochromatique à une source de lumière blanche.
5. Soit une figure de diffraction de Fraunhofer produite par une fente unique. Quel effet aura sur la figure l'augmentation *a*) de la largeur de la fente et *b*) de la longueur d'onde?
6. Décrivez la figure de diffraction obtenue lorsqu'on éclaire avec de la lumière blanche une fente unique dont la largeur est de *a*) 50 nm et *b*) 50 000 nm.
7. Qu'arrive-t-il à la figure de diffraction d'une fente unique quand on met tout le dispositif *a*) dans l'eau et *b*) sous vide plutôt que dans l'air?
8. Quelles sont les similitudes et les différences entre les figures de diffraction de Fresnel et de Fraunhofer obtenues avec une fente unique? Les principes sont-ils fondamentalement les mêmes? Comment les figures de diffraction diffèrent-elles?
9. Décrivez clairement la différence entre les angles θ et β dans l'équation 6.6.
10. Pourquoi le premier maximum hors-centre dans une figure de diffraction de Fraunhofer, produite par une fente unique, ne se produit-il pas exactement à $\sin \theta = \frac{3}{2} \lambda/D$?
11. La figure 6.9 représente une figure d'interférence obtenue avec un dispositif à deux fentes et pour laquelle d est plus grand que D. L'inverse peut-il se produire, c'est-à-dire d peut-il être plus petit que D?
12. Dans une expérience de la double fente, quel effet a l'augmentation de *a*) la longueur d'onde *b*) la distance entre les fentes et *c*) la largeur des fentes? Tenez compte de la diffraction aussi bien que de l'interférence.
13. Quelles sont les similitudes et les différences entre l'interférence et la diffraction?
14. Est-ce que la diffraction limite la résolution des images formées par *a*) des miroirs sphériques et *b*) des miroirs plans?
15. La diffraction a-t-elle un effet sur les images virtuelles aussi bien que réelles?
16. Quels sont les avantages (donnez-en au moins deux) de l'utilisation de grands miroirs dans les télescopes astronomiques?
17. Pourquoi ne peut-on pas observer les molécules organiques avec un microscope optique?
18. Les atomes ont des diamètres d'environ 10^{-8} cm. Peut-on «voir» un atome avec de la lumière visible? Pourquoi?

19. Quelle couleur de la lumière visible donne la meilleure limite de séparation dans un microscope?
20. Quand on utilise de la lumière monochromatique dans un microscope, la couleur affecte-t-elle la séparation? Justifiez votre réponse.
21. Peut-on également appeler réseau d'interférence un réseau de diffraction? Justifiez votre réponse.
22. Dans un réseau de diffraction, quel est l'avantage d'avoir *a*) plusieurs fentes *b*) des fentes très rapprochées les unes des autres?
23. De la lumière composée de longueurs d'onde entre 400 nm et 700 nm tombent sur un réseau de diffraction selon la normale. Pour quels ordres y a-t-il chevauchement (s'il y en a)? Votre réponse dépend-elle de la largeur des fentes?
24. Comparez les figures d'interférence formées respectivement par deux fentes espacées de 10^{-4} cm et par un réseau de diffraction contenant 10^4 traits par centimètre.
25. De la lumière blanche frappe *a*) un réseau de diffraction et *b*) un prisme. Dans les deux cas, un arc-en-ciel apparaît sur un mur juste sous la direction du faisceau incident horizontal. Quelle est, dans chaque cas, la couleur au sommet de l'arc-en-ciel?
26. Expliquez pourquoi il y a de petits pics entre les pics principaux produits par un réseau de diffraction illuminé avec de la lumière monochromatique. Pourquoi les pics sont-ils si petits?
27. Pourquoi est-il préférable d'utiliser un réseau de diffraction plutôt qu'un prisme dans un spectroscope?
28. L'équation 6.22 indique que le pouvoir de résolution d'un réseau de diffraction est d'autant plus grand que l'ordre m est grand. Cependant, l'équation 6.18 indique que les pics sont d'autant plus larges que l'ordre est grand. Est-ce contradictoire? Justifiez votre réponse.

PROBLÈMES

SECTION 6.1

1. (I) On illumine une fente large de 0,0245 mm avec de la lumière de 680 nm. Quelle est la largeur angulaire du pic central de diffraction?
2. (I) On illumine un fente avec de la lumière monochromatique d'une longueur d'onde de 589 nm. Si l'angle entre les premières franges brillantes de chaque côté du maximum central est de 33,0°, quelle est la largeur de la fente?
3. (I) Pour une longueur d'onde λ donnée, pour quelle largeur maximale de fente n'y aura-t-il pas de minima de diffraction?
4. (II) Quelle est la largeur du pic central de diffraction projeté sur un écran situé 5,50 m derrière une fente large de 0,101 mm et illuminée avec de la lumière de 400 nm?
5. (II) De la lumière parallèle frappe une fente unique de largeur D à un angle de 30° avec la normale. Décrivez la figure de diffraction de Fraunhofer.

SECTION 6.2

6. (II) Si vous doublez la largeur d'une fente unique, l'intensité de la lumière passant par la fente est doublée. *a*) Montrez, toutefois, que l'intensité au centre de l'écran augmente par un facteur 4. *b*) Expliquez pourquoi cela ne contredit pas la conservation de l'énergie.
7. (III) Expliquez pourquoi les maxima secondaires dans la figure de diffraction de Fraunhofer obtenue avec une fente unique ne se produisent pas précisément à $\beta/2 = (m + \frac{1}{2})\pi$, où $m = 1, 2, 3, \ldots$ *b*) En différentiant l'équation 6.7, montrez que les maxima secondaires se produisent quant $\beta/2$ vérifie la relation $\tan(\beta/2) = \beta/2$. *c*) Tracez soigneusement et précisément les courbes $y = \beta/2$ et $y = \tan \beta/2$. À partir de leurs intersections, déterminez les valeurs de β pour les premier et deuxième maxima secondaires. Quelle est, en pourcentage, la différence avec $\beta/2 = (m + \frac{1}{2})\pi$?
8. (III) Déterminez, approximativement, la largeur angulaire à mi-hauteur (où $I = \frac{1}{2}I_0$) du pic central de diffraction dans une figure de Fraunhofer obtenue avec une fente unique. (Indice: utilisez des méthodes graphiques ou procédez par essai et erreur; le problème ne peut être résolu de façon analytique.) Supposez que $\lambda = 550$ nm et que $D = 2{,}00 \times 10^{-3}$ mm.

SECTION 6.3

9. (II) Concevez un dispositif à double fente tel que le pic central de diffraction contienne précisément quinze franges.
10. (II) Le sommet central de diffraction d'une figure obtenue avec un dispositif à double fente contient exactement huit franges. Que pouvez-vous dire sur la largeur des fentes et sur leur séparation?
11. (II) Supposez que $d = D$ dans un dispositif à double fente, de sorte que les deux fentes en deviennent une seule d'une largeur de $2D$. Montrez que l'équation 6.9 redonne l'équation correcte pour la diffraction avec une fente unique.
12. (II) Deux fentes d'une largeur de 0,010 mm sont espacées de 0,030 mm (d'un centre à l'autre). Déterminez *a*) l'espacement entre les franges d'interférence pour de la lumière de 550 nm sur un écran éloigné de 1,0 m et *b*) la distance entre les deux minima de diffraction de chaque côté du maximum central de l'enveloppe.
13. (II) Combien le pic central de diffraction d'une figure obtenue avec deux fentes contient-il de franges si *a*) $d = 2{,}00\ D$, *b*) $d = 12{,}0\ D$, *c*) $d = 4{,}50\ D$, *d*) $d = 7{,}20\ D$?
14. (III) Tracez les diagrammes de phaseurs (comme dans la figure 6.7) pour l'expérience de la double fente, en incluant l'interférence et la diffraction. Tracez un diagramme pour quelques points cruciaux de la figure (voir la figure 6.9c) tel le centre, le premier minimum, le maximum suivant et le point où $\sin\theta = \lambda/D$.

SECTIONS 6.4 À 6.6

15. (I) Quelles sont l'ouverture angulaire α et la limite de séparation LS d'un objectif de microscope à immersion si $n = 1{,}60$ et le $ON = 1{,}35$? Utilisez $\lambda = 500$ nm.

16. (I) Quelle est la limite, due à la diffraction, de séparation angulaire du télescope de 2,54 m du mont Wilson ($\lambda = 500$ nm)?

17. (II) On immerge dans l'huile ($n = 1{,}60$) l'objectif d'un microscope. L'objectif accepte la lumière de l'objet sur un angle maximal de 60° de chaque côté de la verticale. *a*) Quelle est l'ouverture numérique? *b*) Quelle est la limite de séparation approximative du microscope si la longueur d'onde de la lumière utilisée est de 550 nm?

18. (II) Un télescope de 2,54 m (diamètre du miroir) résout à peine deux étoiles situées à 10 années-lumière de la Terre. À quelle distance les étoiles sont-elles l'une de l'autre? Supposez que $\lambda = 550$ nm et que le pouvoir de séparation est limité par la diffraction.

19. (II) La distance focale de la lentille normale d'une caméra de 35 mm est de 50 mm. L'ouverture de son diamètre varie d'un maximum de 25 mm ($f/2$) à un minimum de 3,0 mm ($f/16$). Déterminez le pouvoir de séparation, dû à la diffraction, pour $f/2$ et $f/16$. Exprimez ces pouvoirs de séparation comme le nombre de lignes par millimètre résolues sur le film.

20. (II) La surface d'un organisme marin comporte une figure composée de points dont l'espacement moyen est de 0,40 μm. *a*) Si l'organisme est observé avec de la lumière de 550 nm, quelle doit être la valeur minimale de l'ouverture numérique pour que les points soient séparés par l'objectif? *b*) Quel est le grossissement minimal requis pour distinguer visuellement les points?

21. (II) *a*) Un œil normal peut-il distinguer les deux phares, séparés de 1,8 m, d'un camion distant de 10 km? Ne considérez que la diffraction. Supposez en outre que le diamètre de la pupille de l'œil est de 5,0 mm et la longueur d'onde, de 500 nm. *b*) À quelle distance maximale les phares sont-ils résolubles?

22. (II) Vous voulez construire un télescope capable de résoudre des traits du paysage séparés de 10 km sur la Lune, à une distance de 384 000 km. La distance focale de votre objectif, dont le diamètre est de 10 cm, est de 2,0 m. Quelle est la distance focale requise de l'oculaire si votre œil peut, à une distance de 25 cm, résoudre des objets séparés de 0,10 mm? Quelle est la limite de séparation résultant de la taille de l'objectif (c'est-à-dire de la diffraction)? Utilisez $\lambda = 500$ nm.

23. (III) Démontrez l'équation 6.12a, à l'aide de la figure 6.29, qui montre deux objets ponctuels, O et O', dont la séparation est d et dont les images ponctuelles I et I' sont juste résolubles. (O est sur l'axe de la lentille.) (Indice: montrez d'abord que les ondes lumineuses diffractées de O' au point I produisent une intensité nulle à I et que, par conséquent, la différence de marche entre $O'aI$ et $O'bI$ doit être de $1{,}22\lambda$; montrez ensuite, à l'aide d'un diagramme, que $O'a$ est plus long que Oa ou Ob de ($d \sin \alpha$) et que $O'b$ est plus court que Oa ou Ob de cette même quantité.) Ne supposez pas α petit. Notez aussi que puisque la distance image est beaucoup plus grande que la distance objet ($aI \gg Oa$), alors $aI' \approx aI$.

SECTIONS 6.7 ET 6.8

24. (I) À quel angle, de la lumière de 840 nm tombant sur un réseau dont les fentes sont espacées de $2{,}35 \times 10^{-3}$ cm produit-elle un maximum de troisième ordre?

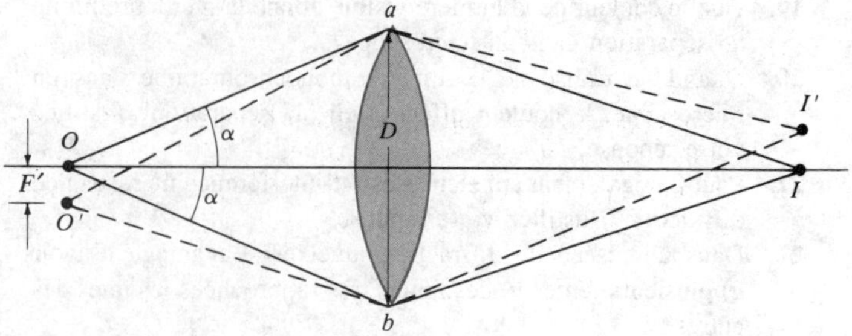

FIGURE 6.29 Problème 23.

25. (I) Combien de traits par centimètre un réseau doit-il avoir pour que le troisième ordre se produise à un angle de 12,0° s'il est illuminé avec de la lumière de 650 nm?

26. (I) Un réseau contient 5000 traits/cm. Combien d'ordres spectraux peut-on voir si on l'illumine avec de la lumière blanche?

27. (I) Les ailes d'un insecte présentent une série de lignes parallèles. Des rayons de lumière de 560 nm frappent les ailes selon la normale et s'y réfléchissent, ce qui rend les ailes brillantes quand on les regarde à un angle de 48°. Quel est l'espacement entre les lignes?

28. (I) Une source produit des franges de premier ordre à des angles de 29,8°, 37,7°, 39,6° et 48,9° quand sa lumière frappe selon la normale un réseau de diffraction de 10 000 traits/cm. Quelles sont les longueurs d'onde présentes dans la lumière émise par la source?

29. (II) De la lumière blanche contenant des longueurs d'onde allant de 400 nm à 700 nm tombe sur un réseau de 8000 traits/cm. Quelle est la largeur du spectre de premier ordre sur un écran distant de 2,20 m?

30. (II) Combien un réseau doit-il avoir de traits par centimètre pour qu'il n'y ait aucun spectre de second ordre pour la lumière visible?

31. (II) Montrez que les spectres de second et de troisième ordres produits avec de la lumière blanche par un réseau de diffraction se chevauchent toujours.

32. (II) On mesure deux raies spectrales avec un spectroscope de 10 000 traits/cm de chaque côté du centre, à des angles de +26°38′, +41°02′ et −26°18′, −40°27′. Quelles sont les longueurs d'onde?

33. (II) Supposez que les angles mesurés dans le problème 32 ont été produits lorsque le spectromètre (mais non la source) était immergé dans l'eau. Quelles sont alors les longueurs d'onde des raies dans le vide?

34. (II) Quand la lumière jaune du sodium, $\lambda = 589$ nm, tombe sur un réseau de diffraction, son pic de premier ordre sur un écran distant de 42,0 cm se trouve à 2,48 cm du pic central. Une autre source produit une raie à 3,84 cm du pic central. Quelle est sa longueur d'onde?

35. (II) De la lumière tombant selon la normale sur un réseau de 10 000 traits/cm produit trois raies dans le spectre de premier ordre à des angles de 31,2°, 36,4° et 47,5°. Quelles sont les longueurs d'onde de celles-ci?

36. (II) De la lumière monochromatique tombe sur un réseau de diffraction à un angle ϕ avec la normale. Montrez qu'il faut remplacer l'équation 6.14 pour les maxima de diffraction par:

$$d(\sin \phi \pm \sin \theta) = m\lambda. \quad m = 0, 1, 2, \ldots$$

Expliquez la raison du signe $\pm$.

SECTION 6.9

37. (II) Certains ordres manquent pour un réseau de diffraction quand un minimum de diffraction coïncide avec un maximum d'interférence. Soit D, la largeur de chaque fente, et d, l'espacement entre les fentes. *a*) Montrez que si $d = 2D$, tous les ordres pairs ($m = 2, 4, 6, ...$) sont manquants. *b*) Montrez qu'il y a des ordres manquants chaque fois que:

$$\frac{d}{D} = \frac{m_1}{m_2},$$

où m_1 et m_2 sont des entiers. *c*) Discutez du cas où $d = D$, la limite où l'espacement entre les traits devient négligeable.

38. (II) De la lumière de 500 nm tombe selon la normale sur un réseau de diffraction pour lequel $d = 3{,}00D = 1200$ nm. *a*) Combien y a-t-il d'ordres (maxima principaux)? *b*) Si la largeur du réseau est de 1,50 cm, quelle est la largeur angulaire totale de chaque maximum principal?

39. (II) Pour un réseau de diffraction, il est possible de montrer que le pic central et les pics secondaires de chaque côté (jusqu'à la moitié de la distance au second pic principal) sont aux mêmes positions que dans la figure de diffraction d'une fente unique dont la largeur égale la largeur totale du réseau de diffraction. Faites-en la démonstration au moyen de diagrammes de phaseurs.

40. (III) *a*) Démontrez une formule donnant l'intensité dans la figure d'interférence de trois fentes également espacées. Exprimez l'intensité en fonction de $\delta = 2\pi d \sin \theta/\lambda$ où d est la distance entre deux fentes adjacentes. Supposez que la largeur de la fente est de $D \approx \lambda$. *b*) Montrez qu'il n'y a qu'un maximum secondaire entre les pics principaux.

SECTION 6.10

41. (II) Combien un réseau large de 4,0 cm doit-il contenir de traits par centimètre pour tout juste résoudre deux longueurs d'onde de 4187,23 nm et 4187,41 nm dans le premier ordre?

42. (II) On illumine, avec de la lumière de 624 nm, un réseau de diffraction large de 3,6 cm contenant 5500 traits/cm. À quelle distance la plus rapprochée deux longueurs d'onde peuvent-elles être pour qu'on puisse les résoudre à n'importe quel ordre? Quel ordre donne la meilleure résolution?

43. (II) Un réseau de diffraction contient 16 000 traits dans sa largeur de 2,4 cm. Déterminez *a*) sa dispersion angulaire pour les premier et second ordres, *b*) son pouvoir de résolution pour les premier et second ordres et *c*) la résolution minimale en longueur d'onde ($\Delta\lambda$) qu'il permet d'obtenir pour $\lambda \approx 410$ nm.

44. (II) Pour une longueur d'onde et un angle de diffraction fixes donnés, montrez que le pouvoir de résolution d'un réseau de diffraction dépend de la largeur totale, Nd, où N est le nombre total de fentes, chacune de largeur d.

45. (II) Trouvez une formule donnant la différence minimale de fréquence, Δf, qu'un réseau de diffraction peut résoudre quand deux fréquences, $f_1 \approx f_2 = f$ sont incidentes au réseau.

SECTION 6.11

46. (II) Des rayons X d'une longueur d'onde de 0,128 nm sont incidents à un cristal dont les atomes, alignés sur des plans, sont espacés de 0,300 nm. À quel angle les rayons X doivent-ils être dirigés pour observer le premier maximum de diffraction.

47. (II) On observe une figure de diffraction de Bragg du premier ordre à 16,2° d'un cristal dont l'espacement des atomes est de 0,24 nm. *a*) À quel angle observe-t-on le second ordre? *b*) Quelle est la longueur d'onde des rayons X?

48. (II) Si on mesure les pics de diffraction des rayons X correspondant aux trois premiers ordres ($m = 1$, 2 et 3), peut-on déterminer aussi bien la longueur d'onde λ des rayons X que l'espacement d du réseau cristallin? Démontrez votre réponse.

CHAPITRE

7

LA POLARISATION

Deux propriétés de la lumière dues à sa nature ondulatoire ont retenu notre attention aux chapitres 5 et 6: l'interférence et la diffraction. Nous étudierons maintenant une autre propriété importante de la lumière: la *polarisation*, laquelle peut aussi s'expliquer par le fait que la lumière est une onde, plus précisément une onde transversale.

7.1 La polarisation linéaire

Pour comprendre en quoi consiste la polarisation de la lumière, revenons d'abord au cas simple d'une onde se propageant sur une corde. Une telle onde peut se propager dans un plan vertical (figure 7.1a) aussi bien qu'horizontal (figure 7.1b). Dans les deux cas, on dit que l'onde est **polarisée linéairement**, ce qui signifie que les oscillations se font dans un plan.

Plaçons un obstacle contenant une fente verticale sur le chemin de l'onde. Comme on peut le voir sur la figure 7.2, une onde polarisée verticalement peut passer par la fente mais non une onde polarisée horizontalement. Par contre, une fente horizontale arrêterait l'onde polarisée verticalement. Si nons plaçons maintenant les deux types de fente sur le chemin de l'onde, aucune onde polarisée horizontalement ou verticalement ne passe. Notons que la polarisation n'existe *que pour les ondes transversales* et non pour les ondes longitudinales. L'orientation de la fente, en effet, ne peut arrêter ces dernières, les oscillations se faisant selon la direction du mouvement.

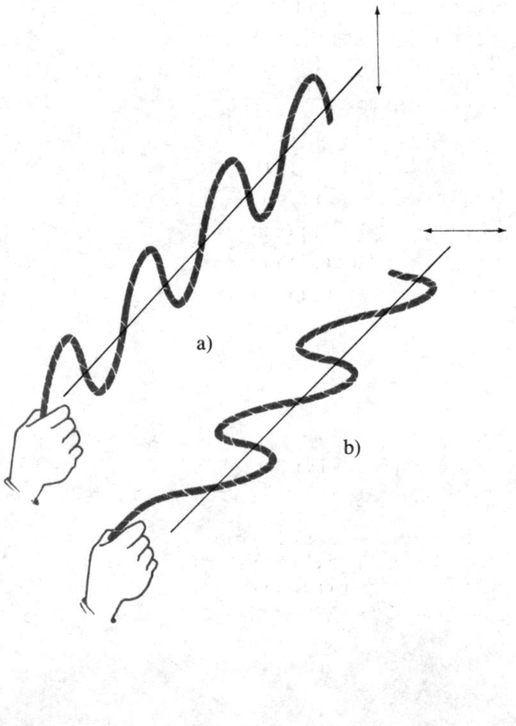

FIGURE 7.1 Ondes transversales sur une corde polarisées a) dans le plan vertical et b) dans le plan horizontal.

FIGURE 7.2 Une onde polarisée verticalement peut passer par une fente verticale, alors qu'une onde polarisée horizontalement est absorbée.

Ce n'est qu'au XIXe siècle qu'on découvrit la polarisation de la lumière. Cependant, à l'époque de Newton, on connaissait déjà un phénomène dû à la polarisation: l'existence de cristaux dits **biréfringents** (tel le spath d'Islande) qui ont la propriété de réfracter un seul rayon en deux rayons distincts (section 7.4). Certains de ces cristaux, par exemple la tourmaline, ne transmettent que l'un des deux rayons, selon l'orientation du cristal. Aujourd'hui, nous savons que les deux rayons réfractés par un cristal biréfringent sont polarisés linéairement dans des directions mutuellement perpendiculaires; nous savons de plus que la tourmaline agit comme une «fente» qui peut éliminer l'un ou l'autre des rayons, selon l'orientation qu'on lui donne. Ce n'est toutefois qu'au début du XVIIIe siècle, à la suite des travaux de Young et de Fresnel, qu'on vit dans la propriété de biréfringence une preuve que la lumière est une onde transversale. Maxwell, dans sa théorie de l'électromagnétisme émise un demi-siècle plus tard, expliquait parfaitement les phénomènes liés à la polarisation en affirmant que la lumière est une onde électromagnétique transverse. Dans une onde électromagnétique polarisée linéairement, c'est la direction du vecteur champ électrique qu'on prend pour la direction de polarisation (figure 7.10).

La lumière n'est pas nécessairement polarisée. Lorsque sa source vibre aléatoirement dans toutes les directions à la fois (figure 7.3), on dit qu'elle est *non polarisée.* C'est le cas de la lumière émise par une lampe à incandescence ordinaire ou par le soleil.

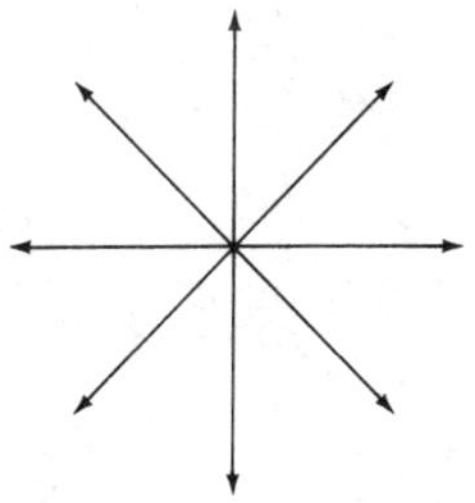

FIGURE 7.3 Vibrations du vecteur champ électrique pour de la lumière non polarisée.

Certains cristaux comme la tourmaline, pour reprendre cet exemple, ont la propriété de convertir la lumière non polarisée en lumière polarisée linéairement. C'est le cas notamment des *feuilles polaroïd* (ou des *polaroïds*) qui sont aujourd'hui d'un usage courant pour obtenir de la lumière polarisée linéairement. (L'invention, en 1929, des matériaux polaroïd est due à Edwin Land). Composée de longues molécules complexes dont les axes sont parallèles, une feuille polaroïd agit comme une série de fentes parallèles qui laissent une orientation de polarisation traverser le matériau presque sans atténuation (on dit que cette direction est l'*axe* du polaroïd) et absorbent presque totalement la polarisation perpendiculaire†. Un faisceau lumineux polarisé linéairement qui entre dans un polaroïd, dont l'axe fait un angle θ avec la direction incidente de polarisation, en ressort polarisé linéairement parallèlement à l'axe du polaroïd, et son amplitude est alors réduite d'un facteur cos θ (figure 7.4). Un polaroïd ne laisse donc passer que la composante de la polarisation (du vecteur champ électrique, $\bar{\mathbf{E}}$) parallèle à son axe. Donc, comme l'intensité d'un faisceau de lumière est proportionnelle au carré de l'amplitude, nous voyons que l'intensité d'un faisceau polarisé linéairement qui est transmise par un polariseur est:

$$I = I_0 \cos^2 \theta, \tag{7.1}$$

† On peut expliquer au niveau moléculaire comment cela se produit. Un champ électrique $\bar{\mathbf{E}}$ qui oscille parallèlement aux longues molécules peut mettre les électrons en mouvement le long de ces molécules; le champ effectue ainsi un certain travail sur les électrons et leur transfère de l'énergie. Et donc, si $\bar{\mathbf{E}}$ est parallèle aux «fentes», il est absorbé. Un champ électrique $\bar{\mathbf{E}}$ perpendiculaire aux longues molécules (et donc perpendiculaire aux «fentes») ne peut pas effectuer de travail et passe donc à travers librement. Par conséquent, la figure 7.2 ne s'applique pas au champ $\bar{\mathbf{E}}$ d'une onde électromagnétique (quoiqu'elle s'appliquerait pour le champ $\bar{\mathbf{B}}$). Quand on parle de l'*axe* d'un polaroïd, on entend la direction de $\bar{\mathbf{E}}$ pour laquelle la transmission de l'onde est maximale, et donc l'axe d'un polaroïd est perpendiculaire aux longues molécules et aux «fentes» entre elles.

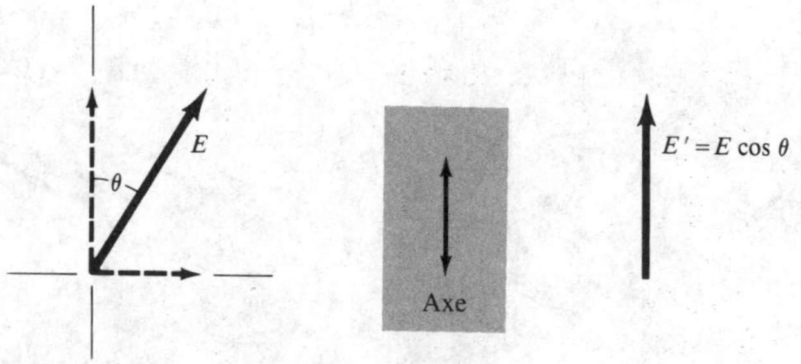

FIGURE 7.4 Le polaroïd vertical ne transmet que la composante verticale d'une onde incidente.

où θ est l'angle entre l'axe du polariseur et le plan de polarisation de l'onde incidente et I_0, l'intensité de l'onde incidente[†].

Comme il ne transmet que la composante de la lumière parallèle à son axe, un polaroïd peut servir de **polariseur**, auquel cas il sert à produire de la lumière polarisée linéairement avec de la lumière non polarisée. Un polaroïd peut aussi servir d'**analyseur**, auquel cas il sert à déterminer 1) si la lumière est polarisée et 2) la direction de polarisation. Si la lumière est non polarisée, la quantité de lumière transmise par un polaroïd utilisé comme analyseur ne dépend pas de l'orientation de l'axe du polaroïd; faites-en l'expérience en regardant une lampe à travers un verre de lunettes de soleil polaroïd que vous faites tourner. Si toutefois la lumière est polarisée, l'intensité transmise par le polaroïd en rotation est maximale quand le plan de polarisation est parallèle à l'axe du polaroïd et minimale quand il est perpendiculaire à cet axe; faites-en à nouveau l'expérience en regardant de la même façon le ciel, au lieu d'une lampe, et préférablement à angle droit avec la direction du Soleil; comme vous pouvez le voir, la lumière du ciel est polarisée. (La lumière provenant directement du Soleil est non polarisée; évitez toutefois de regarder le Soleil directement, même à travers un polariseur, car cela pourrait endommager vos yeux.) Si, à une certaine orientation, la lumière transmise par un analyseur polaroïd devient nulle, c'est que la lumière est totalement polarisée linéairement. Si la lumière ne fait qu'atteindre un minimum, c'est qu'elle est *partiellement polarisée.*

Une lumière non polarisée est une lumière ayant des directions de polarisation aléatoires (vecteur champ électrique). On peut décomposer chacune de ces directions de polarisation comme la somme vectorielle de deux composantes perpendiculaires. On peut donc considérer un faisceau non polarisé comme deux faisceaux de même intensité, polarisés linéairement et perpendiculaires l'un à l'autre. Lorsqu'on *croise* deux polaroïds (c'est-à-dire lorsqu'on oriente leurs axes perpendiculairement l'un à l'autre), la lumière non polarisée est totalement absorbée (ou presque car les polaroïds ne sont pas parfaits). Le premier polaroïd (le polariseur) convertit la lumière non polarisée en lumière polarisée (figure 7.5), tandis que le second polaroïd (l'analyseur), dont l'axe est perpendiculaire à celui du premier polaroïd, élimine complètement cette composante. Faites-en l'expérience avec deux paires de verres de soleil polaroïd. Voilà

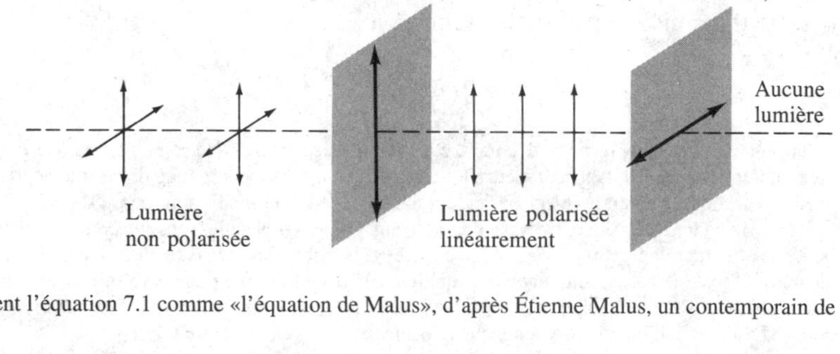

FIGURE 7.5 Des polaroïds croisés éliminent complètement la lumière.

[†] On désigne souvent l'équation 7.1 comme «l'équation de Malus», d'après Étienne Malus, un contemporain de Fresnel.

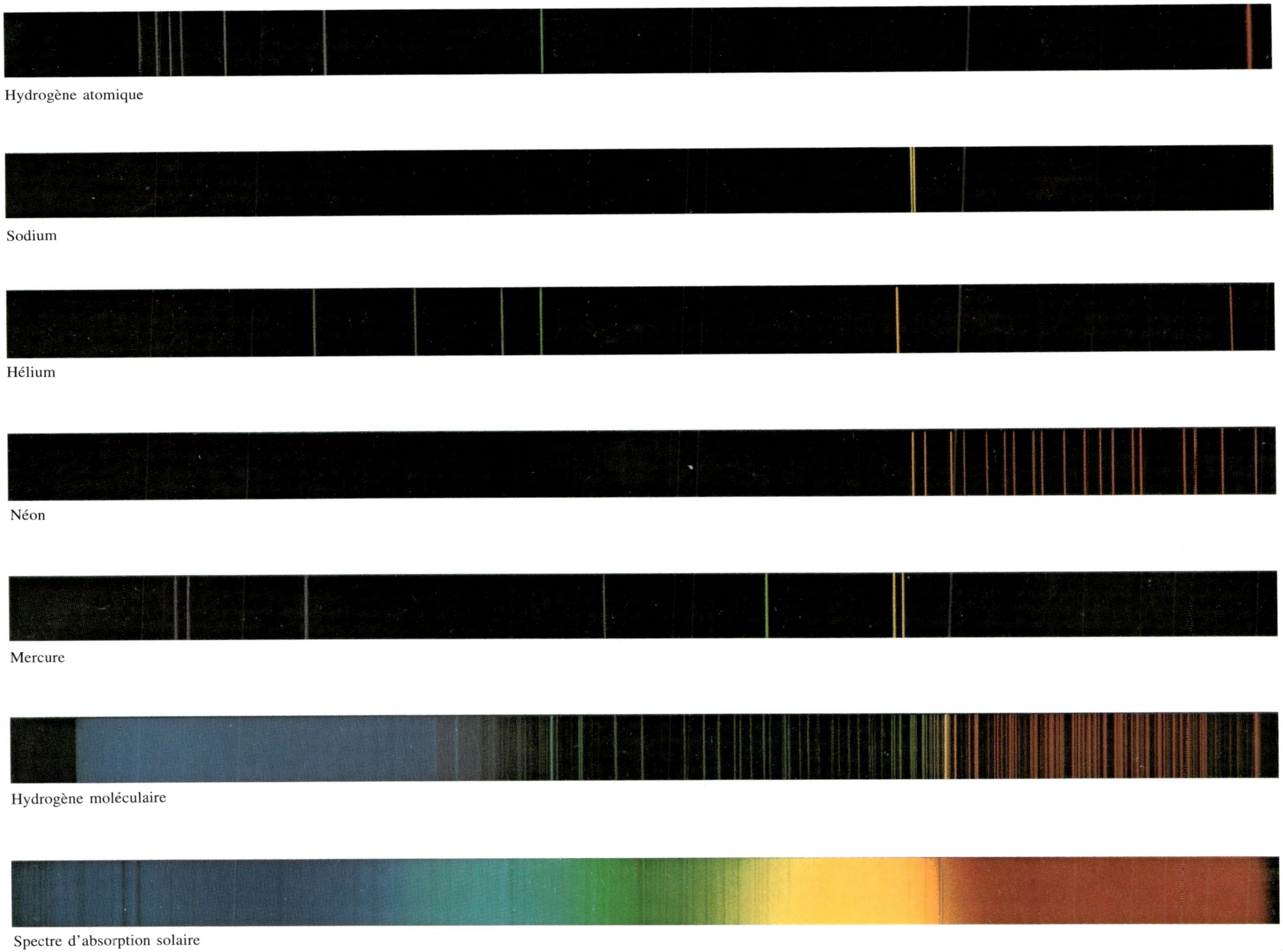

FIGURE 6.20 Spectres de raies des éléments indiqués et spectre du Soleil présentant des raies d'absorption. (Gracieuseté de la Bausch and Lomb Incorporated.)

qui montre clairement que les verres de soleil polaroïd éliminent 50 % de la lumière non polarisée à cause de leur propriété de polariser la lumière; elles en absorbent encore plus à cause de leur couleur.

EXEMPLE 7.1 Deux polaroïds filtrent de la lumière non polarisée. L'axe de l'un deux est vertical; celui de l'autre fait un angle de 60° avec la verticale. À quelles valeurs correspondent l'orientation et l'intensité de la lumière transmise?

SOLUTION Le premier polaroïd élimine la moitié de la lumière de sorte que l'intensité est réduite de moitié: $I_1 = \frac{1}{2} I_0$. La lumière qui atteint le second polariseur est polarisée verticalement et son intensité est donc réduite (équation 7.1) de:

$$I_2 = I_1 (\cos 60°)^2 = \tfrac{1}{4} I_1.$$

Par conséquent, $I_2 = \frac{1}{8} I_0$. La lumière transmise est polarisée linéairement selon un angle de 60° avec la verticale et son intensité est le huitième de l'intensité initiale.

7.2 La polarisation par réflexion

Il est aussi possible de produire, par réflexion, de la lumière polarisée avec de la lumière non polarisée. En effet, lorsque de la lumière frappe une surface non métallique selon un angle différent de l'angle normal, le faisceau réfléchi est polarisé surtout dans le plan parallèle à la surface (figure 7.6) ou, ce qui revient au même, la composante polarisée dans le plan perpendiculaire à la surface est surtout transmise ou absorbée. Faites-en l'expérience en regardant la surface plane d'un lac ou d'une route à travers des verres de soleil polaroïd que vous faites tourner. Comme à l'extérieur la plupart des surfaces sont horizontales, les axes des verres polaroïd sont orientés verticalement pour éliminer la composante la plus forte, ce qui a pour but d'atténuer l'éblouissement. Les pêcheurs connaissent fort bien ce phénomène: afin de voir plus clairement sous la surface de l'eau, ils portent des verres polaroïd pour éliminer les réflexions éblouissantes de la surface du lac ou de la rivière.

Le degré de polarisation dans le faisceau réfléchi dépend de l'angle; ce degré varie de la polarisation nulle, à incidence normale, à la polarisation totale, à un angle appelé **angle de polarisation**, θ_p†. La relation entre cet angle et l'indice de réfraction des deux milieux de part et d'autre de la frontière est:

$$\tan \theta_p = \frac{n_2}{n_1}, \qquad (7.2a)$$

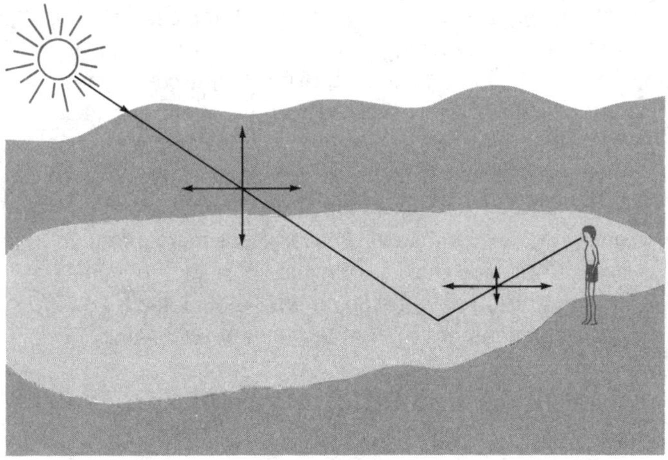

FIGURE 7.6 La lumière réfléchie par une surface non métallique, telle la surface lisse du lac ci-contre, est partiellement polarisée parallèlement à la surface.

† Seule une fraction de la lumière incidente est réfléchie à la surface du milieu transparent. Quoique cette lumière réfléchie soit polarisée à 100 % (si $\theta = \theta_p$), le reste de la lumière, qui est transmise dans le nouveau milieu, n'est que partiellement polarisée.

ENCADRÉ 7.1

Les lunettes de soleil

Les lunettes de soleil servent à protéger les yeux du rayonnement électromagnétique, en particulier du rayonnement ultraviolet.

Les sources de rayonnement électromagnétique

Le Soleil constitue la principale source de rayonnement électromagnétique auquel est soumis l'être humain. Sans le Soleil, la vie sur la Terre serait impensable: pas de photosynthèse, pas de réchauffement, pas de lumière.

Le domaine du rayonnement électromagnétique ayant le plus d'influence sur la vie s'étend de l'ultraviolet à l'infrarouge. La partie ultraviolette, la plus énergétique, provoque chez l'être vivant des effets bénéfiques, comme la photosynthèse et la production de vitamine D, mais aussi d'autres qui peuvent être néfastes. Malheureusement, les dommages se manifestent quelques années plus tard. Les rayonnements visible et surtout infrarouge, de trop grande intensité, peuvent brûler les tissus vivants. Cependant, le rayonnement ultraviolet est celui qui cause les plus grands maux à l'être humain. Il faut noter que les effets du rayonnement UV se font sentir même à l'ombre, où la lumière vient surtout de la diffusion de la lumière solaire sur les molécules, diffusion dont l'intensité est proportionnelle à la quatrième puissance de la fréquence de la lumière.

À part le Soleil, les autres sources de rayonnement électromagnétique sont artificielles, comme les lampes solaires et les lampes à infrarouge, qui rayonnent à l'intérieur de bandes déterminées de longueur d'onde. Il ne faut pas oublier les sources plus courantes, comme les tubes fluorescents, les lignes à haute tension, les appareils omniprésents comme les téléviseurs, les fours à micro-ondes, etc.

Le classement des rayons UV (ultraviolet)

La bande UV est divisée en trois parties selon la longueur d'onde, chacune avec ses propriétés particulières:

- les rayons ultraviolets C, de 100 à 280 nanomètres;
- les rayons ultraviolets B, de 280 à 315 nanomètres;
- les rayons ultraviolets A, de 315 à 400 nanomètres.

Les rayons C émis par le Soleil sont, pour la plupart, absorbés par l'atmosphère et surtout par la couche d'ozone. Les microorganismes ne peuvent survivre en leur présence. Les rayons B causent l'érythème en agissant sur l'épiderme (coups de soleil). Le domaine spectral des lampes commerciales germicides chevauche les régions C et B: il va de 200 nm jusqu'à la région B, qu'il couvre presque complètement. Ce sont des lampes à vapeur de mercure qui émettent la plus grande partie de leur énergie à la longueur d'onde de 253,7 nm, autour de laquelle l'effet germicide du rayonnement est le plus grand. Les rayons A causent essentiellement la pigmentation (bronzage) en agissant sur le derme. Encore en 1984, les lampes solaires émettaient surtout dans la région B. Les nouvelles lampes, à cause des risques de cancer occasionnés par les rayons de la région B, émettent surtout dans la région A. D'aucuns prétendent que ces dernières sont tout aussi cancérigènes. En effet, ces rayons agissent en profondeur (sur le derme), là où les effets à long terme se manifestent: perte de collagène, destruction de vaisseaux sanguins et vieillissement accéléré de la peau.

L'œil et le rayonnement UV

Les rayonnements visible et infrarouge s'ils sont trop intenses peuvent provoquer l'éblouissement, l'assèchement et même la brûlure de l'œil. Cependant, le rayonnement UV reste le plus dommageable.

D'une part, la cornée absorbe en bonne partie les rayons UV, mais elle se remet rapidement, en général, des dommages qui lui sont ainsi causés. Cependant une trop grande exposition à ces rayons, en particulier à ceux de la région B, peut être dramatique. D'ailleurs, l'absorption par le cristallin des rayons UV restants est une des causes de la cataracte. D'autre part, la rétine n'est pas complètement épargnée par les rayons UV. Des études suggèrent un lien entre l'exposition aux rayons UV et la dégénérescence du tissu de la rétine, anomalie qui affecte 28 % des personnes entre 75 et 85 ans aux États-Unis.

Les rayonnements ultraviolet, visible et infrarouge et la spécification des lunettes de soleil

On s'entend aujourd'hui pour affirmer qu'une bonne paire de lunettes de soleil doit protéger des rayons UV des domaines A et B, les C étant bloqués par l'atmosphère. Dans le domaine du visible, les rayons bleus sont susceptibles de causer des dommages à la rétine: on recommande donc que le verre protecteur bloque au moins 75 % du rayonnement visible, ce qui procure en même temps une atténuation suffisante des rayons bleus.

Depuis 1989, la Sunglass Association of America (SAA) a institué, avec le concours de la United States Food and Drug Administration (FDA), un programme d'étiquetage volontaire où les paires de lunettes sont classées dans une des trois catégories suivantes:

- la protection «cosmétique» UV bloque au moins 70 % des rayons B et 20 % des rayons A;
- la protection «générale» UV bloque au moins 95 % des rayons B et 60 % des rayons A;
- la protection «spéciale» UV bloque au moins 99 % des rayons B et 60 % des rayons A.

Les verres à protection «cosmétique» sont légèrement teintés et sont recommandés pour des lieux où la lumière naturelle est grandement atténuée, comme dans la plupart des rues des grandes villes. Les verres à protection «générale» sont recommandés pour des lieux de fort éclairement solaire, comme une étendue d'eau, de sable ou encore de neige; les verres à protection «spéciale», eux, sont nécessaires dans les environnements à très fort éclairement solaire, comme les pentes de ski, les flancs de montagnes et les plages tropicales.

Les lunettes à verres ordinaires

Les lunettes ordinaires sont faites de verre crown ou de plastique. Le verre crown bloque presque complètement les rayons UV de longueur d'onde inférieure à 300 nm (le domaine C et la moitié du domaine B); le verre de plastique, lui, préserve les yeux des rayons UV de longueur d'onde inférieure à 350 nm (les domaines C et B). Les lentilles cornéennes, de moindre épaisseur, sont sur ce point moins efficaces.

Les lunettes à verres polarisants

Les lunettes à verres polarisants sont efficaces dans l'élimination des reflets venant des surfaces non métalliques comme le pavé des routes, la surface des lacs et celle des étendues enneigées. Cet effet est maximal quand l'angle d'incidence de la lumière est égal à l'angle de Brewster: la lumière réfléchie est alors complètement polarisée. Il n'y a pas de tel angle dans le cas des surfaces métalliques, pour lesquelles la lumière réfléchie n'est jamais complètement polarisée.

Mais en même temps, dans des conditions de lumière naturelle, parce qu'elles ne laissent passer qu'une des deux polarisations, les lunettes à verres polarisants absorbent au moins la moité du rayonnement. En fait, elle transmettent environ 37 % de la lumière naturelle. Leur prix est cependant élevé.

Les lunettes à verres teintés

Les lunettes à verres teintés absorbent les rayonnements ultraviolet, visible et infrarouge dans des proportions diverses.

Il n'y a pas de lien direct entre la couleur des verres et leur pouvoir d'absorption des rayons UV. Les verres bleus ne sont pas recommandés, le bleu pouvant être dommageable pour l'œil. On conseille plutôt les verres de couleur grise qui transmettent les couleurs uniformément; viennent ensuite ceux de couleur verte et ensuite ceux de couleur brune.

Il existe des verres de couleur jaune qui sont réputés pour améliorer l'acuité visuelle. Des tests ont montré qu'il n'en est rien. Ils absorbent la majeure partie des UV mais laissent passer une grande partie de l'infrarouge ainsi que le violet et le bleu; de plus, ils laissent passer presque 90 % du reste du visible. Ils ne sont donc pas recommandés comme lunettes de soleil.

Le port des lunettes de soleil la nuit ou par temps sombre quand on conduit est fortement déconseillé, car cela nuit à la visibilité des détails de faible luminance, comme les vêtements d'une personne traversant la rue.

Les lunettes à verres semi-réfléchissants

Certains verres sont enduits d'une couche métallique, une couche d'argent par exemple, semi-réfléchissante, qui diminue d'autant le rayonnement atteignant l'œil.

P. É. O.

Références

Margaret DOWALIBY (1972). *Practical Aspects of Ophtalmic Optics*, The Professional Press.

Marry-Ellen SIEGEL (1990). *Safe in the Sun*, Walker and Company.

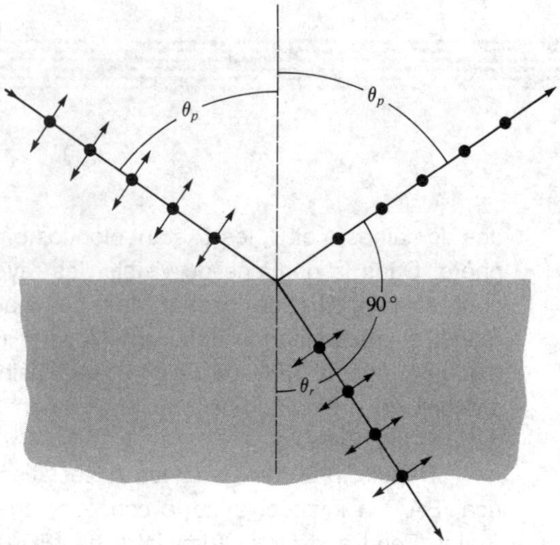

FIGURE 7.7 À un angle θ_p tel que $\theta_p + \theta_r = 90°$, où θ_r est l'angle de réfraction, la lumière réfléchie est polarisée linéairement, parallèlement à la surface. (Les points noirs représentent les vibrations perpendiculaires à la page.)

où n_1 est l'indice de réfraction du milieu devant la frontière et n_2, celui du milieu derrière la frontière. Si le milieu devant la frontière est de l'air, $n_1 = 1$ et

$$\tan\,\theta_p = n. \qquad (7.2b)$$

L'angle de polarisation θ_p fut également baptisé **angle de Brewster** et l'équation 7.2, *loi de Brewster*, d'après le physicien écossais David Brewster (1781-1868; figure 1.13 du tome 2), qui découvrit ces relations expérimentalement en 1812. Les équations 7.2a et 7.2b peuvent être déduites de la théorie électromagnétique de la lumière. Il est intéressant de noter que les rayons réfléchis et transmis font un angle de 90° l'un avec l'autre à l'angle de Brewster, c'est-à-dire que $\theta_p + \theta_r = 90°$ (figure 7.7). On peut le voir en remplaçant n_2 dans la loi de Descartes ($n_1 \sin\,\theta_p = n_2 \sin\,\theta_r$) par la valeur de n_2 dans l'équation 7.2a ($n_2 = n_1 \tan\,\theta_p = n_1 \sin\,\theta_p/\cos\,\theta_p$); on obtient ainsi la relation $\cos\,\theta_p = \sin\,\theta_r$, qui n'est valide que lorsque $\theta_p = 90° - \theta_r$.

EXEMPLE 7.2 *a*) À quel angle d'incidence la lumière réfléchie par un lac est-elle totalement polarisée? *b*) Quel est l'angle de réfraction?

SOLUTION *a*) Nous utilisons l'équation 7.2b avec $n = 1{,}33$, de sorte que $\tan\,\theta_p = 1{,}33$ et $\theta_p = 53{,}1°$.

b) $\theta_r = 90{,}0° - \theta_p = 36{,}9°$.

7.3 L'activité optique

Lorsqu'un faisceau de lumière monochromatique polarisée linéairement traverse des cristaux et des solutions, on observe que la direction de polarisation subit une rotation d'un certain angle. Ainsi, dans la figure 7.8, de la lumière passe par un polariseur puis par une solution de sucre. L'analyseur polaroïd derrière la solution n'élimine pas toute la lumière quand il est placé à un angle de 90° avec le polariseur. Toutefois, quand on lui fait subir une rotation d'un certain angle ϕ, il n'y a plus de lumière transmise, ce qui indique que la solution a fait subir une rotation d'un angle ϕ à la direction de polarisation. Les substances qui agissent ainsi sur la lumière sont dites *optiquement actives.* L'activité optique est due à l'asymétrie des molécules qui peuvent avoir une forme de spirale comme, par exemple, certaines protéines. Les substances qui tournent la direction de polarisation vers la gauche (dans le sens inverse des aiguilles d'une montre) lorsqu'on regarde en direction de la source (dans le sens opposé à la direction de la lumière) (figure 7.8) sont dites *lévogyres* (aussi appelées *gauches* ou *négatives*).

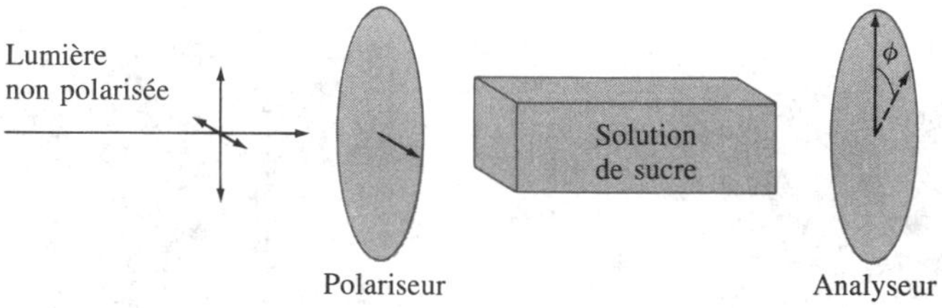

FIGURE 7.8 La solution de sucre fait subir une rotation d'un angle ϕ à la direction de polarisation de la lumière incidente qui n'est donc plus horizontale. La rotation de l'analyseur d'un angle ϕ avec la position verticale élimine totalement la lumière.

Celles qui tournent la direction de polarisation vers la droite sont dites *dextrogyres* (aussi appelées *droites* ou *positives*). Le sucre blanc, la dextrose ou glucose D, est dextrogyre. La plupart des acides aminés naturels sont dextrogyres.

L'angle de rotation ϕ dépend de la longueur de marche l (mètres) dans la substance et de la concentration c (kg/m^3) si elle est en solution. Pour des solutions diluées, la relation est linéaire et ϕ (en radians) est donné par:

$$\phi = \alpha l c.$$

La constante α est une propriété de la substance et s'appelle la rotation spécifique ou le *pouvoir rotatoire optique spécifique* (elle dépend de la température et de la longueur d'onde de la lumière utilisée).

Comme ϕ est proportionnel à la concentration, le phénomène de l'activité optique a permis la mise au point d'une méthode normalisée de mesure de concentration, par exemple celle du sucre, dans une solution. L'activité optique permet aussi de déterminer la forme tridimensionnelle de grandes molécules, comme les protéines, ou leur changement de forme quand les conditions sont modifiées.

Le verre et le plastique deviennent optiquement actifs quand on les soumet à une contrainte; la rotation de la direction de polarisation est d'autant plus grande que la contrainte est grande. Ainsi l'observation de modèles d'os ou de parties de machines en plastique au travers de polaroïds croisés permet de déterminer les points où la contrainte est la plus grande. On appelle ceci une «analyse optique de contrainte» (figure 7.9).

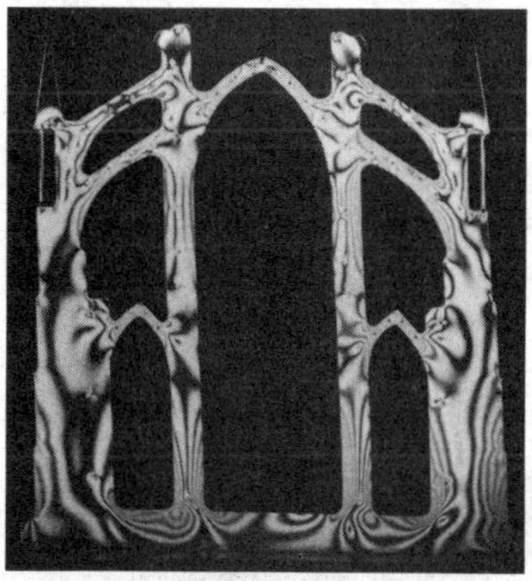

FIGURE 7.9 Un modèle en plastique d'une section transversale de la nef de la cathédrale Notre-Dame de Paris est placé entre deux polariseurs croisés afin de mettre en évidence les régions de plus grande contrainte (correspondant aux endroits où les lignes sont les plus rapprochées).

7.4 La double réfraction: la biréfringence et le dichroïsme

Dans plusieurs substances transparentes, la vitesse de la lumière ne dépend pas de la direction. Ces substances sont dites *isotropes.* Dans certains cristaux et certaines solutions, la vitesse de la lumière varie, au contraire, selon la direction; de telles substances sont dites *anisotropes.* Elles sont également dites **doublement réfringentes** ou **biréfringentes** parce qu'elle donnent lieu à un phénomène insolite.

Une direction particulière dans un cristal biréfringent (par exemple la calcite) est connue comme son *axe optique* (cet axe n'est pas une droite unique mais une direction dans le cristal). Lorsque de la lumière ordinaire entre dans un cristal parallèlement à son axe optique, rien de particulier ne se produit. Toutefois, si la lumière non polarisée entre dans le cristal en faisant un certain angle avec l'axe optique (comme dans la figure 7.10), un phénomène très insolite se produit: il y a deux rayons réfractés. Dans la figure, le rayon incident est normal à la surface mais fait un angle avec l'axe optique. L'un des rayons réfractés, appelé **rayon ordinaire** (o) passe librement, sans être dévié,

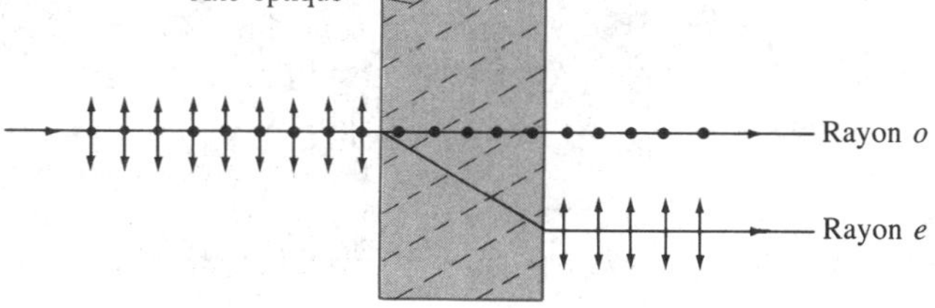

FIGURE 7.10 De la lumière non polarisée, à incidence normale avec un cristal biréfringent (comme la calcite), est séparée en deux faisceaux réfractés. Les pointillés indiquent la direction de l'axe optique.

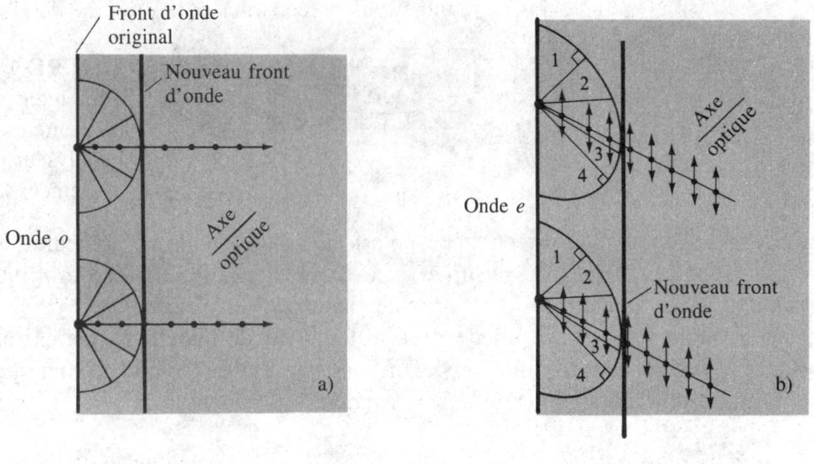

FIGURE 7.11 Explication de la double réfraction à l'aide du principe de Huygens.

selon un chemin normal à la surface. L'autre rayon, appelé **rayon extraordinaire** (e) est réfracté selon un certain angle.

Comme on peut le voir, la loi de Descartes, quoique valide pour le rayon o, ne l'est pas ici pour le rayon e.

Les rayons e et o sont polarisés linéairement dans des directions mutuellement perpendiculaires. Les points sur le rayon o, dans la figure 7.10, indiquent que les vibrations sont perpendiculaires au papier tandis que les flèches sur le rayon e indiquent que la direction de sa polarisation se trouve dans le plan du papier.

Le phénomène de la double réfraction peut s'expliquer par l'hypothèse suivante: la vitesse de la lumière varie en fonction de la direction du vecteur polarisation relativement à l'axe optique du cristal. Comme on peut le voir, la polarisation du rayon o, dans la figure 7.10, est perpendiculaire à l'axe optique; tant qu'elle le demeure, sa vitesse est donc égale dans toutes les directions. Le rayon e, d'autre part, a des composantes de polarisation parallèle et perpendiculaire à l'axe optique; sa vitesse diffère donc dans différentes directions; elle est égale à celle du rayon o quand son vecteur polarisation est perpendiculaire à l'axe optique. À d'autres angles, la vitesse du rayon e est plus grande (ou plus petite, dans certains cristaux) et elle atteint un maximum (ou minimum) quand sa polarisation est parallèle à l'axe optique. (Nous supposerons, dans la suite de notre analyse, que l'on étudie un cristal dans lequel cette vitesse est plus grande.) Ainsi, l'indice de réfraction n_o pour le rayon ordinaire est égal dans toutes les directions, tandis que l'indice de réfraction n_e pour le rayon extraordinaire varie selon la direction. Habituellement, on spécifie la valeur de n_e pour le rayon e voyageant perpendiculairement à l'axe optique avec sa direction de polarisation parallèle à l'axe optique. Le tableau 7.1 donne, pour plusieurs cristaux, ces valeurs principales de n_o et n_e.

TABLEAU 7.1
Indices principaux de réfraction pour certains cristaux biréfringents ($\lambda = 589$ nm)

Cristal	n_o	n_e
Glace	1,309	1,313
Quartz	1,544	1,553
Calcite	1,658	1,486
Dolomite	1,681	1,500

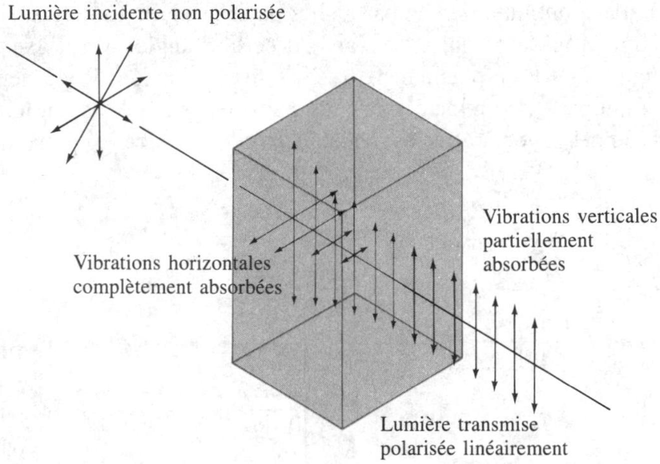

FIGURE 7.12 Un cristal dichroïque absorbe une composante polarisée plus que l'autre. Si le cristal est suffisamment épais, la lumière transmise est polarisée linéairement.

Utilisons maintenant les suppositions précédentes et le principe de Huygens pour expliquer la double réfraction. La figure 7.11a représente l'onde ordinaire. Les ondelettes de Huygens sont représentées pour deux points sur le front d'onde qui vient juste d'entrer dans le cristal. Comme ces ondelettes voyagent à la même vitesse dans toutes les directions, elles sont sphériques, et l'onde continue de se propager en ligne droite. Pour le rayon *e*, représenté à la figure 7.11b, les ondelettes de Huygens ont des formes elliptiques, étant donné que la vitesse dépend de la direction. Le rayon 1 sur cette ondelette est polarisé perpendiculairement à l'axe optique; il voyage donc à la même vitesse que le rayon *o*; les vitesses des rayons 2, 3 et 4 sont toutefois supérieures, celle du rayon 4 étant la plus grande. (Ce serait le cas pour la calcite mais, d'après le tableau 7.1, la vitesse des rayons 2, 3 et 4 serait plus petite pour des cristaux comme la glace ou le quartz.) Le front d'onde en progression, qui est tangent aux ondelettes de Huygens, est donc déplacé d'un côté de la manière illustrée dans la figure. Ceci est le chemin suivi par le rayon *e*.

Certains cristaux biréfringents, comme la tourmaline, absorbent davantage une des composantes de polarisation que l'autre (figure 7.12). Un tel cristal est dit *dichroïque*. Un cristal dichroïque suffisamment épais élimine complètement une composante de la lumière non polarisée de sorte que le rayon sortant est polarisé linéairement. Le dichroïsme est le principe de base des feuilles polaroïd.

7.5 Les polarisations circulaire et elliptique

Supposons un faisceau de lumière polarisée linéairement et incident à un cristal biréfringent (par exemple de calcite) dont l'axe optique est parallèle à la face du cristal et fait un angle de 45° avec la direction de polarisation (figure 7.13). Le vecteur champ électrique $\bar{\mathbf{E}}$ incident peut être considéré comme la somme vectorielle de composantes

FIGURE 7.13 a) Une onde polarisée à 45° avec l'axe optique entre dans une lame quart-d'onde selon la normale à la surface et à l'axe optique. L'onde *o* (E_o) est en retard d'un quart de longueur d'onde par rapport à l'onde *e* (E_e) à la sortie. Le vecteur polarisation ($\bar{\mathbf{E}}$) de l'onde sortante subit une rotation dans le temps, comme on peut le voir en examinant les composantes pour les points 1, 2 et 3 de la partie a), que nous avons retracées dans la partie b) en regardant le long de la direction de la propagation de l'onde. La lumière est donc polarisée circulairement comme l'illustre la partie c).

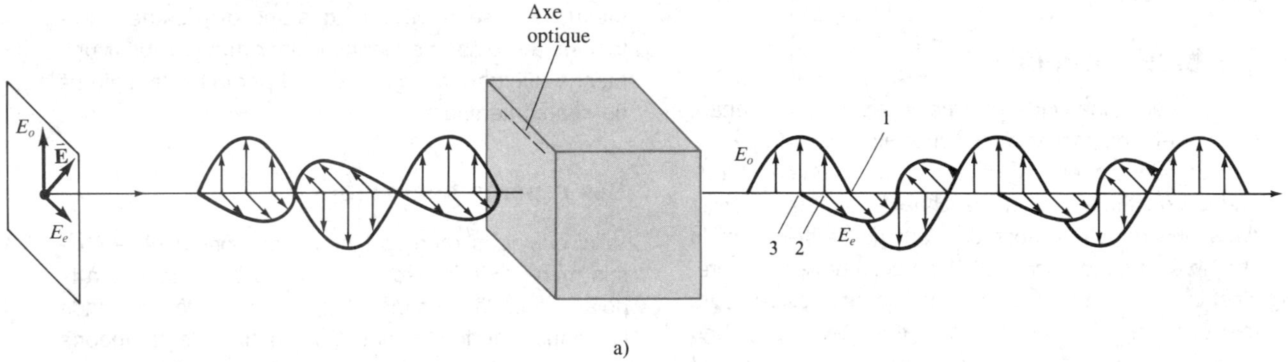

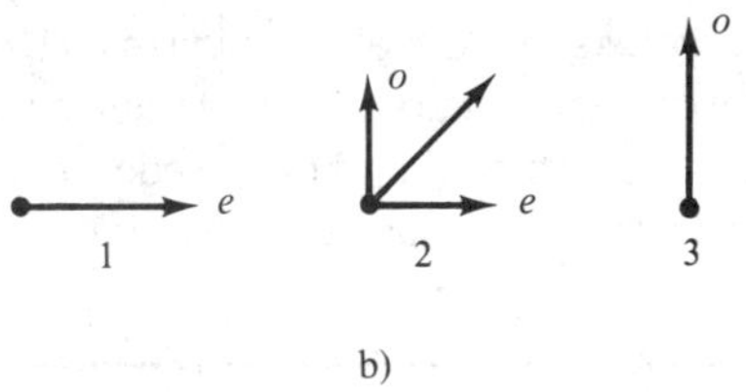

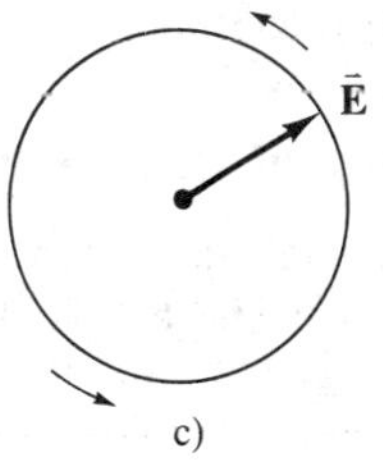

ENCADRÉ 7.2

La biréfringence et la théorie ondulatoire de la lumière

Presque à elle seule, l'étude de la biréfringence de la lumière dans les cristaux mena à la découverte de la polarisation et à l'acceptation générale de la théorie ondulatoire. En effet, contrairement à ce que l'on croit souvent, ce n'est pas la solution (dans le cadre de la théorie ondulatoire) des problèmes posés par la diffraction qui ébranla la théorie newtonienne de la lumière (rayons formés de corpuscules), mais surtout la solution du problème posé par la biréfringence.

La monoréfringence

Une onde électromagnétique plane naturelle (non polarisée) peut être considérée comme constituée de deux ondes planes indépendantes électriques et magnétiques de polarisation linéaire, dont les vecteurs électriques et magnétiques respectifs sont, par conséquent, perpendiculaires entre eux.

Considérons une telle onde dans le vide venant rencontrer une face plane d'un milieu isotrope. L'influence du milieu sera la même pour les deux ondes constitutives parce que le milieu est isotrope. C'est pourquoi le changement d'orientation (réfraction ou réfringence) de l'une, dont le champ électrique oscille dans une direction, sera le même que l'autre, dont le champ électrique oscille perpendiculairement à celui de la première.

La biréfringence

Considérons une onde comme la précédente venant rencontrer une face plane d'un milieu anisotrope. Le changement d'orientation (réfraction) de l'une des deux ondes constitutives, dont le champ électrique oscille dans une direction, sera différent de l'autre, dont le champ électrique oscille à 90° de celui de la première: c'est la biréfringence. En effet, parce que ces vecteurs respectifs ont des orientations différentes, l'action du milieu sur eux est aussi différente, car le milieu est anisotrope. Les deux ondes auront alors des directions et des vitesses différentes.

La biréfringence et la théorie ondulatoire

Bien que la polarisation de la lumière suppose que l'onde lumineuse est transversale, les tenants de la théorie ondulatoire de la lumière furent très réticents à conclure au caractère transversal de l'onde lumineuse, parce que, par analogie avec le son, ils croyaient fermement que l'onde lumineuse était longitudinale. Les problèmes posés par la biréfringence sont résolus à l'intérieur de la théorie ondulatoire d'une façon tout à fait naturelle.

La biréfringence et la théorie newtonienne des rayons

Les défenseurs de la théorie newtonienne (rayons de lumière formés de particules) ne parvenaient à rendre compte de la biréfringence et de la polarisation (terme inventé par Malus, un newtonien) qu'en faisant appel à plusieurs paramètres caractérisant la lumière et la matière, sans toutefois présenter une théorie simple qui soit à la fois génératrice et explicatrice. Newton, Malus, Brewster, Laplace, Biot et Poisson ont cependant joué un grand rôle dans l'étude de la biréfringence, tant sur le plan théorique qu'expérimental.

Ils furent d'un grand secours à Fresnel qui, lui, vint à bout du problème à l'intérieur de la théorie ondulatoire, avec un minimum de suppositions sur le plan théorique. En effet, Fresnel n'aurait pu tout faire seul en si peu de temps sur le plan expérimental et théorique. Il se servit donc des découvertes des newtoniens, en plus des siennes, pour arriver à bâtir une théorie qui, par sa simplicité, finit par rallier la majorité de ses contemporains.

Les repères historiques

Voici quelques repères historiques ponctuant le chemin menant de la découverte de la biréfringence à la polarisation, à la conception transversale de l'onde lumineuse et finalement à l'adoption de la théorie ondulatoire de la lumière et au rejet de la théorie newtonienne.

- En 1669, Erasmus Bartholin (1625-1698), médecin et professeur de mathématiques à l'Université de Copenhague, se rend compte qu'on voit deux images d'un objet quand on le regarde à travers le spath d'Islande, qui est une variété de calcite

($CaCO_3$) clivable, pure et transparente. Il qualifia respectivement ces deux images d'ordinaire et d'extraordinaire, d'où les expressions courantes: réfraction ordinaire et réfraction extraordinaire.

- En 1690, Christiaan Huygens (1629-1695) publie son *Traité de la Lumière*, où il explique partiellement la réfraction extraordinaire au moyen du principe qui porte son nom. Il découvre aussi que le quartz jouit de la même propriété.
- En 1704, Isaac Newton (1643-1727) publie l'*Optique*. Dans sa conclusion, il aborde divers sujets sous forme de questions par lesquelles il règle le problème de la réfraction extraordinaire: il dote chaque rayon de lumière de quatre côtés distincts: «Ainsi, chaque rayon peut être censé avoir quatre côtés dont deux opposés entre eux le disposent à être réfracté de la manière extraordinaire.»
- En 1772, Romé de l'Isle (1736-1790) publie son *Essai de Cristallographie*. Il crée les mots «cristallographie» et «dièdre»; il remarque que toutes les formes des cristaux peuvent s'obtenir à partir d'un petit nombre de formes de base.
- En 1783, Arnould Carangeot (1742-1806), dirigé par Romé de l'Isle, découvre la généralité de la constance des angles dièdres; les surfaces et les longueurs des facettes, elles, sont variables.
- En 1784, René-Just Haüy (1743-1822) publie sa *Structure des cristaux*, où il met en évidence des caractéristiques importantes sur la symétrie des cristaux. Il est souvent considéré comme le fondateur de la cristallographie moderne.
- En 1808, Pierre-Simon Laplace (1749-1827) trouve une explication particulaire à la réfraction extraordinaire dans les cristaux; il bâtit une formule qui rend compte de cette réfraction.
- En 1808, Étienne-Louis Malus (1775-1812) utilise et confirme la construction de Huygens prédisant la biréfringence; la même année, il découvre que la réflexion donne lieu à des rayons similaires à ceux obtenus par double réfraction dans les cristaux. Il parle alors de polarisation par réflexion.
- En 1815, David Brewster (1781-1868) montre que beaucoup de cristaux possèdent deux axes optiques, plutôt qu'un seul comme le cristal de calcite ou de quartz: les premiers sont dits biaxes et les seconds, uniaxes.
- En 1815, Brewster prouve que la compression selon une direction d'un solide isotrope transparent le rend doublement réfringent.
- En 1816, André Ampère (1775-1836), à la suite d'une lettre de Fresnel qui lui rapporte une de ses expériences, suggère que l'onde lumineuse, jusqu'alors supposée être strictement longitudinale comme l'onde sonore, pourrait posséder une composante transversale.
- En 1817, Thomas Young (1773-1829) fait la même suggestion à Fresnel.
- En 1822, Augustin Fresnel (1788-1827), après s'être convaincu une fois pour toutes de la nécessité théorique et expérimentale de la transversalité de l'onde lumineuse, trouve l'explication complète de la biréfringence et de la propagation de la lumière dans les milieux isotropes et anisotropes à partir d'une théorie mécanique où l'onde lumineuse transversale se propage dans l'éther. Il démontre plus particulièrement que la biréfringence est liée à deux facteurs: la polarisation de la lumière et l'anisotropie du milieu de propagation qu'est un cristal [sauf les cristaux dont la cellule de base est cubique, comme le sel de table (NaCl), qui sont isotropes].
- En 1850, Léon Foucault (1819-1868) montre que la vitesse de la lumière dans l'eau est plus faible que celle dans l'air, comme le prévoit la théorie ondulatoire de la lumière; ce résultat est incompatible avec la théorie newtonienne de la lumière.

P.-É. O.

Références

Jed Z. BUCHWALD (1989). *The Rise of the Wave Theory of Light. Optical Theory and Experiment in the Early Nineteenth Century*, The University of Chicago Press.

respectivement parallèle et perpendiculaire à l'axe optique correspondant aux ondes *e* et *o*, comme il est indiqué dans la figure. Celles-ci sont d'égale amplitude et voyagent dans le cristal en suivant le même chemin. (Notez que l'onde *e* n'est pas réfractée, comme dans la figure 7.10, car elle vibre parallèlement à l'axe optique.) Toutefois, les deux ondes voyagent à des vitesses différentes (puisqu'elles voyagent perpendiculairement à l'axe optique) et elles sortent donc déphasées du cristal. Si la différence de phase est de 90°, le cristal s'appelle une **lame quart-d'onde** (étant donné que les deux ondes sont décalées d'un quart de longueur d'onde). C'est le cas dans la figure 7.13. Le résultat intéressant est que le vecteur polarisation (le champ électrique total $\vec{E}$ résultant de la somme des deux ondes) tourne, formant un cercle d'amplitude constante (parties b et c de la figure 7.13). Une telle lumière est dite **polarisée circulairement**.

EXEMPLE 7.3 Quelle devrait être l'épaisseur d'une lame quart-d'onde de calcite pour de la lumière d'une longueur d'onde de 589 nm?

SOLUTION D'après le tableau 7.1, $n_e = 1{,}486$ et $n_o = 1{,}658$. Dans une épaisseur t de cristal, le nombre de longueurs d'onde pour le rayon extraordinaire est de:

$$N_e = \frac{t}{\lambda_e} = \frac{tn_e}{\lambda},$$

où λ est la longueur d'onde dans l'air et $\lambda_e = \lambda/n_e$ est la longueur d'onde dans le cristal. Pour le rayon ordinaire, le nombre de longueurs d'onde N_o est:

$$N_o = \frac{tn_o}{\lambda}.$$

Comme nous voulons que les ondes soient déphasées d'un quart de longueur d'onde, nous posons $N_o - N_e = \frac{1}{4}$:

$$\frac{1}{4} = N_o - N_e = \frac{t}{\lambda}(n_o - n_e).$$

En isolant t et en remplaçant les variables par leurs valeurs numériques, nous obtenons:

$$t = \frac{\lambda}{4(n_o - n_e)} = \frac{589 \text{ nm}}{4(1{,}658 - 1{,}486)} = 856 \text{ nm}.$$

Si un cristal biréfringent change la phase de 180° (une **lame demi-onde**), on peut montrer à l'aide d'un diagramme similaire à celui de la figure 7.13 que l'onde sortante est polarisée linéairement. En fait, si l'épaisseur du cristal est telle que la différence de phase est 0, π, 2π, ou tout multiple entier de π, le faisceau sortant est polarisé linéairement. Si la différence de phase est de $\pi/2$, $3\pi/2$, $5\pi/2$, et ainsi de suite, la lumière est polarisée circulairement. Pour toutes les autres différences de phase, la lumière sortante est **polarisée elliptiquement**, ce qui signifie que le vecteur (polarisation) électrique tourne comme dans la figure 7.13c mais que sa longueur (amplitude de $\vec{E}$) varie de sorte que son extrémité parcourt une ellipse.

Jusqu'à maintenant, nous avons supposé que l'angle du champ $\vec{E}$ de l'onde incidente avec l'axe optique était de 45°. Toutefois, lorsque l'angle du vecteur polarisation du faisceau incident avec l'axe optique est différent de 45° (et différent de 0° et de 90°), la lumière sortante pour une lame quart-d'onde (différence de phase = 90°) est elliptique. Ceci est évident puisque les deux composantes (*e* et *o*) ont des amplitudes inégales.

7.6 La diffusion de la lumière par l'atmosphère

Les couchers de soleil sont rouges, le ciel est bleu et la lumière du ciel est polarisée (au moins partiellement): l'explication de ces phénomènes repose sur la *diffusion* de la lumière par les molécules de l'atmosphère. La figure 7.14 représente l'interaction entre un rayon de lumière non polarisé provenant du Soleil et d'une molécule de l'atmosphère terrestre. Comme le champ électrique de l'onde électromagnétique fait osciller les charges électriques de la molécule, celle-ci absorbe une partie de la radiation incidente. Mais, comme les charges oscillent, la molécule réémet rapidement cette lumière. En effet, des charges électriques oscillantes produisent des ondes électromagnétiques (section 12.4 du tome 2). Le champ électrique de ces ondes est aligné dans la direction d'oscillation. Maximale dans la direction perpendiculaire à l'oscillation, l'intensité émise devient nulle dans la direction d'oscillation (section 12.4 du tome 2). Dans la figure 7.14, le mouvement des charges est décomposé en deux composantes perpendiculaires. Un observateur qui regarde à angle droit avec la direction du Soleil, comme dans la figure, voit de la lumière polarisée linéairement puisque l'autre composante de l'oscillation n'émet aucune lumière dans cette direction. (Pour le comprendre d'une autre façon, remarquons que l'observateur ne peut pas voir d'oscillation dans la direction de la ligne d'observation, ni, par conséquent, les ondes causées par ces oscillations.) À d'autres angles de vision, les deux composantes sont visibles; l'une d'elles est cependant plus forte que l'autre, de sorte que la lumière apparaîtra partiellement polarisée. Ainsi, la diffusion explique la polarisation de la lumière du ciel. (Elle peut aussi expliquer la polarisation totale par réflexion (figure 7.7). Comme nous l'avons vu, à l'angle de Brewster, l'angle entre les rayons réfracté et réfléchi est de 90°. Si nous considérons que les molécules du milieu oscillent perpendiculairement à la direction du rayon réfracté, il devient évident qu'à 90° avec cette direction (la direction du rayon réfléchi), il n'y a qu'une composante de polarisation (figure 7.7), juste comme pour la diffusion (figure 7.14).)

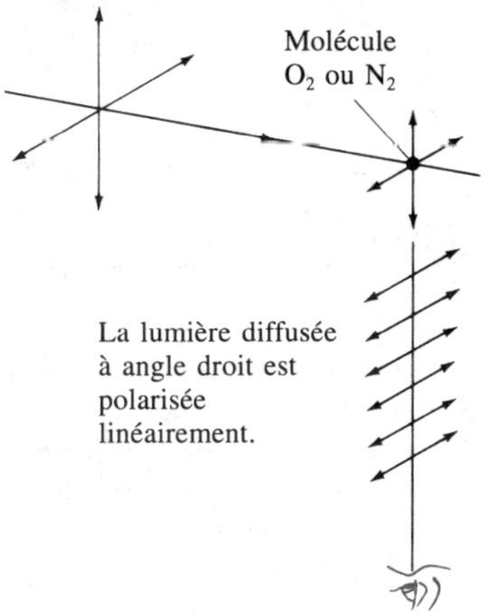

FIGURE 7.14 Lumière solaire non polarisée diffusée par les molécules de l'air. Un observateur placé à angle droit voit la lumière polarisée linéairement, étant donné que la composante de vibration le long de la ligne de mire n'émet pas de lumière le long de cette ligne.

La diffusion de la lumière par l'atmosphère terrestre dépend de λ. Les particules beaucoup plus petites que la longueur d'onde (c'est le cas des molécules de l'air) nuisent moins à la propagation des grandes longueurs d'onde qu'à celle des petites. La diffusion diminue, en fait, comme $1/\lambda^4$. Les molécules de l'atmosphère diffusent donc beaucoup moins les lumières rouge et orange que bleue et violette, d'où la couleur bleue de l'atmosphère. Au crépuscule, les rayons du Soleil traversent une longueur d'atmosphère maximale. La diffusion élimine la plus grande partie du bleu. La lumière qui atteint la surface de la Terre et qui se réfléchit sur les nuages et le brouillard manque de bleu; c'est pourquoi les couchers de Soleil rougeoient.

La diffusion ne dépend de $1/\lambda^4$ que lorsque les objets diffusants sont beaucoup plus petits que la longueur d'onde de la lumière. C'est le cas des molécules d'oxygène et d'azote dont le diamètre est d'environ 0,2 nm. Les gouttes d'eau ou les cristaux de glace que les nuages contiennent sont toutefois beaucoup plus grands que λ; ils diffusent donc toutes les fréquences de lumière presque uniformément. Voilà pourquoi les nuages nous paraissent blancs (ou gris quand ils sont plus épais).

RÉSUMÉ

Dans la *lumière non polarisée*, les vecteurs champ électrique vibrent dans toutes les directions. Quand le champ électrique ne vibre que dans une seule direction, la lumière est dite *polarisée linéairement*. La lumière peut aussi être partiellement polarisée. Quand un faisceau de lumière non polarisée traverse une feuille polaroïd ou un cristal biréfringent, les faisceaux transmis sont polarisés linéairement. Pour vérifier expérimentalement qu'un faisceau de lumière est polarisé, il suffit de montrer que l'intensité transmise à travers une feuille polaroïd varie lorsqu'on tourne l'axe du polaroïd. Un polaroïd peut servir de polariseur ou d'analyseur. La lumière peut aussi être partiellement ou totalement polarisée par réflexion; lorsque de la lumière voyageant dans l'air est réfléchie par un milieu d'indice de réfraction n, elle sera totalement polarisée linéairement si l'angle incident θ_p est donné par tan $\theta_p = n$. Le fait que la lumière peut être polarisée montre qu'elle constitue une onde transversale.

QUESTIONS

1. Qu'est-ce que la polarisation nous indique sur la nature de la lumière?
2. Quelle est la différence entre un polariseur et un analyseur?
3. Comment peut-on dire si une paire de lunettes de soleil polarise la lumière ou non?
4. La lumière solaire ne traverse pas deux polaroïds dont les axes sont à angle droit. Que se passe-t-il si un troisième polaroïd, dont l'axe fait un angle de 45° avec les axes de chacun des deux autres, est placé entre les deux?
5. Pour lesquels des matériaux du tableau 7.1 la vitesse du rayon extraordinaire est-elle plus petite quand son vecteur polarisation est parallèle à l'axe optique plutôt que lorsqu'il est perpendiculaire?
6. Quelle serait la couleur du ciel si la Terre n'avait pas d'atmosphère?
7. Si l'atmosphère terrestre était 50 fois plus dense, la lumière du Soleil serait-elle toujours blanche ou serait-elle colorée?
8. Dans un matériau biréfringent, le rayon *e* voyage-t-il toujours à la vitesse c/n_e?
9. Parmi les matériaux du tableau 7.1, lequel ferait la plus épaisse lame quart-d'onde? Lequel ferait la plus mince?
10. Comment détermineriez-vous la direction de l'axe optique pour une lame quart-d'onde?
11. Comment détermineriez-vous si un faisceau lumineux est polarisé circulairement ou non?
12. Est-il possible de polariser circulairement une onde sonore? Linéairement? Qu'en est-il d'un faisceau de micro-ondes?

PROBLÈMES

SECTION 7.1

1. (I) Deux polariseurs sont orientés selon un angle de 45° l'un par rapport à l'autre. De la lumière non polarisée les frappe. Quelle fraction de la lumière est transmise?
2. (I) On aligne deux polaroïds de façon à ce que l'intensité de la lumière les traversant soit maximale. À quel angle doit-on placer l'un d'eux pour réduire l'intensité de moitié?
3. (II) À quel angle doit-on placer les axes de deux polaroïds pour réduire l'intensité de la lumière incidente non polarisée de *a*) $\frac{1}{3}$, *b*) $\frac{1}{10}$?
4. (II) De la lumière non polarisée passe par cinq polaroïds consécutifs dont l'axe de chacun fait un angle de 45° avec celui du polaroïd précédent. Quel est l'intensité du faisceau transmis?
5. (II) Deux polariseurs sont orientés selon un angle de 34,0° l'un par rapport à l'autre. De la lumière polarisée à un angle de 17,0° avec chaque polariseur les traverse. Quelle est la réduction de l'intensité?
6. (II) Deux sources lumineuses également intenses émettent de la lumière polarisée linéairement, mais leurs directions de polarisation sont perpendiculaires l'une à l'autre. Montrez qu'elles ne produisent pas de figures d'interférence même si elles sont en phase à tous moments.
7. (II) De la lumière non polarisée tombe sur deux feuilles polaroïd dont les axes sont à angles droits. *a*) Quelle fraction de l'intensité de la lumière incidente est transmise? *b*) Quelle fraction est transmise si un troisième polariseur est placé entre les deux premiers de façon à ce que son axe fasse un angle de 45° avec chacun de leurs axes? *c*) Que se passe-t-il si le troisième polariseur est placé devant les deux autres?
8. (II) Décrivez comment faire subir une rotation de 90° à la direction de polarisation d'un faisceau de lumière polarisée linéairement, tout en ne produisant qu'une perte de 10 % en intensité, en utilisant des polariseurs «parfaits».
9. (II) On définit le pourcentage de polarisation P d'un faisceau de lumière partiellement polarisé comme:

$$P = \frac{I_{max} - I_{min}}{I_{max} + I_{min}} \times 100,$$

où I_{max} et I_{min} sont les intensités maximale et minimale obtenues quant la lumière passe au travers d'un polariseur qu'on tourne lentement. On peut considérer une telle lumière comme la somme de deux faisceaux polarisés linéairement d'intensités inégales I_{max} et I_{min} et perpendiculaires l'un à l'autre. Montrez que l'intensité de la lumière transmise à travers le polariseur, dont l'axe fait un angle ϕ avec la direction dans laquelle I_{max} est obtenue, est de:

$$\frac{1 + p \cos 2\phi}{1 + p} I_{max},$$

où $p = P/100$ est la «polarisation fractionnelle».

SECTION 7.2

10. (I) Quel est l'angle de Brewster pour une interface air-verre ($n = 1,56$)?

11. (I) Quel est l'angle de Brewster pour un morceau de verre ($n = 1{,}56$) immergé dans l'eau?

12. (I) À quel angle au-dessus de l'horizon le soleil se trouve-t-il quand la lumière qui se réfléchit sur un lac lisse est polarisée le plus fortement?

13. (II) Quel est l'angle de Brewster pour les réflexions à la surface de l'eau de rayons provenant de sous la surface? Comparez à l'angle de réflexion totale interne et à l'angle de Brewster pour la surface supérieure.

SECTION 7.4

14. (II) Une région d'un spécimen biologique biréfringent a une épaisseur de $1{,}65 \times 10^{-3}$ cm avec des indices de réfraction de 1,322 et 1,331 pour de la lumière dont la longueur d'onde dans l'air est de 580 nm. Quelle différence de phase y a-t-il entre les deux rayons après qu'ils ont traversé cette région?

15. (II) Un mince faisceau de lumière non polarisée frappe la face d'un cristal de quartz plat de 2,00 cm d'épaisseur à un angle de 44,5° avec la normale. L'axe optique est parallèle à la face et perpendiculaire au faisceau. *a*) Calculez la distance entre les rayons ordinaire et extraordinaire quand ils sortent du cristal. (La loi de Descartes est valide pour les deux rayons, car les faisceaux voyagent dans le plan perpendiculaire à l'axe optique.) *b*) Quel est l'état de polarisation de chaque faisceau sortant?

SECTION 7.5

16. (I) Quelle doit être l'épaisseur minimale d'une lame quart-d'onde de quartz pour une longueur d'onde de 660 nm?

17. (II) Un faisceau de lumière polarisée circulairement, d'intensité I, frappe un polaroïd. Décrivez la nature de la lumière transmise et son intensité.

18. (II) Décrivez la lumière transmise quand la lumière incidente à une lame demi-onde est *a*) non polarisée, *b*) polarisée linéairement et *c*) polarisée circulairement. Justifiez vos réponses.

19. (II) Quelle est l'épaisseur minimale d'un mince cristal plat de calcite pour que de la lumière polarisée linéairement à 650 nm, incidente selon la normale à une face du cristal, soit polarisée linéairement en sortant du cristal? L'axe optique du cristal est parallèle à la face du cristal.

20. (II) Montrez qu'on peut représenter un faisceau de lumière polarisée linéairement comme la somme de deux composantes polarisées circulairement.

21. (II) Montrez à l'aide d'un diagramme que si la différence de phase pour les ondes sortantes dans le dispositif de la figure 7.13a est un multiple entier pair de π (soit 0, 2π, 4π, et ainsi de suite), la direction de polarisation est identique à celle de la lumière incidente; mais que si la différence de phase est un multiple impair de π (π, 3π, 5π, et ainsi de suite), la direction de polarisation est perpendiculaire à celle de la lumière incidente.

22. (III) Montrez à l'aide d'un diagramme que si la différence de phase entre les ondes sortantes du cristal de la figure 7.13a n'est pas un multiple entier de $\pi/2$, l'onde est polarisée elliptiquement. *b*) Décrivez l'angle fait par l'axe principal de l'ellipse avec la direction de polarisation incidente.

23. (III) Supposez que le vecteur polarisation de l'onde incidente dans la figure 7.13a fait un angle avec l'axe optique différent de 45° (disons 60°). Décrivez la lumière sortante pour *a*) une lame quart-d'onde, *b*) une lame demi-onde.

CHAPITRE

8

LA THÉORIE DE LA RELATIVITÉ RESTREINTE

À la fin du XIXe siècle, la physique avait atteint un niveau de développement remarquable. Les théories élaborées au cours des trois siècles précédents expliquaient un vaste ensemble de phénomènes naturels. Ainsi, en plus d'expliquer de façon élégante le mouvement des corps terrestres et célestes, la mécanique newtonienne constituait le fondement de l'étude des fluides, du mouvement ondulatoire et du son; la théorie cinétique expliquait le comportement des gaz et des autres matériaux; et non seulement la théorie de l'électromagnétisme de Maxwell fournissait-elle une explication unifiée des phénomènes magnétiques et électriques, mais elle prédisait aussi l'existence d'ondes électromagnétiques se comportant exactement comme la lumière; en conséquence, on considérait désormais la lumière comme une onde électromagnétique. En vérité, il semblait que le monde naturel, tel que le voyaient les physiciens, était plutôt bien expliqué. Certaines énigmes demeuraient, mais on estimait généralement que, grâce aux principes connus, on les éclaircirait bientôt.

Les choses ne se déroulèrent pas aussi simplement, bien au contraire. Les énigmes persistantes ne furent élucidées, au début du XXe siècle, qu'à l'aide de deux nouvelles théories révolutionnaires qui ont bouleversé notre conception de la nature, soit la *théorie de la relativité* et la *théorie des quanta.*

On appelle la physique de la fin du XIXe siècle (laquelle correspond à la matière couverte dans ce cours jusqu'ici) *physique classique*, par opposition à la *physique moderne* qui prit naissance à la suite de la grande révolution du début du XXe siècle. Le présent chapitre constitue une première introduction à la théorie de la relativité restreinte énoncée par Albert Einstein (1879-1955; figure 8.1) en 1905. Le chapitre suivant constituera une introduction sommaire à la théorie des quanta.

8.1 La relativité galiléenne ou newtonienne

La théorie de la relativité restreinte d'Einstein traite de la façon dont nous observons différents événements et corps, en particulier de la façon dont nous décrivons les événements et le mouvement des corps dans différents systèmes de référence[†]. Bien sûr, Galilée et Newton avaient déjà étudié cette question; nous en avons d'ailleurs nous-mêmes discuté brièvement dans les chapitres précédents.

Nous étudierons principalement les **systèmes de référence inertiels**. Comme nous l'avons vu à la section 4.5 du tome 1, un système de référence est dit inertiel si la première loi de Newton, ou loi d'inertie, y est vérifiée, c'est-à-dire si un corps quelconque sur lequel d'autres corps n'exercent aucune force nette y demeure au repos ou dans le même état de mouvement rectiligne à vitesse constante. Les systèmes de référence en accélération, notamment en rotation, ne sont pas inertiels[‡]; nous n'en

[†] Un système de référence est un ensemble d'axes de coordonnées fixés à un corps (ou groupe de corps) tel la Terre, la Lune, un train, etc. Voir la section 2.2 du tome 1.

[‡] Ainsi, sur une plaque tournante (un manège par exemple), un corps au repos se met à bouger vers l'extérieur même lorsque aucune force n'est exercée sur lui. Il ne s'agit donc pas d'un système inertiel.

FIGURE 8.1 Albert Einstein (1879-1955).

discuterons donc pas dans le présent chapitre. La Terre n'est pas tout à fait un système inertiel (puisqu'elle tourne). Elle en est cependant très près et, la plupart du temps, nous pouvons pratiquement la considérer comme tel.

Un système de référence animé d'une vitesse constante relativement à un système inertiel est lui-même un système inertiel.

Ce que nous appelons maintenant le **principe de relativité**, soit le fait que *les lois fondamentales de la physique sont identiques dans tous les systèmes de référence inertiels,* n'avait nullement échappé à Galilée et à Newton. Sans doute avez-vous perçu vous-même la validité de ce principe dans la vie de tous les jours: ainsi, des corps bougent dans un train roulant uniformément (à vitesse constante), ou dans un avion, de la même manière que sur la terre ferme. (S'il se produit des vibrations ou des ballottements, le système de référence devient non inertiel.) Dans un tel train ou dans un tel avion, les corps bougent exactement de la même manière que sur la terre ferme, qu'on marche, qu'on boive une tasse de café, qu'on joue au ping-pong ou qu'on échappe un stylo sur le plancher. Imaginons que vous roulez dans une automobile à vitesse constante et que vous laissiez tomber, à l'intérieur de la voiture, une pièce de monnaie depuis la hauteur de votre tête; comment tombera alors cette pièce? Elle tombera selon une trajectoire rectiligne et frappera le plancher directement en dessous de son point de chute (figure 8.2a). (Par contre, si vous aviez laissé tomber la pièce de monnaie par la fenêtre de la voiture, le résultat eut été différent parce que l'air en mouvement aurait poussé la pièce vers l'arrière.) C'est exactement ainsi que des corps

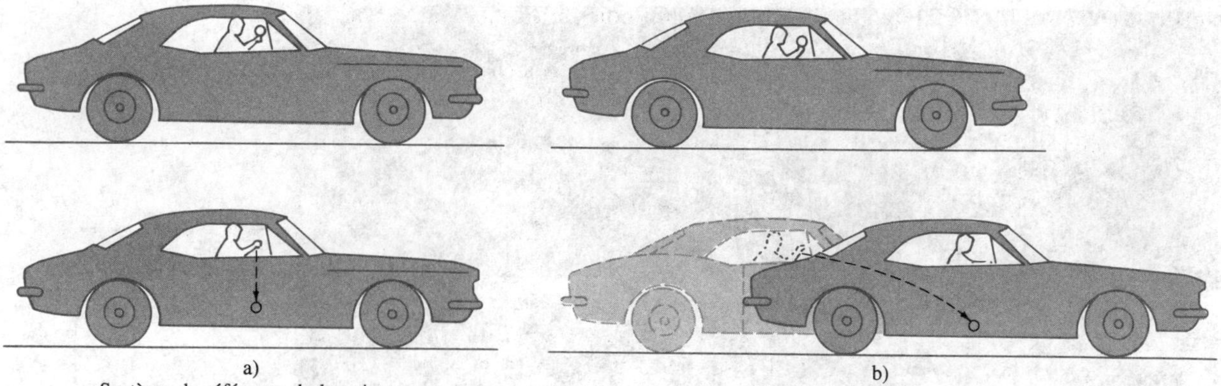

FIGURE 8.2 Un automobiliste laisse tomber une pièce de monnaie d'une voiture en mouvement. a) Dans le système de référence de la voiture, la pièce suit une trajectoire rectiligne vers le bas. b) Dans un système de référence fixé au sol, la pièce suit une trajectoire courbe (parabolique). Les diagrammes du haut représentent le moment où l'automobiliste laisse tomber la pièce et les diagrammes du bas, un court temps plus tard.

tombent sur la Terre: de façon rectiligne vers le bas. Notre expérience dans la voiture en mouvement est donc en accord avec le principe de relativité.

Il convient de noter cependant que, pour un observateur au sol, la trajectoire de la pièce serait courbe (figure 8.2b). La trajectoire d'un corps diffère selon le système de référence dans lequel on l'observe. Ceci ne viole en rien le principe de relativité puisque celui-ci affirme que les *lois* de la physique sont identiques dans tous les systèmes inertiels. La même loi de la gravité et les mêmes lois du mouvement s'appliquent dans les deux systèmes de référence. La différence entre les figures 8.2a et 8.2b est que dans le système de référence terrestre, la pièce de monnaie a une vitesse initiale (égale à celle de la voiture). Les lois de la physique prévoient donc que la trajectoire de la pièce, dans le système terrestre, sera parabolique, comme celle de tout autre projectile. Dans le système de référence de la voiture, la pièce n'a pas de vitesse initiale, et les lois de la physique prévoient donc que la trajectoire sera rectiligne. Les lois sont donc identiques dans les deux systèmes de référence quoique les trajectoires spécifiques ne le soient pas[†].

Les suppositions sur lesquelles repose la relativité newtonienne ou galiléenne sont indémontrables; elles tirent cependant leur sens de notre expérience quotidienne. Ainsi, on tient d'ordinaire pour acquis que les longueurs des corps, de même que la vitesse à laquelle le temps s'écoule, ne varient pas selon le système de référence choisi. En mécanique classique, l'espace et le temps sont considérés *absolus*: leurs mesures ne changent pas d'un système de référence à un autre; on suppose aussi que ni la masse d'un corps ni aucune force ne varient en conséquence d'un changement de système de référence inertiel.

Bien entendu, la position de même que la vitesse d'un corps varient selon qu'on les exprime dans un système de référence ou dans un autre. Soit, par exemple, une personne, dans un autobus, marchant de l'arrière vers l'avant à une vitesse de 5 km/h. Si l'autobus roule à 40 km/h relativement au sol, la vitesse de la personne sera alors de 45 km/h relativement au sol. En mécanique classique, l'accélération d'un corps est la même dans tout le système de référence inertiel. Cette invariance est due à l'invariance du changement de vitesse et du temps d'un système inertiel à un autre. Si, par exemple, la personne dans l'autobus accélère de 0 à 5 km/h en 1,0 seconde, son accélération est alors $a = 5$ km/h/s dans le système de référence de l'autobus. Et relativement au sol, son accélération est de (45 km/h − 40 km/h)/(1,0 s) = 5 km/h/s; elle est donc identique dans les deux systèmes.

Comme ni $\bar{\mathbf{F}}$, ni m, ni $\bar{\mathbf{a}}$ ne varient selon le système de référence inertiel, la seconde loi de Newton, $\bar{\mathbf{F}} = m\bar{\mathbf{a}}$, est toujours vérifiée, conformément au principe de

[†] Dans son important ouvrage *Dialogues sur les deux principaux systèmes du monde*, Galilée rapporte une expérience semblable et prédit les mêmes résultats. L'exemple de Galilée décrit un marin qui échappe un couteau du sommet du mât d'un navire. Si le navire vogue à vitesse constante, où le couteau tombe-t-il sur le pont (si on ne tient pas compte de la rotation de la Terre)?

relativité. On peut montrer aisément que les autres lois de la mécanique obéissent également au principe de relativité.

L'invariance des lois de la mécanique par rapport aux différents systèmes de référence inertiels suppose qu'aucun système de référence inertiel n'est spécial en un sens quelconque. On peut exprimer de la manière suivante cette importante conclusion: *tous les systèmes inertiels sont équivalents* pour décrire les phénomènes mécaniques. Aucun système inertiel n'est fondamentalement meilleur qu'un autre. Un système de référence fixé à une automobile ou à un avion animé d'une vitesse constante est aussi valide qu'un autre fixé au sol. Il est tout à fait équivalent de dire qu'une personne voyageant à vitesse constante en automobile ou en avion est au repos et que c'est la Terre qui bouge que de dire l'inverse, car aucune expérience ne permet de décider quel système de référence est «réellement» au repos et lequel est «réellement» en mouvement. Il n'existe donc aucune manière de déterminer un système de référence particulier qui soit absolument au repos.

Cet état de choses changea quelque peu durant la seconde moitié du XIXe siècle. Selon la théorie de l'électromagnétisme de Maxwell (chapitre 12 du tome 2), laquelle expliquait brillamment de nombreux phénomènes, la lumière devait désormais être considérée comme une onde électromagnétique. Les équations de Maxwell permettaient de calculer que la vitesse de la lumière c était de $3{,}00 \times 10^{8}$ m/s; compte tenu de l'erreur expérimentale, cette valeur est identique à la vitesse mesurée. Il s'en suivait donc la question suivante: dans quel système de référence la vitesse de la lumière est-elle exactement égale à celle prédite par la théorie de Maxwell? On tenait en effet pour acquis que la vitesse de la lumière variait d'un système de référence à un autre. On croyait, par exemple, selon la mécanique newtonienne, que des observateurs voyageant, à une vitesse de $1{,}0 \times 10^{8}$ m/s, vers une source de lumière mesureraient une vitesse de la lumière parvenant jusqu'à eux de $3{,}0 \times 10^{8}\ \text{m/s} + 1{,}0 \times 10^{8}\ \text{m/s} = 4{,}0 \times 10^{8}$ m/s. Mais les équations de Maxwell ne permettaient pas d'introduire de vitesse relative. Elles prédisaient seulement que la vitesse de la lumière était de $c = 3{,}0 \times 10^{8}$ m/s, ce qui semblait indiquer qu'il existait un système de référence spécial dans lequel la vitesse de la lumière serait toujours égale à c.

Nous avons vu, aux chapitres 1 et 2, que les ondes peuvent se propager notamment dans l'eau ou sur des cordes et des ressorts, et que les ondes sonores se propagent dans l'air et dans d'autres milieux matériels. Les physiciens du XIXe siècle pensaient que le monde matériel obéissait aux lois de la mécanique; ils supposaient donc naturellement que la lumière se propageait elle aussi dans un *milieu* particulier; ils nommèrent *éther* ce milieu transparent dont ils supposaient qu'il emplissait l'espace tout entier[†]. Les physiciens pensaient donc que la vitesse de la lumière calculée à l'aide des équations de Maxwell était celle de la lumière dans l'éther.

On réalisa toutefois que les équations de Maxwell (chapitre 12 du tome 2) n'obéissaient pas au principe de relativité, car elles n'étaient pas identiques dans tous les systèmes de référence inertiels. Elles étaient sous leur forme la plus simple dans le système de référence où $c = 3{,}00 \times 10^{8}$ m/s, c'est-à-dire dans un système de référence au repos dans l'éther. Dans tout autre système de référence, il fallait ajouter des termes supplémentaires aux équations pour tenir compte de la vitesse relative. On en concluait que, contrairement à la plupart des lois de la physique, les lois de l'électricité et du magnétisme (ou de l'«électrodynamique») n'obéissaient vraisemblablement pas au principe de relativité. Ces lois semblaient plutôt démontrer l'existence d'un système de référence préférable aux autres et qu'on pouvait considérer comme absolument au repos.

[†] Le milieu pour les ondes lumineuses ne pouvait pas être l'air puisque l'espace dans lequel la lumière voyage du Soleil à la Terre est presque vide. Il fallait donc supposer l'existence d'un autre milieu: l'éther. Non seulement supposait-on que celui-ci était transparent mais aussi, à cause des difficultés de sa détection, que sa densité était nulle. Les propriétés de l'éther étaient donc semblables à celles de la calorique, la substance mystérieuse dont on avait supposé antérieurement qu'elle constituait la chaleur et dont on avait démontré l'inexistence.

Les scientifiques tentèrent bientôt de déterminer la vitesse de la Terre relativement à ce système de référence absolu hypothétique. On conçut, dans ce but, un certain nombre d'expériences ingénieuses. A. A. Michelson et E. W. Morley exécutèrent la plus décisive de ces expériences. Nous traiterons de celle-ci en détail dans la prochaine section. Brièvement, elle consistait à mesurer la vitesse de la lumière dans différentes directions. Michelson et Morley s'attendaient à ce que leurs mesures varient selon l'orientation de leur appareil par rapport à l'éther. En effet, ils imaginaient que la vitesse de la lumière devait varier selon la vitesse de l'éther relativement à la Terre, tout comme la vitesse d'un bateau varie relativement à la côte selon que le bateau navigue dans le sens du courant, à contre-courant ou perpendiculairement au courant.

À leur grande surprise, ils ne trouvèrent aucune variation. Voilà qui constituait une énigme importante. On proposa, dans les années qui suivirent, un certain nombre d'hypothèses pour expliquer ce résultat, mais elles menaient habituellement à des contradictions et n'étaient pas acceptées.

Puis, en 1905, Albert Einstein émit une théorie nouvelle et radicale qui fournissait une solution simple à ces problèmes, mais qui, en même temps, révolutionnait complètement notre conception de l'espace et du temps.

8.2 L'expérience de Michelson-Morley†

Le but de l'expérience de Michelson-Morley était de mesurer la vitesse de l'*éther* (le milieu dans lequel on supposait que la lumière voyageait) relativement à la Terre. Les expérimentateurs espéraient ainsi trouver un système de référence absolu, qu'on pourrait considérer comme au repos.

L'une des possibilités envisagées par les scientifiques du XIXe siècle était que l'éther soit au repos relativement au Soleil; Newton lui-même avait considéré le Soleil comme le centre de l'Univers. Si tel était le cas (on n'en avait pas la preuve, bien entendu), la vitesse de la Terre sur son orbite autour du Soleil, d'environ 3×10^4 m/s, aurait dû produire un changement d'une partie dans 10^4 dans la vitesse de la lumière ($3{,}0 \times 10^8$ m/s). Une mesure directe aussi précise de la vitesse de la lumière n'était pas possible à l'époque. Par la suite, cependant, A. A. Michelson, avec le concours de E. W. Morley, obtint à l'aide de son interféromètre (section 5.9) des mesures, à ce niveau de précision, de la vitesse de la lumière selon différentes directions. Cette célèbre expérience reposait sur le principe illustré à la figure 8.3. La partie a) de la figure est un diagramme simplifié de l'interféromètre de Michelson et, par simplicité, on y suppose que le «vent» d'éther a une vitesse v orientée vers la droite. (Conséquemment, on suppose que la Terre bouge à une vitesse v vers la gauche relativement à l'éther.)

L'apparition d'interférence constructive ou destructive au centre de la figure d'interférence (section 5.9) dépend des phases relatives des deux faisceaux après qu'ils aient parcouru chacun leur chemin. Pour le voir, nous ferons une analogie avec un bateau naviguant dans une rivière dans le sens du courant, à contre-courant et perpendiculairement au courant, la vitesse du courant étant de v (figure 8.3b). Dans de l'eau immobile, le bateau peut naviguer à la vitesse c (qui ne serait pas la vitesse de la lumière dans ce cas).

Considérons d'abord le faisceau 2 de la figure 8.3a, lequel voyage parallèlement au «vent d'éther». Durant son parcours de M_s à M_2, nous nous attendons à ce que la vitesse relative de la lumière soit de $c + v$, tout comme la vitesse du courant de la rivière s'ajoute à la vitesse normale d'un bateau si celui-ci navigue dans le sens du courant (figure 8.3b). Comme le faisceau parcourt une distance l_2, il prend nécessairement un temps $t = l_2/(c + v)$ pour aller de M_s à M_2. En revenant de M_2 à M_s, la lumière voyage contre le vent d'éther (de même que le bateau qui voyage à contre-courant) et

† Cette section réfère à la matière vue à la section 5.9.

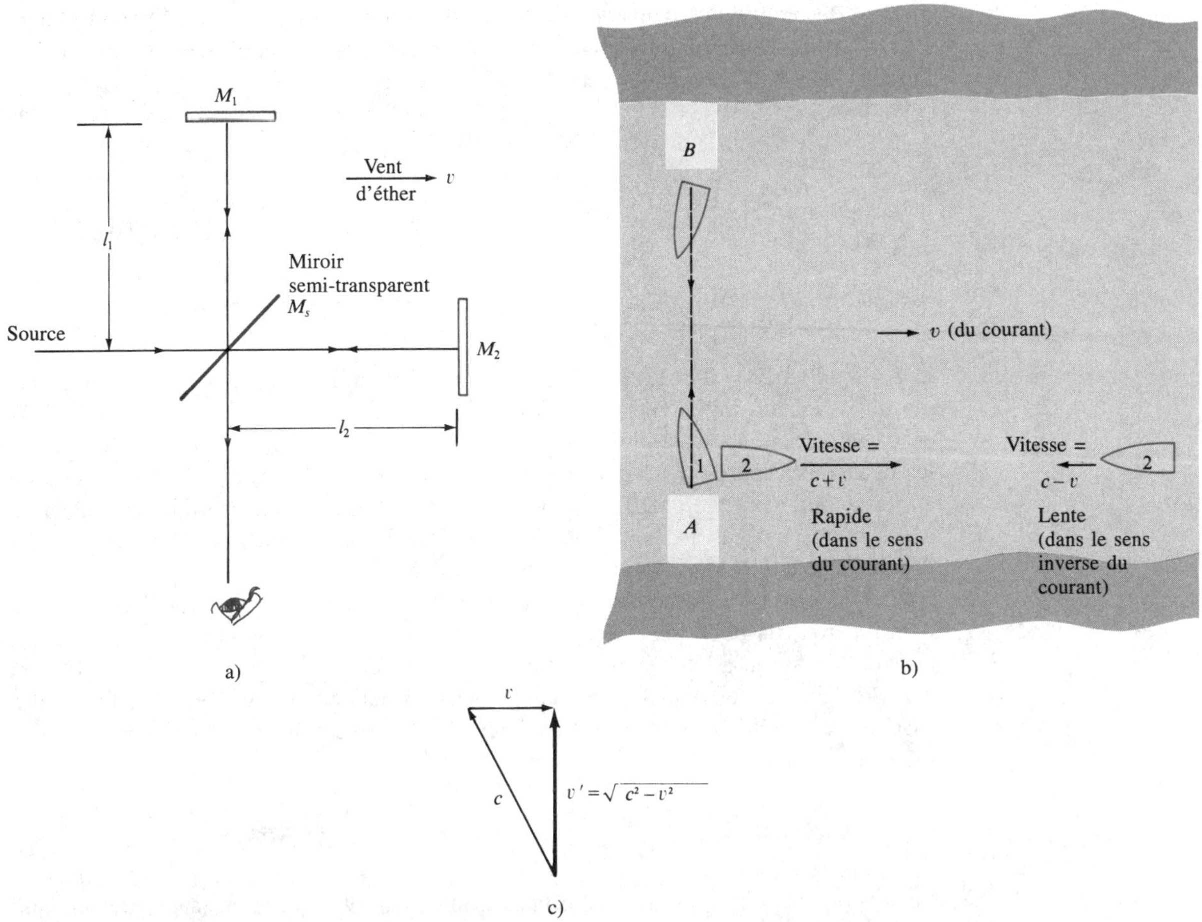

FIGURE 8.3 L'expérience de Michelson-Morley. a) L'interféromètre de Michelson. b) L'analogie du bateau: le bateau 1 traverse la rivière puis revient; le bateau 2 descend puis remonte la rivière. c) Calcul de la vitesse d'un bateau (ou d'un faisceau de lumière) voyageant perpendiculairement au courant (ou au vent d'éther).

sa vitesse relative devient donc $c - v$; le temps du voyage de retour est donc $l_2/(c - v)$. Le temps total nécessaire pour que le faisceau 2 fasse l'aller-retour de M_s à M_2 est donc:

$$t_2 = \frac{l_2}{c + v} + \frac{l_2}{c - v}$$

$$= \frac{2l_2}{c(1 - v^2/c^2)}.$$

Considérons maintenant le faisceau 1, lequel voyage perpendiculairement au vent d'éther. Dans ce cas-ci, la partie b) de l'analogie du bateau est particulièrement utile. Le bateau doit en effet suivre un parcours rectiligne du quai A au quai B de l'autre côté de la rivière. Si la pointe du bateau est orientée directement vers le quai B de l'autre côté, le bateau sera nécessairement entraîné par le courant (évidemment dans le sens du courant). Pour atteindre le quai B, le bateau doit naviguer selon un angle dans le sens contraire du courant. L'angle précis dépend des grandeurs de c et v, mais ne nous est pas utile pour le moment. La partie c) de la figure 8.3 montre comment calculer la vitesse v' du bateau par rapport au rivage. Comme c, v et v' forment un triangle rectangle, nous avons $v' = \sqrt{c^2 - v^2}$. Le bateau a cette même vitesse au retour. Si nous appliquons maintenant ces principes au faisceau de lumière 1 de la figure 8.3a, nous voyons que le faisceau fait l'aller-retour de M_s à M_2 à une vitesse $\sqrt{c^2 - v^2}$. La distance totale parcourue est de $2l_1$ et le temps nécessaire pour que le faisceau 1 fasse l'aller-retour est $2l_1/\sqrt{c^2 - v^2}$, ou

$$t_1 = \frac{2l_1}{c\sqrt{1 - v^2/c^2}}.$$

Si $l_1 = l_2 = l$, nous voyons que le retard du faisceau 2 sur le faisceau 1 sera de:

$$\Delta t = t_2 - t_1 = \frac{2l}{c}\left(\frac{1}{1 - v^2/c^2} - \frac{1}{\sqrt{1 - v^2/c^2}}\right).$$

Si $v = 0$, alors $\Delta t = 0$ et les deux faisceaux retournent à leur point de départ en phase puisqu'ils étaient initialement en phase. Mais si $v \neq 0$, alors $\Delta t \neq 0$, et les deux faisceaux retournent à leur point de départ déphasés. Si on pouvait mesurer la phase entre les deux faisceaux pour un mouvement à la vitesse v par rapport à la phase mesurée à vitesse nulle (interféromètre immobile dans l'éther), alors on pourrait déterminer v. Mais on ne peut pas arrêter le mouvement de la Terre. De plus, il n'est pas possible de supposer que $l_1 = l_2$ au niveau de précision requis.

Michelson et Morley réalisèrent que s'ils faisaient subir une rotation de 90° à leur appareil, ils pourraient détecter la différence de phase (en supposant que $v \neq 0$), car alors la figure d'interférence entre les deux faisceaux changerait. Dans la position après rotation, le faisceau 1 serait maintenant parallèle au vent d'éther et le faisceau 2 y serait perpendiculaire. Ainsi, leurs rôles seraient interchangés et les temps d'aller-retour (avec des apostrophes) seraient:

$$t'_1 = \frac{2l_1}{c(1 - v^2/c^2)} \quad \text{et} \quad t'_2 = \frac{2l_2}{c\sqrt{1 - v^2/c^2}}.$$

Le retard d'un faisceau sur l'autre dans la position avant rotation (sans apostrophes) serait:

$$\Delta t = t_2 - t_1 = \frac{2l_2}{c(1 - v^2/c^2)} - \frac{2l_1}{c\sqrt{1 - v^2/c^2}}.$$

Dans la position après rotation, la différence de temps serait de:

$$\Delta t' = t'_2 - t'_1 = \frac{2l_2}{c\sqrt{1 - v^2/c^2}} - \frac{2l_1}{c(1 - v^2/c^2)}.$$

Après rotation, la figure d'interférence est décalée d'une quantité déterminée par la différence entre Δt et $\Delta t'$:

$$\Delta t - \Delta t' = \frac{2}{c}(l_1 + l_2)\left(\frac{1}{1 - v^2/c^2} - \frac{1}{\sqrt{1 - v^2/c^2}}\right).$$

Ce qui peut être considérablement simplifié si nous supposons que $v/c << 1$, car alors nous pouvons utiliser le développement binomial:

$$\frac{1}{(1 - v^2/c^2)} \approx 1 + \frac{v^2}{c^2} \quad \text{et} \quad \frac{1}{\sqrt{1 - v^2/c^2}} \approx 1 + \frac{1}{2}\frac{v^2}{c^2},$$

de sorte que:

$$\begin{aligned}\Delta t - \Delta t' &\approx \frac{2}{c}(l_1 + l_2)\left(1 + \frac{v^2}{c^2} - 1 - \frac{1}{2}\frac{v^2}{c^2}\right)\\ &\approx (l_1 + l_2)\frac{v^2}{c^3}.\end{aligned}$$

Posons maintenant $v = 3{,}0 \times 10^4$ m/s, la vitesse orbitale de la Terre autour du Soleil. Dans l'expérience de Michelson et Morley, la longueur des bras, l_1 et l_2, était d'environ 11 m. La différence de temps devrait alors être d'environ $(22\text{m})(3{,}0 \times 10^4 \text{ m/s})^2/(3{,}0 \times 10^8 \text{ m/s})^3 \approx 7{,}0 \times 10^{-16}$ s. Pour de la lumière visible d'une longueur d'onde $\lambda = 5{,}5 \times 10^{-7}$ m, par exemple, la fréquence serait de $f = c/\lambda = (3{,}0 \times 10^8 \text{ m/s})/(5{,}5 \times 10^{-7} \text{ m}) = 5{,}5 \times 10^{14}$ Hz, ce qui signifie que les crêtes d'onde passent par un point donné chaque $1/(5{,}5 \times 10^{14} \text{ Hz}) = 1{,}8 \times 10^{-15}$ s. Donc, avec une différence de temps de 7×10^{-16} s, Michelson et Morley auraient dû observer un décalage dans la figure d'interférence de $(7 \times 10^{-16} \text{ s})/(1{,}8 \times 10^{-15} \text{ s}) \approx 0{,}4$ frange. Ils auraient pu facilement détecter cela puisque leur appareil permettait d'observer un décalage de phase aussi petit que 0,01 frange.

Mais ils n'observèrent *aucun décalage significatif de frange.* Ils eurent beau orienter leur appareil selon différents angles, faire des observations le jour et la nuit de façon à pouvoir orienter leur appareil à différents angles relativement au Soleil, tenter l'expérience à différentes saisons de l'année, ils n'observèrent aucun décalage de franges.

Ce **résultat nul** constituait l'une des grandes énigmes de la physique de la fin du XIXe siècle. L'élucidation de l'énigme posait de sérieuses difficultés. Une des possibilités envisagées était que l'éther ne soit pas au repos par rapport au Soleil et aux autres étoiles mais par rapport à la Terre. En ce cas, v aurait été nulle et on n'aurait observé aucun décalage des franges d'interférence. On aurait pu penser que la Terre était un corps quelque peu spécial puisque ce n'est que relativement à celle-ci que la vitesse de la lumière aurait été de c, conformément aux équations de Maxwell. Ceci revenait à supposer que la Terre était le corps central de l'Univers, une idée antique qui avait été rejetée quelques siècles plus tôt. Une autre possibilité était que l'éther soit entraîné par la Terre et les autres corps, de sorte que sa vitesse à la surface de la Terre aurait été nulle. Des expériences effectuées dans des ballons à haute altitude, où on espérait détecter au moins un mouvement de l'éther, donnèrent également un résultat nul. L'observation de l'«aberration astronomique» contredisait les deux possibilités mentionnées ci-dessus: pendant une période d'observation d'un an, les étoiles semblent décrire de minuscules ellipses. On expliquait cela par l'hypothèse du mouvement de la Terre relativement à l'éther; dans cette hypothèse, il fallait pointer le télescope non pas précisément vers l'étoile mais selon un certain angle (figure 8.4). Si l'éther avait été au repos relativement à la Terre, on aurait pu pointer le télescope directement vers l'étoile et sans que ne se produise une quelconque «aberration d'angle». Or il se produisait une aberration d'angle; l'éther ne pouvait donc pas être au repos relativement à la Terre.

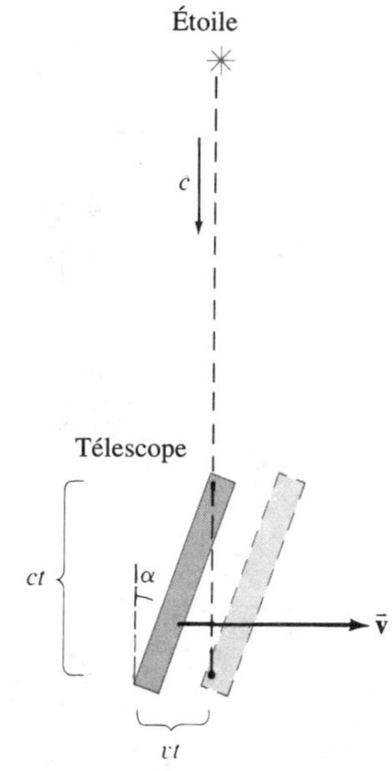

FIGURE 8.4 L'aberration astronomique. Si un télescope bouge avec la Terre à la vitesse v relativement à l'éther, le télescope doit être pointé légèrement à côté de l'étoile de façon que la lumière entrant dans le télescope parcoure toute la longueur du tube sans frapper les parois (étant donné que le tube bouge vers la droite à la vitesse v). Une étoile directement au-dessus semblera donc se trouver à un angle $\alpha = v/c$ avec la verticale et, comme la Terre tourne autour du Soleil, l'étoile semblera suivre une trajectoire circulaire.

Dans les années 1890, G. F. Fitzgerald et H. A. Lorentz émirent, indépendamment l'un de l'autre, une autre théorie pour expliquer le résultat nul de l'expérience de Michelson-Morley. Selon cette théorie, toute longueur (y compris celle du bras de l'interféromètre) se contracte par un facteur $\sqrt{1 - v^2/c^2}$ dans la direction du mouvement dans l'éther. Lorentz expliquait cette contraction par l'hypothèse que l'éther affecterait les forces, de nature électrique, entre les molécules de toute substance. Cette théorie, aussi utile qu'elle ait été, fut plus tard remplacée par la théorie beaucoup plus satisfaisante émise par Albert Einstein en 1905: la théorie de la relativité restreinte.

8.3 Les postulats de la théorie de la relativité restreinte

La théorie de la relativité restreinte émise par Albert Einstein en 1905 permit de résoudre élégamment les problèmes du début du siècle concernant l'électromagnétisme et la mécanique newtonienne. Il semble toutefois que le résultat nul de l'expérience de Michelson-Morley n'ait pas directement influencé Einstein. Celui-ci avait étudié et admiré l'œuvre théorique de Lorentz. Ce qui avait motivé le travail d'Einstein, c'était certaines questions sur la théorie électromagnétique et les ondes lumineuses. Par exemple, il se demandait: «Que verrais-je si je chevauchais un faisceau de lumière?» Il répondait qu'au lieu d'une onde électromagnétique progressive, il verrait des champs électrique et magnétique au repos, dont les grandeurs varieraient dans l'espace mais non dans le temps. Einstein se rendait compte que de tels champs n'avaient jamais été détectés et, de plus, qu'ils n'étaient pas conformes à la théorie électromagnétique de Maxwell†. Il jugea donc qu'il n'était pas raisonnable de penser que la vitesse de la lumière relativement à un observateur quelconque puisse être réduite à zéro, ou même simplement réduite. Cette constatation constitue le second postulat de sa théorie de la relativité.

Einstein conclut que les contradictions qu'il avait mises en évidence dans la théorie électromagnétique découlaient de la supposition de l'existence d'un espace absolu. Dans son célèbre article de 1905, il défendit la thèse qu'il fallait rejeter complètement l'idée de l'éther et la supposition corollaire d'un système de référence au repos absolu. Cette thèse fut énoncée en deux postulats. Le premier postulat étendait le principe de relativité newtonien non seulement aux lois de la mécanique mais aussi au reste de la physique, y compris l'électricité et le magnétisme:

> ***Premier postulat (le principe de relativité)*: les lois de la physique ont la même forme dans tous les systèmes de référence inertiels.**

Le second postulat est cohérent avec le premier:

> ***Second postulat (constance de la vitesse de la lumière)*: la lumière se propage dans le vide à une vitesse finie *c* indépendante de la vitesse de la source ou de l'observateur.**

Ces deux postulats forment le fondement de la **théorie de la relativité restreinte** d'Einstein. On l'appelle «restreinte» par opposition à sa «théorie de la relativité générale», présentée ultérieurement, laquelle traite aussi des systèmes de référence non inertiels (en accélération). La théorie restreinte, que nous étudierons maintenant, ne traite que des systèmes inertiels.

Le second postulat semble particulièrement difficile à admettre, car il viole le sens commun. D'abord, il faut admettre que la lumière se propage dans le vide. Abandonner l'éther ne demande, toutefois, pas trop d'efforts: après tout on n'a jamais pu le détecter. Le second postulat, cependant, affirme aussi que la vitesse de la lumière dans le vide est constante, soit de $3{,}00 \times 10^8$ m/s, quelle que soit la vitesse de l'observateur ou de la source. Il faut donc aussi admettre qu'une personne en mouvement vers une source lumineuse (ou dans la direction opposée) mesurerait la même vitesse de la lumière qu'une personne au repos relativement à la source. Voilà qui est contraire à nos notions de tous les jours: normalement, en effet, nous devrions additionner la vitesse de la lumière à celle de l'observateur. Nos difficultés à admettre ceci proviennent en partie de ce que, dans notre expérience de tous les jours, nous ne mesurons jamais de vitesse approchant, même de loin, la vitesse de la lumière; nous ne devrions donc pas nous attendre à ce que notre expérience quotidienne demeure utile lorsque nous avons affaire à de si grandes vitesses. Par ailleurs, le second postulat explique parfaitement le résultat de l'expérience de Michelson-Morley‡.

† Nous avons vu à la section 12.5 du tome 2 que les champs électrique et magnétique variant sinusoïdalement ne sont des solutions des équations de Maxwell que s'ils voyagent à la vitesse $c = 1/\sqrt{\varepsilon_0 \mu_0}$. Les champs sinusoïdaux statiques (vitesse = 0) ou dont la vitesse n'égale pas *c* ne sont pas des solutions de ces équations.

‡ On peut aussi considérer l'expérience de Michelson-Morley comme une preuve du premier postulat, puisqu'elle avait pour but de mesurer le mouvement de la Terre relativement à un système de référence absolu. L'échec de l'expérience suppose l'inexistence d'un tel système de référence privilégié.

L'élégance de la théorie d'Einstein est manifeste. En effet, si on relègue l'idée d'un système de référence absolu aux oubliettes, il devient possible d'éliminer la contradiction entre la théorie électromagnétique de Maxwell et la mécanique. La vitesse de la lumière prédite par les équations de Maxwell *est* la vitesse de la lumière dans le vide pour *tout* système de référence.

La théorie d'Einstein requérait l'abandon des notions intuitives d'espace et de temps; dans les sections suivantes, nous examinerons quelques conséquences surprenantes mais intéressantes de la théorie d'Einstein. Notre exposé sera dans sa plus grande partie relativement simple. Nous utiliserons un procédé dont Einstein lui-même s'est servi: nous imaginerons des situations expérimentales très simples qui requièrent peu d'outils mathématiques. Nous pourrons ainsi cerner les conséquences de la théorie de la relativité sans effectuer de calculs compliqués. Einstein appelait ce type d'expériences des expériences «gedanken», ce qui, en allemand, signifie des expériences «mentales». À partir de la section 8.8, nous examinerons plus en détail l'aspect mathématique de la relativité.

8.4 La simultanéité

L'une des conséquences importantes de la théorie de la relativité est que nous ne pouvons plus considérer le temps comme une quantité absolue. Nul ne doute que le temps s'écoule sans cesse vers le futur sans jamais revenir en arrière. Nous verrons toutefois, dans la présente section et dans la suivante, que le temps écoulé entre deux événements et la question de savoir si deux événements sont simultanés dépendent du système de référence de l'observateur.

Deux événements sont dits simultanés s'ils se produisent exactement en même temps. Cependant, comment est-il possible d'affirmer que deux événements se sont produits exactement en même temps? Lorsqu'ils se produisent au même point dans l'espace (par exemple si deux pommes tombent en même temps sur votre tête), cela ne pose aucun problème. Toutefois, quand les deux événements se produisent en des lieux très éloignés l'un de l'autre, il est plus difficile de l'affirmer puisqu'il faut pour cela tenir compte du temps mis par la lumière pour nous atteindre. Comme la vitesse de la lumière est finie, une personne qui observe deux événements doit calculer, en soustrayant le temps de propagation de la lumière, quand ils se sont effectivement produits. Si l'un des deux événements *observés* en même temps s'est produit à une plus grande distance de l'observateur que l'autre, celui-ci doit conclure qu'il s'est aussi produit antérieurement à l'autre et que les deux événements ne sont pas simultanés.

Pour éviter les calculs compliqués, faisons maintenant l'expérience mentale suivante. Imaginons un observateur, appelé O, exactement à mi-chemin entre les points A et B où deux événements ont lieu (figure 8.5). Ces événements peuvent être des éclairs qui frappent les points A et B (comme dans la figure), ou tout autre type d'événement. Pour des événements brefs comme un éclair, il suffit de courtes impulsions de lumière voyageant de A et B jusqu'à O. Le point O «perçoit» les événements quand les impulsions lumineuses l'atteignent. Lorsque les deux impulsions atteignent O en même temps, les deux événements sont simultanés. En effet, les deux impulsions lumineuses voyagent à la même vitesse; comme les distances OA et OB sont égales,

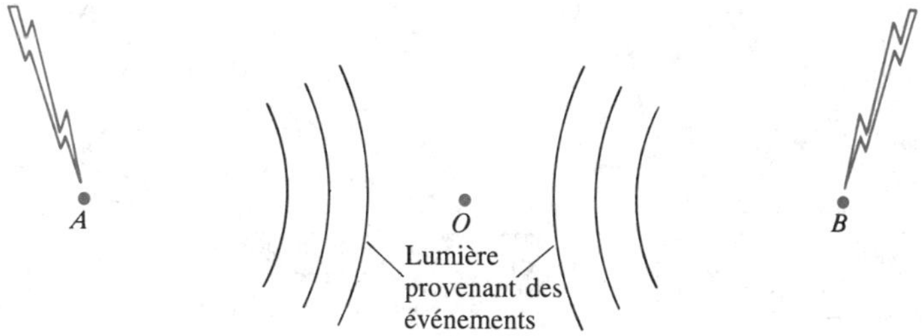

FIGURE 8.5 Immédiatement après que l'éclair eut frappé les points A et B, des impulsions lumineuses voyagent vers O, mais O ne «voit» l'éclair que lorsque la lumière l'atteint.

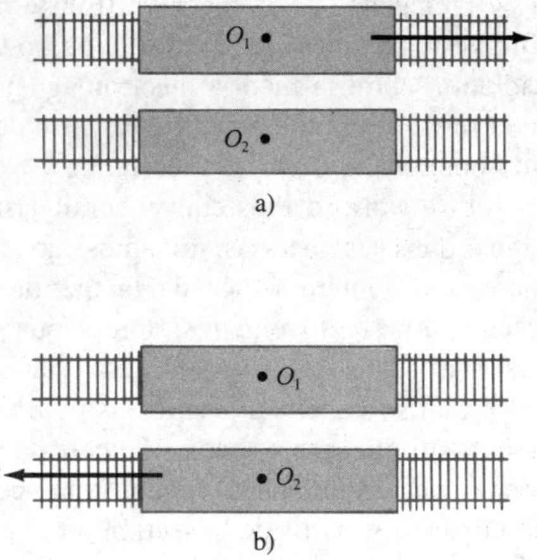

FIGURE 8.6 Les observateurs O_1 et O_2 dans deux trains différents (deux systèmes de référence différents) bougent à une vitesse relative v. a) O_2 prétend que O_1 bouge vers la droite, b) O_1 prétend que O_2 bouge vers la gauche. Les deux points de vue sont légitimes: tout dépend de votre système de référence.

les temps nécessaires à la lumière pour voyager de A à O et de B à O sont nécessairement égaux. L'observateur O peut donc affirmer de façon concluante que les deux événements sont simultanés. Par ailleurs, si O perçoit la lumière d'un événement avant celle de l'autre, alors il sait de façon certaine que le premier s'est produit avant le second.

Voici la question qu'il nous faut maintenant examiner: si deux événements sont simultanés pour un observateur dans un système de référence, le sont-ils aussi nécessairement pour un second observateur dans un système de référence en mouvement par rapport au premier? Appelons les observateurs O_1 et O_2 et supposons-les immobiles dans leurs systèmes de référence respectifs 1 et 2 (qui se déplacent à la vitesse v relativement l'un à l'autre). On peut imaginer ces deux systèmes de référence comme deux wagons de train (figure 8.6). O_2 dit que O_1 se déplace vers la droite à la vitesse v, comme dans la partie a); O_1 dit que O_2 se déplace vers la gauche, comme dans la partie b). Les deux points de vue sont conformes au principe de relativité. (En fait, nous ne pouvons pas recourir à un troisième point de vue pour déterminer lequel des deux observateurs est «réellement» en mouvement.)

Imaginons maintenant deux événements perçus par les deux observateurs, soit, de nouveau, deux éclairs qui frappent nos deux trains: en A_1 et B_1 sur le train de O_1, et en A_2 et B_2 sur le train de O_2. Par simplicité, supposons que O_1 se trouve exactement à mi-chemin entre A_1 et B_1 et que O_2 se trouve à mi-chemin entre A_2 et B_2. Nous devons maintenant nous imaginer dans un système de référence ou dans l'autre. Imaginons-nous donc dans le système de référence de O_2, de sorte que nous voyons O_1 se déplaçant vers la droite à la vitesse v. Supposons aussi que, dans le système de référence de O_2, les deux événements se produisent *simultanément* et juste au moment où O_1 et O_2 se trouvent face à face, comme dans la figure 8.7a. Un court laps de temps plus tard (figure 8.7b), la lumière provenant de A_2 et de B_2 atteint en même temps O_2. Sachant (ou mesurant) que les distances O_2A_2 et O_2B_2 sont égales, O_2 sait que les deux événements sont simultanés.

Mais que perçoit l'observateur O_1? Dans le système de référence de O_2, qui est aussi le nôtre, nous voyons que O_1 bouge vers la droite pendant le temps qu'il faut à

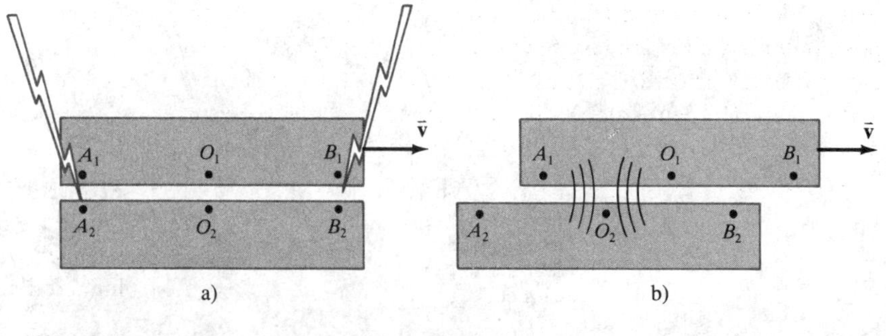

FIGURE 8.7 Expérience mentale sur la simultanéité. Selon l'observateur O_2, le système de référence de O_1 se déplace vers la droite. a) Un éclair frappe les deux systèmes de référence en A_1 et A_2 et un second éclair frappe en B_1 et B_2. b) Un moment plus tard, la lumière provenant des deux événements atteint O_2 au même moment de sorte que, selon l'observateur O_2, les deux éclairs frappent simultanément. Toutefois, dans le système de référence de O_1, la lumière provenant de B_1 a déjà atteint O_1, alors que la lumière provenant de A_1 ne l'a pas encore atteint. Par conséquent, dans le système de référence de O_1, l'événement en B_1 doit avoir précédé l'événement en A_1. Le temps n'est donc pas absolu!

la lumière pour aller de A_1 et de B_1 à O_1. Comme nous pouvons le voir à la figure 8.7b, la lumière provenant de B_1 a déjà dépassé O_1 tandis que celle provenant de A_1 n'a pas encore atteint O_1. Il est donc clair que O_1 voit la lumière provenant de B_1 avant celle provenant de A_1. Or le système de référence de O_1 est tout aussi bon que celui de O_2. Qu'elle provienne de A_1 ou de B_1, la lumière voyage à la même vitesse pour O_1 et pour O_2. Comme les distances O_1A_1 et O_1B_1 sont égales, l'observateur O_1 doit conclure que l'événement en B_1 s'est produit avant l'événement en A_1.

Nous voyons donc que *deux événements simultanés pour un observateur ne le sont pas nécessairement pour un second observateur.*

Il est peut être tentant de demander: «Qui, des observateurs O_1 et O_2, a raison?» Selon la théorie de la relativité, *tous les deux* ont raison. Il n'existe pas de «meilleur» système de référence qui nous permette de déterminer quel observateur a raison. Les deux systèmes sont aussi bons l'un que l'autre. Nous pouvons en conclure que la simultanéité n'est pas un concept absolu mais plutôt un concept relatif. Toutefois, nous ne tenons pas compte de ce fait ordinairement parce que cette relativité de la simultanéité ne devient observable que lorsque la vitesse relative des deux systèmes de référence est très grande (près de c), ou que les distances en cause sont très grandes.

Le principe de relativité autorise aussi O_1, dans son système de référence, à effectuer l'expérience mentale de la figure 8.7 en utilisant les mêmes arguments que O_2. En ce cas, O_1 est au repos et perçoit l'événement B_1 avant A_1. Il reconnaît toutefois (en traçant un diagramme équivalent à celui de la figure 8.7) que O_2, qui bouge à la vitesse v vers la gauche, voit les deux événements comme s'ils s'étaient produits en même temps. La démonstration de ceci fait l'objet d'un exercice à la fin du chapitre (question 8).

8.5 La dilatation du temps et le paradoxe des jumeaux

Le fait que deux événements simultanés pour un observateur ne le sont pas nécessairement pour un autre conduit à penser que le temps lui-même n'est pas absolu. Se pourrait-il que, dans différents systèmes de référence, le temps s'écoule à des taux différents? C'est exactement ce que la théorie de la relativité d'Einstein affirme; voyons cela dans l'expérience mentale suivante.

La figure 8.8 représente un vaisseau spatial voyageant près de la Terre à grande vitesse. La partie a) de la figure représente le point de vue d'un observateur dans le vaisseau et la partie b), celle d'un observateur sur la Terre. Les deux observateurs sont munis d'horloges exactes. L'observateur dans le vaisseau [partie a)] projette un faisceau de lumière sur un miroir de l'autre côté du vaisseau et mesure le temps pris par la lumière pour faire l'aller-retour. Comme la lumière parcourt une distance de $2D$ à la vitesse c, ce temps, que nous appellerons Δt_0, est:

$$\Delta t_0 = \frac{2D}{c}.$$

Ceci est la mesure du temps obtenue par l'observateur dans le vaisseau.

L'observateur terrestre observe le même aller-retour de la lumière [figure 8.8b)]. Cependant, pour lui, le vaisseau bouge. Par conséquent, selon lui, pour faire cet aller-retour, la lumière doit parcourir le chemin diagonal illustré dans la figure. Certes, la vitesse de la lumière est la même pour lui que pour l'observateur précédent (second postulat), mais elle parcourt une plus grande distance. Le temps de l'aller-retour mesuré par l'observateur sur la Terre est donc plus long que celui mesuré par l'observateur dans le vaisseau. On peut calculer de la manière suivante l'intervalle de temps Δt mesuré par l'observateur sur la Terre. Dans le temps Δt, le vaisseau parcourt une distance $2L = v\,\Delta t$, où v est la vitesse du vaisseau (figure 8.8b). La distance totale parcourue

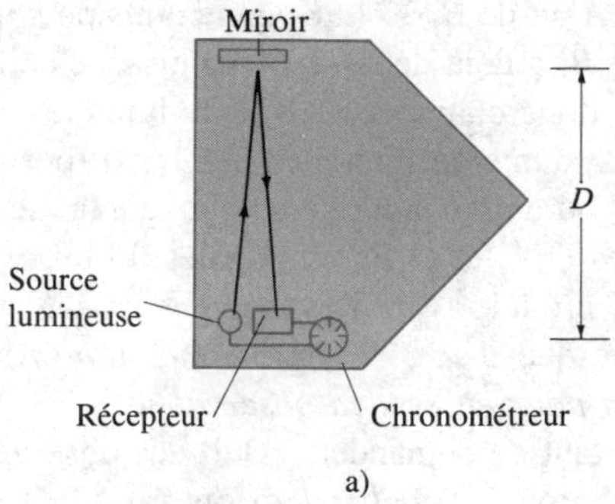

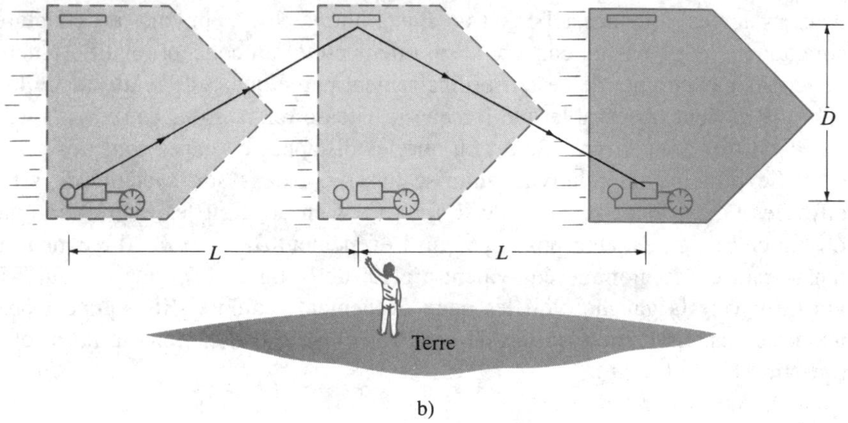

FIGURE 8.8 On peut démontrer la dilatation du temps par une expérience mentale: le temps nécessaire à la lumière pour faire l'aller-retour dans une fusée est plus long selon l'observateur terrestre b) que selon l'observateur dans la fusée a).

par la lumière le long de son chemin diagonal est donc de $2\sqrt{D^2 + L^2}$ et, par conséquent,

$$c = \frac{2\sqrt{D^2 + L^2}}{\Delta t} = \frac{2\sqrt{D^2 + v^2(\Delta t)^2/4}}{\Delta t}.$$

En mettant chaque côté au carré et en isolant Δt, nous obtenons:

$$c^2 = \frac{4D^2}{(\Delta t)^2} + v^2,$$

$$\Delta t = \frac{2D}{c\sqrt{1 - v^2/c^2}}.$$

Puis en combinant cette équation avec la valeur de Δt_0, nous obtenons:

$$\Delta t = \frac{\Delta t_0}{\sqrt{1 - v^2/c^2}}. \tag{8.1}$$

Comme $\sqrt{1 - v^2/c^2}$ est toujours inférieur à 1, nous voyons que $\Delta t > \Delta t_0$. Autrement dit, le temps entre les deux événements (l'émission de la lumière et sa réception) est *plus grand* pour l'observateur terrestre que pour celui dans le vaisseau. Cette conséquence générale de la théorie de la relativité est connue sous le nom de **dilatation du temps**. En voici une définition simple: la dilatation du temps consiste dans le fait que *les horloges en mouvement avancent plus lentement que les horloges au repos.* N'en concluons pas que ce sont les horloges qui ne fonctionnent pas bien. Au contraire, nous supposons qu'elles fonctionnent parfaitement. D'après la mesure, le temps s'écoule plus lentement dans un système de référence en mouvement relativement au nôtre. Ce résultat étonnant découle directement des deux postulats de la théorie de la relativité.

Le concept de la dilatation du temps est certainement difficile à admettre, car il contrevient aux évidences du sens commun. D'après l'équation 8.1, l'effet de dilatation temporelle est négligeable, sauf si v approche c. Les vitesses dont nous faisons ordinairement l'expérience étant extrêmement plus petites que c, il n'y a donc rien de surprenant à ce que nous ne nous rendions pas compte de la dilatation du temps. Les prédictions d'Einstein sur l'effet de dilatation du temps ont été expérimentalement confirmées. En 1971, par exemple, on a fait exécuter des vols autour de la Terre à des horloges atomiques extrêmement précises dans des avions à réaction. Comme la vitesse des avions (10^3 km/h) est beaucoup plus petite que c, la précision des horloges devait être de l'ordre d'une nanoseconde (10^{-9} s) pour détecter l'effet de dilatation du temps. Les horloges avaient ce degré de précision et confirmèrent l'équation 8.1 à l'intérieur des limites de l'incertitude expérimentale. La dilatation temporelle avait toutefois été confirmée quelques décennies plus tôt par l'observation de «particules élémentaires»; étant donné l'extrême petitesse de leurs masses (typiquement de l'ordre de 10^{-30} à 10^{-27} kg), il suffit de très peu d'énergie pour leur permettre d'accélérer jusqu'à des vitesses avoisinant c. Plusieurs de ces particules élémentaires sont instables et se désintègrent, après un certain temps, en particules plus simples. Le muon, dont la durée de vie au repos est de 2,2 μs, en est un exemple. Des expériences rigoureuses ont montré que lorsque le muon voyage à grande vitesse, sa durée de vie augmente conformément aux prédictions de la formule de dilatation du temps.

EXEMPLE 8.1 Quelle sera la durée de vie moyenne d'un muon, mesurée dans le laboratoire, s'il voyage à $0{,}60c = 1{,}8 \times 10^8$ m/s relativement au laboratoire? Sa durée de vie moyenne au repos est de $2{,}2 \times 10^{-6}$ s.

SOLUTION Si un observateur suivait le muon (le muon serait au repos pour cet observateur), le muon aurait une durée de vie de $2{,}2 \times 10^{-6}$ s. Pour un observateur dans le laboratoire, la durée de vie du muon est plus longue à cause de la dilatation du temps. D'après l'équation 8.1, quand $v = 0{,}60c$, nous avons:

$$\Delta t = \frac{\Delta t_0}{\sqrt{1 - v^2/c^2}} = \frac{2{,}2 \times 10^{-6}\ \text{s}}{\sqrt{1 - \dfrac{0{,}36c^2}{c^2}}} = \frac{2{,}2 \times 10^{-6}\ \text{s}}{\sqrt{0{,}64}} = 2{,}8 \times 10^{-6}\ \text{s}.$$

Il convient de noter ce qui suit à propos de l'équation 8.1 et du sens de Δt et de Δt_0. L'équation n'est valide que lorsque Δt_0 représente l'intervalle de temps entre les deux événements dans un système de référence où les deux événements se produisent *au même point dans l'espace* (comme dans la figure 8.8a). On appelle souvent cet intervalle, Δt_0, le **temps propre**. Donc, dans l'équation 8.1, Δt représente l'intervalle de temps entre les deux événements mesuré dans un système de référence ayant une vitesse v relativement au premier système. Dans l'exemple 8.1 ci-dessus, c'est Δt_0 (et non Δt) qui est égal à $2{,}2 \times 10^{-6}$ s parce que c'est seulement dans le système de référence du muon au repos que les deux événements («naissance» et «désintégration») se produisent au même point dans l'espace.

Le phénomène de la dilatation du temps a donné lieu à des spéculations intéressantes sur les voyages dans l'espace interstellaire. Sous l'ancien régime de temps et d'espace absolus, il était impossible à des mortels ordinaires d'atteindre une étoile située à 100 années-lumière (1 année-lumière est la distance parcourue par la lumière en 1 an, soit $3{,}0 \times 10^8$ m/s $\times\ 3{,}15 \times 10^7$ s $= 9{,}5 \times 10^{15}$ m). Dans ces conditions, même si un vaisseau spatial pouvait voyager à une vitesse avoisinant celle de la lumière, il lui faudrait plus de 100 ans pour atteindre l'étoile. L'effet de dilatation du temps diminue énormément ce temps pour le voyageur. Dans un vaisseau voyageant à une vitesse de $v = 0{,}999c$, le temps requis pour le voyage ne serait plus que de $\Delta t_0 = \Delta t\sqrt{1 - v^2/c^2} = (100\ \text{années})\sqrt{1 - (0{,}999)^2} = 4{,}5\ \text{années}$. Un astronaute pourrait donc faire ce voyage. La dilatation du temps permet un tel voyage mais les problèmes pratiques énormes que représente la réalisation de telles vitesses ne seront pas résolus dans un avenir prévisible.

Tandis qu'il s'écoulerait 100 ans sur la Terre, il ne s'écoulerait, dans l'exemple, que 4,5 années pour l'astronaute en voyage. Est-ce seulement les horloges qui seraient plus lentes pour l'astronaute? La réponse est non. Tous les processus, y compris les processus biologiques, se produisent, selon l'observateur terrestre, à un rythme plus lent pour l'astronaute. Pour ce dernier, cependant, le temps s'écoulerait de façon normale. L'astronaute vivrait 4,5 années en dormant, en mangeant, en lisant comme à l'accoutumée et vieillirait de 4,5 années alors qu'il s'écoulerait plus de 100 ans dans le système de référence de la Terre.

Peu après la publication par Einstein de sa théorie de la relativité restreinte, on prétendit qu'un paradoxe découlait de sa théorie: le «paradoxe des jumeaux». Le voici: un jumeau de 20 ans s'envole dans une fusée, voyage à très grande vitesse jusqu'à une étoile lointaine puis revient; pendant tout ce temps, son frère jumeau reste sur Terre. Selon ce dernier, le jumeau astronaute vieillit moins vite; pendant que lui vieillit de 20 ans sur la Terre, son frère astronaute ne vieillit peut-être que de 2 ans (selon la vitesse de la fusée). Ainsi, le jumeau resté sur Terre s'attend à être âgé de 40 ans au retour de son frère astronaute alors que celui-ci ne sera âgé que de 22 ans.

Tel est le point de vue du jumeau resté sur Terre, mais quel est celui du jumeau astronaute? Si tous les systèmes de référence inertiels sont équivalents, le jumeau astronaute ne serait-il pas justifié de faire les mêmes affirmations que son frère resté sur Terre, mais à l'inverse? Le jumeau astronaute ne peut-il pas prétendre que puisque la Terre s'éloigne à grande vitesse, le temps s'y écoule plus lentement et que le jumeau resté sur Terre vieillit donc plus lentement? C'est l'affirmation contraire de celle du jumeau resté sur Terre. Ils ne peuvent tous les deux avoir raison car, après tout, une fois la fusée revenue sur Terre, il est possible de comparer les âges et les horloges.

Pour solutionner ce paradoxe, il faut se rendre compte qu'en fait les deux jumeaux ne se trouvent pas dans des situations identiques, même au sens de la relativité. En effet, bien que le jumeau resté sur Terre se trouve bel et bien dans un référentiel inertiel (ou presque) durant toute la durée du voyage de son frère, ce dernier, pour revenir sur Terre, a dû changer de direction une fois arrivé à la planète éloignée, changeant ainsi de référentiel. Supposons que l'aller se fasse à vitesse constante, comme le retour, chaque moitié du voyage prenant 1 an, et que le jumeau astronaute a changé de direction immédiatement en atteignant la planète. Chacun de ces deux référentiels est inertiel et, pendant chaque moitié du voyage, le jumeau voyageur déduit que son frère resté sur Terre vieillit moins vite que lui, soit de seulement 0,1 an à l'aller et de 0,1 an au retour.

Cependant, au moment où il change de direction, le jumeau voyageur change de référentiel, passant du référentiel de l'aller à celui du retour. Or, dans le référentiel du retour, le départ depuis la Terre s'est produit non pas il y a 1 an, comme dans le référentiel de l'aller, ni il y a 10 ans comme dans le référentiel de la Terre, mais il y a 199 ans! En passant dans ce référentiel, le voyageur doit adopter cette référence de temps; comme il lui faudra encore 1 an pour atteindre la Terre, la durée totale du voyage selon le référentiel du retour est de 200 ans. Comme le jumeau resté sur Terre se déplace par rapport à ce référentiel, son frère voyageur calcule que ces 200 ans ne lui ont paru que 20 ans et que son âge est donc bien de 40 ans.

Ceci illustre la relativité du concept de simultanéité, discuté à la section précédente, selon lequel la simultanéité est relative à l'observateur; pour le jumeau resté sur Terre, les événements «j'ai 30 ans» et «mon frère atteint la planète éloignée à 21 ans» sont simultanés. Pour le jumeau voyageur, les événements «j'atteins la planète à 21 ans» et «mon frère a 20,1 ans» sont simultanés. En changeant de direction, le jumeau voyageur change de référentiel, et dans ce nouveau référentiel les événements «je quitte la planète à 21 ans» et «mon frère a 39,9 ans» sont simultanés. La différence de 19,8 ans dans le calcul de l'âge du jumeau resté sur Terre est une conséquence de la nécessité de resynchroniser son horloge lorsqu'on change de référentiel. L'étudiant pourra vérifier ces chiffres après avoir lu les deux sections qui suivent.

8.6 La contraction des longueurs

Selon la théorie de la relativité restreinte, non seulement les intervalles de temps mais également les intervalles d'espace (les longueurs et les distances) diffèrent lorsqu'ils sont mesurés dans différents systèmes de référence. Voyons cela au moyen d'une expérience mentale.

Un observateur sur la Terre observe une fusée allant à la vitesse v de la Terre à, disons, Neptune (figure 8.9a). La distance entre les planètes mesurée par l'observateur sur la Terre est de L_0. Le temps requis pour le voyage, mesuré dans le référentiel de la Terre, est de $\Delta t = L_0/v$. La figure 8.9b représente le point de vue d'un observateur dans la fusée. Dans ce système de référence, la fusée est au repos; la Terre et Neptune bougent à une vitesse v. (Nous supposons que v est beaucoup plus grande que la vitesse relative de Neptune et de la Terre, de sorte qu'on peut ignorer cette dernière.) Le temps entre le départ de la Terre et l'arrivée sur Neptune est toutefois moindre selon l'observateur astronaute que selon l'observateur sur la Terre, en raison de la dilatation du temps. D'après l'équation 8.1, le temps requis pour le voyage selon l'astronaute est $\Delta t_0 = \Delta t\sqrt{1 - v^2/c^2}$. Comme l'astronaute mesure la même vitesse mais moins de temps entre ces deux événements, sa mesure de la distance doit aussi être moindre. Si nous posons que L est la distance entre les planètes du point de vue de l'astronaute, alors $L = v\ \Delta t_0$. Nous savons déjà que $\Delta t_0 = \Delta t\sqrt{1 - v^2/c^2}$ et que $\Delta t = L_0/v$; nous obtenons donc $L = v\ \Delta t_0 = v\,\Delta t\sqrt{1 - v^2/c^2} = L_0\sqrt{1 - v^2/c^2}$, c'est-à-dire que:

$$L = L_0\sqrt{1 - v^2/c^2}. \tag{8.2}$$

Cette conséquence générale de la théorie de la relativité restreinte est valide aussi bien pour les longueurs des corps que pour les distances. Elle peut s'énoncer en des mots simples: *la mesure de la longueur d'un corps en mouvement est plus petite que la mesure de la longueur de ce même corps au repos.* Ce phénomène s'appelle la **contraction des longueurs**†. La longueur L_0 dans l'équation 8.2 s'appelle la **longueur propre**. C'est la longueur du corps (ou la distance entre deux points) mesurée par un observateur au repos relativement au corps. L'équation 8.2 donne la longueur mesurée quand le corps passe devant un observateur à une vitesse v. Il convient de noter, toutefois, que la contraction des longueurs ne se produit que *dans le sens de la direction du mouvement.* Par exemple, quoique la longueur de la fusée en mouvement de la figure 8.9a est plus petite, son diamètre est le même qu'au repos.

La contraction des longueurs, tout comme la dilatation du temps, ne peut être observée dans la vie de tous les jours parce que le facteur $\sqrt{1 - v^2/c^2}$ de l'équation 8.2 diffère de façon significative de 1,00 uniquement quand v est très grand.

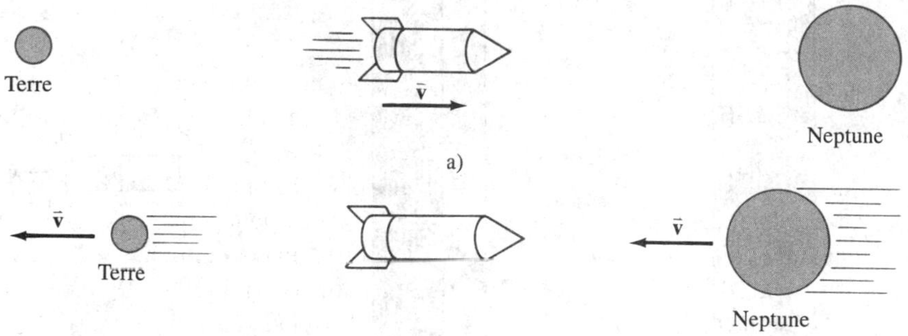

FIGURE 8.9 a) Fusée voyageant à très haute vitesse de la Terre à Neptune, du point de vue d'un système de référence terrestre. b) Du point de vue d'un observateur dans la fusée, la Terre et Neptune bougent à la très haute vitesse v. Notez en b) que les planètes ne semblent pas contractées car, à haute vitesse, nous voyons le sillage (comme dans la figure 8.10) et l'effet net est de conserver aux planètes leur apparence circulaire.

† On appelle souvent la contraction des longueurs la contraction de Fitzgerald ou de Lorentz parce que, comme nous l'avons mentionné à la fin de la section 8.2, ces derniers proposèrent le même facteur de contraction, $\sqrt{1 - v^2/c^2}$, afin d'éliminer la contradiction entre la théorie de l'éther et les résultats de l'expérience de Michelson-Morley. Notez cependant que la théorie d'Einstein prédit cette contraction sans référence aucune à l'éther.

EXEMPLE 8.2 Un vaisseau spatial survole la Terre à la vitesse $v = 0{,}80c$. Un astronaute fait tourner lentement une règle d'un mètre dans le vaisseau, de la verticale à l'horizontale. Décrivez les changements de longueur de la règle selon le point de vue *a*) d'un autre astronaute dans le vaisseau et *b*) d'un observateur sur la Terre.

SOLUTION *a*) La longueur de la règle est de 1,0 m dans toutes les directions puisqu'elle est au repos. *b*) La longueur de la règle varie de 1,0 m (position verticale) à $L = (1{,}0 \text{ m}) \times \sqrt{1 - (0{,}80)^2} = 0{,}60$ m dans la direction horizontale (en supposant que la direction du mouvement du vaisseau est horizontale).

L'équation 8.2 donne la mesure de la longueur d'un corps voyageant à la vitesse v. L'*apparence* du corps est une autre question. Imaginez, par exemple, que vous voyagez vers la gauche en passant devant un édifice élevé à une vitesse $v = 0{,}85c$. Votre déplacement vers la gauche serait équivalent au déplacement de l'édifice vers la droite à la vitesse v. L'édifice semblerait plus étroit (mais de même hauteur) et vous seriez capable de voir le côté de l'édifice même si vous vous trouviez directement devant l'édifice. C'est ce qu'illustre la figure 8.10b [la partie a) montre l'édifice au repos]. Le fait que vous voyez le côté n'est pas réellement un effet relativiste mais une conséquence de la vitesse finie de la lumière. Pour le comprendre, examinons la partie c) de la figure 8.10, qui donne une vue en plongée de l'édifice. L'observateur O se trouvant exactement devant l'édifice, la lumière provenant des points A et B l'atteint en même temps. Si l'édifice était au repos, la lumière provenant de C ne pourrait jamais atteindre O. L'édifice bouge toutefois à une très grande vitesse et «sort effectivement du chemin», de sorte que la lumière provenant de C parvient jusqu'à O. En fait, à l'instant représenté, la lumière provenant du point C lorsqu'il se trouvait à une position antérieure (C' sur le diagramme) peut parvenir jusqu'à O parce que l'édifice a bougé. Pour parvenir jusqu'à l'observateur en même temps que la lumière provenant de A et de B, il faut que la lumière provenant de C en soit partie plus tôt puisqu'elle parcourt une plus grande distance. C'est donc la lumière provenant de C' qui atteint l'observateur en même temps que la lumière provenant de A et de B. Un observateur verrait ainsi le devant et le côté d'un corps en même temps tout en se trouvant directement devant le corps†. On peut montrer, par le même raisonnement, que les corps sphériques conservent une forme circulaire même à grande vitesse. C'est pourquoi les planètes sont dessinées rondes plutôt que contractées dans la figure 8.9b.

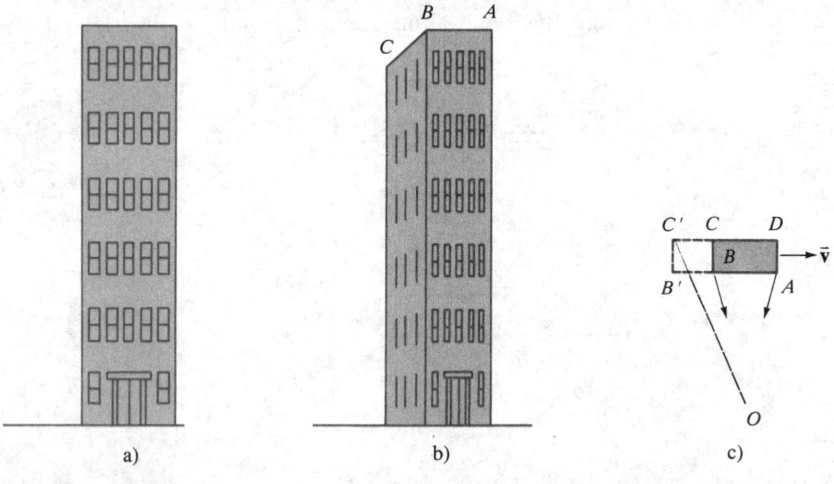

FIGURE 8.10 Édifice vu a) au repos et b) bougeant à grande vitesse. c) Le diagramme montrant une vue en plongée explique pourquoi on voit le côté de l'édifice.

† Il serait erroné d'imaginer que l'édifice de la figure 8.10b semble avoir subi une rotation. Ce serait faux puisqu'en ce cas, le point A semblerait plus loin que le point B. En fait, si l'observateur se trouve directement devant, A et B semblent à la même distance. L'édifice semble donc contracté sur sa face de devant, mais nous voyons aussi le côté, comme cela est décrit ci-dessus.

8.7 L'espace-temps à quatre dimensions

Un passager dans un train roulant à grande vitesse, disons à $0{,}65c$ (figure 8.11) commence son repas à 19 h et le termine à 19 h 15, selon l'horloge du train. Comme les deux événements, soit le début et la fin du repas, se produisent au même point du train, le temps propre entre ces deux événements est de 15 minutes. Pour des observateurs au sol, le repas dure plus longtemps, soit 20 minutes selon l'équation 8.1. Supposons que le diamètre du plateau sur lequel le repas est servi est de 20 cm. Pour les observateurs au sol, le plateau n'a que 15 cm de longueur (contraction des longueurs). Pour eux donc, quoique la quantité de nourriture servie semble plus petite, le repas dure plus longtemps.

En un sens, les deux effets, la dilatation du temps et la contraction des longueurs, se contrebalancent. Du point de vue d'un observateur au sol, le repas semble gagner en durée ce que la nourriture perd en quantité. L'espace, ou la longueur, est échangé pour du temps.

Des considérations de ce genre ont mené à l'idée de l'**espace-temps à quatre dimensions**, l'espace correspondant à trois dimensions et le temps à une quatrième dimension. Le temps et l'espace sont intimement interreliés. De même qu'un ballon comprimé rétrécit dans une direction tout en allongeant dans les autres directions, de même une certaine quantité d'espace s'échange contre une certaine quantité de temps (et vice versa) lorsque nous observons des corps et des événements dans différents systèmes de référence.

L'idée des quatre dimensions peut sembler étrange; elle provient du fait qu'il faut quatre quantités pour situer tout corps ou tout événement: trois pour décrire où il se trouve dans l'espace et une pour décrire où il est dans le temps. Le caractère réellement insolite de l'espace-temps à quatre dimensions provient du fait que l'espace et le temps y sont pour ainsi dire joints indissolublement: quand le système de référence change, le temps et l'espace s'échangent un peu l'un pour l'autre.

La plupart d'entre nous éprouvons des difficultés à comprendre l'idée de l'espace-temps à quatre dimensions. Nous avons le sentiment, tout comme les physiciens avant l'avènement de la théorie de la relativité, que l'espace et le temps sont des entités complètement séparées. Notre expérience mentale nous a toutefois fait découvrir qu'elles ne le sont pas. Les difficultés que nous éprouvons à l'admettre rappelle la situation qui prévalait au XVIIe siècle, à l'époque de Galilée et de Newton. Avant Galilée, on

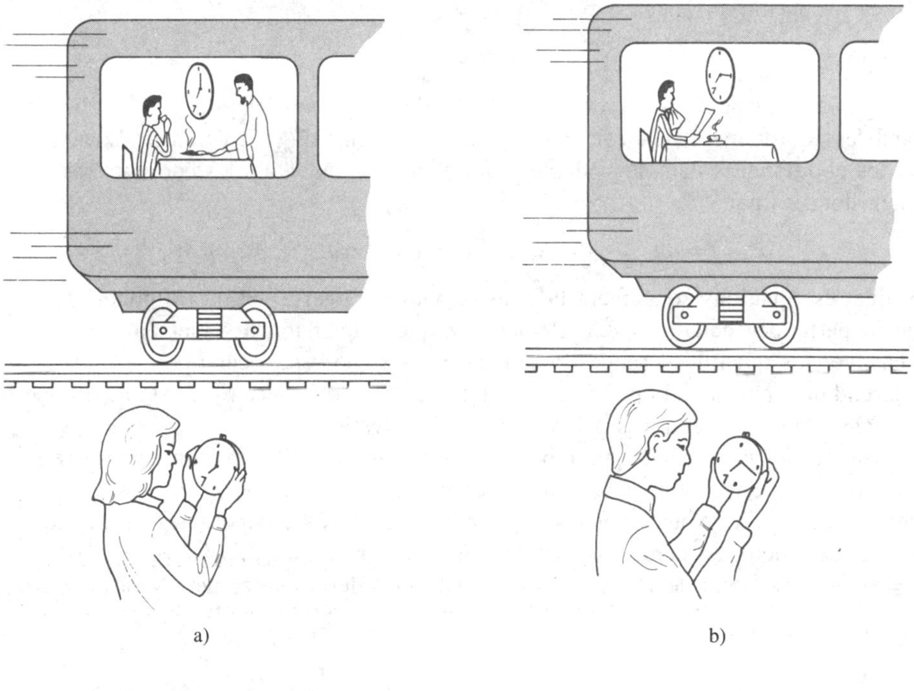

FIGURE 8.11 Selon une horloge exacte dans un train roulant à grande vitesse, a) une personne commence son dîner à 19 h et b) le finit à 19 h 15. Les montres de deux observateurs au sol indiquent cependant que la durée du repas est de 20 minutes.

considérait la direction verticale, celle dans laquelle les corps tombent, comme entièrement différente des deux dimensions horizontales. Galilée montra que la dimension verticale ne diffère que parce qu'elle correspond à la direction de la gravité. À tout autre égard, les trois dimensions sont équivalentes, ce que nous admettons aujourd'hui. On nous demande maintenant d'accepter une dimension de plus: le temps, que nous considérions auparavant comme totalement distinct. Ceci ne veut pas dire qu'il n'existe aucune distinction entre le temps et l'espace. Ce que la relativité nous a montré, c'est que les mesures d'espace et de temps ne sont pas indépendantes l'une de l'autre.

8.8 Les transformations de Galilée et de Lorentz

Voyons maintenant, de façon mathématique, comment relier certaines quantités dans un système de référence inertiel avec les quantités équivalentes dans un autre système inertiel. Nous pourrons ainsi voir comment, en particulier, les positions et les vitesses *sont transformées* (autrement dit, changent) d'un système à un autre.

Commençons par le point de vue classique ou galiléen. Soit deux systèmes de référence S et S', tous deux constitués par un ensemble d'axes de coordonnées (figure 8.12). Les axes des x et des y (les z ne sont pas représentés) appartiennent à S, tandis que les axes des x' et des y' appartiennent à S'. Les axes des x et des x' sont colinéaires, et nous supposons que le système S' bouge vers la droite (dans la direction des x) à la vitesse v relativement à S. De plus, par simplicité, nous supposons que les origines O et O' des deux systèmes de référence sont superposées au temps $t = t' = 0$.

Soit maintenant un événement se produisant en un point P (figure 8.12) représenté par les coordonnées x', y', z' dans le système de référence S' au temps t'. Quelles sont les coordonnées de P dans le référentiel S? Comme initialement S et S' coïncident, après un temps t', S' aura parcouru une distance vt'. Par conséquent, au temps t', $x = x' + vt'$. D'autre part, les coordonnées y et z ne sont pas affectées par le mouvement le long de l'axe des x et donc, $y = y'$ et $z = z'$. Enfin, comme dans la physique newtonienne on suppose que le temps est absolu, les horloges dans les deux systèmes indiqueront le même temps, de sorte que $t = t'$. Nous pouvons résumer tous ces résultats dans les équations de la **transformation galiléenne** suivantes:

$$\begin{aligned} x &= x' + vt' \\ y &= y' \\ z &= z' \\ t &= t'. \end{aligned} \qquad \text{[Galilée]} \quad (8.3)$$

Ces équations donnent les coordonnées d'un événement dans le système de référence S quand les coordonnées de l'événement dans le système S' sont connues. Lorsque ce sont les coordonnées dans le système S qui sont connues, alors les coordonnées dans S' sont données par

$$x' = x - vt, \qquad y' = y, \qquad z' = z, \quad t' = t. \qquad \text{[Galilée]}$$

Ces quatres équations constituent la transformation «inverse» et on les obtient facilement à partir des équations 8.3. Remarquez que l'inversion a seulement pour effet d'échanger les quantités primées et non primées et de remplacer v par $-v$. Ceci se comprend bien puisque, du point de vue du système de référence S', S est emporté vers la gauche (dans la direction des x négatifs) à la vitesse v.

Supposons maintenant que le point P dans la figure 8.12 représente une particule en mouvement. Supposons aussi que les composantes de son vecteur vitesse dans S' soient u'_x, u'_y, u'_z. (Nous utilisons u pour distinguer ces composantes de la vitesse relative des deux systèmes de référence, v.) Or, $u'_x = dx'/dt'$, $u'_y = dy'/dt'$ et $u'_z = dz'/dt'$. Du point de vue de S, les composantes de la vitesse de P sont u_x, u_y, u_z.

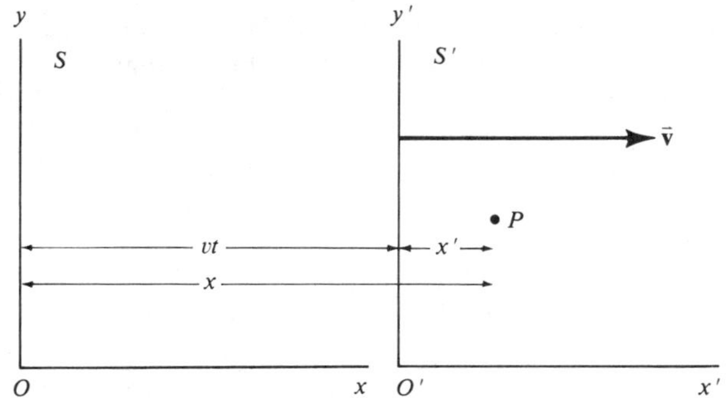

FIGURE 8.12 Le système de référence S' bouge vers la droite à la vitesse v relativement au système S.

On obtient la relation entre ces composantes et les composantes du vecteur vitesse dans S' en dérivant l'équation 9.3 par rapport à t. En effet, pour u_x nous avons:

$$u_x = \frac{dx}{dt} = \frac{d(x' + vt')}{dt'} = u'_x + v,$$

étant donné qu'on suppose v constante. Pour les autres composantes, $u'_y = u_y$ et $u'_z = u_z$. Nous avons donc:

$$u_x = u'_x + v$$
$$u_y = u'_y \qquad \text{[Galilée]} \quad (8.4)$$
$$u_z = u'_z.$$

On appelle ces équations les *équations de la transformation galiléenne de la vitesse.* Nous voyons que les composantes y et z de la vitesse ne changent pas mais que les composantes x et x' diffèrent de v: $u_x = u'_x + v$. C'est précisément ce que nous avons utilisé antérieurement quand nous avons traité de la vitesse relative.

Les transformations de Galilée, c'est-à-dire les équations 8.3 et 8.4, ne sont valides que lorsque les vitesses en cause sont de beaucoup inférieures à c. Il est évident, par exemple, que la première des équations 8.4 ne peut être valide pour la vitesse de la lumière; en effet, selon cette équation, si la lumière voyage à la vitesse $u'_x = c$ dans S', sa vitesse dans S doit être de $c + v$; or, ceci est contraire à la théorie de la relativité qui affirme que cette vitesse doit être de c dans S. La nécessité d'établir un nouvel ensemble d'équations de transformation pour les vitesses relativistes devient donc évident.

Nous allons déduire ces nouvelles équations de manière simple, en nous référant à nouveau à la figure 8.12. Supposons que la transformation soit linéaire et de la forme

$$x = \gamma(x' + vt'), \qquad y = y', \qquad z = z',$$

c'est-à-dire qu'elles ne diffèrent des équations 8.3 que par le facteur γ que nous n'avons pas encore déterminé (nous supposons notamment que les équations pour y et z ne changent pas puisqu'il n'y a pas de contraction des longueurs dans ces directions). Nous ne supposons aucune expression pour t; nous la déduirons plutôt. Les équations inverses doivent avoir la même forme, avec v remplacé par $-v$. (Le principe de relativité l'exige puisqu'il est équivalent, que S' bouge vers la droite relativement à S ou que S bouge vers la gauche relativement à S'.) Par conséquent,

$$x' = \gamma(x - vt).$$

Comme une impulsion lumineuse émise à l'origine commune de S et de S' au temps $t = t' = 0$, après un temps t, aura parcouru, sur l'axe des x, une distance $x = ct$ ou $x' = ct'$, on obtient à partir des équations pour x et pour x' que:

$$ct = \gamma(ct' + vt') = \gamma(c + v)t'$$
$$ct' = \gamma(ct - vt) = \gamma(c - v)t.$$

En remplaçant t' dans la première équation par la valeur de t' obtenue par la seconde équation, nous avons $ct = \gamma(c + v)\gamma(c - v)(t/c) = \gamma^2(c^2 - v^2)t/c$. En éliminant t de chaque côté et en isolant γ, nous obtenons:

$$\gamma = \frac{1}{\sqrt{1 - v^2/c^2}}.$$

Maintenant que nous avons trouvé γ, il ne nous reste plus qu'à trouver la relation entre t et t'. Dans ce but, combinons $x' = \gamma(x - vt)$ et $x = \gamma(x' + vt')$:

$$x' = \gamma(x - vt) = \gamma(\gamma[x' + vt'] - vt).$$

Et en isolant t, nous obtenons $t = \gamma(t' + vx'/c^2)$. En résumé,

$$\begin{aligned} x &= \frac{1}{\sqrt{1 - v^2/c^2}}(x' + vt') \\ y &= y' \\ z &= z' \\ t &= \frac{1}{\sqrt{1 - v^2/c^2}}(t' + vx'/c^2). \end{aligned} \qquad \text{[Lorentz]} \quad (8.5)$$

Ce sont les équations de la **transformation de Lorentz**. Elles furents établies pour la première fois, en 1904 par Lorentz, dans une forme légèrement différente, pour expliquer le résultat nul de l'expérience de Michelson-Morley et pour donner aux équations de Maxwell la même forme dans tous les systèmes inertiels. Un an plus tard, Einstein les obtenait indépendamment dans le cadre de sa théorie de la relativité. Remarquez que, comparativement à la transformation galiléenne, non seulement l'équation pour x est modifiée mais aussi l'équation pour t; en fait, cette dernière équation nous permet de voir directement comment les coordonnées d'espace et de temps sont interreliées.

EXEMPLE 8.3 Démontrez la formule de la contraction des longueurs, soit l'équation 8.2, à partir des équations de la transformation de Lorentz.

SOLUTION Soit un corps de longueur L_0 au repos sur l'axe des x dans S. Les coordonnées de ses deux extrémités sont x_1 et x_2, de sorte que $x_2 - x_1 = L_0$. En tout instant dans S', les extrémités se trouvent en x'_1 et x'_2 obtenues à l'aide des équations de la transformation de Lorentz. La mesure de la longueur dans S' est $L = x'_2 - x'_1$. Un observateur dans S' mesure cette longueur en mesurant x'_2 et x'_1 au même temps, de sorte que $t'_2 = t'_1$. Par conséquent, d'après la première des équations 8.5,

$$L_0 = x_2 - x_1 = \frac{1}{\sqrt{1 - v^2/c^2}}(x'_2 + vt'_2 - x'_1 - vt'_1).$$

Et comme $t'_2 = t'_1$, nous avons:

$$L_0 = \frac{1}{\sqrt{1 - v^2/c^2}}(x'_2 - x'_1) = \frac{L}{\sqrt{1 - v^2/c^2}},$$

ou

$$L = L_0\sqrt{1 - v^2/c^2},$$

ce qui correspond à l'équation 8.2.

EXEMPLE 8.4 Démontrez la formule de la dilatation du temps.

SOLUTION La mesure du temps Δt_0 entre deux événements se produisant au même endroit ($x'_2 = x'_1$) dans S' est de $\Delta t_0 = t'_2 - t'_1$. Comme $x'_2 = x'_1$, alors, d'après la dernière des équations 8.5, le temps Δt entre les événements mesurés dans S est:

$$\Delta t = t_2 - t_1 = \frac{1}{\sqrt{1 - v^2/c^2}}\left(t'_2 + \frac{vx'_2}{c^2} - t'_1 - \frac{vx'_1}{c^2}\right)$$

$$= \frac{1}{\sqrt{1 - v^2/c^2}}(t'_2 - t'_1) = \frac{\Delta t_0}{\sqrt{1 - v^2/c^2}},$$

ce qui correspond à l'équation 8.1. Notez que nous avons choisi S', soit le système dans lequel les deux événements se produisent au même endroit, de façon que $x'_1 = x'_2$ et que les termes qui les contiennent s'annulent.

On peut facilement obtenir les équations relativistes de transformation des vitesses en dérivant les équations 8.5 par rapport au temps. Par exemple (nous posons que $\gamma = 1/\sqrt{1 - v^2/c^2}$ et nous utilisons la règle de dérivation en chaîne):

$$u_x = \frac{dx}{dt} = \frac{d}{dt}[\gamma(x' + vt')]$$

$$= \frac{d}{dt'}[\gamma(x' + vt')]\frac{dt'}{dt} = \gamma\left[\frac{dx'}{dt'} + v\right]\frac{dt'}{dt}.$$

Comme $dx'/dt' = u'_x$ et $dt'/dt = 1/(dt/dt') = 1/[\gamma(1 + vu'_x/c^2)]$ où nous avons dérivé la dernière des équations 8.5 par rapport au temps, nous avons:

$$u_x = [\gamma(u'_x + v)]/[\gamma(1 + vu'_x/c^2)] = \frac{u'_x + v}{1 + vu'_x/c^2}.$$

On obtient les autres équations de la même manière:

$$u_x = \frac{u'_x + v}{1 + vu'_x/c^2} \tag{8.6a}$$

$$u_y = \frac{u'_y\sqrt{1 - v^2/c^2}}{1 + vu'_x/c^2} \tag{8.6b}$$

$$u_z = \frac{u'_z\sqrt{1 - v^2/c^2}}{1 + vu'_x/c^2}. \tag{8.6c}$$

Nous traiterons à nouveau des équations 8.6 dans la section suivante. Notez que même si la vitesse relative $\vec{v}$ est dans la direction des x, la transformation de toutes les composantes de la vitesse d'une particule est affectée par v et par u_x, la composante x de la vitesse de la particule, ce qui n'était pas le cas pour la transformation galiléenne (les équations 8.4).

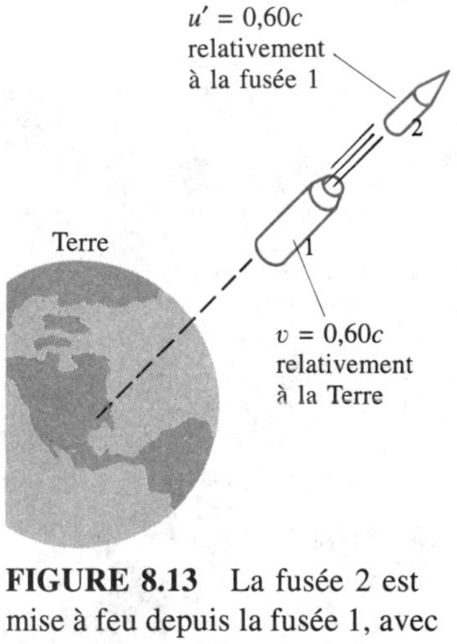

FIGURE 8.13 La fusée 2 est mise à feu depuis la fusée 1, avec une vitesse de $u' = 0{,}60c$. Quelle est la vitesse de la fusée 2 relativement à la Terre?

EXEMPLE 8.5 Calculez la vitesse de la fusée 2 par rapport à la Terre dans la figure 8.13.

SOLUTION La fusée 2 bouge à une vitesse $u' = 0{,}60c$ relativement à la fusée 1. La vitesse de la fusée 1 relativement à la Terre est $v = 0{,}60c$. Les vitesses sont orientées selon la même droite, que nous considérerons comme l'axe des x (et des x').

Nous n'avons besoin que de la première des équations 8.6. La vitesse de la fusée 2 relativement à la Terre est donc:

$$u = \frac{u' + v}{1 + vu'/c^2}$$

$$= \frac{0,60c + 0,60c}{1 + \dfrac{(0,60c)(0,60c)}{c^2}} = \frac{1,20c}{1,36} = 0,88c.$$

(La transformation de Galilée aurait donné $u = 1{,}20c$.)

Notez que les équations 8.6 prennent la forme classique (galiléenne) pour des vitesses petites devant celle de la lumière.

8.9 La masse et la quantité de mouvement en mécanique relativiste

Les trois grandeurs de base mécanique sont la longueur, l'intervalle de temps et la masse. Nous avons montré que les deux premières sont relatives; leurs valeurs dépendent du système de référence dans lequel on les mesure. On peut supposer que la masse est aussi une quantité relative. Et, en effet, Einstein a montré que *la masse d'un corps augmente au fur et à mesure que sa vitesse augmente* et que la «masse relativiste» est donnée par la formule:

$$m = \frac{m_0}{\sqrt{1 - v^2/c^2}}. \tag{8.7}$$

Dans cette formule d'augmentation de la masse, m_0 est la **masse au repos** du corps (la masse mesurée dans un système de référence dans lequel le corps est au repos); m est la masse mesurée dans un système de référence dans lequel le corps est animé d'une vitesse v.

On a fait un nombre innombrable de fois la preuve expérimentale de l'augmentation relativiste de la masse à l'aide de particules élémentaires (comme les muons); on a pu ainsi montrer que la masse augmente, conformément à l'équation 8.7.

Nous allons maintenant montrer, par une expérience mentale, que l'équation 8.7 découle de la théorie de la relativité et de la loi de la conservation de la quantité de mouvement. Nous supposerons que la quantité de mouvement d'une particule est donnée par:

$$\vec{\mathbf{p}} = m\vec{\mathbf{v}},$$

qui est identique à la formule classique de la quantité de mouvement, à ceci près que nous poserons que la masse m du corps est une fonction de sa vitesse v [écrite $m(v)$]. Comme nous le verrons, il doit en être ainsi pour que la loi de la conservation de la quantité de mouvement demeure valide dans le cadre de la théorie de la relativité.

Notre expérience mentale porte sur la collision élastique entre deux balles identiques. Si les deux balles voyagent à la même vitesse v, elles ont la même masse m (v), laquelle serait différente de leurs masses au repos m_0 (qui est égale pour les deux). Si les balles voyagent à des vitesses différentes, leurs masses pourraient être différentes.

Voici comment les deux balles de notre expérience mentale se heurtent (voir figure 8.14). Soit deux systèmes de référence inertiels, A et B, se déplaçant relativement l'un à l'autre à une vitesse $\vec{\mathbf{v}}$ et dans lesquels on lance deux balles: une balle (que nous appellerons la balle A), voyage dans le système de référence A à une vitesse u dans la direction de l'axe des y_A, perpendiculairement à $\vec{\mathbf{v}}$, et une seconde balle (B) voyage dans le système de référence B à la vitesse u dans la direction de l'axe des y_B négatifs.

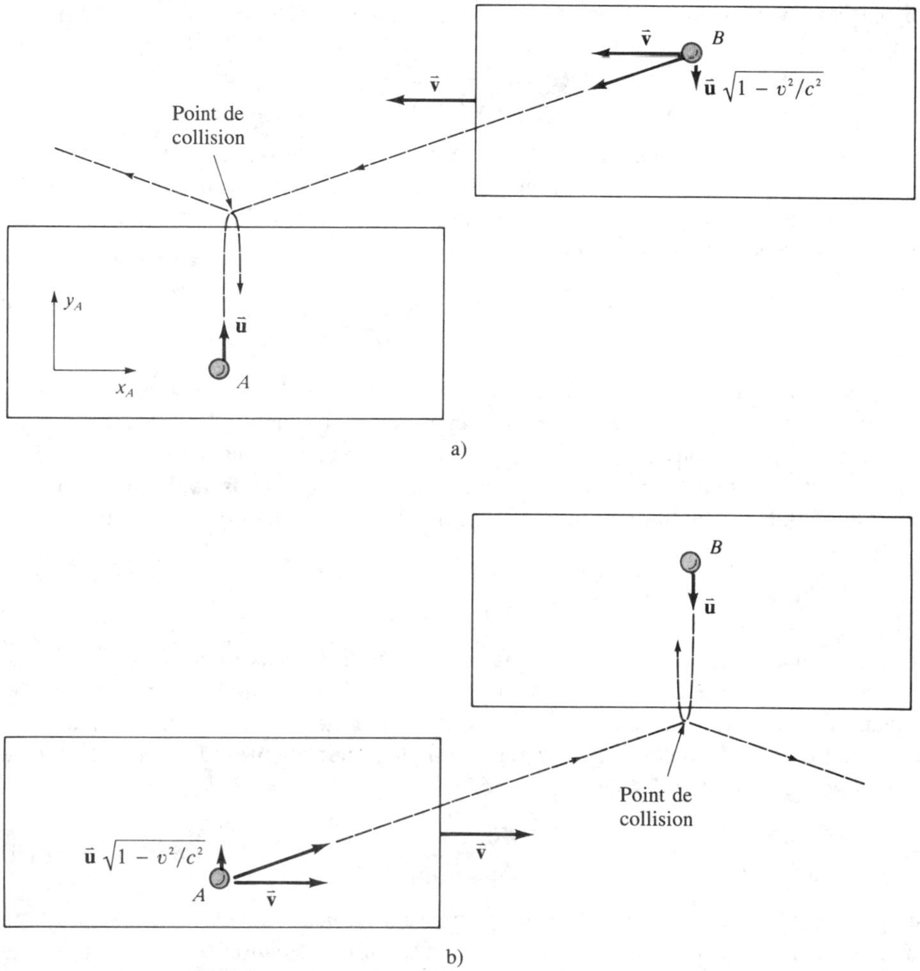

FIGURE 8.14 Démonstration de la formule de masse. Collision vue a) du système de référence *A* et b) du système de référence *B*.

Les deux balles sont lancées juste à l'angle requis pour produire une collision. Supposons qu'elles rebondissent de façon élastique et que chacune, lorsqu'elle est observée depuis le référentiel d'où elle a été lancée, rebondit alors à la vitesse u dans la direction opposée à sa vitesse initiale. La figure 8.14a représente la collision observée dans le système de référence A et la figure 8.14b, la même collision observée dans le système de référence B. Dans le système de référence A, la composante y de la vitesse de la balle A est $+u$ avant la collision, et $-u$ après la collision. Dans le système de référence B, aussi bien avant qu'après la collision, la composante x de la vitesse de la balle A est v et sa composante y (voir l'équation 8.6b avec $u'_x = 0$) est:

$$u\sqrt{1 - v^2/c^2}.$$

La même chose vaut pour la balle B mais à l'inverse, et ses composantes de vitesse, dans chaque référentiel, sont indiquées dans la figure 8.14. Supposons en outre que $u << v$, de sorte que la masse de A puisse être, du point de vue du système de référence B, écrite comme $m(v)$ et que la masse de B puisse être, du point de vue du système de référence A, comme $m(v)$. Appliquons maintenant la loi de la conservation de la quantité de mouvement (dont nous espérons qu'elle demeure valide dans la théorie de la relativité, même s'il faut la redéfinir): nous supposons donc que la quantité de mouvement totale est la même avant et après la collision. En appliquant ceci à la composante y de la quantité de mouvement dans le système de référence A (figure 8.14a), nous obtenons:

$$m(u)u - m(v)u\sqrt{1 - v^2/c^2} = -m(u)u + m(v)u\sqrt{1 - v^2/c^2}.$$

Puis en isolant $m(u)$, nous obtenons:

$$m(v) = \frac{m(u)}{\sqrt{1 - v^2/c^2}}.$$

Si nous permettons maintenant à u de devenir très petit de façon à ce qu'il avoisine zéro (ce qui correspond à une collision rasante, l'une des balles étant presque au repos tandis que l'autre bouge à la vitesse v), alors $m(v)$ devient la masse au repos m_0. L'équation précédente devient donc:

$$m(v) = \frac{m_0}{\sqrt{1 - v^2/c^2}}.$$

Quoique $m(v)$ se rapporte à la particule A et m_0, à la particule B, la masse au repos m_0 est identique pour les deux particules. Par conséquent, l'équation ci-dessus est valide pour la balle A. (En nous référant à la figure 8.14b, nous pouvons démontrer la même relation pour la balle B.) Ceci correspond à l'équation 8.7 que nous voulions démontrer.

On définit la quantité de mouvement relativiste d'une particule comme:

$$\vec{\mathbf{p}} = m\vec{\mathbf{v}} = \frac{m_0\vec{\mathbf{v}}}{\sqrt{1 - v^2/c^2}} \tag{8.8}$$

puisque, comme nous l'avons vu plus haut, la loi de la conservation de la quantité de mouvement demeure valide dans la théorie de la relativité. Cette dernière formule, de la quantité de mouvement relativiste (équation 8.8), a été vérifiée d'innombrables fois et à une très grande précision avec des particules élémentaires. La seconde loi de Newton énoncée dans sa forme la plus générale,

$$\vec{\mathbf{F}} = \frac{d\vec{\mathbf{p}}}{dt} = \frac{d}{dt}(m\vec{\mathbf{v}}), \tag{8.9}$$

est également valide en relativité. Mais comme on ne peut considérer la masse d'une particule comme constante en relativité, la seconde loi de Newton écrite sous la forme $\vec{\mathbf{F}} = m\vec{\mathbf{a}}$ n'est pas valide[†].

8.10 La vitesse limite

Une conséquence fondamentale de la théorie de la relativité est l'impossibilité qu'un corps quelconque acquière ou dépasse la vitesse de la lumière. Chacune des équations 8.1, 8.2 et 8.7, de même que la formule de l'addition des vitesses, montre que la vitesse de la lumière est la limite naturelle de la vitesse dans l'Univers. Ceci est particulièrement évident dans la formule de la quantité de mouvement (équation 8.8). Plus un corps accélère et plus sa vitesse est grande, plus sa quantité de mouvement augmente. En fait, si v était égale à c, le dénominateur dans l'équation serait égal à zéro et la quantité de mouvement m serait infinie. Pour accélérer un corps jusqu'à la vitesse $v = c$, il faudrait donc une énergie infinie, ce qui est impossible.

Si v dépassait c, le facteur $\sqrt{1 - v^2/c^2}$ deviendrait la racine carrée d'un nombre négatif, soit un nombre imaginaire: les longueurs, la masse et les intervalles de temps ne seraient pas réels. On en conclut donc que les corps ordinaires ne peuvent pas égaler ou dépasser la vitesse de la lumière. Toutefois, les équations d'Einstein, comme on le remarqua vers la fin des années 60, n'excluent pas la possibilité que des particules existent dont la vitesse soit *toujours* plus grande que c. Si de telles particules existaient

[†] Il y a un terme supplémentaire puisque:

$$\vec{\mathbf{F}} = \frac{d(m\vec{\mathbf{v}})}{dt} = m\vec{\mathbf{a}} + \frac{dm}{dt}\vec{\mathbf{v}}.$$

(on proposa de les nommer «tachyons», ce qui veut dire «rapide»), leur masse au repos, m_0, devrait être imaginaire; de cette manière, leur masse m serait, pour $v > c$, le rapport de deux nombres imaginaires, soit un nombre réel. Pour de telles particules hypothétiques, c serait une limite *inférieure* à leur vitesse. Malgré de longues recherches, on n'a trouvé aucun tachyon. Il semble donc que la vitesse de la lumière soit la vitesse limite dans l'Univers.

8.11 $E = mc^2$; la masse et l'énergie

Quand on applique une force nette constante sur un corps dont la masse au repos est m_0, la vitesse du corps augmente. Comme la force agit sur une certaine distance, le corps subit un travail et son énergie augmente. Au fur et à mesure que la vitesse du corps approche de c, la vitesse ne peut pas augmenter indéfiniment puisqu'elle ne peut dépasser c. De plus, la masse du corps augmente en même temps que la vitesse. Autrement dit, non seulement le travail subi par le corps augmente-t-il sa vitesse mais il contribue aussi à augmenter sa *masse*. Normalement, le travail subi par un corps augmente son énergie. Cette nouvelle caractéristique de la théorie de la relativité d'Einstein conduisit à la thèse, qui constitue une idée cruciale de cette théorie, que la masse est une forme d'énergie.

Pour trouver la relation mathématique entre la masse et l'énergie, nous supposerons que le théorème de l'énergie cinétique demeure valide en relativité et nous poserons que le mouvement est parallèle à l'axe des x. Le travail nécessaire pour augmenter la vitesse d'une particule de zéro à v est:

$$W = \int_i^f F\,dx = \int_i^f \frac{dp}{dt}\,dx = \int_i^f \frac{dp}{dt}\,v\,dt = \int_i^f v\,dp,$$

où i et f se rapportent aux états initial ($v = 0$) et final ($v = v$). Comme $d\,(pv) = p\,dv + v\,dp$, nous pouvons écrire:

$$v(dp) = d(pv) - p\,dv,$$

de sorte que

$$W = \int_i^f d(pv) - \int_i^f p\,dv.$$

Comme l'intégration est l'opération exactement inverse de la différentiation, le premier terme à droite devient:

$$\int_i^f d(pv) = pv\Big|_i^f = mv^2\Big|_0^v = mv^2,$$

où m est une fonction de v. Par conséquent,

$$\begin{aligned} W &= mv^2 - \int_0^v mv\,dv \\ &= mv^2 - \int_0^v \frac{m_0 v}{\sqrt{1 - v^2/c^2}}\,dv. \end{aligned}$$

L'intégration du second terme est facile puisque

$$\frac{d}{dv}\left(\sqrt{1 - v^2/c^2}\right) = -(v/c^2)/\sqrt{1 - v^2/c^2}.$$

Donc

$$\begin{aligned} W &= mv^2 + \left(m_0c^2\sqrt{1 - v^2/c^2}\right|_0^v \\ &= mv^2 + m_0c^2\sqrt{1 - v^2/c^2} - m_0c^2 \\ &= mv^2 + mc^2(1 - v^2/c^2) - m_0c^2, \end{aligned}$$

où nous avons utilisé l'équation 8.7. Comme $mc^2(1 - v^2/c^2) = mc^2 - mv^2$, nous obtenons finalement:

$$W = mc^2 - m_0c^2.$$

En vertu du théorème de l'énergie cinétique, le travail réalisé doit être égal à l'énergie cinétique finale puisque la particule s'est mise à accélérer à partir de l'état de repos. Par conséquent,

$$K = mc^2 - m_0c^2, \tag{8.10}$$

où m est la masse de la particule voyageant à la vitesse v et m_0 est sa masse au repos. Clairement donc, $K \neq \frac{1}{2}mv^2$ à très grande vitesse. Nous ne pouvons pas non plus substituer $m = m_0/\sqrt{1 - v^2/c^2}$ à m dans l'expression classique pour obtenir le résultat correct: $K \neq \frac{1}{2}m_0v^2/\sqrt{1 - v^2/c^2}$. L'expression correcte est l'équation 8.10.

Il est nécessaire d'interpréter l'équation 8.10. D'abord, que signifie le second terme de l'équation 8.10, m_0c^2? Conformément à l'idée que la masse est une forme d'énergie, Einstein appela m_0c^2, l'**énergie au repos** du corps. En réarrangeant l'équation 8.10, nous obtenons $mc^2 = m_0c^2 + K$. Nous appelons mc^2 l'*énergie totale E* de la particule (en supposant qu'il n'y a pas d'énergie potentielle); nous voyons ainsi que l'énergie totale égale l'énergie au repos plus l'énergie cinétique:

$$\begin{aligned} E &= mc^2 \\ &= m_0c^2 + K, \end{aligned} \tag{8.11}$$

ce qui correspond à la fameuse équation d'Einstein, $E = mc^2$.

L'énergie totale d'une particule au repos, soit son énergie au repos comme nous l'avons appelée, est $E_0 = m_0c^2$. Cette formule lie de façon mathématique les concepts d'énergie et de masse. Toutefois, pour que cette idée ait un sens quelconque d'un point de vue pratique, il faut que la masse soit convertible en énergie et vice versa. Autrement dit, si la masse n'est qu'une forme d'énergie, il faut qu'elle soit aussi convertible dans les autres formes d'énergie, lesquelles peuvent toutes se convertir les unes dans les autres. Cette hypothèse d'Einstein fut effectivement confirmée par d'innombrables expériences et constitue la base permettant d'expliquer plusieurs processus importants.

C'est en physique nucléaire et en physique des particules élémentaires que la mise en évidence expérimentale de la convertibilité de la masse et de l'énergie est le plus facile. On a pu ainsi démontrer expérimentalement que le pion neutre (π^0), dont la masse au repos est de $2{,}4 \times 10^{-28}$ kg, se désintègre en deux photons (radiations électromagnétiques pures); durant ce processus, le π^0 disparaît complètement. L'expérience montre aussi que la quantité d'énergie électromagnétique ainsi produite est exactement égale à la masse du π^0 tel que prédit par la formule d'Einstein, $E = m_0c^2$. On observe couramment le processus inverse en laboratoire: les radiations électromagnétiques peuvent, sous certaines conditions, être converties en particules matérielles comme les électrons. À plus grande échelle, l'énergie produite dans les centrales nucléaires provient de la perte de masse du combustible d'uranium au fur et à mesure qu'il subit le processus appelé fission. Même l'énergie radiante que nous recevons du Soleil est un exemple de $E = mc^2$; la masse du Soleil diminue continuellement à mesure qu'il irradie de l'énergie.

EXEMPLE 8.6 Un méson π^0 ($m_0 = 2{,}4 \times 10^{-28}$ kg) voyage à la vitesse $v = 0{,}80c = 2{,}4 \times 10^8$ m/s. Quelle est son énergie cinétique? Comparez votre résultat à celui obtenu au moyen d'un calcul classique.

SOLUTION La masse du π^0 à $v = 0{,}80c$ est:

$$m = \frac{m_0}{\sqrt{1 - v^2/c^2}} = \frac{2{,}4 \times 10^{-28}\ \text{kg}}{\sqrt{1 - (0{,}80)^2}} = 4{,}0 \times 10^{-28}\ \text{kg}.$$

Et donc l'énergie cinétique est:

$$K = (m - m_0)c^2 = (4,0 \times 10^{-28} \text{ kg} - 2,4 \times 10^{-28} \text{ kg})(3,0 \times 10^8 \text{ m/s})^2.$$
$$= 1,4 \times 10^{-11} \text{ J}.$$

Notez que les unités de mc^2 sont des kg · m²/s², qui sont des joules. Un calcul classique donnerait $K = \frac{1}{2}m_0v^2 = \frac{1}{2}(2,4 \times 10^{-28} \text{ kg})(2,4 \times 10^8 \text{ m/s})^2 = 6,9 \times 10^{-12}$ J, mais ce résultat est incorrect.

EXEMPLE 8.7 Quelle est la quantité d'énergie produite par la désintégration du méson π^0 de l'exemple précédent en rayonnements électromagnétiques?

SOLUTION L'énergie au repos du π^0 est:

$$E_0 = m_0c^2 = (2,4 \times 10^{-28} \text{ kg})(3,0 \times 10^8 \text{ m/s})^2 = 2,2 \times 10^{-11} \text{ J}.$$

Ceci est la quantité d'énergie produite par la désintégration du π^0 au repos. Si le π^0 a une énergie cinétique $K = 1,4 \times 10^{-11}$ J, l'énergie totale produite est de $3,6 \times 10^{-11}$ J.

EXEMPLE 8.8 L'énergie requise ou libérée par les réactions nucléaires et les désintégrations provient de la différence des masses des particules finales et initiales. La désintégration radioactive d'un atome d'uranium, pour lequel $m = 232{,}03714$ u, produit un atome de thorium, pour lequel $m = 228{,}02873$ u, plus un atome d'hélium, pour lequel $m = 4{,}00260$ u (les masses sont exprimées en unités de masse atomique; voir la section 4.3 du tome 1; 1 u = $1,6605 \times 10^{-27}$ kg). Calculez l'énergie libérée par la désintégration d'un atome d'uranium.

SOLUTION La masse initiale est de 232,03714 u; après la désintégration, la masse est de 228,02873 u + 4,00260 u = 232,03133 u. La diminution de masse est donc de 0,00581 u. Cette masse, soit $(0{,}00581)(1,66 \times 10^{-27} \text{ kg}) = 9,64 \times 10^{-30}$ kg, est transformée en énergie. De $E = mc^2$, nous avons:

$$E = (9,64 \times 10^{-30} \text{ kg})(3,00 \times 10^8 \text{ m/s})^2 = 8,68 \times 10^{-13} \text{ J}.$$

Comme 1 MeV = $1,60 \times 10^{-13}$ J, l'énergie libérée est de 5,43 MeV.

On peut écrire l'équation 8.10, qui donne l'énergie cinétique, en fonction de la vitesse v du corps à l'aide de l'équation 8.7:

$$K = m_0c^2\left(\frac{1}{\sqrt{1 - v^2/c^2}} - 1\right). \tag{8.12}$$

À basse vitesse, où $v \ll c$, nous pouvons éliminer la racine carrée de l'équation 8.12 à l'aide d'un développement binominal $(1 + x)^n = 1 + nx + n(n - 1)x^2/2! + \ldots$ Nous obtenons alors:

$$K \approx m_0c^2\left(1 + \frac{1}{2}\frac{v^2}{c^2} + \ldots - 1\right)$$
$$\approx \tfrac{1}{2}m_0v^2,$$

où les points dans la première expression représentent les termes de très petite valeur du développement, que nous avons négligés étant donné que nous avons supposé que $v \ll c$. Par conséquent, à basse vitesse, la formule relativiste de l'énergie cinétique prend la forme classique: $K = \frac{1}{2}m_0v^2$. C'est bien sûr ainsi qu'il doit en être. La relativité ne serait pas une théorie valable si ses prédictions à basse vitesse n'était pas aussi exactes qu'à haute vitesse. À des vitesses ordinaires, les autres équations de la théorie de la relativité restreinte deviennent aussi identiques aux équations classiques équivalentes: la contraction des longueurs, la dilatation du temps et l'augmentation de la masse disparaissent quand $v << c$, puisque $\sqrt{1 - v^2/c^2} \approx 1$.

On peut aussi établir une relation utile entre l'énergie totale E d'une particule et sa quantité de mouvement p. Comme $E = mc^2$ et que $p = mv$ où $m = m_0/\sqrt{1 - v^2/c^2}$, nous avons:

$$\begin{aligned} E^2 &= m^2c^4 = m^2c^2(c^2 + v^2 - v^2) \\ &= m^2c^2v^2 + m^2c^2(c^2 - v^2) \\ &= p^2c^2 + \frac{m_0^2c^4(1 - v^2/c^2)}{1 - v^2/c^2} \end{aligned}$$

ou

$$E^2 = p^2c^2 + m_0^2c^4. \tag{8.13}$$

Nous pouvons donc exprimer l'énergie totale en fonction de la quantité de mouvement p ou en fonction de l'énergie cinétique (équation 8.11).

Nous pouvons récrire l'équation 8.13 comme:

$$E^2 - p^2c^2 = m_0^2c^4.$$

Comme la masse au repos, m_0, d'une particule donnée est constante quel que soit le système de référence choisi, il est évident que la quantité $E^2 - p^2c^2$ doit aussi être constante quel que soit le système de référence choisi. Par conséquent, à un moment quelconque, l'énergie totale E et la quantité de mouvement p d'une particule sont différentes dans différents systèmes de référence; toutefois, la quantité $E^2 - p^2c^2$ a la même valeur dans tous les systèmes de référence inertiels. On dit que la quantité $E^2 - p^2c^2$ est **invariante** dans une transformation de Lorentz.

8.12 L'impact de la théorie de la relativité restreinte

Les prédictions de la théorie de la relativité restreinte ont été mises à l'épreuve dans un grand nombre d'expériences. Compte tenu de l'erreur expérimentale, on n'a cependant pu trouver aucune contradiction entre les résultats de ces expériences et la théorie. La grande majorité des scientifiques ont alors accepté la théorie de la relativité comme une description exacte de la nature.

Nous en avons parlé plus haut: à des vitesses de beaucoup inférieures à la vitesse de la lumière, les formules relativistes deviennent équivalentes aux formules classiques anciennes. Cela, nous pouvons nous y attendre, ou même l'exiger, puisque la mécanique newtonienne fonctionne si bien pour des corps bougeant à des vitesses $v << c$. L'exigence qu'une théorie plus générale (comme celle de la relativité) donne les mêmes résultats qu'une théorie plus limitée (comme la mécanique classique qui fonctionne pour $v << c$) s'appelle le **principe de correspondance**. Les deux théories doivent correspondre là où leurs domaines de validité respectifs se chevauchent. La relativité ne contredit donc pas la mécanique classique. C'est, au contraire, une théorie plus générale où la mécanique classique peut être considérée comme un cas particulier.

L'importance de la relativité n'est pas simplement de donner des résultats plus exacts, en particulier aux vitesses très élevées. Plus important encore, elle a modifié la façon dont nous voyons le monde. On considère maintenant les concepts d'espace et de temps comme relatifs et imbriqués l'un dans l'autre, alors qu'on les considérait auparavant comme absolus et distincts. Même nos concepts de matière et d'énergie ont été modifiés: l'un peut être converti dans l'autre. L'impact de la relativité s'est fait sentir dans des domaines très éloignés de la physique. Elle a, en effet, influencé d'autres sciences et même le monde des arts et de la littérature; elle fait désormais vraiment partie intégrante de la culture générale.

D'un point de vue pratique, nous avons rarement l'occasion dans notre vie quotidienne d'utiliser les formules mathématiques de la relativité. Par exemple, le facteur $\sqrt{1 - v^2/c^2}$, qui apparaît dans plusieurs formules relativistes, a la valeur de 0,995 quand $v = 0{,}1c$. Par conséquent, pour des vitesses aussi élevées que $0{,}1c = 3 \times 10^7$ m/s, le facteur $\sqrt{1 - v^2/c^2}$ dans les formules relativistes donne une correction numérique de moins de 1 %. Pour des vitesses inférieures à $0{,}1c$, sauf si la masse et l'énergie se convertissent l'une dans l'autre, nous n'avons ordinairement pas besoin d'utiliser les formules relativistes plus compliquées et nous pouvons nous servir des formules classiques plus simples.

RÉSUMÉ

On dit d'un système de référence qu'il s'agit d'un *système de référence inertiel* si la loi de l'inertie de Newton y est valide. Les systèmes de référence inertiels peuvent bouger à vitesse constante relativement les uns aux autres; les systèmes de référence en accélération sont non inertiels.

La *théorie de la relativité restreinte* d'Einstein repose sur deux principes: le *principe de relativité*, en vertu duquel les lois de la physique sont identiques dans tous les systèmes de référence inertiels, et le principe de *la constance de la vitesse de la lumière*, en vertu duquel la vitesse de la lumière dans le vide est la même dans tous les systèmes de référence inertiels.

L'une des conséquences de la théorie de la relativité est que deux événements simultanés dans un système de référence peuvent ne pas l'être dans un autre. D'autres conséquences sont: la *dilatation du temps* (les horloges en mouvement mesurent le temps plus lentement que des horloges au repos); la *contraction des longueurs* (la mesure de la longueur d'un corps est plus petite lorsque le corps est en mouvement que lorsqu'il est au repos); l'*augmentation de masse* (la masse d'un corps augmente avec sa vitesse); de plus, l'addition des vitesses doit se faire d'une façon spéciale. Toutes ces conséquences ne sont significatives qu'à hautes vitesses, soit à des vitesses avoisinant la vitesse de la lumière, laquelle peut être considérée comme la vitesse limite dans l'Univers.

Les *transformations de Lorentz* mettent en relation les positions et les temps d'événements dans un système de référence inertiel avec les positions et les temps de ces mêmes événements dans un second système de référence inertiel.

La théorie de la relativité a changé nos conceptions de l'espace et du temps, ainsi que de la masse et de l'énergie. On conçoit désormais le temps et l'espace comme intimement interreliés, le temps étant une quatrième dimension qui s'ajoute aux trois dimensions de l'espace. La masse et l'énergie peuvent se convertir l'une dans l'autre; l'équation

$$E = mc^2$$

donne la quantité d'énergie E nécessaire pour créer la masse m, ou vice versa. La loi de la conservation de l'énergie doit être modifiée de façon à inclure la masse comme une forme d'énergie. L'équation $E^2 = p^2c^2 + m_0^2c^4$ exprime la relation entre l'énergie totale E et la quantité de mouvement p d'une particule.

QUESTIONS

1. Donnez quelques exemples de systèmes de référence non inertiels.
2. Une femme se tient debout sur le toit d'un wagon en mouvement. Elle lance une lourde balle en l'air et à la verticale (lui semble-t-il). La balle atterrira-t-elle sur la voiture ou derrière elle (ne tenez pas compte de la résistance de l'air)?
3. Selon le principe de relativité, il est aussi légitime, pour une personne dans une automobile en mouvement uniforme, de déclarer que la voiture est au repos et que le sol sous la voiture est en mouvement que, pour une personne sur le sol, de déclarer que le sol est au repos et que la voiture est en mouvement. Êtes-vous d'accord avec ce principe ou ne l'admettez-vous qu'avec réticence? Motivez votre réponse.
4. La Terre tourne-t-elle vraiment autour du Soleil? Est-il aussi valide de prétendre que le Soleil tourne autour de la Terre? Traitez de cette question à la lumière du premier principe de relativité (selon lequel il n'y a pas de meilleur système de référence).
5. Vous vous éloignez d'une étoile à bord d'un vaisseau spatial à la vitesse de $0{,}5c$. À quelle vitesse la lumière de l'étoile passe-t-elle près de vous?

6. Deux événements qui se produisent en même temps et au même endroit pour un observateur donné sont-ils simultanés pour un second observateur en mouvement par rapport au premier?
7. *a*) Expliquez pourquoi deux événements ne sont simultanés pour deux observateurs en mouvement l'un par rapport à l'autre que s'ils se produisent au même point dans chaque système de référence. *b*) À quelles autres conditions les deux événements seront-ils simultanés pour chacun des deux observateurs?
8. Analysez l'expérience mentale de la section 8.4 du point de vue de O_1. (Tracez un diagramme analogue à la figure 8.7.)
9. La dilatation du temps veut que «des horloges en mouvement mesurent le temps plus lentement». En fait, la dilatation du temps n'a rien à voir avec le fait que le mouvement affecte le fonctionnement des horloges. Avec quoi la dilatation a-t-elle à voir?
10. La dilatation du temps signifie-t-elle que le temps s'écoule vraiment plus lentement dans les systèmes de référence en mouvement ou seulement qu'il *semble* s'écouler plus lentement?
11. On prétend que les métros d'aujourd'hui font vieillir les gens plus rapidement. Supposez que, dans l'avenir, on conçoive un métro voyageant à une vitesse avoisinant celle de la lumière. Comment pensez-vous que cela affecterait le vieillissement des gens?
12. De retour chez elle après un long voyage, une femme astronaute ayant l'air jeune s'adresse à un vieil homme aux cheveux gris en l'appelant «mon fils». Comment cela est-il possible?
13. Si vous vous éloigniez de la Terre à la vitesse de $0{,}5c$, remarqueriez-vous un changement de votre rythme cardiaque? Votre masse, votre hauteur et votre tour de taille changeraient-ils? Quelles réponses des observateurs sur la Terre utilisant des télescopes donneraient-ils à ces questions?
14. Comme les conséquences de la théorie de la relativité semblent contredire certaines notions sur le monde fondées sur notre expérience de tous les jours, elles semblent insensées. Exposez ces notions en détail et déterminez s'il existe une quelconque contradiction mesurable.
15. Comment votre vie quotidienne serait-elle changée si la vitesse de la lumière était de seulement 25 m/s?
16. À des vitesses ordinaires, disons à 90 km/h, y a-t-il augmentation de masse, dilatation du temps et contraction des longueurs?
17. Supposez que la vitesse de la lumière soit infinie. Qu'arriverait-il aux prédictions relativistes de la contraction des longueurs, de la dilatation du temps et de l'augmentation de la masse?
18. Expliquez comment les formules de la contraction des longueurs et de la dilatation du temps peuvent servir à indiquer que c est la vitesse limite dans l'Univers.
19. Soit un corps de masse m sur lequel une force constante est exercée pendant une période indéfinie. Discutez de la façon dont sa vitesse et sa masse changent avec le temps.
20. Une barre de fer chauffée à blanc est refroidie jusqu'à la température de la pièce. Sa masse change-t-elle?
21. L'équation $E = mc^2$ contredit-elle le principe de la conservation de l'énergie? Justifiez votre réponse.
22. L'équation $E = mc^2$ s'applique-t-elle aux particules qui voyagent à la vitesse de la lumière? S'applique-t-elle seulement à ces particules?
23. Un électron ne peut voyager qu'à des vitesses inférieures à la vitesse de la lumière. Ceci suppose-t-il une limite supérieure à la quantité de mouvement d'un électron? Si oui, quelle est cette limite supérieure?
24. Si la masse est une forme d'énergie, cela signifie-t-il qu'un ressort a plus de masse lorsqu'il est comprimé que lorsqu'il est détendu?
25. Il n'est pas vrai de dire que la matière ne peut être ni créée ni détruite. Que devrait-on dire plutôt?
26. Un neutrino est une particule élémentaire dont la masse au repos est nulle et qui voyage à la vitesse de la lumière. Pourriez-vous rejoindre un neutrino passant près de vous?

PROBLÈMES

SECTIONS 8.4 À 8.6

1. (I) Un faisceau d'un certain type de particule élémentaire voyage à la vitesse de $2{,}85 \times 10^8$ m/s. À cette vitesse, la durée de vie moyenne mesurée est de $2{,}50 \times 10^{-6}$ s. Quelle est la durée de vie de la particule au repos?
2. (I) Quelle est la vitesse d'un faisceau de pions si leur durée de vie moyenne mesurée est de $3{,}5 \times 10^{-8}$ s? Au repos, leur durée de vie est de $2{,}6 \times 10^{-8}$ s.
3. (I) Une fusée passe près de vous à la vitesse de $0{,}80c$. Vous mesurez sa longueur et vous obtenez 90 m. Quelle serait cette longueur si la fusée était au repos?
4. (I) Vous êtes assis dans votre voiture quand une autre voiture, très rapide, passe près de vous à la vitesse de $0{,}18c$. Une personne dans cette voiture dit que la sienne mesure 6,00 m et la vôtre, 6,15 m. Quelles sont vos mesures pour ces deux longueurs?
5. (I) Vous décidez de voyager jusqu'à une étoile située à 65 années-lumière de distance. À quelle vitesse devriez-vous voyager pour que cette distance ne soit que de 20 années-lumière?
6. (II) Une certaine étoile se trouve à 36 années-lumière de la Terre. Combien de temps une fusée voyageant à $0{,}98c$ prendrait-elle pour aller de la Terre jusqu'à cette étoile, selon la mesure d'observateurs *a*) sur la Terre *b*) dans la fusée? *c*) Quelle est la distance parcourue selon les observateurs dans la fusée? *d*) Quelle vitesse les observateurs de la fusée calculeront-ils à partir des résultats de *b*) et *c*)?
7. (II) Un de vos amis passe près de vous dans sa voiture sport à la vitesse de $0{,}760c$. Dans votre système de référence, vous mesurez que la longueur et la hauteur de la voiture sont respectivement de 5,80 m et de 1,45 m. *a*) Quelles sont cette longueur et cette hauteur lorsque la voiture est au repos?

b) Combien de secondes se sont écoulées sur la montre de votre ami pendant qu'il s'est écoulé 20,0 secondes sur la vôtre? *c*) À quelle vitesse voyagiez-vous selon votre ami? *d*) Combien de secondes se sont écoulées sur votre montre pendant qu'il s'est écoulé 20,0 secondes sur la sienne?

8. (II) L'étoile la plus proche de la Terre est Alpha du Centaure, à 4,2 années-lumière. *a*) À quelle vitesse constante une fusée doit-elle voyager pour aller de la Terre à cette étoile en 3,0 années-lumière, selon la mesure des astronautes dans la fusée? *b*) Combien de temps le voyage prend-il selon des observateurs sur la Terre?

9. (II) À quelle vitesse un faisceau de pions doit-il voyager pour que chaque pion parcoure en moyenne 20 m avant de se désintégrer? La durée de vie moyenne d'un pion au repos est de $2{,}6 \times 10^{-8}$ s.

SECTION 8.8

10. (I) Dans la figure 8.12, supposez que les origines de S et de S' soient superposées à $t = t' = 0$ et que S' bouge à la vitesse $v = 30$ m/s par rapport à S. Dans S', une personne est immobile en un point dont les coordonnées sont $x' = 25$ m, $y' = 20$ m et $z' = 0$. Calculez les coordonnées de cette personne dans S (x, y, z) à *a*) $t = 2{,}50$ s et *b*) $t = 10{,}0$ s. Utilisez la transformation galiléenne.

11. (I) Refaites le problème 10 en utilisant la transformation de Lorentz et une vitesse relative de $v = 1{,}50 \times 10^8$ m/s. Choisissez toutefois comme temps *a*) 2,50 μs et *b*) 10,0 μs.

12. (I) Un passager à bord d'une fusée voyageant à $0{,}50c$ (relativement à la Terre) observe un météore le dépasser à une vitesse qu'il mesure comme étant $0{,}50c$. À quelle vitesse le météore voyage-t-il relativement à la Terre?

13. (II) Deux fusées quittent la Terre dans des directions opposées, chacune à une vitesse de $0{,}50c$ relativement à la Terre. *a*) Quelle est la vitesse de la fusée 1 relativement à la fusée 2? *b*) Quelle est la vitesse de la fusée 2 relativement à la fusée 1?

14. (II) Une fusée quitte la Terre et voyage à la vitesse de $0{,}68c$. Une seconde fusée quitte la première fusée à la vitesse de $0{,}86c$ relativement à la première. Calculez la vitesse de la seconde fusée relativement à la Terre si elle est lancée *a*) dans la même direction que la première fusée, *b*) dans la direction de retour vers la Terre.

15. (II) Dans le problème 10, supposez que la personne bouge à une vitesse (dans une fusée) dont les composantes sont $u'_x = u'_y = 25{,}0$ m/s. Quelle sera sa vitesse relativement à S? (Donnez la grandeur et la direction.)

16. (II) Dans le problème 11, supposez que la personne bouge à une vitesse (dans une fusée) dont les composantes sont $u'_x = u'_y = 2{,}0 \times 10^8$ m/s. Quelle est sa vitesse relativement à S? (Donnez la grandeur et la direction.)

17. (II) Une fusée s'éloigne de la Terre à une vitesse de $0{,}66c$. Un module mis à feu sur la fusée quitte celle-ci à une vitesse de $0{,}82c$ à angle droit avec la fusée (selon les observations de la fusée). Quelle est la grandeur et la direction de la vitesse du module (relativement à la direction du mouvement de la fusée) selon des observateurs sur la Terre?

18. (II) Si une particule bouge dans le plan xy du système S (figure 8.12) à la vitesse u dans une direction faisant un angle θ avec l'axe des x, montrez qu'elle fait un angle θ' dans S' donné par $\tan\theta' = (\sin\theta)\sqrt{1 - v^2/c^2}/(\cos\theta - v/u)$.

19. (II) Un bâton de longueur L_0, au repos dans un système de référence S, fait un angle θ avec l'axe des x. Dans le système de référence S', qui se déplace vers la droite à la vitesse $\bar{\mathbf{v}} = v\hat{\mathbf{i}}$ relativement à S, déterminez *a*) la longueur L du bâton et *b*) l'angle θ' qu'il fait avec l'axe des x'.

20. (III) Au Far West, un shérif dans un train roulant à 50 m/s voit un duel entre deux hommes sur le sol à 50 m l'un de l'autre parallèlement au train. Les instruments du shérif indiquent que, dans son système de référence, les deux hommes ont tiré simultanément. *a*) Lequel des deux hommes, le premier dépassé par le train (A) ou le second (B), le shérif devrait-il arrêter pour avoir tiré le premier? *b*) Combien de temps a-t-il tiré avant l'autre? *c*) Qui a le premier reçu une balle?

21. (III) Un garçon de ferme étudiant la physique croit qu'il peut faire entrer une perche longue de 12 m dans une grange longue de 10 m s'il court assez vite (en portant la perche). Peut-il le faire? Justifiez votre réponse de façon détaillée. Comment cela s'accorde-t-il avec l'idée que lorsqu'il court, la grange semble plus courte que 10 m?

SECTION 8.9

22. (I) Quelle est la masse d'un proton voyageant à $v = 0{,}75c$?

23. (I) À quelle vitesse la masse d'un corps est-elle le double de sa masse au repos?

24. (II) À quelle vitesse v la masse d'un corps est-elle 1 % plus grande que sa masse au repos?

25. (II) La vitesse d'échappement de la Terre est de 4×10^7 m/h. Quel est le pourcentage d'augmentation de la masse d'une fusée de $3{,}8 \times 10^5$ kg voyageant à cette vitesse?

26. (II) *a*) Quelle est la vitesse d'un électron dont la masse est 10^4 fois plus grande que sa masse au repos? L'accélérateur linéaire de Stanford (SLAC) permet d'accélérer des électrons à de telles vitesses. *b*) Si les électrons voyagent dans le laboratoire dans un tube de 3,0 km de long (comme dans l'accélérateur de Stanford), quelle est la longueur de ce tube dans le système de référence des électrons?

27. (II) Trouvez la formule exprimant la variation de la densité d'un corps avec la vitesse v.

SECTION 8.11

28. (I) Combien d'énergie pourrait-on obtenir par la conversion de 1,0 mg de matière? Quelle masse cette énergie pourrait-elle soulever à une hauteur de 100 m?

29. (I) Quelle est l'énergie cinétique d'un électron dont la masse est 5,0 fois sa masse au repos?

30. (I) Une certaine réaction chimique requiert un apport d'énergie de $2{,}56 \times 10^4$ J. Quelle est l'augmentation de masse des produits par rapport à la masse des réactifs?

31. (I) Calculez l'énergie d'un électron au repos en joules et en MeV (1 MeV = $1{,}60 \times 10^{-13}$ J).

32. (II) Une fusée dont la masse au repos est de $2{,}0 \times 10^4$ kg est accélérée jusqu'à $0{,}25c$. *a*) Quelle est l'énergie cinétique de la fusée? *b*) Si vous utilisiez la formule classique pour l'énergie cinétique, quel serait votre pourcentage d'erreur?

33. (II) Calculez la masse d'un proton ($m_0 = 1{,}67 \times 10^{-27}$ kg) dont l'énergie cinétique est la moitié de son énergie totale. À quelle vitesse voyage-t-il?

34. (II) Calculez l'énergie cinétique et la quantité de mouvement d'un proton ($m_0 = 1{,}67 \times 10^{-27}$ kg) voyageant à la vitesse de $8{,}3 \times 10^7$ m/s. Quels auraient été vos pourcentages d'erreur si vous aviez utilisé les formules classiques?

35. (II) Quelle est la vitesse et la quantité de mouvement d'un électron ($m_0 = 9{,}11 \times 10^{-31}$ kg) dont l'énergie cinétique est la moitié de son énergie au repos?

36. (II) Un électron ($m_0 = 9{,}11 \times 10^{-31}$ kg) est accéléré du repos jusqu'à la vitesse v par une force conservative. En conséquence, son énergie potentielle diminue de $4{,}20 \times 10^{-14}$ J. Déterminez la vitesse de l'électron.

37. (II) Combien de grammes de matière faudrait-il transformer complètement pour faire fonctionner une ampoule lumineuse de 100 W pendant un an?

38. (II) Combien d'énergie faut-il pour briser un noyau d'hélium en ses composants, soit deux protons et deux neutrons? Les masses au repos d'un proton (incluant un électron), d'un neutron et de l'hélium (incluant ses deux électrons) sont de 1,00783 u, 1,00867 u et 4,00260 u respectivement. (On appelle cette énergie l'énergie de liaison du noyau.)

39. (II) Dessinez un graphique de l'énergie cinétique en fonction de la quantité de mouvement pour *a*) une particule de masse au repos non nulle et *b*) une particule de masse nulle au repos.

40. (II) Déterminez le changement de masse d'un conducteur sphérique de rayon $R = 1{,}0$ m quand on lui donne une charge $Q = +85\ \mu$C. Considérez le changement de masse dû à *a*) la perte d'électrons et *b*) l'augmentation d'énergie ($E = mc^2$).

41. (II) Quelle grandeur de champ magnétique B faut-il pour garder des protons de 400 GeV en révolution sur le cercle d'un rayon de 1,0 km du synchroton du Fermilab? Utilisez la masse relativiste. La masse au repos du proton est de $0{,}938\ \text{GeV}/c^2$.

42. (II) Montrez que l'énergie d'une particule de charge e en révolution sur un cercle de rayon r dans un champ magnétique B est donnée par E (en eV) $= Brc$ dans la limite ultrarelativiste ($v \approx c$).

43. (II) Montrez que la relation entre l'énergie cinétique (K) d'une particule au repos de masse m_0 et sa quantité de mouvement p est donnée par l'équation:

$$p = \sqrt{(K)^2 + 2(K)(m_0c^2)}/c.$$

44. (II) Un pion de masse au repos m_π se désintègre en un muon (masse au repos $= m_\mu$) et un neutrino de masse au repos nulle. Montrez que l'énergie cinétique du muon est $K_\mu = (m_\pi - m_\mu)^2c^2/2m_\pi$.

45. (III) *a*) Dans un système de référence S, une particule a une quantité de mouvement $\vec{\mathbf{p}} = p_x\hat{\mathbf{i}}$ le long de l'axe positif des x. Dans le système de référence S', qui se déplace à la vitesse v comme dans la figure 8.12, montrez que l'énergie et les trois composantes de la quantité de mouvement sont:

$$p'_x = \frac{p_x - vE/c^2}{\sqrt{1 - v^2/c^2}}$$

$$p'_y = p_y$$

$$p'_z = p_z$$

$$E' = \frac{E - p_x v}{\sqrt{1 - v^2/c^2}}.$$

(Ces équations de transformation sont valides, en fait, pour toute direction de $\vec{\mathbf{p}}$.) *b*) Montrez que p_x, p_y, p_z et E/c se transforment selon la transformation de Lorentz de la même manière que x, y, z et ct.

CHAPITRE

9

LA PREMIÈRE THÉORIE DES QUANTA ET LES MODÈLES DE L'ATOME

La théorie des quanta constitue le second volet de la révolution qui secoua les bases de la physique dans la première partie du XXe siècle (le premier étant la théorie de la relativité d'Einstein). Contrairement à la théorie de la relativité restreinte (dont les thèses fondamentales furent, dans leurs grandes lignes, émises par une seule personne et en une seule année), la révolution de la théorie des quanta prit presque trente ans, et plusieurs scientifiques y contribuèrent. Cette révolution, déclenchée en 1900 par l'hypothèse des quanta de Planck, atteignit son apogée au milieu des années 1920 avec la théorie de la mécanique quantique de Schrödinger et Heisenberg, qui a été si utile à notre compréhension de la structure de la matière.

9.1 L'hypothèse des quanta de Planck

L'un des phénomènes encore inexpliqués à la fin du XIXe siècle était le spectre de la lumière émise par les corps chauds. En effet, tous les corps émettent des radiations dont l'intensité totale est proportionnelle à la quatrième puissance de la température absolue ($\propto T^4$). Aux températures dont nous avons l'habitude, nous ne percevons pas cette radiation électromagnétique à cause de sa faible intensité. Toutefois, à des températures plus élevées, les radiations infrarouges émises sont suffisantes pour que nous sentions la chaleur si nous nous trouvons près de l'objet. À des températures encore plus élevées (de l'ordre de 1000 K), les objets (tels les éléments d'une cuisinière électrique ou d'un grille-pain, par exemple) rougeoient. À des températures supérieures à 2000 K, les corps luisent d'une couleur jaune ou blanchâtre (par exemple un fer chauffé à blanc ou le filament d'une ampoule électrique). Au fur et à mesure que la température augmente, les corps émettent des radiations électromagnétiques qui parviennent à leur maximum à des fréquences de plus en plus élevées.

La figure 9.1 donne le spectre de la lumière émise par un *corps noir* parfait. Un tel corps absorberait toute la radiation qui le frapperait; la radiation qu'il émet, appelée **rayonnement du corps noir**, est la plus facile à traiter théoriquement. Comme on peut le voir, le spectre d'un tel corps contient une plage continue de fréquences. Tout solide, tout liquide, ou même tout gaz dense, émet, lorsqu'il est chauffé, un tel spectre continu. La courbe de 6000 K dans la figure 9.1 correspondant à la température du Soleil (qui n'est pas tout à fait un corps noir, mais presque) a son sommet dans la partie visible du spectre. Pour des températures plus basses, le rayonnement total diminue considérablement et le maximum se retrouve à des longueurs d'onde plus grandes. C'est pourquoi l'extrémité bleue du spectre visible (et la lumière ultraviolette) est relativement plus faible. On a constaté la relation suivante entre la longueur d'onde au maximum du spectre, λ_m, et la température absolue, T:

$$\lambda_m T = 2{,}90 \times 10^{-3}\ \text{m} \cdot \text{K}.$$

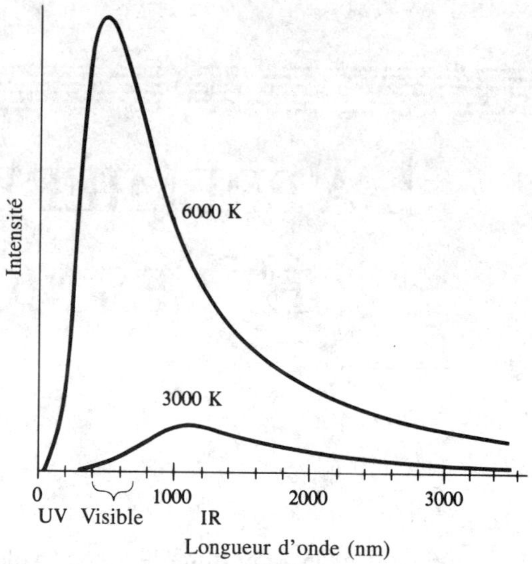

FIGURE 9.1 Spectre des fréquences émises par un corps noir à deux températures différentes.

Cette relation est nommée la **loi du déplacement de Wien**. Pour la température du Soleil, elle donne $\lambda_m = (2{,}90 \times 10^{-3}\ \mathrm{m \cdot K})/(6{,}0 \times 10^3\ \mathrm{K}) = 500$ nm, qui se trouve dans le spectre visible (figure 9.1).

Un problème majeur qui confrontait les scientifiques des années 1890 était l'explication du rayonnement des corps noirs. Selon la théorie électromagnétique de Maxwell, des charges électriques qui oscillent émettent des ondes électromagnétiques, et donc le rayonnement émis par un corps chaud pouvait être causé par les oscillations des charges électriques dans les molécules du corps. Toutefois, quoique cette théorie expliquait d'où provenait le rayonnement, elle ne prédisait pas correctement le spectre qui était observé pour la lumière émise. Deux importantes courbes théoriques basées sur les idées classiques furent proposées par Wien (1896) et par Rayleigh (1900). Légèrement modifiée plus tard par Jeans, la théorie de Rayleigh est maintenant connue sous le nom de théorie Rayleigh-Jeans. Mais lorsque de plus en plus de résultats expérimentaux furent disponibles, il devint clair que ni la théorie de Wien ni celle de Rayleigh-Jeans n'étaient en accord avec l'expérience: la première était exacte pour les petites longueurs d'onde mais s'écartait des données expérimentales pour des longueurs d'onde plus grandes; l'inverse était vrai pour la théorie de Rayleigh-Jeans (figure 9.2).

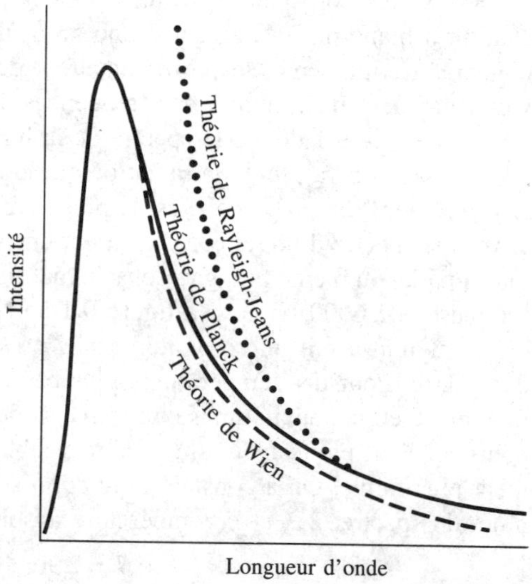

FIGURE 9.2 Théories de Wien et de Rayleigh-Jeans comparées à celle de Planck, qui suit de près l'expérience.

Un déblocage survint à la fin de l'année 1900, lorsque Max Planck (1858-1947) présenta une formule empirique qui concordait très bien avec les données:

$$I(\lambda, T) = \frac{2\pi hc^2 \lambda^{-5}}{e^{hc/\lambda kT} - 1}.$$

$I(\lambda, T)$ est l'intensité du rayonnement en fonction de la longueur d'onde λ, à la température T; k est la constante de Boltzman, c est la vitesse de la lumière et h est une nouvelle constante, qu'on appelle maintenant la **constante de Planck**. Planck estima la valeur de h en ajustant sa formule pour la courbe du rayonnement d'un corps noir aux données expérimentales. La valeur admise aujourd'hui est:

$$h = (6{,}6260755 \pm 0{,}0000040) \times 10^{-34}\ \mathrm{J \cdot s}$$

ou, pour la plupart des calculs,

$$h = 6{,}626 \times 10^{-34}\ \mathrm{J \cdot s}.$$

FIGURE 9.3 Max Planck (1858-1947).

Planck chercha ensuite une base théorique pour sa formule; en deux mois, il trouva qu'il pouvait déduire la formule en partant d'une hypothèse nouvelle et radicale (quoiqu'on ne la reconnut pas comme telle à l'époque): l'énergie distribuée dans les oscillateurs moléculaires n'était pas continue mais consistait en un nombre fini de très petites quantités discrètes, chacune correspondant à une fréquence d'oscillation, f, telle que:

$$E_{\min} = hf.$$

L'hypothèse de Planck donne à penser que l'énergie de toute vibration moléculaire ne peut être qu'un multiple entier de hf:

$$E = nhf \qquad n = 1, 2, 3, \ldots \tag{9.1}$$

Cette hypothèse est souvent appelée l'**hypothèse quantique de Planck** («quantum» signifie «quantité fixe») mais, à l'époque, on n'accordait pas beaucoup d'attention à ce point. En fait, il semble que Planck considérait son hypothèse comme un artifice mathématique permettant d'obtenir la «bonne réponse» et non comme une authentique découverte comparable à celles de Newton. Planck continua même à chercher une explication classique à l'introduction de h. Plus tard seulement, on reconnut qu'il s'agissait d'une innovation importante et radicale, soit après 1905, au moment où d'autres scientifiques, notamment Einstein, s'intéressèrent à la question.

Selon l'hypothèse quantique (équation 9.1), sous sa forme admise aujourd'hui, l'énergie peut être $E = hf$, ou $2hf$, ou $3hf$, et ainsi de suite, mais il ne peut y avoir de vibrations dont l'énergie se trouve entre ces valeurs. En d'autres mots, l'énergie ne serait pas une quantité continue, contrairement à ce qu'on a cru pendant des siècles. Elle serait plutôt **quantifiée**, c'est-à-dire qu'elle n'existerait qu'en quantités discrètes. La plus petite quantité d'énergie possible (hf) s'appelle un **quantum d'énergie**.

9.2 La théorie photonique de la lumière et l'effet photoélectrique

En 1905, soit l'année même où il présenta sa théorie de la relativité restreinte, Einstein proposa une nouvelle théorie de la lumière qui donnait encore plus d'importance aux idées quantiques. Les travaux de Planck suggéraient que l'énergie vibrationnelle des molécules dans un corps rayonnant était quantifiée, l'énergie étant $E = nhf$. Einstein pensait que si l'énergie des oscillateurs moléculaires était ainsi quantifiée, alors lorsqu'un oscillateur moléculaire émet de la lumière, son énergie (disons de nhf) doit diminuer d'au moins hf (ou de $2hf$, etc.) à un autre entier fois hf, soit $(n - 1)hf$. Par conséquent, en vertu de la loi de la conservation de l'énergie, la lumière devait être émise par paquets ou quanta, chacun ayant l'énergie:

$$E = hf. \tag{9.2}$$

ENCADRÉ 9.1

La température de couleur

L'œil juge de la couleur d'une source de lumière. Cette couleur dépend de la répartition de la luminance spectrale de la source. Il existe des sources de lumière, des corps noirs, dont seule la température détermine la luminance spectrale.

Le corps noir

Supposons un ensemble d'éléments physiques comme les atomes ou les molécules interagissant au hasard dans le désordre le plus complet et en équilibre avec l'environnement. Il en résulte que:

- le système total possède une température bien définie et comporte une suite continue de niveaux d'énergie parce que les éléments interagissent;
- le système émet autant qu'il reçoit, à chaque longueur d'onde, parce qu'il est en équilibre avec son environnement;
- la nature des éléments importe peu parce que la suite des niveaux d'énergie est continue.

Dans ces conditions, il est plausible que le rayonnement et la répartition spectrale d'un tel système dépende uniquement de la température. Ce système s'appelle le *corps noir* et son rayonnemment, le *rayonnement noir*; il n'existe pas dans la réalité, bien que plusieurs systèmes physiques, dont le Soleil, s'en approchent.

Entre environ 800 K et 40 000 K, le corps noir émet dans le visible. L'œil lui assigne une couleur à chacune de ces températures. À 800 K, il est rouge sombre, à 2000 K, il est orange, à 3000 K, il est jaune (très peu saturé, il contient beaucoup de blanc), à 6000 K, il est blanc et entre 10 000 K et 30 000 K, il est bleu.

La figure 1 montre des courbes de la luminance spectrale du corps noir à diverses températures. La courbe de 5800 K correspond à celle du Soleil, qui est presque un corps noir. Une lampe incandescente de 500 watts, qui n'est pas un corps noir, a une courbe semblable à celle d'un corps noir à 2854 K, avec un tiers de luminance en moins: c'est sa température de couleur.

La température de couleur

Si une source émet, à une certaine température de fonctionnement, un rayonnement dont la répartition spectrale est assez semblable à celle d'un corps noir

FIGURE 1 La luminance spectrale du corps noir à diverses températures.

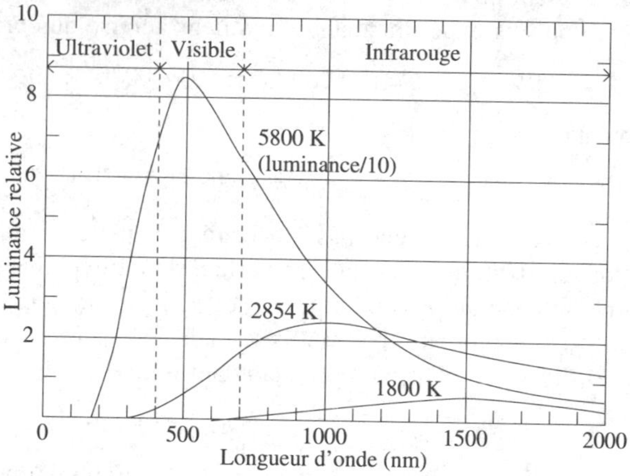

émettant cependant à une autre température, on étiquette le rayonnement de cette source au moyen de la température de ce corps noir; on l'appelle la température de couleur de la source, qui n'est pas, rappelons-le, la température réelle de la source. Évidemment, si la source est un corps noir, les températures de couleur et de fonctionnement coïncident. Notons qu'on utilise l'unité Kelvin dans la mesure de la température de couleur.

Le concept de température de couleur est utilisé, entre autres, dans les domaines de la photographie, de la télévision, de l'imprimerie et de l'éclairage scénique. Il permet de caractériser le rendu des couleurs d'une source au moyen d'un seul nombre, sa température de couleur.

L'œil et son jugement de la couleur

L'œil juge de la couleur au moyen de trois sortes de récepteurs rétiniens appelés les cônes. Chaque cône est sensible à une région particulière du domaine visible du spectre électromagnétique. En résumé, le cône A est plus sensible aux grandes longueurs d'onde, le cône B, aux moyennes et le cône C, aux courtes. Le cerveau compare entre eux les influx nerveux provenant de ces trois cônes: si l'influx venant du cône A est beaucoup plus fort que celui venant des deux autres, l'œil percevra un rouge soit rosâtre, soit pourpre, ou autrement selon la valeur relative des influx. La couleur d'une source dépend donc de la répartition de sa luminance spectrale.

Les sources de température de couleur

Bien qu'une source ne soit pas un corps noir, elle peut s'en approcher. Plus une source de lumière est constituée de structures matérielles complexes, plus elle comporte de niveaux d'énergie. De plus, ces derniers sont moins définis et plus rapprochés les uns des autres que si la structure était simple. Dans ces conditions, la source se rapproche d'un corps noir. Sa répartition spectrale devient presque continue et prend plus ou moins l'allure de la courbe spectrale d'un corps noir chauffé à une certaine température. La température (réelle) de ce corps noir est la température de couleur de la source.

Si la source est constituée de structures simples qui n'interagissent pas ou peu, son spectre est discontinu et le concept de température de couleur ne peut s'y appliquer. C'est le cas des sources à décharge dans les gaz à basse pression.

La figure 2 illustre les courbes de luminance spectrale de deux tubes fluorescents à vapeur de mercure à basse pression. Les raies sont dues à l'atome de mercure et le continu, aux enveloppes phosphorescentes des tubes. Comme il se doit, le spectre de la lampe de 3000 K se situe du côté des grandes longueurs d'onde (vers le rouge), celui de la lampe de 4500 K, du côté des courtes longueurs d'onde (vers le bleu).

La mesure de la température de couleur

La mesure de la température de couleur demande l'utilisation d'un appareil assez sophistiqué. L'appareil doit mesurer au moins trois luminances: celle de la région rouge, celle de la région verte et celle de la région bleue du spectre de la source. On recherche ensuite la température du corps noir dont le rayonnement, pour ces trois régions, atteint des valeurs relatives comparables. Cette température, qui comporte une certaine part d'arbitraire, est la température de couleur de la source mesurée.

Le tableau 1 donne une liste des températures de couleur de diverses sources de lumière.

FIGURE 2 Répartition de luminance spectrale et température de couleur de deux sources de lumière.

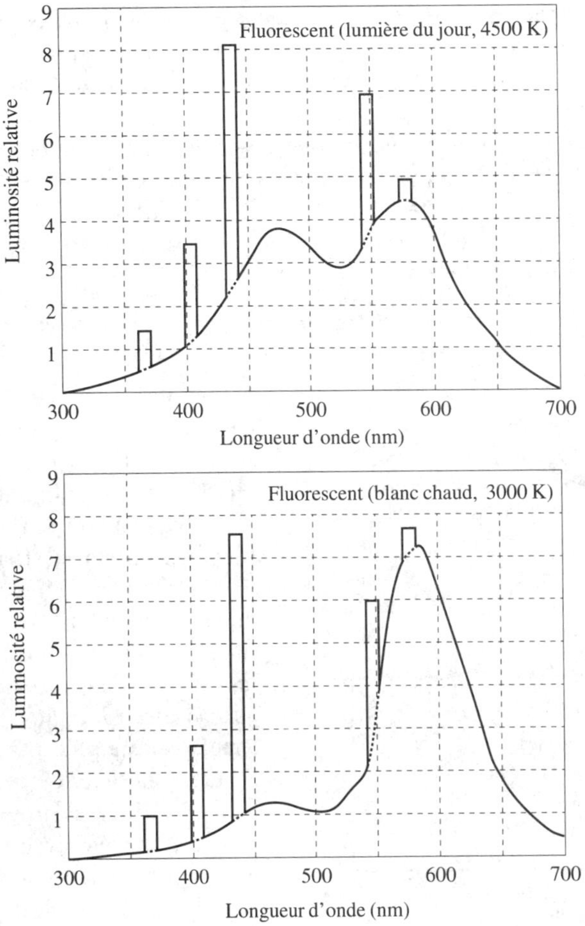

TABLEAU 1
Températures de couleur de diverses sources de lumière

Sources de lumière	Températures de couleur
Bougie	1800 K
Lampe ordinaire à filament de tungstène	2760 K à 2960 K
Lampe photographique à filament de tungstène	3200 K
Lampe «photoflood»	3400 K
Lampe «halogène-tungstène»	2700 K à 3400 K
Fluorescent (enveloppe blanche)	3000 K à 6500 K
Lampe éclair	3800 K à 5500 K
Flash électronique	6000 K
Soleil couchant	2000 K
Lumière du midi	5400 K
Ciel bleu	12 000 K à 18 000 K

ENCADRÉ 9.1(suite)

L'utilité de la température de couleur

Prenons un exemple qui illustre bien l'utilité du concept de température de couleur. En plus du nombre ASA (ou DIN) qui rend compte de la sensibilité de l'émulsion, un film couleur est affublé d'un autre nombre, soit la température de couleur pour laquelle il a été calibré. Si on utilise un film avec un éclairage de même température de couleur que celle pour laquelle il a été calibré, le rendu des couleurs se rapproche de la réalité.

Les films dits de type A sont calibrés pour un éclairage de 3200 K, ceux de type B, pour un éclairage de 3400 K et ceux de type D, pour un éclairage de 5500 K. Pour les usages courants, on utilise plutôt les deux dénominations: *film pour lumière de jour* (5500 K) et *film pour lumière d'intérieur* (3200 K).

P.-É. O.

Références

R. E. JACOBSON, S. F. RAY et G. G. ATTRIDGE (1988). *The Manual of Photography*, Focal Press, 8e édition.

S. J. WILLIAMSON et H. Z. CUMMINS (1983). *Light and Color in Nature and Art*, John Wiley & Sons.

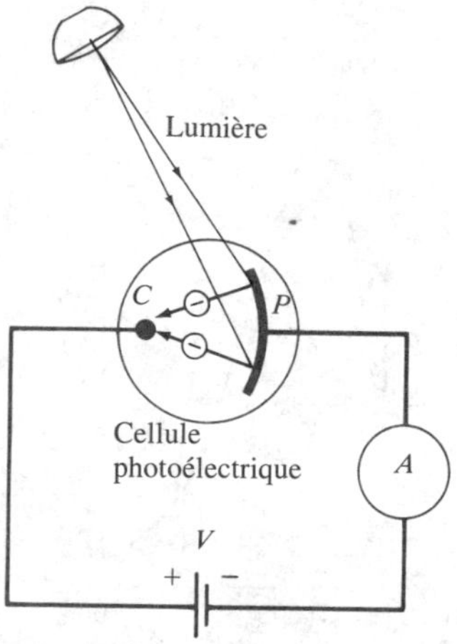

FIGURE 9.4 Effet photoélectrique.

Encore une fois, h est la constante de Planck. Comme toute lumière provient en fin de compte d'une source rayonnante, ceci donne à penser que peut-être *la lumière voyage sous forme de particules minuscules,* les **photons**, comme on les appelle aujourd'hui, plutôt que sous forme d'ondes. Cette hypothèse s'écartait elle aussi de façon marquée des idées classiques. Einstein proposa d'éprouver la validité de la théorie quantique de la lumière par un test simple: des mesures quantitatives de l'effet photoélectrique.

On nomme **effet photoélectrique** l'émission d'électrons par une surface métallique exposée à la lumière. (Quoique cet effet se produise aussi pour d'autres matériaux, son observation est plus facile avec le métal.) L'observation de cet effet peut se faire au moyen du dispositif représenté à la figure 9.4. Une plaque de métal P ainsi qu'une électrode plus petite C sont placées à l'intérieur d'un tube de verre à vide, appelé **cellule photoélectrique**. Les deux électrodes sont reliées à un ampèremètre et éclairées par une source d'ondes électromagnétiques (voir la figure). Lorsque la cellule photoélectrique se trouve dans le noir, l'ampèremètre indique zéro. Mais lorsqu'on éclaire la plaque avec une lumière de fréquence suffisamment élevée, l'ampèremètre indique un courant dans le circuit. Pour expliquer l'apparition du courant, nous pouvons imaginer qu'un flux d'électrons dans le tube passe de la plaque dans l'électrode «collectrice» C, comme cela est illustré.

L'émission d'électrons par un métal sous l'effet de la lumière ne contredit pas la théorie électromagnétique de la lumière; en effet, le champ électrique d'une onde électromagnétique pourrait exercer une force sur les électrons dans le métal et en extraire quelques-uns. Cependant, Einstein fit ressortir que les théories ondulatoire et photonique de la lumière aboutissaient à des prédictions très différentes sur les détails de cet effet. Ainsi, le dispositif représenté à la figure 9.4 permet notamment de mesurer l'énergie cinétique maximale (K_{max}) des électrons extraits. On utilise à cette fin une source de tension variable et on inverse les bornes de façon à ce que l'électrode C soit négative et l'électrode P, positive. Les électrons émis par P sont repoussés par l'électrode négative, mais si cette tension inverse est suffisamment petite, les électrons les plus rapides atteindront quand même C et il se produira un courant dans le circuit. Quand on augmente la tension inversée, on atteint un point où le courant est nul: aucun électron n'a assez d'énergie cinétique pour atteindre C. On appelle ceci le «potentiel d'arrêt» V_0; on peut déterminer K_{max} d'après la mesure de ce potentiel:

$$K_{max} = eV_0.$$

Essayons maintenant d'expliquer les détails de l'effet photoélectrique, d'abord à l'aide de la théorie ondulatoire, puis à l'aide de la théorie photonique d'Einstein. Supposons que la lumière soit monochromatique. Les deux propriétés importantes d'une onde lumineuse sont l'intensité et la fréquence (ou longueur d'onde). Quand on varie ces deux quantités, la théorie ondulatoire fait les prédictions suivantes:

1. L'augmentation de l'intensité de la lumière devrait avoir pour effet l'augmentation du nombre d'électrons extraits et de leur énergie cinétique maximale; en effet, une plus grande intensité suppose une plus grande amplitude du champ électrique; or, un champ électrique plus grand devrait éjecter les électrons avec une plus grande vitesse.

2. La fréquence de la lumière ne devrait pas affecter l'énergie cinétique des électrons extraits. Seule l'intensité devrait affecter K_{max}.

Les prédictions de la théorie photonique sont complètement différentes. Notons d'abord que, dans un faisceau monochromatique, tous les photons ont la même énergie ($= hf$). Quoiqu'une augmentation de l'intensité du faisceau lumineux suppose une augmentation du nombre de photons dans le faisceau, elle n'affecte nullement l'énergie de chaque photon tant que la fréquence ne change pas. Selon la théorie d'Einstein, un électron est éjecté du métal à la suite d'une collision avec un seul photon. Lors de la collision, toute l'énergie du photon est transférée à l'électron, et le photon cesse d'exister. Comme les électrons sont retenus dans le métal par des forces d'attraction, l'extraction d'un électron de la surface requiert une énergie minimale W_0. (Appelée le **travail d'extraction**, cette énergie est, pour la plupart des métaux, de l'ordre de quelques volts.) Lorsque la fréquence f de la lumière incidente est si basse que hf est inférieure à W_0, les photons n'ont pas assez d'énergie pour extraire un seul électron. Lorsque $hf > W_0$, des électrons sont éjectés et cela se fait sans perte d'énergie. En effet, l'apport d'énergie (du photon), hf, est égal à l'énergie cinétique de sortie de l'électron plus l'énergie requise pour l'extraire du métal W:

$$hf = K + W. \qquad (9.3a)$$

Pour les électrons retenus le moins fortement, W est le travail d'extraction W_0 et l'énergie cinétique dans cette équation devient K_{max}:

$$hf = K_{max} + W_0. \qquad (9.3b)$$

Juste pour sortir du métal, plusieurs électrons auront besoin de plus d'énergie que le minimum (W_0); en ce cas, leur énergie cinétique sera nécessairement inférieure au maximum.

Il découle de tout ceci qu'on peut faire les prédictions suivantes à partir de la théorie photonique:

1. Une augmentation de l'intensité du faisceau lumineux suppose un plus grand nombre de photons incidents et a pour conséquence l'extraction d'un plus grand nombre d'électrons. Toutefois, comme l'énergie de chaque photon ne varie pas, l'énergie cinétique maximale des électrons ne varie pas non plus.

2. Si on augmente la fréquence de la lumière, l'énergie cinétique maximale des électrons augmente linéairement, conformément à l'équation 9.3b, ou encore à:

$$K_{max} = hf - W_0.$$

La figure 9.5 est un graphique de cette dernière équation.

3. Si la fréquence f est inférieure à une fréquence «seuil» f_0 telle que $hf_0 = W_0$, aucun électron n'est extrait de la surface.

Ces prédictions de la théorie photonique sont évidemment très différentes de celles de la théorie ondulatoire. R. A. Millikan fit, en 1913-1914, des expériences rigoureuses dont les résultats corroborent parfaitement la théorie photonique d'Einstein.

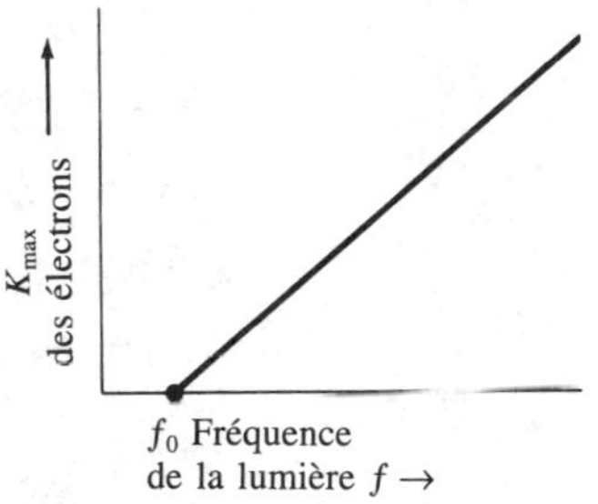

FIGURE 9.5 Effet photoélectrique: l'énergie cinétique maximale des électrons extraits augmente de façon linéaire avec la fréquence de la lumière incidente. Aucun électron n'est émis quand $f < f_0$.

La théorie photonique fut également confirmée par un autre aspect de l'effet photoélectrique. En effet, selon la théorie ondulatoire, lorsque l'intensité de la lumière utilisée est extrêmement basse, il faut un certain délai avant qu'un électron puisse être éjecté de la surface, puisqu'il doit absorber une quantité d'énergie supérieure au travail d'extraction. Selon la théorie photonique, ce délai n'est pas nécessaire; il ne faut qu'un seul photon (si sa fréquence est assez élevée) pour extraire un électron; les expériences ne mirent en évidence aucun délai. Ceci confirma encore une fois la théorie photonique d'Einstein.

EXEMPLE 9.1 Calculez l'énergie d'un photon de lumière bleue, $\lambda = 450$ nm.

SOLUTION Comme $f = c/\lambda$, nous avons:

$$E = hf = \frac{hc}{\lambda} = \frac{(6{,}63 \times 10^{-34}\ \mathrm{J \cdot s})(3{,}0 \times 10^{8}\ \mathrm{m/s})}{(4{,}5 \times 10^{-7}\ \mathrm{m})} = 4{,}4 \times 10^{-19}\ \mathrm{J},$$

ou $(4{,}4 \times 10^{-19}\ \mathrm{J})/(1{,}6 \times 10^{-19}\ \mathrm{J/eV}) = 2{,}7$ eV.

EXEMPLE 9.2 Déterminez l'énergie cinétique maximale et la vitesse d'un électron extrait d'une surface de sodium pour lequel le travail d'extraction est $W_0 = 2{,}28$ eV quand la surface est éclairée par de la lumière d'une longueur d'onde de *a*) 410 nm et *b*) 550 nm.

SOLUTION *a*) Pour $\lambda = 410$ nm, $hf = hc/\lambda = 4{,}85 \times 10^{-19}$ J ou 3,03 eV. D'après l'équation 9.3b, $K_{max} = 3{,}03\ \mathrm{eV} - 2{,}28\ \mathrm{eV} = 0{,}75$ eV ou $1{,}2 \times 10^{-19}$ J. Comme $K = \frac{1}{2}mv^2$ où $m = 9{,}1 \times 10^{-31}$ kg,

$$v = \sqrt{2K/m} = 5{,}1 \times 10^{5}\ \mathrm{m/s}.$$

Remarquez que nous avons utilisé l'équation non relativiste pour l'énergie cinétique. Si la valeur calculée de v avait été supérieure à environ $0{,}1c$, notre calcul aurait été incorrect par environ 1 %, auquel cas il aurait probablement été préférable de le refaire en utilisant l'équation relativiste (équation 8.12).

b) Pour $\lambda = 550$ nm, $hf = 3{,}60 \times 10^{-19}\ \mathrm{J} = 2{,}25$ eV. Comme l'énergie de ce photon est inférieure au travail d'extraction, aucun électron n'est éjecté.

EXEMPLE 9.3 On estime que, dans la *photosynthèse* (processus par lequel certains pigments, comme la chlorophyle dans les végétaux, convertissent le CO_2 et l'eau en hydrate de carbone grâce à l'énergie solaire), il faut environ neuf photons pour convertir une molécule de CO_2 en hydrate de carbone et en O_2. Si on suppose que la longueur d'onde de la lumière est $\lambda = 670$ nm (l'absorption chlorophylienne est plus forte dans le domaine allant de 650 nm à 700 nm), quelle est l'efficacité de la photosynthèse? La réaction chimique inverse a une chaleur de combustion de 4,9 eV/molécule de CO_2.

SOLUTION L'énergie de neuf photons, chacun d'une énergie $hf = hc/\lambda$ équivaut à $(9)(6{,}6 \times 10^{-34}\ \mathrm{J \cdot s})(3{,}0 \times 10^{8}\ \mathrm{m/s})/(6{,}7 \times 10^{-7}\ \mathrm{m}) = 2{,}7 \times 10^{-18}$ J ou 17 eV. L'efficacité de la photosynthèse est donc de (4,9 eV/17 eV) = 29 %.

9.3 Les photons et l'effet Compton

Les résultats d'un certain nombre d'autres expériences du début du XXe siècle supportaient la théorie photonique. L'une de ces expériences fut celle de l'**effet Compton**

(1923), nommé ainsi en l'honneur de son découvreur: A. H. Compton (1892-1962). Compton diffusait de la lumière de petite longueur d'onde (en fait, des rayons X) sur différents matériaux. Il trouva que la fréquence de la lumière diffusée était légèrement plus basse que celle de la lumière incidente, ce qui indiquait une perte d'énergie. Compton montra que cela pouvait s'expliquer, dans le cadre de la théorie photonique de la lumière, par la collision des photons incidents avec des électrons du matériau (figure 9.6). En appliquant à ces collisions les lois de la conservation de l'énergie et de la quantité de mouvement, il trouva que les énergies prédites des photons diffusés s'accordaient avec les résultats expérimentaux.

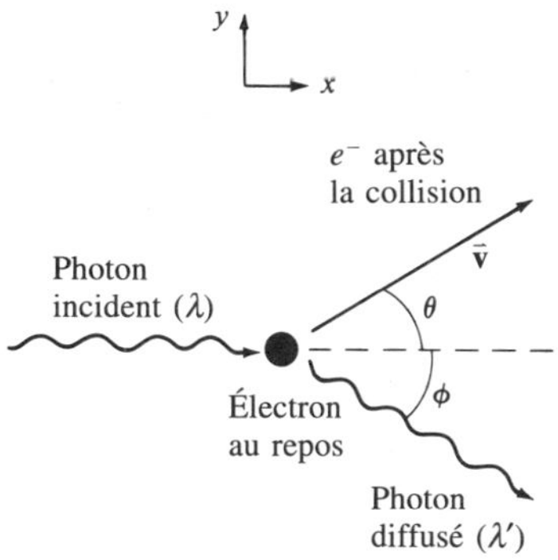

FIGURE 9.6 Effet Compton.

Examinons l'effet Compton de plus près. Nous remarquons d'abord que le photon est véritablement une particule relativiste: il voyage à la vitesse de la lumière. Il nous faut donc utiliser des formules relativistes pour rendre compte de sa masse, de son énergie et de sa quantité de mouvement. La masse m de toute particule est donnée par $m = m_0/\sqrt{1 - v^2/c^2}$. Comme $v = c$ pour un photon, le dénominateur est nul. La masse au repos, m_0, d'un photon doit aussi être nulle, autrement son énergie $E = mc^2$ serait infinie. Bien entendu, un photon n'est jamais au repos. La quantité de mouvement d'un photon, d'après l'équation 8.13 avec $m_0 = 0$, est:

$$p = \frac{E}{c}.$$

Comme $E = hf$, la relation entre la quantité de mouvement d'un photon et sa longueur d'onde est:

$$p = \frac{hf}{c} = \frac{h}{\lambda}. \tag{9.4}$$

Si la longueur d'onde du photon incident dans la figure 9.6 est λ, alors son énergie totale et sa quantité de mouvement sont:

$$E = hf = \frac{hc}{\lambda} \text{ et } p = \frac{h}{\lambda}.$$

Après la collision de la figure 9.6, le photon diffusé à l'angle ϕ a une longueur d'onde que nous appelons λ'. Son énergie et sa quantité de mouvement sont:

$$E' = \frac{hc}{\lambda'} \text{ et } p' = \frac{h}{\lambda'}.$$

L'électron, si on suppose qu'il est au repos avant la collision, est diffusé à un angle θ, comme cela est illustré. Son énergie cinétique est (voir l'équation 8.12):

$$K_e = \left(\frac{1}{\sqrt{1 - \frac{v^2}{c^2}}} - 1 \right) m_0c^2,$$

où m_0 est la masse au repos de l'électron et v, sa vitesse. La quantité de mouvement de l'électron est:

$$p_e = \frac{1}{\sqrt{1 - \frac{v^2}{c^2}}} m_0v.$$

En appliquant la loi de la conservation de l'énergie à la collision, nous obtenons:

$$\frac{hc}{\lambda} = \frac{hc}{\lambda'} + \left(\frac{1}{\sqrt{1 - \frac{v^2}{c^2}}} - 1 \right) m_0c^2.$$

Et en appliquant la loi de la conservation de la quantité de mouvement aux composantes en x et en y de la quantité de mouvement, nous obtenons:

$$\frac{h}{\lambda} = \frac{h}{\lambda'} \cos \phi + m_0 v \cos \theta \Big/ \sqrt{1 - \frac{v^2}{c^2}}$$

$$0 = \frac{h}{\lambda'} \sin \phi - m_0 v \sin \theta \Big/ \sqrt{1 - \frac{v^2}{c^2}}.$$

En combinant ces trois équations de façon à éliminer v et θ (cet exercice algébrique fait l'objet du problème 23), nous obtenons, tout comme Compton, une équation donnant la longueur d'onde d'un photon diffusé en fonction de son angle de diffusion ϕ:

$$\lambda' = \lambda + \frac{h}{m_0 c}(1 - \cos \phi).$$

Pour $\phi = 0$, la longueur d'onde ne change pas (il s'agit du cas où il n'y a pas de collision et où le photon passe tout droit). À tout autre angle, λ' est plus grand que λ. On appelle la différence des longueurs d'onde,

$$\Delta\lambda = \lambda' - \lambda = \frac{h}{m_0 c}(1 - \cos \phi), \tag{9.5}$$

le **déplacement de Compton**. (On appelle la quantité $h/m_0 c$, qui a des dimensions de longueur, la **longueur d'onde de Compton** d'une particule dont la masse au repos est m_0.) Les mesures exécutées par Compton en 1923 concordaient avec cette formule. La théorie ondulatoire de la lumière ne prédit pas un tel décalage: une onde électromagnétique incidente de fréquence f devrait faire osciller les électrons à la fréquence f et ces électrons oscillants devraient réémettre des ondes électromagnétiques de même fréquence (chapitre 12 du tome 2). L'effet Compton constitue donc une autre preuve expérimentale solide en faveur de la théorie photonique de la lumière.

9.4 Les interactions des photons; la production de paire

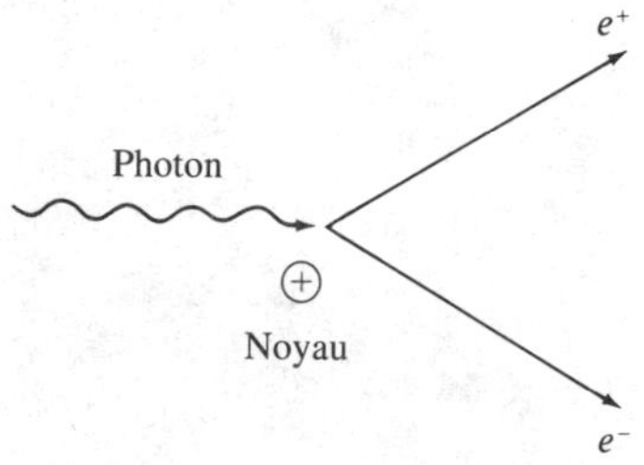

FIGURE 9.7 Production d'une paire: un photon disparaît et produit un électron et un positron.

Quand un photon traverse de la matière, il interagit avec les atomes et leurs électrons. Il existe quatre types importants d'interaction entre le photon et la matière. Premièrement, le photon peut être diffusé par un électron (ou un noyau) et perdre ainsi un peu d'énergie: il s'agit de l'effet Compton (figure 9.6). Notez toutefois que le photon n'est pas ralenti. Il voyage toujours à la vitesse c, mais sa fréquence est diminuée. Un second type d'interaction est l'effet photoélectrique: un photon peut frapper un électron et l'éjecter d'un atome et, ce faisant, disparaître lui-même. Le troisième type d'interaction est similaire au précédent: s'il n'a pas assez d'énergie pour éjecter l'électron, le photon peut, en frappant un électron atomique, le projeter à un niveau d'énergie plus élevé dans l'atome. Encore une fois, le photon disparaît et toute son énergie est transmise à l'atome. On dit qu'un tel atome est dans un état excité (nous en reparlerons plus loin de façon plus approfondie). Enfin, un photon peut même créer de la matière. Le processus le plus courant est la production d'un électron et d'un positron (figure 9.7). (Un positron a la même masse qu'un électron mais une charge opposée, $+e^{\dagger}$.) Ce processus s'appelle une **production de paire** et il entraîne la disparition du photon. Il s'agit d'un exemple de création de masse au repos à partir d'énergie pure, en accord avec l'équation d'Einstein $E = mc^2$. Notez qu'un photon ne peut pas créer seulement un électron, car alors la charge électrique ne serait pas conservée.

† Les positrons ne durent pas longtemps dans la nature. Lorsqu'un positron frappe un électron, les deux particules s'annihilent et produisent deux photons ou plus. Cette annihilation de paire est aussi un exemple de $E = mc^2$.

EXEMPLE 9.4 Déterminez l'énergie minimale et la longueur d'onde d'un photon pouvant produire une paire électron-positron.

SOLUTION Comme $E = mc^2$, l'énergie du photon se calcule de la façon suivante: $E = 2(9{,}1 \times 10^{-31}\ \mathrm{kg})(3{,}0 \times 10^8\ \mathrm{m/s})^2 = 1{,}64 \times 10^{-13}$ J ou 1,02 MeV. Un photon avec moins d'énergie ne peut pas produire de paire électron-positron. Comme $E = hf = hc/\lambda$, la longueur d'onde d'un photon de 1,02 MeV est:

$$\lambda = \frac{hc}{E} = \frac{(6{,}6 \times 10^{-34}\ \mathrm{J \cdot s})(3{,}0 \times 10^{8}\ \mathrm{m/s})}{(1{,}64 \times 10^{-13}\ \mathrm{J})} = 1{,}2 \times 10^{-12}\ \mathrm{m},$$

soit 0,0012 nm. La longueur d'onde doit donc être très petite. De tels photons sont dans la région des rayons gamma (ou des rayons X très courts) du spectre électromagnétique.

La production de paire ne peut pas s'effectuer dans l'espace vide car l'énergie et la quantité de mouvement ne pourraient pas simultanément être conservées. Ainsi, dans l'exemple 9.4, l'énergie est conservée, mais la paire électron-positron n'a pas de quantité de mouvement pour emporter la quantité de mouvement initiale du photon. On peut montrer qu'en fait n'importe quelle énergie, comme un corps massif additionnel tel un noyau atomique, doit participer à l'interaction pour emporter une partie de la quantité de mouvement.

9.5 La dualité onde-particule; le principe de complémentarité

L'effet photoélectrique, l'effet Compton ainsi que d'autres expériences constituent une base expérimentale ferme pour la théorie photonique de la lumière. Que doit-on penser alors des expériences classiques de Young et d'autres (chapitres 5 et 6) sur l'interférence et la diffraction, qui donnent une base expérimentale ferme à la théorie ondulatoire de la lumière?

Nous sommes apparemment dans un dilemme. Certaines expériences indiquent que la lumière se comporte comme une onde et d'autres montrent qu'elle se comporte comme un faisceau de particules. Ces deux théories semblent incompatibles, mais on a prouvé la validité de chacune. Les physiciens ont finalement conclu qu'il faut accepter cette dualité de la lumière. On appelle celle-ci la **dualité onde-particule**. La lumière est un phénomène plus complexe qu'une simple onde ou un simple faisceau de particules.

Pour éclaircir la situation, le grand physicien danois Niels Bohr (1885-1962; figure 9.8) émit son **principe de complémentarité**, selon lequel nous devons utiliser soit la théorie ondulatoire soit la théorie photonique de la lumière, mais non les deux, pour comprendre une expérience quelconque. Malgré cela, nous devons tenir compte aussi bien de la théorie ondulatoire que de la théorie photonique si nous voulons en venir à une pleine compréhension de la lumière. Ces deux aspects de la lumière se complètent donc l'un l'autre.

FIGURE 9.8 Niels Bohr (1885-1962) marchant avec Enrico Fermi (1901-1954) le long de la voie Appienne près de Rome.

Il n'est pas possible de «visualiser» cette dualité. Nous ne pouvons pas imaginer une combinaison onde-particule. Nous devons au contraire admettre que les deux aspects de la lumière sont deux «visages» montrés aux expérimentateurs.

Une partie de la difficulté provient de la façon dont nous pensons. Les représentations visuelles (ou modèles†) dans notre esprit sont basées sur ce que nous voyons dans notre expérience quotidienne du monde. Nous appliquons les concepts d'onde et

† Comme nous l'avons vu au chapitre 1 du tome 1, un modèle est une sorte d'analogie ou d'image mentale qui permet de décrire, grâce à quelque chose de familier, un certain ensemble de phénomènes que nous ne pouvons pas voir directement.

de particule à la lumière parce que, dans le monde macroscopique, nous voyons que l'énergie est transférée d'un lieu à un autre par ces deux moyens. Puisque nous ne pouvons pas voir directement si la lumière est une onde ou une particule, nous procédons donc à des expériences indirectes. Pour expliquer les expériences, nous appliquons les modèles d'ondes ou de particules à la nature de la lumière. Mais il s'agit là d'abstractions de l'esprit humain. Lorsque nous cherchons à concevoir ce que la lumière «est» réellement, il nous vient aussitôt à l'esprit une représentation visuelle. Il n'y a cependant aucune raison pour que la lumière soit conforme à ces modèles (ou représentations visuelles) pris dans le monde macroscopique. La «véritable» nature de la lumière (si cela veut dire quelque chose) n'est pas perceptible visuellement. Ce que nous pouvons faire de mieux, c'est d'admettre que nos connaissances ne peuvent s'appuyer que sur des expériences indirectes et que, dans les termes du langage et des images de la vie de tous les jours, la lumière manifeste des propriétés aussi bien ondulatoires que corpusculaires.

Il convient de noter que même l'équation d'Einstein, $E = hf$, lie les propriétés corpusculaires et ondulatoires d'un faisceau de lumière. Dans cette équation, E désigne l'énergie d'une particule tandis que, de l'autre côté de l'équation, nous avons la fréquence f de l'onde correspondante.

9.6 La nature ondulatoire de la matière

FIGURE 9.9 Louis de Broglie (1892-1987).

En 1923, Louis de Broglie (1892-1897; figure 9.9) répandit l'idée de la dualité onde-particule. Il avait une intuition profonde de la symétrie dans la nature et il supposa donc que si la lumière se comportait tantôt comme une onde et tantôt comme une particule, il se pouvait aussi que les choses que nous concevons comme des particules (les électrons et les autres corps matériels) aient peut-être aussi des propriétés ondulatoires. De Broglie émit l'idée qu'il existait entre la longueur d'onde d'une particule de matière et sa quantité de mouvement la même relation que pour un photon, soit l'équation 9.4, $p = h/\lambda$. Autrement dit, pour une particule de masse m voyageant à la vitesse v, la longueur d'onde λ est donnée par:

$$\lambda = \frac{h}{mv}. \qquad (9.6)$$

Ceci est souvent appelé la longueur d'onde d'une particule.

EXEMPLE 9.5 Calculez la longueur d'onde selon de Broglie d'une balle de 0,20 kg se déplaçant à une vitesse de 15 m/s.

SOLUTION $\lambda = h/mv = (6{,}6 \times 10^{-34}\ \mathrm{J \cdot s})/(0{,}20\ \mathrm{kg})(15\ \mathrm{m/s})$
$= 2{,}2 \times 10^{-34}\ \mathrm{m}.$

Il s'agit d'une longueur d'onde incroyablement petite. Même si la vitesse était extrêmement petite, disons 10^{-4} m/s, la longueur d'onde serait d'environ 10^{-29} m. Et en effet, la longueur d'onde d'un objet courant est beaucoup trop petite pour être détectable ou mesurable. Le problème est que les propriétés des ondes, comme l'interférence et la diffraction, ne sont importantes que lorsque la taille des objets ou des fentes n'est pas beaucoup plus grande que la longueur d'onde. Et on ne connaît pas d'objets ou de fentes pouvant diffracter des ondes longues de seulement 10^{-30} m, donc il est impossible de détecter les propriétés ondulatoires des objets de tous les jours.

Il en va autrement pour les particules élémentaires, tels les électrons. Comme la masse m apparaît au dénominateur dans l'équation 9.6, une très petite masse devrait donner une longueur d'onde beaucoup plus grande.

EXEMPLE 9.6 Déterminez la longueur d'onde d'un électron qui a subi une accélération dans une différence de potentiel de 100 V.

SOLUTION Nous supposons que la vitesse de l'électron est beaucoup plus petite que c et nous utilisons donc les formules de la mécanique classique. (Si cette supposition se révélait fausse, il nous faudrait refaire nos calculs avec des formules relativistes.) Le gain d'énergie cinétique égale la perte d'énergie potentielle. Par conséquent, $\frac{1}{2}mv^2 = eV$ et

$$v = \sqrt{2\,eV/m} = \sqrt{(2)(1{,}6 \times 10^{-19}\ \text{C})(100\ \text{V})/(9{,}1 \times 10^{-31}\ \text{kg})} = 5{,}9 \times 10^{6}\ \text{m/s}.$$

Et donc,

$$\lambda = \frac{h}{mv} = \frac{(6{,}6 \times 10^{-34}\ \text{J} \cdot \text{s})}{(9{,}1 \times 10^{-31}\ \text{kg})(5{,}9 \times 10^{6}\ \text{m/s})} = 1{,}2 \times 10^{-10}\ \text{m}$$

ou 0,12 nm.

Cet exemple nous montre que les électrons peuvent avoir des longueurs d'onde de l'ordre de 10^{-10} m. Quoique petite, une telle longueur d'onde peut être détectée: l'espacement des atomes dans un cristal est de l'ordre de 10^{-10} m et la disposition ordonnée des atomes dans un cristal peut servir, en quelque sorte, de réseau de diffraction, comme nous l'avons fait plus tôt pour les rayons X (voir la section 6.11). C. J. Davisson et L. H. Germer exécutèrent l'expérience cruciale; ils diffusèrent des électrons sur la surface d'un cristal métallique et, au début de 1927, observèrent que les électrons éjectés étaient distribués en pics réguliers. Lorsqu'ils interprétèrent ces pics comme une figure de diffraction, ils trouvèrent que la longueur d'onde de l'électron diffracté était exactement celle prédite par de Broglie (équation 9.6). La même année, G. P. Thomson (fils de J. J. Thomson), à l'aide d'un montage expérimental différent, détecta aussi la diffraction des électrons (voir figure 9.10). Des expériences ultérieures montrèrent que les protons, les neutrons et les autres particules ont aussi des propriétés ondulatoires.

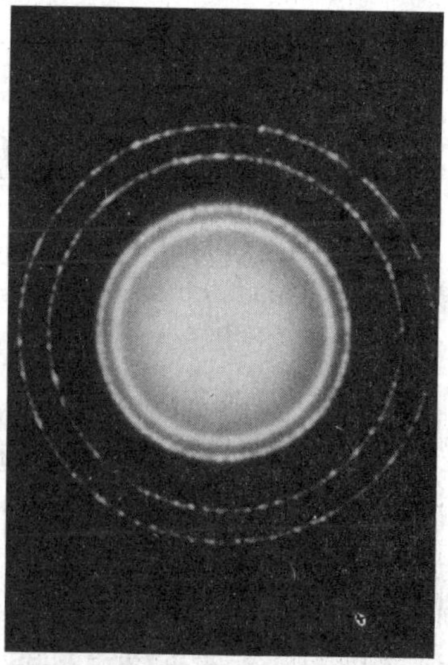

FIGURE 9.10 Figure de diffraction des électrons diffusés sur une feuille d'aluminium, enregistrée sur film. (Gracieuseté du *Education Development Center,* Newton, Mass., 02160.)

La dualité onde-particule s'applique donc aussi bien aux objets qu'à la lumière. Le principe de complémentarité s'applique aussi à la matière; autrement dit, nous devons tenir compte des aspects corpusculaire et ondulatoire de la matière, y compris des électrons, pour en avoir une pleine compréhension. Nous devons toutefois admettre, dans ce cas-ci également, qu'il est impossible de se représenter visuellement une «onde-particule».

On pourrait se demander: «Qu'est-ce qu'un électron?» Les premières expériences de J. J. Thomson (voir la section 7.8 du tome 2) indiquèrent une luminescence dans un tube en mouvement quand on y appliquait un champ magnétique. La meilleure interprétation des résultats de ces expériences, et d'autres, voulait que cette luminescence soit causée par de minuscules particules chargées négativement (que nous appelons maintenant électrons). Personne, cependant, n'a jamais vu un électron directement. Les illustrations, qui montrent parfois les électrons comme de minuscules sphères chargées négativement, ne sont que des images commodes (dont on sait maintenant qu'elles sont inexactes). Là encore, nous devons nous appuyer sur les données expérimentales, dont quelques-unes sont mieux interprétées à l'aide du modèle corpusculaire et d'autres, à l'aide du modèle ondulatoire. Ces modèles ne sont eux-mêmes que des images qui nous servent à faire des extrapolations du monde macroscopique au monde microscopique et infinitésimal des atomes. Et il n'y a aucune raison de s'attendre à ce que ces modèles reflètent de quelque manière la réalité d'un électron. Nous utilisons donc le modèle corpusculaire ou ondulatoire (celui qui fonctionne le mieux selon la situation) de façon à pouvoir parler de ce qui se produit. Mais nous ne devrions pas en conclure qu'un électron *est* une onde ou une particule. Nous devrions plutôt dire qu'un électron est l'ensemble de ses propriétés mesurables. Bertrand Russell, en disant qu'un électron est une «construction logique», exprima très bien cette idée.

ENCADRÉ 9.2

L'onde électronique

Le réseau de diffraction permet de révéler le caractère ondulatoire du rayonnement électromagnétique qu'il réfléchit ou qui le traverse, au moyen du patron d'interférence obtenu. On peut ainsi, au moyen du patron, mesurer la longueur d'onde du rayonnement. Or un faisceau électronique traversant un réseau ou réfléchi par lui donne aussi lieu à un patron d'interférences. Parler d'onde électronique aurait-il donc un sens?

L'invention du réseau de diffraction

David Rittenhouse (1732-1796) fabriqua le premier réseau de diffraction en 1785, presque 40 ans avant ceux de Joseph von Fraunhofer (1787-1826). Il eut cette idée en observant à travers un mouchoir le patron de diffraction d'une lumière éloignée. En 1801, Thomas Young (1773-1829) observa le phénomène équivalent, obtenu par réflexion de la lumière sur une surface striée.

Fraunhofer rapporta ses expériences sur les réseaux vers 1821. Il fabriqua des réseaux aux lignes de plus en plus serrées où des stries, pratiquées sur des films d'or ou sur des plaques de verre, remplaçaient les fils. En possession de la formule reliant la longueur d'onde, le pas du réseau et la position angulaire de la raie, il put déterminer les longueurs d'onde des principales raies dites de Fraunhofer et ce, avec une précision augmentant avec le resserrement des lignes du réseau.

Comme le montre la figure 1, un réseau se construit quand on dispose une suite de lignes (fils ou fentes) à la même distance *d* (le pas du réseau) les unes des autres. L'épaisseur d'une ligne (fil ou fente) du réseau idéal est infiniment petite.

FIGURE 1 Le réseau de diffraction.

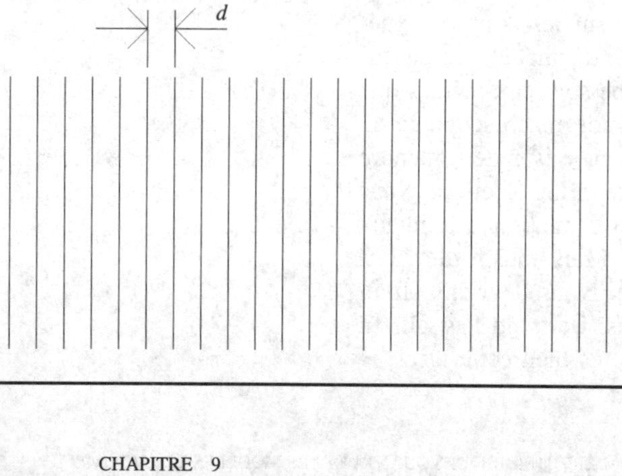

Certains réseaux de diffraction fonctionnent en transmission, d'autres en réflexion et d'autres encore à la fois en transmission et en réflexion.

Que se passe-t-il quand le rayonnement rencontre le réseau de diffraction? Considérons un réseau de transmission, constitué d'une série de fentes d'épaisseur presque nulle (beaucoup plus petite que λ, la longueur du rayonnement).

Premièrement, chaque fente du réseau diffracte le rayonnement. C'est pourquoi on parle d'un *réseau de diffraction.* C'est la première caractéristique du réseau, à laquelle correspond le terme «diffraction» dans l'expression «réseau de diffraction». La figure 2 illustre la diffraction à travers une fente du réseau, sur une étendue angulaire de 180°.

FIGURE 2 La diffraction par une fente du réseau.

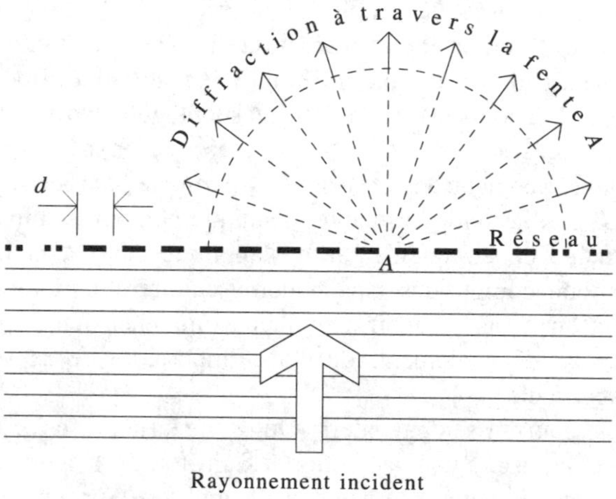

Deuxièmement, les rayonnements diffractés par les lignes interfèrent entre eux. L'écart angulaire $\Delta\theta$ entre les directions d'interférence constructive (les différents ordres) est donné par $\Delta\theta = \dfrac{\lambda}{d}$, comme le démontre la figure 3.

Le réseau et le rayonnement électromagnétique

Si la longueur d'onde λ du rayonnement électromagnétique est passablement plus élevée que celle du pas *d* du réseau, seul l'ordre 0 est présent; il n'y a pour ainsi dire pas de patron d'interférence. Il faut donc un réseau de pas approprié pour examiner les caractéristiques ondulatoires d'un rayonnement.

FIGURE 3 Interférence entre les rayons diffractés par chacune des lignes du réseau.

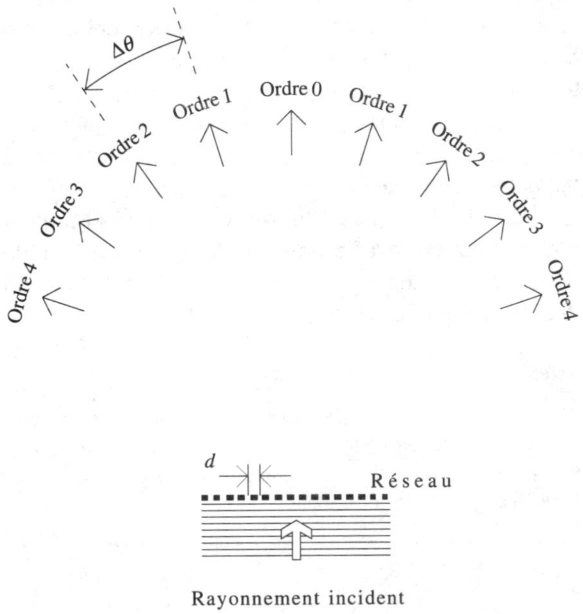

Il est facile de construire des réseaux pour des rayonnements de longueurs d'onde relativement grandes. Dans le domaine des rayons X, les seuls réseaux possibles sont les cristaux. Le rayonnement diffracte alors sur les mailles du cristal dont les distances entre les plans atomiques voisins sont de l'ordre de grandeur de la longueur d'onde des rayons X, et les rayonnements diffractés interfèrent entre eux. Le pas du réseau est donné par la distance interatomique dans le plan normal au rayonnement. Pour les rayons γ, il n'existe pas de structure matérielle périodique dont le pas soit suffisamment petit. On doit se contenter d'examiner le patron de diffraction produit par les rencontres individuelles (diffusions) du rayonnement avec les particules de la matière comme l'électron.

Les rayons X: des ondes ou des particules?

Les ondes X, découvertes en 1895 par W. Röntgen (1845-1923), furent, jusqu'en 1912, bien plus assimilées à des particules qu'à des ondes. Entre autres, le fait qu'elles soient émises par les atomes radioactifs en même temps que les particules α et β et le fait qu'elles ionisent les gaz qu'elles traversent concouraient à les prendre pour des particules. Pourtant, Max von Laue (1879-1960) démontra, en 1912, leur caractère ondulatoire en les faisant se diffracter à travers un cristal. Néanmoins, on pouvait dans bien des cas les associer à des particules. À ce sujet, Bragg (1862-1942) déclara que l'important n'était pas de découvrir si les rayons X étaient des ondes ou des particules, mais bien de concevoir une théorie qui puisse rendre compte de ces deux natures.

De 1921 à 1924, A. H. Compton (1892-1962) se pencha sur la diffusion des rayons X par des électrons: les rayons diffusés avaient une longueur d'onde plus grande. Ne pouvant expliquer ce fait au moyen de l'effet Doppler, il conclut à l'impossibilité de rendre compte du phénomène au moyen de la physique classique. Il expliqua l'augmentation de longueur d'onde par la perte d'un quantum d'énergie (d'Einstein) communiqué à l'électron. Il montra que, sur cette base, le phénomène obéit aux principes de la conservation d'énergie et de la quantité de mouvement.

Louis de Broglie (1892-1987) et l'onde matérielle

Maurice de Broglie (1875-1960) partageait l'opinion de Bragg quant à la double nature, corpusculaire et ondulatoire, des rayons X. Les deux frères de Broglie eurent de longues discussions sur cette question et sur l'effet photoélectrique.

En 1924, tenant compte des théories du quantum de lumière et de la relativité restreinte établies par Einstein (1879-1955) en 1905, Louis de Broglie associa à toute particule (comme l'électron) un caractère ondulatoire. Il était à la recherche d'une théorie synthétique du rayonnement qui puisse combiner à la fois les concepts d'onde et de particule. Sa thèse doctorale sur le sujet portait le titre *Recherches sur la théorie des Quanta*. Comme preuve expérimentale sur le caractère ondulatoire de toute entité matérielle, il avançait qu'un faisceau d'électrons devrait diffracter en passant à travers une ouverture. À Jean Perrin (1870-1942) qui lui demandait comment prouver expérimentalement ses dires, il répondit qu'on pourrait obtenir un patron d'interférence à partir des diffractions des électrons sur les mailles d'un cristal faisant office de réseau.

La découverte de l'onde électronique

En avril 1927, dans la revue *Nature*, Clinton Davisson (1881-1958) et Lester Germer (1896-1971) signaient l'article «The Scattering of Electrons by a Single Crystal of Nickel», où ils rapportaient leurs expériences reliant la quantité d'électrons réfléchis par le cristal à la direction de réflexion; les courbes expérimentales présentaient des pics (à un facteur constant près, jusqu'alors non élucidé mais qui fut expliqué par la suite) en accord avec ceux prévus par la théorie de Louis de Broglie sur les ondes matérielles, en l'occurence les ondes électroniques. Dans cette expérience, le cristal est assimilable à un réseau fonctionnant en réflexion.

En juin de la même année, George Thomson (1892-1975), fils de Joseph J. Thomson (1856-1940), un des découvreurs de l'électron (1897), publiait dans la même revue l'article «Diffraction of Cathode Rays by a Thin Film», qui confirmait aussi les conclusions de Louis de Broglie sur la nature ondulatoire des particules matérielles comme l'électron. Dans cette autre expérience, le cristal (le film mince) est assimilable à un réseau fonctionnant en transmission.

En 1937, Davisson et Thomson partageaient le prix Nobel de physique pour leur découverte de la diffraction électronique.

En 1932, James Chadwick (1891-1974) découvrait le neutron; quatre ans plus tard, on rapportait la diffraction des neutrons par un cristal: la diffraction des ondes neutroniques.

P.-É. O.

Références

Richard K. GEHRENBECK. «Electron diffraction: fifty years ago», *Physics Today*, janvier 1978, p. 34-41.

Sir George THOMSON. «The Septuagenarian Electron», *Physics Today*, mai 1967, p. 55-61.

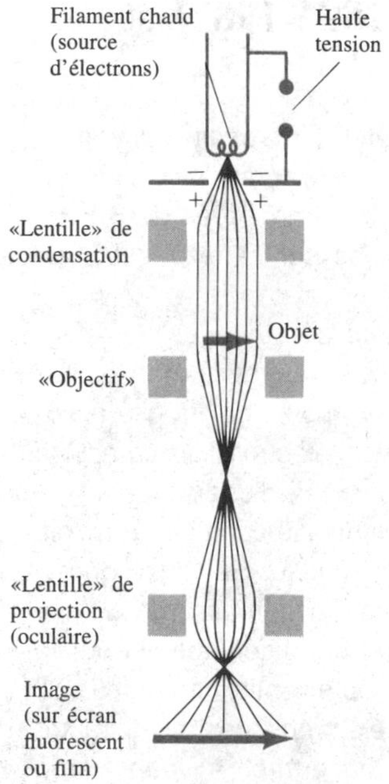

FIGURE 9.11 Microscope électronique à transmission. Les carrés représentent des bobines de champ magnétique pour les «lentilles magnétiques», lesquelles infléchissent la trajectoire des électrons et les amènent au foyer, comme dans la figure.

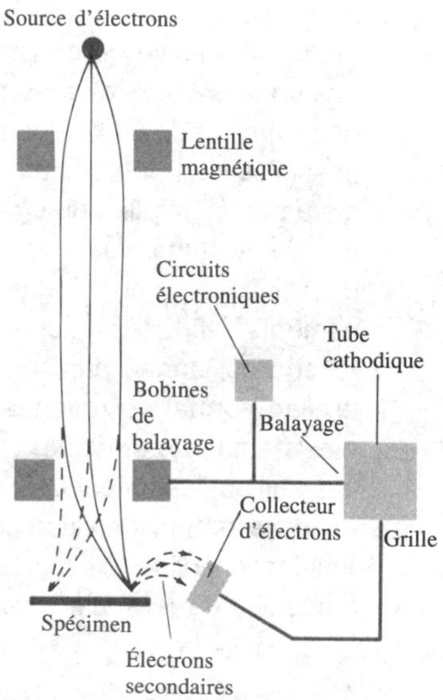

FIGURE 9.12 Microscope électronique à balayage. Des bobines de balayage imprime un mouvement de va-et-vient à un faisceau d'électrons pour qu'il balaie le spécimen. Les électrons secondaires produits quand le faisceau frappe le spécimen sont recueillis et modulent l'intensité du faisceau dans le tube cathodique pour produire une image.

9.7 Les microscopes électroniques

L'idée que les électrons ont des propriétés ondulatoires conduisit à l'invention du *microscope électronique*, lequel donne des images d'un grossissement de beaucoup supérieur à celui d'un microscope optique. Les figures 9.11 et 9.12 représentent deux types de microscopes électroniques: le *microscope électronique à transmission,* dont

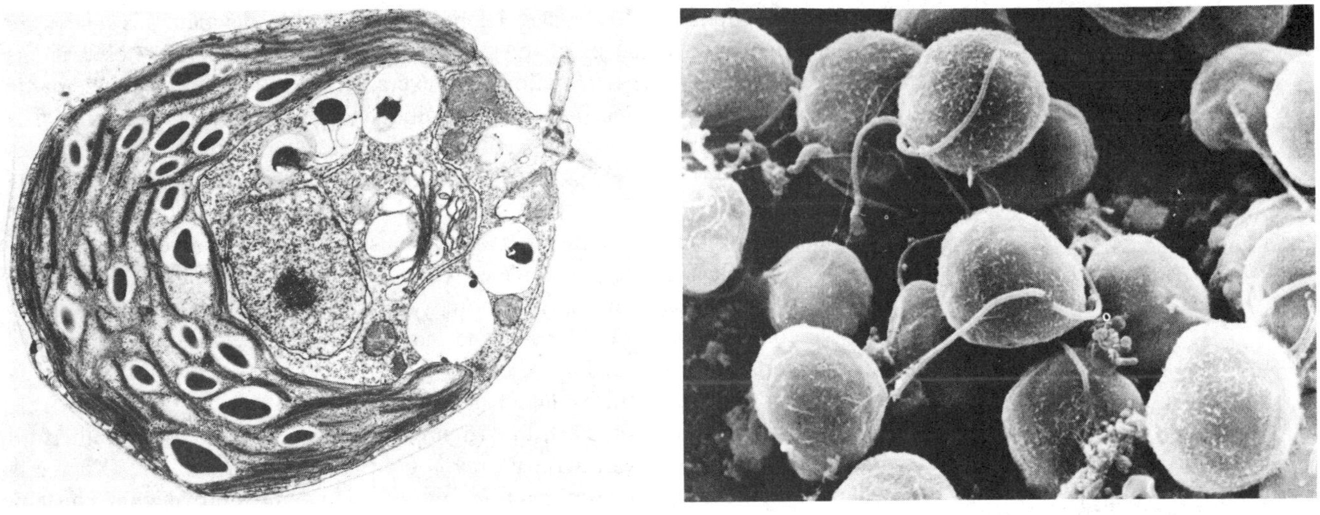

a) b)

FIGURE 9.13 Spécimen de *tetraspora*: photographie faite a) avec un microscope électronique à transmission et b) avec un microscope électronique à balayage. (Gracieuseté de J. D. Pickett-Heaps.)

les images sont bidimensionnelles, et le *microscope électronique à balayage,* inventé plus récemment et dont les images semblent avoir trois dimensions. Dans les deux cas, l'objectif et la lentille sont en fait des champs magnétiques produits par des bobines de fils parcourus par des courants électriques. La figure 9.13 montre des photographies faites avec ces deux types de microscopes.

Les électrons accélérés par des tensions de l'ordre de 10^5 V ont des longueurs d'onde de l'ordre de 0,004 nm. On pourrait idéalement obtenir des résolutions de cet ordre (voir les sections 6.4 et 6.5), mais en pratique les aberrations des lentilles magnétiques limitent la résolution dans les microscopes électroniques à transmission entre 0,2 nm et 0,5 nm environ, de l'ordre de la dimension des atomes et des molécules. Cette résolution est néanmoins 10^3 fois meilleure que celle réalisable avec un microscope optique et correspond à un grossissement utile d'environ un million. De tels grossissements sont difficiles à réaliser et des valeurs plus typiques se situent entre 10^4 et 10^5. La résolution optimale que permet d'obtenir un microscope électronique à balayage est typiquement d'environ 5 à 10 nm; des travaux récents indiquent cependant que la résolution pourrait même approcher les dimensions atomiques.

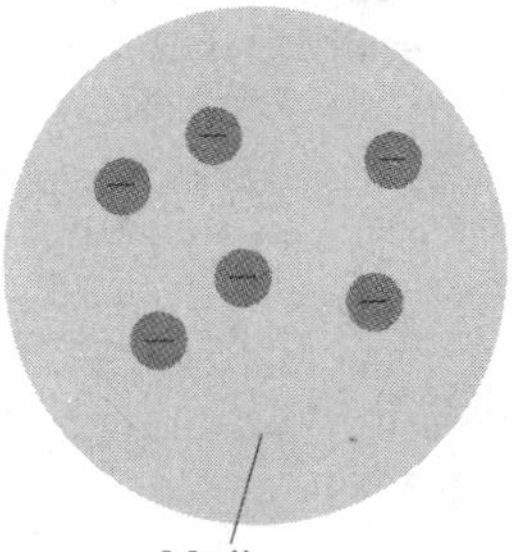

FIGURE 9.14 Modèle atomique du pouding aux raisins.

9.8 Les premiers modèles de l'atome

En 1900, la plupart des scientifiques acceptaient l'idée que la matière est faite d'atomes. Avec la découverte de l'électron dans les années 1890, les scientifiques commencèrent à penser que l'atome lui-même avait une structure et que les électrons faisaient partie de cette structure.

Un modèle typique des années 1890 représentait l'atome comme une sphère de charge positive dans laquelle se trouvaient les électrons chargés négativement, un peu comme les raisins dans un pouding (figure 9.14). J. J. Thomson (figure 9.15), peu après qu'il eut découvert l'électron en 1897, émit l'opinion que les électrons, selon ce modèle, devaient bouger.

Vers 1911, Ernest Rutherford (1871-1937; figure 9.15) et ses collègues réalisèrent des expériences dont les résultats contredirent le modèle de l'atome de Thomson. Dans ces expériences, ils bombardèrent une mince feuille de métal (d'or, par exemple) avec un faisceau de particules chargées positivement, les «particules alpha (α)» (figure 9.16a). (Ces particules α récemment découvertes étaient émises par certains matériaux radioactifs et on montra bientôt qu'il s'agissait d'atomes d'hélium ionisés.) D'après le modèle de Thomson, on prédisait que les particules alpha ne seraient pas déviées de façon significative car, d'une part, les électrons sont beaucoup plus légers

FIGURE 9.15 Ernest Rutherford (1871-1937) et J. J. Thomson (1856-1940).

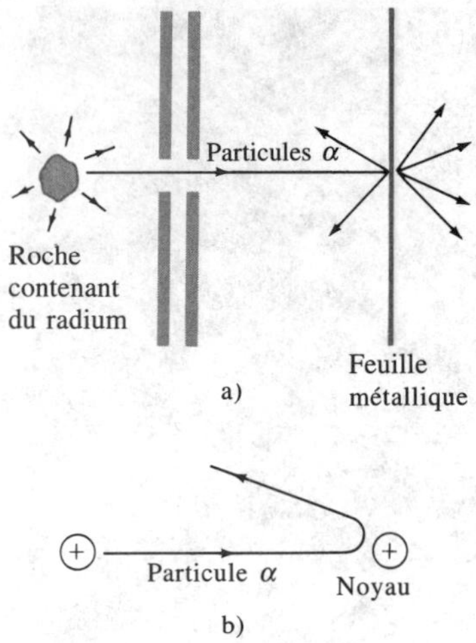

FIGURE 9.16 Montage expérimental pour l'expérience de Rutherford: des particules α émises par le radium frappent une feuille métallique et quelques-unes rebondissent vers l'arrière; b) le rebondissement vers l'arrière des particules α est expliqué par la répulsion de ces particules par les noyaux lourds chargés positivement.

que les particules alpha et, d'autre part, les particules alpha ne devaient pas rencontrer une concentration quelconque de charges positives qui les repousserait. Les résultats démentirent complètement ces prédictions. Il s'avéra, en effet, que la plus grande partie des particules alpha traversaient la feuille métallique sans être affectées, comme si la feuille était constituée presque entièrement d'espace vide. De plus, parmi les particules déviées, quelques-unes l'étaient à de très grands angles (certaines, presque dans la direction dont elles provenaient). Ceci n'était possible, pensa Rutherford, que si les particules alpha chargées positivement étaient repoussées par une charge positive massive concentrée dans une très petite région de l'espace (figure 9.16b). Il émit donc l'hypothèse que l'atome était constitué d'un noyau minuscule portant une charge positive massive contenant plus de 99,9 % de la masse de l'atome et entouré d'électrons situés à une certaine distance. Les électrons devaient décrire des orbites autour du noyau, un peu comme les planètes autour du Soleil, car autrement ils tomberaient vers le noyau à cause de l'attraction électrique (figure 9.17). Les expériences de Rutherford suggéraient que le noyau devait avoir un rayon d'environ 10^{-15} à 10^{-14} m. D'après la théorie cinétique, et en particulier d'après l'analyse du mouvement brownien d'Einstein, on estimait le rayon des atomes à environ 10^{-10} m. Les électrons se trouvaient donc vraisemblablement à une distance du noyau d'environ 10 000 à 100 000 fois le rayon du noyau lui-même; un atome devait donc être constitué surtout d'espace vide.

Le modèle «planétaire» de l'atome de Rutherford marqua un pas en avant décisif dans la direction du modèle de l'atome ayant cours aujourd'hui. Nous verrons cependant qu'il ne s'agissait pas d'un modèle complet et qu'il souffrait de problèmes majeurs.

9.9 Les spectres atomiques: la clé de la structure de l'atome

Nous avons vu au début du présent chapitre que les solides (de même que les liquides et les gaz denses) chauffés émettent de la lumière ayant un spectre continu de longueurs d'onde. On suppose que ce rayonnement est dû aux oscillations des atomes et des molécules, qui dépendent surtout de l'interaction entre chaque atome ou molécule et ses voisins.

Les gaz raréfiés aussi peuvent être excités de façon à émettre de la lumière. On atteint ce résultat par un chauffage intense ou, plus couramment, par l'application d'une haute tension dans un «tube à décharge» contenant le gaz à basse pression (figure 9.18). Le rayonnement émis par les gaz excités avait été observé dès le début du XIXe siècle et on avait alors trouvé que son spectre n'était pas continu mais *discret*. Comme les gaz excités n'émettent de la lumière que de certaines longueurs d'onde, l'analyse de cette lumière à travers la fente d'un spectroscope ou d'un spectrographe révèle un **spectre de raies** plutôt qu'un spectre continu. Le spectre de raies émis par un certain nombre d'éléments dans la région du visible apparaît à la figure 6.20 (tableau en couleurs). Le **spectre d'émission** est caractéristique du matériau et peut servir «d'empreintes digitales» pour identifier le gaz. Comme nous l'avons également vu au chapitre 6, lorsqu'un spectre continu passe à travers un gaz, on observe dans le spectre des raies sombres aux mêmes endroits où se trouvent normalement les raies émises par le gaz. C'est ce qu'on appelle un **spectre d'absorption**; il apparut clairement que les gaz absorbent la lumière de mêmes fréquences que la lumière qu'ils émettent. L'utilisation de films sensibles à la lumière ultraviolette et infrarouge permirent de montrer que les gaz émettent et absorbent des fréquences discrètes dans ces régions aussi bien que dans la région du visible.

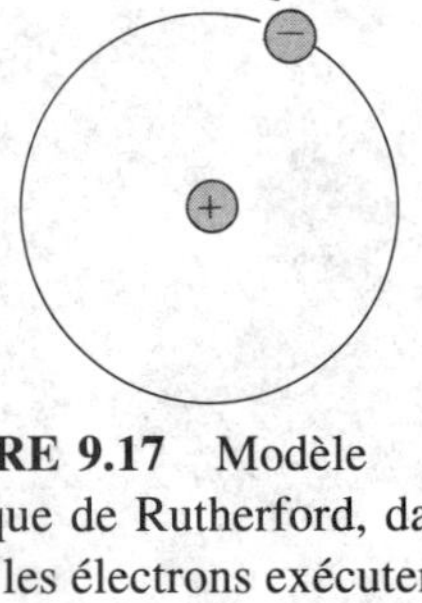

FIGURE 9.17 Modèle atomique de Rutherford, dans lequel les électrons exécutent des orbites autour d'un minuscule noyau positif (pas à l'échelle). L'atome apparaît comme étant surtout constitué d'espace vide.

Pour la discussion présente, l'importance des spectres de raies vient du fait qu'ils sont émis (ou absorbés) par des gaz non denses. Dans de tels gaz, les atomes sont en moyenne très distants les uns des autres; par conséquent, la lumière émise ou absorbée doit l'être par des atomes individuels et non devenir le résultat des interactions entre les atomes qui se produisent dans un solide, un liquide ou un gaz dense. Les spectres de raies servent donc de clé pour comprendre la structure de l'atome: toute théorie de la structure atomique doit permettre d'expliquer pourquoi les atomes émettent seulement de la lumière de longueurs d'onde discrètes, et doit pouvoir prédire ces fréquences.

L'hydrogène est l'atome le plus simple (il n'a qu'un électron en orbite autour de son noyau). Il a aussi le spectre le plus simple. Les spectres de la plupart des atomes présentent peu de régularité apparente; mais l'espacement entre les raies dans le spectre de l'hydrogène diminue de façon régulière (figure 9.19). En effet, en 1885, J. J. Balmer (1825-1898) montra que les quatre raies visibles dans le spectre de l'hydrogène (dont les longueurs d'onde sont, expérimentalement, de 656 nm, 486 nm, 434 nm et 410 nm) obéissaient à la formule suivante:

$$\frac{1}{\lambda} = R\left(\frac{1}{2^2} - \frac{1}{n^2}\right), \quad n = 3, 4, \ldots, \tag{9.7}$$

où n prend les valeurs de 3, 4, 5 et 6 pour les quatre raies et où R, appelé **constante de Rydberg**†, a la valeur $R = 1{,}097 \times 10^7\ \mathrm{m}^{-1}$. On montra ultérieurement que cette **série de Balmer** s'étendait dans la région ultraviolette, se terminant à $\lambda = 365$ nm (figure 9.19). La formule de Balmer (équation 9.7) est aussi valide pour ces raies, où n prend des valeurs entières plus grandes. Les raies près de 365 nm sont trop près les unes des autres pour être séparées, mais la limite de la série à 365 nm correspond à $n = \infty$ (et donc $1/n^2 = 0$ dans la formule).

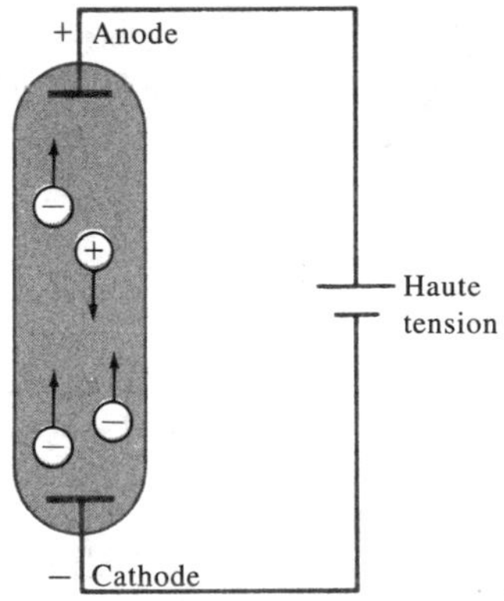

FIGURE 9.18 Tube de décharge.

Des expériences ultérieures sur l'hydrogène montrèrent qu'il existait d'autres séries de raies dans les régions ultraviolette et infrarouge et que ces séries présentaient une régularité similaire à celle de la série de Balmer, mais à des longueurs d'onde différentes. On montra que chacune de ces séries obéissait à une formule semblable à l'équation 9.7 mais dans laquelle $1/2^2$ était remplacé par $1/1^2$, $1/3^2$, $1/4^2$, et ainsi de suite. Par exemple, la **série de Lyman** contient des raies avec des longueurs d'onde de 91 nm à 122 nm et obéit à la formule:

$$\frac{1}{\lambda} = R\left(\frac{1}{1^2} - \frac{1}{n^2}\right), \quad n = 2, 3, \ldots$$

Et les longueurs d'onde de la **série de Paschen** obéissent à la formule:

$$\frac{1}{\lambda} = R\left(\frac{1}{3^2} - \frac{1}{n^2}\right), \quad n = 4, 5, \ldots$$

Le modèle de Rutherford, tel quel, ne pouvait expliquer pourquoi les atomes émettent des spectres de raies. Il présentait aussi d'autres difficultés. Selon le modèle de Rutherford, les électrons sont en orbite autour du noyau et, comme leurs parcours sont courbes, ils accélèrent. Ils devraient donc émettre de la lumière, comme n'importe quelle charge électrique en accélération (chapitre 12 du tome 2). Par conséquent, en vertu de la loi de la conservation de l'énergie, l'énergie que possèdent les électrons devrait diminuer pour compenser l'émission de lumière. On s'attendrait donc à ce que les électrons tombent en spirale vers le noyau et que leur fréquence ainsi que celle de la lumière émise augmentent graduellement. Les deux difficultés principales du modèle de Rutherford étaient donc celles-ci: 1) d'après ce modèle, on devrait observer l'émission d'un spectre de fréquences continu et non d'un spectre de raies comme on en obtient dans les expériences; 2) le modèle prédit que les atomes sont instables (les électrons tombant rapidement en spirale vers le noyau), ce qui est contraire à notre expérience de tous les jours, la matière autour de nous étant stable.

Le modèle de Rutherford n'était donc pas suffisant. Il était nécessaire de le modifier d'une manière ou d'une autre; c'est Niels Bohr qui apporta cette modification au moyen d'une idée essentielle: l'hypothèse quantique.

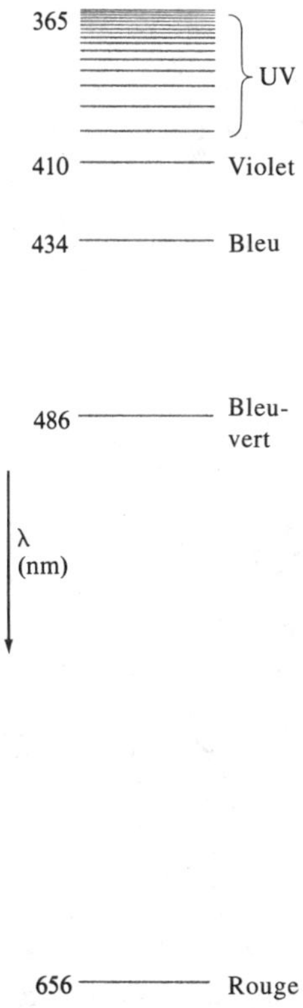

FIGURE 9.19 Série des raies de Balmer pour l'hydrogène.

† D'après J. R. Rydberg, qui généralisa la formule de Balmer aux éléments autres que l'hydrogène.

9.10 Le modèle de Bohr

Bohr avait étudié plusieurs mois dans le laboratoire de Rutherford en 1912 et il était convaincu que le modèle planétaire de Rutherford était fondamentalement valide. Mais pour qu'il fonctionne, il faudrait, selon Bohr, y incorporer la théorie quantique développée peu de temps auparavant. Les travaux de Planck et d'Einstein avaient montré que dans des solides chauffés, l'énergie des charges électriques oscillantes devait changer de façon discontinue, allant d'un état d'énergie discret à un autre avec émission d'un quantum de lumière. Peut-être, pensa Bohr, les électrons dans un atome ne peuvent-ils pas non plus perdre de l'énergie de façon continue mais par «sauts» quantiques. En élaborant sa théorie durant l'année suivante, Bohr postula que les électrons se déplaçaient autour du noyau sur des orbites nucléaires, mais que seulement certaines orbites étaient permises. Il postula, en outre, qu'un électron se trouvant sur l'une de ces orbites avait une énergie bien définie et qu'il décrirait cette orbite *sans rayonnement d'énergie* (même si cette hypothèse violait les idées classiques). Bohr appela donc les orbites possibles des **états stationnaires**. Selon son hypothèse, de la lumière n'était émise que lorsqu'un électron sautait d'un état stationnaire à un autre de moindre énergie. Lorsqu'un tel saut se produit, un seul photon de lumière est émis et son énergie, selon la loi de la conservation de l'énergie, est donnée par:

$$hf = E_i - E_f, \qquad (9.8)$$

où E_i est l'énergie de l'état initial (plus élevé) et E_f, l'énergie de l'état final (moins élevé).

Bohr se mit ensuite à chercher quelles énergies ces orbites devraient avoir, étant donné que le spectre de la lumière émise pouvait être prédit à l'aide de l'équation 9.8. Lorsqu'il apprit l'existence de la formule de Balmer au début de 1913, il trouva la clé qu'il cherchait. Bohr découvrit rapidement qu'il pouvait concilier sa théorie avec la formule de Balmer s'il supposait que le moment angulaire de l'électron L était égal à un nombre entier n fois $h/2\pi$. Comme nous l'avons vu au chapitre 11 du tome 1, le moment angulaire d'une particule de masse m suivant un cercle de rayon r à une vitesse v est $L = mvr$. La *condition quantique* de Bohr est donc:

$$L = mvr_n = n\frac{h}{2\pi}, \quad n = 1, 2, 3, \ldots, \qquad (9.9)$$

où n est un entier et r_n, le rayon de la n^e orbite possible. Les orbites permises sont numérotées 1, 2, 3, ..., selon la valeur de n, qu'on appelle le **nombre quantique** de l'orbite.

L'équation 9.9 ne reposait pas sur une fondation théorique ferme. Bohr avait cherché une «condition quantique», et une tentative telle que $E = hf$ (où E représente l'énergie de l'électron dans une orbite) ne donna pas des résultats conformes à l'expérience. La raison pour laquelle Bohr utilisa l'équation 9.9 était tout simplement qu'elle fonctionnait; nous allons maintenant voir comment.

Un électron sur une orbite circulaire de rayon r_n subit une accélération centripète v^2/r_n produite par la force d'attraction électrique entre l'électron négatif et le noyau positif, conformément à la loi de Coulomb,

$$F = \frac{1}{4\pi\varepsilon_0}\frac{(Ze)(e)}{r^2},$$

(figure 9.20). La charge de l'électron est $q_1 = -e$, et celle du noyau est $q_2 = +Ze$, où Z est le nombre de charges positives† (ou protons). Pour l'atome d'hydrogène, $Z = +1$.

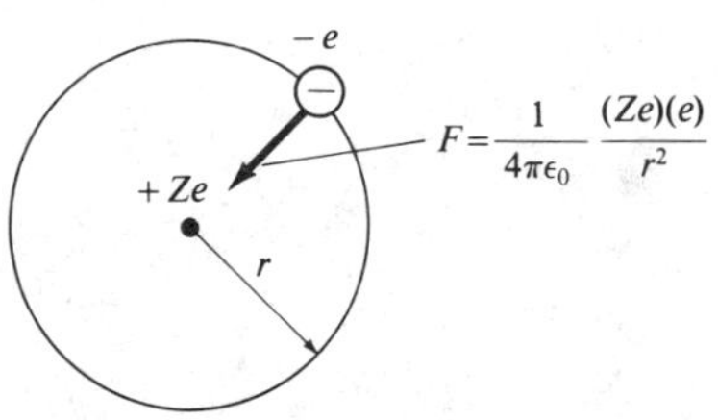

FIGURE 9.20 La force électrique (loi de Coulomb) garde l'électron négatif en orbite autour du noyau chargé positivement.

† Nous incluons Z dans notre démonstration de façon à pouvoir traiter des autres atomes à un seul électron («hydrogénoïde») comme les ions He^+ ($Z = 2$) et Li^{2+} ($Z = 3$). L'hélium à l'état neutre a deux électrons; lorsqu'un électron manque, l'ion He^+ résultant consiste en un électron tournant autour d'un noyau de charge $+2e$; de même, le lithium doublement ionisé, Li^{2+}, n'a qu'un seul électron et en ce cas, $Z = 3$.

D'après la seconde loi de Newton, $F = ma$, nous obtenons, en remplaçant F par $a = v^2/r_n$ dans la loi de Coulomb,

$$\frac{1}{4\pi\varepsilon_0}\frac{Ze^2}{r_n^2} = \frac{mv^2}{r_n}.$$

En isolant r_n et en remplaçant v par sa valeur d'après l'équation 9.9 (selon laquelle $v = nh/2\pi m r_n$), nous obtenons d'abord:

$$r_n = \frac{Ze^2}{4\pi\varepsilon_0 m v^2} = \frac{Ze^2 4\pi^2 m r_n^2}{4\pi\varepsilon_0 n^2 h^2},$$

puis en isolant r_n une deuxième fois (puisqu'il apparaît de chaque côté), nous obtenons:

$$r_n = \frac{n^2 h^2 \varepsilon_0}{\pi m Z e^2}. \tag{9.10}$$

Cette équation donne les rayons des orbites possibles dans le modèle de l'hydrogène de Bohr. La plus petite orbite a $n = 1$ et pour l'hydrogène ($Z = 1$), son rayon est:

$$r_1 = \frac{(1)^2(6{,}626 \times 10^{-34}\ \mathrm{J\cdot s})^2(8{,}85 \times 10^{-12}\ \mathrm{C^2/N\cdot m^2})}{(3{,}14)(9{,}11 \times 10^{-31}\ \mathrm{kg})(1)(1{,}602 \times 10^{-19}\ \mathrm{C})^2}$$

ou

$$r_1 = 0{,}0529\ \mathrm{nm}. \tag{9.11}$$

On appelle parfois ce rayon minimum, r_1, le **rayon de Bohr**. D'après l'équation 9.10, nous pouvons voir que les rayons des orbites plus grandes† augmentent comme n^2, de sorte que:

$$r_2 = 4r_1 = 0{,}212\ \mathrm{nm}$$
$$r_3 = 9r_1 = 0{,}476\ \mathrm{nm},$$

et ainsi de suite. Les quatre premières sont illustrées à la figure 9.21.

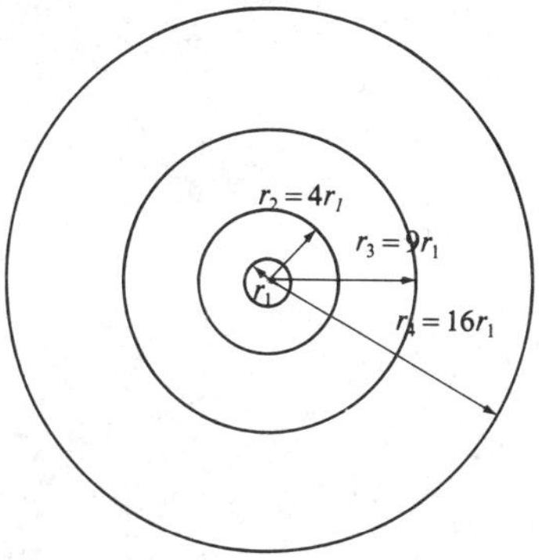

FIGURE 9.21 Orbites possibles dans le modèle de Bohr de l'hydrogène; $r_1 = 0{,}0529$ nm.

Dans chacune de ces orbites possibles, l'électron doit avoir une énergie définie, comme le calcul suivant le montre. L'énergie totale égale la somme des énergies cinétique et potentielle. L'énergie potentielle de l'électron est donnée par $U = qV = -eV$, où V est le potentiel dû à une charge ponctuelle $+Ze$ et est donné par l'équation 3.5 du tome 2: $V = (1/4\pi\varepsilon_0)(Q/r) = (1/4\pi\varepsilon_0)(Ze/r)$. Par conséquent,

$$U = -eV = -\frac{1}{4\pi\varepsilon_0}\left(\frac{Ze^2}{r}\right).$$

L'énergie totale E_n d'un électron dans la n^e orbite de rayon r_n est la somme de ses énergies cinétique et potentielle:

$$E_n = \tfrac{1}{2}mv^2 - \frac{1}{4\pi\varepsilon_0}\frac{Ze^2}{r_n}.$$

En remplaçant, dans cette équation, v par sa valeur dans l'équation 9.9 et r_n par sa valeur dans l'équation 9.10, nous obtenons:

$$E_n = -\left(\frac{Z^2 e^4 m}{8\varepsilon_0^2 h^2}\right)\left(\frac{1}{n^2}\right). \quad n = 1, 2, 3, \ldots \tag{9.12}$$

† Il importe de ne pas croire que ces orbites bien définies existent réellement. Le modèle de Bohr n'est qu'un modèle, non la réalité; l'idée des orbites électroniques fut rejetée quelques années plus tard, et aujourd'hui on considère plutôt les électrons comme formant des «nuages» (chapitre 11).

Pour l'hydrogène ($Z = 1$), le niveau d'énergie le plus bas a $n = 1$ et quand on introduit les valeurs numériques dans l'équation 9.12, on obtient:

$$E_1 = -2{,}17 \times 10^{-18}\ \text{J} = -13{,}6\ \text{eV},$$

où nous avons converti les joules en électron-volts ($1\ \text{eV} = 1{,}6 \times 10^{-19}\ \text{J}$) comme c'est l'usage en physique atomique. Comme n^2 apparaît au dénominateur de l'équation 9.12, les énergies des orbites plus grandes sont données par:

$$E_n = -\frac{13{,}6\ \text{eV}}{n^2}.$$

Par exemple,

$$E_2 = \frac{-13{,}6\ \text{eV}}{4} = -3{,}40\ \text{eV}$$

$$E_3 = \frac{-13{,}6\ \text{eV}}{9} = -1{,}51\ \text{eV}.$$

Nous pouvons voir, grâce à l'équation 9.12, que ce ne sont pas seulement les rayons des orbites qui sont quantifiés dans le modèle de Bohr, mais aussi l'énergie. Remarquez que bien que l'énergie a, pour les orbites les plus grandes, une valeur absolue plus petite, toutes les énergies sont inférieures à zéro. Ainsi, $-3{,}4$ eV est une énergie plus élevée que $-13{,}6$ eV. Par conséquent, l'orbite la plus près du noyau (r_1) a l'énergie la plus basse. La raison pour laquelle les énergies ont des valeurs négatives tient à la manière dont on définit le zéro pour l'énergie potentielle; pour deux charges ponctuelles situées à une distance infinie l'une de l'autre, $U = (1/4\pi\varepsilon_0)(q_1q_2/r)$ correspond à une énergie potentielle nulle. Par conséquent, pour un électron sans énergie cinétique, détaché de tout atome, $E = 0$, ce qui correspond à $r = \infty$ et $n = \infty$. Pour les électrons qui font partie d'un atome, $E < 0$. Il est clair également qu'il faudrait ajouter de l'énergie pour arracher un électron d'un atome (on appelle cette énergie l'**énergie de liaison** ou l'**énergie d'ionisation**) et donc, si $E = 0$ pour un électron libre, un électron lié à un atome doit avoir $E < 0$. La valeur expérimentale de l'énergie d'ionisation pour l'hydrogène est de 13,6 eV, ce qui correspond précisément à l'énergie nécessaire pour élever un électron de l'état le plus bas, $E_1 = -13{,}6$ eV, jusqu'à $E = 0$ où l'électron est libre.

Il est utile de présenter toutes les valeurs possibles des énergies sur des droites horizontales dans un diagramme des niveaux d'énergie†. La figure 9.22 montre le diagramme de l'hydrogène. Le nombre quantique n qui identifie les rayons des orbites désigne aussi les niveaux d'énergie. Le **niveau d'énergie** ou l'**état d'énergie** le plus bas est égal à E_1; on appelle ce niveau l'**état fondamental**. Les états plus élevés, E_2, E_3, et ainsi de suite, sont appelés des **états excités**. Selon la théorie de Bohr, l'électron dans un atome d'hydrogène peut se trouver dans n'importe lequel de ces états, mais il ne peut jamais être entre deux états, par exemple à $-9{,}0$ eV. À la température de la pièce, presque tous les atomes H se trouvent dans l'état fondamental. À des températures plus élevées, ou durant une décharge électrique où plusieurs collisions entre des électrons libres et des atomes se produisent, plusieurs électrons peuvent occuper des états excités. Une fois dans un état excité, un électron peut sauter vers un état inférieur et, ce faisant, émettre un photon. C'est ce qui cause, selon le modèle de Bohr, les spectres d'émission des gaz excités. Les flèches verticales de la figure 9.22 représentent les transitions ou sauts qui correspondent aux différentes raies spectrales qui sont observées. Par exemple, un électron sautant du niveau $n = 3$ vers le niveau $n = 2$ donne lieu à la raie de 656 nm dans la série de Balmer et un saut de $n = 4$ à $n = 2$ produit la raie de 486 nm (figure 9.19). Nous pouvons prédire les longueurs d'onde des raies

† Notez qu'un électron peut avoir n'importe quelle énergie au-dessus de $E = 0$, car dans ce cas il est libre; ainsi, il existe un continuum d'états d'énergie au-delà de $E = 0$, comme il est indiqué sur le diagramme de niveaux d'énergie de la figure 9.22.

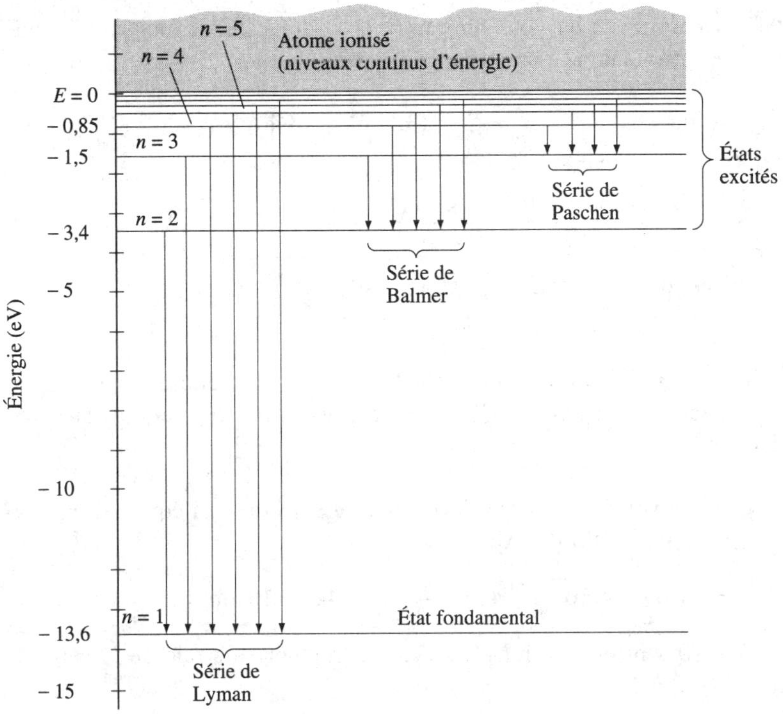

FIGURE 9.22 Diagramme des niveaux d'énergie de l'atome d'hydrogène, montrant l'origine des raies spectrales pour les séries de Lyman, Balmer et Paschen.

spectrales émises en combinant les équations 9.8 et 9.12. Comme $hf = hc/\lambda$, nous obtenons:

$$\frac{1}{\lambda} = \frac{hf}{hc} = \frac{1}{hc}(E_n - E_{n'})$$

ou

$$\frac{1}{\lambda} = \frac{Z^2e^4m}{8\varepsilon_0^2h^3c}\left(\frac{1}{(n')^2} - \frac{1}{(n)^2}\right), \qquad (9.13)$$

où n se rapporte à l'état supérieur et n', à l'état inférieur. Cette formule théorique a la même forme que la formule expérimentale de Balmer (équation 9.7), avec $n' = 2$. Nous voyons donc que la série de raies de Balmer correspond, dans le modèle de Bohr, aux transitions ou «sauts» qui ramènent les électrons au second niveau d'énergie. De même, $n' = 1$ correspond à la série de Lyman et $n' = 3$, à la série de Paschen (figure 9.22). Lorsqu'on calcule la valeur de la constante $(Z^2e^4m/8\varepsilon_0^2h^3c)$ dans l'équation 9.13, avec $Z = 1$, on trouve qu'elle est égale à la valeur mesurée de la constante de Rydberg, $R = 1{,}0974 \times 10^7\ \mathrm{m}^{-1}$, conformément à l'expérience.

Les grands mérites de la théorie de Bohr sont qu'elle permet d'expliquer pourquoi les atomes émettent des raies spectrales et qu'elle prédit avec exactitude, pour l'hydrogène, les longueurs d'onde de la lumière émise. La théorie de Bohr permet aussi d'expliquer les spectres d'absorption: les photons de longueurs d'onde appropriées peuvent faire passer, par collision, un électron d'un niveau d'énergie à un autre plus élevé. Pour que l'énergie soit conservée, il faut que le photon ait exactement la bonne énergie. Ceci explique pourquoi un spectre continu passant à travers un gaz présente des raies sombres (d'absorption) aux mêmes fréquences que les raies d'émission.

La théorie de Bohr rend également compte de la stabilité de l'atome. Celle-ci est pour ainsi dire imposée: l'état fondamental étant le niveau le plus bas d'un électron, il n'y a pas de niveau plus bas où il pourrait descendre en émettant encore de l'énergie. Enfin, comme nous l'avons vu plus haut, la théorie de Bohr prédit avec exactitude l'énergie d'ionisation de 13,6 eV de l'hydrogène.

EXEMPLE 9.7 Déterminez, en vous référant à la figure 9.22, la longueur d'onde de la première raie de Lyman, la transition de $n = 2$ à $n = 1$.

SOLUTION Dans ce cas, $hf = E_2 - E_1 = 13{,}6$ eV $- 3{,}4$ eV $= 10{,}2$ eV $= 1{,}63 \times 10^{-18}$ J. Comme $\lambda = c/f$, nous avons:

$$\lambda = \frac{c}{f} = \frac{hc}{E_2 - E_1} = \frac{(6{,}63 \times 10^{-34}\ \text{J}\cdot\text{s})(3{,}00 \times 10^8\ \text{m/s})}{1{,}63 \times 10^{-18}\ \text{J}} = 1{,}22 \times 10^{-7}\ \text{m}$$

ou 122 nm, ce qui est dans l'ultraviolet.

EXEMPLE 9.8 Déterminez la longueur d'onde de la lumière émise par un atome d'hydrogène qui exécute une transition du niveau d'énergie $n = 6$ à celui ayant $n = 2$ dans le modèle de Bohr.

SOLUTION Nous pouvons nous servir de l'équation 9.13 ou de l'équation équivalente 9.7, avec $R = 1{,}097 \times 10^7\ \text{m}^{-1}$. Alors,

$$\frac{1}{\lambda} = (1{,}097 \times 10^7\ \text{m}^{-1})(\tfrac{1}{4} - \tfrac{1}{36}) = 2{,}44 \times 10^6\ \text{m}^{-1}.$$

Et donc $\lambda = 4{,}10 \times 10^{-7}$ m ou 410 nm. Il s'agit de la quatrième raie de la série de Balmer (figure 9.19), et sa couleur est le violet.

EXEMPLE 9.9 Utilisez le modèle de Bohr pour déterminer l'énergie de liaison de l'ion He^+ qui n'a qu'un seul électron. Calculez aussi la longueur d'onde minimale que doit avoir un photon pour provoquer une ionisation.

SOLUTION Nous cherchons à déterminer l'énergie requise pour élever l'électron de son état fondamental à l'état libre, $E = 0$. L'énergie de l'état fondamental de He^+ est donnée par l'équation 9.12 avec $n = 1$ et $Z = 2$. Comme tous les symboles dans l'équation 9.12 ont une valeur identique pour He^+ et pour l'hydrogène, sauf le symbole Z dont la valeur est 2 au lieu de 1, E_1 est $Z^2 = 2^2 = 4$ fois plus grand que pour l'hydrogène. Et donc,

$$E_1 = 4(-13{,}6\ \text{eV}) = -54{,}4\ \text{eV}.$$

Par conséquent, pour libérer l'électron de l'ion He^+, il faut 54,4 eV, ce que les résultats expérimentaux confirment. L'énergie du photon de longueur d'onde minimale capable de libérer l'électron de He^+ est de $hf = 54{,}4$ eV et sa longueur d'onde est $\lambda = c/f = hc/hf = (6{,}63 \times 10^{-34}\ \text{J}\cdot\text{s}) \times (3{,}00 \times 10^8\ \text{m/s})/(54{,}4\ \text{eV})(1{,}60 \times 10^{-19}\ \text{J/eV}) = 22{,}8$ nm. Si l'atome absorbait un photon de plus grande énergie (d'une longueur d'onde plus petite que 22,8 nm), l'atome pourrait quand même être ionisé, mais l'électron libéré aurait alors de l'énergie cinétique.

Dans le dernier exemple, nous avons vu que E_1 pour l'ion He^+ est à un niveau quatre fois plus bas que pour l'hydrogène. En fait, le diagramme des niveaux d'énergie de He^+ est identique à celui de l'hydrogène (figure 9.22) sauf que l'énergie, pour chaque niveau, est quatre fois plus grande. Il importe de noter, cependant, qu'il s'agit ici de l'*ion* He^+. L'hélium ordinaire (neutre) possède deux électrons et son spectre est entièrement différent parce que les deux électrons interagissent l'un avec l'autre ainsi qu'avec le noyau.

Il convient de remarquer que les suppositions radicales de Bohr n'étaient pas conformes aux idées classiques. Il supposait que des électrons sur orbites fixes n'émettent pas de lumière malgré leur accélération et que leur moment angulaire est quantifié. De plus, il ne pouvait pas expliquer comment un électron se déplaçait lorsqu'il passait d'un niveau d'énergie à un autre. Nous n'avons toutefois aucune raison de nous attendre à ce que, dans le monde minuscule des atomes, les électrons se comportent comme des objets de taille courante. Néanmoins, Bohr pensait que lorsque la théorie quantique est appliquée au monde macroscopique, ses prédictions devraient être en accord avec les idées classiques. Il s'agit du **principe de correspondance** dont nous avons déjà parlé à propos de la relativité (section 8.12). Ce principe semble s'appliquer à la théorie de Bohr sur l'atome d'hydrogène. Les dimensions des orbites et des énergies sont très différentes pour $n = 1$ et $n = 2$, par exemple. Toutefois, les dimensions et les énergies respectives d'orbites avec $n = 100\,000\,000$ et $100\,000\,001$ différeraient très peu (figure 9.22). En fait, les sauts entre des orbites de cette taille, qui s'approchent des grandeurs auxquelles nous sommes habitués, seraient imperceptibles. De telles orbites sembleraient donc continues, conformément à nos attentes dans la vie de tous les jours.

9.11 L'hypothèse de Louis de Broglie

La théorie de Bohr était empirique; ses suppositions visaient en effet à mettre la théorie en accord avec l'expérience. Mais Bohr ne pouvait pas expliquer pourquoi les orbites étaient quantifiées. C'est de Broglie qui en trouva finalement la raison dix ans plus tard.

Nous avons vu, à la section 9.6, qu'en 1923 Louis de Broglie émit l'hypothèse de la nature ondulatoire des particules matérielles, tels les électrons; cette hypothèse fut confirmée expérimentalement plusieurs années plus tard. L'un des arguments du physicien français en faveur de la nature ondulatoire des électrons était que cette hypothèse permettait d'expliquer la théorie de l'atome d'hydrogène de Bohr. Selon de Broglie, la longueur d'onde d'une particule de masse m animée d'une vitesse v (équation 10.6) est de:

$$\lambda = \frac{h}{mv}.$$

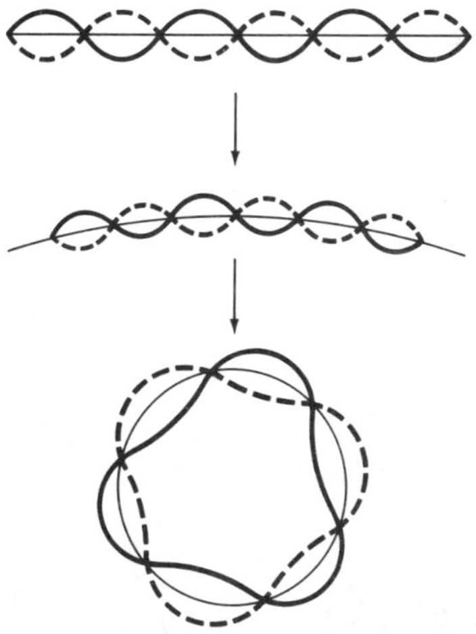

FIGURE 9.23 Comparaison entre une onde stationnaire ordinaire et une onde stationnaire circulaire.

De Broglie suggéra que chaque orbite électronique dans l'atome était une onde stationnaire. Nous avons vu, au chapitre 1, que le pincement d'une corde de violon ou de guitare génère sur la corde un grand nombre de longueurs d'onde, mais que seulement certaines d'entre elles persistent (celles qui ont des nœuds à leurs extrémités). Ces dernières sont les modes *résonants* de la corde. Toutes les autres longueurs d'onde interfèrent avec elles-mêmes après réflexion et leurs amplitudes tombent rapidement à zéro. Comme, dans la théorie de Bohr, les électrons suivent des trajectoires circulaires, de Broglie soutint que l'onde de l'électron devait être une onde stationnaire *circulaire* fermée sur elle-même (figure 9.23). Si une longueur d'onde n'est pas fermée sur elle-même (figure 9.24), il se produit de l'interférence destructive au fur et à mesure que l'onde se propage sur la boucle et l'onde disparaît rapidement. Par conséquent, les seules ondes qui persistent sont celles pour lesquelles la circonférence de l'orbite circulaire contient un nombre entier de longueurs d'onde (figure 9.25). La circonférence d'une orbite de Bohr de rayon r_n est $2\pi r_n$; nous avons donc:

$$2\pi r_n = n\lambda, \qquad n = 1, 2, 3, \ldots$$

En remplaçant λ par h/mv, nous obtenons:

$$2\pi r_n = \frac{nh}{mv},$$

ou

$$mvr_n = \frac{nh}{2\pi}.$$

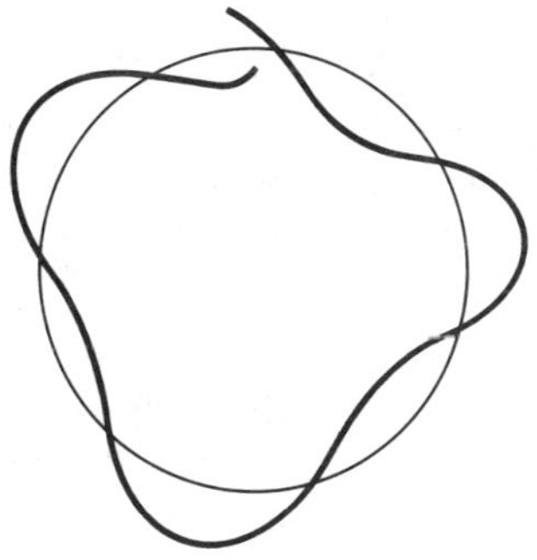

FIGURE 9.24 Lorsqu'une onde n'est pas fermée sur elle-même (et que, par conséquent, elle interfère avec elle-même), elle disparaît rapidement.

Ceci est exactement la *condition quantique* proposée par Bohr de façon empirique (équation 9.9). Et c'est de cette équation que Bohr avait tiré ses orbites et ses niveaux d'énergie discrets. Nous avons donc une explication des orbites et des états d'énergie quantifiés du modèle de Bohr: ils sont dus à la nature ondulatoire de l'électron et au

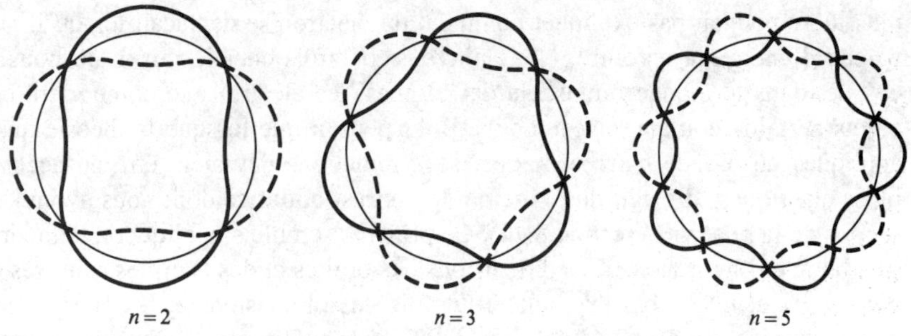

FIGURE 9.25 Ondes circulaires pour deux, trois et cinq longueurs d'onde sur la circonférence; *n,* le nombre de longueurs d'onde, est aussi le nombre quantique.

fait que seules des ondes résonantes persistent. Ceci suppose que la *dualité onde-particule* est à la base de la structure de l'atome.

Notons qu'il ne faut pas conclure, en regardant les ondes électroniques circulaires de la figure 9.25, que l'électron suit une trajectoire ondulée. Dans le modèle de l'hydrogène de Bohr, l'électron, considéré comme une particule, suit un cercle. L'onde circulaire, par contre, représente l'*amplitude* de l'«onde matérielle» de l'électron, et sur la figure 9.25 l'amplitude de l'onde est, par commodité, surimposée au parcours circulaire de l'orbite de la particule.

La théorie de Bohr fonctionne bien pour l'hydrogène et pour les ions à un électron. Elle ne fonctionne pas aussi bien pour les atomes à plusieurs électrons. Ces problèmes, et d'autres, conduisirent éventuellement à une nouvelle théorie radicale, la mécanique quantique, qui résolut enfin le problème de la structure atomique et transforma notre vision de l'atome: la représentation des électrons sur des orbites bien définies fut remplacée par celle de «nuages» d'électrons. Cette théorie nouvelle (et maintenant généralement acceptée) de la mécanique quantique a transformé totalement notre compréhension des mécanismes fondamentaux sous-jacents aux processus physiques.

RÉSUMÉ

La théorie des quanta repose sur l'*hypothèse quantique* selon laquelle les oscillations moléculaires sont quantifiées: leur énergie E ne peut être qu'un multiple entier (n) de hf, où h est la constante de Planck et f, la fréquence naturelle d'oscillation: $E = nhf$. Cette hypothèse explique le spectre du rayonnement émis par des corps (noirs) à haute température.

Einstein émit l'hypothèse qu'on pouvait, à certaines fins, se représenter l'émission et l'absorption de lumière s'effectuant par quanta (particules), que nous appelons maintenant *photons*, l'énergie de chacun de ces quanta étant:

$$E = hf.$$

Einstein proposa d'utiliser l'effet photoélectrique comme un test de la théorie photonique de la lumière. À cet égard, la théorie photonique affirme que chaque photon incident peut frapper un électron dans un matériau et l'en extraire s'il a suffisamment d'énergie; l'énergie maximale des électrons extraits est alors en relation linéaire avec la fréquence de la lumière incidente. La théorie photonique est aussi supportée par l'effet Compton et par l'observation de la *production de paire* électron-positron.

La dualité onde-particule est l'idée selon laquelle la lumière et la matière (tels les électrons) ont des propriétés aussi bien ondulatoires que corpusculaires. La longueur d'onde d'un objet est:

$$\lambda = \frac{h}{mv},$$

où mv est la quantité de mouvement de l'objet. Selon le *principe de complémentarité*, nous devons tenir compte des propriétés corpusculaires aussi bien qu'ondulatoires de la lumière et de la matière pour parvenir à une compréhension complète de celles-ci.

Les premiers modèles de l'atome comprennent le modèle modifié du pouding aux raisins de Thomson et le modèle planétaire (ou nucléaire) de Rutherford. Le modèle de Rutherford, créé pour expliquer la déviation et la réflexion des particules alpha dirigées sur des feuilles de métal minces, suppose qu'un atome consiste en un noyau massif chargé positivement et entouré (à une distance relativement grande) d'électrons.

Pour expliquer les raies spectrales des atomes ainsi que leur stabilité, Bohr émit une théorie qui postulait 1) que les électrons liés d'un atome ne peuvent se trouver que sur des orbites dont le moment angulaire est quantifié, ce qui suppose des valeurs discrètes pour le rayon et l'énergie; 2) qu'un électron dans un tel *état stationnaire* n'émet pas de rayonnement; 3) que lorsqu'un électron saute vers un état inférieur, il émet un photon dont l'énergie égale la différence d'énergie entre les deux états; 4) que le moment angulaire L des électrons atomiques est quantifié par la règle $L = nh/2\pi$, où n est un entier appelé un *nombre quantique.* L'état avec $n = 1$ dans l'hydrogène est l'*état fondamental,* dont l'énergie est $E_1 = -13{,}6$ eV; les valeurs plus élevées de n correspondent aux *états excités* et leurs énergies sont $E_n = -13{,}6\ \text{eV}/n^2$. Les atomes atteignent ces états plus élevés sous l'effet de collisions avec d'autres atomes ou avec des électrons, ou grâce à l'absorption d'un photon d'une fréquence appropriée.

L'hypothèse émise par de Broglie selon laquelle les électrons (et la matière en général) ont une longueur d'onde $\lambda = h/mv$ permit d'expliquer les orbites quantifiées de Bohr au moyen de la dualité onde-particule: les orbites correspondent à des ondes circulaires pour lesquelles la circonférence de l'orbite est égale à un nombre entier de longueurs d'onde.

QUESTIONS

1. Que pouvons-nous dire au sujet de la température relative des étoiles jaunâtres, rougeâtres et bleuâtres?
2. Si tous les corps émettent de l'énergie par radiation, pourquoi ne pouvons-nous les voir dans l'obscurité?
3. Est-ce qu'une ampoule lumineuse produit à une température de 2500 K une lumière aussi blanche que celle du Soleil à 6000 K? Justifiez votre réponse.
4. Un petit trou dans un contenant creux peut constituer une bonne approximation d'un corps noir idéal. Expliquez pourquoi. (Indice: la pupille de votre œil en est un exemple.)
5. Montrez que les unités de la constante de Planck sont celles du moment angulaire.
6. Pourquoi les bijoutiers examinent-ils souvent les diamants à la lumière du jour plutôt que sous un éclairage artificiel?
7. Un film «orthochromatique» n'est pas sensible à la lumière rouge. Expliquez pourquoi à l'aide de la théorie photonique de la lumière.
8. Si le seuil de longueur d'onde de l'effet photoélectrique augmente quand on change le métal émetteur par un autre, que pouvez-vous dire au sujet des travaux d'extraction des deux métaux?
9. La lumière ultraviolette cause des coups de soleil, contrairement à la lumière visible. Pourquoi?
10. Expliquez pourquoi l'existence d'une fréquence seuil dans l'effet photoélectrique plaide davantage pour une théorie corpusculaire de la lumière que pour une théorie ondulatoire.
11. Soit une source lumineuse ponctuelle. Comment l'intensité de la lumière varie-t-elle avec la distance de la source selon *a*) la théorie ondulatoire, *b*) la théorie corpusculaire (photonique)? Ceci pourrait-il aider à distinguer les deux théories?
12. Si un photon de rayon X est diffusé par un électron, sa longueur d'onde change-t-elle? Si oui, augmente-t-elle ou diminue-t-elle?
13. Expliquez comment il est possible d'utiliser le circuit photoélectrique de la figure 9.4 comme *a*) système d'alarme antivol, *b*) détecteur de fumée, *c*) photomètre pour la photographie, *d*) spectrophotomètre (voir la section 6.8), *e*) bande sonore de film.
14. Pourquoi disons-nous que la lumière a des propriétés ondulatoires? Pourquoi disons-nous qu'elle a des propriétés corpusculaires?
15. Pourquoi disons-nous que les électrons ont des propriétés ondulatoires? Pourquoi disons-nous qu'ils ont des propriétés corpusculaires?
16. Quelle est la différence entre un photon et un électron? Donnez une réponse précise.
17. Si un électron et un photon voyagent à la même vitesse, lequel a la plus petite longueur d'onde?
18. La longueur d'onde, selon de Broglie, d'une «particule» peut-elle être plus grande que les dimensions de la particule? Peut-elle être plus petite? Y-a-t-il un lien direct entre les deux?
19. Quelle devrait être la grandeur approximative de h pour que des effets quantiques soient observables dans le monde macroscopique de la vie de tous les jours?
20. Dans le modèle planétaire de l'atome de Rutherford, qu'est-ce qui empêche les électrons de s'échapper dans toutes les directions?
21. Quels corps parmi les suivants peuvent émettre un spectre de raies: *a*) des gaz, *b*) des liquides, *c*) des solides? Lesquels peuvent émettre un spectre continu?
22. Pourquoi le gaz O_2 dans l'air ambiant n'émet-il pas de lumière?
23. Comment peut-on dire s'il y a de l'oxygène dans le Soleil?
24. Quand un large spectre de lumière traverse de l'hydrogène à l'état gazeux à la température de la pièce, on observe seulement des raies d'absorption correspondant à la série de Lyman. Comment se fait-il que nous n'observons pas les autres séries?
25. Expliquez comment les niveaux d'énergie très rapprochés de l'hydrogène, en haut de la figure 9.22, correspondent aux raies spectrales très rapprochées à gauche de la figure 9.19.
26. Discutez des différences entre les théories de l'atome de Bohr et de Rutherford.
27. Pensez-vous qu'en moyenne les électrons sont plus près ou plus loin du noyau dans un atome d'hélium, qui contient deux électrons, que dans un atome d'hydrogène? Pourquoi?

28. Comment le spectre de l'hydrogène peut-il contenir tant de raies alors que l'hydrogène ne contient qu'un électron?
29. Pourquoi la série des raies de Balmer de l'hydrogène fut-elle la première à être observée et analysée plutôt que, par exemple, la série de Lyman ou de Paschen?
30. Utilisez la conservation de la quantité de mouvement pour expliquer pourquoi les photons émis par des atomes d'hydrogène ont un peu moins d'énergie que ce que prédit l'équation 9.8.
31. Est-ce raisonnable que, dans la théorie de Bohr, l'énergie potentielle de l'électron dans un atome d'hydrogène soit négative et plus grande, en valeur absolue, que l'énergie cinétique? Qu'est-ce que cela suppose?

PROBLÈMES

SECTION 9.1

1. (I) Une molécule de HCl vibre selon une fréquence naturelle de $8{,}1 \times 10^{13}$ Hz. Quelle est la différence d'énergie (en joules et en électrons-volts) entre les valeurs possibles de l'énergie d'oscillation?
2. (I) *a*) À quelle température le maximum du spectre d'un corps noir se situe-t-il à 1,0 nm? *b*) Quelle est la longueur d'onde au maximum du spectre du corps noir si la température du corps est de 800 K?
3. (II) Une balançoire pour enfant a une fréquence naturelle de 0,40 Hz. *a*) Quelle est la séparation entre deux valeurs d'énergie possibles (en joules)? *b*) Si la balançoire atteint une hauteur de 30 cm au-dessus du point le plus bas et qu'elle a une masse de 20 kg (y compris l'enfant), quelle est la valeur du nombre quantique n? *c*) Quelle est la variation relative d'énergie entre les niveaux dont les nombres quantiques sont respectivement de n (selon les calculs précédents) et $n + 1$? La quantification serait-elle mesurable en ce cas?
4. (III) La loi du rayonnement de Planck est donnée par:

$$I(\lambda, T) = \frac{2\pi hc^2 \lambda^{-5}}{e^{hc/\lambda kT} - 1},$$

où $I(\lambda, T)$ est le taux auquel l'énergie est émise par unité de surface et par intervalle de longueur d'onde pour une longueur d'onde λ et à la température absolue T. *a*) Montrez que la loi du déplacement de Wien découle de cette relation. *b*) Déterminez la valeur de h d'après la valeur expérimentale de $\lambda_p T$ donnée dans le texte. *c*) Démontrez la loi de Stefan-Boltzmann (la dépendance T^4 du taux auquel l'énergie est émise) par intégration de la formule de Planck sur toutes les longueurs d'onde; autrement dit, montrez que:

$$\int I(\lambda, T)\,d\lambda \propto T^4.$$

SECTION 9.2

5. (I) Quelle est l'énergie (en électrons-volts) d'un photon d'une longueur d'onde *a*) de 400 nm, *b*) de 700 nm et *c*) des photons émis par une station radiophonique MF de 100 MHz?
6. (I) Quelle est la plus grande longueur d'onde lumineuse capable d'extraire des électrons d'un métal dont le travail d'extraction est de 2,3 eV?
7. (I) Le travail d'extraction du barium est de 2,48 eV. Quelle est l'énergie cinétique maximale des électrons si le métal est éclairé avec de la lumière d'une longueur d'onde de 480 nm? Quelle est leur vitesse?
8. (I) Quand la lumière ultraviolette d'une longueur d'onde de 280 nm tombe sur une surface métallique, l'énergie cinétique maximale des électrons extraits est de 0,85 eV. Quel est le travail d'extraction du métal?
9. (II) Montrez que l'énergie E (en électrons-volts) d'un photon dont la longueur d'onde λ (en mètres) est donnée par:

$$E = 1{,}24 \times 10^{-6}/\lambda.$$

10. (II) L'intensité de la lumière solaire qui parvient à la Terre est de 1300 W/m^2. Combien de photons par mètre carré par seconde cela représente-t-il? Considérez que la longueur d'onde moyenne est de 550 nm.
11. (II) La longueur d'onde seuil pour l'extraction d'électrons d'une surface donnée est de 380 nm. Quelle est l'énergie cinétique maximale des électrons extraits si la longueur d'onde devient *a*) 480 nm, *b*) 280 nm?
12. (II) Un certain type de film n'est sensible qu'à la lumière d'une longueur d'onde inférieure à 640 nm. Quelle est l'énergie (kcal/mol) nécessaire pour que la réaction chimique responsable de l'altération du film se produise?
13. (II) Une ampoule électrique de 100 W émet sous forme de lumière visible (d'une longueur d'onde moyenne de 550 nm) 3,0 % de l'énergie qu'elle reçoit et ce, uniformément dans toutes les directions. Approximativement combien de photons de lumière visible frappent, chaque seconde, la pupille (d'un diamètre de 4,0 mm) de l'œil d'un observateur situé à une distance de 10 km?
14. (II) Quand de la lumière de 230 nm tombe sur un métal, le courant dans un circuit photoélectrique (figure 9.4) peut être amené à zéro par une tension inverse de 1,64 V. Quel est le travail d'extraction du métal?
15. (II) Dans un tube à rayon X (voir la figure 6.24 et la discussion correspondante à la section 6.11), la haute tension entre le filament et la cible est V. Après avoir été accéléré par cette tension, un électron frappe la cible où il est décéléré (par des noyaux chargés positivement), ce qui produit l'émission d'un ou de plusieurs photons de rayon X. *a*) Montrez que le photon ayant la plus petite longueur d'onde aura:

$$\lambda_0 = \frac{hc}{eV}.$$

b) Quelle est la plus petite longueur d'onde des rayons X émis quand les électrons accélérés frappent la surface d'un tube cathodique de télévision de 30 kV?
16. (II) *a*) Montrez que si les deux électrodes dans la cellule photoélectrique de la figure 9.4 sont fabriquées avec le même

matériau, la relation entre l'énergie cinétique maximale des électrons et le potentiel d'arrêt V_0 est:

$$K_{max} = eV_0.$$

b) (III) Lorsque les deux électrodes sont fabriquées de matériaux différents, montrez que:

$$K_{max} = eV_0 - (T_{0e} - T_{0c}),$$

où T_{0e} et T_{0c} sont les travaux d'extraction de l'électrode émettrice (*P* dans la figure 9.4) et de l'électrode collectrice (*C*) respectivement.

SECTION 9.3

17. (II) Quelle est la quantité de mouvement et la masse effective d'un photon de rayon X de 0,10 nm?

18. (II) Dans l'effet Compton, un photon de 0,100 nm entre en collision avec un électron libre et le propulse vers l'avant. Le photon rebondit directement vers l'arrière. Utilisez la conservation de l'énergie et celle de la quantité de mouvement pour déterminer *a*) l'énergie cinétique de l'électron, *b*) la longueur d'onde du photon qui a rebondi. Supposez que l'énergie cinétique de l'électron est donnée par la formule non relativiste.

19. (II) Des rayons X de longueur d'onde $\lambda = 0{,}120$ nm sont diffusés sur un bloc de carbone. Quel est le déplacement de Compton de la longueur d'onde pour les photons détectés à des angles (relatifs au faisceau incident) *a*) de 45°, *b*) de 90°, *c*) de 180°?

20. (II) *a*) Montrez que la perte d'énergie relative des photons diffusés dans l'effet Compton peut être écrite comme $\Delta\lambda/\lambda$. *b*) Est-ce une expression exacte? Si non, spécifiez quelle quantité limite l'exactitude et quelle peut être sa valeur pour que la formule soit exacte à 0,1 %.

21. (II) Pour chacun des angles de diffusion du problème 19, déterminez *a*) la perte fractionnelle d'énergie du photon et *b*) l'énergie transférée à l'électron diffusé.

22. (II) La quantité h/m_0c, qui a les dimensions de la longueur, s'appelle la *longueur d'onde de Compton.* Déterminez la longueur d'onde de Compton *a*) d'un électron et *b*) d'un proton. *c*) Montrez que si un photon a une longueur d'onde égale à la longueur d'onde de Compton d'une particule, l'énergie du photon est égale à l'énergie équivalant à la masse au repos de la particule.

23. (II) Dans l'effet Compton (figure 9.6), utilisez les équations relativistes de la conservation de l'énergie et de la quantité de mouvement linéaire pour montrer que le décalage de Compton de la longueur d'onde est donné par l'équation 9.5.

SECTION 9.4

24. (I) Quelle sera l'énergie cinétique totale d'une paire électron-positron si elle est produite par un photon de 3,6 MeV?

25. (II) Quelle énergie minimale un photon doit-il avoir pour produire une paire $\mu^+ - \mu^-$? La masse de chaque muon est 207 fois la masse de l'électron. Quelle est la longueur d'onde d'un tel photon?

26. (II) Une paire électron-positron où chacun possède une énergie cinétique de 435 keV est produite par un photon. Quelle est l'énergie et la longueur d'onde du photon?

SECTION 9.6

27. (I) Quelle est la longueur d'onde d'un neutron ($m_0 = 1{,}67 \times 10^{-27}$ kg) voyageant à la vitesse de $2{,}5 \times 10^4$ m/s?

28. (II) Montrez que si un électron et un proton ont la même énergie cinétique non relativiste, le proton a la plus petite longueur d'onde.

29. (II) Calculez le rapport de l'énergie cinétique d'un électron à celle d'un proton si leurs longueurs d'onde sont égales. Supposez que les vitesses sont beaucoup plus petites que la vitesse de la lumière.

30. (II) Un faisceau d'électrons de 65 eV est diffusé sur un cristal, comme dans la diffraction de rayons X, et on observe un pic de premier ordre à $\theta = 45°$. Quel est l'espacement entre les plans dans le cristal diffractant? (Voir la section 6.11.)

31. (II) Quelle est la différence de potentiel nécessaire pour accélérer *a*) un proton et *b*) un électron de façon à obtenir une longueur d'onde $\lambda = 1{,}3 \times 10^{-12}$ m?

32. (II) Quelle est la longueur d'onde d'un proton dont l'énergie cinétique est *a*) de 10 MeV et *b*) de 1,0 GeV?

33. (II) Montrez que la longueur d'onde d'une particule de masse m_0 et d'énergie cinétique K est donnée par la formule relativiste $\lambda = hc/\sqrt{K^2 + 2m_0c^2K}$.

34. (II) Quelle est l'énergie cinétique et la longueur d'onde d'un neutron «thermique» (un neutron en équilibre à la température de la pièce)?

35. (III) Montrez que pour une particule au repos de masse m_0, si $\lambda = h/mv$, il ne peut être vrai que $E = hf$ où E est *a*) l'énergie cinétique, *b*) l'énergie cinétique plus l'énergie équivalant à la masse au repos et $v = f\lambda$ est la vitesse de la particule.

SECTION 9.7

36. (II) Quelle est la limite théorique de la résolution pour un microscope électronique dont les électrons sont accélérés par une tension de 50 kV? (Utilisez les formules relativistes.)

37. (II) Des électrons sont accélérés par une tension de 2200 V dans un microscope électronique. Pour réaliser une résolution de 4,0 nm, quelle est l'ouverture numérique requise.

SECTION 9.8

38. (II) Dans certaines expériences de Rutherford, les particules alpha (masse = $6{,}68 \times 10^{-27}$ kg) avaient une énergie cinétique de 4,8 MeV. À quelle distance pouvaient-elles s'approcher d'un noyau d'or (charge = $+79e$)? Ne tenez pas compte du recul du noyau.

SECTION 9.10

39. (I) Pour quelle énergie cinétique maximale une collision entre un électron et un atome d'hydrogène dans son état fondamental est-elle certainement élastique?

40. (I) *a*) Déterminez la longueur d'onde de la seconde raie de Balmer (transition de $n = 4$ à $n = 2$) en utilisant la figure 9.22. Déterminez de la même façon *b*) la longueur d'onde de la première raie de Lyman et *c*) la longueur d'onde de la quatrième raie de Balmer.

41. (I) Calculez l'énergie d'ionisation d'un atome de lithium doublement ionisé, Li^{2+}, pour lequel $Z = 3$.

42. (I) Combien d'énergie faut-il pour ioniser un atome d'hydrogène à l'état $n = 4$?

43. (I) Quelle est la plus grande longueur d'onde lumineuse capable d'ioniser un atome d'hydrogène qui se trouve à l'état fondamental?

44. (I) À basses températures, presque tous les atomes dans de l'hydrogène gazeux seront dans l'état fondamental. Quelle fréquence minimale doit avoir le photon pour qu'on observe l'effet photoélectrique?

45. (II) Construisez le diagramme des niveaux d'énergie de l'ion He^+ (figure 9.22).

46. (II) Construisez le diagramme des niveaux d'énergie pour un atome de lithium doublement ionisé Li^{2+}.

47. (II) Par quelle fraction la masse d'un atome H diminue-t-elle quand il fait une transition de $n = 2$ à $n = 1$?

48. (II) Quelle est l'énergie potentielle et l'énergie cinétique d'un électron dans l'état fondamental de l'atome d'hydrogène?

49. (II) Un atome d'hydrogène excité peut, en principe, avoir un rayon de 1,0 mm. Quelle est la valeur de n pour une orbite de Bohr de cette grandeur? Quelle est son énergie?

50. (II) Calculez le rapport de la force gravitationnelle à la force électrique pour l'électron dans un atome d'hydrogène. Peut-on sans crainte ignorer la force gravitationnelle?

51. (II) Les formules non relativistes sont-elles justifiées dans l'atome de Bohr? Pour le vérifier, calculez la vitesse de l'électron, v, en fonction de c pour l'état fondamental de l'hydrogène.

52. (II) Supposez qu'un électron soit lié à un proton, comme dans l'atome d'hydrogène, par la force gravitationnelle plutôt que par la force électrique. Quels seraient alors le rayon et l'énergie de la première orbite de Bohr?

53. (II) Des électrons accélérés par une différence de potentiel de 12,3 V traversent un gaz d'atomes d'hydrogène à la température de la pièce. Quelles sont les longueurs d'onde de la lumière émise?

54. (II) Des atomes peuvent se former dans lesquels un méson mu (masse = 207 fois la masse d'un électron) remplace l'un des électrons dans l'atome. Calculez, au moyen de la théorie de Bohr, l'énergie du photon émis quand un méson mu dans une telle situation fait une transition de $n = 2$ à $n = 1$ dans un atome de ${}^{208}_{82}Pb$ (plomb dont le noyau a une masse 208 fois supérieure à la masse du proton et une charge de $+82e$).

55. (II) Le *principe de correspondance*: Montrez que pour de grandes valeurs de n, la différence des rayons Δr entre deux orbites adjacentes (et de nombres quantiques n et $n - 1$) est donnée par:

$$\Delta r = r_n - r_{n-1} \approx \frac{2r_n}{n},$$

de sorte que $\Delta r / r_n \to 0$ quand $n \to \infty$, conformément au principe de correspondance. [Notez que nous pouvons vérifier le principe de correspondance soit en considérant des grandes valeurs de n ($n \to \infty$) soit en posant que $h \to 0$. Est-ce équivalent?]

56. (III) *a*) Pour les très grandes valeurs de n, montrez que lorsqu'un électron descend du niveau n au niveau $n - 1$, la fréquence de la lumière émise est égale à:

$$f = \frac{v}{2\pi r_n}.$$

b) Montrez qu'il s'agit précisément aussi de la fréquence émise par la théorie classique pour un électron en révolution sur une orbite circulaire de rayon r_n, à une vitesse v. *c*) Expliquez pourquoi ceci ne contredit pas le principe de correspondance.

SECTION 9.11

57. (III) Soit une particule de masse m confinée dans une boîte à une dimension de largeur L. Selon la théorie quantique, l'onde de la particule (avec $\lambda = h/mv$) est une onde stationnaire avec des nœuds aux limites de la boîte. *a*) Montrez les modes de vibration possibles sur un diagramme. *b*) Montrez que l'énergie cinétique de la particule possède des énergies quantifiées données par $K = n^2h^2/8mL^2$ où n est un entier. *c*) Calculez l'énergie de l'état fondamental ($n = 1$) pour un électron confiné à une boîte de largeur 0,050 nm. *d*) Quelle est l'énergie de l'état fondamental pour une balle de baseball ($m = 140$ g) dans une boîte large de 0,50 m? *e*) Un électron confiné à une boîte a une énergie d'état fondamental de 10 eV. Quelle est la largeur de la boîte?

CHAPITRE

10

LA MÉCANIQUE QUANTIQUE

Le modèle atomique de Bohr nous a donné une première idée (approximative, il est vrai) de ce qu'est un atome. Il permet d'expliquer l'émission et l'absorption de lumière par les atomes, à des longueurs d'onde discrètes, ainsi que la stabilité de l'atome. Le modèle permet aussi de calculer, pour l'hydrogène et les ions à un seul électron, les longueurs d'onde des spectres de raies et l'énergie d'ionisation; les valeurs ainsi obtenues concordent de façon excellente avec les résultats expérimentaux. La théorie de Bohr comporte toutefois des limitations importantes. Elle ne permet pas de prédire les spectres de raies pour des atomes plus complexes (pas même pour un atome d'hélium neutre, qui n'a pourtant que deux électrons). Elle n'explique pas non plus pourquoi les raies d'émission, lorsqu'on les examine avec grande précision, se révèlent être composées de deux raies ou plus très rapprochées les unes des autres (ce qu'on appelle la *structure fine*). La théorie de Bohr n'explique pas pourquoi certaines raies sont plus brillantes que d'autres. Et elle n'explique pas la liaison des atomes dans les molécules ou dans les solides et les liquides.

La théorie de Bohr n'est pas non plus vraiment satisfaisante d'un point de vue strictement théorique. Elle consiste, en effet, en un mélange étrange d'idées classiques et quantiques. Par ailleurs, elle n'élucide pas l'énigme de la dualité onde-particule.

L'énumération précédente des limitations de la théorie de Bohr n'a pas pour but de la déprécier; cette théorie constitua un point tournant de l'histoire de la science. Nous cherchons plutôt à faire voir pourquoi, au début des années 20, il devint de plus en plus évident qu'une nouvelle théorie, plus générale, était nécessaire. Cette nouvelle théorie ne tarda pas à voir le jour. Moins de deux ans après l'émission, par de Broglie, de son hypothèse de l'onde matérielle, Erwin Schrödinger (1887-1961, figure 10.1) et Werner Heisenberg (1901-1976, figure 10.2) développèrent, indépendamment l'un de l'autre, une nouvelle théorie générale. Leurs approches respectives étaient très différentes, mais on montra bientôt qu'elles étaient totalement compatibles. Le présent chapitre constitue une introduction à cette nouvelle théorie que représente la mécanique quantique. Dans les deux chapitres suivants, nous traiterons de son application à l'atome d'hydrogène, ainsi qu'aux autres atomes, aux molécules et aux solides.

10.1 La mécanique quantique: une nouvelle théorie

La nouvelle théorie, appelée **mécanique quantique**, réconcilie les deux aspects de la dualité onde-particule. La mécanique quantique a été, comme théorie, une réussite exceptionnelle. Elle rend compte des spectres émis par les atomes complexes, même dans les petits détails. Elle explique la brillance relative des raies spectrales et la formation des molécules par les atomes. En outre, elle constitue une théorie beaucoup plus générale qui couvre tous les phénomènes quantiques, du rayonnement des corps noirs jusqu'à la structure et à l'interaction des atomes et des molécules. Elle a permis d'expliquer un vaste ensemble de phénomènes naturels et ses prédictions ont permis l'invention de plusieurs appareils utiles. En fait, la mécanique quantique connut de tels

FIGURE 10.1 Erwin Schrödinger avec Lise Meitner (voir le chapitre 14).

succès qu'elle est aujourd'hui acceptée, par presque tous les physiciens, comme la théorie fondamentale sous-tendant les processus physiques.

La mécanique quantique traite surtout du monde microscopique des atomes et de la lumière. Cependant, dans notre monde macroscopique de tous les jours, nous percevons certainement la lumière et nous admettons que les objets qui nous entourent sont faits d'atomes. Cette nouvelle théorie doit donc aussi rendre compte des résultats établis de la physique classique. Autrement dit, lorsqu'on l'applique aux phénomènes macroscopiques, la mécanique quantique doit pouvoir reproduire les vieilles lois classiques. Ce *principe de correspondance* (dont nous avons déjà parlé à la section 9.10) est totalement respecté par la mécanique quantique. Ceci ne veut pas dire qu'il faut

FIGURE 10.2 Werner Heisenberg (au centre), sur le lac de Côme, avec Wolfgang Pauli (à droite) et Enrico Fermi (à gauche).

jeter au rancart les théories classiques comme les lois de Newton. Dans le monde de tous les jours, ces dernières théories sont beaucoup plus faciles à appliquer et elles nous fournissent des descriptions exactes de ce qui se passe. Cependant, lorsque nous avons affaire à de très hautes vitesses, voisines de celle de la lumière, nous devons utiliser la théorie de la relativité; et lorsque nous considérons le monde extrêmement petit de l'atome, nous devons utiliser la mécanique quantique.

Quoique nous n'étudierons pas en profondeur l'aspect mathématique de la mécanique quantique, nous en exposerons les idées les plus importantes et montrerons comment elles font reposer l'explication de la structure atomique, et d'autres applications, sur les propriétés ondulatoires et corpusculaires de la matière.

10.2 La fonction d'onde et ses interprétations; l'expérience de la double fente

Les propriétés importantes de toute onde sont sa longueur d'onde, sa fréquence et son amplitude, ou déplacement, en un point quelconque. Pour une onde électromagnétique, comme nous l'avons vu au chapitre 12 du tome 2 et au chapitre 5 de ce tome, la longueur d'onde détermine si la lumière est visible ou non et, si oui, de quelle couleur elle est. Nous avons également vu, au chapitre 9, que la longueur d'onde (ou la fréquence) est une mesure de l'énergie du photon correspondant: $E = hf$. L'amplitude ou le déplacement d'une onde électromagnétique, en un point quelconque, est la force du champ électrique (ou magnétique) à ce point, et elle est reliée à l'intensité de l'onde (la brillance de la lumière).

Pour les particules de matière comme les électrons, la mécanique quantique utilise la relation entre la longueur d'onde et la quantité de mouvement établie par de Broglie, $\lambda = h/mv$. Mais qu'est-ce qui correspond, en mécanique quantique, à l'amplitude (ou déplacement) d'une onde de matière? Dans la mécanique quantique, c'est la **fonction d'onde**, désignée par le symbole Ψ (la lettre grecque psi en majuscule) qui joue ce rôle. Ainsi, Ψ représente le déplacement, en fonction du temps et de la position, d'une nouvelle sorte de champ que nous pourrions appeler champ «matériel» ou onde de matière.

Le calcul de la fonction d'onde Ψ dans une situation donnée (par exemple, pour un électron dans un atome) est l'une des tâches primordiales de la mécanique quantique. Le développement d'une équation permettant de faire ce calcul constitua d'ailleurs la grande contribution de Schrödinger. L'*équation d'onde de Schrödinger*, comme on l'appelle, est considérée comme l'équation fondamentale pour la description des particules matérielles non relativistes. Nous traiterons de l'équation de Schrödinger, et de ses solutions pour des cas simples, plus loin dans le présent chapitre. Posons-nous maintenant une question: quelle est la signification de la fonction d'onde Ψ pour une particule? Comme nous l'avons déjà mentionné, on peut, d'une certaine façon, interpréter Ψ simplement comme le déplacement, en un point quelconque de l'espace et du temps, d'une «onde de matière»; de cette manière, Ψ joue le rôle de E (le champ électrique) dans une onde électromagnétique. Une autre interprétation de Ψ, fondée sur la dualité onde-particule, est cependant possible. Pour la comprendre, faisons une analogie avec la lumière.

Nous avons vu, au chapitre 1, que l'intensité I d'une onde quelconque est proportionnelle au carré de l'amplitude de déplacement. Ceci vaut également pour les ondes lumineuses et, comme nous l'avons vu au chapitre 12 du tome 2, la densité d'énergie dans une onde lumineuse est proportionnelle à E^2, où E est la force du champ électrique. Du point de vue des *particules*, la densité d'énergie d'un faisceau de lumière est proportionnelle au nombre de photons par unité de volume, n. Plus il y a de photons (d'une longueur d'onde donnée) par unité de volume, plus la densité d'énergie est grande. Et donc,

$$n \propto E^2.$$

Autrement dit, la densité de photons est proportionnelle au carré de la force du champ électrique.

Si le faisceau lumineux est très faible, il n'y aura que quelques photons. En fait, il est possible d'«accumuler» une photographie sur une pellicule en utilisant une lumière très faible de façon à rendre perceptible l'effet de chacun des photons. Lorsque nous n'avons affaire qu'à un seul photon, la relation précédente ($n \propto E^2$) peut être interprétée de manière légèrement différente. En un point quelconque, le carré de l'intensité du champ électrique, E^2, est une mesure de la *probabilité* de trouver un photon à l'intérieur d'une unité de volume à cet endroit. Bref, si dV représente un élément de volume infinitésimal autour de ce point, alors $E^2 dV$ est proportionnel à la probabilité de trouver un photon dans le volume dV. Aux points où E^2 est grand, il y a une grande probabilité de trouver le photon; là où E^2 est petit, la probabilité de trouver le photon est petite.

Nous pouvons interpréter les ondes de matière de la même manière. La fonction d'onde Ψ peut varier en grandeur d'un point à un autre dans l'espace et le temps. Si Ψ décrit un ensemble de plusieurs électrons, alors $|\Psi|^2 \, dV$ est proportionnel au nombre d'électrons que l'on s'attend à trouver dans le volume dV autour d'un point quelconque[†]. Quand on a affaire à un petit nombre d'électrons, nous ne pouvons pas faire de prédictions très exactes, et donc $|\Psi|^2$ prend le caractère d'une probabilité. Lorsque Ψ, qui dépend du temps et de la position, représente un seul électron (par exemple, dans un atome), on interprète $|\Psi|^2$ de la manière suivante: $|\Psi|^2 \, dV$ *à un certain point de l'espace et du temps représente la probabilité de trouver l'électron à l'intérieur du volume dV à la position et au temps donnés.* En conséquence, on appelle souvent $|\Psi|^2$ la **densité de probabilité**, puisqu'il s'agit de la probabilité par unité de volume de trouver la particule.

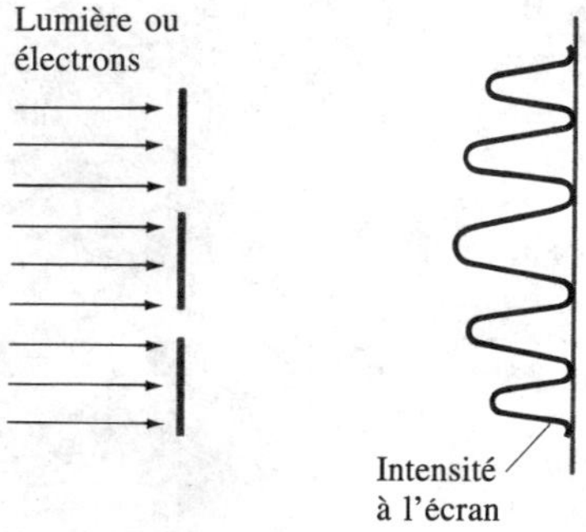

FIGURE 10.3 Un faisceau parallèle de lumière ou d'électrons est projeté sur deux fentes de dimensions comparables à la longueur d'onde. On observe une figure d'interférence.

Pour mieux comprendre ceci, référons-nous à l'expérience familière de la double fente, aussi bien pour la lumière que pour les électrons, en utilisant la théorie de la mécanique quantique.

Soit deux fentes dont la taille et la séparation sont de l'ordre de grandeur de la longueur d'onde de ce que nous y envoyons, lumière ou électrons (figure 10.3). Nous savons très bien ce qui se produit en un tel cas pour la lumière, puisqu'il s'agit en fait de l'expérience de la double fente de Young: une figure d'interférence apparaît à l'écran derrière la fente. Si on remplace la lumière par des électrons ayant une longueur d'onde comparable à la taille de la fente, les électrons produisent aussi une figure d'interférence (figure 9.10). Dans le cas de la lumière, la figure est visible à l'œil nu ou peut être enregistrée sur film. Dans le cas des électrons, on peut se servir d'un écran fluorescent (qui brille où l'électron le frappe).

Si maintenant nous réduisons le flot d'électrons (ou de photons) de façon que seulement un électron (ou photon), en moyenne, traverse les fentes en un temps donné, nous verrons un éclair toutes les fois qu'un électron (ou un photon) frappera l'écran. Au début, les éclairs sembleront aléatoires. En effet, on ne peut d'aucune manière prédire l'endroit où un électron frappera l'écran. Cependant, si nous laissons l'expérience se poursuivre longtemps et que nous prenons note de l'endroit où chaque électron a frappé l'écran, nous verrons bientôt une figure se former, soit la figure d'interférence prédite par la théorie ondulatoire. Ainsi, bien que nous ne puissions pas prévoir où un électron donné frappera l'écran, nous pouvons donner des probabilités. (On peut dire la même chose dans le cas des photons.) La probabilité, comme nous le mentionnons plus haut, est proportionnelle à $|\Psi|^2$. Là où $|\Psi|^2$ est nul, nous obtenons un minimum dans la figure d'interférence; là où $|\Psi|^2$ est un maximum, nous obtenons un maximum dans la figure d'interférence.

[†] La fonction d'onde Ψ est généralement une quantité complexe (c'est-à-dire qui comporte $i = \sqrt{-1}$) et qui n'est donc pas directement observable. D'autre part, $|\Psi|^2$, la valeur absolue de Ψ au carré, est toujours une quantité réelle, et c'est à $|\Psi|^2$ que nous pouvons donner une interprétation physique.

Comme la figure d'interférence se produit même quand les électrons (ou les photons) traversent les fentes un à la fois, il est clair que la figure d'interférence ne résulte pas de l'interaction d'un électron avec un autre. C'est comme si l'électron passait par les deux fentes en même temps! Ceci est possible parce qu'un électron n'est pas précisément une particule. C'est autant une onde qu'une particule; or une onde peut certainement passer par les deux fentes à la fois. Mais que se produit-il si nous couvrons une des fentes de façon à nous assurer que l'électron passe par l'autre, puis l'autre fente de façon à être certain que l'électron passe par la première? Le résultat est qu'il n'y a pas de figure d'interférence. Nous ne voyons que deux aires brillantes sur l'écran derrière chaque fente. Ceci confirme notre idée que lorsque deux fentes sont ouvertes, chaque électron passe par les deux à la fois, comme s'il s'agissait d'une onde. Et pourtant, chaque électron produit une minuscule tache brillante à l'écran comme s'il s'agissait d'une particule.

La conclusion de cette discussion est la suivante: lorsque nous considérons les électrons (et la matière en général) comme des ondes, Ψ représente l'amplitude de l'onde; lorsque nous les considérons comme des particules, nous devons les traiter sur une *base probabiliste*. Le carré de la fonction d'onde, $|\Psi|^2$, est la probabilité, par unité de volume, de trouver un électron donné en un point donné. Nous ne pouvons pas prédire (ou même suivre) le chemin parcouru par un seul électron dans l'espace et le temps.

10.3 Le principe d'incertitude de Heisenberg

Toute mesure suppose une certaine incertitude ou erreur. Ainsi, il est impossible de mesurer avec une exactitude absolue la longueur d'une table. Même si on utilise une règle graduée en millimètres, une inexactitude d'environ $\frac{1}{2}$ mm subsistera. Des instruments plus précis donneraient des mesures plus précises; néanmoins, il existe toujours une marge de flottement, aussi précis que soit l'instrument de mesure. On suppose, cependant, pouvoir réduire l'incertitude indéfiniment par l'utilisation d'instruments de mesure de plus en plus précis.

Selon la mécanique quantique, toutefois, il existe une limite incontournable à la précision de certaines mesures. Cette limite n'impose pas de restrictions à la précision des instruments, mais constitue plutôt une caractéristique fondamentale de la nature. Elle résulte de deux facteurs: la dualité onde-particule et l'interaction inévitable entre le système observé et l'instrument d'observation. Voyons cela plus en détail.

Mesurer un objet sans le faire bouger, ne serait-ce qu'un peu, est impossible. Imaginez que vous essayez de déterminer la position d'une balle de ping-pong dans une pièce plongée dans l'obscurité. Vous tâtez des mains à droite et à gauche pour trouver la balle; dès que vous la touchez, elle rebondit plus loin. Chaque fois que nous cherchons à mesurer la position d'un objet, qu'il s'agisse d'une balle de ping-pong ou d'un électron, nous touchons toujours l'objet avec quelque chose d'autre qui nous donnera l'information sur la position. Pour déterminer l'emplacement d'une balle de ping-pong perdue dans une pièce obscure, vous pourriez tâter à droite et à gauche avec vos mains ou un bâton; vous pourriez aussi allumer une lumière et détecter la réflexion de la lumière sur la balle. Quand vous cherchez avec vos mains ou un bâton, vous trouvez la balle quand vous la touchez. Mais quand vous touchez la balle, vous la heurtez nécessairement, ce qui lui donne une certaine quantité de mouvement. Ainsi vous ignorez sa position *future*. On pourrait dire la même chose, quoique à un degré bien moindre, si vous cherchiez à observer la balle au moyen de lumière. Pour que vous puissiez «voir» la balle, un ou plusieurs photons doivent être diffusés par celle-ci et les photons réfléchis doivent entrer dans votre œil ou dans un autre détecteur. Lorsqu'un photon frappe un objet de dimensions ordinaires, il n'altère pas de façon significative le mouvement ou la position de l'objet, mais lorsqu'un photon frappe un objet extrêmement petit, comme un électron, il peut transférer une grande partie de sa quantité de mouvement à l'électron et ainsi changer grandement et de façon imprévisible le mouvement et la position de l'objet. Le simple fait de mesurer une fois la position d'un objet rend notre connaissance de sa position future imprécise.

Voyons maintenant en quoi tout ceci est affecté par la dualité onde-particule. Imaginez une expérience dans laquelle vous essayez de mesurer la position d'un objet, un électron par exemple, avec des photons. (Les arguments seraient similaires si vous le faisiez plutôt avec un microscope électronique.) Comme nous l'avons vu au chapitre 6, on ne peut pas voir un objet avec une précision plus grande que la longueur d'onde de la radiation utilisée. Si nous voulons une mesure exacte de la position, nous devons utiliser une longueur d'onde plus petite. Une longueur d'onde plus petite correspond toutefois à une haute fréquence et à une grande énergie (puisque $E = hf$); et plus les photons ont d'énergie, plus est grande la quantité de mouvement qu'ils peuvent donner à l'objet quand ils le frappent. Si on utilise des photons de plus grande longueur d'onde et d'une énergie conséquemment plus petite, le mouvement des objets frappés par les photons n'est pas autant affecté. Toutefois, une plus grande longueur d'onde signifie une plus faible résolution, de sorte que la position de l'objet est connue moins précisément. Le simple fait d'observer produit donc une incertitude significative soit dans la *position* soit dans la *quantité de mouvement* de l'électron. Ceci est l'essence du *principe d'incertitude* énoncé pour la première fois en 1927 par Heisenberg.

Du point de vue quantitatif, on peut calculer approximativement la grandeur de cet effet. En utilisant de la lumière de longueur d'onde λ, on peut, au mieux, mesurer la position avec une précision de λ. Autrement dit, l'incertitude sur la mesure de la position, Δx, est approximativement de:

$$\Delta x \approx \lambda.$$

Supposez qu'on puisse détecter l'objet avec un seul photon. Le photon a une quantité de mouvement $p = h/\lambda$; lorsqu'il frappe notre objet, il lui donnera tout ou une partie de sa quantité de mouvement. Par conséquent, la quantité de mouvement finale de notre objet est incertaine par une grandeur de:

$$\Delta p \approx h/\lambda,$$

puisque nous ne pouvons pas prédire combien de quantité de mouvement sera transférée. Le produit de ces incertitudes est:

$$(\Delta x)(\Delta p) \approx h.$$

Bien sûr, les incertitudes pourraient être pires, selon l'appareil et le nombre de photons nécessaires pour la détection. Heisenberg trouva par un calcul plus rigoureux[†] que, dans le meilleur des cas,

$$(\Delta x)(\Delta p) \gtrsim \frac{h}{2\pi}. \qquad (10.1)$$

Ceci est l'énoncé mathématique du **principe d'incertitude d'Heisenberg**. Il affirme que nous ne pouvons pas mesurer simultanément, avec précision, la position et la quantité de mouvement d'un objet. Plus nous cherchons à déterminer avec précision la position, de sorte que Δx est petit, plus l'incertitude Δp quant à la quantité de mouvement est grande. Lorsque nous essayons de mesurer très précisément la quantité de mouvement, l'incertitude de la position augmente. Le principe d'incertitude n'interdit toutefois pas des mesures uniques précises. En principe, nous pourrions mesurer avec exactitude la position d'un objet, mais alors nous ignorerions totalement sa quantité de mouvement. Ainsi, quoique nous serions capables de connaître précisément la position d'un objet à un instant donné, nous ne pourrions avoir aucune idée de l'endroit où il se trouverait un moment plus tard.

[†] Dans le vocabulaire des statistiques et des probabilités, les incertitudes Δx et Δp représentent l'*écart type* dans les mesures de x et p.

Il est également utile d'énoncer le principe d'incertitude de façon à mettre en évidence la relation entre l'énergie et le temps; voyons cela. L'objet à détecter a une incertitude quant à sa position de $\Delta x \approx \lambda$. Or, le photon utilisé pour détecter l'objet voyage à la vitesse c et prend un temps $\Delta x/c \approx \lambda/c$ pour franchir la distance d'incertitude. Par conséquent, le temps mesuré quand notre objet se trouve à une position donnée est incertain d'environ:

$$\Delta t \approx \frac{\lambda}{c}.$$

Comme le photon peut transférer tout ou une partie de son énergie ($= hf = hc/\lambda$) à notre objet, l'incertitude quant à l'énergie de notre objet est donc:

$$\Delta E \approx \frac{hc}{\lambda}.$$

Le produit de ces deux incertitudes est:

$$(\Delta E)(\Delta t) \approx h.$$

Le calcul plus rigoureux de Heisenberg donne:

$$(\Delta E)(\Delta t) \geq \frac{h}{2\pi}. \qquad (10.2)$$

Sous cette forme, le principe d'incertitude nous dit que l'énergie d'un objet peut être incertaine, ou peut même ne pas être conservée, d'une quantité ΔE pour un temps $\Delta t \approx h/(2\pi\Delta E)$.

Nous avons traité de la position et de la vitesse d'un électron comme s'il s'agissait d'une particule. Mais ce n'est pas une particule. En fait, le principe d'incertitude existe parce qu'un électron (et la matière en général) a des propriétés ondulatoires aussi bien que corpusculaires. Ce que le principe d'incertitude nous indique vraiment, c'est que si nous insistons pour considérer l'électron comme une particule, alors il y a certaines limites à cette représentation simplifiée, c'est-à-dire que la position et la vitesse ne peuvent pas toutes les deux être connues précisément en même temps, et que l'énergie peut être incertaine (ou ne pas être conservée) d'une quantité ΔE pour un temps $\Delta t \approx h/(2\pi\Delta E)$.

Comme la constante de Planck, h, est très petite, les incertitudes découlant du principe d'incertitude sont d'ordinaire négligeables au niveau macroscopique. Mais à la grosseur de l'atome, les incertitudes sont significatives. Comme les objets de taille courante sont composés d'atomes contenant des noyaux et des électrons, le principe d'incertitude est pertinent pour notre compréhension de toute la Nature. Le principe d'incertitude stipule, peut-être de la façon la plus claire, la nature probabiliste de la mécanique quantique. Il constitue souvent, pour cette raison, la base de discussions philosophiques.

EXEMPLE 10.1 Un électron se déplace en ligne droite à une vitesse constante $v = 1{,}10 \times 10^6$ m/s qui a été mesurée avec une précision de 0,100 %. Quelle est la précision maximale à laquelle sa position peut être mesurée simultanément?

SOLUTION La quantité de mouvement de l'électron est $p = mv = (9{,}11 \times 10^{-31}\ \text{kg}) \cdot (1{,}10 \times 10^6\ \text{m/s}) = 1{,}00 \times 10^{-24}\ \text{kg} \cdot \text{m/s}$. L'incertitude quant à la quantité de mouvement est 0,100 % de ceci, ou

$$\Delta p = 1{,}00 \times 10^{-27}\ \text{kg} \cdot \text{m/s}.$$

ENCADRÉ 10.1

L'interprétation de la physique quantique

La physique quantique, en tant que théorie complète, existe depuis la fin de 1927. Les découvertes et les perfectionnements ultérieurs, sur le plan théorique comme sur le plan expérimental, n'ont pas modifié ses fondements.

La physique quantique remet en cause la signification de concepts à la base de la connaissance de la matière; selon certains scientifiques et certains philosophes, elle laisse place à différentes interprétations des concepts de causalité et de déterminisme.

Nous donnerons ici un petit aperçu des problèmes posés par les fondements de la physique quantique, cette théorie dont les mérites prévisionnels et utilitaires sont incontestables et incontestés. Nous le ferons d'une façon très schématique en présentant les positions des deux physiciens qui ont probablement contribué le plus au débat sur la physique quantique et qui ont présenté les positions les plus articulées, soit Niels Bohr (1885-1962) et Albert Einstein (1879-1955).

Le dialogue entre Bohr et Einstein

En 1949, dans un livre consacré à Einstein, Bohr rapporte ses «discussions avec Einstein sur les problèmes épistémologiques en physique atomique». Il y affirme que les objections d'Einstein lui ont permis de clarifier les fondements de la théorie quantique et d'en arriver à une formulation beaucoup plus articulée.

Les premiers échanges de vue entre Bohr et Einstein sur l'interprétation de la physique quantique se sont déroulés au cinquième congrès de Solvay consacré à l'électron et au photon, en Belgique, en octobre 1927. Leurs discussions se tenaient dans les corridors et pendant les repas. Einstein apporta des objections à l'interprétation de Bohr à partir d'une situation que nous prenons en exemple plus loin dans cet encadré.

Leurs entretiens reprirent au sixième congrès de Solvay (consacré au magnétisme), en 1930, où Einstein amena un contre-exemple au principe d'indétermination de Heisenberg (1901-1976). Einstein s'appuyait sur son équation déjà célèbre reliant la masse et l'énergie. L'argument d'Einstein prit Bohr par surprise; ce dernier répliqua dès le lendemain en montrant qu'Einstein avait oublié de tenir compte de la relation existant entre le changement de fréquence d'une horloge et son déplacement dans le champ gravitationnel, relation dictée par la théorie de la relativité générale.

Les premières tentatives d'Einstein cherchaient à montrer que la mécanique quantique souffrait d'illogismes. Finalement convaincu de la cohérence interne de la théorie, il voulut démontrer que la théorie quantique était incomplète. Une théorie est complète, selon *Le monde quantique*, «si elle prend en compte dans son formalisme, ses équations, etc., tous les éléments de réalité des systèmes qu'elle étudie». Einstein ne pouvait accepter, par exemple, que le mouvement d'un électron soit intrinsèquement régi par une loi de probabilité. En 1931, il publiait, en collaboration avec Tolman (1881-1948) et Podolsky, *Connaissance du passé et du futur en mécanique quantique*. En 1935, il récidivait avec l'article *Peut-on considérer que la mécanique quantique décrit complètement la réalité?*, écrit cette fois-ci avec Podolsky et Rosen.

On doit noter qu'Einstein, malgré son opposition farouche à l'interprétation probabiliste de la physique quantique après les années 20, fut un des principaux initiateurs de cet aspect probabiliste. En effet, c'est lui qui, en 1905, traita statistiquement le rayonnement comme s'il était composé de paquets d'énergie, ce qui mena directement à la complémentarité onde-particule. La communauté scientifique n'accepta ces travaux que vers les années 20. Encore quelques années plus tôt, en 1913, un comité qui recommandait sa nomination au poste de professeur dans une université excusait cet article de 1905 comme étant un incident de parcours. C'est Einstein également qui, en 1916, traita statistiquement des échanges d'énergie entre matière et rayonnement à partir des concepts nouveaux d'émission induite, d'absorption induite et d'émission spontanée, qui sont fondamentaux en physique du laser.

Pour Einstein cependant, le traitement probabiliste ne pouvait être que provisoire et devait déboucher sur une théorie déterministe. Des années 30 jusqu'à sa mort, il concentra ses recherches du côté de la relativité générale; il espérait découvrir que les particules de matière sont des singularités d'un champ et, en même temps, il espérait résoudre le problème de l'unification des quatre forces de la nature: gravitationnelle, électromagnétique, nucléaire et faible.

La physique quantique est proprement une révolution, probablement la plus grande de toutes sur le plan de la compréhension de la matière. C'est une révolution qui a pris par surprise les philosophes eux-mêmes et qui nourrit encore des échanges soutenus parmi les physiciens et les philosophes.

La non-séparabilité quantique

Dans *Le monde quantique*, on définit la séparabilité comme suit: «Un système physique est dit séparable — ou divisible — si, par l'esprit, on peut y distinguer des sous-systèmes indépendants, pourvus de propriétés physiques qui leur sont propres, et dont on peut donc parler séparément au même titre que du système global.»

Prenons un exemple où la séparabilité est mise en cause et qui illustre très bien le genre de problème épistémologique posé par la mécanique quantique. À la figure 1, le groupe des lignes parallèles représente une onde électronique (ou photonique); cette onde diffracte à travers un trou pour donner un patron de diffraction qui, selon la mécanique quantique, représente la probabilité de trouver l'électron (ou le photon) en un endroit ou l'autre de l'écran.

FIGURE 1 La détection de l'onde électronique se fait en un seul point.

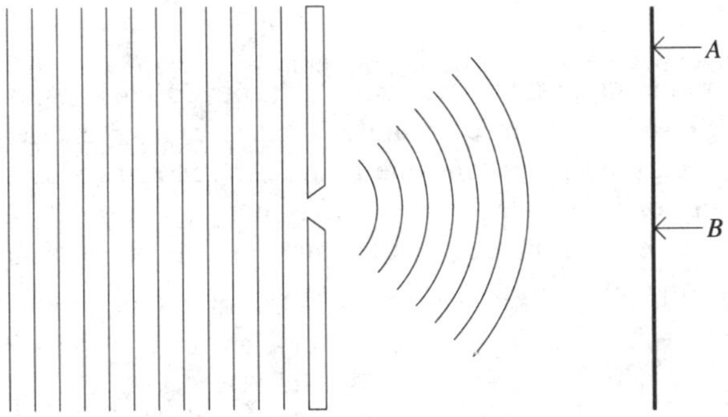

Einstein soumit cet exemple à Bohr en 1928; il le développa ultérieurement en considérant non seulement la position de l'électron mais aussi sa vitesse.

Si l'électron est détecté en *A*, selon Einstein, il est hors de question de l'observer en un autre point, comme en *B*. Juste avant la détection, l'électron était «partout et nulle part», aussi bien en *A* qu'en *B*, avec des probabilités différentes cependant. Quand l'électron est détecté en *A*, la probabilité de sa présence en tout autre lieu de l'écran, comme le point *B*, devient instantanément nulle: il ne s'y trouve pas d'électron. Pour Einstein, cela allait à l'encontre du principe de l'impossibilité de transfert d'information (ici, de *A* vers les autres points de l'écran) à une vitesse plus grande que celle de la lumière. Il concluait donc que la théorie quantique était incomplète, puisqu'elle ne pouvait expliquer cette contradiction apparente.

Comme l'avait bien vu Einstein, la séparabilité des événements est en cause. Pour lui, comme *A* et *B* occupent deux lieux distincts, l'événement se produisant en *A* doit être dissocié de l'événement se produisant en *B* en vertu du principe de séparabilité. Pour Bohr, tous les points de l'écran, si loin soient-ils les uns des autres, participent au même événement: il n'y a pas séparabilité entre ces points. La théorie quantique traite de la diffraction de l'électron de façon globale.

En 1948, John Bell, un physicien théoricien du Centre européen pour la recherche nucléaire, tomba sur l'article (1935) d'Einstein, Podolsky et Rosen sur l'incomplétude de la mécanique quantique, dont les considérations l'intriguèrent beaucoup. Plusieurs années plus tard, en 1964, il reconsidéra la question et formula un théorème permettant de distinguer la position d'Einstein (incomplétude) de celle de Bohr (complétude).

En 1982, Alain Aspect réalisa plusieurs expériences en appliquant ce théorème de Bell, où des photons corrélés, c'est-à-dire dont l'état de polarisation de l'un conditionne l'état de polarisation de l'autre, étaient émis par une source (atome de calcium) dans des directions opposées. Les résultats sur la corrélation entre les photons, corrélation testée alors que les photons étaient très loin l'un de l'autre, donnèrent raison à Bohr (interprétation de la physique quantique dite de Copenhague). Cette expérience consacra le principe de la non-séparabilité quantique.

La physique quantique est une théorie complète, cohérente, dont les prédictions sont claires et uni-

ENCADRÉ 10.1 (suite)

voques. Bien qu'elle pose problème au sens commun, elle a résisté avec succès à toutes les confrontations sur le plan de la cohérence et de la complétude. Croire qu'elle restera inchangée serait pour le moins présomptueux. On peut croire et on espère qu'elle fera éventuellement place à une théorie plus générale englobant à la fois la mécanique quantique et la relativité générale.

P.-É. O.

Références

Banesh HOFFMAN, Michel PATY (1981). *L'étrange histoire des quanta*, Éditions du Seuil, coll. «Points Sciences».

Collectif (1984). *Le monde quantique*, Éditions du Seuil, Sciences & Avenir, coll. «Points Sciences».

D'après le principe d'incertitude, la mesure de position simultanée optimale comporte une incertitude de:

$$\Delta x = \frac{h/2\pi}{\Delta p} = \frac{6,63 \times 10^{-34}\ \mathrm{J \cdot s}}{(2\pi)(1,00 \times 10^{-27}\ \mathrm{kg \cdot m/s})} = 1,06 \times 10^{-7}\ \mathrm{m}$$

ou d'environ 100 nm. Ceci est environ 1000 fois le diamètre d'un atome.

EXEMPLE 10.2 Une balle de 20 g est animée d'une vitesse de 300 m/s, connue à 0,10 % près. Quelle est, selon la mécanique quantique, la limite d'une mesure simultanée de la position?

SOLUTION L'incertitude quant à la quantité de mouvement est de $(0,001)mv = (0,001)(0,020\ \mathrm{kg}) \cdot (300\ \mathrm{m/s}) = 0,0060\ \mathrm{kg \cdot m/s}$. L'incertitude quant à une mesure de la position pourrait donc être aussi basse que $\Delta x = h/2\pi\Delta p = 1,8 \times 10^{-32}$ m, une distance incroyablement plus petite que tout ce que nous pourrions imaginer mesurer. En fait, les limites introduites par le principe d'incertitude sont sans conséquence pour la mesure d'objets macroscopiques.

EXEMPLE 10.3 La mesure de la masse du méson $\psi^{\dagger}$, découvert en 1974, donne une valeur moyenne de 3100 MeV (exprimée en unités d'énergie) avec une largeur intrinsèque de 63 keV. Par ceci, nous entendons que la mesure des masses de différents mésons ψ donne en fait des valeurs légèrement différentes les unes des autres. Cette «largeur» de masse est reliée à la très courte durée de vie de ψ avant sa désintégration en d'autres particules. Estimez sa durée de vie au moyen du principe d'incertitude.

SOLUTION L'incertitude quant à la masse du ψ équivaut à une incertitude quant à son énergie au repos de:

$$\Delta E = (63 \times 10^{3}\ \mathrm{eV})(1,60 \times 10^{-19}\ \mathrm{J/eV}) = 1,0 \times 10^{-14}\ \mathrm{J}.$$

† Le nom de cette particule n'est pas relié au symbole de la fonction d'onde Ψ ou ψ. Ce n'est qu'un nom.

On peut donc estimer sa durée de vie à:

$$\tau \approx \frac{h/2\pi}{\Delta E} = \frac{6{,}63 \times 10^{-34}\ \mathrm{J\cdot s}}{(2\pi)(1{,}0 \times 10^{-14}\ \mathrm{J})} \approx 1{,}0 \times 10^{-20}\ \mathrm{s}.$$

Des durées de vie si courtes sont difficiles à mesurer directement, et les meilleures déterminations des très courtes durées de vie repose sur l'utilisation de la méthode des pages précédentes et basée sur le principe d'incertitude. (Voir aussi le chapitre 15).

10.4 Les engagements philosophiques; probabilité ou déterminisme

La vision newtonienne classique du monde est déterministe (voir section 6.5 du tome 1). L'une de ses idées fondamentales est qu'il est possible de déduire la position future d'un corps si on connaît les forces qui agissent sur lui de même que sa position et sa vitesse à un moment donné. Par exemple, si on lance une pierre un certain nombre de fois, avec la même vitesse initiale et selon le même angle, et que les forces ne varient pas, la pierre suivra toujours la même trajectoire. Si on connaît les forces (la gravité et la résistance de l'air, s'il y en a), on peut prédire précisément la trajectoire de la pierre et la position de son impact au sol. Cette vision mécaniste suppose que le déroulement futur de l'univers, que l'on croit composé de corps individuels, est complètement déterminé.

La mécanique quantique a radicalement transformé cette vision déterministe classique du monde physique. Comme nous l'avons vu dans l'analyse de l'expérience de la double fente (section 10.2), des électrons, même s'ils sont tous préparés de la même manière, n'aboutissent pas tous au même endroit. Selon la mécanique quantique, il existe certaines probabilités que des électrons aboutissent à des points distincts. Voilà qui est très différent de la vision classique, selon laquelle le chemin suivi par une particule peut être déduit, avec précision, de sa position et de sa vitesse initiales et des forces qui agissent sur elle. D'après la mécanique quantique, la position et la vitesse d'un corps ne peuvent même pas être connues simultanément avec exactitude. Cette limitation, exprimée par le principe d'incertitude, découle du fait qu'on ne considère pas les entités fondamentales, tels les électrons, comme de simples particules: elles ont aussi des propriétés ondulatoires. La mécanique quantique nous permet seulement de calculer les probabilités que, par exemple, un électron (lorsque nous le représentons comme une particule) soit observé en différents endroits. Selon la mécanique quantique, il existe une imprévisibilité inhérente dans la Nature.

Comme on considère que la matière est composée d'atomes, on en conclut que même les corps de taille courante sont gouvernés par la chance et la probabilité, plutôt que par un déterminisme strict. Par exemple, il y a une probabilité non nulle (quoique très petite) que si vous lancez une pierre, sa trajectoire s'incurve vers le haut au lieu de prendre la forme d'une parabole incurvée vers le bas, conformément au mouvement normal d'un projectile. La mécanique quantique prédit que les objets ordinaires se comporteront, avec une très grande probabilité, conformément aux lois de la mécanique classique. Mais de telles prédictions sont des probabilités, non des certitudes. Les objets macroscopiques se comportent conformément aux lois classiques avec une probabilité très élevée à cause du très grand nombre de molécules concernées: quand un très grand nombre de corps sont présents dans une situation statistique, les écarts par rapport à la moyenne sont négligeables. C'est la configuration moyenne d'un très grand nombre de molécules qui obéit aux lois soi-disant fixes de la physique classique avec une probabilité aussi élevée, ce qui donne lieu à un «déterminisme» apparent. Les écarts, par rapport aux lois classiques, sont facilement observables quand on a affaire à un petit nombre de molécules. Nous pouvons donc affirmer que même s'il n'y a pas de lois déterministes précises en mécanique quantique, il y a des lois statistiques basées sur les probabilités.

Il importe de noter qu'il existe une différence entre la probabilité de la mécanique quantique et celle utilisée au XIXe siècle pour comprendre la thermodynamique et le comportement des gaz en fonction des molécules. En thermodynamique, les probabilités sont utilisées parce qu'il y a beaucoup trop de molécules pour qu'on puisse les suivre une à une. On supposait néanmoins que les molécules se déplaçaient et interagissaient de façon bien déterminée, conformément aux lois de Newton. La probabilité en mécanique quantique est tout à fait différente; on la conçoit comme étant *inhérente* à la Nature et non comme une limitation de notre capacité de faire des calculs.

Certes quelques physiciens n'ont pas abandonné la vision déterministe de la Nature et refusent d'admettre que la mécanique quantique constitue une théorie complète (Einstein était l'un d'eux). Mais la grande majorité des physiciens acceptent la mécanique quantique et la vision probabiliste de la Nature. Cette vision, que nous exposons ici, est généralement admise et est appelée l'**interprétation de Copenhague** de la mécanique quantique en l'honneur du lieu de résidence de Niels Bohr, puisque c'est surtout là qu'elle fut développée, au fil des discussions entre Bohr et d'autres éminents physiciens.

Comme les électrons ne sont pas simplement des particules, on ne peut pas les considérer comme s'ils suivaient des chemins particuliers dans l'espace et dans le temps. Ceci conduit à penser qu'une description de la matière dans le temps et l'espace pourrait ne pas être complètement correcte. Cette conclusion aux conséquences multiples a constitué un sujet de controverse chez les philosophes. Le philosophe le plus important et le plus influent de la mécanique quantique fut peut-être Bohr lui-même. Il affirmait que la description, dans l'espace-temps, d'atomes et d'électrons réels était impossible. Une description des expériences sur les atomes et les électrons doit cependant être faite en ce qui a trait au temps, à l'espace et à d'autres concepts familiers appartenant à notre expérience quotidienne, comme les ondes et les particules. Nous ne devons pas conclure, à partir des *descriptions* de nos expériences, que les atomes et les électrons eux-mêmes existent vraiment dans le temps et l'espace comme des particules. Cette distinction entre notre interprétation de l'expérience et ce qui se passe «réellement» dans la Nature est cruciale.

10.5 L'équation de Shrödinger à une dimension — La forme indépendante du temps

Pour décrire les systèmes physiques quantitativement dans le cadre de la mécanique quantique, nous devons pouvoir déterminer la fonction d'onde Ψ mathématiquement. Comme nous l'avons mentionné à la section 10.2, l'équation fondamentale (dans le domaine non relativiste) pour déterminer Ψ est l'*équation de Schrödinger.* On ne peut toutefois pas déduire l'équation de Schrödinger de principes plus élevés, tout comme on ne peut pas déduire la seconde loi de Newton, par exemple. La relation $\vec{\mathbf{F}} = m\vec{\mathbf{a}}$ fut *inventée* par Newton pour décrire comment le mouvement d'un corps est relié à la force nette appliquée sur lui. Comme nous l'avons vu au tome 1, la seconde loi de Newton fonctionne extrêmement bien. Dans le domaine de la physique classique, cette loi constitue le point de départ permettant d'analyser algébriquement un vaste ensemble de problèmes. Et les solutions auxquelles elle permet d'arriver concordent parfaitement avec l'expérience. Toute équation fondamentale tient sa validité de sa concordance avec l'expérience. L'équation de Schrödinger fait partie d'une nouvelle théorie, et elle aussi a dû être *inventée*, puis vérifiée expérimentalement.

L'équation de Schrödinger peut s'écrire sous deux formes: la version dépendante du temps et la version indépendante du temps. Comme la mécanique quantique s'intéresse surtout à des situations permanentes, c'est-à-dire qui ne dépendent pas du temps, nous n'avons besoin ici que de la version indépendante du temps. (Nous traiterons brièvement de la version dépendante du temps à la section suivante.) Cette version exige une fonction d'onde dépendant seulement de la position que nous représenterons par un psi minuscule, $\psi(x)$.

En mécanique classique, nous résolvions les problèmes grâce à deux approches: les lois de Newton avec le concept de force et le concept d'énergie avec les lois de conservation. L'équation de Schrödinger repose sur l'approche utilisant l'énergie. Quoiqu'on ne puisse démontrer l'équation de Schrödinger, nous pouvons suggérer la forme qu'elle pourrait prendre en utilisant la conservation de l'énergie et en considérant un cas très simple: celui d'une particule libre sur laquelle ne s'exerce aucune force et dont l'énergie potentielle U est donc constante. Nous supposons que notre particule se déplace le long de l'axe des x, et puisqu'aucune force n'agit sur elle, sa quantité de mouvement demeure constante et sa longueur d'onde ($\lambda = h/p$) est fixe. Pour décrire une onde d'une particule libre comme un électron, nous nous attendons à ce que la fonction d'onde ait à satisfaire à une équation différentielle semblable (mais non identique) à l'équation d'onde classique. Voyons ce que nous pouvons inférer à propos de cette équation. Considérons une onde progressive simple d'une seule longueur d'onde λ dont le déplacement ondulatoire, comme nous l'avons vu au chapitre 1 de ce tome pour les ondes mécaniques et au chapitre 12 du tome 2 pour les ondes électromagnétiques, est donné par $A \sin(kx - \omega t)$ ou, de façon plus générale, par une superposition de sinus et de cosinus: $a \sin(kx - \omega t) + b \cos(kx - \omega t)$. Comme nous ne nous intéressons qu'à la dépendance spatiale, nous considérons l'onde à un moment spécifique, soit $t = 0$. Nous pouvons donc écrire la fonction d'onde pour notre particule comme étant:

$$\psi(x) = a \sin kx + b \cos kx, \tag{10.3a}$$

où a et b sont des constantes[†] et $k = 2\pi/\lambda$ (équation 1.11). Pour une particule de masse m et de vitesse v, la longueur d'onde selon de Broglie est $\lambda = h/p$, où $p = mv$ est la quantité de mouvement de la particule. Et donc,

$$k = \frac{2\pi}{\lambda} = \frac{2\pi p}{h} = \frac{p}{\hbar}, \tag{10.3b}$$

où pour $h/2\pi$ nous avons écrit $\hbar$ (h traversé d'une barre) comme il est d'usage en mécanique quantique; $\hbar$ a la valeur:

$$\hbar = \frac{h}{2\pi} = 1{,}055 \times 10^{-34}\ \mathrm{J \cdot s}.$$

Par conséquent, on exige de notre équation d'onde qu'elle ait la fonction d'onde $\psi(x)$, telle qu'elle est donnée par l'équation 10.3, comme solution pour une particule libre. On exige aussi qu'elle soit conforme à la loi de la conservation de l'énergie, que nous pouvons exprimer par:

$$\frac{p^2}{2m} + U = E,$$

où E est l'énergie totale, U est l'énergie potentielle et (puisque nous considérons le domaine non relativiste), l'énergie cinétique de notre particule de masse m est $K = \frac{1}{2}mv^2 = p^2/2m$. Comme $p = \hbar k$ (équation 10.3b), nous pouvons énoncer la condition de la conservation de l'énergie sous la forme de:

$$\frac{\hbar^2 k^2}{2m} + U = E. \tag{10.4}$$

Nous cherchons donc une équation différentielle qui satisfasse à la conservation de l'énergie (équation 10.4) quand $\psi(x)$ en est une solution. Maintenant, remarquons que

[†] En mécanique quantique, ces constantes peuvent être complexes (c'est-à-dire avec une partie réelle et/ou imaginaire).

si nous prenons deux dérivées de notre expression pour $\psi(x)$ (équation 10.3a), nous obtenons $\psi(x)$ multiplié par un facteur k^2:

$$\frac{d\psi(x)}{dx} = \frac{d}{dx}(a \sin kx + b \cos kx) = k(a \cos kx - b \sin kx)$$

$$\frac{d^2\psi(x)}{dx^2} = k\frac{d}{dx}(a \cos kx - b \sin kx) = -k^2(a \sin kx + b \cos kx) = -k^2\psi(x).$$

Est-ce que cela peut être relié au terme en k^2 dans l'équation 10.4? En effet, si nous multiplions la dernière relation par $-\hbar^2/2m$, nous obtenons:

$$-\frac{\hbar^2}{2m}\frac{d^2\psi(x)}{dx^2} = \frac{\hbar^2 k^2}{2m}\psi(x).$$

Le côté droit de l'équation correspond au premier terme à la gauche de l'équation 10.4 multiplié par $\psi(x)$. Si nous multiplions l'équation 10.4 au complet par $\psi(x)$ et effectuons cette substitution, nous obtenons:

$$-\frac{\hbar^2}{2m}\frac{d^2\psi(x)}{dx^2} + U(x)\psi(x) = E\psi(x). \tag{10.5}$$

Ceci est, en fait, l'**équation de Schrödinger indépendante du temps** à une dimension, dans laquelle nous avons écrit $U = U(x)$. Elle constitue la base permettant de résoudre les problèmes en mécanique quantique non relativiste. Pour une particule se déplaçant en trois dimensions, il y aurait des dérivées additionnelles par rapport à y et z (voir le chapitre 11).

Notez, toutefois, que nous n'avons d'aucune façon démontré l'équation de Schrödinger. Quoique nous ayons développé de bons arguments en sa faveur, d'autres arguments pourraient nous conduire à cette équation, ou ne pas nous y conduire. L'équation de Schrödinger (équation 10.5) est utile et valide uniquement parce qu'elle a donné des résultats en accord avec l'expérience pour un vaste ensemble de situations.

Une fonction d'onde qui est une solution de l'équation de Schrödinger doit répondre à certaines exigences pour être physiquement significative. D'abord, il faut que ce soit une fonction continue; après tout, si $|\psi|^2$ représente la probabilité de trouver une particule en un certain point, nous devons penser que la probabilité sera continue d'un point à un autre et qu'elle ne changera pas de façon abrupte. Ensuite, nous voulons que la fonction d'onde soit *normalisée.* Par là, nous voulons dire que pour une même particule, la probabilité de la trouver en un point ou en un autre (c'est-à-dire les probabilités additionnées sur tout l'espace) doit être de 1 (ou 100 %) exactement. Pour une même particule, $|\psi|^2$ représente la probabilité de trouver la particule dans une unité de volume. Par conséquent,

$$|\psi|^2\, dV$$

est la probabilité de trouver la particule dans un volume dV, où ψ est la valeur de la fonction d'onde dans le volume infinitésimal dV. Pour le cas à une dimension, $dV = dx$. Et donc la somme des probabilités sur tout l'espace, soit la probabilité de trouver la particule en un point ou en un autre, devient:

$$\int_{\text{tout l'espace}} \psi^2\, dV = \int \psi^2\, dx = 1. \tag{10.6}$$

Ceci s'appelle la **condition de normalisation**. L'intégrale est exécutée sur toute région de l'espace dans laquelle la particule a une chance de se trouver, ce qui est souvent tout l'espace, de $x = -\infty$ à $x = \infty$.

10.6 L'équation de Schrödinger dépendante du temps

La forme la plus générale de l'équation de Schrödinger, comprenant la dépendance face au temps, pour une particule de masse m se déplaçant dans une dimension est:

$$-\frac{\hbar^2}{2m}\frac{\partial^2\Psi(x, t)}{\partial t^2} + U(x)\Psi(x, t) = i\hbar\frac{\partial\Psi(x, t)}{\partial t}. \qquad (10.7)$$

Ceci est l'**équation de Schrödinger dépendante du temps**; ici $U(x)$ est l'énergie potentielle de la particule en fonction de la position et i est le nombre imaginaire $i = \sqrt{-1}$. Pour une particule évoluant en trois dimensions, il y aurait des dérivées additionnelles relativement à y et z, tout comme pour l'équation d'onde classique présentée à la section 1.5. En effet, il y a une nette similitude entre l'équation d'onde de Schrödinger pour une énergie potentielle nulle ($U = 0$) et l'équation d'onde classique: $\partial^2D/\partial t^2 = v^2\partial^2D/\partial x^2$, où D est le déplacement ondulatoire (équivalant à la fonction d'onde). Dans les deux équations, il y a une dérivée seconde par rapport à x; dans l'équation de Schrödinger, toutefois, il n'y a qu'une première dérivée par rapport au temps, alors que l'équation d'onde classique contient une dérivée seconde par rapport au temps.

Comme nous l'avons fait remarquer à la section précédente, nous ne pouvons démontrer l'équation de Schrödinger dépendante du temps. Nous pouvons toutefois montrer comment on peut en déduire l'équation de Schrödinger indépendante du temps (équation 10.5). Pour la plupart des problèmes en mécanique quantique, il est possible d'écrire l'équation d'onde comme un produit de fonctions séparées pour l'espace et le temps:

$$\Psi(x, t) = \psi(x)f(t).$$

En substituant le second membre de cette équation au premier dans l'équation de Schrödinger dépendante du temps (équation 10.7), nous obtenons:

$$-\frac{\hbar^2}{2m}f(t)\frac{d^2\psi(x)}{dx^2} + U(x)\psi(x)f(t) = i\hbar\psi(x)\frac{df(t)}{dt}.$$

En divisant les deux membres de cette équation par $\psi(x)f(t)$, nous obtenons l'équation suivante qui présente x seulement d'un côté et t, seulement de l'autre:

$$-\frac{\hbar^2}{2m}\frac{1}{\psi(x)}\frac{d^2\psi(x)}{dx^2} + U(x) = i\hbar\frac{1}{f(t)}\frac{df(t)}{dt}.$$

Cette *séparation de variables* est très utile. Comme le côté gauche n'est une fonction que de x et que le côté droit n'est une fonction que de t, l'égalité ne peut être valide pour toutes les valeurs de x et toutes les valeurs de t que si chaque côté est égal à une constante (la même constante, bien entendu), que nous appelons C:

$$-\frac{\hbar^2}{2m}\frac{1}{\psi(x)}\frac{d^2\psi(x)}{dx^2} + U(x) = C \qquad (10.8a)$$

$$i\hbar\frac{1}{f(t)}\frac{df(t)}{dt} = C. \qquad (10.8b)$$

En multipliant chaque terme de la première équation (équation 10.8a) par $\psi(x)$, nous obtenons:

$$-\frac{\hbar^2}{2m}\frac{d^2\psi(x)}{dx^2} + U(x)\psi(x) = C\psi(x).$$

Nous reconnaissons immédiatement l'équation de Schrödinger indépendante du temps (équation 10.5). La constante C doit clairement être égale à l'énergie totale E. Nous avons donc obtenu la forme indépendante du temps de l'équation de Schrödinger à partir de sa forme dépendante du temps.

L'équation 10.8b est facile à résoudre. En posant $C = E$, nous pouvons la récrire comme:

$$\frac{df(t)}{dt} = -i\frac{E}{\hbar}f(t)$$

(notez que puisque $i^2 = -1, i = -1/i$), et puis comme:

$$\frac{df(t)}{f(t)} = -i\frac{E}{\hbar}dt.$$

En intégrant chaque membre, nous obtenons:

$$\ln f(t) = -i\frac{E}{\hbar}t$$

ou

$$f(t) = e^{-i(E/\hbar)t}.$$

Et donc la fonction d'onde totale est:

$$\Psi(x, t) = \psi(x)e^{-i(E/\hbar)t}, \tag{10.9}$$

où $\psi(x)$ satisfait à l'équation 10.5. C'est, en fait, la recherche de solutions pour l'équation de Schrödinger indépendante du temps (équation 10.5) qui constitue la tâche essentielle de la mécanique quantique non relativiste. Néanmoins, il importe de noter qu'en général la fonction d'onde $\Psi(x, t)$ est une fonction complexe puisqu'elle comporte $i = \sqrt{-1}$. Elle a une partie réelle et une partie imaginaire†. Comme $\Psi(x, t)$ n'est pas purement réel, on ne peut le mesurer physiquement! Nous ne pouvons mesurer physiquement que $|\Psi|^2$, lequel est réel.

Notez aussi que:

$$|f(t)| = |e^{-i(E/\hbar)t}| = 1,$$

de sorte que $|f(t)|^2 = 1$. La densité de probabilité dans l'espace ne dépend donc pas du temps:

$$|\Psi(x, t)|^2 = |\psi(x)|^2.$$

Nous ne nous intéresserons donc (comme nous l'avons déjà mentionné) qu'à l'équation de Schrödinger indépendante du temps (équation 10.5), que nous examinerons maintenant pour un certain nombre de situations.

10.7 Les particules libres; les ondes planes et les paquets d'ondes

Une **particule libre** est une particule sur laquelle n'agit aucune force, et par conséquent nous considérons que son énergie potentielle est nulle. (Quoique nous ayons déjà traité de la particule libre à la section 10.5, dans la discussion sur l'équation de Schrödinger, nous en traiterons ici en utilisant directement l'équation de Schrödinger comme point de départ). L'équation de Schrödinger (équation 10.5) avec $U(x) = 0$ devient:

$$-\frac{\hbar^2}{2m}\frac{d^2\psi(x)}{dx^2} = E\psi(x),$$

ou

$$\frac{d^2\psi}{dx^2} + \frac{2mE}{\hbar^2}\psi = 0.$$

† Rappelez-vous que $e^{-i\theta} = \cos\theta - i\sin\theta$.

Nous avons déjà rencontré cette équation au chapitre 15 du tome 1 (équation 15.3b) dans la section traitant des oscillateurs harmoniques simples. La solution, telle que nous la donnions alors, mais avec les changements de variables† appropriés au présent cas, est:

$$\psi = A \sin kx + B \cos kx, \tag{10.10}$$

où

$$k = \sqrt{\frac{2mE}{\hbar^2}}. \tag{10.11a}$$

Comme $U = 0$, l'énergie totale E de la particule est $E = \frac{1}{2}mv^2 = p^2/2m$ (où p est la quantité de mouvement); en conséquence,

$$k = \frac{p}{\hbar} = \frac{h}{\lambda\hbar} = \frac{2\pi}{\lambda}. \tag{10.11b}$$

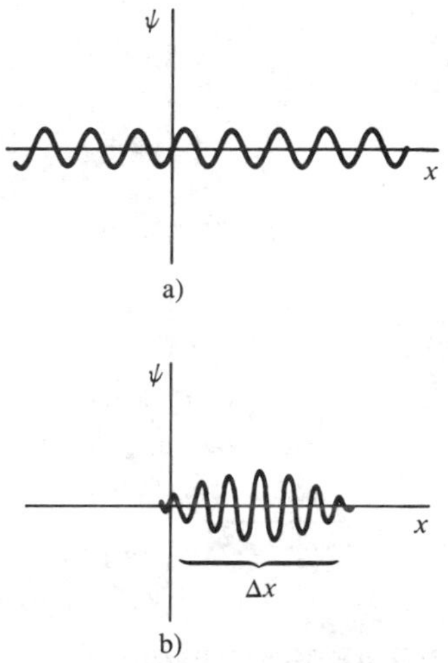

FIGURE 10.4 a) Une onde plane décrivant une particule libre. b) Un paquet d'ondes de «largeur» Δx.

On peut donc représenter une particule libre de quantité de mouvement p et d'énergie E par une onde plane qui varie de façon sinusoïdale. Si nous ne nous intéressons pas à la phase, nous pouvons choisir $B = 0$ dans l'équation 10.10; cette onde sinusoïdale est représentée à la figure 10.4a.

Notez que dans la figure 10.4a l'onde sinusoïdale s'étend indéfiniment‡ dans les directions des x positifs et des x négatifs. Ainsi, comme $|\psi|^2$ représente la probabilité de trouver la particule, cette dernière peut se trouver n'importe où entre $x = -\infty$ et $x = \infty$. Ceci est tout à fait en accord avec le principe d'incertitude (section 10.3): la quantité de mouvement de la particule était donnée et est donc connue précisément ($p = \hbar k$), de sorte que la position de la particule doit être totalement imprévisible. Mathématiquement, si $\Delta p = 0$, $\Delta x \gtrsim \hbar/\Delta p = \infty$.

Pour décrire une particule dont la position est bien localisée, c'est-à-dire dont on sait qu'elle se trouve dans une petite région de l'espace, nous pouvons utiliser le concept de **paquet d'ondes**. La figure 10.4b donne un exemple d'un paquet d'ondes dont la largeur est d'environ Δx, ce qui signifie qu'il est probable que la particule se trouve dans cette région de l'espace. Une particule bien localisée se déplaçant dans l'espace peut donc être représentée par un paquet d'ondes en mouvement.

On peut représenter mathématiquement un paquet d'ondes comme la somme de plusieurs ondes planes (ondes sinusoïdales) de longueurs d'onde légèrement différentes. On peut se convaincre que cela fonctionnera en examinant soigneusement la figure 2.7, dans laquelle nous avions combiné seulement deux fréquences voisines (pour expliquer les «battements») et trouvé que la somme de deux ondes sinusoïdales ressemblait à une série de paquets d'ondes. Si nous faisons la somme des ondes additionnelles et d'autres fréquences voisines, nous pouvons éliminer tous les paquets sauf un, ce qui nous donne la figure 10.4b. Un paquet d'ondes consiste donc en une *gamme* de longueurs d'onde; c'est pourquoi, un tel paquet n'a pas une quantité de mouvement définie p ($= h/\lambda$), mais plutôt une gamme de quantités de mouvement. Bien entendu, ceci est conforme au principe d'incertitude: nous avons rendu Δx petit, la quantité de mouvement ne peut donc pas être précise; autrement dit, Δp ne peut pas être nul. On peut dire cependant que notre particule a une gamme de quantités de mouvement, Δp, ou qu'elle possède une incertitude de Δp dans sa quantité de mouvement. Il n'est pas difficile de montrer, même pour cette situation simple (voir le problème 19) que $\Delta p \approx h/\Delta x$, conformément au principe d'incertitude.

† Dans l'équation 15.3 du tome 1, t devient x et ω devient $k = \sqrt{2mE/\hbar^2}$. (Ne confondez pas ce k avec la constante de rappel k du chapitre 15 du tome 1.)

‡ Une telle onde infinie pose un problème pour la normalisation puisque $\int_{-\infty}^{\infty} \psi^2\, dx = A^2 \int_{-\infty}^{\infty} \sin^2 kx\, dx$ est infinie pour toute valeur non nulle de A. À des fins pratiques, nous pouvons d'ordinaire normaliser les ondes ($A \neq 0$) en supposant que la particule est dans une région vaste mais finie de l'espace. La région peut être choisie assez vaste pour que la quantité de mouvement puisse être fixée de façon encore assez précise.

10.8 La particule dans un puits de potentiel

FIGURE 10.5 Graphique du potentiel d'énergie U en fonction de x pour un puits de potentiel infini.

L'équation de Schrödinger ne peut être résolue algébriquement que pour quelques-unes des formes possibles de l'énergie potentielle $U^{\dagger}$. Nous allons maintenant considérer deux cas simples, qui ne sembleront peut-être pas réalistes de prime abord, mais dont on pourra ensuite utiliser les solutions pour comprendre une variété de phénomènes.

Dans le premier cas, nous supposons qu'une particule de masse m est enfermée dans une boîte à une dimension de largeur L dont les parois sont parfaitement rigides. (Ceci peut servir à représenter très grossièrement un électron dans un métal, par exemple.) La particule est piégée dans la boîte et les collisions avec les parois sont parfaitement élastiques. L'énergie potentielle pour une telle situation, qu'on appelle couramment un **puits de potentiel infiniment profond** ou une **boîte rigide**, est donnée à la figure 10.5. Nous pouvons écrire le potentiel d'énergie $U(x)$ comme:

$$U(x) = 0 \qquad 0 < x < L$$

$$U(x) = \infty \qquad x < 0 \quad \text{et} \quad x > L.$$

Pour la région $0 < x < L$, où $U(x) = 0$, nous connaissons déjà la solution de l'équation de Schrödinger grâce à notre discussion de la section 10.7: c'est tout simplement l'équation 10.10,

$$\psi(x) = A \sin kx + B \cos kx,$$

où (d'après l'équation 10.11a)

$$k = \sqrt{\frac{2mE}{\hbar^2}}.$$

En dehors du puits, $U(x) = \infty$, et donc $\psi(x)$ doit être nul. (S'il ne l'était pas, le produit $U\psi$ dans l'équation de Schrödinger ne serait pas fini; de plus, si $U = \infty$, il est impensable qu'une particule d'énergie totale finie se trouve dans une telle région.) Nous ne nous occuperons donc qu'à la fonction d'onde à l'intérieur du puits et nous devrons déterminer les constantes A et B, de même que toute restriction sur la valeur de k (et donc de l'énergie E).

Nous avons souligné que la fonction d'onde devait être continue. Et donc, si $x = 0$ hors du puits, elle doit être nulle à $x = 0$ et $x = L$:

$$\psi(0) = 0 \quad \text{et} \quad \psi(x = L) = 0.$$

Ces équations sont les **conditions aux limites** pour ce problème. À $x = 0$, $\sin kx = 0$, mais $\cos kx = 1$, et donc:

$$0 = \psi(0) = A \sin 0 + B \cos 0 = 0 + B,$$

de sorte que B doit être nul. Notre solution peut se réduire à:

$$\psi(x) = A \sin kx.$$

Appliquons maintenant l'autre condition aux limites, $\psi = 0$ à $x = L$:

$$0 = \psi(L) = A \sin kL.$$

Nous ne voulons pas que $A = 0$, sinon nous n'aurions pas de particule du tout ($|\psi|^2 = 0$ partout). Nous posons donc:

$$\sin kL = 0,$$

ce qui, puisque le sinus est nul pour les angles 0, π, 2π, 3π radians, et ainsi de suite, ne peut arriver que si:

$$kL = 0, \pi, 2\pi, 3\pi, \ldots$$

† Dans d'autres cas, on peut faire une intégration numérique à l'aide d'un ordinateur.

En d'autres mots,

$$kL = n\pi \qquad n = 1, 2, 3, \ldots, \tag{10.12}$$

où n est un entier. Nous éliminons le cas $n = 0$ puisque ceci, également, produit $x = 0$ partout. Par conséquent, k, et donc E, ne peuvent pas prendre une valeur quelconque; les valeurs de k sont limitées à:

$$k = \frac{n\pi}{L}.$$

En plaçant cette expression dans l'équation 10.11a (et en remplaçant $\hbar$ par $h/2\pi$), nous trouvons que les valeurs de E sont limitées à:

$$E = n^2 \frac{h^2}{8mL^2}. \tag{10.13}$$

Une particule piégée dans une boîte rigide ne peut donc avoir que certaines *énergies quantifiées.* L'énergie la plus basse (l'état fondamental) est celle pour laquelle $n = 1$ et elle est donnée par:

$$E_1 = \frac{h^2}{8mL^2}.$$

L'énergie suivante plus élevée ($n = 2$) est:

$$E_2 = 4E_1,$$

et pour les énergies plus élevées (voir la figure 10.6),

$$E_3 = 9E_1$$
$$\vdots$$
$$E_n = n^2 E_1.$$

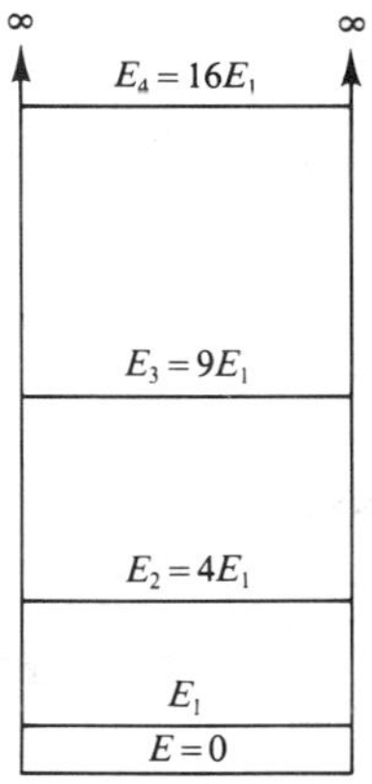

FIGURE 10.6 Niveaux d'énergie possibles pour une particule dans une boîte avec des parois parfaitement rigides (puits de potentiel infini).

L'entier n est appelé le **nombre quantique** de l'état. Le fait que l'énergie la plus basse, E_1, ne soit pas nulle signifie que la particule dans la boîte ne peut jamais être au repos. Ceci est contraire aux idées classiques selon lesquelles une particule peut avoir $E = 0$. E_1 est appelée l'**énergie au zéro absolu**. L'une des conséquences de ce résultat est que même à la température du zéro absolu (0 K), la mécanique quantique prédit que des particules dans une boîte ne seraient pas au repos mais auraient une énergie au point zéro.

Nous pouvons aussi noter que l'énergie E_1 et la quantité de mouvement $p_1 = \hbar k = \hbar\pi/L$ de l'état fondamental sont inversement proportionnelles à la largeur de la boîte. Plus la largeur L est petite, plus la quantité de mouvement (et l'énergie) est grande. On peut considérer ceci comme un résultat direct du principe d'incertitude (voir le problème 26).

La fonction d'onde $\psi = A \sin kx$ pour chacun des états quantiques est (puisque $k = n\pi/L$):

$$\psi_n = A \sin\left(\frac{n\pi}{L} x\right). \tag{10.14}$$

Nous pouvons déterminer la constante A en appliquant la condition de normalisation (équation 10.6):

$$1 = \int_{-\infty}^{\infty} \psi^2 \, dx = \int_0^L A^2 \sin^2\left(\frac{n\pi}{L} x\right) dx, \tag{10.15}$$

où l'intégrale est confinée à $0 < x < L$ parce qu'en dehors de ces limites $\psi = 0$. L'intégrale (voir l'exemple 10.6) est égale à $A^2L/2$, donc nous avons:

$$A = \sqrt{\frac{2}{L}}.$$

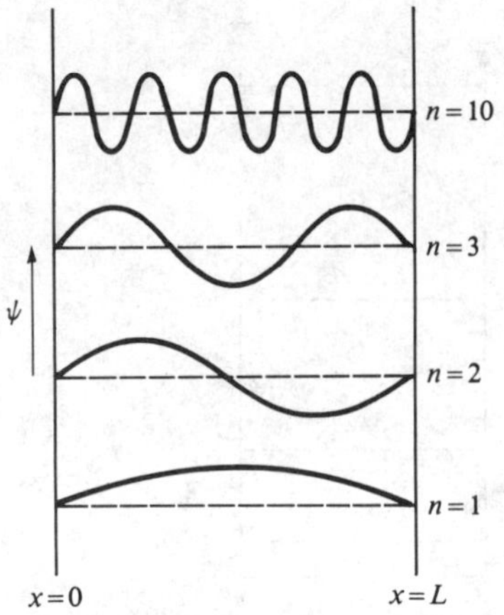

FIGURE 10.7 Fonctions d'onde correspondant aux valeurs 1, 2, 3 et 10 du nombre quantique n pour une particule enfermée dans une boîte rigide.

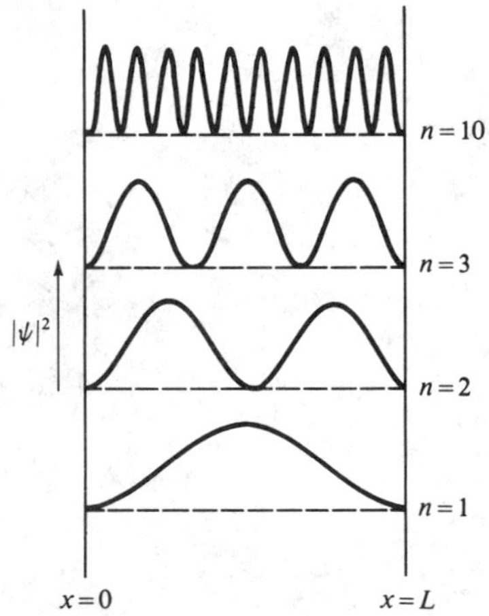

FIGURE 10.8 Les densités de probabilité pour une particule dans une boîte rigide dans les états $n = 1$, 2, 3 et 10.

L'amplitude A est la même pour tous les nombres quantiques. La figure 10.7 donne les courbes de la fonction d'onde (équation 10.14) pour $n = 1$, 2, 3 et 10. Elles paraissent semblables à des ondes stationnaires sur une corde (figure 1.26). Cela n'est pas surprenant puisque les solutions de la fonction d'onde (équation 10.14) sont identiques pour les ondes stationnaires sur une corde et que la condition $kL = n\pi$ est la même dans les deux cas.

La figure 10.8 donne les courbes de la densité de probabilité, $|\psi|^2$, pour les mêmes états ($n = 1$, 2, 3, 10) que les courbes de ψ apparaissant à la figure 10.7. Nous voyons immédiatement que nous avons plus de chances de trouver la particule à certains endroits qu'à d'autres. Par exemple, à l'état fondamental ($n = 1$), l'électron a une probabilité beaucoup plus grande de se trouver près du centre de la boîte que près des parois. Ceci contredit clairement les idées classiques, lesquelles prédisent une densité de probabilité uniforme (la particule pourrait se trouver à n'importe quel point de la boîte). Les densités de probabilité prédites par la mécanique quantique pour les états plus élevés sont encore plus compliquées, avec des régions de faible probabilité non seulement près des parois mais aussi à intervalles réguliers entre elles.

EXEMPLE 10.4 *a*) Calculez les trois niveaux d'énergie les plus bas pour un électron piégé dans un puits de potentiel infiniment profond de largeur $L = 1{,}00 \times 10^{-10}$ m. *b*) Si un photon était émis lorsque l'électron saute de l'état $n = 2$ à l'état $n = 1$, quelle serait sa longueur d'onde?

SOLUTION *a*) L'état fondamental ($n = 1$) a le niveau d'énergie:

$$E_1 = \frac{h^2}{8mL^2} = \frac{(6{,}63 \times 10^{-34}\ \mathrm{J\cdot s})^2}{8(9{,}11 \times 10^{-31}\ \mathrm{kg})(1{,}00 \times 10^{-10}\ \mathrm{m})^2} = 6{,}03 \times 10^{-18}\ \mathrm{J}.$$

En électron-volt,

$$E_1 = \frac{6{,}03 \times 10^{-18}\ \mathrm{J}}{1{,}60 \times 10^{-19}\ \mathrm{J/eV}} = 37{,}7\ \mathrm{eV}.$$

Et donc

$$E_2 = (2)^2 E_1 = 151\ \mathrm{eV}$$

$$E_3 = (3)^2 E_1 = 339\ \mathrm{eV}.$$

b) La différence d'énergie est $E_2 - E_1 = 151\ \mathrm{eV} - 38\ \mathrm{eV} = 113\ \mathrm{eV}$ ou $1{,}81 \times 10^{-17}$ J, et ceci serait égal à l'énergie du photon émis (conservation de l'énergie). Sa longueur d'onde serait de:

$$\lambda = \frac{c}{f} = \frac{hc}{E} = \frac{(6{,}63 \times 10^{-34}\ \mathrm{J\cdot s})(3{,}00 \times 10^{8}\ \mathrm{m/s})}{1{,}81 \times 10^{-17}\ \mathrm{J}} = 1{,}10 \times 10^{-8}\ \mathrm{m}$$

ou 11,0 nm, ce qui se trouve dans la région ultraviolette du spectre.

EXEMPLE 10.5 Une bactérie minuscule d'une masse d'environ 10^{-14} kg est piégée entre deux parois rigides séparées de 0,1 mm. *a*) Estimez sa vitesse minimale. *b*) Si sa vitesse est plutôt d'environ 1 mm en 100 s, estimez le nombre quantique de son état.

SOLUTION *a*) La vitesse minimale se produit à l'état fondamental, $n = 1$; comme $E = \frac{1}{2}mv^2$, nous avons:

$$v = \sqrt{2E/m} = \sqrt{h^2/4m^2L^2} = \frac{h}{2mL} = \frac{6{,}6 \times 10^{-34}\ \mathrm{J\cdot s}}{2(10^{-14}\ \mathrm{kg})(10^{-4}\ \mathrm{m})} \approx 3 \times 10^{-16}\ \mathrm{m/s}.$$

Cette vitesse est si petite que nous ne pourrions la mesurer. De plus, l'objet peut sembler au repos (ce qui est conforme à la physique classique).

b) Étant donné $v = 10^{-3}$ m/100 s = 10^{-5} m/s, l'énergie cinétique de la bactérie est:

$$E = \tfrac{1}{2}mv^2 = \tfrac{1}{2}(10^{-14}\text{ kg})(10^{-5}\text{ m/s})^2 = 5{,}0 \times 10^{-25}\text{ J}.$$

D'après l'équation 10.13, le nombre quantique de cet état est:

$$n = \sqrt{E\left(\frac{8mL^2}{h^2}\right)} = \sqrt{\frac{(5{,}0 \times 10^{-25}\text{ J})(8)(10^{-14}\text{ kg})(10^{-4}\text{ m})^2}{(6{,}6 \times 10^{-34}\text{ J}\cdot\text{s})^2}}$$

$$\approx \sqrt{1 \times 10^{21}} \approx 3 \times 10^{10}.$$

Ce nombre est si grand que nous ne pourrions distinguer entre des états d'énergie adjacents (entre $n = 3 \times 10^{10}$ et $3 \times 10^{10} + 1$). Les états d'énergie sembleraient former un continuum. Par conséquent, même si les énergies rencontrées ici sont petites (<< 1 eV), nous avons néanmoins affaire à un objet macroscopique (quoique visible seulement au microscope) et le résultat quantique ne se distingue pas du résultat classique. Ceci est conforme au principe de correspondance.

EXEMPLE 10.6 Montrez que la valeur de la constante de normalisation A pour toutes les fonctions d'onde décrivant une particule dans un puits de potentiel infini de largeur L est $A = \sqrt{2/L}$.

SOLUTION Les fonctions d'onde sont:

$$\psi = A \sin \frac{n\pi x}{L}.$$

Pour normaliser ψ, nous devons avoir (équation 10.15):

$$1 = \int_0^L |\psi|^2\, dx = \int_0^L A^2 \sin^2 \frac{n\pi x}{L}\, dx.$$

Nous n'avons besoin d'intégrer que de 0 à L puisque $\psi = 0$ pour toutes les autres valeurs de x. Pour effectuer cette intégrale, posons $\theta = n\pi x/L$ et utilisons l'identité trigonométrique $\sin^2\theta = \frac{1}{2}(1 - \cos 2\theta)$. Nous obtenons alors, avec $dx = L d\theta/n\pi$,

$$1 = A^2 \int_0^{n\pi} \sin^2\theta \left(\frac{L}{n\pi}\right) d\theta = \frac{A^2 L}{2n\pi}\int_0^{n\pi}(1 - \cos 2\theta)\, d\theta$$

$$= \frac{A^2 L}{2n\pi}\left(\theta - \tfrac{1}{2}\sin 2\theta\right)\Big|_0^{n\pi}$$

$$= \frac{A^2 L}{2}.$$

Et par conséquent, $A^2 = 2/L$ et $A = \sqrt{2/L}$.

Penchons-nous maintenant sur le cas d'une particule dans une boîte dont les parois ne sont pas parfaitement rigides. En ce cas, l'énergie potentielle hors de la boîte ou du puits n'est pas infinie, mais s'élève jusqu'à un certain niveau U_0, comme dans la figure 10.9. On appelle ceci un **puits de potentiel fini**. On peut s'en servir comme approximation pour un neutron dans un noyau, par exemple. Certaines caractéristiques importantes distinguent le puits fini du puits infini. On divise le puits en trois régions, comme le montre la figure 10.9. Dans la région II, à l'intérieur du puits, l'équation de

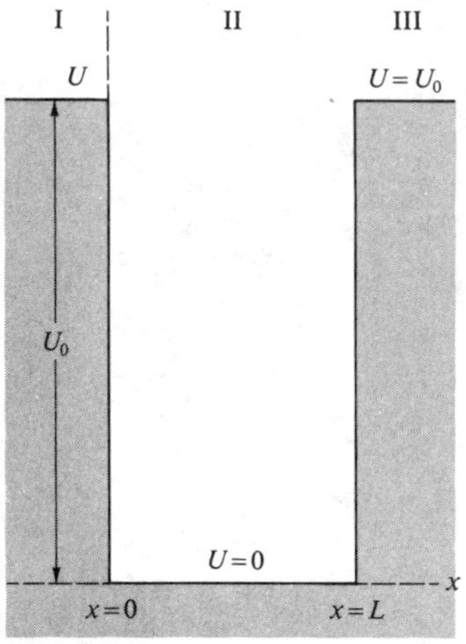

FIGURE 10.9 Énergie potentielle U en fonction de x pour un puits fini à une dimension.

Schrödinger est identique au cas précédent ($U = 0$), quoique les conditions aux limites seront différentes. On écrit donc ainsi la solution pour la région II:

$$\psi_{II} = A \sin kx + B \cos kx \qquad (0 < x < L),$$

mais nous ne posons pas immédiatement $B = 0$ ou ne supposons pas que k est donné par l'équation 10.12.

Dans les régions I et III, l'équation de Schrödinger, maintenant avec $U(x) = U_0$, est:

$$-\frac{\hbar^2}{2m}\frac{d^2\psi}{dx^2} + U_0\psi = E\psi.$$

Nous récrivons ceci comme:

$$\frac{d^2\psi}{dx^2} - \left[\frac{2m(U_0 - E)}{\hbar^2}\right]\psi = 0.$$

Supposons que E est plus petit que U_0, de sorte que la particule piégée se trouve dans le puits. Il pourrait n'y avoir qu'un seul **état lié**, ou plusieurs, ou même aucun, comme nous le verrons plus loin. On définit la constante κ comme:

$$\kappa^2 = \frac{2m(U_0 - E)}{\hbar^2}, \tag{10.16}$$

et nous récrivons ainsi l'équation de Schrödinger:

$$\frac{d^2\psi}{dx^2} - \kappa^2\psi = 0.$$

Cette dernière équation a comme solution générale:

$$\psi_{I,III} = Ce^{\kappa x} + De^{-\kappa x},$$

ce qu'on peut confirmer en effectuant la substitution, puisque:

$$\frac{d^2}{dx^2}(e^{\pm\kappa x}) = \kappa^2 e^{\pm\kappa x}.$$

Dans la région I, x est toujours négatif, de sorte que D doit être nul (autrement, $\psi \to \infty$ lorsque $x \to -\infty$, ce qui ne donne pas un résultat acceptable). De même, dans la région III, où x est toujours positif, C doit être nul. Et donc,

$$\psi_I = Ce^{\kappa x} \qquad (x < 0)$$

$$\psi_{III} = De^{-\kappa x} \qquad (x > L).$$

Dans les régions I et III, la fonction d'onde décroit de façon exponentielle avec la distance à la source. Les formes mathématiques de la fonction d'onde à l'intérieur et à l'extérieur du puits sont différentes, mais il faut que la fonction d'onde soit continue partout, même aux deux parois. Il faut aussi que la première dérivée soit continue à la position des parois. Nous avons donc les conditions aux limites suivantes:

$$\psi_I = \psi_{II} \quad \text{et} \quad \frac{d\psi_I}{dx} = \frac{d\psi_{II}}{dx} \quad \text{à } x = 0$$

$$\psi_{II} = \psi_{III} \quad \text{et} \quad \frac{d\psi_{II}}{dx} = \frac{d\psi_{III}}{dx} \quad \text{à } x = L.$$

À la paroi de gauche ($x = 0$), ces conditions aux limites deviennent:

$$Ce^0 = A \sin 0 + B \cos 0 \quad \text{ou} \quad C = B$$

et

$$\kappa Ce^0 = kA \cos 0 - kB \sin 0 \quad \text{ou} \quad \kappa C = kA.$$

Ce sont là deux des relations qui retiennent les constantes A, B, C, D et l'énergie E. Nous pouvons obtenir deux autres relations en utilisant les conditions aux limites à $x = L$ et une cinquième relation en normalisant les fonctions d'onde sur tout l'espace: $\int_{-\infty}^{\infty} |\psi|^2\, dx = 1$. Ces cinq relations nous permettent de trouver les solutions pour les cinq inconnues, y compris l'énergie E. Nous laisserons de côté les détails mathématiques, mais nous discuterons de certains résultats.

La figure 10.10 montre la fonction d'onde ψ pour les trois états les plus bas ainsi que la densité de probabilité $|\psi|^2$. Nous pouvons constater que les fonctions d'onde sont lisses aux parois du puits. À l'intérieur du puits, ψ a la forme d'une onde sinusoïdale; pour l'état fondamental, il y a moins qu'une demi-longueur d'onde. Comparez ceci au puits infini (figure 10.7), où la fonction d'onde de l'état fondamental est exactement une demi-longueur d'onde: $\lambda = 2L$. Pour un puits fini, $2 > 2L$. Par conséquent, pour un puits fini, la quantité de mouvement d'une particule ($p = h/\lambda$) et donc l'énergie de son état fondamental sont inférieures à celles d'un puits infini de même largeur L.

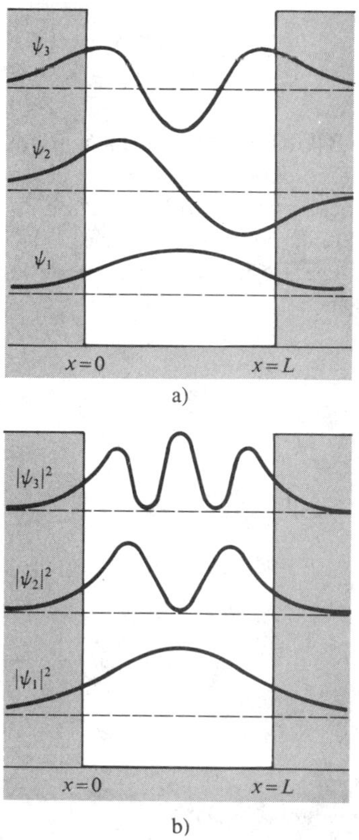

FIGURE 10.10 Les fonctions d'onde a) et les densités de probabilité b) pour les trois états les plus bas possible pour une particule dans un puits de potentiel fini.

À l'extérieur du puits fini, nous voyons que la fonction d'onde décroît de façon exponentielle de chaque côté des parois. Le fait que ψ n'est pas nul au-delà des parois signifie qu'on peut parfois trouver la particule à l'extérieur du puits. Ceci est en contradiction totale avec les idées classiques. À l'extérieur du puits, l'énergie potentielle de la particule est plus grande que son énergie totale: $U_0 > E$. Ceci contredit la loi de la conservation de l'énergie. Nous pouvons toutefois voir, dans la figure 10.10b, que la particule peut passer un certain temps à l'extérieur du puits, où $U_0 > E$ (quoique la pénétration dans cette région interdite classiquement n'est généralement pas très grande puisque $|\psi|^2$ décroît de façon exponentielle avec la distance à chaque paroi). La pénétration de la particule dans une région interdite classiquement est un résultat très important de la mécanique quantique. Mais comment cela peut-il se produire? Comment peut-on accepter cette non-conservation de l'énergie? Nous pouvons considérer le principe d'incertitude sous la forme:

$$\Delta E\, \Delta t \gtrsim \hbar.$$

Il nous indique que l'énergie n'est pas certaine et qu'elle peut même ne pas être conservée, d'une quantité ΔE pour de très courts moments $\Delta t \sim \hbar/\Delta E$.

Considérons maintenant ce qui arrive lorsque l'énergie totale E de la particule est plus grande que U_0. En ce cas, la particule est une particule libre et sa fonction d'onde est sinusoïdale partout (figure 10.11). Sa longueur d'onde à l'extérieur du puits n'est pas la même qu'à l'intérieur (comme il est indiqué sur la figure). Comme $K = \frac{1}{2}mv^2 = p^2/2m$, la longueur d'onde dans la région II est:

$$\lambda = \frac{h}{p} = \frac{h}{\sqrt{2mE}} \qquad 0 < x < L,$$

alors que dans les régions I et III, où $p^2/2m = K = E - U_0$, la longueur d'onde est:

$$\lambda = \frac{h}{p} = \frac{h}{\sqrt{2m(E - U_0)}} \qquad x < 0 \text{ et } x > L.$$

Pour $E > U_0$, toute énergie E est possible. Toutefois, pour $E < U_0$, comme nous l'avons déjà vu, l'énergie est quantifiée et certains états seulement sont permis.

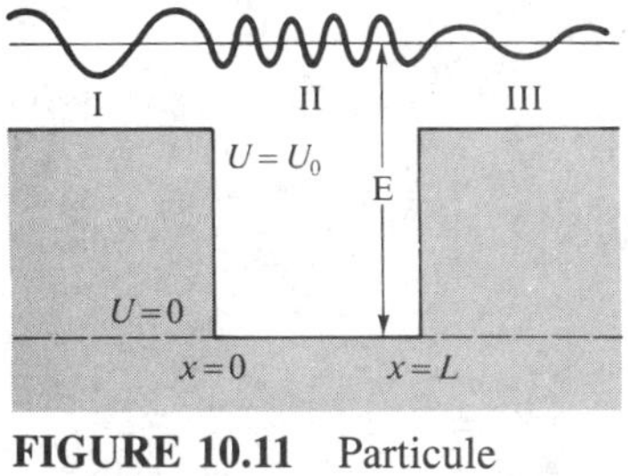

FIGURE 10.11 Particule d'énergie E voyageant au dessus d'un puits de potentiel dont la profondeur U_0 est inférieure à E (mesurée dans le puits).

10.9 L'effet tunnel à travers une barrière de potentiel

Nous avons vu, à la section 10.8, que selon la mécanique quantique, une particule, par exemple un électron, peut pénétrer à travers une barrière dans une région interdite par la mécanique classique. Il existe un nombre important d'applications de ce phénomène, en particulier pour la pénétration à travers une barrière mince.

Considérons une particule de masse m et d'énergie E voyageant vers la droite le long de l'axe des x dans l'espace libre où l'énergie potentielle $U = 0$ (et où donc

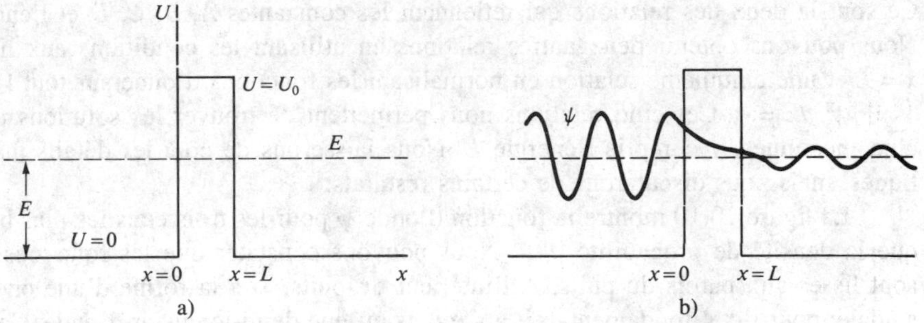

FIGURE 10.12 a) Une barrière de potentiel de hauteur U_0 et d'épaisseur L. b) La fonction d'onde pour une particule d'énergie E ($< U_0$) venant de la gauche.

$E = K$). La particule rencontre une étroite barrière de potentiel dont la hauteur U_0 (en unités d'énergie) est plus grande que E, et dont l'épaisseur est L (en unités de distance; figure 10.12a). Selon la physique classique, comme $E < U_0$, la particule ne peut pas passer à travers la barrière; elle doit être réfléchie et revenir dans la direction opposée. C'est effectivement ce qui se produit pour les objets macroscopiques. Selon la mécanique quantique, toutefois, il existe une probabilité non nulle de trouver la particule de l'autre côté de la barrière. On peut voir comment cela est possible sur la figure 10.12b, qui représente la fonction d'onde. La particule qui arrive a une fonction d'onde sinusoïdale. À l'intérieur de la barrière, la solution de l'équation de Schrödinger décroît de façon exponentielle tout comme pour le puits fini de la section 10.8. Toutefois, la paroi se termine (à $x = L$) avant que l'exponentielle n'atteigne zéro, et pour $x > L$, il y a toujours une onde sinusoïdale, puisque $U = 0$ et $E = K > 0$. L'amplitude de l'onde sinusoïdale est cependant grandement réduite. Néanmoins, comme $|\psi|^2$ n'est pas nul au-delà de la barrière, nous pouvons voir qu'il y a une probabilité non nulle que la particule traverse la barrière. Ce phénomène s'appelle **effet tunnel** ou **pénétration de barrière**. Quoique nous ne puissions observer la particule à l'intérieur de la barrrière (ce qui violerait la loi de la conservation de l'énergie), nous pouvons la détecter après qu'elle a franchi la barrière.

Quantitativement, nous pouvons décrire la probabilité de l'effet tunnel avec un *coefficient de transmission* T et un *coefficient de réflexion* R. Supposez, par exemple, que $T = 0{,}03$ et $R = 0{,}97$. Alors si 100 particules frappent la barrière, trois d'entre elles en moyenne franchiront la barrière par effet tunnel, tandis que les 97 autres seront réfléchies. Notez que $T + R = 1$, étant donné qu'une particule incidente doit soit être réfléchie soit subir l'effet tunnel à travers la barrière. On peut déterminer le coefficient de transmission en écrivant la fonction d'onde pour chacune des trois régions, tout comme nous l'avons fait pour le puits fini, puis appliquer les conditions que ψ et $d\psi/dx$ soient continus aux limites de la barrière ($x = 0$ et $x = L$). Le calcul montre (voir le problème 43) que si T est petit ($<< 1$), alors

$$T \approx e^{-2\kappa L}, \tag{10.17a}$$

où

$$\kappa = \sqrt{\frac{2m(U_0 - E)}{\hbar^2}}. \tag{10.17b}$$

(Il s'agit du même κ que dans l'équation 10.16 de la section 10.8). Notez que le fait d'augmenter la hauteur de la barrière, U_0, ou d'augmenter son épaisseur, L, a pour effet de diminuer T énormément. En effet, dans les situations macroscopiques, T est extrêmement petit, conformément à la physique classique, laquelle ne prédit pas l'effet tunnel (encore le principe de correspondance).

EXEMPLE 10.7 Un électron de 50 eV s'approche d'une barrière carrée haute de 70 eV et épaisse de *a*) 1,0 nm, *b*) 0,10 nm. Quelle est la probabilité que l'électron subisse l'effet tunnel?

SOLUTION *a*) Exprimons d'abord l'énergie en unités SI.

$$U_0 - E = (70 \text{ eV} - 50 \text{ eV})(1{,}6 \times 10^{-19} \text{ J/eV}) = 3{,}2 \times 10^{-18} \text{ J}.$$

Puis, en utilisant l'équation 10.17, nous obtenons:

$$2\kappa L = 2\sqrt{\frac{2(9{,}11 \times 10^{-31} \text{ kg})(3{,}2 \times 10^{-18} \text{ J})}{(1{,}06 \times 10^{-34} \text{ J} \cdot \text{s})^2}}(1{,}0 \times 10^{-9} \text{ m}) = 46$$

et

$$T = e^{-2\kappa L} = e^{-46} = 1{,}3 \times 10^{-20},$$

ce qui est extrêmement petit.

b) Pour $L = 0{,}10$ nm, $2\kappa L = 4{,}6$ et

$$T = e^{-4{,}6} = 0{,}010.$$

L'électron a donc une chance de 1 % de traverser la barrière de 0,1 nm, mais seulement une chance sur 10^{20} de traverser la barrière de 1 nm. En réduisant l'épaisseur de la barrière par un facteur de 10, la probabilité de l'effet tunnel augmente de 10^{18} fois! De toute évidence, le coefficient de transmission est extrêmement sensible aux valeurs de L, $U_0 - E$ et m.

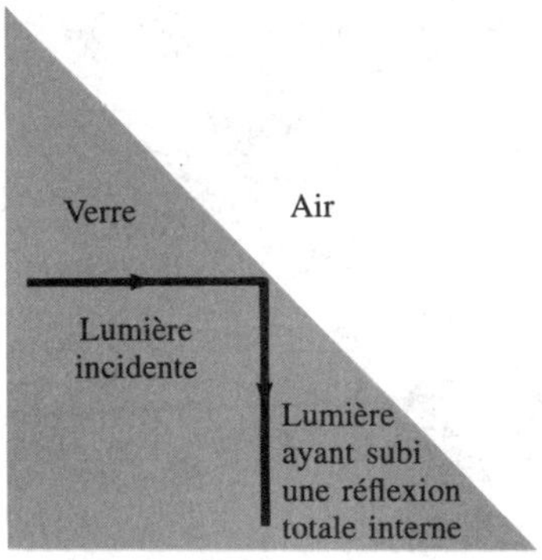

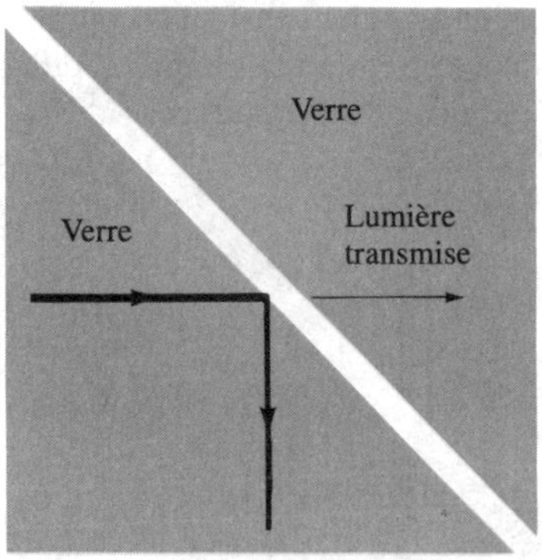

FIGURE 10.13 a) De la lumière voyageant dans le verre frappe l'interface avec l'air à un angle plus grand que l'angle critique et subit une réflexion totale interne. b) Une petite quantité de lumière subit l'effet tunnel à travers une mince couche d'air entre deux morceaux de verre.

L'effet tunnel résulte des propriétés ondulatoires des particules matérielles et se produit aussi pour les ondes classiques. Par exemple, comme nous l'avons vu à la section 3.6, lorsque de la lumière voyageant dans le verre frappe une frontière verre-air à un angle plus grand que l'angle critique, la lumière est réfléchie totalement, soit à 100 % (figure 10.13a). Nous avons étudié le phénomène de la réflexion totale interne du point de vue de l'optique. La théorie ondulatoire prédit, toutefois, la pénétration des ondes dans l'air pour quelques longueurs d'onde (comme si elles devaient traverser l'interface pour se rendre compte qu'il y a de l'air de l'autre côté et qu'elles doivent être totalement réfléchies). En effet, si on place un second morceau de verre près du premier comme dans la figure 10.13b, on observe expérimentalement une onde transmise qui a subi l'effet tunnel à travers la mince couche d'air. Vous pouvez vous-même le vérifier en regardant de haut en bas dans un verre d'eau, à un angle tel que la lumière entrant dans votre œil devra avoir subi une réflexion totale interne sur la surface (extérieure) du verre (qui semble alors argentée). Si vous pressez le bout de votre doigt mouillé sur le verre, vous pouvez y voir les méandres des sillons de vos empreintes digitales, parce qu'au sommet des sillons votre doigt interfère avec la réflexion totale interne à la surface externe du verre. Vous pouvez donc voir la lumière qui a traversé la couche d'air et s'est réfléchie sur votre doigt.

L'effet tunnel existe donc même en mécanique classique. Ce qui est nouveau en mécanique quantique, c'est que les particules matérielles ont des propriétés ondulatoires, ce qui leur rend l'effet tunnel accessible. L'effet tunnel a constitué la base d'un certain nombre d'appareils utiles, et il a permis d'expliquer un certain nombre de phénomènes importants; mentionnons-en quelques-uns.

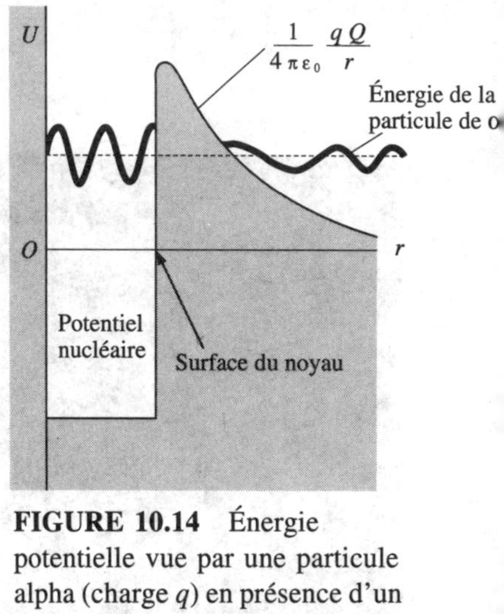

FIGURE 10.14 Énergie potentielle vue par une particule alpha (charge q) en présence d'un noyau (charge Q), montrant la fonction d'onde pour l'effet tunnel.

Certains noyaux atomiques subissent une **désintégration radioactive** due à l'émission d'une particule alpha, laquelle est composée de deux protons et de deux neutrons. Imaginons qu'à l'intérieur d'un de ces noyaux les protons et les neutrons bougent ici et là et que parfois deux protons et deux neutrons entrent en collision et forment une entité stable, soit une particule alpha. Nous étudierons la désintégration alpha plus en détail au chapitre 13, mais pour le moment, notons que le diagramme de l'énergie potentielle de la particule alpha à l'intérieur d'un noyau de ce type a approximativement la forme montrée à la figure 10.14. Le puits carré représente la force d'attraction nucléaire qui tient le noyau ensemble. À ceci, on additionne l'énergie potentielle coulombienne $1/r$ qui cause une répulsion entre la particule alpha positive et le reste du noyau chargé positivement. On appelle **barrière de Coulomb** la barrière

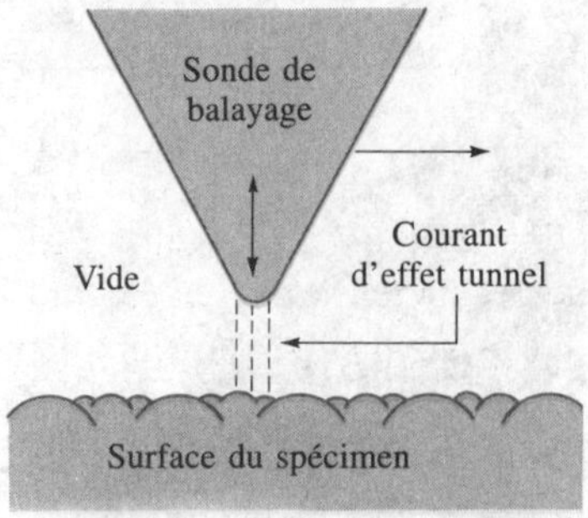

FIGURE 10.15 La pointe de la sonde d'un microscope à effet tunnel est levée et baissée de façon à garder constant le courant dû à l'effet tunnel, ce qui produit une image de la surface.

résultante. La fonction d'onde de la particule illustrée qui subit l'effet tunnel doit avoir une énergie supérieure à zéro (ou la barrière serait infiniment large et l'effet tunnel ne pourrait pas se produire), mais inférieure à la hauteur de la barrière. Si la particule alpha avait une énergie plus haute que la barrière, elle serait toujours libre et le noyau initial n'existerait pas. La barrière maintient donc les éléments du noyau ensemble; toutefois, il arrive parfois qu'un noyau de ce type subisse une désintégration due à l'effet tunnel appliqué à une particule alpha.

Une **diode à effet tunnel** est un appareil électronique composé de deux types de semiconducteurs transportant des charges de signes opposés, séparés par une région neutre très mince. Le courant peut subir un effet tunnel à travers cette barrière mince et on peut le contrôler en variant la tension appliquée sur la barrière, ce qui affecte sa hauteur.

Le **microscope électronique à effet tunnel** (MEET), mis au point dans les années 1980, met à profit l'effet tunnel à travers le vide. Une sonde minuscule, dont la pointe peut être large de seulement un ou quelques atomes, balaie le spécimen à examiner dans les deux dimensions. Lors du balayage, la pointe reste très proche de la surface du spécimen, soit à environ 1 nm au-dessus (figure 10.15). On applique un faible voltage dans le vide entre la sonde et la surface, ce qui cause l'effet tunnel d'électrons. Ce courant est très sensible à la largeur de l'espace entre la sonde et le spécimen (voir exemple 10.7), de sorte qu'un mécanisme de rétroaction peut être utilisé pour lever ou baisser la sonde de manière à garder constant le courant dû à l'effet tunnel. On fait alors un graphique, en fonction de sa position, du mouvement vertical de la sonde suivant la surface du spécimen, ce qui produit une image à trois dimensions de la surface. (Voir, par exemple, la figure 10.16). Des traits de la figure aussi petits que la dimension d'un atome peuvent ainsi être résolus: mieux que 0,1 nm latéralement et de 10^{-2} à 10^{-3} nm verticalement. Ce niveau de résolution était impossible auparavant, et a permis à l'étude de la structure de la surface des matériaux de faire de grands progrès. L'image «topographique» de la surface représente en fait la distribution de la charge des électrons (les distributions de probabilité de l'onde électronique).

FIGURE 10.16 Surface de graphite vue par un microscope à effet tunnel. Ces atomes forment une matrice hexagonale centrée. a) Image à modulation d'intensité. b) Traces individuelles. (*Physics Today,* août 1986.)

a)

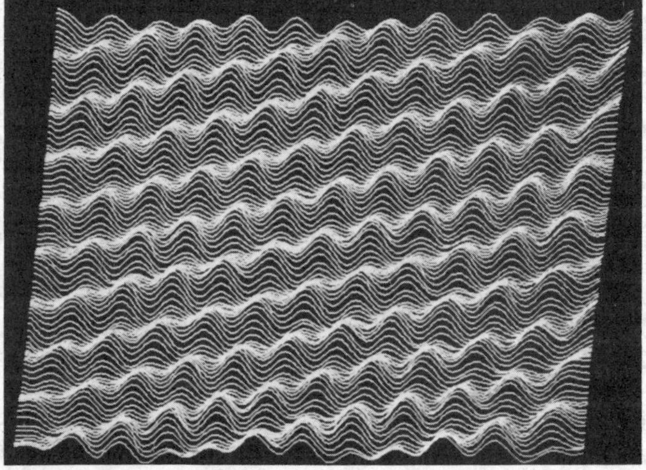

b)

RÉSUMÉ

En 1925, Schrödinger et Heisenberg développèrent chacun de leur côté une nouvelle théorie, la *mécanique quantique.* On considère maintenant celle-ci comme la théorie fondamentale au niveau atomique. C'est une théorie statistique plutôt que déterministe.

Un aspect important de la mécanique quantique est le *principe d'incertitude* de Heisenberg. Ce principe découle de la dualité onde-particule et de l'interaction inévitable entre l'objet observé et l'observateur. Sous une de ses formes, le principe d'incertitude affirme que la position x et la quantité de mouvement p d'un objet ne peuvent pas être toutes les deux mesurées précisément en même temps; les produits des incertitudes, $(\Delta x)(\Delta p)$, ne peuvent pas être inférieurs à $\hbar(= h/2\pi)$:

$$(\Delta p)(\Delta x) \gtrsim \hbar$$

Sous une autre forme, le principe affirme que l'énergie peut être incertaine ou non conservée d'une quantité ΔE durant un temps $\Delta t \approx \hbar/\Delta E$.

Une particule, par exemple un électron, est représentée par une fonction d'onde ψ. Le carré de la fonction d'onde $|\psi|^2$, en tout point de l'espace, représente la probabilité de trouver la particule en ce point. La fonction d'onde doit être normalisée, ce qui veut dire que $\int |\psi|^2 dV$ sur tout l'espace doit être égal à 1, puisqu'on doit trouver la particule en un lieu ou un autre. Dans la mécanique ondulatoire non relativiste, ψ satisfait à l'*équation de Schrödinger*:

$$-\frac{\hbar^2}{2m}\frac{d^2\psi}{dx^2} + U\psi = E\psi,$$

exprimée ici sous sa forme à une dimension et indépendante du temps, et où U est l'énergie potentielle en fonction de la position et E, l'énergie totale de la particule.

Une *particule libre* qui n'est soumise à aucune force a une fonction d'onde sinusoïdale $\psi = A \sin kx + B \cos kx$, où $k = p/\hbar$ et où p est la quantité de mouvement de la particule. Une telle onde de quantité de mouvement fixe s'étend indéfiniment dans l'espace comme une onde plane. Un *paquet d'ondes*, localisé dans l'espace, est une superposition d'ondes sinusoïdales pourvues de plusieurs quantités de mouvement.

Pour une particule enfermée dans un *puits de potentiel infini*, l'équation de Schrödinger donne les fonctions d'onde $\psi = A \sin kL$ comme solutions à l'intérieur du puits; l'énergie est quantifiée, $E = \hbar^2k^2/2m = n^2h^2/8mL^2$, où n est un entier. Dans un *puits de potentiel fini*, la fonction d'onde s'étend jusque dans la région interdite classiquement, où l'énergie totale est inférieure à l'énergie potentielle. Le fait que cela soit possible est conforme au principe d'incertitude. Les solutions à l'équation de Schrödinger dans ces régions sont des exponentielles décroissantes.

Comme les particules de la mécanique quantique peuvent pénétrer dans de telles régions interdites classiquement, elles peuvent subir un *effet tunnel* à travers des barrières minces même si l'énergie potentielle dans la barrière est supérieure à l'énergie totale de la particule.

QUESTIONS

1. Comparez une onde de matière ψ à *a*) une onde sur une corde et *b*) une onde électromagnétique. Discutez des similitudes et des différences.
2. Expliquez pourquoi la théorie atomique de Bohr n'est pas compatible avec la mécanique quantique, en particulier avec le principe d'incertitude.
3. Expliquez pourquoi plus un objet est massif, plus il est facile de prédire sa position future.
4. À la lumière du principe d'incertitude, pourquoi une balle de baseball semble-t-elle avoir une position et une vitesse bien déterminées, ce qui n'est pas le cas d'un électron?
5. Est-ce que quelque chose d'analogue au principe d'incertitude entre en ligne de compte lorsqu'on fait un sondage d'opinion. Autrement dit, tentons-nous de modifier ce que nous mesurons lorsque nous faisons un tel sondage? Discutez des réponses.
6. On place un thermomètre froid dans un bol de soupe chaude. La température lue sur le thermomètre sera-t-elle identique à la température de la soupe chaude avant la lecture?
7. Quand vous vérifiez la pression dans un pneu, est-ce que de l'air s'échappe inévitablement du pneu? Est-il possible d'éviter complètement une telle perte? Quel est le rapport avec le principe d'incertitude?
8. On a dit que l'énergie de l'état fondamental dans l'atome d'hydrogène peut être connue précisément mais que la détermination de la valeur des états excités comporte une certaine incertitude (une «largeur d'énergie»). Ceci est-il cohérent avec le principe d'incertitude dans sa forme énergétique? Justifiez votre réponse.
9. Si la constante de Planck était beaucoup plus grande, comment cela affecterait-il notre vie quotidienne?
10. De quelle manière la mécanique newtonienne est-elle contredite par la mécanique quantique?

11. Discutez du rapport entre l'énergie de point zéro et le principe d'incertitude pour une particule dans une boîte.

12. La fonction d'onde pour une particule dans une boîte est nulle aux points à l'intérieur de la boîte (sauf pour $n = 1$). Peut-on en conclure que la probabilité de trouver la particule à ces points est nulle? Peut-on en conclure que la particule ne peut pas passer par ces points? Expliquez.

13. À quoi ressemble la densité de probabilité pour une particule dans un puits de potentiel infini pour des valeurs élevées de n, disons $n = 100$ ou $n = 1000$? Au fur et à mesure que n augmente, est-ce que vos prédictions s'approchent des prédictions classiques conformément au principe de correspondance?

14. Pour une particule dans un puits de potentiel infini, la séparation entre les états d'énergie augmente en même temps que n (voir l'équation 10.13). Le principe de correspondance ne requiert-il pas, cependant, une séparation plus étroite entre les états au fur et à mesure que n augmente, de manière que la situation s'apparente de plus en plus à une situation classique (non quantifiée)? Expliquez votre réponse.

15. Une particule est piégée dans un puits de potentiel infini. Décrivez ce qui arrive à l'énergie de l'état fondamental de la particule et à la fonction d'onde au fur et à mesure que les parois de potentiel deviennent finies et baissent de plus en plus jusqu'à atteindre zéro ($U = 0$ partout).

16. Un atome d'hydrogène et un atome d'hélium, chacun d'une énergie cinétique de 4 eV, s'approchent d'une barrière mince haute de 6 MeV. Lequel a la plus grande probabilité de subir l'effet tunnel?

PROBLÈMES

SECTION 10.2

1. (II) Les neutrons dans un faisceau parallèle, chacun d'une énergie cinétique $\frac{1}{40}$eV, sont dirigés à travers deux fentes séparées par 1,0 mm. Quelle est la séparation entre les pics d'interférence sur un écran distant de 1,0 m?

2. (II) On tire des balles de 1,0 g, selon des trajectoires parallèles et avec des vitesses de 300 m/s, à travers un trou large de 3,0 mm. À quelle distance du trou devez-vous vous trouver pour détecter une dispersion de 1,0 cm dans le faisceau?

SECTION 10.3

3. (I) Un proton voyage à une vitesse de $(8{,}880 \pm 0{,}012) \times 10^5$ m/s. Quelle est la précision maximale avec laquelle on peut déterminer sa position?

4. (I) Typiquement, un électron demeure dans un état excité d'un atome durant 10^{-8} s. Quelle est l'incertitude minimale dans l'énergie de l'état (en eV)?

5. (I) Si on peut mesurer la position d'un électron avec une précision de $1{,}6 \times 10^{-8}$ m, avec quelle précision peut-on connaître sa vitesse?

6. (II) Estimez l'énergie minimale d'un neutron contenu dans un noyau typique de rayon 10^{-15} m.

7. (II) Une balle de 12 g quitte un fusil à la vitesse de 450 m/s. *a*) Quelle est la longueur d'onde de la balle? *b*) Si la position de la balle est connue avec une précision de 0,55 cm (rayon du canon du fusil), quelle est l'incertitude minimale quant à sa quantité de mouvement? *c*) Si on déterminait la précision de la balle seulement par le principe d'incertitude (une supposition non raisonnable), de combien la balle pourrait-elle manquer une cible ponctuelle à 300 m de distance?

8. (II) Un électron et une balle de baseball de 150 g voyagent chacun à une vitesse de 220 m/s selon une mesure effectuée avec une précision de 0,065 %. Calculez et comparez l'incertitude quant à la position de chacun.

9. (II) Montrez, à l'aide du principe d'incertitude, que s'il y avait un électron dans un noyau ($r \approx 10^{-15}$ m), son énergie égalerait des centaines de MeV. (Comme on n'observe pas de telles énergies pour un électron, on en conclut qu'il n'y a pas d'électron dans le noyau.)

10. (II) On peut exprimer le principe d'incertitude en fonction des angles de la manière suivante:

$$\Delta L \Delta\phi \geq \frac{h}{2\pi},$$

où L représente le moment angulaire le long d'un axe donné et ϕ, la position angulaire dans un plan perpendiculaire à cet axe. *a*) Donnez une raison qui rende cette relation plausible. *b*) Les valeurs quantifiées et bien définies des moments angulaires des électrons dans l'atome ne comportent pas d'incertitude. Qu'est-ce que cela indique à propos de l'incertitude quant à la position angulaire et à propos du concept d'orbites électroniques?

11. (II) Utilisez le principe d'incertitude pour estimer l'incertitude quant à la position de l'électron dans l'état fondamental de l'atome d'hydrogène. [Conseil: déterminez la quantité de mouvement à l'aide du modèle de Bohr de la section 9.10.] Comment cela se compare-t-il au rayon de Bohr?

12. (II) Un électron à l'état $n = 2$ d'un atome d'hydrogène y demeure pendant environ 10^{-8} s avant de sauter à l'état $n = 1$. *a*) Estimez l'incertitude dans l'énergie de l'état $n = 2$. *b*) Quelle fraction de l'énergie de transition est-ce? *c*) Quelle est la longueur d'onde et la largeur (en nm) de cette raie dans le spectre de l'hydrogène?

13. (II) Dans une expérience de double fente avec des électrons (ou des photons), on utilise des indicateurs pour déterminer par quelle fente passe l'électron (section 10.2). Ces indicateurs doivent donner la position en y à $a/2$ près, a étant la distance entre les fentes. Utilisez le principe d'incertitude pour montrer que la figure d'interférence sera détruite. [Note: montrez d'abord que l'angle θ entre les maxima et les minima de la figure d'interférence est donné par $\lambda/2a$, figure 10.17.]

14. (II) Avec quelle précision peut-on mesurer la position d'un électron de 1,50 keV en supposant que son énergie est connue à 1,00 %?

15. (III) Un crayon de 20 cm de long est en équilibre sur sa pointe. Selon la théorie classique, il s'agit d'une situation d'équilibre (instable), de sorte que le crayon pourrait rester dans cette position pour toujours s'il était parfaitement placé. Une analyse dans le cadre de la mécanique quantique montre que le crayon doit tomber. *a*) Pourquoi en est-il ainsi? *b*) Estimez (à un facteur de 2 près) combien de temps il faudra pour que le crayon frappe la table s'il est d'abord placé aussi bien que possible.

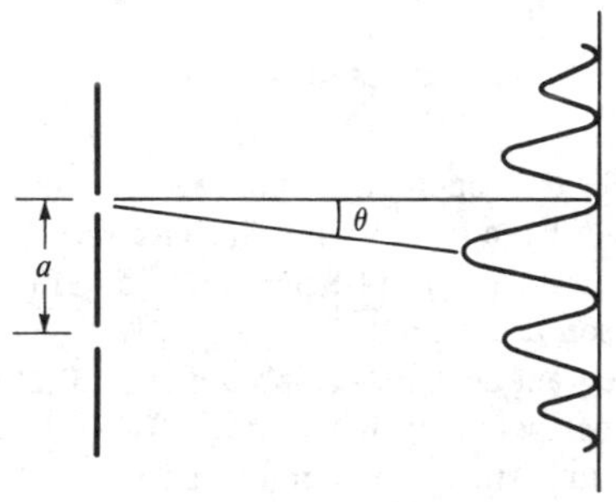

FIGURE 10.17 Problème 13.

SECTION 10.6

16. (III) *a*) Montrez que $\Psi(x, t) = Ae^{i(kx - \omega t)}$ est une solution de l'équation de Schrödinger dépendante du temps pour une particule libre $[U(x) = U_0 = \text{constante}]$ mais que $\Psi(x, t) = A\cos(kx - \omega t)$ et $\Psi(x, t) = A\sin(kx - \omega t)$ n'en sont pas. *b*) Montrez que la solution valide de la partie *a*) satisfait à la loi de la conservation de l'énergie si les relations du physicien français de Broglie, $\lambda = h/p$, $\omega = E/\hbar$, tiennent. Autrement dit, montrez qu'on obtient par substitution, dans l'équation 10.7,

$$\hbar\omega = \frac{\hbar^2 k^2}{2m} + U.$$

SECTION 10.7

17. (I) Écrivez la fonction d'onde pour *a*) un électron libre et *b*) un proton libre, chacun ayant une vitesse constante $v = 4{,}0 \times 10^5$ m/s.
18. (I) Un électron libre a une fonction d'onde $\psi(x) = A\sin(1{,}0 \times 10^{10}x)$. Déterminez *a*) sa longueur d'onde, *b*) sa quantité de mouvement, *c*) sa vitesse et *d*) son énergie cinétique.
19. (II) Montrez que le principe d'incertitude est valide pour un «paquet d'ondes» formé par deux ondes de longueurs d'onde similaires, λ_1 et λ_2. Pour ce faire, suivez le raisonnement à l'appui de l'équation 2.8 mais utilisez pour les deux ondes $\psi_1 = A_1 \sin k_1 x$ et $\psi_2 = A_2 \sin k_2 x$. Montrez ensuite que la largeur de chaque «paquet d'ondes» est $\Delta x = 2\pi/(k_1 - k_2) = 2\pi/\Delta k$ (de $t = 0{,}10$ s à $t = 0{,}30$ s dans la figure 2.7). Enfin, montrez que $\Delta x\, \Delta p = h$ pour cette situation simple.

SECTION 10.8

20. (II) Montrez que pour une particule dans une boîte parfaitement rigide, la longueur d'onde de la fonction d'onde est pour tout état la longueur d'onde selon de Broglie.
21. (II) Quelle est la vitesse minimale d'un électron piégé dans un puits infini d'une largeur de 0,10 nm?
22. (II) Une transition de $n = 3$ à $n = 1$ pour un électron piégé dans une boîte rigide produit un photon de 240 nm. Quelle est la largeur de la boîte?
23. (II) L'énergie de l'état fondamental d'un électron piégé dans un puits infini est $E = 8{,}0$ eV. *a*) Quelle est la plus grande longueur d'onde photonique que ce système peut émettre et *b*) quelle est la largeur du puits?
24. (II) La raie de plus grande longueur d'onde dans le spectre émis par un électron piégé dans un puits infini est de 690 nm. Quelle est la largeur du puits?
25. (II) Un électron avec une énergie cinétique de 100 eV dans l'espace libre passe au-dessus d'un puits de potentiel d'une profondeur de 50 eV s'étendant de $x = 0$ à $x = 5{,}0$ nm. Quelle est la longueur d'onde de l'électron *a*) dans l'espace libre et *b*) quand il se trouve au-dessus du puits? *c*) Tracez un diagramme donnant l'énergie potentielle et l'énergie totale en fonction de *x*; tracez sur le diagramme une fonction d'onde possible.
26. (II) Pour une particule dans une boîte avec des parois rigides, déterminez si nos résultats pour l'état fondamental sont conformes au principe d'incertitude en calculant le produit $\Delta p \Delta x$. Prenez $\Delta x \approx L$, étant donné qu'on sait au moins que la particule se trouve dans la boîte. Pour Δp, notez que bien que *p* soit connu ($= \hbar k$), on ne connaît pas la direction de $\vec{\mathbf{p}}$, de sorte que la composante en *x* pourrait varier de $-p$ à $+p$; prenez donc $\Delta p \approx 2p$.
27. (II) Écrivez une formule pour les positions *a*) des maxima et *b*) des minima dans $|\psi|^2$ pour une particule dans le n^e état dans un puits carré infini.
28. (II) Déterminez les quatre niveaux d'énergie les plus bas et les fonctions d'onde correspondantes pour un électron piégé dans un puits de potentiel infini d'une largeur de 2,0 nm.
29. (II) Un électron est piégé dans un boîte rigide large de 0,50 nm. *a*) Déterminez les énergies et les fonctions d'onde pour les quatre états les plus bas. *b*) Déterminez les longueurs d'onde des photons émis pour toutes les transitions possibles entre ces états.
30. (II) Considérez un noyau atomique comme une boîte rigide d'une largeur de 10^{-14} m. Quelle serait l'énergie de l'état fondamental pour *a*) un électron, *b*) un neutron et *c*) un proton?
31. (II) Un neutron est piégé dans un puits infini d'une largeur de 2,0 fm (1 femtomètre $= 10^{-15}$ m). Déterminez *a*) les quatre états d'énergie les plus bas possible et *b*) leurs fonctions d'onde. *c*) Quelle est la longueur d'onde et l'énergie du photon émis quand le neutron effectue une transition entre les deux états les plus bas? Dans quelle région du spectre électromagnétique se trouve ce photon? [Indice: il s'agit d'un modèle grossier d'un noyau atomique.]
32. (II) Estimez l'énergie cinétique et la vitesse d'une particule alpha ($q = 2e$, $m = 4$ masses de proton) piégée dans un noyau d'une largeur de 10^{-14} m. Supposez un puits de potentiel carré infini.
33. (II) Les parois d'un puits carré infini sont à $x = -L/2$ et $x = L/2$. Quelles sont les fonctions d'onde pour les quatre niveaux d'énergie les plus bas? Tracez les graphiques des fonctions d'onde et des densités de probabilité.
34. (II) Un électron est piégé dans un puits de potentiel infini de largeur *L*. Déterminez la probabilité de trouver l'électron à

une distance d'au plus $\frac{1}{4}L$ de l'une des parois si l'électron est *a*) dans l'état fondamental *b*) dans l'état $n = 4$. [Indice: évaluez $\int_0^{L/4} |\psi|^2\, dx + \int_{3L/4}^{L} |\psi|^2\, dx$.] *c*) Quelle est la prédiction classique?

35. (II) Un électron est piégé dans une boîte rigide large de 1,00 nm. Déterminez la probabilité de trouver l'électron à une distance d'au plus 0,10 nm du centre de la boîte (d'un côté ou de l'autre du centre) pour *a*) $n = 1$, *b*) $n = 5$ et *c*) $n = 20$. *d*) Comparez vos résultats à la prédiction classique.

36. (II) Tracez le graphique des fonctions d'onde et des densités de probabilité pour les états $n = 4$ et $n = 5$, pour une particule piégée dans un puits fini carré.

37. (II) Un électron est piégé dans un puits fini carré large de 0,10 nm et haut de $U_0 = 1{,}0$ keV. Estimez à quelle distance à l'extérieur des parois de la boîte la fonction d'onde de l'état fondamental chute à 1 % de sa valeur aux parois.

38. (II) Une particule de masse m est piégée dans un puits de potentiel avec une paroi rigide à $x = 0$ ($U = \infty$ pour $x < 0$) et une paroi finie de hauteur $U = U_0$ à $x = L$ (figure 10.18). *a*) Tracez le graphique des fonctions d'onde pour les trois états les plus bas. *b*) Quelle est la forme des fonctions d'onde de l'état fondamental dans les trois régions $x < 0$, $0 < x < L$ et $x > L$?

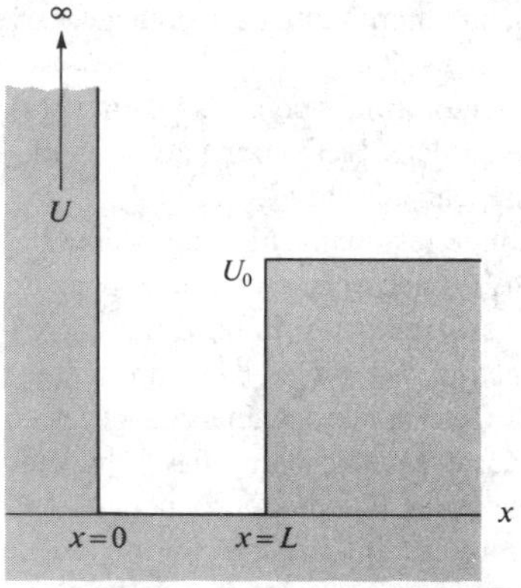

FIGURE 10.18 Problème 38.

39. (III) *Oscillateur harmonique simple.* Supposez qu'un électron soit piégé non dans un puits carré mais dans un puits dont l'énergie potentielle est celle d'un oscillateur harmonique simple: $U(x) = \frac{1}{2}Cx^2$. Autrement dit, si l'électron est déplacé de $x = 0$, une force de rappel $F = -Cx$ agit sur lui, C étant une constante. *a*) Tracez le graphique de cette énergie potentielle. *b*) Montrez que $x = Ae^{-Bx^2}$ est une solution de l'équation de Schrödinger et que l'énergie de cet état est $E = \frac{1}{2}\hbar\omega$, où $\omega = 2\hbar B/m$ et où A et B sont des constantes. [Note: ceci est l'état fondamental et cette énergie de $\frac{1}{2}\hbar\omega$ est l'énergie de point zéro pour un oscillateur harmonique. Les énergies des états plus élevés sont $E_n = (n + \frac{1}{2})\hbar\omega$, où n est un entier.]

SECTION 10.9

40. (II) Un électron approche d'une barrière de potentiel haute de 10 eV et large de 0,50 nm. Si l'électron a une probabilité de 1,0 % de traverser la barrière grâce à l'effet tunnel, quelle doit être son énergie?

41. (II) Un courant de 1 mA de protons de 1,0 MeV frappe une barrière de potentiel haute de 2,0 MeV et épaisse de 2×10^{-13} m. Estimez le courant transmis.

42. (II) Pour la partie *b*) de l'exemple 10.7, quel sera l'effet sur le coefficient de transmission si *a*) on élève la barrière de 1 %, *b*) si on augmente l'épaisseur de la barrière de 1 %?

43. (III) Montrez que le coefficient de transmission est donné approximativement par l'équation 10.17 pour une barrière haute ou épaisse, en calculant $|\psi(x = L)|^2/|\psi(0)|^2$. (Indice: supposez que x soit une exponentielle décroissante à l'intérieur de la barrière.)

44. (III) Un noyau d'uranium 238 ($Z = 92$) dure environ 5×10^9 années avant de se désintégrer par l'émission d'une particule alpha ($Z = 2$, $M = 4M_{\text{proton}}$). *a*) En supposant que le noyau soit large d'environ 10 fm, estimez la hauteur de la barrière de Coulomb (le pic dans la figure 10.14) *b*) La particule alpha, lorsqu'elle est libre, a une énergie cinétique $K \approx 4$ MeV. Estimez la largeur de la barrière. *c*) En supposant que le puits carré $U = 0$ à l'intérieur ($U = 0$ loin du noyau), calculez la vitesse de la particule alpha et le nombre de fois qu'elle frappe la barrière; estimez de plus, à partir de ces résultats (et de l'équation 10.17) la durée de vie de la particule.

CHAPITRE

11

LA MÉCANIQUE QUANTIQUE DES ATOMES

Au début du chapitre 10, nous avons traité des limitations de la théorie de la structure atomique de Bohr et des raisons qui rendaient nécessaires une nouvelle théorie. Brièvement, la théorie de Bohr, qui avait pourtant le grand mérite de prédire correctement les longueurs d'onde de la lumière émise et absorbée par l'atome d'hydrogène, ne parvenait pas à le faire pour les atomes plus complexes. Elle n'expliquait pas non plus la *structure fine*, soit la séparation des raies d'émission en deux raies, ou plus, très rapprochées. De plus, elle constituait un mélange hétéroclite d'idées classiques et quantiques.

La mécanique quantique vint à la rescousse en 1925 et 1926; dans le présent chapitre, nous étudierons la théorie quantique de la structure atomique, qui est beaucoup plus complète que celle de Bohr.

11.1 La vision quantique des atomes

La mécanique quantique conserve (ou réaffirme) certaines idées de la théorie de Bohr, notamment que les électrons dans l'atome n'existent que dans des états discrets possédant une énergie définie, et qu'un photon de lumière est émis (ou absorbé) quand un électron effectue une transition d'un état à un autre. Mais la mécanique quantique est une théorie beaucoup plus fondamentale et elle a considérablement modifié notre façon de voir l'atome. Selon elle, les électrons n'occupent pas des orbites bien définies, comme dans la théorie de Bohr. L'électron est plutôt (en raison de sa nature ondulatoire) dispersé dans l'espace, comme un «nuage» de charge négative. On peut calculer, pour un état donné d'un atome, la taille et la forme du nuage d'électrons. Pour l'état fondamental de l'atome d'hydrogène, la solution de l'équation de Schrödinger, comme nous le verrons en détail à la section 11.3, donne:

$$\psi(r) = \sqrt{\frac{1}{\pi r_0^3}}\, e^{-r/r_0}.$$

Ici $\psi(r)$ est la fonction d'onde selon la position et elle ne dépend que de la distance au centre r et non de l'angle θ ou ϕ. (La constante r_0 est égale au premier rayon de Bohr.) Ainsi, pour l'état fondamental de l'hydrogène, le nuage d'électrons, dont la densité est $|\psi|^2$, est sphériquement symétrique (figure 11.1). Le nuage d'électrons donne une indication grossière de la «taille» d'un atome mais, tout comme un nuage peut ne pas avoir de bord net, les atomes n'ont pas une limite précise ou une taille définie. Les nuages d'électrons n'ont pas tous une forme sphérique, comme nous le verrons plus loin dans ce chapitre. Notez toutefois que $\psi(r)$, quoiqu'il devienne extrêmement petit pour un grand r (voir l'équation ci-dessus), n'est nul dans aucune région finie. Selon la mécanique quantique, il n'est pas vrai qu'un atome est constitué surtout d'espace vide. (En fait, comme $\psi \to 0$ seulement pour $r \to \infty$, nous pouvons conclure qu'il n'y a pas vraiment d'espace vide dans l'univers.)

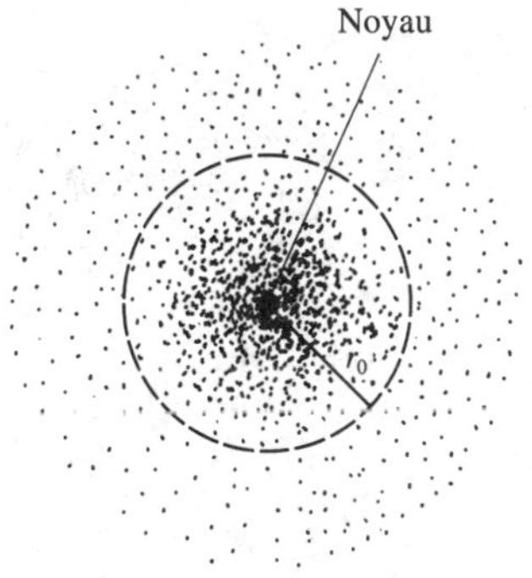

FIGURE 11.1 Nuage électronique ou «distribution de probabilité» de l'électron pour l'état fondamental de l'atome d'hydrogène. Le cercle représente le rayon de Bohr.

On peut interpréter le nuage d'électrons soit du point de vue corpusculaire soit du point de vue ondulatoire. Souvenez-vous que par particule on entend quelque chose de localisé dans l'espace (qui a une position définie à un instant donné). Au contraire, une onde est dispersée dans l'espace. La dispersion dans l'espace du nuage d'électrons (figure 11.1) résulte de la nature ondulatoire des électrons. Cependant, il est aussi possible d'interpréter les nuages d'électrons comme les *distributions de probabilité* d'une particule. Comme nous l'avons vu à la section 10.3, on ne peut prédire le chemin suivi par un électron. Après une mesure de sa position, on ne peut prévoir où il se trouvera à un moment ultérieur. On ne peut que calculer la probabilité de le trouver à différents points. Si on faisait 500 mesures différentes de la position d'un électron (considéré comme une particule), la majorité des résultats montrerait l'électron en des points où la probabilité est élevée (région sombre dans la figure 11.1). On ne trouverait qu'occasionnellement l'électron aux points où la probabilité est basse.

11.2 L'atome d'hydrogène: l'équation de Schrödinger et les nombres quantiques

L'atome d'hydrogène est le plus simple de tous les atomes, puisqu'il est composé d'un seul électron de charge $-e$ tournant autour d'un noyau central (un seul proton) de charge $+e$. Nous devons donc commencer l'étude de la structure atomique en considérant l'hydrogène.

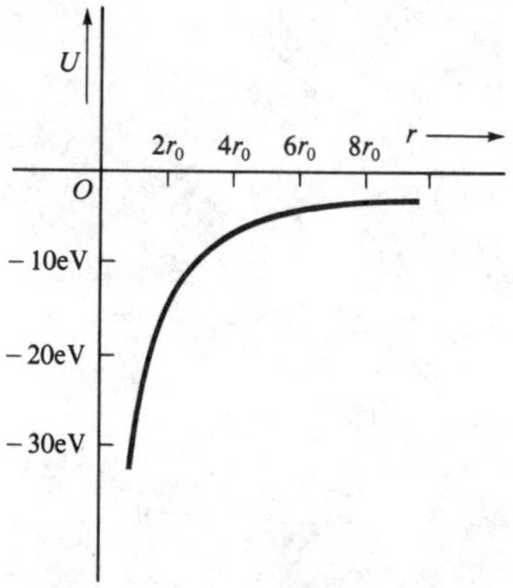

FIGURE 11.2 Énergie potentielle $U(r)$ pour l'atome d'hydrogène. La distance r de l'électron au noyau est donnée en rayons de Bohr r_0.

L'équation de Schrödinger (équation 10.5) comprend un terme représentant l'énergie potentielle. Pour l'atome d'hydrogène (H), l'énergie potentielle est due à la force coulombienne entre l'électron et le proton:

$$U = -\frac{1}{4\pi\varepsilon_0}\frac{e^2}{r},$$

où r est la distance du proton (situé à $r = 0$) à l'électron (figure 11.2). L'équation de Schrödinger (indépendante du temps), que nous devons maintenant écrire en trois dimensions, est donc:

$$-\frac{\hbar^2}{2m}\left(\frac{\partial^2\psi}{\partial x^2}+\frac{\partial^2\psi}{\partial y^2}+\frac{\partial^2\psi}{\partial z^2}\right)-\frac{1}{4\pi\varepsilon_0}\frac{e^2}{r}\psi = E\psi, \qquad (11.1)$$

où $\partial^2\psi/\partial x^2$, $\partial^2\psi/\partial y^2$ et $\partial^2\psi/\partial z^2$ sont des dérivées partielles par rapport à x, y et z. Pour résoudre l'équation de Schrödinger pour l'atome H, on l'écrit d'ordinaire en utilisant les coordonnées sphériques (r, θ, ϕ). Cependant, nous ne procéderons pas à cette résolution. Nous examinerons plutôt les propriétés des solutions et, dans la prochaine section, les fonctions d'onde elles-mêmes.

Rappelez-vous qu'au chapitre 10 les solutions de l'équation de Schrödinger à une dimension, pour le puits carré infini, étaient caractérisées par un seul nombre quantique, que nous appelions n. Dans le problème à trois dimensions de l'atome d'hydrogène, les solutions de l'équation de Schrödinger sont caractérisées par trois nombres quantiques. Toutefois, quatre nombres quantiques différents sont en fait nécessaires pour spécifier chaque état de l'atome H, le quatrième provenant d'un traitement relativiste. Nous allons maintenant discuter de chacun de ces nombres quantiques. La plus grande partie de la présente analyse s'appliquera aussi aux atomes plus complexes, que nous traiterons à partir de la section 11.4.

La mécanique quantique prédit exactement les mêmes niveaux d'énergie (figure 9.22) pour l'atome d'hydrogène que la théorie de Bohr. Elle prévoit donc:

$$E_n = -\frac{13{,}6\ \text{eV}}{n^2} \qquad n = 1, 2, 3, \ldots, \qquad (11.2)$$

où n est un entier appelé le **nombre quantique principal**. (Il s'agit du même nombre quantique n qui apparaissait dans la théorie de Bohr.) Il peut prendre n'importe quelle valeur entière de 1 à ∞. L'énergie totale d'un état de l'atome d'hydrogène dépend de n, comme nous venons de le voir.

Le **nombre quantique orbital**, l, est relié au moment angulaire orbital de l'électron; l peut prendre des valeurs entières allant de 0 à $(n-1)$. Pour l'état fondamental, $n = 1$, l ne peut être que nul†. Mais pour $n = 3$, par exemple, l peut être 0, 1 ou 2. La grandeur véritable du moment angulaire orbital L dépend du nombre quantique l selon la relation:

$$L = \sqrt{l(l+1)}\hbar. \tag{11.3}$$

La valeur de l n'affecte pas l'énergie totale de l'atome d'hydrogène; seul n affecte‡ cette énergie de façon appréciable. Mais dans les atomes avec deux électrons ou plus, l'énergie dépend effectivement de l ainsi que de n, comme nous le verrons à la section suivante.

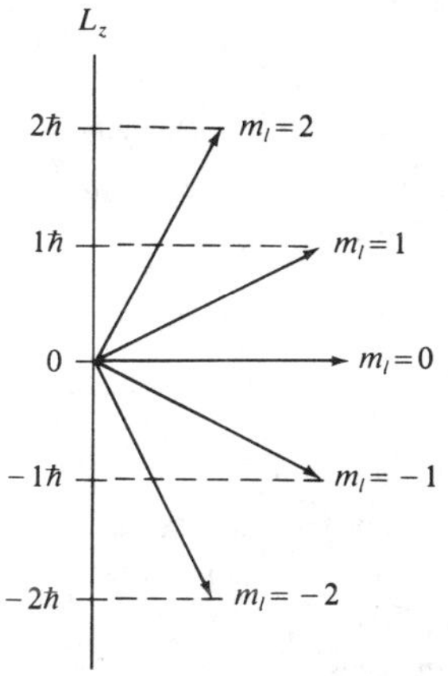

FIGURE 11.3 Quantification de la direction du moment angulaire pour $l = 2$.

Le **nombre quantique magnétique**, m_l, dépend de la direction du moment angulaire de l'électron, et il peut prendre n'importe quelle valeur entière de $-l$ à $+l$. Par exemple, si $l = 2$, alors m_l peut être -2, -1, 0, $+1$ ou $+2$. Comme le moment angulaire est un vecteur, il n'est pas surprenant que sa grandeur, de même que sa direction, soient quantifiées. Pour $l = 2$, on peut représenter les cinq directions différentes par le diagramme de la figure 11.3. Cette limitation à la direction de L est souvent appelée **quantification de l'espace.** En mécanique quantique, on spécifie d'ordinaire la direction du moment angulaire en donnant sa composante dans la direction de l'axe des z (ce choix est arbitraire). Alors, L_z est relié à m_l par l'équation:

$$L_z = m_l\hbar. \tag{11.4}$$

Les valeurs de L_x et L_y ne sont toutefois pas définies (voir les problèmes 12 et 13). Le nom de m_l ne provient pas de la théorie (qui le met en relation avec L_z) mais de l'expérience. On a en effet découvert que lorsqu'on met un tube de décharge (figure 9.18) dans un champ magnétique, les raies spectrales se scindent en plusieurs raies très voisines les unes des autres. Ce phénomène, baptisé **effet Zeeman**, suppose que les niveaux d'énergie se sont divisés (figure 11.4); il faut donc que l'énergie d'un état dépende non seulement de n, mais aussi de m_l quand on soumet les atomes à un champ magnétique, d'où le nom «nombre quantique magnétique». (On peut comprendre pourquoi l'énergie dépend de la direction de $\mathbf{L}$ en imaginant, de façon semi-classique, un électron en mouvement, comme un courant électrique interagissant avec le champ magnétique — voir, dans le tome 2, le chapitre 7 et la section 7.5, de même que, dans le présent tome, la section 11.7.)

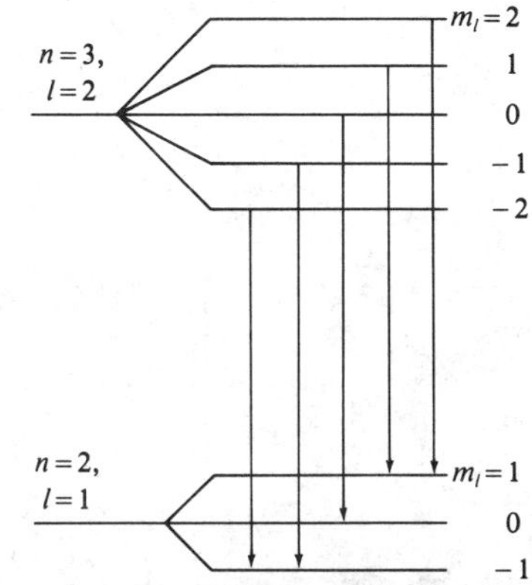

FIGURE 11.4 Quand un champ magnétique est appliqué, un niveau d'énergie $n = 3$, $l = 2$ se scinde en cinq niveaux séparés, correspondant aux cinq valeurs de m_l (2, 1, 0, -1, -2). Un niveau $n = 2$, $l = 1$ se sépare en trois niveaux ($m_l = 1, 0, -1$). Des transitions peuvent se produire entre les niveaux (elles ne sont pas toutes montrées), avec émission de photons de fréquences légèrement différentes (effet Zeeman).

Enfin, il y a le **nombre quantique de spin**, m_s, qui ne peut avoir que deux valeurs, $m_s = +\frac{1}{2}$ ou $m_s = -\frac{1}{2}$. L'existence de ce nombre quantique ne découle pas de la théorie originale de Schrödinger, comme c'est le cas pour n, l et m_l. Elle découle plutôt d'un traitement relativiste ultérieur dû à P. A. M. Dirac (1902-1984). Toutefois, le premier indice donnant à penser que m_s était nécessaire fut fourni par l'expérience. Une étude attentive des raies spectrales de l'hydrogène montra que chacune de ces raies consistait en deux raies (ou plus) très voisines l'une de l'autre même en l'absence d'un champ magnétique externe. On émit d'abord l'hypothèse que cette scission minuscule des niveaux d'énergie, appelée **structure fine**, était peut-être due au moment angulaire associé à une rotation de l'électron. Autrement dit, l'électron pouvait tourner sur son axe aussi bien que sur des orbites autour du noyau, tout comme la Terre tourne sur son axe ainsi que sur une orbite autour du Soleil. L'interaction entre le minuscule courant de l'électron tournant sur lui-même et le champ magnétique due à la charge sur orbite pourrait alors causer la petite séparation des niveaux d'énergie qui a été observée. (De la sorte, l'énergie dépendrait peu de m_l et de m_s, comme nous le verrons plus en détail à la section 11.7). Cette représentation de l'électron tournant sur son axe

† Comparez cela avec la théorie de Bohr, qui affectait la valeur $l = 1$ à l'état fondamental (équation 9.9).
‡ Voir la discussion sur la *structure fine*, plus loin dans la présente section.

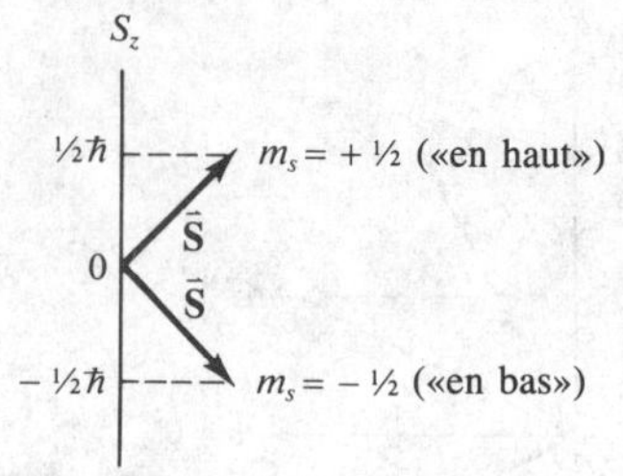

FIGURE 11.5 Le moment angulaire de spin $\bar{S}$ ne peut occuper que deux directions, $m_s = +\frac{1}{2}$ ou $-\frac{1}{2}$, appelées «spin en haut» et «spin en bas».

est, toutefois, complètement abandonnée aujourd'hui. Nous ne pouvons même pas considérer un électron comme un objet localisé dans l'espace, encore moins comme un objet en rotation. Par ailleurs, il est important de savoir que l'électron peut avoir deux états différents dus à quelque propriété intrinsèque que nous continuons (peut-être malheureusement) à appeler «spin». On dit que l'électron a un spin $s = \frac{1}{2}$, ce qui produit un moment angulaire de spin S donné par:

$$S = \sqrt{s(s+1)}\hbar = \frac{\sqrt{3}}{2}\hbar.$$

(Comparez ceci à l'équation 11.3). Ce spin peut avoir deux directions différentes, $m_s = +\frac{1}{2}$ ou $m_s = -\frac{1}{2}$, lesquelles sont souvent dites «spin en haut» et «spin en bas» (figure 11.5). Un état avec un spin en bas ($m_s = -\frac{1}{2}$) a légèrement moins d'énergie qu'un autre avec un spin en haut. (Notez que nous avons inclus m_s, mais non s, dans notre liste des nombres quantiques, puisque s est identique pour tous les électrons.)

Le tableau 11.1 donne les valeurs possibles des quatre nombres quantiques pour un électron dans l'atome d'hydrogène.

TABLEAU 11.1
Les nombres quantiques pour un électron

Nom	Symbole	Valeurs possibles
Principal	n	1, 2, 3, ..., ∞
Orbital	l	Pour un n donné, l peut être 0, 1, 2, ..., $n - 1$
Magnétique	m_l	Pour un n et un l donnés, m_l peut être l, $l - 1$, ..., 0, ..., $-l$
De spin	m_s	Pour chaque jeu de n, l et m_l, m_s peut être $+\frac{1}{2}$ ou $-\frac{1}{2}$

EXEMPLE 11.1 Combien existe-t-il d'états possibles différents pour un électron dont le nombre quantique principal est $n = 3$?

SOLUTION Pour $n = 3$, l peut prendre trois valeurs: $l = 2, 1, 0$. Pour $l = 2$, m_l peut être 2, 1, 0, −1 ou −2. Il y a donc cinq possibilités différentes. Pour chacune de ces possibilités, m_s peut être soit en haut soit en bas ($+\frac{1}{2}$ ou $-\frac{1}{2}$), et donc pour $l = 2$, il y a $2 \times 5 = 10$ états. Pour $l = 1$, m_l peut être 1, 0 −1, et puisque m_s peut être $+\frac{1}{2}$ ou $-\frac{1}{2}$ pour chacune de ces valeurs, nous avons six états possibles de plus. Enfin, pour $l = 0$, m_l ne peut être que 0, et il existe seulement deux états correspondant à $m_s = +\frac{1}{2}$ et $-\frac{1}{2}$. Le nombre total d'états est $10 + 6 + 2 = 18$, comme on peut le voir en détail dans le tableau suivant:

n	l	m_l	m_s	n	l	m_l	m_s
3	2	2	$\frac{1}{2}$	3	2	−2	$-\frac{1}{2}$
3	2	2	$-\frac{1}{2}$	3	1	1	$\frac{1}{2}$
3	2	1	$\frac{1}{2}$	3	1	1	$-\frac{1}{2}$
3	2	1	$-\frac{1}{2}$	3	1	0	$\frac{1}{2}$
3	2	0	$\frac{1}{2}$	3	1	0	$-\frac{1}{2}$
3	2	0	$-\frac{1}{2}$	3	1	−1	$\frac{1}{2}$
3	2	−1	$\frac{1}{2}$	3	1	−1	$-\frac{1}{2}$
3	2	−1	$-\frac{1}{2}$	3	0	0	$\frac{1}{2}$
3	2	−2	$\frac{1}{2}$	3	0	0	$-\frac{1}{2}$

EXEMPLE 11.2 Déterminez *a*) l'énergie et *b*) le moment angulaire orbital pour chacun des états de l'exemple 11.1.

SOLUTION *a*) L'énergie d'un état dépend seulement de n, sauf pour les très petites corrections mentionnées à la page précédente et dont nous ne tiendrons pas compte. Comme $n = 3$ pour tous ces états, ils ont tous la même énergie,

$$E_3 = -\frac{13,6 \text{ eV}}{(3)^2} = -1,51 \text{ eV}.$$

b) Pour $l = 0$,

$$L = \sqrt{l(l+1)}\hbar = 0.$$

Pour $l = 1$,

$$L = \sqrt{1(1+1)}\hbar = \sqrt{2}\hbar$$
$$= 1,49 \times 10^{-34} \text{ J} \cdot \text{s}.$$

Les moments angulaires atomiques sont généralement donnés comme un multiple de $\hbar$ (comme $\sqrt{2}\hbar$, par exemple), plutôt qu'en unités SI. Notez toutefois que pour $l = 1$, L est de l'ordre de 10^{-34} J · s. Ceci signifie que les moments angulaires macroscopiques ont des nombres quantiques si élevés que la quantification du moment angulaire n'est pas décelable: L semble continu, conformément au principe de correspondance. Enfin, pour $l = 2$,

$$L = \sqrt{2(2+1)}\hbar = \sqrt{6}\hbar.$$

TABLEAU 11.2
Valeurs de l

Valeur de l	Symbole alphabétique
0	*s*
1	*p*
2	*d*
3	*f*
4	*g*
5	*h*
⋮	⋮

On spécifie habituellement l'état d'un électron en donnant les valeurs de n et de l. (Il est rarement nécessaire d'indiquer aussi m_l et m_s puisque, même pour les atomes complexes, seuls n et l affectent l'énergie de façon appréciable.) On utilise des lettres pour spécifier les valeurs de l, conformément aux indications du tableau 11.2. La lettre *s* représente $l = 0$, la lettre *p*, $l = 1$, la lettre *d*, $l = 2$, la lettre *f*, $l = 3$, etc., les autres lettres respectant l'ordre alphabétique. (Les premières lettres, *s*, *p*, *d* et *f*, étaient à l'origine des abréviations des mots anglais «sharp» (nette), «principal» (principale), «diffuse» (diffuse) et «fundamental» (fondamentale), lesquels étaient des termes expérimentaux se rapportant aux raies spectrales observées.) Ainsi, on dit qu'un état $n = 4$, $l = 2$ est l'état 4*d* et qu'un état $n = 2$, $l = 1$ est l'état 2*p*.

La figure 11.6 est un diagramme des niveaux d'énergie de l'hydrogène, incluant les transitions possibles entre les états. Pour chaque transition, un photon d'une longueur d'onde particulière est émis, tout comme dans la figure 9.22 qui se rapportait au modèle de Bohr et où, par contre, les états décrits étaient spécifiés par n et l. (Quoique, pour l'hydrogène, les états avec le même n mais avec des l différents aient une énergie identique, ils n'ont pas la même énergie pour les autres atomes.) Cette figure illustre un autre résultat important de la mécanique quantique: les transitions qui supposent l'émission ou l'absorption d'un photon ne peuvent se produire qu'entre des états dont les valeurs de l diffèrent d'une unité:

$$\Delta l = \pm 1. \tag{11.5}$$

C'est ce qu'on appelle une **règle de sélection**. Ainsi un électron dans un état $l = 2$ ne peut aller que vers un état ayant $l = 1$ ou $l = 3$. Il ne peut sauter vers un état ayant $l = 2$ ou $l = 0$. Une transition telle que $l = 2$ vers $l = 0$ s'appelle une **transition interdite**. En fait, une telle transition n'est pas absolument interdite. Elle peut se produire, mais seulement par un mécanisme compliqué, et avec une très faible probabilité comparativement aux **transitions permises** (celles qui satisfont à la règle de sélection $\Delta l = \pm 1$.

Comme le moment angulaire orbital d'un atome d'hydrogène doit changer d'une unité quand l'atome émet un photon, la conservation du moment angulaire nous montre

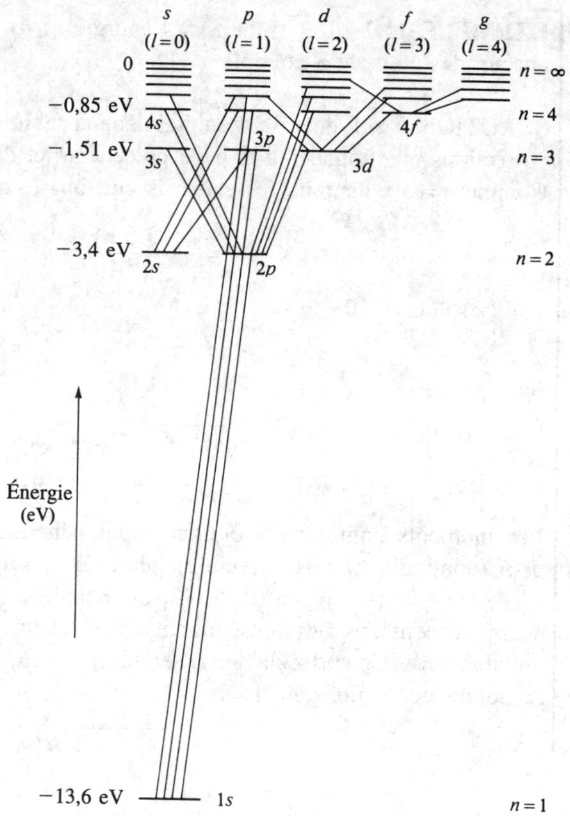

FIGURE 11.6 Diagramme des niveaux d'énergie pour l'hydrogène, montrant les transitions permises obéissant à la règle de sélection $\Delta l = \pm 1$.

que le photon doit apporter avec lui une partie du moment angulaire. Effectivement, les résultats de différentes expériences indiquent que le photon possède un spin S de 1.

11.3 Les fonctions d'onde de l'atome d'hydrogène

La solution de l'équation de Schrödinger pour l'état fondamental de l'hydrogène (l'état avec l'énergie E la plus basse) a une énergie $E_1 = -13{,}6$ eV, comme nous l'avons vu. La fonction d'onde pour l'état fondamental ne dépend que de r et est donc sphériquement symétrique. Comme nous l'avons déjà vu à la section 11.1, sa forme est:

$$\psi_{100} = \frac{1}{\sqrt{\pi r_0^3}} e^{-r/r_0} \tag{11.6a}$$

où $r_0 = h^2\varepsilon_0/\pi m e^2 = 0{,}0529$ nm est le rayon de Bohr (section 9.10). L'indice 100 de ψ représente les nombres quantiques n, l et m_l:

$$\psi_{nlm_l}.$$

Pour l'état fondamental, $n = 1$, $l = 0$, $m_l = 0$, et il n'y a qu'une fonction d'onde, qui sert pour $m_s = +\frac{1}{2}$ et $m_s = -\frac{1}{2}$ (la valeur de m_s n'affecte pas la dépendance spatiale de la fonction d'onde pour aucun état, puisque le spin est une propriété *interne* ou *intrinsèque* de l'électron). La densité de probabilité pour l'état fondamental est:

$$|\psi_{100}|^2 = \frac{1}{\pi r_0^3} e^{-2r/r_0}, \tag{11.6b}$$

qui décroît de façon exponentielle avec r, comme il est indiqué sur la figure 11.1. Notez que ψ_{100}, comme toutes les fonctions d'onde que nous utilisons, a été normalisée:

$$\int_{\text{tout l'espace}} |\psi_{100}|^2 \, dV = 1.$$

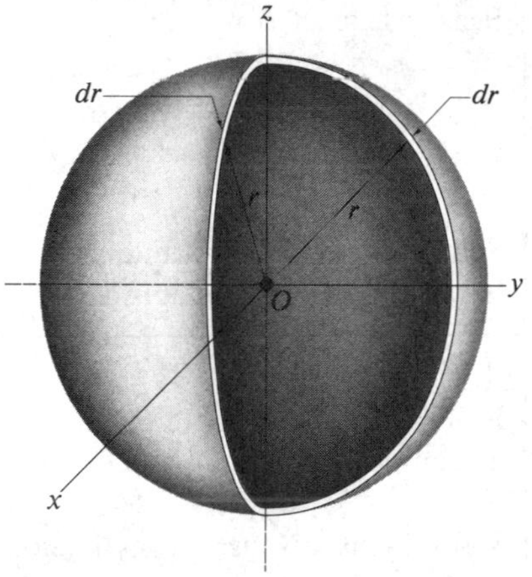

FIGURE 11.7 Une couche sphérique d'épaisseur dr, de rayon interne r et de rayon externe $r + dr$. Son volume est de $dV = 4\pi r^2 dr$.

La quantité $|\psi|^2 dV$ donne la probabilité de trouver l'électron dans un volume dV près d'un point donné. Il est souvent plus utile de spécifier la **densité de probabilité radiale** P_r, laquelle est définie de façon que $P_r\,dr$ soit la probabilité de trouver l'électron à une distance entre r et $r + dr$ du noyau. Autrement dit, $P_r\,dr$ spécifie la probabilité de trouver l'électron à l'intérieur d'une mince couche d'épaisseur dr, de rayon interne r et de rayon externe $r + dr$, sans égard à la direction (figure 11.7). Le volume de cette couche est le produit de l'aire de sa surface, $4\pi r^2$, et de son épaisseur dr:

$$dV = 4\pi r^2 dr.$$

D'où

$$|\psi|^2\, dV = |\psi|^2\, 4\pi r^2\, dr,$$

et la densité de probabilité radiale est:

$$P_r = 4\pi r^2 |\psi|^2. \qquad (11.7)$$

Pour l'état fondamental de l'hydrogène, ceci devient:

$$P_r = 4\frac{r^2}{r_0^3} e^{-2r/r_0}. \qquad (11.8)$$

La figure 11.8 illustre graphiquement cette relation. Le maximum de la courbe est la valeur «la plus probable» de r, et il se trouve à $r = r_0$, le rayon de Bohr, ce que nous allons démontrer.

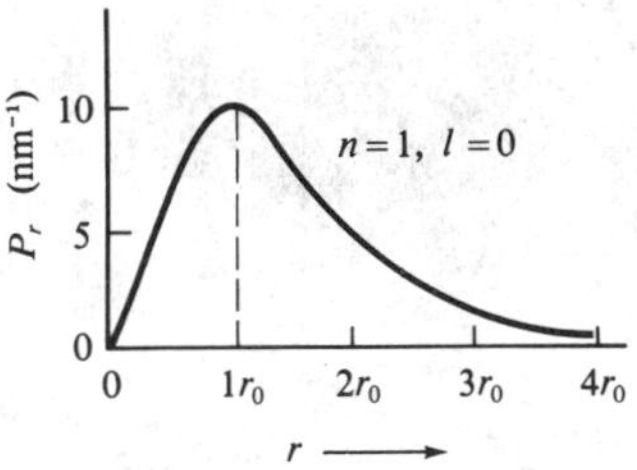

FIGURE 11.8 La densité de probabilité radiale P_r pour l'état fondamental de l'hydrogène, $n = 1$, $l = 0$. Le maximum est atteint quand $r = r_0$, le rayon de Bohr.

EXEMPLE 11.3 Déterminez la distance au noyau, r, à laquelle il est le plus probable de trouver l'électron dans l'état fondamental de l'hydrogène.

SOLUTION Le maximum de la courbe de la figure 11.8 correspond à la valeur la plus probable de r. Comme en ce point la courbe a une pente nulle, nous prenons la dérivée de l'équation 11.8 et la posons égale à zéro:

$$\frac{d}{dr} = \left(4\frac{r^2}{r_0^3} e^{-2r/r_0}\right) = 0$$

$$\left(8\frac{r}{r_0^3} - \frac{8r^2}{r_0^4}\right) e^{-2r/r_0} = 0.$$

Comme e^{-2r/r_0} ne devient nul que lorsque $r = \infty$, c'est le terme dans la parenthèse qui doit être nul:

$$8\frac{r}{r_0^3} - 8\frac{r^2}{r_0^4} = 0.$$

Par conséquent,

$$\frac{r}{r_0^3} = \frac{r^2}{r_0^4}$$

ou

$$r = r_0.$$

Selon la mécanique quantique, la distance de l'électron au noyau la plus probable est le rayon de Bohr; il s'agit d'une coïncidence intéressante.

EXEMPLE 11.4 Déterminez la probabilité de trouver l'électron dans l'état fondamental de l'hydrogène à deux rayons de Bohr ou moins du noyau.

SOLUTION Nous devons intégrer P_r de $r = 0$ jusqu'à $r = 2r_0$. Autrement dit, nous voulons:

$$P_r = \int_{r=0}^{2r_0} |\psi|^2 \, dV = \int 4 \frac{r^2}{r_0^3} e^{-2r/r_0} \, dr.$$

En faisant d'abord la substitution,

$$x = 2\frac{r}{r_0},$$

puis en intégrant cette dernière par parties ($\int u \, dv = uv - \int v \, du$) et en posant $u = x^2$ et $dv = e^{-x} \, dx$ (notez que $dx = 2dr/r_0$), nous obtenons:

$$P_r = \frac{1}{2} \int_{x=0}^{4} x^2 e^{-x} \, dx = \frac{1}{2}\left[-x^2 e^{-x} + \int 2xe^{-x} \, dx\right]_0^4.$$

En intégrant également le second terme par parties avec $u = 2x$ et $dv = e^{-x} \, dx$, nous obtenons:

$$P_r = \frac{1}{2}\left[-x^2 e^{-x} - 2xe^{-x} + 2\int e^{-x} \, dx\right]_0^4$$
$$= (-\tfrac{1}{2}x^2 - x - 1)e^{-x}\Big|_0^4.$$

Puis nous évaluons ceci pour $x = 0$ et pour $x = 2(2r_0)/r_0 = 4$:

$$P_r = (-8 - 4 - 1)e^{-4} + e^0 = 0{,}76,$$

ou 76 %. On trouverait donc l'électron en deçà de deux rayons de Bohr du noyau 76 % du temps et au-delà, 24 % du temps. Notez que ce résultat suppose que notre fonction d'onde est normalisée correctement. C'est le cas ici, comme on peut le démontrer aisément en posant $r \to \infty$, c'est-à-dire en intégrant la relation sur tout l'espace: $\int_0^\infty |\psi|^2 \, dV = 1$.

Le premier état excité de l'hydrogène a $n = 2$. Pour $l = 0$, la fonction d'onde est de nouveau sphériquement symétrique:

$$\psi_{200} = \frac{1}{\sqrt{32\pi r_0^3}}\left(2 - \frac{r}{r_0}\right)e^{-r/2r_0}. \tag{11.9}$$

La figure 11.9a indique la densité de probabilité $|\psi_{200}|^2$ et la figure 11.9b†, la densité de probabilité radiale:

$$P_r = \frac{1}{8}\frac{r^2}{r_0^3}\left(2 - \frac{r}{r_0}\right)^2 e^{-r/r_0}.$$

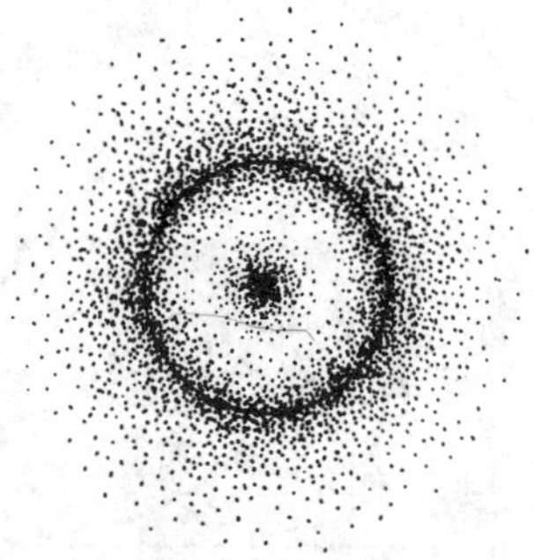

a)

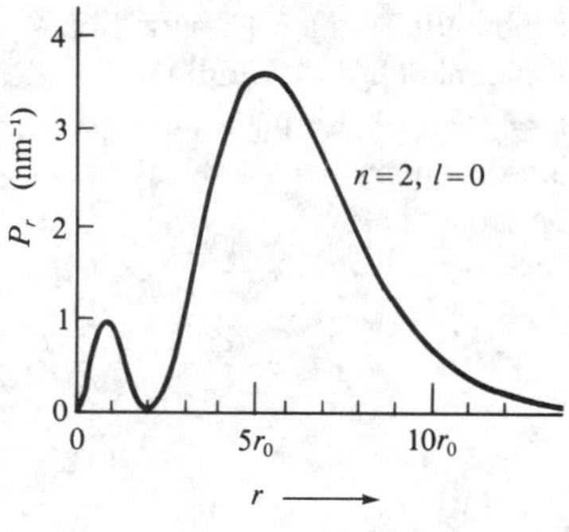

b)

FIGURE 11.9 a) La densité de probabilité $|\psi_{200}|^2$ et b) la densité de probabilité radiale P_r pour l'état $2s$ de l'hydrogène.

† Pour l'atome d'hydrogène, tout comme pour une particule dans un puits de potentiel carré (voir les figures 10.7 et 10.8), plus l'énergie est élevée plus y a de nœuds dans ψ et $|\psi|^2$.

Il y a deux maxima dans cette courbe; le second, à $r \approx 5r_0$, est plus haut et correspond à la valeur la plus probable de r dans l'état $2s$. Nous voyons que l'électron tend à être un peu plus loin du noyau dans l'état $2s$ que dans l'état $1s$.

Pour l'état $2p$ ($n = 2$, $l = 1$), il y a trois fonctions d'onde possibles, correspondant à $m_l = +1$, 0 ou -1:

$$\begin{aligned}\psi_{210} &= \frac{z}{\sqrt{32\pi r_0^5}} e^{-r/2r_0} \\ \psi_{211} &= \frac{x + iy}{\sqrt{64\pi r_0^5}} e^{-r/2r_0} \\ \psi_{21-1} &= \frac{x - iy}{\sqrt{64\pi r_0^5}} e^{-r/2r_0}.\end{aligned} \tag{11.10}$$

Ces fonctions d'onde *ne sont pas* sphériquement symétriques†. Les densités de probabilité $|\psi|^2$ sont données à la figure 11.10a, où nous pouvons voir leur orientation directionnelle.

Peut-être vous demandez-vous comment de telles fonctions d'onde non sphériquement symétriques sont possibles quand l'énergie potentielle dans l'équation de Schrödinger a une symétrie sphérique. En effet, comment un électron pourrait-il choisir l'un de ces états? En l'absence de toute influence externe, par exemple un champ magnétique dans une direction particulière, les trois états sont tout aussi probables les uns que les autres, et ils ont tous la même énergie. On peut donc considérer qu'un électron passe le tiers de son temps dans chacun de ces états. L'effet net est donc la somme des carrés de ces trois fonctions d'onde:

$$|\psi_{210}|^2 + |\psi_{211}|^2 + |\psi_{21-1}|^2,$$

qui est sphériquement symétrique, puisque $x^2 + y^2 + z^2 = r^2$. La figure 11.10b montre la densité de probabilité radiale pour cette somme.

Quoique les distributions spatiales de l'électron puissent être calculées pour les différents états, il est difficile de les mesurer expérimentalement. En fait, la plus grande partie de l'information expérimentale que nous avons sur l'atome provient d'un examen attentif des spectres d'émission correspondant à différentes conditions.

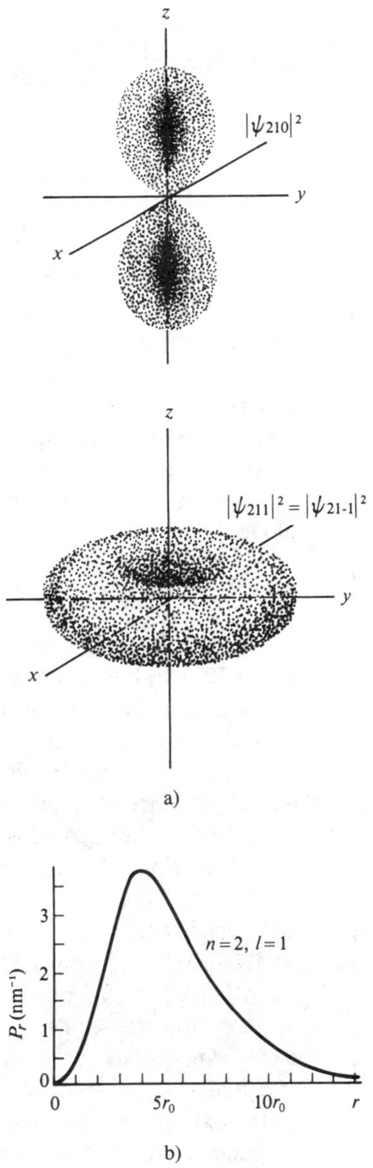

FIGURE 11.10 a) La densité de probabilité pour les trois états $2p$. b) La densité de probabilité radiale pour la somme des trois états $2p$.

11.4 Les atomes complexes; le principe d'exclusion

Nous avons décrit en détail l'atome d'hydrogène parce qu'il est le plus simple à traiter. Nous discuterons maintenant brièvement des atomes plus complexes, qui contiennent plus d'un électron et dont les niveaux d'énergie peuvent être déterminés expérimentalement grâce à l'analyse de leurs spectres d'émission. Les niveaux d'énergie *ne sont pas* identiques à ceux de l'atome d'hydrogène, puisque les électrons interagissent les uns avec les autres ainsi qu'avec le noyau. Pour les atomes avec plus d'un électron, les niveaux d'énergie dépendent à la fois de n et de l.

On désigne par l'expression *numéro atomique* (Z) le nombre d'électrons dans un atome neutre; Z indique aussi le nombre de charges positives (protons) dans le noyau, et il révèle la sorte d'atome dont il s'agit. En d'autres termes, Z détermine la plupart des propriétés qui distinguent un atome d'un autre.

Quoiqu'on ait tenté de modifier la théorie de Bohr pour inclure les atomes plus complexes, le développement de la mécanique quantique après 1925 donna à cet égard de bien meilleurs résultats. Les mathématiques de cette théorie deviennent cependant

† Les deux dernières fonctions d'onde (pour $m_l = \pm 1$) sont, en plus, complexes, quoiqu'on puisse former des combinaisons linéaires de celles-ci qui soient réelles: $\psi_{21x} = (1/\sqrt{2})(\psi_{211} + \psi_{21-1})$ et $\psi_{21y} = -(i/\sqrt{2})(\psi_{211} - \psi_{21-1})$. Les distributions de probabilité pour ψ_{21x} et ψ_{21y} sont comme celles de ψ_{210} sur la figure 11.10a, mais dirigées sur les axes des x et des y, respectivement.

ENCADRÉ 11.1

Des couleurs spectrales de Newton à l'atome quantique

Cette histoire commence vers 1666, alors que Isaac Newton (1643-1727) entreprend des recherches systématiques sur la décomposition de la lumière solaire par le prisme, et se termine en 1926 lorsque Werner Heisenberg (1901-1976) et Erwin Schrödinger (1887-1961) fondent la théorie quantique, laquelle permet d'expliquer la présence, l'intensité et la répartition des raies d'un spectre à partir de la structure de la matière atomique.

Le spectre, signature de la lumière (1670-1820)

En 1672, Newton rapporta une expérience, devenue célèbre, où la lumière solaire traversant un prisme se décompose en une suite continue de couleurs. Chacune de ces couleurs n'est plus à nouveau décomposable, et l'ensemble de ces couleurs recomposées redonne la lumière blanche (voir encadré 5.3).

Il se fit peu d'observations spectrales au XVIIIe siècle; on se contentait généralement de répéter les observations de Newton. Un seul fait est à rapporter: en 1752, à l'âge de 26 ans (il mourut à 27 ans), Thomas Melvill (1726–1753) observa à travers un prisme la lumière produite par des sels placés dans la flamme d'une lampe à alcool. Il remarqua en particulier une raie jaune assez intense. Comme on le sait aujourd'hui, cette raie était causée par le sodium; en effet, des traces de chlorure de sodium contaminaient la plupart des matériaux alors utilisés comme sources spectrales. Cette raie, presque omniprésente, causera bien des problèmes aux expérimentateurs. Cependant, justement à cause de son intensité, elle se révélera, dans certaines situations, un outil d'expérimentation rêvé.

En 1800, alors qu'il étudiait la répartition spectrale de la chaleur du Soleil au moyen d'un thermomètre très sensible placé en différents endroits du spectre solaire, William Herschel (1738-1822), le grand astronome anglais, observa que la chaleur était plus intense au-delà de la partie rouge. Il découvrit ainsi l'infrarouge! Une année plus tard, l'Allemand Johann Wilhelm Ritter (1776-1810) se rendit compte que l'influence du spectre solaire sur le noircissement du chlorure d'argent était plus grande au-delà du violet. Il avait découvert l'ultraviolet!

À part la raie jaune d'émission (du sodium) observée par Melvill, les premières raies spectrales observées furent sans conteste les raies dites de Fraunhofer (voir encadré 6.2), soit les raies d'absorption du spectre solaire; on en connaît maintenant environ 26 000. William Hyde Wollaston en remarqua un très petit nombre en 1802. Joseph von Fraunhofer (1787-1826) montra leur persistance dans toute lumière solaire, directe ou réfléchie par un objet ou par les planètes; il observa le même spectre dans la lumière d'étoiles très brillantes.

Fait qui plus tard s'avéra important, Fraunhofer observa aussi que la raie jaune (de Melvill) occupait la même position spectrale que la raie noire du spectre solaire qu'il avait dénommée *D*.

Le spectre, signature de la source de lumière (1820-1890)

Les tâtonnements (1820-1859)

En 1823, John Herschel (1792-1871), le fils de William Herschel, observait que la lumière blanche filtrée à travers des verres colorés et décomposée par le prisme produisait des spectres discontinus d'absorption (ensemble de raies sombres plus ou moins larges). En 1841, David Brewster (1781-1868) confirmait la coïncidence entre la raie jaune d'émission de Melvill et la raie *D* de Fraunhofer, et montrait que plusieurs raies d'émission produites en laboratoire coïncidaient ainsi avec des raies d'absorption du spectre solaire.

En 1826, l'Anglais William Henry Fox Talbot (1800-1877) publia une étude sur «les flammes colorées» où, pour la première fois, on énonçait la possibilité de caractériser un sel à partir de l'observation de son spectre. Cependant, à cause de la présence insoupçonnée et presque constante de la raie jaune parasite mentionnée précédemment, la plupart des faits lui donnaient tort (en apparence).

En 1849, Léon Foucault (1819-1868) fit une observation qui sera exploitée et répétée une décennie plus tard par Gustav Robert Kirchhoff (1824-1887) et Robert Wilhelm Bunsen (1811-1899). Il montra que la raie sombre solaire, la raie *D*, qui correspond comme on le sait à la raie jaune de Melvill, devenait encore plus sombre quand il permettait à la lumière du Soleil de passer à travers un arc électrique émetteur de la raie jaune de Melvill.

En 1857, l'Anglais Wilson Swan (1828-1914) résolut enfin le problème de l'omniprésence de la raie jaune de Melvill. Il montra qu'une quantité infime de sodium introduite dans une flamme hydrocarbonée provoquait l'apparition de cette raie, normalement absente dans le spectre. Ce problème résolu, l'idée que le spectre soit la signature de la source de lumière devenait plausible.

L'explication des raies sombres de Fraunhofer (1859)

Vers 1859, à la suite des observations rapportées précédemment et de certaines idées émises par George Gabriel Stokes (1819-1903) et Lord Kelvin (1824-1907), Bunsen et Kirchhoff montrèrent qu'à chaque source de lumière correspond un seul et unique spectre, le même, en absorption comme en émission. Du même coup, ils expliquaient les raies de Fraunhofer et l'observation de Foucault. Ils publièrent leurs résultats en 1860. Pour voir de plus près ce qu'il en est, portons notre attention sur un atome de sodium qui n'émettrait que la raie *D*. Non seulement cet atome émet, mais il absorbe aussi à la fréquence de la raie *D*. Dans un milieu de température élevée, il émet beaucoup et absorbe peu; dans un milieu de température moins élevée, il émet peu et absorbe beaucoup.

Appliquons ces considérations à la raie *D* et aux autres raies sombres du spectre solaire. Seule la lumière émise à la surface du Soleil parvient jusqu'à nous; celle venant du cœur du Soleil est absorbée avant de pouvoir sortir à cause de la trop grande densité qui y règne. La température de la photosphère, qui se trouve à la surface du Soleil, est plus élevée que celle de la chromosphère et de la couronne qui forment l'atmosphère du Soleil. Le Soleil, qui est presque un corps noir (voir encadré 9.1), émet un rayonnement continu dont la répartition spectrale ne dépend que de sa température. Ce rayonnement, émis dans la photosphère, doit traverser la chromosphère où il est fortement absorbé (émis aussi, mais faiblement) à la fréquence de la raie *D* et aux fréquences des autres raies de Fraunhofer, puisque la température qui y règne est plus basse. La lumière solaire qui parvient jusqu'à la Terre forme donc un spectre d'absorption composé de la raie *D* et d'autres raies plus ou moins sombres, qui constituent la signature des atomes de l'atmosphère du Soleil. On sait que ce modèle est grossier; en effet, une partie de la surface du Soleil participe aussi à l'absorption. Soulignons aussi que certaines des raies de Fraunhofer sont dues à l'absorption dans l'atmosphère de la Terre.

À cause de cela, si on trouve dans le spectre solaire une raie sombre qui correspond exactement à une raie brillante du spectre d'émission d'un atome observé en laboratoire, on peut déduire que cet atome est présent dans l'atmosphère du Soleil ou de la Terre.

Le spectre, signature de la structure de la matière (1890-1926)

On savait maintenant que le spectre d'un rayonnement constituait la signature de la source. On s'interrogea donc sur les causes de l'arrangement particulier des raies du spectre. On se pencha d'abord sur le cas le plus simple, le spectre des raies de l'atome d'hydrogène.

On commença par tenter de trouver empiriquement une loi mathématique rendant compte de la répartition des raies du spectre. Les résultats sont bien connus: les séries de Johann Jakob Balmer (1825-1898), de Johann Robert Rydberg (1854-1919) et de Friedrich Paschen (1865-1947), et d'autres séries. C'est une histoire qui commence vers 1885 et qui se termine avec le modèle atomique de Niels Bohr (1885-1962) en 1913.

Par la suite, Heisenberg, en 1925, bâtit un système de règles proprement quantiques permettant de retrouver les raies spectrales. À peine quelques mois plus tard, le physicien suisse Wolfgang Pauli (1900-1958) les appliquait et réussissait à retrouver quantitativement la position et l'intensité des raies de l'hydrogène.

Schrödinger, en 1926, trouva l'expression générale de l'équation d'onde (l'équation de Schrödinger) dont les solutions donnent les états quantiques de la matière. Cette équation devint la voie royale pour résoudre les spectres aussi bien moléculaires qu'atomiques.

P.-É. O.

Références

Herbert DINGLE (1963). «A Hundred Years of Spectroscopy», *The British Journal for The History of Science*, 1, 199-216.

M. SAILLARD (1983). «Notes sur l'histoire de la spectroscopie. Le problème posé par la raie jaune du sodium», *Bulletin de l'Union des Physiciens*, p. 1157-1175.

Hélium, $Z = 2$

n	l	m_l	m_s
1	0	0	$\frac{1}{2}$
1	0	0	$-\frac{1}{2}$

Lithium, $Z = 3$

n	l	m_l	m_s
1	0	0	$\frac{1}{2}$
1	0	0	$-\frac{1}{2}$
2	0	0	$\frac{1}{2}$

Sodium, $Z = 11$

n	l	m_l	m_s
1	0	0	$\frac{1}{2}$
1	0	0	$-\frac{1}{2}$
2	0	0	$\frac{1}{2}$
2	0	0	$-\frac{1}{2}$
2	1	1	$\frac{1}{2}$
2	1	1	$-\frac{1}{2}$
2	1	0	$\frac{1}{2}$
2	1	0	$-\frac{1}{2}$
2	1	-1	$\frac{1}{2}$
2	1	-1	$-\frac{1}{2}$
3	0	0	$\frac{1}{2}$

très difficiles car, dans les atomes à plusieurs électrons, non seulement chaque électron est-il attiré vers le noyau, mais il est aussi repoussé par les autres électrons.

L'approche la plus simple du problème a consisté à traiter chaque électron dans l'atome comme s'il occupait un état particulier caractérisé par les nombres quantiques n, l, m_l et m_s. Toutefois, pour comprendre les arrangements possibles des électrons dans l'atome, un nouveau principe était nécessaire. C'est Wolfgang Pauli (1900-1958; figure 10.2) qui énonça ce principe appelé pour cette raison le **principe d'exclusion de Pauli**. Le voici:

Deux électrons quelconques dans un atome ne peuvent occuper le même état quantique.

Autrement dit, deux électrons dans un atome ne peuvent avoir le même ensemble de nombres quantiques n, l, m_l et m_s. Le principe d'exclusion de Pauli† constitue la base non seulement de notre compréhension des atomes complexes, mais aussi de la compréhension des molécules et de leurs liens ainsi que d'autres phénomènes.

Examinons maintenant la structure de quelques-uns des atomes les plus simples quand ils se trouvent à l'état fondamental. Après l'hydrogène, l'atome le plus simple est l'hélium, qui possède deux électrons. Les deux électrons peuvent avoir $n = 1$ puisque, pour respecter le principe d'exclusion, l'un peut avoir un spin en haut ($m_s = +\frac{1}{2}$) et l'autre, un spin en bas ($m_s = -\frac{1}{2}$). Bien entendu, comme $n = 1$, l et m_l doivent être nuls (tableau 11.1). Ainsi les deux électrons ont les nombres quantiques indiqués dans le tableau de la marge.

Le lithium a trois électrons, dont deux peuvent avoir $n = 1$. Mais le troisième ne peut avoir $n = 1$ sans violer le principe d'exclusion. Le troisième électron doit donc avoir $n = 2$. Il se trouve que le niveau $n = 2$, $l = 0$ a une énergie plus basse que celui avec $n = 2$, $l = 1$; les électrons dans l'état fondamental ont donc les nombres quantiques indiqués sur le tableau de la marge. Bien entendu, les nombres quantiques du troisième électron pourraient aussi être, disons, $(3, 1, -1, \frac{1}{2})$. Mais en ce cas l'atome serait dans un état excité puisqu'il aurait une plus grande énergie. Il ne s'écoulerait pas beaucoup de temps avant qu'il ne retombe à l'état fondamental en émettant un photon. À la température de la pièce, sauf lorsqu'il y a apport d'énergie (comme dans un tube à décharge), la grande majorité des atomes sont dans leur état fondamental.

Nous pouvons continuer, de cette manière, à décrire les nombres quantiques de chaque électron dans l'état fondamental d'atomes de plus en plus grands. Ceux du sodium, qui a onze électrons, apparaissent dans le tableau de la marge.

Le *tableau périodique* figurant à l'appendice D donne la configuration de l'état fondamental de tous les atomes; cette configuration sera discutée dans la prochaine section.

11.5 Le tableau périodique des éléments

Il y a un siècle, Dmitri Mendeleev (1834-1907) disposa les éléments alors connus dans un tableau maintenant appelé **tableau périodique** des éléments. Les atomes étaient disposés selon leur masse croissante et de telle façon que les éléments avec des propriétés chimiques semblables se retrouvent dans la même colonne. La version moderne de ce tableau figure à l'appendice D. Chaque case contient le numéro atomique, Z, le symbole de l'élément et la masse atomique (en unités de masse atomique). Enfin, dans le coin inférieur gauche de chaque case, la configuration de l'état fondamental de l'atome est donnée. Quelques explications s'imposent. On dit que les électrons ayant

† Il s'applique aux particules identiques dont le nombre quantique de spin est un demi-entier ($\frac{1}{2}$, $\frac{3}{2}$, et ainsi de suite), y compris les électrons, les protons et les neutrons; on appelle ces particules des **fermions** (d'après E. Fermi, qui démontra une théorie statistique pour les décrire; voir la section 12.6). Le principe d'exclusion ne s'applique pas aux particules avec un spin entier (0, 1, 2, et ainsi de suite), comme le photon et le méson π, qui sont tous appelés **bosons** (d'après S.N. Bose, qui démontra une théorie statistique pour les décrire).

une valeur identique de n sont dans la même **couche**. Les électrons avec $n = 1$ sont dans une certaine couche (appelée la couche K); ceux avec $n = 2$ sont dans une seconde couche (la couche L), ceux avec $n = 3$ sont dans une troisième couche (la couche M), et ainsi de suite. On dit que les électrons avec des valeurs identiques de n et l sont dans la même **sous-couche**. On utilise souvent des lettres pour spécifier la valeur de l, comme dans le tableau 11.2. Autrement dit, $l = 0$ est la sous-couche s; $l = 1$ est la sous-couche p; $l = 2$ est la sous-couche d, et ainsi de suite.

Le principe d'exclusion de Pauli limite le nombre d'électrons pouvant occuper chaque couche et sous-couche. Pour toute valeur de l, il y a $2l + 1$ valeurs différentes de m_l (m_l peut être tout nombre entier de 1 à l, de -1 à $-l$, ou zéro) et deux valeurs différentes de m_s. Il peut donc y avoir au plus $2(2l + 1)$ électrons dans une sous-couche l donnée. Par exemple, pour $l = 2$, cinq valeurs de m_l sont possibles (2, 1, 0, -1, -2) et, pour chacune de ces valeurs, m_s peut être $+\frac{1}{2}$ ou $-\frac{1}{2}$, pour un total de $2(5) = 10$ états.

Comme les niveaux d'énergie dépendent presque uniquement des valeurs de n et l, on indique généralement la configuration électronique en donnant simplement la valeur n et la lettre correspondant à l, avec le nombre d'électrons dans chaque sous-couche donné en indice. Ainsi, on écrit la configuration de l'état fondamental du sodium comme $1s^2 2s^2 2p^6 3s^1$. Dans le tableau périodique des éléments, on simplifie cette écriture en ne spécifiant que la configuration des électrons les plus périphériques et de toute autre couche non remplie. Les atomes sont placés dans le tableau périodique selon leur masse croissante; les atomes sont également ordonnés selon leurs propriétés chimiques. Et quoiqu'on considère parfois le domaine des éléments comme relevant de la chimie, nous en parlerons brièvement ici car il s'agit d'un résultat de la mécanique quantique.

Les couches ou les sous-couches de tous les gaz nobles (les éléments de la dernière colonne du tableau) sont toutes remplies complètement. En d'autres termes, leur couche la plus périphérique est complètement remplie et la distribution électronique possède une symétrie sphérique. Avec une telle symétrie, les atomes sont peu susceptibles d'attirer d'autres électrons ou d'en perdre (l'énergie d'ionisation est élevée). C'est pourquoi les gaz nobles ne sont pas réactifs (nous en parlerons davantage lorsque nous traiterons des molécules et des liens au chapitre 12). La colonne VII contient les *halogènes*, auxquels il manque un électron pour avoir une couche complète. À cause de la forme des distributions de probabilité (section 12.1), un électron additionnel peut être accepté d'un autre atome et ces éléments sont donc très réactifs avec une valence de -1 (ce qui signifie que lorsqu'un électron est accepté, l'ion résultant a une charge nette de $-1e$). À la gauche du tableau, la colonne I contient les *métaux alcalins*, qui ont tous un seul électron périphérique s. Cet électron se trouve, la plus grande partie du temps, hors des couches et des sous-couches intérieures remplies, qui l'isolent de la plus grande partie de la charge nucléaire. En fait, l'électron se trouve relativement loin du noyau, et il est attiré vers celui-ci par une charge nette de seulement $+1e$, à cause de l'écran que constituent les autres électrons (phénomène d'*écrantage*). Cet électron périphérique peut donc facilement être enlevé et peut passer la plus grande partie de son temps autour d'un autre atome, formant ainsi avec lui une molécule. C'est pourquoi les métaux alcalins sont hautement réactifs et ont une valence de +1. On peut traiter de façon semblable les autres colonnes du tableau.

La présence des éléments de transition au centre du tableau, ainsi que des lanthanides (éléments de terres rares) et des actinides en-dessous, est une conséquence des couches intérieures incomplètes. Pour les éléments aux Z les plus bas, les sous-couches sont remplies dans un ordre simple: premièrement $1s$, puis $2s$, ensuite $2p$, $3s$ et $3p$. Vous pourriez peut-être vous attendre à ce que $3d$ ($n = 3$, $l = 2$) soit ensuite remplie, mais il n'en est pas ainsi. Au lieu de cela, le niveau $4s$ a, en fait, une énergie légèrement plus basse que le niveau $3d$, de sorte que la sous-couche $4s$ est remplie en premier (K et Ca). Alors seulement, la sous-couche $3d$ commence à se remplir, à partir du Sc. (Les niveaux $4s$ et $3d$ sont proches, de sorte que certains éléments comme Cr n'ont qu'un électron 4*s*.) La plupart des propriétés chimiques sont gouvernées par les électrons 4*s*, qui sont retenus de façon relativement lâche et, par conséquent, ces *éléments de transition* ont ordinairement des valences de +1 ou +2. Un effet similaire est responsable des caractéristiques des éléments de terres rares, qui apparaissent au bas du tableau périodique par commodité. Ils ont tous des propriétés chimiques très semblables qui sont déterminées par leurs deux électrons extérieurs 6*s* ou 7*s*, alors que les différents nombres d'électrons dans les couches intérieures non remplies ont peu d'effet.

11.6 Les spectres des rayons X et le numéro atomique

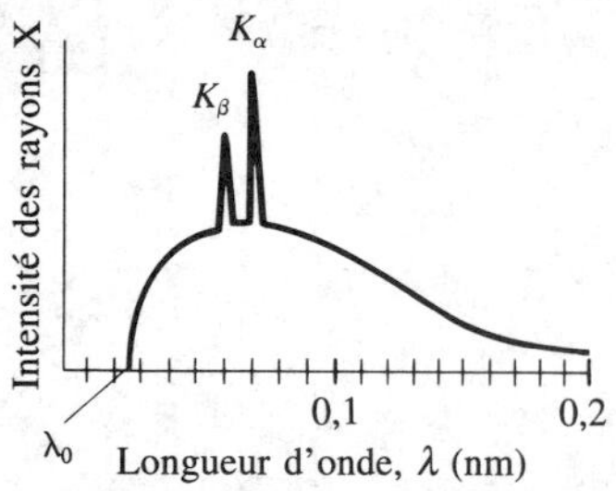

FIGURE 11.11 Spectre des rayons X émis par une cible de molybdène dans un tube à rayons X fonctionnant à 50 kV.

Les spectres de raies des atomes dans les régions visible, ultraviolette et infrarouge du spectre électromagnétique sont dus surtout aux transitions entre les états des électrons extérieurs. Ces électrons sont protégés contre la plus grande partie de la charge du noyau par la charge négative des électrons intérieurs. Toutefois, les électrons les plus à l'intérieur, dans la couche $n = 1$, «voient» la charge entière du noyau. Comme l'énergie d'un niveau est proportionnel à Z^2 (équation 9.12), on peut s'attendre, pour un atome avec $Z = 50$, à des longueurs d'onde environ $50^2 = 2500$ fois plus courtes que celles qui sont observées dans la série de Lyman de l'hydrogène (environ 100 nm), ou 10^{-2} à 10^{-1} nm. Ces longueurs d'onde se trouvent dans la région des rayons X du spectre.

Comme nous l'avons vu à la section 6.11, des rayons X sont produits quand des électrons accélérés par un haut voltage frappent la cible de métal à l'intérieur d'un tube à rayons X. Si nous observons le spectre des longueurs d'onde émises par un tube à rayons X, nous voyons que le spectre est composé de deux parties: un spectre continu, avec une coupure à une longueur d'onde λ_0 qui dépend seulement de la tension dans le tube, et une série de pics superposés. Un exemple typique en est montré à la figure 11.11. La courbe lisse et la longueur d'onde de coupure λ_0 se déplacent vers la gauche au fur et à mesure que la tension sur le tube augmente. Toutefois, les pics (appelés K_α et K_β dans la figure 11.11) demeurent à la même longueur d'onde quand la tension est modifiée, mais sont situés à différents endroits quand on change le matériau utilisé comme cible. Ceci suggère que les pics sont caractéristiques du matériau utilisé. Plus précisément, nous pouvons les expliquer en imaginant que les électrons accélérés par la haute tension du tube peuvent atteindre des énergies suffisantes pour qu'ils puissent, lorsqu'ils entrent en collision avec les atomes de la cible, expulser l'un des électrons intérieurs retenus très solidement. Ces *rayonnements caractéristiques* (les pics de la figure 11.11) sont les photons émis quand un électron dans un état élevé descend pour remplir l'état vacant plus bas.

Les raies *K* proviennent des transitions *vers* la couche $K\,(n = 1)$. La raie K_α indique une transition qui a débuté à la couche $n = 2$ (*L*), la raie K_β, une transition en provenance de la couche $n = 3$ (*M*). Une raie *L* est due à une transition vers la couche *L*, et ainsi de suite.

La mesure des spectres des rayons X caractéristiques a permis de déterminer les niveaux d'énergie internes des atomes. Elle a aussi permis la détermination de la valeur de *Z* pour plusieurs atomes, puisque (comme nous l'avons vu) la longueur d'onde des plus courts rayons X émis est proportionnelle à Z^2. En fait, pour un électron passant, disons, du niveau $n = 2$ au niveau $n = 1$, la longueur d'onde est inversement proportionnelle à $(Z - 1)^2$, à cause de l'écrantage du noyau effectué par l'électron unique qui reste au niveau 1*s*. En 1914, H. G. J. Moseley (1887-1915) trouva qu'un graphique de $\sqrt{1/\lambda}$ en fonction de *Z* donnait une droite (figure 11.12). On détermina les valeurs de *Z* d'un certain nombre d'éléments en les faisant correspondre à ce «graphique de Moseley». Les travaux de Moseley donnèrent au concept de numéro atomique une base expérimentale ferme.

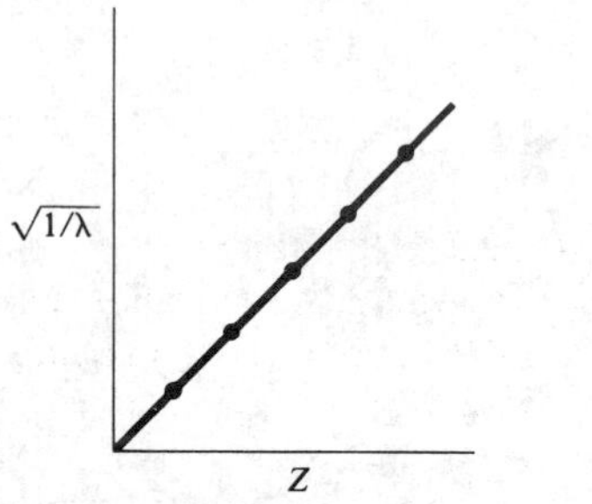

FIGURE 11.12 Graphique de $\sqrt{1/\lambda}$ en fonction de *Z* pour les raies des rayons X K_α.

EXEMPLE 11.5 Estimez la longueur d'onde pour une transition de $n = 2$ à $n = 1$ dans le molybdène ($Z = 42$).

SOLUTION Nous pouvons utiliser la formule de Bohr, l'équation 9.13, en remplaçant Z^2 par $(Z - 1)^2 = (41)^2$ ou, plus simplement, utiliser le résultat de l'exemple 9.7 pour la transition de $n = 2$ à $n = 1$ dans l'hydrogène ($Z = 1$). Comme $\lambda \propto 1/(Z - 1)^2$, nous avons:

$$\lambda = (1{,}22 \times 10^{-7}\ \text{m})/(41)^2 = 0{,}073\ \text{nm},$$

ce qui est proche de la valeur mesurée (figure 11.11) de 0,071 nm.

Analysons maintenant brièvement la partie continue du spectre des rayons X (figure 11.11) à l'aide de la théorie photonique de la lumière. Quand des électrons frappent la cible, ils entrent en collision avec des atomes du matériau et cèdent la plus grande partie de leur énergie sous forme de chaleur (environ 99 %, de sorte que les tubes à rayons X doivent être refroidis). Toutefois, les électrons peuvent également céder de l'énergie en émettant un photon de lumière. Un électron peut être décéléré par interaction avec les atomes de la cible (figure 11.13); une charge subissant une accélération émet des radiations (chapitre 12 du tome 2), auquel cas on assiste à ce qu'on appelle du **rayonnement de freinage**. Comme l'énergie est conservée, l'énergie du photon émis, hf, doit être égale à l'énergie cinétique perdue par l'électron, $\Delta K = K - K'$, de sorte que:

$$hf = \Delta K.$$

Un électron peut perdre tout ou une partie de son énergie lors d'une telle collision. Le spectre continu des rayons X (figure 11.11) s'explique par de telles collisions dans lesquelles différentes quantités d'énergie sont perdues par les électrons. Le rayon X de plus petite longueur d'onde (de plus haute fréquence) doit être dû à un électron qui cède toute son énergie cinétique à un photon dans une seule collision. Comme l'énergie cinétique initiale d'un électron est égale à l'énergie qui lui est donnée par la tension d'accélération, V, alors $K = eV$. Dans une collision unique dans laquelle l'électron est arrêté, nous avons:

$$hf_0 = eV$$

ou

$$\lambda_0 = \frac{hc}{eV}, \qquad (11.11)$$

où $\lambda_0 = c/f_0$ est la longueur d'onde de coupure (figure 11.11). Cette prédiction pour λ_0 correspond exactement aux résultats observés expérimentalement. Ce résultat constitue une autre preuve que les rayons X sont une forme de lumière† et que la théorie photonique de la lumière est valide.

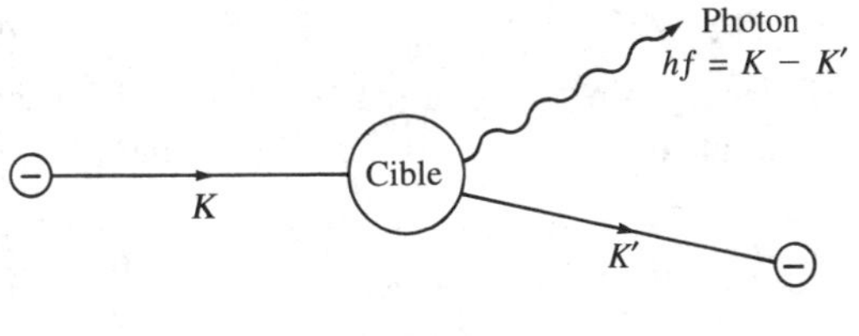

FIGURE 11.13 Photon de rayonnement de freinage produit par un électron décéléré par une collision avec un atome de la cible.

† Si les rayons X n'étaient pas des photons mais plutôt des particules neutres avec une masse au repos m_0, l'équation 11.11 ne serait pas valide.

EXEMPLE 11.6 Quelle est la plus petite longueur d'onde d'un photon de rayon X émis dans un tube à rayons X soumis à 50 kV?

SOLUTION D'après l'équation 11.11,

$$\lambda_0 = \frac{(6,6 \times 10^{-34}\ \mathrm{J \cdot s})(3,0 \times 10^8\ \mathrm{m/s})}{(1,6 \times 10^{-19}\ \mathrm{C})(5,0 \times 10^4\ \mathrm{V})} = 2,5 \times 10^{-11}\ \mathrm{m}$$

ou 0,025 nm. Ceci concorde avec l'expérience (figure 11.11).

11.7 Les moments magnétiques; le moment angulaire total

Un électron en orbite autour du noyau d'un atome peut être considéré comme une boucle de courant et peut donc avoir un **moment magnétique**, comme nous l'avons vu au chapitre 7 du tome 2. En effet, dans l'exemple 7.6 du tome 2, nous calculions le moment magnétique de l'électron dans l'état fondamental de l'hydrogène à l'aide, essentiellement, du modèle de Bohr, ce qui donnait:

$$\mu = IA = \tfrac{1}{2} evr.$$

Ici v est la vitesse orbitale de l'électron; pour une particule se déplaçant sur un cercle de rayon r, le moment angulaire est:

$$L = mvr.$$

Nous pouvons donc écrire:

$$\mu = \frac{1}{2}\frac{e}{m} L.$$

La direction du moment angulaire $\vec{\mathbf{L}}$ est perpendiculaire au plan de la boucle de courant; il en est de même pour la direction du vecteur moment magnétique $\vec{\boldsymbol{\mu}}$, quoique dans la direction opposée puisque la charge de l'électron est négative. Nous pouvons donc écrire l'équation vectorielle:

$$\vec{\boldsymbol{\mu}} = -\frac{1}{2}\frac{e}{m}\vec{\mathbf{L}}. \qquad (11.12)$$

Cette démonstration grossière semi-classique était basée sur la théorie de Bohr. On peut obtenir le même résultat (équation 11.12) à l'aide de la mécanique quantique. Comme $\vec{\mathbf{L}}$ est quantifié en mécanique quantique, le moment magnétique doit l'être aussi.

Comme nous l'avons vu à la section 7.5 du tome 2, un moment magnétique dans un champ magnétique $\vec{\mathbf{B}}$ subit un moment de force, et l'énergie potentielle d'un tel système dépend de $\vec{\mathbf{B}}$ et de l'orientation de $\vec{\boldsymbol{\mu}}$ relativement à $\vec{\mathbf{B}}$ (équation 7.12 du tome 2):

$$U = -\vec{\boldsymbol{\mu}} \cdot \vec{\mathbf{B}}.$$

Si le champ magnétique $\vec{\mathbf{B}}$ est dans la direction de l'axe des z, alors $U = -\mu_z B_z$ et, d'après l'équation 11.4 ($L_z = m_l \hbar$) et l'équation 11.12, nous obtenons:

$$\mu_z = -\frac{e\hbar}{2m} m_l.$$

(Prenez garde ici de ne pas confondre la masse électronique m avec le nombre quantique magnétique m_l.) Il est utile de définir la quantité:

$$\mu_{\mathrm{B}} = \frac{e\hbar}{2m}, \qquad (11.13)$$

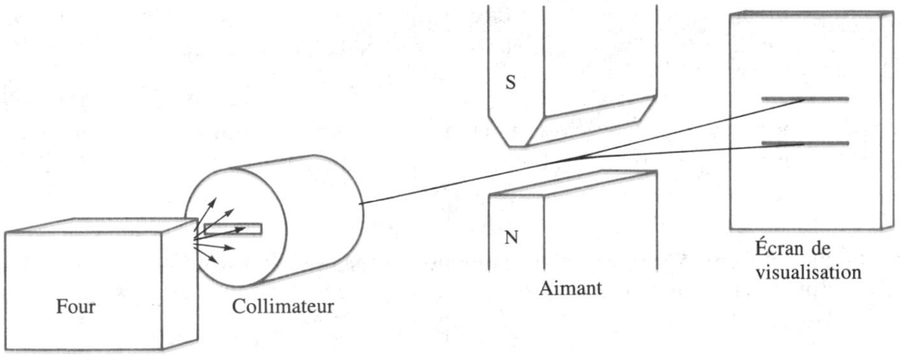

FIGURE 11.14 L'expérience de Stern-Gerlach.

laquelle est appelée le **magnéton de Bohr** et a la valeur $\mu_B = 9{,}27 \times 10^{-27}$ J/T (joule/tesla). Nous pouvons alors écrire:

$$\mu_z = \mu_B m_l, \qquad (11.14)$$

où m_l peut prendre des valeurs entières de 0 à $\pm l$ (voir le tableau 11.1). L'énergie d'un atome sans spin placé dans un champ magnétique serait donc divisée en niveaux séparés par une différence d'énergie $\Delta U = \mu_B B$; ceci est l'*effet Zeeman*, et il est illustré à la figure 11.4.

La première preuve de cette *quantification spatiale* (section 11.2) fut donnée en 1922 dans une expérience célèbre connue sous le nom de l'**expérience de Stern-Gerlach**. Des atomes d'argent (et plus tard d'autres éléments) étaient chauffés dans un four et s'en échappaient (figure 11.14). Ils passaient alors par un collimateur qui les éliminait tous sauf un étroit faisceau. Ce dernier passait alors dans un champ magnétique *non homogène*. On rendait délibérément le champ non homogène de façon qu'il exerce une force sur les moments magnétiques atomiques: souvenez-vous que l'énergie potentielle (ici $-\vec{\mu} \cdot \vec{\mathbf{B}}$) doit changer dans l'espace s'il doit y avoir une force ($F_x = -dU/dx$, etc., section 8.2 du tome 1). Si $\vec{\mathbf{B}}$ a un gradient dans la direction de l'axe des z, comme dans la figure 11.14, alors la force est dirigée selon l'axe des z:

$$F_z = -\frac{dU}{dz} = \mu_z \frac{dB_z}{dz}.$$

Les atomes d'argent seraient donc déviés vers le haut ou vers le bas selon la valeur de μ pour chaque atome. En physique classique, nous nous attendrions à voir une distribution continue sur l'écran de visualisation, puisque nous supposons que les atomes ont des moments magnétiques orientés de façon aléatoire. Mais Stern et Gerlach observèrent plutôt deux raies distinctes pour l'argent (parfois plus de deux raies pour les autres atomes); ces observations constituèrent les premières preuves de la quantification spatiale, quoiqu'on n'en trouva l'explication que quelques années plus tard. Si les raies avaient été attribuables au moment angulaire orbital, il aurait dû y en avoir un nombre impair, correspondant aux valeurs possibles de m_l (puisque $\mu_z = -\mu_B m_l$). Pour $l = 0$, il n'y a qu'une possibilité, $m_l = 0$. Pour $l = 1$, m_l peut être 1, 0 ou -1, et nous pouvons prévoir trois raies, et ainsi de suite. On expliqua finalement la présence de deux raies seulement par le concept de spin électronique. Avec un spin de $\frac{1}{2}$, le spin électronique ne peut avoir que deux orientations dans l'espace, comme nous l'avons vu à la figure 11.5; par conséquent, le moment magnétique associé au spin aurait seulement deux positions. Ainsi, les deux états de l'argent observés dans l'expérience de Stern-Gerlach doivent être dus au spin de l'un de ses électrons de valence. Les atomes d'argent doivent donc avoir un moment angulaire orbital nul mais un spin total de $\frac{1}{2}$ à cause de cet unique électron de valence (il y a 47 électrons et les spins des 46 premiers s'annulent). Deux raies furent aussi trouvées pour l'atome d'hydrogène dans son état fondamental à cause du spin de $\frac{1}{2}$ de son électron, puisque le moment angulaire orbital est nul.

La déviation de Stern-Gerlach est proportionnelle au moment magnétique, μ_z, et pour une particule de spin de $\frac{1}{2}$ nous devrions nous attendre que $\mu_z = -\mu_B m_s =$

$-(\frac{1}{2})(e\hbar/2m)$, comme dans le cas du moment angulaire orbital (équation 11.14). On trouva cependant que μ_z pour le spin était environ deux fois plus grand:

$$\mu_z = -g\mu_B m_s, \tag{11.15}$$

où la valeur mesurée de g, lequel est appelé **rapport gyromagnétique**, est légèrement plus grande que 2: $g = 2{,}0023...$ pour un électron libre. Ce facteur inattendu de 2 (environ) indique clairement qu'on ne peut considérer le spin comme un moment angulaire classique; c'est purement un effet de mécanique quantique. L'équation 11.15 est identique à l'équation 11.14 pour un moment angulaire orbital, sauf que m_s remplace m_l. Toutefois, pour le cas orbital, $g = 1$. Nous pouvons donc écrire:

$$\mu_z = -g\mu_B m, \qquad \text{où} \begin{cases} g = 1 & \text{orbital } (m = m_l) \\ g = 2{,}0023 & \text{spin } (m = m_s). \end{cases}$$

Un atome peut avoir en même temps des moments angulaire et orbital de spin. Par exemple, dans l'état $2p$ de l'hydrogène, $l = 1$ et $s = \frac{1}{2}$. Dans l'état $4d$, $l = 2$ et $s = \frac{1}{2}$. Le **moment angulaire total** est la somme vectorielle du moment angulaire orbital $\vec{\mathbf{L}}$ et du spin $\vec{\mathbf{S}}$:

$$\vec{\mathbf{J}} = \vec{\mathbf{L}} + \vec{\mathbf{S}}.$$

La grandeur du moment angulaire total $\vec{\mathbf{J}}$ est quantifiée:

$$J = \sqrt{j(j+1)}\hbar. \tag{11.16}$$

Pour l'électron unique de l'atome H, la mécanique quantique arrive au résultat que j peut être:

$$j = l + s = l + \tfrac{1}{2}$$

ou

$$j = l - s = l - \tfrac{1}{2}$$

mais jamais plus petit que zéro, tout comme pour l et s. Pour le premier état, $l = 0$ et $j = \frac{1}{2}$ est la seule possibilité. Pour les états p, disons l'état $2p$, $l = 1$ et j peut être soit $\frac{3}{2}$ soit $\frac{1}{2}$. La composante selon z pour j est quantifiée de la manière habituelle:

$$m_j = j, j-1, ..., -j.$$

Pour un état $2p$ avec $j = \frac{1}{2}$, m_j peut être $\frac{1}{2}$ ou $-\frac{1}{2}$; pour $j = \frac{3}{2}$, m_j peut être $\frac{3}{2}$, $\frac{1}{2}$, $-\frac{1}{2}$, $-\frac{3}{2}$, pour un total de quatre états. Notez que l'état pour un électron unique peut être spécifié en donnant n, l, m_l, m_s, ou en donnant n, j, l, m_j (seulement une de ces descriptions à la fois).

L'interaction des champs magnétiques avec les atomes, comme dans l'effet Zeeman et l'expérience de Stern-Gerlach, concerne le moment angulaire *total.* Ainsi, l'expérience de Stern-Gerlach sur les atomes d'hydrogène dans l'état fondamental fait apparaître deux raies (pour $m_j = +\frac{1}{2}$ et $-\frac{1}{2}$), mais pour le premier état excité, elle montre quatre raies correspondant aux quatre valeurs de m_j possibles ($\frac{3}{2}$, $\frac{1}{2}$, $-\frac{1}{2}$, $-\frac{3}{2}$).

Pour spécifier l'état d'un atome, y compris le nombre quantique du moment angulaire total j, il existe deux types de **notation spectroscopique**. Pour un état d'un électron unique, nous pouvons écrire

$$nL_j,$$

où la valeur de L est spécifiée à l'aide des mêmes lettres, mais majuscules, que dans le tableau 11.2:

$$L = 0 \quad 1 \quad 2 \quad 3 \quad 4...$$

$$\text{lettre} = S \quad P \quad D \quad F \quad G...$$

Donc l'état $2P_{3/2}$ a $n = 2$, $l = 1$, $j = \frac{3}{2}$, tandis que $1S_{1/2}$ spécifie l'état fondamental de l'hydrogène. Une autre notation est:

$$^{2S+1}L_j.$$

Dans cette notation, l'état fondamental de l'hydrogène s'écrit $^2S_{1/2}$.

Pour un atome avec plusieurs électrons, nous posons s égal à la somme des spins de tous les électrons, ce qui peut être plus grand que $\frac{1}{2}$. Les valeurs possibles de j sont en général:

$$j = l + s,\ l + s - 1,\ \ldots,\ l - s. \tag{11.17}$$

Comme l est toujours un entier, et que s peut être soit un demi-entier soit un entier (par exemple, deux électrons pourraient avoir un spin total de $\frac{1}{2} - \frac{1}{2} = 0$ ou $\frac{1}{2} + \frac{1}{2} = 1$), j doit toujours être soit un entier soit un demi-entier.

C'est aussi un effet magnétique qui produit la *structure fine* mentionnée à la section 11.2, laquelle a lieu en l'absence de tout champ externe. Cet effet est plutôt dû à un champ magnétique produit par l'atome lui-même. Nous pouvons mieux comprendre comment cela se produit en nous imaginant dans le référentiel de l'électron: le noyau tourne autour de nous comme un courant produisant un champ magnétique B_n. L'électron a un moment magnétique intrinsèque μ_s (équation 11.15) et son énergie est donc changée d'une quantité (équation 7.12 du tome 2):

$$\Delta U = -\vec{\boldsymbol{\mu}}_s \cdot \vec{\mathbf{B}}_n.$$

Comme μ_s prend des valeurs quantifiées selon les valeurs de m_s, l'énergie de l'état d'un électron unique se divise en deux niveaux d'énergie très voisins (pour $m_s = \frac{1}{2}$ et $-\frac{1}{2}$). Cette séparation minuscule des niveaux d'énergie produit une séparation minuscule des raies spectrales. Par exemple, dans l'atome d'hydrogène, la transition $2P \to 1S$ se scinde en deux raies correspondant à $2P_{1/2} \to 1S_{1/2}$ et $2P_{3/2} \to 1S_{1/2}$. La différence en énergie entre ces deux raies est seulement d'environ 5×10^{-5} eV, ce qui est très petit comparé à l'énergie de transition $2P \to 1S$ qui est d'environ 13,6 eV − 3,4 eV = 10,2 eV.

Comme $\vec{\boldsymbol{\mu}}_s$ est proportionnel au spin, $\vec{\mathbf{S}}$, et que le champ magnétique $\vec{\mathbf{B}}_n$ produit par le mouvement orbital est proportionnel au moment angulaire orbital $\vec{\mathbf{L}}$, alors $\Delta U = -\vec{\boldsymbol{\mu}}_s \cdot \vec{\mathbf{B}}_n$ peut s'écrire:

$$\Delta U \propto \vec{\mathbf{L}} \cdot \vec{\mathbf{S}}.$$

Cette interaction, qui produit la structure fine, est donc appelée l'**interaction spin-orbite**. Sa grandeur dépend d'une constante sans dimension connue sous le nom de **constante de structure fine**,

$$\alpha = \frac{e^2}{2\varepsilon_0 hc} \approx \frac{1}{137},$$

qui apparaît à d'autres endroits en physique atomique.

11.8 La fluorescence et la phosphorescence

Quand un atome est excité d'un état d'énergie vers un autre plus élevé par l'absorption d'un photon, il peut retourner au niveau inférieur en une série de deux sauts (ou plus) s'il y a un niveau d'énergie intermédiaire (figure 11.15). Les photons émis ont conséquemment une énergie et une fréquence plus basses que celles du photon absorbé. Ce phénomène s'appelle **fluorescence**.

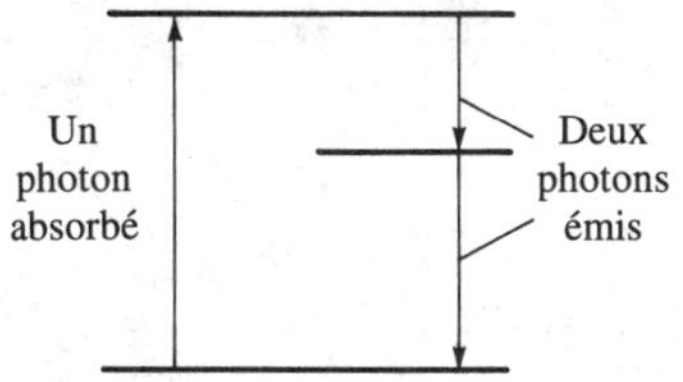

FIGURE 11.15 Fluorescence.

La longueur d'onde pour laquelle la fluorescence se produit dépend des niveaux d'énergie des atomes considérés. Des rochers et des peintures fluorescents communs, par exemple, émettent souvent de la lumière visible après avoir absorbé de la lumière ultra-violette. Comme les fréquences sont différentes selon les substances, et que plusieurs substances entrent facilement en fluorescence, ce phénomène constitue un outil puissant pour l'identification des composés. On l'utilise aussi pour l'essai (la détermination de la quantité d'une substance présente) et pour suivre des substances le long d'un parcours naturel, par exemple à travers les vaisseaux d'une plante ou l'organisme d'un animal. Pour la détection d'un composé donné, la lumière excitatrice doit être monochromatique et les solvants ou les autres matériaux présents ne doivent pas entrer en fluorescence dans la même région du spectre. Souvent l'observation de la lumière fluorescente émise suffit; dans d'autres cas, on utilise des spectrographes pour mesurer les longueurs d'onde et les intensités de la lumière.

Les *tubes fluorescents* fonctionnent selon un processus en deux étapes. La tension appliquée accélère des électrons, qui frappent les atomes du gaz présent dans le tube et les excitent. Quand les atomes excités retombent à leurs niveaux normaux, ils émettent des photons ultra-violets qui frappent le revêtement fluorescent de l'intérieur du tube. La lumière que nous voyons résulte de la fluorescence du revêtement causée par la lumière ultra-violette qui le frappe.

Les matériaux comme ceux qui sont utilisés pour les affichages lumineux de montre sont dits **phosphorescents**. Dans une substance phosphorescente, les atomes peuvent être excités, par l'absorption d'un photon, vers un niveau d'énergie dit métastable. Quand un atome est élevé à un niveau excité ordinaire, il en redescend en 10^{-8} s environ. Les états **métastables** durent beaucoup plus longtemps, jusqu'à quelques secondes ou même plus. Dans un ensemble de tels atomes, plusieurs redescendent à l'état inférieur assez rapidement, mais d'autres demeurent dans l'état excité pendant plus d'une heure. De la lumière est donc émise même après une longue période. Le fait d'exposer l'affichage d'une montre phosphorescente à une lumière brillante place plusieurs atomes dans des états métastables, de sorte qu'on peut voir une lueur longtemps après.

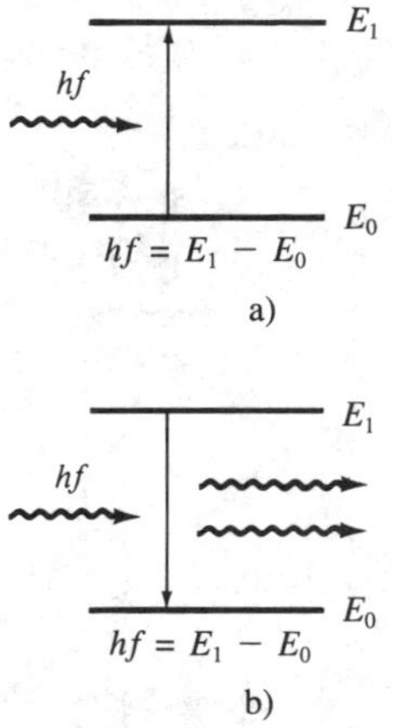

FIGURE 11.16 a) Absorption d'un photon. b) Émission stimulée.

11.9 Les lasers et l'holographie

Un laser est un dispositif permettant de produire un faisceau intense très étroit de lumière monochromatique cohérente. Le faisceau émis est une onde plane presque parfaite. Une source lumineuse ordinaire émet de la lumière dans toutes les directions (de sorte que l'intensité décroît rapidement avec la distance) et la lumière ainsi émise est incohérente, c'est-à-dire que les différentes parties d'un tel faisceau ne sont pas en phase les unes avec les autres. Les atomes excités qui émettent la lumière agissent indépendamment, de sorte que chaque photon émis peut être considéré comme un court train d'ondes, typiquement d'une longueur de 300 cm et d'une durée de 10^{-8} s. Les phases de ces trains d'onde ne sont nullement reliées les unes aux autres (section 5.4).

L'opération d'un laser repose sur la théorie quantique. Nous avons vu qu'un photon peut être absorbé par un atome si (et seulement si) son énergie hf correspond à la différence d'énergie entre un niveau occupé de l'atome et un état excité disponible (figure 11.16a). En un sens, il s'agit d'une situation de résonance. Si l'atome est déjà dans l'état excité, il peut bien sûr descendre spontanément vers l'état inférieur en émettant un photon. Si toutefois un photon avec cette même énergie frappe l'atome excité, il peut stimuler l'atome à faire plus tôt la transition vers l'état inférieur (figure 11.16b). Il s'agit alors d'une **émission stimulée** (qu'Einstein fut le premier à décrire en 1917), et on peut voir que nous avons alors, à cause de la transition de l'atome, non seulement le photon initial mais aussi un deuxième photon de la même fréquence. Ces deux photons sont exactement *en phase* et ils se déplacent dans la même direction. C'est ainsi que de la lumière cohérente est produite dans un laser. Le nom de «laser» est un acronyme pour les mots anglais «**l**ight **a**mplification by **s**timulated **e**mission of **r**adiation» (amplification de lumière par émission stimulée de radiations).

La population normale des atomes en équilibre thermique à une température T (en K) est donnée par la **distribution de Boltzmann**:

$$N_n = Ce^{-E_n/kT}, \qquad (11.18a)$$

où N_n est le nombre d'atomes dans l'état ayant l'énergie E_n. Pour deux états n et n', le rapport du nombre des atomes dans les deux états est:

$$\frac{N_n}{N_{n'}} = e^{-(E_n - E_{n'})/kT}. \qquad (11.18b)$$

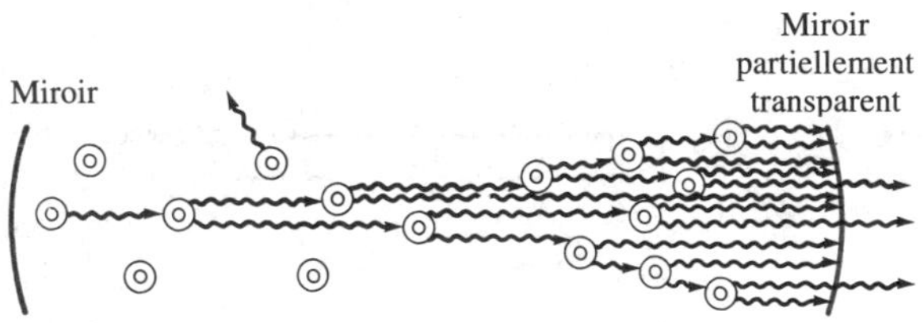

FIGURE 11.17 Diagramme d'un laser montrant des atomes stimulés à émettre de la lumière.

La plupart des atomes sont donc dans l'état fondamental sauf si la température est élevée. Dans le système à deux niveaux de la figure 11.16, la plupart des atomes occupent normalement l'état inférieur, de sorte que la majorité des photons incidents sont absorbés. Pour obtenir de la lumière cohérente avec une émission stimulée, deux conditions doivent être satisfaites. D'abord, les atomes doivent être excités à un état plus élevé. Autrement dit, il faut une **population inversée**, c'est-à-dire une population dans laquelle plus d'atomes sont dans l'état supérieur que dans l'état inférieur, de sorte que l'*émission* de photons sera plus probable que leur absorption. (Par conséquent, le système n'est pas en équilibre thermique.) Deuxièmement, l'état supérieur doit être un **état métastable**, soit un état dans lequel les électrons demeurent plus longtemps que d'ordinaire, de sorte que la transition vers le niveau inférieur se produit par émission stimulée plutôt que spontanément. Nous verrons bientôt comment on remplit ces conditions dans différents lasers. Pour l'instant, nous supposerons que les atomes ont été excités à un état supérieur. La figure 11.17 est un diagramme schématique d'un laser: le matériau pour le laser est placé dans un long tube étroit aux bouts duquel se trouvent deux miroirs, dont l'un est partiellement transparent (peut-être de 1 % ou 2 %). Quelques-uns des atomes excités redescendent assez rapidement. L'un d'eux est l'atome à l'extrême gauche de la figure 11.17. Si le photon émis frappe un autre atome dans l'état excité, il stimule cet atome à émettre un photon de la même fréquence et en phase avec lui. Ces deux photons continuent dans la même direction et frappent d'autres atomes, causant davantage d'émissions stimulées. Au fur et à mesure que ceci se répète, le nombre de photons se multiplie. Quand les photons frappent les miroirs des extrémités du tube, la plupart sont réfléchis vers l'intérieur et continuent, en se dirigeant maintenant en sens inverse, à stimuler plus d'atomes à émettre des photons. Un petit pourcentage des photons faisant ce va-et-vient entre les deux miroirs traverse le miroir semi-transparent à l'une des extrémités. Ces photons constituent l'étroit faisceau laser cohérent externe.

À l'intérieur du tube, quelques photons émis spontanément ne le sont pas parallèlement à l'axe; ils sortent donc par les côtés du tube et ne contribuent pas au faisceau principal. Ce dernier peut donc être très étroit. Dans un laser bien conçu, la dispersion du faisceau n'est limité que par la diffraction, de sorte que la dispersion angulaire est $\approx \lambda/D$ (équation 6.1), où D est le diamètre du miroir au bout du tube. Cette dispersion par diffraction peut être incroyablement petite. L'énergie lumineuse, au lieu de se disperser dans l'espace, comme c'est le cas pour une source lumineuse ordinaire, est projetée en un faisceau étroit comme un pinceau.

L'excitation des atomes dans un laser peut être faite de plusieurs manières pour produire la population inversée nécessaire. Dans un laser à rubis, le matériau actif est une barre de rubis composée de Al_2O_3 avec un petit pourcentage d'atomes d'aluminium (Al) remplacés par des atomes de chrome (Cr). Les atomes Cr sont ceux qui participent à l'émission de lumière laser. Les atomes sont excités par de puissants éclairs lumineux d'une longueur d'onde de 550 nm, ce qui correspond à une énergie photonique de 2,2 eV. Comme l'illustre la figure 11.18, les atomes sont excités de l'état E_0 à l'état E_2. Ce procédé s'appelle **pompage optique**. Les atomes retombent rapidement soit à l'état E_0 soit à l'état intermédiaire E_1, lequel est métastable avec une durée de vie d'environ 3×10^{-3} s (comparativement à 10^{-8} s pour les niveaux ordinaires). Avec un fort pompage, on peut contraindre plus d'atomes à entrer dans l'état E_1 qu'il y en a dans l'état E_0. On obtient ainsi la population inversée nécessaire pour l'émission de

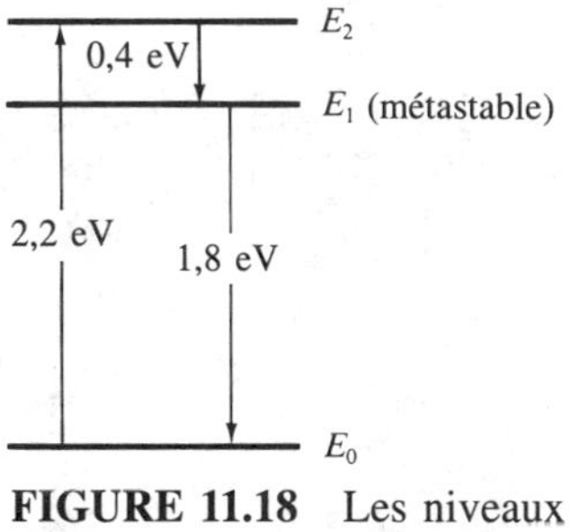

FIGURE 11.18 Les niveaux d'énergie du chrome dans un cristal de rubis. Des photons d'énergie 2,2 eV «pompent» les atomes de E_0 à E_2, et ces atomes descendent alors à l'état métastable E_1. L'action laser consiste en la stimulation de la transition de E_1 à E_0, d'où résulte l'émission de photons.

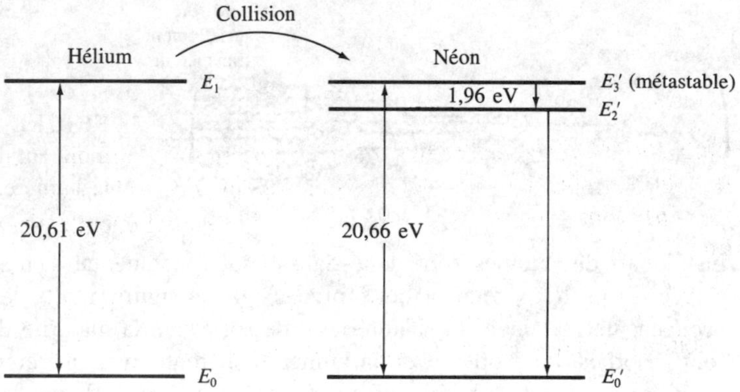

FIGURE 11.19 Les niveaux d'énergie pour He et Ne. He est amené par décharge électrique vers l'état excité E_1. Cette énergie est transférée au niveau E_3' de Ne par collision. E_3' est métastable et tombe à E_2' par émission stimulée.

lumière laser. Dès que quelques atomes se trouvant dans l'état E_1 retombent à l'état E_0, ils produisent une émission stimulée des autres atomes et l'action laser commence. Un laser à rubis émet donc un faisceau dont les photons ont une énergie de 1,8 eV et une longueur d'onde de 694,3 nm (ou une lumière «rouge rubis»).

Dans un laser à hélium-néon (He-Ne), le matériau actif est un gaz composé d'environ 15 % de He et de 85 % de Ne. Cette combinaison permet d'obtenir un effet de laser à cause de certaines compatibilités entre les deux gaz. Dans ce type de laser, les atomes sont excités en appliquant une haute tension au tube de sorte qu'une décharge électrique se produit dans le gaz. Durant ce processus, quelques atomes He montent à l'état métastable E_1 illustré dans la figure 11.19, ce qui correspond à un saut de 20,61 eV. Or, les atomes Ne ont un état excité qui est presque à la même énergie au-dessus de l'état fondamental, 20,66 eV. Les atomes He ne redescendent pas rapidement à l'état fondamental par émission spontanée, mais donnent souvent leur excédent d'énergie à un atome Ne avec lequel ils entrent en collision; dans une telle collision, le He retombe à l'état fondamental et l'atome Ne est excité à l'état E_3' (l'apostrophe indique des états du néon). La légère différence d'énergie (0,05 eV) est fournie par l'énergie cinétique des molécules en mouvement. De cette manière, l'état E_3' dans le Ne (qui est métastable) devient plus populeux que le niveau E_2'. On obtient donc ainsi la population inversée nécessaire pour l'émission de lumière laser, qui a lieu par le biais de l'émission stimulée entre les états E_3' et E_2' du néon.

Un autre type de laser tire parti de la jonction *p-n* dans laquelle les transitions se produisent entre le fond de la bande de conduction et la partie supérieure de la bande de valence (chapitre 12).

L'excitation des atomes dans un laser peut se faire continûment ou par impulsions. Dans un **laser à impulsions**, les atomes sont excités par apports périodiques d'énergie; la multiplication des photons se poursuit jusqu'à ce que tous les atomes aient été stimulés à redescendre à l'état inférieur, et le processus se répète avec chaque nouvelle impulsion. Dans un **laser continu**, l'apport d'énergie est continu, de sorte que les atomes stimulés à redescendre à l'état inférieur sont rapidement stimulés à remonter à l'état supérieur. Dans les deux cas, bien entendu, le laser n'est pas une source d'énergie. On doit fournir de l'énergie au laser qui en convertit une partie en un faisceau étroit et intense. Un laser, comme tout amplificateur électronique, utilise donc l'énergie pour amplifier un certain type de signal.

L'une des applications intéressantes de la lumière laser est la production d'images tridimensionnelles appelées **hologrammes**. Dans une photographie ordinaire, la pellicule ne fait qu'enregistrer l'intensité de la lumière qui l'atteint en chacun de ses points. Quand on regarde une photographie ou une diapositive, la lumière qui s'y reflète ou qui la traverse nous donne une image à deux dimensions. En holographie, les images sont formées par interférence sans lentille. Quand on fait un hologramme au laser sur un film, un laser élargi est scindé en deux parties par un miroir semi-transparent (figure 11.20). Une partie du faisceau laser atteint directement le film; le reste atteint

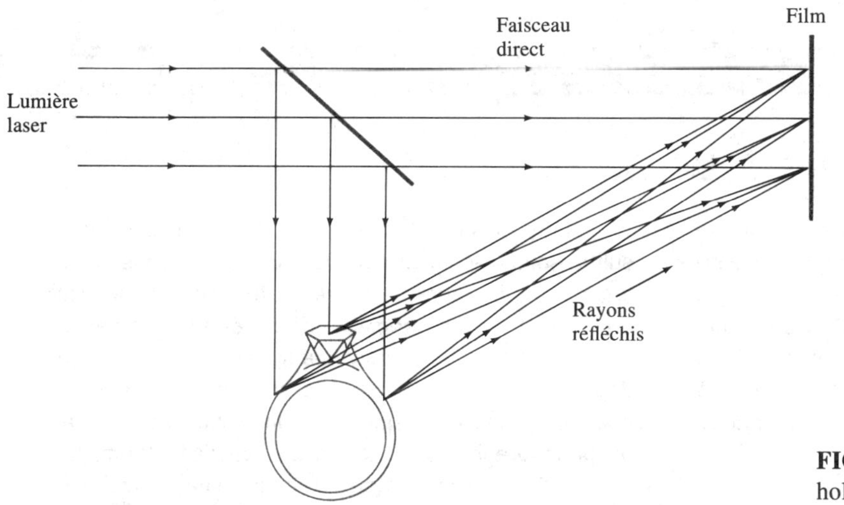

FIGURE 11.20 Fabrication d'un hologramme.

l'objet à photographier et est réfléchi vers le film. De la lumière provenant de chaque point de l'objet atteint chaque point du film et l'interférence des deux faisceaux permet au film d'enregistrer l'intensité aussi bien que la phase relative de la lumière en chaque point. Une fois le film développé, on le place de nouveau dans un faisceau laser; on voit alors une image tridimensionnelle de l'objet. En se déplaçant autour d'une telle image, on peut la voir de différents angles comme s'il s'agissait de l'objet original. Si, toutefois, on tente de toucher l'image, il n'y aura là aucun objet matériel.

Les détails concernant la formation de l'image sont compliqués. On peut cependant en comprendre le principe fondamental en considérant un seul point de l'objet. Dans la figure 11.21a, les rayons *OA* et *OB* se réfléchissent sur un point de l'objet. Les rayons *CA* et *DB* proviennent directement de la source et interfèrent avec *OA* et *OB* aux points *A* et *B* sur le film. Un ensemble de franges d'interférence se produit, comme sur la figure 11.21b. L'espacement entre les franges change du sommet jusqu'en bas de la façon illustrée. La figure 11.22 explique pourquoi il en est ainsi. L'hologramme d'un objet ponctuel unique présenterait donc l'aspect illustré à la figure 11.21b. Dans ce cas, le film ressemble à un réseau de diffraction à espacement variable. Par conséquent, lorsque de la lumière laser cohérente repasse par le film développé pour reconstruire l'image, les rayons diffractés dans les maxima du premier ordre se produisent à des angles légèrement différents à cause des variations d'espacement. (Souvenez-vous de l'équation 6.1, $\sin \theta = \lambda/D$; donc, là ou l'espacement D est plus grand, l'angle θ est plus petit.) Par conséquent, les rayons diffractés vers le haut (dans le premier ordre) semblent diverger d'un seul point (figure 11.23). Ceci est une image virtuelle de l'objet original et on peut la voir à l'œil nu. Les rayons diffractés dans le premier ordre *vers le bas* convergent de façon à former une image réelle, que l'on peut voir et aussi

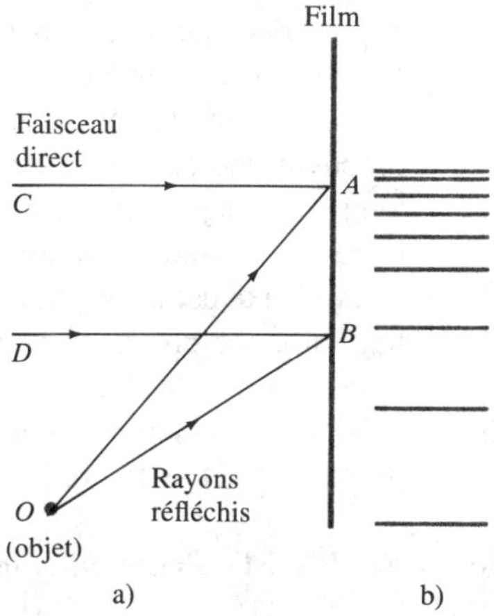

FIGURE 11.21 La lumière provenant du point *O* sur l'objet interfère avec la lumière du faisceau direct (rayons *CA* et *DB*).

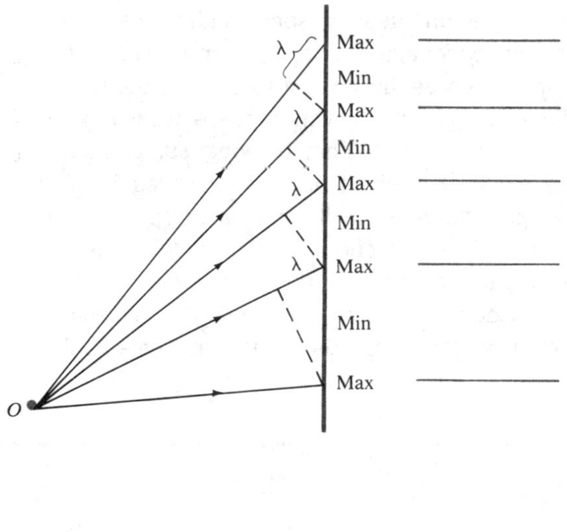

FIGURE 11.22 Chacun des rayons provenant du point *O* a une longueur d'onde plus courte que celle au-dessus de lui. Si le rayon du haut est en phase avec le faisceau direct (non représenté dans la figure), qui a la même phase que tous les points sur l'écran, tous les rayons représentés produisent de l'interférence constructive. On peut voir sur ce diagramme que l'espacement entre les franges augmente vers le bas.

ENCADRÉ 11.2

Le disque numérique au laser

On trouve les trois idées clés de cet encadré dans le titre: le *disque* supporte l'information *numérique*, laquelle est enregistrée et lue par le *laser*. L'information, qu'on doit coder numériquement, peut être un signal audio comme la voix ou la musique, ou un signal vidéo comme l'image de télévision, ou encore un signal déjà codé (mais à recoder) comme la lettre de l'alphabet, le chiffre arabe, etc.

La piste en spirale du laser

Prenons le cas du disque laser le plus courant, le disque audio-numérique que l'on trouve sur le marché depuis déjà dix ans. Ce disque transparent mesure 12 cm de diamètre et 2 μm d'épaisseur. Une fois l'information enregistrée, la surface inférieure du disque présente une suite de bosses et de creux disposés le long d'une ligne en forme de spirale; on enduit alors la surface bosselée d'une couche métallique réfléchissante. Un substrat de 1,2 mm d'épaisseur, fait de plastique transparent, protège le dessous du disque et lui donne sa rigidité. La figure 1 montre le faisceau laser éclairant le disque par le dessous, à travers le substrat de plastique transparent.

FIGURE 1 Éclaté du disque numérique au laser.

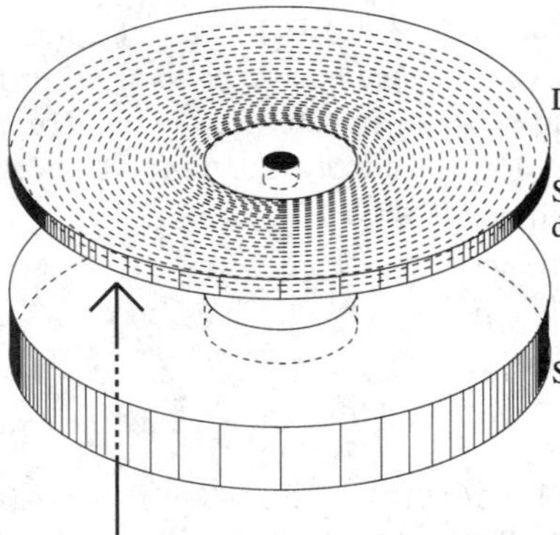

Les bosses enregistrées sous le disque (le long d'une spirale) ont une épaisseur de 0,11 μm (environ le quart d'une longueur d'onde de la lumière du laser) et une largeur de 0,5 μm; la spirale mesure environ 5 km de longueur. La longueur des bosses varie (d'une façon discontinue) entre 0,833 μm et 3,054 μm, selon l'information enregistrée.

Lors de la lecture du disque, le faisceau laser suit la spirale et éclaire successivement les bosses et les creux créés lors de l'enregistrement; le laser doit en même temps se déplacer de l'intérieur vers l'extérieur du disque afin de suivre la spirale. L'espace entre deux «circonférences» successives de la spirale est beaucoup plus étroit que pour un disque traditionnel de phonographe, soit 1,6 μm au lieu de 100 μm. La lecture de l'information se fait à une vitesse linéique constante de 1,25 m/s et la vitesse angulaire du disque passe d'environ 8 tours par seconde, quand le rayon de la spirale est petit, à 3,5 tours par seconde, quand le rayon est grand.

La figure 2 montre à la fois le substrat transparent, la piste avec ses bosses et ses creux et la coupe du faisceau laser rendu convergent au moyen d'une lentille; sur la figure, le faisceau éclaire en même temps la surface d'un creux et celle d'une bosse.

FIGURE 2 Vue en coupe du faisceau laser et de la piste du disque.

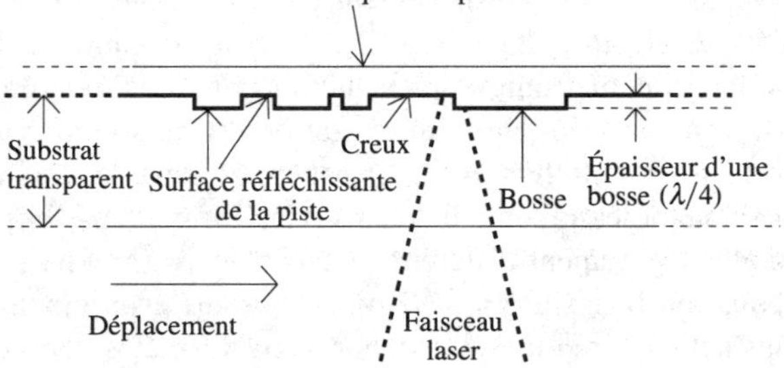

Le laser à semi-conducteurs

Dans les lecteurs de disques audio-numériques courants, on utilise un laser à semi-conducteurs. On prend un semi-conducteur fait de gallium et d'arsenic et on le monte en sandwich entre deux autres, faits d'aluminium, de gallium et d'arsenic. Ce laser émet une lumière rouge de 780 nm de longueur d'onde. C'est une diode électroluminescente, dont les faces sont polies pour fournir la cavité optique indispensable à toute source laser, et qui a la grosseur d'une tête d'épingle. On utilise cette source de lumière dans un lecteur de disques numériques à cause de sa petite dimension et de son temps de réponse extrêmement rapide.

La lecture du disque par le laser

Quand le faisceau laser éclaire un creux de la piste, entre deux bosses, il est réfléchi et revient au détecteur avec presque la même intensité, puisque la surface est réfléchissante. Au contraire, quand il éclaire une bosse, il revient avec une intensité presque nulle. Peut-on expliquer ce phénomène alors que toute la surface est réfléchissante? Deux facteurs conjugués sont à considérer: premièrement, l'épaisseur des bosses, soit un quart de longueur d'onde ($\lambda/4$) de la lumière du laser; deuxièmement, comme le montre la figure 3, le fait que le diamètre du faisceau laser à son arrivée sur la surface réfléchissante mesure environ 2 μm alors que la largeur d'une bosse mesure 0,5 μm. Quand le faisceau éclaire une bosse, une partie de la lumière est réfléchie sur la bosse (point A dans la figure 3) et une autre partie est réfléchie par les surfaces situées latéralement de part et d'autre de la bosse (points B et C dans la figure 3). Comparée à la lumière directement réfléchie sur la bosse, la lumière réfléchie sur ces deux surfaces parcourt une demi-longueur d'onde supplémentaire puisqu'une bosse a une épaisseur d'un quart de longueur d'onde. La lumière qui revient est donc composée de deux faisceaux en opposition de phase, ce qui rend son intensité résultante presque nulle. En résumé, quand le faisceau éclaire un creux, l'intensité de retour est maximale et quand il éclaire une bosse, elle est minimale. La lumière de retour est captée par une photodiode qui produit un signal électrique; ce dernier est amplifié et décodé avant d'être acheminé au haut-parleur.

FIGURE 3 L'éclairement de la piste par le faisceau laser.

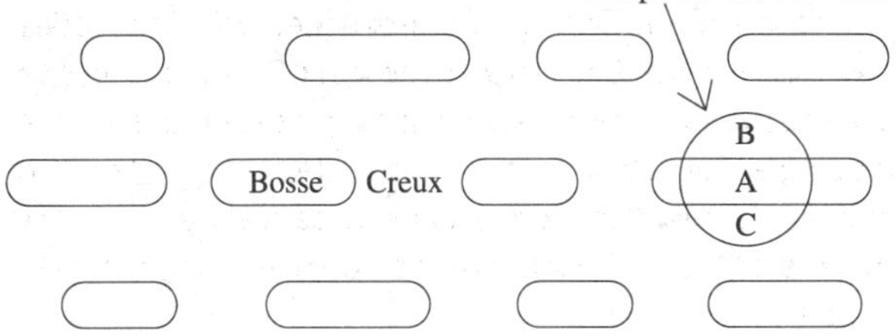

L'encodage numérique de l'information audio

L'information est codée numériquement selon le code binaire où deux seules valeurs sont possibles: 0 et 1.

La variation de la pression sonore dans le microphone enregistreur, transformée en variation de courant, consitue le signal audio. Cette variation dans le temps, qui est une information de caractère analogique, doit être convertie en information numérique. La figure 4 montre un exemple de variation du signal audio en fonction du temps t. La courbe est découpée en intervalles de temps de durée Δt et de valeur aussi petite que 1/44 100 seconde (fréquence de découpage de 44,1 kHz). Pour chaque intervalle, le signal audio prend une valeur donnée (valeur de courant). Il en résulte une suite discontinue de nombres qui sont codés par la suite en code binaire.

FIGURE 4 L'encodage numérique du signal analogique audio.

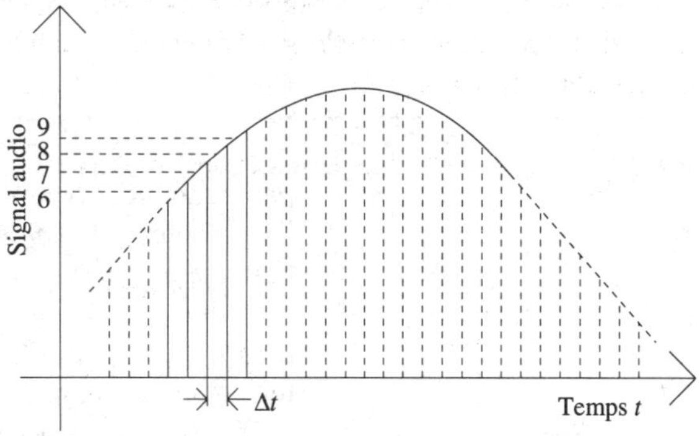

Le décodage de l'information numérique

Le décodage de l'information lue sur le disque au moyen du laser se fait comme suit: quand l'intensité du faisceau de retour varie, le détecteur enregistre la valeur 1; sinon, il enregistre la valeur 0. La figure 5 montre un exemple d'une suite de lectures du laser où une suite de plusieurs valeurs 0 correspond à plusieurs réflexions successives sur un même creux ou sur une même bosse, et où les valeurs 1 correspondent au passage d'une bosse à un creux ou d'un creux à une bosse. Cette information numérique est

ENCADRÉ 11.2 (suite)

convertie en variation de courant dans le temps (signal analogique), variation finalement convertie en variation de pression sonore par le haut-parleur.

FIGURE 5 Le décodage de la lecture du laser.

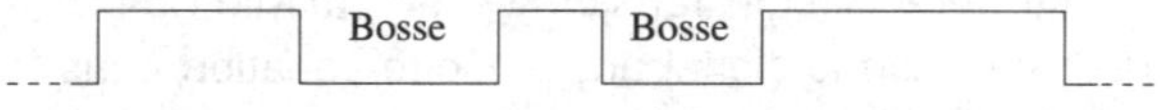

Les vertus du disque numérique au laser

Le disque numérique au laser de 12 cm de diamètre peut emmagasiner jusqu'à 782 mégaoctets, ce qui équivaut à 275 000 pages de texte, à raison de 2000 caractères par page. Si on utilise le disque numérique comme disque audio-numérique, on peut y enregistrer 74 minutes de musique à très haute fidélité, à l'intérieur du domaine des fréquences allant de 20 à 20 000 Hz. Ceci est rendu possible à cause de la petitesse du faisceau laser, qui permet d'avoir une très grande densité de bosses et de creux sur la piste en spirale du disque. En outre, la réponse extrêmement rapide du laser à semi-conducteurs rend possible le découpage du signal audio à la fréquence de 44,1 kHz, fréquence requise si on veut une fidélité sonore allant jusqu'à 20 000 Hz.

D'une part, bien qu'il soit coûteux à fabriquer, le disque au laser est presque inusable. D'autre part, il peut emmagasiner à une très haute densité toute information déjà codée numériquement; à ce chapitre, sa capacité est environ dix fois plus grande que celle des meilleurs rubans magnétiques auxquels on peut penser.

Le disque laser est promis à un brillant avenir; par exemple, il occupe déjà une place fort importante en informatique.

P.-É. O.

Références

J. P. BARRAT (1983). «Introduction à la physique des lasers», *Bulletin de l'Union des Physiciens*, p. 1081-1115.

Thomas D. ROSSING (1987). «The Compact Disc Audio System», *The Physics Teacher*, 556-562.

photographier. (Notez que les rayons directs non diffractés ne présentent pas d'intérêt.) Bien entendu, les objets réels sont constitués de plusieurs points de sorte qu'un hologramme est une figure d'interférence complexe qui, lorsque la lumière laser la frappe, reproduit une image de l'objet. Chaque point de l'image est à la bonne position (en trois dimensions) relativement aux autres points; l'image représente donc avec exactitude l'objet original. On peut voir l'image de différents angles comme si on regardait l'objet original. On peut faire des hologrammes dont il est possible de faire le tour de façon à voir tous les côtés de l'image.

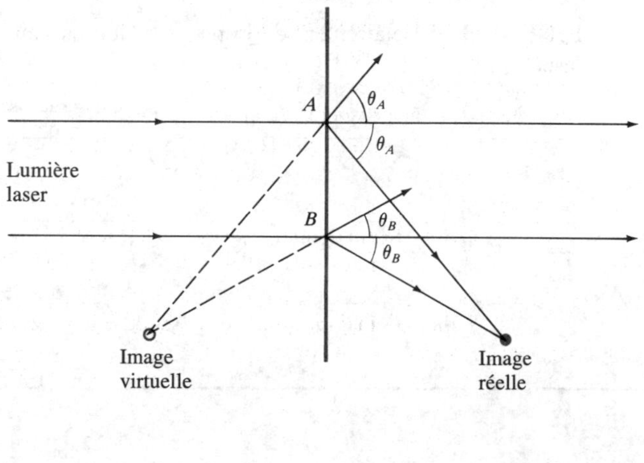

FIGURE 11.23 Reconstruction de l'image. Le faisceau laser frappe le film, qui est comme un réseau de diffraction d'espacement variable. Les rayons correspondant aux premiers maxima de diffraction sont montrés. L'angle $\theta_A > \theta_B$ parce que l'espacement en B est plus grand que A ($\sin\theta = \lambda/d$). Les images réelles et virtuelles du point sont donc reproduites comme dans la figure.

RÉSUMÉ

Selon la mécanique quantique, les électrons d'un atome n'occupent pas des orbites bien définies mais existent plutôt sous la forme de «nuages». On peut interpréter les nuages d'électrons comme une onde électronique dispersée dans l'espace ou comme une distribution de probabilité pour les électrons considérés comme des particules.

Pour l'atome le plus simple, celui de l'hydrogène, l'équation de Schrödinger contient l'énergie potentielle $U = -(1/4\pi\varepsilon_0)(e^2/r)$. Les solutions donnent les mêmes valeurs d'énergie que la théorie de Bohr.

On spécifie l'état quantique d'un électron dans un atome par quatre nombres quantiques: n, l, m_l et m_s. Le nombre quantique principal, n, peut prendre n'importe quelle valeur entière (1, 2, 3, ...) et correspond au nombre quantique de la vieille théorie de Bohr; l peut prendre toutes les valeurs entières de 0 jusqu'à $n - 1$; m_l peut prendre les valeurs entières de $-l$ à $+l$; m_s peut être $+\frac{1}{2}$ ou $-\frac{1}{2}$. Les niveaux d'énergie de l'atome d'hydrogène dépendent de n, tandis que dans les autres atomes, ils dépendent de n et de l. Quand on applique un champ magnétique externe, les raies spectrales se séparent (l'effet Zeeman), ce qui indique que l'énergie dépend aussi de m_l en ce cas. Même en l'absence d'un champ magnétique, des mesures précises des raies spectrales montrent une séparation minuscule des raies appelées *structure fine*; ceci s'explique par le fait que l'énergie dépend très légèrement de l'interaction entre le spin et le mouvement orbital de l'électron, et donc de m_l et de m_s. On indique généralement la valeur de l pour un état par une lettre, s, p, d, f, g, etc., pour $l = 0$, 1, 2, 3, 4. Les transitions entre les états qui obéissent à la règle de sélection $\Delta l = \pm 1$ sont beaucoup plus probables que les autres transitions dites «interdites».

La fonction d'onde de l'état fondamental (1s) de l'hydrogène a une symétrie sphérique, tout comme les autres états $s(l = 0)$. Les autres états, comme le 2p, ont une certaine orientation dans l'espace. La densité de probabilité, $|\psi|^2$, et la *densité de probabilité radiale*, $P_r = 4\pi r^2 |\psi|^2$, sont toutes les deux utiles pour illustrer l'étendue spatiale du nuage d'électrons.

L'arrangement des électrons dans les atomes multiélectroniques est régi par le *principe d'exclusion de Pauli*, selon lequel deux électrons ne peuvent pas occuper le même état quantique, c'est-à-dire qu'ils ne peuvent pas avoir le même ensemble de nombres quantiques n, l, m_l et m_s. En conséquence, les électrons sont regroupés en *couches* (selon la valeur de n) et en *sous-couches* (selon la valeur de l). Cette structure en couches donne lieu à une périodicité dans les propriétés des éléments qui est évidente dans le *tableau périodique.*

Les rayons X, qui sont une forme de rayonnement électromagnétique de longueur d'onde très courte, sont produits quand des électrons à haute vitesse frappent une cible. Le spectre des rayons X générés dans ces conditions consiste en deux parties: un spectre continu, produit quand les électrons sont décélérés par les atomes de la cible, et des pics représentant les photons émis par les atomes de la cible excités par une collision avec les électrons à haute vitesse. La mesure de ces pics permet de déterminer les niveaux d'énergie internes des atomes ainsi que leur numéro atomique, Z.

QUESTIONS

1. Discutez des différences entre la vision de Bohr concernant l'atome et celle de la mécanique quantique.
2. La densité de probabilité $|\psi|^2$ est maximale au centre de l'atome d'hydrogène ($r = 0$) pour l'état fondamental, tandis que la densité de probabilité radiale $P_r = 4\pi r^2 |\psi|^2$ est nulle en ce point. Expliquez pourquoi.
3. Pourquoi la théorie de Schrödinger donne-t-elle trois nombres quantiques plutôt que deux ou quatre, par exemple?
4. Dans la figure 11.4, pourquoi les niveaux supérieur et inférieur se séparent-ils de façons différentes dans un champ magnétique?
5. La raie jaune à 589 nm dans le spectre du sodium est en fait composée de deux raies très proches l'une de l'autre. Cela est dû à un effet de Zeeman «interne». Pouvez-vous expliquer cela? [Indice: imaginez que vous êtes dans le référentiel de l'électron.]
6. Quelles configurations électroniques de l'électron, parmi les suivantes, sont-elles proscrites? *a)* $1s^2 2s^2 2p^6 3s^3$; *b)* $1s^2 2s^2 2p^4 3s^2 4p^2$; *c)* $1s^2 2s 2p^8 3s^1$.
7. Donnez la configuration électronique complète de l'atome d'uranium.
8. Dans quelle colonne du tableau périodique pensez-vous trouver l'atome avec chacune des configurations suivantes? *a)* $1s^2 2s^2 2p^6 3s^2$; b) $1s^2 2s^2 2p^6 3s^2 3p^6$; *c)* $1s^2 2s^2 2p^6 3s^2 3p^6 4s^1$; *d)* $1s^2 2s^2 2p^5$.
9. De quels facteurs la périodicité du tableau périodique dépend-elle? Considérez le principe d'exclusion, la quantification du moment angulaire, le spin, ainsi que tous les autres facteurs auxquels vous pouvez penser.
10. À quoi ressemblerait le tableau périodique s'il n'y avait pas de spin électronique mais que la mécanique quantique était

néanmoins valide? Considérez les 20 premiers éléments ou à peu près.

11. L'énergie d'ionisation du néon ($Z = 10$) est de 21,6 eV et celle du sodium ($Z = 11$) est de 5,1 eV. Expliquez cette grande différence.

12. Pourquoi le chlore et l'iode présentent-ils des propriétés semblables?

13. Pourquoi le potassium et le sodium présentent-ils des propriétés semblables?

14. Pourquoi les propriétés chimiques des éléments terreux sont-elles si semblables?

15. Pourquoi ne nous attendons-nous pas à une concordance parfaite entre les valeurs mesurées des raies de rayons X et celles calculées à l'aide de la théorie de Bohr, comme dans l'exemple 11.5?

16. Pourquoi la théorie de Bohr, qui ne fonctionne pas bien du tout pour les transitions ordinaires avec les électrons extérieurs de He et des atomes plus complexes, permet-elle de prédire raisonnablement bien les spectres atomiques des rayons X pour les transitions se produisant profondément dans l'atome?

17. Pourquoi la longueur d'onde de coupure à la figure 11.11 laisse-t-elle supposer la nature photonique de la lumière?

18. Comment détermineriez-vous les raies du spectre d'un rayon X qui correspondent aux transitions K_α, K_β, L, etc.?

19. Pourquoi les spectres caractéristiques des rayons X varient-ils de façon systématique avec Z, contrairement aux spectres de la lumière visible (figure 6.20)?

20. Pourquoi nous attendons-nous à ce que les transitions électroniques se produisant profondément à l'intérieur d'un atome produisent des longueurs d'onde plus courtes que les transitions dans les régions extérieures de l'atome?

21. Pourquoi la direction du moment magnétique d'un électron est-elle opposée à celle de son moment angulaire orbital?

22. Pourquoi utilise-t-on un champ non homogène dans l'expérience de Stern-Gerlach?

23. Certains matériaux, notamment certaines teintures, entrent en fluorescence en émettant de la lumière visible quand de la lumière ultraviolette les frappe. La lumière infrarouge peut-elle aussi produire de la fluorescence?

24. Comparez l'émission spontanée à l'émission stimulée.

25. L'intensité de la lumière d'un laser décroît-elle comme l'inverse du carré de la distance?

26. En quoi la lumière laser diffère-t-elle de la lumière ordinaire? En quoi est-elle semblable?

27. Comment se fait-il que la lumière d'un faisceau laser de 0,0005 W, photographiée à une certaine distance, peut sembler beaucoup plus intense que celle d'un lampadaire de rue de 1000 W?

PROBLÈMES

SECTION 11.2

1. (I) Pour $n = 6$, quelles valeurs l peut-il avoir?

2. (I) Pour $n = 5$, $l = 3$, quelles sont les valeurs possibles de m_l et de m_s?

3. (I) Combien y a-t-il d'états différents possibles pour un électron dont le nombre quantique principal est $n = 4$? Faites la liste des nombres quantiques de chaque état.

4. (I) Calculez la grandeur du moment angulaire d'un électron dans l'état $n = 3$, $l = 2$ de l'hydrogène.

5. (I) On sait qu'un atome d'hydrogène a $l = 4$. Quelles sont les valeurs possibles de n, m_l et m_s?

6. (I) Si un atome d'hydrogène a $m_l = -3$, quelles sont les valeurs possibles de n, l et m_s?

7. (II) Un atome d'hydrogène est dans l'état $7g$. Déterminez *a*) le nombre quantique principal, *b*) l'énergie de l'état, *c*) le moment angulaire orbital et son nombre quantique l, *d*) les valeurs possibles du nombre quantique magnétique.

8. (II) Estimez *a*) le nombre quantique l pour le moment angulaire orbital de la Terre autour du Soleil et *b*) le nombre d'orientations possibles du plan de l'orbite terrestre.

9. (II) *a*) Montrez que le nombre d'états différents possibles pour une valeur donnée de l est $2(2l + 1)$. *b*) Quel est ce nombre pour $l = 0, 1, 2, 3, 4, 5$ et 6?

10. (II) Montrez que le nombre d'états électroniques différents pour une valeur donnée de n est $2n^2$. (Voir le problème 9.)

11. (II) Un atome d'hydrogène excité est dans l'état $6d$. *a*) Nommez tous les états (n, l) vers lesquels il est «permis» à l'atome de sauter en émettant un photon. *b*) Combien de longueurs d'onde différentes cela représente-t-il (en ne tenant pas compte de la structure fine)?

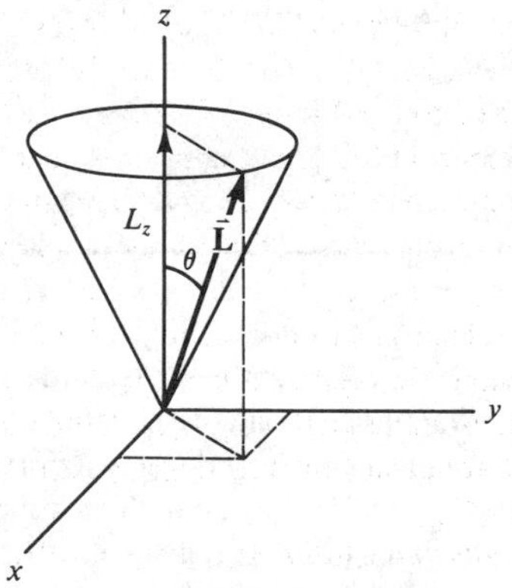

FIGURE 11.24 Le modèle vectoriel pour le moment angulaire orbital. On imagine que le vecteur de moment angulaire orbital $\vec{\mathbf{L}}$ subit une précession autour de l'axe des z; L et L_z demeurent constants mais L_x et L_y varient continuellement (problèmes 12 et 13).

12. (II) Dans le *modèle vectoriel* de l'atome, la quantification de l'espace (figure 11.3) est illustrée comme à la figure 11.24. On considère que le vecteur de moment angulaire de grandeur $L = \sqrt{l(l+1)}\hbar$ subit une précession autour de l'axe des z (comme une toupie ou un gyroscope, section 11.10 du tome 1) telle que la composante selon z du moment angulaire, $L_z = m_l \hbar$, demeure constante. Calculez les valeurs possibles de l'angle θ entre $\mathbf{\bar{L}}$ et l'axe des z *a*) pour $l = 1$, *b*) $l = 2$, *c*) $l = 3$. *d*) Déterminez la valeur minimale de θ pour $l = 1000$ et $l = 10^6$. Est-ce conforme au principe de correspondance?

13. (II) Le modèle vectoriel (problème 12) nous aide à comprendre comment le principe d'incertitude s'applique au moment angulaire; il a la forme

$$\Delta L_z \Delta \phi \geq \hbar$$

pour la composante selon z. Ici ϕ est la position angulaire mesurée dans le plan perpendiculaire à l'axe des z. Une fois qu'on connait m_l pour un atome, on connait précisément L_z, de sorte que $\Delta L_z = 0$. *a*) Qu'est-ce que cela nous indique concernant ϕ? *b*) Que pouvez-vous dire sur L_x et L_y, qui *ne sont pas* quantifiés (seulement L et L_z le sont)? *c*) Montrez que bien que L_x et L_y ne sont pas quantifiés, $(L_x^2 + L_y^2)^{1/2} = [l(l+1) - m_l^2]^{1/2}\hbar$ l'est néanmoins.

SECTION 11.3

14. (I) Montrez que la fonction d'onde de l'état fondamental donnée par l'équation 11.6 est normalisée. [Indice: voir l'exemple 11.4.]

15. (II) Pour l'état $1s$ de l'hydrogène, quelle est la valeur de *a*) ψ, *b*) $|\psi|^2$ et *c*) P_r à $r = r_0$?

16. (II) Pour l'état $2s$ de l'hydrogène, quelle est la valeur de *a*) ψ, *b*) $|\psi|^2$ et *c*) P_r à $r = 5r_0$?

17. (II) Montrez que ψ_{200} donné par l'équation 11.9 est normalisé.

18. (II) Par quel facteur est-il plus probable de trouver l'électron dans l'état fondamental de l'hydrogène au rayon de Bohr (r_0) qu'à deux fois cette distance ($2r_0$)?

19. (II) Pour l'état fondamental de l'hydrogène, quelle est la probabilité de trouver l'électron à l'intérieur d'une couche sphérique de rayon intérieur $0{,}99r_0$ et de rayon extérieur $1{,}00r_0$?

20. (II) Pour l'état $2s$ de l'hydrogène, quelle est la probabilité de trouver l'électron à l'intérieur d'une couche sphérique de rayon intérieur $4{,}00r_0$ et de rayon extérieur $5{,}00r_0$?

21. (II) *a*) Montrez que, dans l'état fondamental de l'hydrogène, la probabilité de trouver l'électron à moins d'un rayon de Bohr du noyau est de 32 %. *b*) Quelle est la probabilité de trouver un électron $1s$ entre $r = r_0$ et $r = 2r_0$?

22. (II) Déterminez le rayon r d'une sphère centrée sur le noyau et à l'intérieur de laquelle la probabilité de trouver l'électron pour l'état fondamental de l'hydrogène est de *a*) 50 %, *b*) 90 %, *c*) 99 %.

23. (II) Estimez la probabilité de trouver un électron à l'intérieur du noyau en supposant que celui-ci soit une sphère de rayon $r = 1{,}1$ fm. *b*) Quelle serait cette probabilité si on remplaçait l'électron par un muon, qui est très semblable à un électron (chapitre 15) sauf que sa masse est 207 fois plus grande?

24. (II) Déterminez la densité de probabilité radiale moyenne P_r pour l'état $2p$ dans l'hydrogène en calculant

$$P_r = 4\pi r^2[\tfrac{1}{3}|\psi_{210}|^2 + \tfrac{1}{3}|\psi_{211}|^2 + \tfrac{1}{3}|\psi_{21-1}|^2].$$

25. (II) Montrez, à l'aide du résultat du problème 24, que la distance r au noyau la plus probable pour un électron dans l'état $2p$ de l'hydrogène est $r = 4r_0$, ce qui est exactement le deuxième rayon de Bohr (équation 9.10, figure 9.21).

26. (II) Montrez que la valeur moyenne de r pour un électron dans l'état fondamental de l'hydrogène est $\bar{r} = \frac{3}{2}r_0$, en calculant

$$\bar{r} = \int_{\text{tout l'espace}} r|\psi_{100}|^2\, dV = \int_0^\infty r|\psi_{100}|^2\, 4\pi r^2\, dr.$$

27. (III) Montrez que la probabilité de trouver l'électron en deça de 1 rayon de Bohr du noyau dans l'atome d'hydrogène est *a*) 3,4 % pour l'état $2s$ et *b*) 0,37 % pour l'état $2p$.

28. (III) Montrez que ψ_{100} (équation 11.6a) vérifie l'équation de Schrödinger (équation 11.1) avec le potentiel coulombien pour l'énergie $E = me^4/8\varepsilon_0^2h^2$.

29. (III) Pour l'état $2s$ dans l'hydrogène, quelle est la probabilité de trouver l'électron sous le sommet le plus petit dans la distribution radiale (figure 11.9b)?

30. (III) Déterminez la distance au noyau la plus probable pour un électron dans l'état $2s$ de l'hydrogène.

31. (III) La fonction d'onde pour l'état $3s$ dans l'hydrogène est:

$$\psi_{300} = \frac{1}{\sqrt{27\pi r_0^3}}\left(1 - \frac{2r}{3r_0} + \frac{2r^2}{27r_0^2}\right)e^{-r/r3r_0}.$$

a) Déterminez la densité de probabilité radiale P_r pour cet état et *b*) tracez-en la courbe sur un graphique. *c*) Déterminez la distance au noyau la plus probable pour un électron dans cet état.

SECTIONS 11.4 ET 11.5

32. (I) Énumérez les nombres quantiques pour chaque électron pour l'état fondamental *a*) du carbone ($Z = 6$), *b*) du magnésium ($Z = 12$).

33. (I) Combien d'électrons peut-il y avoir dans la sous-couche $n = 6$, $l = 3$?

34. (II) Estimez, à l'aide de la formule de Bohr pour le rayon d'une orbite électronique, la distance au noyau moyenne pour un électron occupant l'orbite la plus intérieure ($n = 1$) dans l'uranium ($Z = 92$). Combien d'énergie faudrait-il, approximativement, pour arracher cet électron le plus à l'intérieur?

35. (II) Estimez l'énergie de liaison du troisième électron du lithium à l'aide de la théorie de Bohr. [Indice: cet électron a $n = 2$ et «voit» une charge nette d'environ $+1e$.] La valeur mesurée est de 5,36 eV.

36. (II) L'énergie d'ionisation (de liaison) de l'électron le plus périphérique du bore est 8,26 eV. *a*) Déterminez la «charge effective» Z_{eff} vue par cet électron. [Conseil: utilisez le modèle de Bohr.] *b*) Estimez le rayon orbital moyen.

37. (II) Construisez un tableau périodique pour les 20 premiers éléments si vous supposez que le principe d'exclusion de Pauli s'applique mais que l'électron n'a pas de spin, de sorte qu'il n'y aurait que trois nombres quantiques, n, l et m_l. *b*) Quels éléments seraient des gaz nobles? (Supposez que les couches ou les sous-couches remplies soient comme dans le tableau périodique véritable.)

38. (II) Montrez que le moment angulaire total est nul pour une sous-couche remplie.

SECTION 11.6

39. (I) Quels sont les rayons X de plus petite longueur d'onde émis par des électrons frappant l'écran d'un tube de télévision de 30 kV? Quelles sont les plus grandes longueurs d'onde?

40. (I) Si les rayons X de freinage de plus courte longueur d'onde émis par un tube à rayons X ont $\lambda = 0{,}019$ nm, quelle est la tension sur le tube?

41. (I) Montrez que la longueur d'onde de coupure λ_0 est donnée par:

$$\lambda_0 = 1240 \text{ nm}/V,$$

où V est la tension en volts sur le tube à rayons X.

42. (II) Estimez, à l'aide du résultat de l'exemple 11.5, la longueur d'onde des rayons X émis quand un atome Ti ($Z = 22$) va de $n = 2$ à $n = 1$.

43. (II) Estimez la longueur d'onde pour une transition de $n = 2$ à $n = 1$ dans le fer ($Z = 26$).

44. (II) Estimez, à l'aide de la théorie de Bohr, la longueur d'onde pour une transition de $n = 3$ à $n = 1$ dans le molybdène. La valeur mesurée est 0,063 nm. Pourquoi ne doit-on pas s'attendre à un accord parfait?

45. (II) Un tube à rayons X fonctionne à 100 kV avec un courant de 20 mA et presque toute l'énergie des électrons se transforme en chaleur. Si la chaleur massique de la plaque de 78 g est de 0,11 kcal/kg · °C, quelle sera l'augmentation de température par minute si on n'utilise aucun système de refroidissement?

46. (II) Montrez à l'aide de la théorie de Bohr (considérez surtout l'équation 9.13) que le graphique de Moseley (figure 9.12) peut s'écrire

$$\sqrt{\frac{1}{\lambda}} = a(Z - b),$$

où $b \approx 1$, et évaluez a.

47. (II) On bombarde un mélange de fer et d'un matériau inconnu avec des électrons. La longueur d'onde des raies K_α est de 194 pm pour le fer et de 229 pm pour le matériau inconnu. Quel est ce matériau?

48. (II) Utilisez la conservation de l'énergie et de la quantité de mouvement pour montrer qu'un électron en mouvement ne peut émettre un photon de rayon X sauf s'il y a un troisième corps présent, comme un atome ou un noyau.

SECTION 11.7

49. (I) Vérifiez que le magnéton de Bohr a la valeur $\mu_B = 9{,}27 \times 10^{-24}$ J/T (équation 11.13).

50. (II) Supposez que la séparation des niveaux d'énergie illustrée à la figure 11.4 ait été produite par un champ magnétique de 2,0 T. *a*) Quelle est la séparation dans l'énergie entre les niveaux m_l adjacents pour le même l? *b*) Combien de longueurs d'onde différentes y aura-t-il pour des transitions de $3d$ à $2p$, si m_l ne peut changer que de ± 1 ou 0? Quelle est la longueur d'onde pour chacune de ces transitions?

51. (II) Dans une expérience de Stern-Gerlach, des atomes Ag sortaient du four à une vitesse moyenne de 700 m/s et passaient par un gradient de champ magnétique $dB/dz = 1{,}5 \times 10^3$ T/m sur une distance de 4,0 cm. *a*) Quelle est la séparation des deux faisceaux lorsqu'ils sortent de l'aimant? *b*) Quelle serait la séparation si le rapport gyromagnétique était 1 pour le spin de l'électron?

52. (II) *a*) Faites la liste des nombres quantiques pour chaque électron de l'atome d'aluminium. *b*) Quelles sous-couches sont remplies? *c*) Le dernier électron est dans l'état $3p$; quelles sont les valeurs possibles du nombre quantique du moment angulaire total j pour cet électron? *d*) Expliquez pourquoi ceci représente également le moment angulaire total pour l'atome entier. *e*) Comment utiliseriez-vous l'expérience de Stern-Gerlach pour déterminer la valeur de j pour cet atome?

53. (II) Quelles sont les valeurs possibles de j pour un électron dans l'état *a*) $3p$, *b*) $4f$ et *c*) $4d$ de l'hydrogène? Quelle est la valeur de J dans chaque cas?

54. (II) Pour un électron dans l'état $5g$, quelles sont toutes les valeurs possibles de j, m_j, J et J_z?

55. (II) La différence entre les niveaux d'énergie $2P_{3/2}$ et $2P_{1/2}$ de l'hydrogène est d'environ 5×10^{-5} eV, à cause de l'interaction spin-orbite. *a*) Si vous supposez que le moment magnétique (orbital) de l'électron est de 1 magnéton de Bohr, estimez le champ magnétique interne dû au mouvement orbital de l'électron. *b*) Estimez le champ magnétique interne à l'aide d'un modèle simple du noyau tournant sur un cercle autour de l'électron.

56. (II) On place des atomes d'argent (spin = $\frac{1}{2}$) dans un champ magnétique de 1,0 T qui sépare l'état fondamental en deux niveaux rapprochés. *a*) Quelle est la différence d'énergie entre ces deux niveaux et *b*) quelle longueur d'onde un photon devrait-il avoir pour causer une transition du niveau inférieur au niveau supérieur? *c*) De combien vos résultats seraient-ils différents si les atomes étaient de l'hydrogène?

SECTION 11.9

57. (II) Un laser, utilisé pour souder des rétines détachées, émet des impulsions de 25 ms de lumière de 640 nm, avec une puissance moyenne de 0,50 W durant une impulsion. Combien d'énergie peut être déposée par impulsion et combien de photons chaque impulsion contient-elle?

58. (II) Estimez la dispersion angulaire d'un faisceau laser due à la diffraction si le faisceau sort à travers un miroir de 2,0 cm de diamètre. Supposez que $\lambda = 694$ nm. Quel serait le diamètre de ce faisceau s'il frappait *a*) un satellite situé à 1000 km au-dessus de la Terre, *b*) la lune?

59. (II) Supposez que le système de niveaux d'énergie de la figure 11.18 ne soit pas pompé et qu'il soit en équilibre thermique. Déterminez la fraction des atomes aux niveaux E_2 et E_1 relativement à E_0 à $T = 300$ K.

60. (II) À quelle température le système de la figure 11.18 devrait-il être élevé (voir le problème 59) pour qu'en équilibre thermique le nombre d'électrons du niveau E_2 soit la moitié de celui de E_0? (Remarquez que le pompage ne maintient pas l'équilibre thermique.)

61. (II) Montrez qu'une inversion de population pour deux niveaux (comme dans un laser pompé) correspond à une température absolue négative dans la distribution de Boltzmann. Expliquez pourquoi une telle situation ne contredit pas l'idée selon laquelle les températures absolues négatives ne peuvent pas être atteintes si on considère la définition normale de la température.

62. (III) *Les populations dans l'atome d'hydrogène.* Estimez, à l'aide de la distribution de Boltzmann, la fraction des atomes H dans les niveaux $n = 2$ et $n = 3$ (relativement à l'état fondamental) pour l'équilibre thermique à *a*) $T = 300$ K et *b*) $T = 6000$ K. [Note: comme il y a huit états avec $n = 2$ et seulement deux avec $n = 1$, multipliez votre résultat pour $n = 2$ par $\frac{8}{2} = 4$; faites de même pour $n = 3$.] *c*) Pour 1,0 g d'hydrogène, estimez le nombre d'atomes dans chaque état à $T = 6000$ K. *d*) Estimez le nombre de photons $n = 3$ à $n = 1$ et $n = 2$ à $n = 1$ qui sont émis par seconde à $T = 6000$ K. Supposez que la durée de vie de chaque état excité soit de 10^{-8} s.

CHAPITRE

12

LES MOLÉCULES ET LES SOLIDES

Depuis l'avènement, dans les années 1920, de la mécanique quantique, l'influence de celle-ci sur nos vies a été considérable, aussi bien intellectuellement que technologiquement. Comme nous l'avons constaté au chapitre 10, même notre vision du monde s'en est trouvée transformée. Dans le présent chapitre, nous montrerons comment la mécanique quantique nous a permis de comprendre la structure des molécules et de la matière condensée, et nous traiterons de quelques applications importantes résultant de cette compréhension, notamment des dispositifs semiconducteurs. Comme il s'agit d'une matière compliquée, nous en traiterons souvent de façon seulement qualitative.

12.1 La liaison chimique et les molécules

L'un des grands mérites de la mécanique quantique a été d'expliquer la nature des liens chimiques. Nous en discuterons ici, car cette question est d'une importance cruciale dans de nombreux domaines et repose sur la physique.

On appelle molécule un groupe de deux atomes ou plus, qui sont fortement retenus ensemble de façon à constituer une unité. Lorsque des atomes sont ainsi attachés ensemble, on dit qu'il s'est formé entre eux un **lien** chimique. Il existe deux types principaux de lien chimique fort, soit les liens covalent et ionique. En fait la plupart des liens sont des combinaisons de ces deux types.

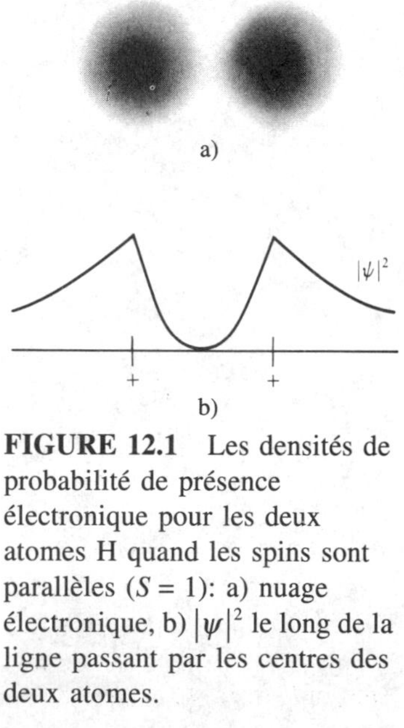

FIGURE 12.1 Les densités de probabilité de présence électronique pour les deux atomes H quand les spins sont parallèles ($S = 1$): a) nuage électronique, b) $|\psi|^2$ le long de la ligne passant par les centres des deux atomes.

Les liens covalents. Pour comprendre le mode de formation des liens covalents, nous considérerons le cas le plus simple, celui du lien entre les deux atomes d'hydrogène dans la molécule d'hydrogène H_2. Le mécanisme de formation de ce lien est fondamentalement le même que pour les autres liens covalents. Lorsque deux atomes H s'approchent l'un de l'autre, leurs nuages électroniques commencent à se chevaucher et les électrons provenant de chaque atome peuvent alors «entrer en orbite» autour des deux noyaux. (En conséquence, on dit parfois que les électrons sont «partagés» par les atomes.) Lorsque les deux électrons sont dans l'état fondamental ($n = 1$) de leur atome respectif, il existe deux possibilités: ou bien leurs spins sont parallèles (tous les deux vers le haut ou tous les deux vers le bas), auquel cas le spin total est $S = \frac{1}{2} + \frac{1}{2} = 1$, ou bien les spins sont opposés ($m_s = +\frac{1}{2}$ pour l'un, $m_s = -\frac{1}{2}$ pour l'autre), de sorte que le spin total $S = 0$. Nous allons voir à l'instant qu'un lien se forme seulement pour l'état $S = 0$, c'est-à-dire pour des spins opposés. Considérons d'abord l'état $S = 1$, c'est-à-dire le cas où les spins sont parallèles. Les électrons ne peuvent pas être tous les deux dans le plus bas état d'énergie et être liés au même atome, car ils auraient alors des nombres quantiques identiques en violation du principe d'exclusion. Comme, selon le principe d'exclusion, deux électrons ne peuvent occuper le même état quantique, il faut nécessairement que deux électrons qui ont les mêmes nombres quantiques occupent des régions différentes de l'espace (par exemple, lorsqu'ils sont liés à des atomes différents). Lorsque les deux atomes s'approchent l'un de l'autre, leurs électrons restent alors loin l'un de l'autre, comme le montre les densités de probabilité de la figure 12.1.

Les noyaux positivement chargés se repoussent alors l'un l'autre et aucun lien ne se forme.

Par contre, pour l'état $S = 0$, les spins étant opposés, les deux électrons sont dans des états quantiques différents; ils peuvent donc s'approcher l'un de l'autre dans l'espace. Dans ce cas, la densité de probabilité ressemble à la figure 12.2. Comme on peut le voir, les électrons passent la plus grande partie de leur temps entre les deux noyaux positivement chargés et qui eux-mêmes sont attirés par le nuage électronique négativement chargé qui se trouve entre eux. Cette attraction lie les deux atomes en une même molécule; un tel lien est dit *covalent.*

Lorsqu'on considère les densités de probabilité des figures 12.1 et 12.2 comme des ondes, la nature du lien covalent devient peut-être davantage compréhensible. En effet, selon le principe d'exclusion, lorsque les spins sont parallèles, il en résulte nécessairement de l'interférence destructive entre les fonctions d'onde électroniques dans la région entre les deux atomes. Lorsque les spins sont opposés, il se produit de l'interférence constructive dans la région entre les deux atomes, ce qui y entraîne une grande quantité de charge négative. Il s'avère donc exact de dire qu'un lien covalent résulte de l'interférence constructive des fonctions d'onde électroniques dans l'espace entre les deux atomes et de l'attraction électrostatique des deux noyaux positifs par la concentration de charge négative qui se trouve entre eux.

Il est aussi possible de comprendre pourquoi un lien se forme si on considère le point de vue de l'énergie. Comme nous le faisions remarquer plus haut, lorsque les deux atomes H s'approchent l'un de l'autre, leurs électrons peuvent occuper le même espace si leurs spins respectifs sont opposés. En conséquence, chaque électron peut maintenant occuper l'espace des deux atomes plutôt que le volume d'un seul. Chaque électron est maintenant moins bien localisé puisqu'il occupe plus d'espace. D'après le principe d'incertitude, lorsque Δx augmente, la quantité de mouvement et donc l'énergie peuvent être moindres. Ceci peut également se comprendre du point de vue des ondes selon de Broglie (section 9.11). Comme chaque électron a une plus grande «orbite», sa longueur d'onde λ peut être plus grande, et sa quantité de mouvement $p = h/\lambda$ peut être moindre. Avec une quantité de mouvement moindre, chaque électron a moins d'énergie lorsque les deux atomes se combinent. En conséquence, la molécule a moins d'énergie que les deux atomes séparés et elle est donc plus stable. Pour briser la molécule H_2 et la séparer en deux atomes, il faut un apport d'énergie; la molécule est donc une entité stable. C'est ce que signifie le mot *lien.* L'énergie requise pour briser un lien s'appelle **énergie de liaison** ou **énergie de dissociation**.

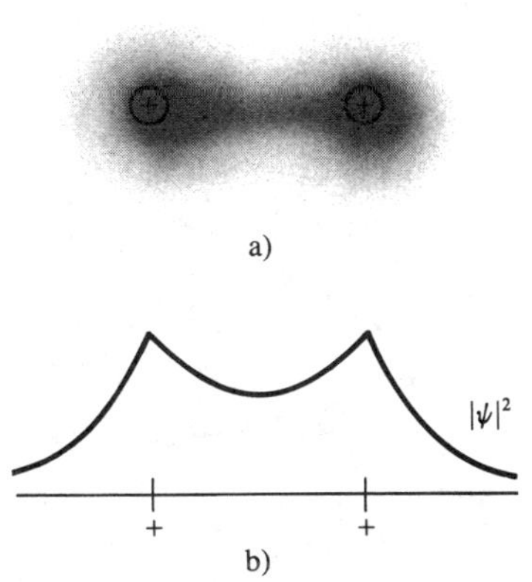

FIGURE 12.2 Les densités de probabilité de présence électronique pour deux atomes H quand leurs spins sont opposés ($S = 0$): a) nuage électronique, b) $|\psi|^2$ le long de la ligne passant par les centres des deux atomes. Dans ce cas, un lien est formé parce que les noyaux positifs sont attirés par la concentration de charge négative entre eux. Ceci est une molécule d'hydrogène, H_2.

Les liens ioniques. D'une certaine manière, un lien ionique est une sorte particulière de lien covalent. Dans un lien ionique, les électrons sont partagés inégalement plutôt qu'également. Par exemple, dans le chlorure de sodium (NaCl), l'électron externe du sodium tourne presque en permanence autour de l'atome de chlore (figure 12.3). Celui-ci acquiert donc une charge négative nette à cause de cet électron supplémentaire, et l'atome de sodium, une charge positive nette. L'attraction électrostatique entre les deux atomes chargés les lie l'un à l'autre. Comme le lien ainsi créé résulte de l'attraction entre les ions, on dit qu'il s'agit d'un *lien ionique.* Cependant, pour comprendre le lien ionique, il est nécessaire de comprendre pourquoi l'électron excédentaire du sodium gravite presque toujours autour de l'atome de chlore. Après tout, le chlore est neutre; pourquoi attire-t-il donc un électron de plus?

Les densités de probabilité des deux atomes neutres nous fournira la réponse à cette question. En effet, le sodium contient 11 électrons, dont 10 dans des couches fermées, sphériquement symétriques (figure 12.4). Le dernier électron passe la plupart de son temps au-delà de ces couches fermées. Comme les couches fermées ont une charge totale de $-10e$ et que le noyau a une charge de $+11e$, l'électron le plus vers l'extérieur dans le sodium «ressent» une attraction nette due à une charge de $+1e$. Il n'est donc pas retenu très fortement. D'autre part, 12 des 17 électrons du chlore forment des couches ou des sous-couches fermées (correspondant à $1s^2 2s^2 2p^6 3s^2$). Ces

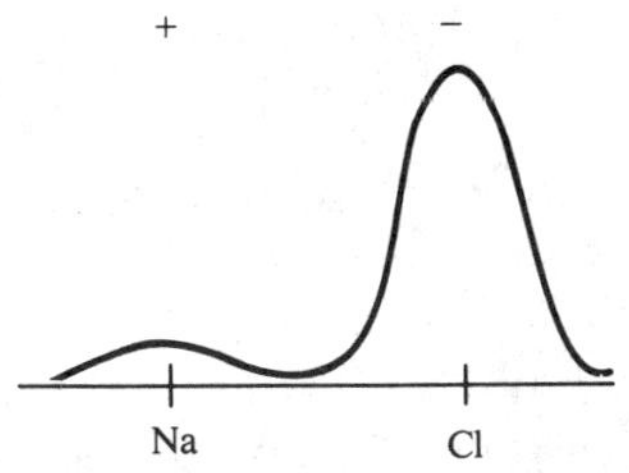

FIGURE 12.3 La densité de probabilité, $|\psi|^2$, pour le dernier électron ($3s$) de Na dans NaCl.

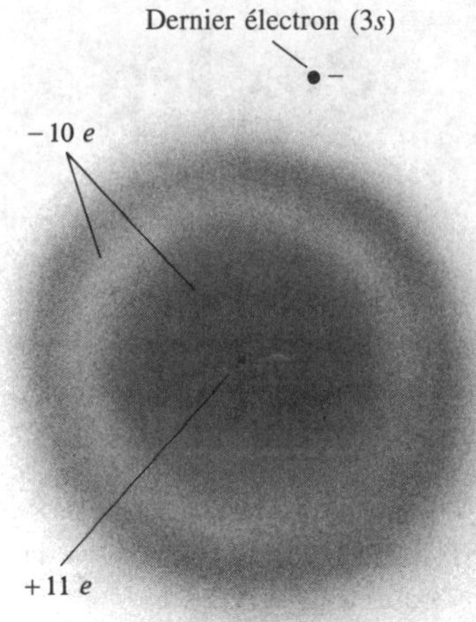

FIGURE 12.4 Dans un atome neutre de sodium, les 10 électrons internes forment un écran autour du noyau, de sorte que l'électron externe unique est attiré par une charge nette de $+1e$.

12 électrons forment un écran sphériquement symétrique autour du noyau. Les cinq autres électrons sont dans les états $3p$ dont les distributions de probabilité ne sont pas sphériquement symétriques mais ont une forme similaire à celles des états $2p$ de l'hydrogène illustrées à la figure 11.10a. Quatre de ces électrons $3p$ peuvent avoir des distributions en forme de «beigne», symétriques autour de l'axe des z (figure 12.5). Le cinquième peut avoir une distribution en forme d'«haltère» (comme pour $m_l = 0$ dans la figure 11.10a), qui est seulement esquissée par des tirets dans la figure 12.5. Le principe d'exclusion autorise un électron supplémentaire à être dans cet état (avec un spin opposé à celui de l'électron qui s'y trouve déjà). S'il se trouve dans le voisinage un électron supplémentaire, provenant d'un atome de sodium, il peut se retrouver dans cet état, disons au point x dans la figure 12.5. Il subit alors une attraction par une charge résultante allant jusqu'à $+5e$, car la charge de $+17e$ du noyau est effectivement écrantée en ce point par les 12 électrons internes. L'électron externe d'un atome de sodium est de cette manière davantage attiré par l'atome de chlore que par son propre atome. C'est ce fait, combiné avec la forte attraction entre les deux ions Na^+ et Cl^- quand l'électron excédentaire se trouve autour de l'atome de chlore, qui produit la distribution de charge de la figure 12.3, et donc le lien ionique. (Nous verrons cela plus en détail à la section 12.2).

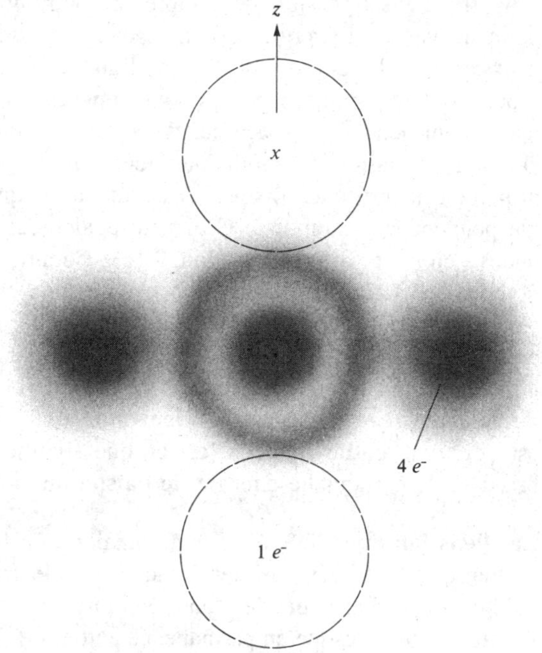

FIGURE 12.5 L'atome neutre de chlore. Les 12 électrons dans les couches et sous-couches internes forment un écran autour de la charge $+17e$ du noyau. Quatre des cinq électrons $3p$ sont dans des nuages en forme de beigne et l'un dans le nuage (en traits discontinus) concentré autour de l'axe des z. Un électron supplémentaire en x est attiré par une charge nette qui peut atteindre jusqu'à $+5e$.

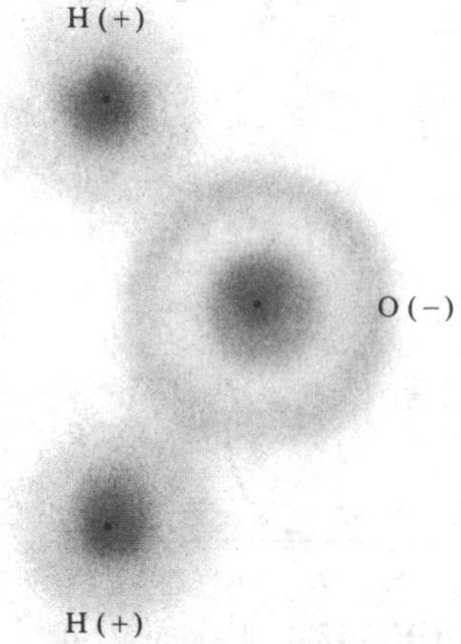

FIGURE 12.6 La molécule d'eau est polaire.

Le caractère partiellement ionique des liens covalents. Les liens covalents purs, c'est-à-dire ceux dans lesquels les électrons sont partagés également, se produisent surtout dans les molécules symétriques comme H_2, O_2 et Cl_2. Habituellement, lorsque les atomes liés sont différents l'un de l'autre, les électrons partagés tendent à se trouver près d'un atome plutôt que l'autre. Le lien ionique constitue un exemple extrême de cette situation; dans les cas intermédiaires, on dit que le lien covalent a un *caractère partiellement ionique.* Les molécules sont alors *polaires*, ce qui veut dire qu'une partie (ou plusieurs parties) de la molécule porte une charge nette positive et d'autres parties, une charge nette négative. La molécule d'eau, H_2O, est un exemple de molécule polaire (figure 12.6). Les électrons partagés sont plus susceptibles de se trouver autour de l'atome d'oxygène qu'autour des deux atomes d'hydrogène, pour une raison similaire à celle discutée ci-dessus pour les liens ioniques. L'oxygène possède huit électrons ($1s^2 2s^2 2p^4$) dont quatre forment un cœur sphériquement symétrique et dont les quatre autres pourraient avoir, par exemple, la même distribution en forme de beigne. La distribution en haltère sur l'axe des z (comme celle en tirets dans la figure 12.5) peut être vide, si bien que les électrons des atomes d'hydrogène peuvent être attirés vers l'atome d'hydrogène par une charge nette de $+4e$. Comme ils sont aussi attirés par les noyaux d'hydrogène, ils se redistribuent autour des atomes d'hydrogène et d'oxygène. Ceci produit une charge positive nette sur chaque atome d'hydrogène (moins que $+1e$) due au fait que les électrons n'y passent qu'une partie de leur temps. Il y a aussi une charge négative nette sur l'atome d'oxygène.

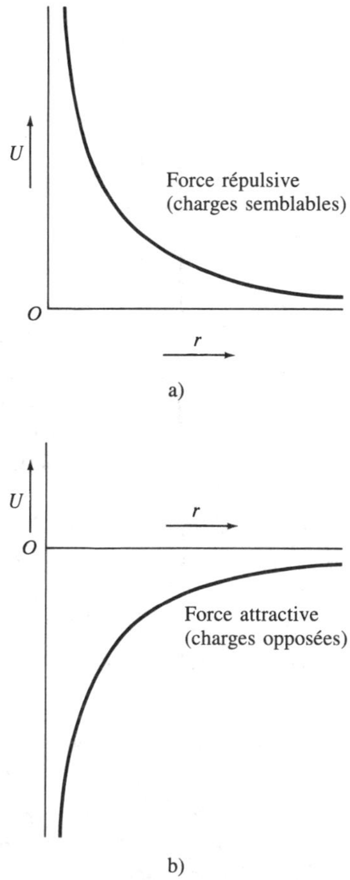

FIGURE 12.7 L'énergie potentielle en fonction de la séparation de deux charges ponctuelles a) de mêmes signes et b) de signes opposés.

12.2 Les diagrammes d'énergie potentielle des molécules

Il est utile d'analyser l'interaction entre deux objets, par exemple entre deux atomes ou molécules, à l'aide d'un schéma d'énergie potentielle constitué par un graphique de l'énergie potentielle en fonction de la distance.

Dans le cas simple de deux charges ponctuelles q_1 et q_2, l'énergie potentielle est donnée par:

$$U = \frac{1}{4\pi\varepsilon_0}\frac{q_1q_2}{r},$$

où r est la distance entre les charges. Comme le montre la figure 12.7a, lorsque les deux charges sont de signes identiques, l'énergie potentielle est positive pour toutes les valeurs de r. La force est répulsive (les charges sont de mêmes signes) et U croît lorsque r décroît. Par contre, lorsque les deux charges sont de signes opposés, l'énergie potentielle est négative parce que le produit q_1q_2 est négatif. La force est donc attractive dans ce cas, et le graphique de U en fonction de r ($\propto -1/r$) ressemble à celui de la figure 12.7b. L'énergie potentielle devient de plus en plus *négative* lorsque r décroît.

Examinons maintenant le schéma d'énergie potentielle pour la formation d'un lien covalent, par exemple pour la formation de la molécule d'hydrogène, H_2. La figure 12.8 donne un graphique de l'énergie potentielle entre deux atomes d'hydrogène. Plus la distance diminue entre les atomes, plus l'énergie potentielle diminue aussi; ceci résulte du fait que les électrons se concentrent entre les deux noyaux (figure 12.2), ce qui produit une attraction. À de très petites distances, toutefois, les électrons sont «chassés», car il n'y a plus de place pour eux entre les deux atomes. Sans les électrons entre eux, chaque noyau subirait une force répulsive produite par l'autre, si bien que U croît quand r décroît davantage. Il existe une séparation optimale entre les atomes, r_0 dans la figure 12.8, qu'on appelle état fondamental. Ce point est le point de plus grande stabilité pour la molécule d'hydrogène, et r_0 est la séparation moyenne entre les atomes de la molécule H_2. La profondeur de ce «puits» est l'énergie de liaison†, telle qu'elle

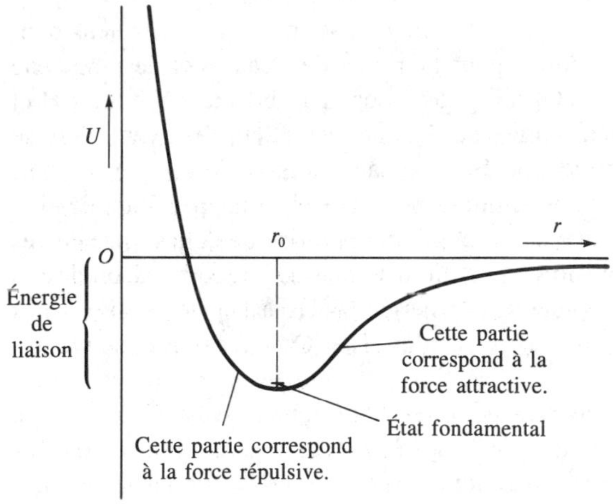

FIGURE 12.8 Schéma de l'énergie potentielle pour une molécule H_2; r est la séparation des deux atomes H. L'énergie de liaison (la différence d'énergie entre $U = 0$ et l'énergie de l'état fondamental près du fonds du puits) est 4,5 eV et $r_0 = 0{,}074$ nm.

† L'énergie de liaison ne correspond pas tout à fait au bas de la courbe de l'énergie potentielle, mais à l'état fondamental, légèrement au-dessus de la courbe, comme dans la figure 12.8.

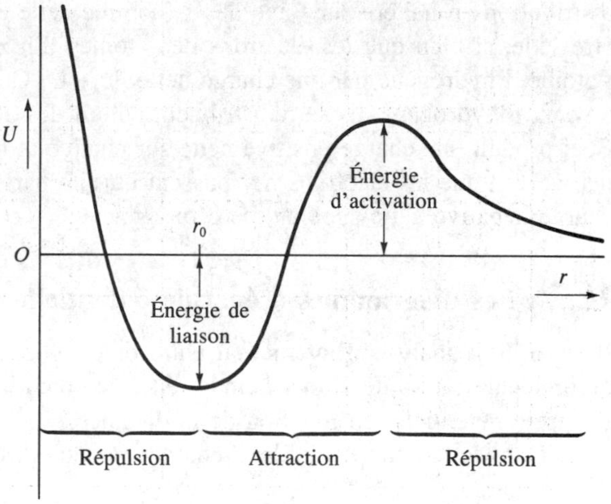

FIGURE 12.9 Schéma de l'énergie potentielle pour un lien nécessitant une énergie d'activation.

est indiquée dans la figure, c'est-à-dire la quantité d'énergie qu'il faut donner au système pour séparer les deux atomes à l'infini, où $U = 0$. Pour la molécule H_2, l'énergie de liaison est d'environ 4,5 eV et $r_0 = 0{,}074$ nm. Pour des atomes plus lourds, par exemple l'oxygène ou l'azote, il se produit aussi de la répulsion à de petites distances, parce que les couches électroniques internes fermées commencent à se chevaucher et que le principe d'exclusion interdit qu'elles ne s'approchent trop. La partie répulsive de la courbe varie même de façon plus abrupte que $1/r$. Une approximation raisonnable pour l'énergie potentielle, au moins dans le voisinage de r_0, est:

$$U = -\frac{A}{r^m} + \frac{B}{r^n}, \tag{12.1}$$

où A et B sont des constantes associées aux parties attractive et répulsive de l'énergie potentielle, et où m et n sont de petits entiers. Pour les liens ioniques et certains liens covalents, le terme attractif peut souvent s'écrire avec $m = 1$ (potentiel de Coulomb).

Pour plusieurs types de lien, la courbe de l'énergie potentielle a la forme que montre la figure 12.9. Il y a toujours une distance optimale r_0 à laquelle la molécule est stable. Mais quand les atomes se dirigent l'un vers l'autre à partir d'une grande distance, la force est d'abord répulsive et non attractive. Les atomes ne se lient donc pas spontanément. Il est en fait nécessaire d'injecter de l'énergie additionnelle dans le système pour leur faire franchir la «bosse» (ou barrière) dans le diagramme de l'énergie potentielle. Cette énergie requise s'appelle *énergie d'activation.*

La courbe de la figure 12.9 est beaucoup plus courante que celle de la figure 12.8. L'énergie d'activation résulte souvent de l'obligation de briser d'autres liens pour que puisse se faire le lien recherché. Ainsi, pour fabriquer de l'eau avec de l'oxygène et de l'hydrogène, les molécules H_2 et O_2 doivent d'abord être brisées en atomes H et O; c'est ce que l'énergie d'activation représente. Les atomes H et O peuvent alors se combiner en molécules H_2O, l'énergie libérée dépassant alors de beaucoup l'apport initial en énergie. L'énergie d'activation initiale peut être fournie par l'application d'une décharge électrique à un mélange de H_2 et O_2, ce qui brise quelques-unes de ces molécules en atomes H et O. L'explosion d'énergie résultant de la combinaison de ces atomes en molécules H_2O fournit rapidement l'énergie d'activation nécessaire à des réactions supplémentaires, de sorte que des molécules H_2 et O_2 se brisent et se recombinent en molécules H_2O.

La forme des diagrammes d'énergie pour les liens ioniques est similaire. La figure 12.10 montre l'énergie potentielle pour le système Na^+Cl^-, c'est-à-dire pour les atomes Na^+ et Cl^- en fonction de leur séparation. Nous posons $U = 0$ pour les atomes Na et Cl libres. L'énergie potentielle à la droite de $r = 0{,}94$ nm, correspondant aux ions Na^+ et Cl^-, est plus grande que zéro parce que l'électron de valence du Na est attiré un peu plus fort par le Na que par le Cl. (Souvenez-vous de notre discussion à propos

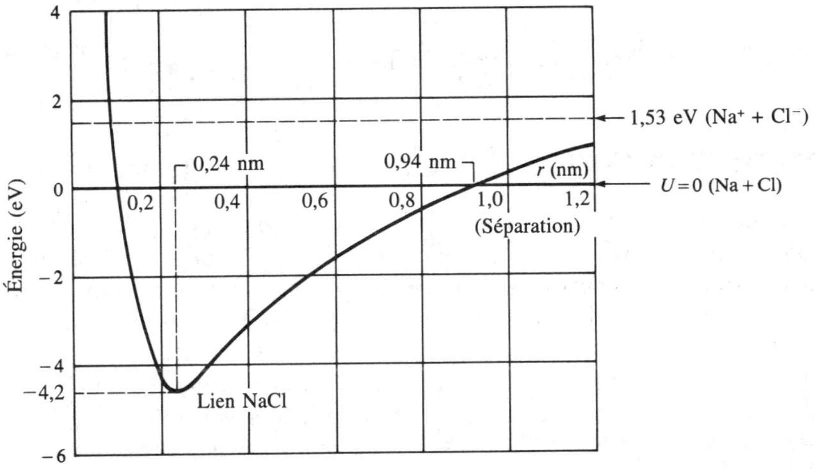

FIGURE 12.10 L'énergie potentielle pour la formation du lien ionique NaCl. $U = 0$ pour les atomes Na et Cl libres. Quand un électron passe de Na à Cl, en formant les ions Na^+ et Cl^-, l'énergie du système augmente de 1,53 eV. Toutefois, ces ions s'attirent fortement l'un l'autre, et à $r = 0{,}94$ nm, U devient nul à nouveau. À $r = 0{,}24$ nm, l'énergie atteint un minimum (−4,2 eV), ce qui forme le lien ionique NaCl.

des figures 12.4 et 12.5.) Quantitativement, il faut 5,14 eV pour arracher l'électron de valence de l'atome Na et ainsi produire un ion Na^+. Si cet électron s'attache à l'atome neutre Cl de façon à former un ion Cl^-, il se produit une émission d'énergie de 3,61 eV (ce qui correspond à l'énergie nécessaire pour arracher l'électron de l'ion Cl^-). Il semble donc que le système Na^+Cl^- est plus élevé en énergie que les atomes Na et Cl libres de 5,14 – 3,61 eV = + 1,53 eV (ce qui correspond à l'énergie potentielle des ions libres Na^+ et Cl^-, très à droite dans la figure 12.10), si bien qu'un lien ionique semble impossible. Il faut toutefois inclure un autre terme d'énergie qui rendra $U < 0$ pour un petit r: l'énergie potentielle électrique des deux ions (considérés comme charges ponctuelles), laquelle est:

$$U_{\text{ions}} = -\frac{1}{4\pi\varepsilon_0}\frac{e^2}{r}.$$

Si nous posons $U_{\text{ions}} = -1{,}53$ eV dans cette expression, nous trouvons la séparation r à laquelle $U = 0$:

$$r = -\frac{1}{4\pi\varepsilon_0}\frac{e^2}{U_{\text{ions}}} = -(9{,}0 \times 10^9\ \text{N}\cdot\text{m}^2/\text{C}^2)\frac{(1{,}6 \times 10^{-19}\ \text{C})^2}{(-1{,}53\ \text{eV})(1{,}6 \times 10^{-19}\ \text{J/eV})} = 0{,}94\ \text{nm}.$$

Dans le graphique de la figure 12.10, cette valeur correspond au point d'intersection de la courbe de U avec l'axe des r ($U = 0$). Pour $r < 0{,}94$ nm, l'attraction augmente; l'énergie totale chute sous zéro et atteint un minimum à $r = 0{,}24$ nm, comme dans la figure. La profondeur du puits correspond à une énergie de liaison de 4,2 eV pour le lien ionique d'une molécule de NaCl. Pour une séparation r plus petite, les fonctions d'onde électroniques commencent à se chevaucher et U croît abruptement en devenant fortement répulsive, comme dans la figure.

Parfois l'énergie potentielle d'un lien ressemble à celle de la figure 12.11. Dans ce cas, l'énergie de la molécule liée, à une séparation de r_0, est plus élevée que lorsqu'il n'y a pas de lien ($r = \infty$). Ce qui signifie qu'un *apport* d'énergie est requis pour créer le lien (l'énergie de liaison est donc négative) et qu'il y a émission d'énergie lorsque le lien est brisé. Un tel lien n'est stable qu'en raison de la barrière de l'énergie d'activation. Ce type de lien est important, notamment dans les cellules vivantes, parce qu'il permet d'emmagasiner efficacement l'énergie dans certaines molécules, en particulier l'ATP (adénosine-triphosphate). Le lien entre le dernier groupe phosphate (représenté par Ⓟ dans la figure 12.11) et le reste de la molécule (ADP, ce qui signifie adénosine-diphosphate, car ce reste ne contient que deux groupes de phosphate) est de la forme illustrée à la figure 12.11. De l'énergie est en effet emmagasinée dans ce lien. Quand le lien est brisé (ATP → ADP + Ⓟ), il en résulte une émission d'énergie qui peut être utilisée pour activer d'autres réactions chimiques.

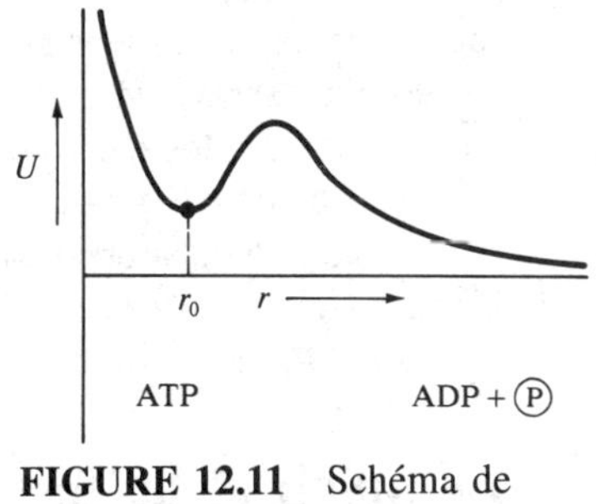

FIGURE 12.11 Schéma de l'énergie potentielle pour la formation de l'ATP à partir de l'ADP et d'un groupe phosphate (Ⓟ).

ENCADRÉ 12.1

Les fenêtres électromagnétiques de l'atmosphère

Le rayonnement électromagnétique à la surface de la Terre dépend presque exclusivement du rayonnement solaire. La couche externe terrestre, sur une épaisseur d'à peine plus d'un mètre, constitue un écran qui isole quasi complètement la surface de la Terre de ce qui se passe à l'intérieur, parce que la terre et les roches sont de très mauvais conducteurs de chaleur. La surface de la Terre réémet donc pratiquement en totalité vers l'espace le rayonnement électromagnétique qu'elle reçoit du Soleil.

La couche atmosphérique, traversée dans un sens par le rayonnement solaire et dans l'autre par le rayonnement terrestre, est opaque à certaines longueurs d'onde et transparente à d'autres: on dit que l'atmosphère présente des fenêtres électromagnétiques.

Les divisions du spectre électromagnétique

L'existence d'ondes électromagnétiques est liée à l'existence de structures électromagnétiques; le vide à lui seul ne peut produire ni absorber une onde. L'excitation et la désexcitation d'une structure (changements de niveaux quantiques de la structure) donnent lieu aux phénomènes d'absorption et d'émission d'ondes.

La figure 1 montre le spectre électromagnétique s'étendant des ondes dites radio aux ondes (rayons) dites gamma (γ).

L'oscillation d'une charge électrique produit une onde électromagnétique. Par exemple, la plupart des molécules présentent une inhomogénéité électrique à l'échelle moléculaire: elles forment des dipôles électriques qui, quand ils oscillent, peuvent émettre et absorber. La variation de charge engendre l'émission, et, s'il y a lieu, l'absorption d'une onde dans l'infrarouge, où les fréquences sont plus faibles que dans le visible ou l'ultraviolet. Dans ces deux derniers domaines, ce sont les électrons qui oscillent et ce, à des fréquences considérables à cause de leur masse bien plus faible que celle des noyaux. Comme le montre la figure 1, une structure électromagnétique particulière correspond à chaque domaine.

Le Soleil et la Terre, les émetteurs de rayonnement

Tout corps émet un rayonnement électromagnétique. Plus le corps forme une structure compliquée et comportant beaucoup de niveaux d'énergie, plus son rayonnement s'approche de celui d'un corps noir (voir l'encadré 9.1). Les deux principales sources de rayonnement électromagnétique à la surface de la Terre sont le Soleil, qui rayonne à 6000 K, et la Terre elle-même, qui rayonne à 300 K. L'énergie rayonnée par la Terre provient de l'énergie qu'elle reçoit du Soleil. La figure 2 montre l'éclairement spectral (énergie par unité d'aire de surface éclairée et par unité de longueur d'onde) solaire obtenu juste au-dessus de l'atmosphère terrestre, et l'exitance spectrale (énergie par unité d'aire de surface émettrice et par unité de longueur d'onde) terrestre.

Les aires respectives sous les courbes de la figure 2 doivent être sensiblement égales puisque la première courbe représente la puissance reçue par la Terre et la deuxième, la puissance qu'elle réémet.

La majeure partie du rayonnement solaire qui traverse l'atmosphère se trouve dans le domaine du visible et un peu dans celui de l'infrarouge. Or le rayonnement réémis par le sol se fait surtout dans l'infrarouge, domaine des longueurs d'onde pour lequel l'atmosphère est en partie opaque à cause de la présence du CO_2. Toute augmentation de CO_2 diminue donc la quantité d'énergie rayonnée par la Terre vers l'extérieur, ce qui cause l'«effet de serre».

Les fenêtres atmosphériques

Le rayonnement pouvant traverser l'atmosphère terrestre dépend directement de sa composition. Celle-ci est composée, en volume (donc en quantité de particules), de 78 % d'azote, de 21 % d'oxygène, de 1 % d'argon et, dans des proportions extrêmement faibles, de néon, d'hélium, de krypton, de xénon, d'hydrogène et de méthane (CH_4); ces proportions se maintiennent jusqu'à une altitude d'environ 90 km. À ces gaz «permanents» s'ajoutent la vapeur d'eau, dont la proportion dans un volume donné peut varier entre 0 et 7 %, le gaz carbonique (CO_2) (entre 0,01 et 0,1 % près du sol), l'ozone (O_3), le bioxyde de soufre (SO_2), le bioxyde d'azote (NO_2) et l'hémioxyde d'azote (N_2O).

La figure 3 montre le pourcentage de transmission, à travers l'atmosphère, du rayonnement électromagnétique, depuis les courtes longueurs d'onde jusqu'aux plus grandes, de l'ultraviolet au domaine radio. Au-delà du visible, on retrouve les rayons ultraviolets et gamma (γ) absorbés par la couche

FIGURE 1 Le spectre électromagnétique.

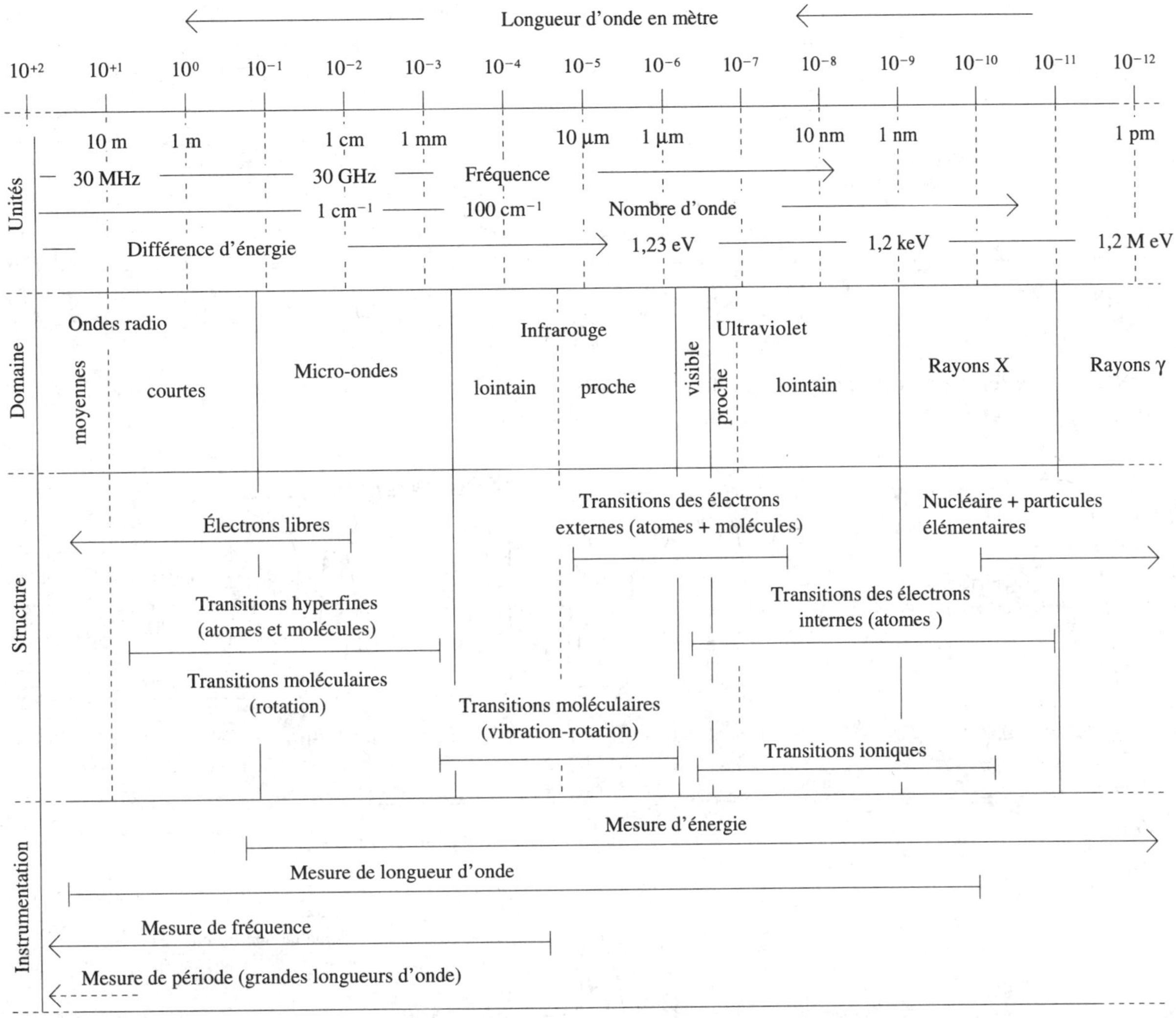

La partie supérieure de la figure détaille les unités des concepts de longueur d'onde, de fréquence, de nombre d'onde et d'énergie. Leurs valeurs sont reliées univoquement entre elles par la formule $\lambda = c/f$, qui lie la longueur d'onde λ à la fréquence f au moyen de la vitesse de la lumière dans le vide c, et par la formule de Planck $E = hf$, qui lie l'énergie E à la fréquence f au moyen de la constante de Planck h. Dans le domaine radio, on parle plus volontiers de fréquence, dans les domaines des micro-ondes et des infrarouges, de nombre d'onde (l'inverse de la longueur d'onde) en cm^{-1}, dans les domaines de l'ultraviolet et des rayons γ, d'énergie en électron-volt (eV) ou ses multiples.

La deuxième partie présente les étiquettes des domaines du spectre.

La troisième partie expose les différentes structures électromagnétiques. Des grandes longueurs d'onde jusqu'au milieu du domaine micro-onde, les structures électromagnétiques sont macroscopiques et, pour la plupart, de fabrication humaine, comme l'antenne de radio: ce sont des fils métalliques de différentes longueurs dans lesquels oscillent les électrons libres du métal, ce qui engendre des ondes de fréquences égales à celles des oscillations. Plus loin, on retrouve les structures d'interaction hyperfine (interaction magnétique entre le spin d'un électron et le spin du noyau de l'atome), ainsi que les structures rotationnelles et les structures vibrationnelles moléculaires, dont les changements de niveaux (respectivement les transitions hyperfines et les transitions moléculaires) engendrent l'émission ou l'absorption d'ondes dans les domaines radio (ondes courtes), micro-onde et infrarouge. Viennent ensuite les structures atomiques, dont les transitions entre les différents niveaux électroniques engendrent des fréquences se situant, soit dans le visible et le proche ultraviolet pour les électrons des couches externes soit dans l'ultraviolet lointain et le domaine des rayons X pour les électrons internes. Enfin viennent les structures plus élémentaires, comme les noyaux atomiques excités et certaines particules élémentaires, dont la désintégration radioactive engendre les rayons γ.

La dernière partie de la figure (instrumentation) montre que, par exemple, du domaine radio jusqu'au milieu du domaine des rayons X, on dispose d'instruments variés pouvant mesurer la longueur d'onde.

FIGURE 2 L'éclairement solaire et l'exitance terrestre.

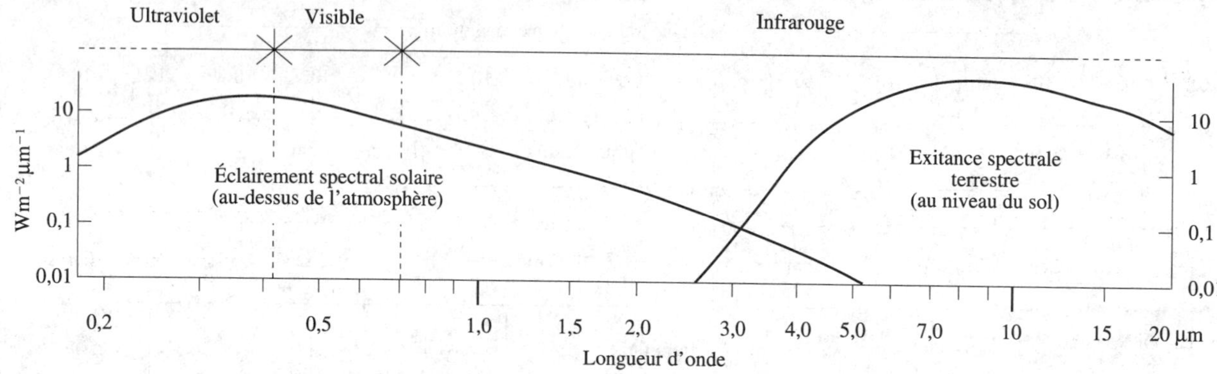

FIGURE 3 Les fenêtres électromagnétiques de l'atmosphère.

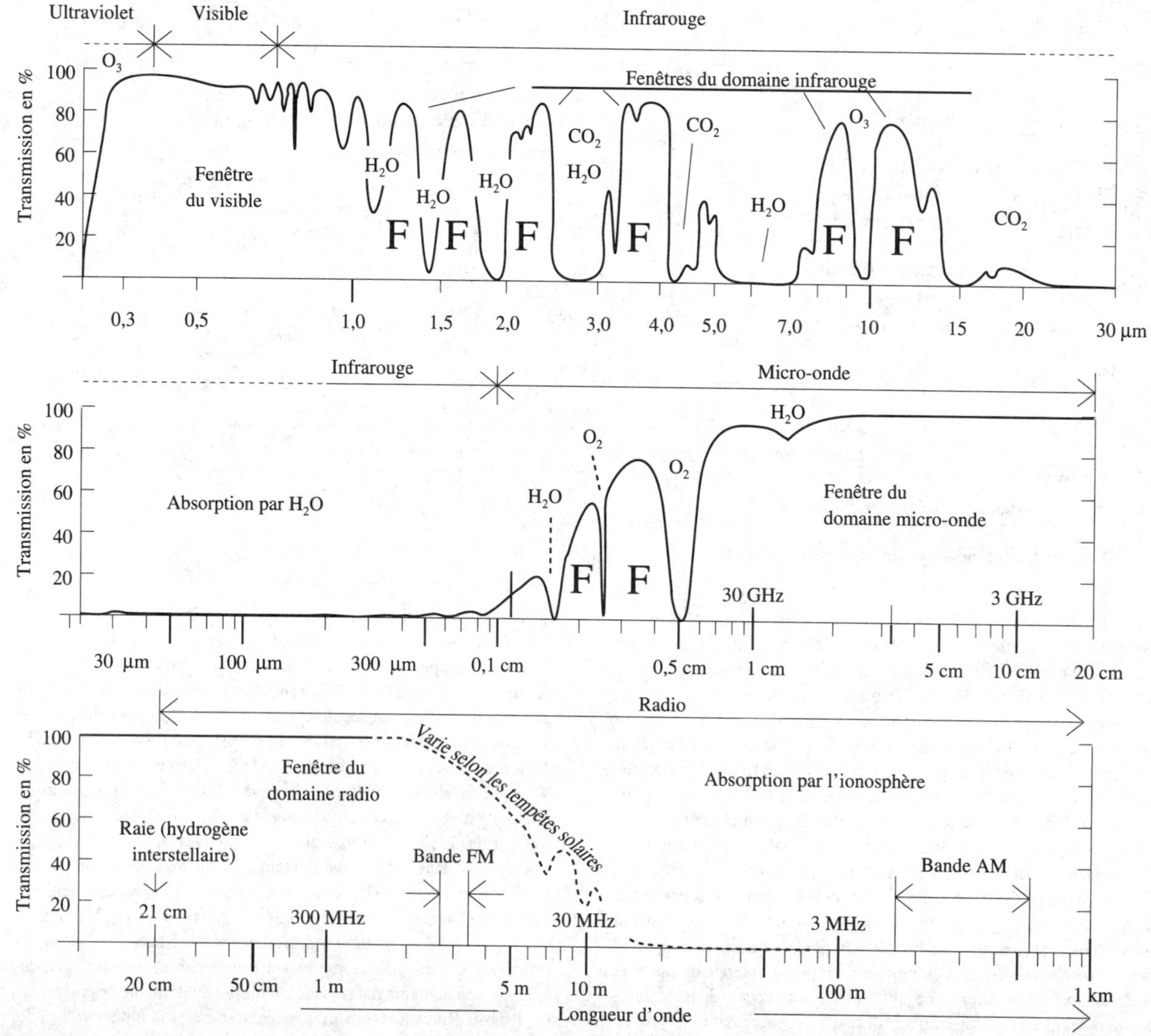

FIGURE 4 Les responsables de l'absorption électromagnétique dans le proche infrarouge.

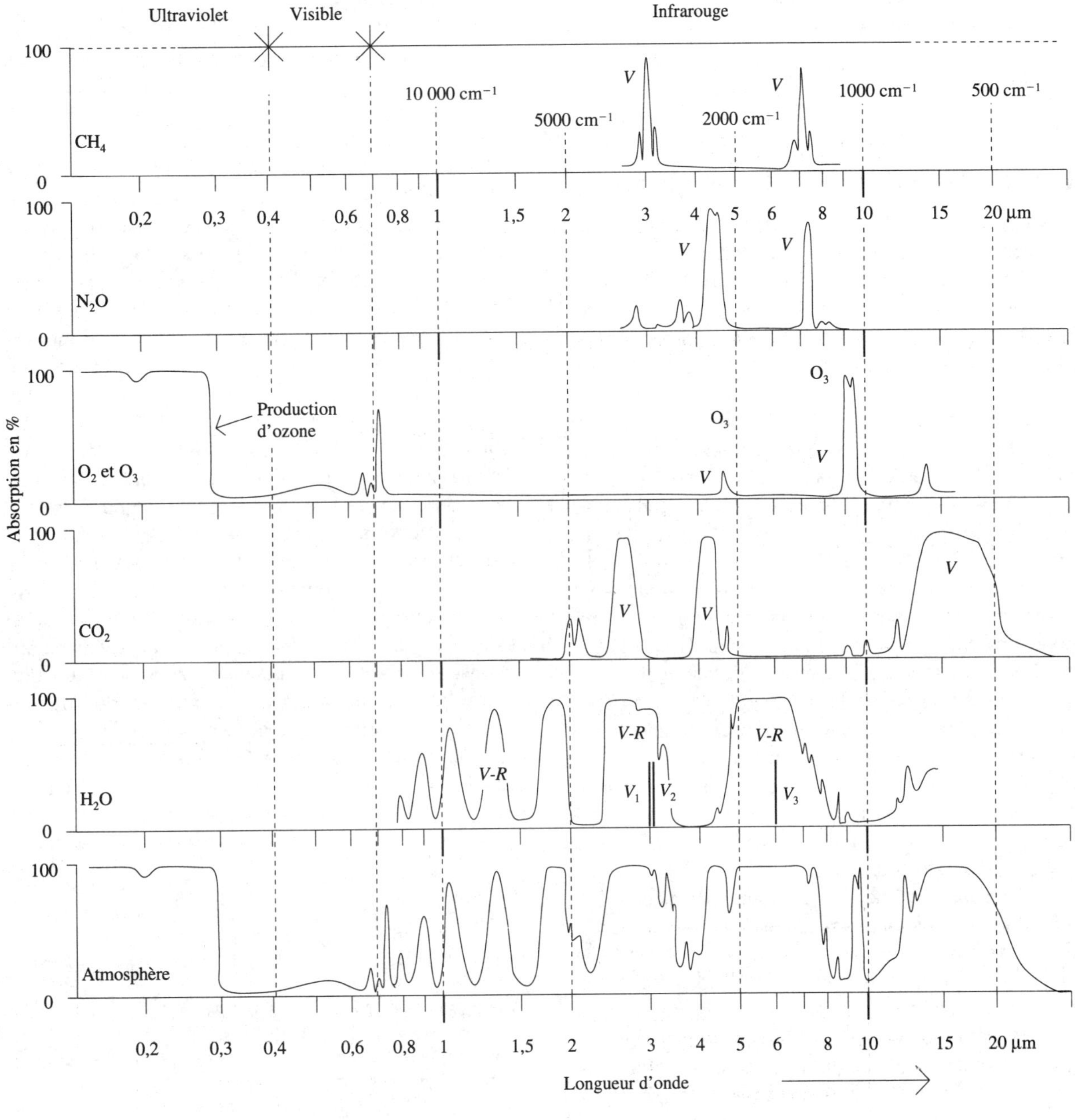

atmosphérique. Cette courbe de transmission met en évidence l'existence de fenêtres à travers lesquelles le rayonnement est très peu atténué; toutes sont extrêmement utiles et de plus en plus exploitées. Les substances chimiques responsables de l'absorption y sont indiquées par leurs symboles.

Les responsables de l'absorption

Les rayons gamma (γ) interagissent fortement avec les atomes et sont ainsi absorbés; les rayons ultraviolets sont absorbés en participant à la formation d'ozone selon une chaîne de réactions assez complexe, et aussi par absorption des atomes de l'atmosphère dont les fréquences de transition se trouvent dans le domaine ultraviolet.

Dans le visible, peu de rayonnement est absorbé. Les atomes d'azote et d'oxygène ont surtout leurs fréquences de transition dans l'ultraviolet.

Dans le domaine infrarouge, les molécules d'eau (H_2O), d'hémioxyde d'azote (N_2O), de gaz carbonique (CO_2), d'ozone (O_3) et de méthane (CH_4) jouent un rôle prépondérant. La figure 4 montre leurs effets respectifs dans le proche infrarouge. Le symbole *V* s'applique à une structure vibrationnelle, et le symbole *V-R*, à une structure vibro-rotationnelle.

Quant à la molécule d'azote (N_2), la plus populeuse, pourquoi ne cause-t-elle aucune absorption dans l'infrarouge? Elle ne peut former de dipôle électrique et ne peut donc ni émettre ni absorber d'onde électromagnétique, pas plus en vibration qu'en rotation, parce qu'elle est linéaire, symétrique et qu'elle n'a que deux atomes.

Il en est de même pour la molécule d'oxygène (O_2), à une exception cependant. En effet, cette molécule a un moment angulaire électronique non nul dans son état fondamental; seules environ 0,1 % des molécules à l'état gazeux jouissent de cette propriété, comme NO, NO_2 et ClO_2. Elle possède donc un moment magnétique dipolaire, ce qui la rend capable d'émettre et d'absorber. On retrouve donc, comme le montre la figure 3, deux creux dans la courbe de transmission, autour de 0,25 cm de longueur d'onde et autour de 0,5 cm de longueur d'onde.

La molécule CO_2 est linéaire et symétrique (O-C-O). Elle ne peut donc émettre en rotation, mais elle peut émettre en vibration, soit quand un oxygène se rapproche du carbone et que l'autre s'en éloigne, soit quand elle vibre en flexion.

Comme l'illustre la figure 3, l'absorption entre 50 μm et 0,1 cm de longueur d'onde est principalement due à la rotation de la molécule d'eau. Comme la présence de vapeur d'eau varie selon le lieu et le temps, la proportion d'absorption varie en conséquence. Ensuite vient la fenêtre du domaine micro-onde. Plusieurs couches d'ions formant l'ionosphère la limitent du côté des grandes longueurs d'onde. Les électrons libérés opèrent de la même façon que les électrons libres du métal qui réfléchit l'onde. Cette limite de la fenêtre est très variable: elle dépend de l'interaction entre l'ionosphère et le vent solaire qui, lui, varie avec les tempêtes à la surface du Soleil.

En conclusion, l'atmosphère constitue un système fort délicat, perméable ou non aux ondes électromagnétiques selon la longueur d'onde, et susceptible de produire des effets bons ou mauvais, selon le cas. Par exemple, l'opacité de l'atmosphère au rayonnement ultraviolet, grâce à la couche d'ozone, est l'un des effets bénéfiques; par contre, l'opacité de l'atmosphère au rayonnement (infrarouge) venant de la Terre, et causée par la couche de CO_2, occasionne l'effet de serre. Malgré tout, toute fenêtre, quelle qu'elle soit, est bénie par les astronomes et par les concepteurs de satellites détecteurs du rayonnement terrestre.

P.-É. O.

Références

ENCYCLOPÉDIE DE LA PLÉIADE (1971). *Géophysique*, Paris, Éditions Gallimard.

Robert G. FLEAGLE et Joost A. BUSINGER (1980). *An Introduction to Atmospheric Physics*, Academic Press.

Floyd F. SABINS, Jr. (1987). *Remote Sensing, Principles and Interpretation*, Remote Sensing Enterprises, Inc.

John R. SCHOTT (1989). «Remote Sensing of the Earth: a Synoptic View», *Physics Today*, 72-79.

12.3 Les liens faibles (ou de van der Waals)

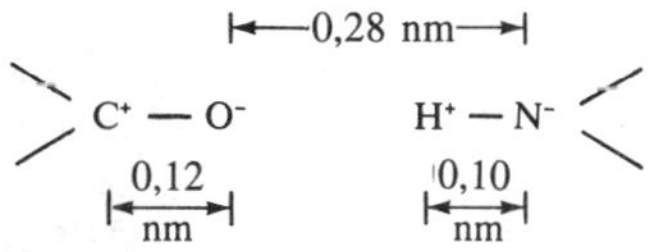

FIGURE 12.12 Les dipôles $C^+—O^-$ et $H^+—N^-$ s'attirent l'un l'autre. (Ces dipôles peuvent faire partie, respectivement, des molécules de thymine et d'adénine, qui sont des composants de l'ADN.)

Dès qu'un lien entre deux atomes ou ions est formé, il faut normalement un apport d'énergie pour briser ce lien et séparer les atomes. Comme nous l'avons mentionné dans la section 12.1, cette énergie s'appelle l'*énergie de liaison*. L'énergie de liaison pour les liens covalents et ioniques est typiquement de 2 à 5 eV. Ces liens, qui tiennent les atomes ensemble à l'intérieur des molécules, sont souvent appelés des **liens forts** pour les distinguer de ce qu'on appelle des «liens faibles». Le terme **lien faible**, tel que nous l'utilisons ici, se rapporte à la liaison entre molécules résultant de la simple attraction électrostatique, par exemple *entre* des molécules polaires (et non *à l'intérieur* d'une molécule polaire, ce qui est un lien fort). La force de la liaison est bien moindre que pour les liens forts. Les énergies de liaison y sont typiquement de l'ordre de 0,04 à 0,3 eV, d'où leur nom de «liens faibles».

Les liens faibles résultent généralement de l'attraction entre dipôles. Ainsi, la figure 12.12 montre deux molécules qui ont un moment dipolaire permanent et qui s'attirent mutuellement. En plus de ces *liens dipôle–dipôle*, il peut aussi y avoir des liens *dipôle–dipôle induit*, dans lesquels une molécule polaire, possédant un moment dipolaire permanent, peut induire un moment dipolaire dans une molécule par ailleurs électriquement équilibrée (non polaire), tout comme une seule charge peut induire une séparation de charge dans un objet proche (figure 1.5 du tome 2). Il peut même y avoir de l'attraction entre des molécules non polaires. En effet, même si une molécule peut ne pas avoir un moment dipolaire permanent en moyenne, nous pouvons imaginer que ses électrons bougent continuellement, de sorte qu'à tout instant il peut y avoir une séparation de charge. De tels dipôles momentanés peuvent induire un moment dipolaire dans une molécule voisine et ainsi créer une faible attraction. Tous ces faibles liens sont appelés des **liens de van der Waals** et les forces engagées, des *forces de van der Waals*. L'énergie potentielle a la forme générale illustrée à la figure 12.8, avec l'énergie attractive de van der Waals variant comme $U \sim 1/r^6$.

Quand l'un des atomes dans un lien dipôle-dipôle est l'hydrogène, le lien est alors souvent appelé **lien hydrogène**. Le lien hydrogène est généralement le plus fort des liens faibles. Ceci est dû au fait que l'atome d'hydrogène est le plus petit atome et qu'il peut donc être approché de plus près. Les liens hydrogène ont aussi un caractère partiellement «covalent», c'est-à-dire que les électrons entre les deux dipôles peuvent être partagés à un faible degré.

Les liens faibles sont importants dans les liquides et les solides quand il n'y a pas de liens forts (voir la section 12.5) et ils sont aussi très importants pour la compréhension des activités cellulaires, comme la réplication de l'ADN (figure 1.37 du tome 2 et figure 12.12). L'énergie cinétique moyenne des molécules dans une cellule est d'environ $\frac{3}{2}kT \approx 0{,}04$ eV, soit de l'ordre de grandeur des liens faibles. Ceci signifie qu'un lien faible peut facilement être brisé juste par une collision moléculaire. Les liens faibles ne sont donc pas permanents; il ne sont en fait que des attaches brèves. Précisément pour cette raison, toutefois, ils jouent un rôle important dans la cellule. Par ailleurs, les liens forts (ceux qui retiennent les molécules ensemble) ne sont presque jamais brisés par une simple collision moléculaire. Ils sont donc relativement permanents. Ils peuvent être brisés par action chimique (la fabrication de liens encore plus forts), et ceci se produit ordinairement dans la cellule avec l'aide d'un enzyme.

12.4 Les spectres moléculaires

Quand des atomes se combinent pour former des molécules, les fonctions d'onde des électrons externes se chevauchent et cette interaction modifie les niveaux d'énergie. Néanmoins, tout comme les atomes, les molécules peuvent effectuer des transitions entre les différents niveaux d'énergie des électrons. Ainsi, la molécule H_2 peut absorber un photon de juste la bonne fréquence pour exciter un de ses électrons $1s$ à un état $2p$. L'électron excité peut alors retourner à l'état fondamental en émettant un photon.

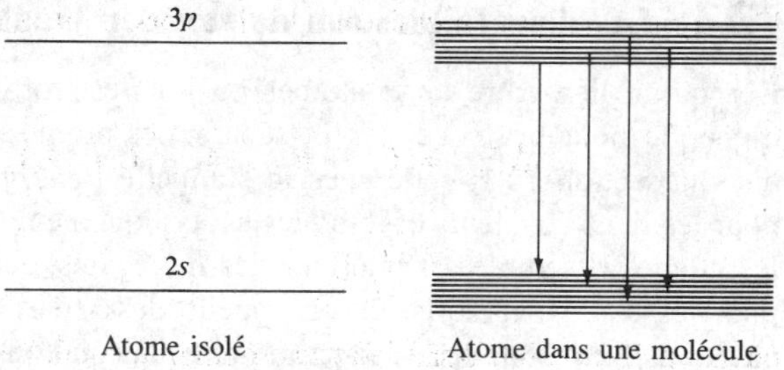

FIGURE 12.13 Les niveaux d'énergie individuels d'un atome isolé deviennent des bandes de niveaux très rapprochés dans les molécules de même que dans les solides et dans les liquides.

L'énergie des photons émis par les molécules est du même ordre de grandeur que celle émise par les atomes, typiquement de 1 à 10 eV.

Des niveaux d'énergie additionnels deviennent possibles pour les molécules (mais non pour les atomes) parce que la molécule peut tourner en entier et les atomes de la molécule peuvent vibrer relativement les uns aux autres. Les niveaux d'énergie de rotation aussi bien que de vibration sont quantifiés; ils sont généralement beaucoup moins espacés (10^{-3} à 10^{-1} eV) que les niveaux électroniques voisins. Chaque niveau d'énergie atomique devient ainsi un ensemble de niveaux très rapprochés correspondant aux mouvements de vibration et de rotation (figure 12.13). Les transitions d'un niveau à un autre apparaissent comme plusieurs raies très peu espacées. En fait, les raies ne sont pas toujours discernables, et ces spectres s'appellent des **spectres de bande.** Chaque type de molécule a son propre spectre caractéristique qui peut être utilisé pour l'identifier ou déterminer sa structure.

La rotation moléculaire. Examinons maintenant plus en détail les états de rotation et de vibration des molécules. Nous commencerons par la rotation en ne considérant que les molécules diatomiques, dont l'analyse peut être étendue aux molécules polyatomiques. Quand une molécule diatomique tourne autour de son centre de masse (figure 12.14), son énergie cinétique de rotation (section 10.8 du tome 1) est:

$$E_{\text{rot}} = \tfrac{1}{2} I\omega^2 = \frac{(I\omega)^2}{2I},$$

où $(I\omega)$ est le moment angulaire (section 10.7 du tome 1). La solution de l'équation de Schrödinger conduit, comme on pouvait s'y attendre (voir l'équation 11.3), à la quantification du moment angulaire:

$$I\omega = \sqrt{L(L+1)}\hbar \qquad L = 0, 1, 2, \ldots,$$

où L est un entier, le *nombre quantique du moment angulaire de rotation.* L'énergie de rotation est donc quantifiée:

$$E_{\text{rot}} = L(L+1)\frac{\hbar^2}{2I} \qquad L = 0, 1, 2, \ldots \tag{12.2}$$

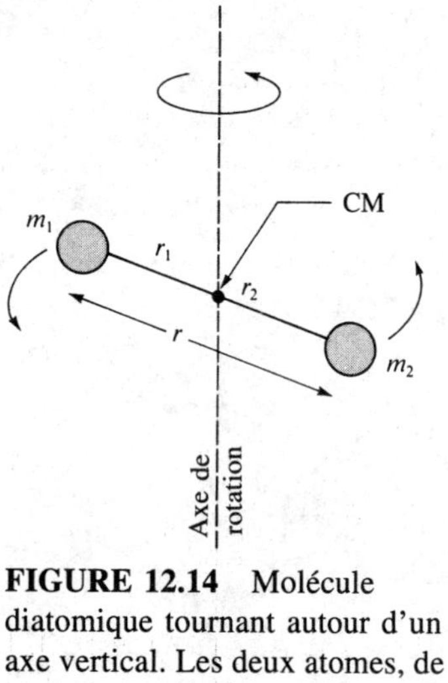

FIGURE 12.14 Molécule diatomique tournant autour d'un axe vertical. Les deux atomes, de masses m_1 et m_2, sont séparés par une distance $r = r_1 + r_2$, où r_1 et r_2 sont leurs distances respectives au centre de masse.

Le moment d'inertie autour du centre de masse (section 10.4 du tome 1) de la molécule représentée à la figure 12.14 est:

$$I = m_1 r_1^2 + m_2 r_2^2.$$

Nous montrons, dans l'exemple 12.1, que cette expression peut s'écrire:

$$I = \frac{m_1 m_2}{m_1 + m_2} r^2 = \mu r^2, \tag{12.3}$$

où $r = r_1 + r_2$ est la distance entre les deux atomes de la molécule et où $\mu = m_1 m_2/(m_1 + m_2)$ s'appelle la **masse réduite**. Si $m_1 = m_2$, alors $\mu = \frac{1}{2}m_1 = \frac{1}{2}m_2$.

Les transitions entre les niveaux d'énergie de rotation sont assujetties à la *règle de sélection*:

$$\Delta L = \pm 1.$$

L'énergie d'un photon émis ou absorbé lors d'une transition entre des états de rotation est:

$$\Delta E_{\text{rot}} = E_L - E_{L-1} = \frac{\hbar^2}{2I}L(L+1) - \frac{\hbar^2}{2I}(L-1)(L)$$

$$= \frac{\hbar^2}{I}L, \tag{12.4}$$

où L est le nombre quantique de moment angulaire de l'état supérieur. Nous voyons que l'énergie de transition augmente en raison directe de L. La figure 12.15 montre quelques niveaux d'énergie de rotation et les transitions permises. Les raies d'absorption mesurées se trouvent dans la région des micro-ondes ou des infrarouges lointains du spectre et leurs fréquences sont généralement 2, 3, 4... fois plus élevées que celles des raies les plus basses, conformément à l'équation 12.4 (voir l'exemple 12.2). Le moment d'inertie d'une molécule et la longueur des liens peuvent être calculés à partir des raies mesurées.

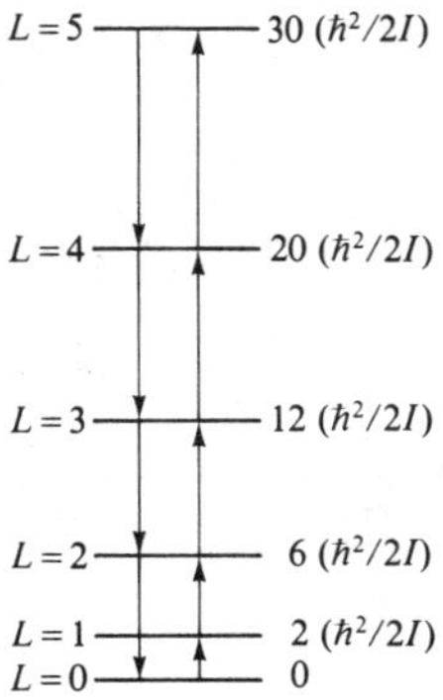

FIGURE 12.15 Niveaux d'énergie de rotation et transitions permises (émission et absorption) pour une molécule diatomique. Les flèches pointant vers le haut représentent l'absorption d'un photon et celles pointant vers le bas représentent une émission.

EXEMPLE 12.1 Montrez que le moment d'inertie d'une molécule diatomique tournant autour de son centre de masse peut s'écrire (équation 12.3):

$$I = \mu r^2,$$

où $\mu = m_1 m_2/(m_1 + m_2)$ est la masse réduite.

SOLUTION Le moment d'inertie d'une particule de masse m à une distance r de l'axe de rotation est $I = mr^2$. Et donc pour notre molécule diatomique (figure 12.14),

$$I = m_1 r_1^2 + m_2 r_2^2.$$

Or, $r = r_1 + r_2$ et $m_1 r_1 = m_2 r_2$ parce que l'axe de rotation passe par le centre de masse. Par conséquent,

$$r_1 = r - r_2 = r - \frac{m_1}{m_2} r_1,$$

et donc

$$r_1 = \frac{r}{1 + m_1/m_2} = \frac{m_2 r}{m_1 + m_2}.$$

De même,

$$r_2 = \frac{m_1 r}{m_1 + m_2},$$

et donc

$$I = m_1 \left(\frac{m_2 r}{m_1 + m_2} \right)^2 + m_2 \left(\frac{m_1 r}{m_1 + m_2} \right)^2 = \frac{m_1 m_2 (m_1 + m_2) r^2}{(m_1 + m_2)^2}$$

$$= \frac{m_1 m_2}{m_1 + m_2} r^2 = \mu r^2,$$

ce qu'il fallait démontrer.

EXEMPLE 12.2 Une transition entre les états de rotation $L = 1$ et $L = 0$ pour la molécule de CO a une longueur d'onde mesurée $\lambda_1 = 2{,}60$ mm (région des micro-ondes). Utilisez ceci pour calculer *a*) le moment d'inertie de la molécule de CO et *b*) la longueur du lien CO. *c*) Calculez la longueur d'onde et les énergies des trois transitions de rotation suivantes.

SOLUTION *a*) D'après l'équation 12.4,

$$\frac{\hbar^2}{I} L = \Delta E = hf = \frac{hc}{\lambda_1}.$$

Nous déterminons la valeur de I pour $L = 1$ (l'état supérieur):

$$I = \frac{\hbar^2 L}{hc}\lambda_1 = \frac{h\lambda_1}{4\pi^2 c} = \frac{(6{,}63 \times 10^{-34}\ \mathrm{J \cdot s})(2{,}60 \times 10^{-3}\ \mathrm{m})}{4\pi^2(3{,}00 \times 10^8\ \mathrm{m/s})} = 1{,}46 \times 10^{-46}\ \mathrm{kg \cdot m^2}.$$

b) Les masses de C et de O sont 12,0 u et 16,0 u respectivement, où 1 u = $1{,}66 \times 10^{-27}$ kg. La masse réduite est donc:

$$\mu = \frac{m_1 m_2}{m_1 + m_2} = \frac{(12{,}0)(16{,}0)}{28{,}0}(1{,}66 \times 10^{-27}\ \mathrm{kg}) = 1{,}14 \times 10^{-26}\ \mathrm{kg}$$

(ou 6,86 u). Par conséquent, d'après l'équation 12.3, la longueur du lien est:

$$r = \sqrt{\frac{I}{\mu}} = \sqrt{\frac{1{,}46 \times 10^{-46}\ \mathrm{kg \cdot m^2}}{1{,}14 \times 10^{-26}\ \mathrm{kg}}} = 1{,}13 \times 10^{-10}\ \mathrm{m} \quad \text{ou} \quad 0{,}113\ \mathrm{nm}.$$

c) D'après l'équation 12.4, $\Delta E \propto L$; et donc $\lambda = c/f = hc/\Delta E$ est proportionnel à $1/L$. Par conséquent pour les transitions de $L = 2$ à $L = 1$, $\lambda_2 = \frac{1}{2}\lambda_1 = 1{,}30$ mm; pour $L = 3$ à $L = 2$, $\lambda_3 = \frac{1}{3}\lambda_1 = 0{,}87$ mm; pour $L = 4$ à $L = 3$, $\lambda_4 = 0{,}65$ mm. Toutes sont proches des valeurs mesurées. Les énergies des photons, $hf = hc/\lambda$, sont respectivement $9{,}6 \times 10^{-4}$ eV, $1{,}4 \times 10^{-3}$ eV et $1{,}9 \times 10^{-3}$ eV.

L'espacement des niveaux d'énergie de rotation est donc de l'ordre de 10^{-3} eV pour la molécule CO. Pour la molécule H_2, les longueurs d'onde sont de l'ordre de 10^{-4} m, soit dans la région infrarouge extrême du spectre, et les énergies de transition sont de l'ordre de 10^{-2} eV (voir le problème 10).

La vibration moléculaire. L'énergie potentielle entre les deux atomes dans une molécule diatomique typique a la forme représentée aux figures 12.8 et 12.9; la figure 12.16 montre l'énergie potentielle pour la molécule H_2. Notons que U, au moins dans le voisinage de la séparation d'équilibre r_0, ressemble beaucoup à l'énergie potentielle d'un oscillateur harmonique, $U = \frac{1}{2}kx^2$, représentée par la courbe tracée au moyen de

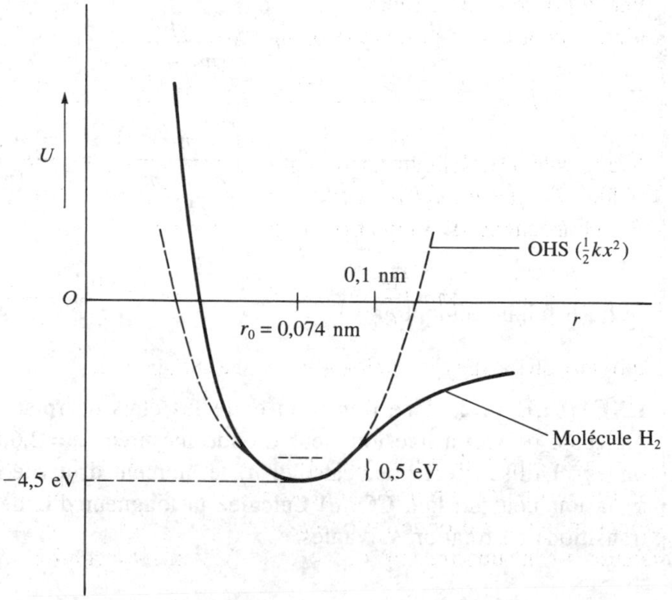

FIGURE 12.16 L'énergie potentielle pour la molécule H_2 et pour un oscillateur harmonique simple ($U = \frac{1}{2}kx^2$, avec $|x| = |r - r_0|$). L'intervalle d'énergie de 0,5 eV sert à estimer k dans l'exemple 12.3.

tirets. Ainsi, pour de petits déplacements par rapport à r_0, chaque atome subit une force de rappel proportionnelle au déplacement, et la molécule vibre comme un oscillateur harmonique simple (OHS). La fréquence classique de vibration est:

$$f = \frac{1}{2\pi}\sqrt{\frac{k}{\mu}}, \tag{12.5}$$

où k est la «constante de rappel» (voir le chapitre 15 du tome 1). Au lieu de la masse m, nous devons utiliser à nouveau la masse réduite $\mu = m_1 m_2/(m_1 + m_2)$. (Ceci fait l'objet du problème 14.) L'équation de Schrödinger pour un OHS donne des solutions pour l'énergie qui sont quantifiées, conformément à l'équation

$$E_{\text{vib}} = (v + \tfrac{1}{2})hf \qquad v = 0, 1, 2, ..., \tag{12.6}$$

où f est donnée par l'équation 12.5 et où v est un entier appelé le *nombre quantique de vibration.* L'état le plus bas ($v = 0$) n'a pas une énergie nulle (comme pour la rotation) mais a $E_{\text{vib}} = \frac{1}{2}hf$. Cette valeur s'appelle l'**énergie de l'état fondamental**. Les états d'énergie plus élevés ont les énergies $\frac{3}{2}hf$, $\frac{5}{2}hf$, et ainsi de suite (figure 12.17). Les transitions sont assujetties à la règle de sélection:

$$\Delta v = \pm 1,$$

de sorte que les transitions permises ne peuvent se produire qu'entre des états adjacents et qu'elles s'accompagnent toutes de l'émission de photons d'énergie

$$\Delta E_{\text{vib}} = hf. \tag{12.7}$$

Ceci est très près de la réalité pour un petit v, mais pour des énergies plus élevées, la courbe de l'énergie potentielle (figure 12.16) commence à s'écarter d'un OHS parfait, ce qui affecte alors les longueurs d'onde et les fréquences des transitions. Les énergies de transition typiques sont de l'ordre de 10^{-1} eV, soit environ 10 fois plus que pour les transitions de rotation, avec des longueurs d'onde dans la région infrarouge du spectre ($\approx 10^{-5}$ m).

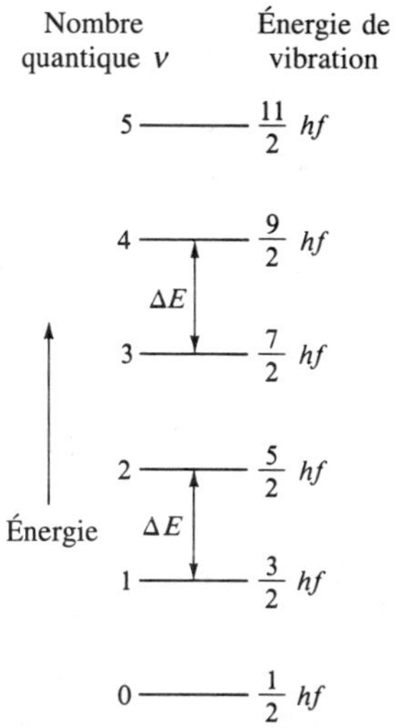

FIGURE 12.17 Énergies de vibration permises d'une molécule diatomique, où f est la fréquence fondamentale de vibration, donnée par l'équation 12.5. Les transitions ne sont permises qu'entre niveaux adjacents ($\Delta v = \pm 1$) qui sont également espacés.

EXEMPLE 12.3 *a*) Utilisez la courbe de la figure 12.16 pour estimer la valeur de la constante de rappel k pour la molécule H_2 puis *b*) estimez la longueur d'onde fondamentale pour les transitions de vibration.

SOLUTION *a*) La figure 12.16 indique une énergie de 0,50 eV; ceci correspond à une vibration de chaque côté de $r_0 = 0{,}074$ nm d'environ $x = \pm\, 0{,}017$ nm mesuré directement sur le graphique. Comme $U = \frac{1}{2}kx^2$ et $U = 0$ à $x = 0$ ($r = r_0$), alors

$$k = \frac{2U}{x^2} = \frac{2(0{,}50 \text{ eV})(1{,}6 \times 10^{-19} \text{ J/eV})}{(1{,}7 \times 10^{-11} \text{ m})^2} \approx 5{,}5 \times 10^2 \text{ N/m}.$$

(Cette valeur de k serait raisonnable aussi pour un ressort macroscopique.) *b*) La masse réduite est $\mu = m_1 m_2/(m_1 + m_2) = m_1/2 = \frac{1}{2}(1{,}0 \text{ u})(1{,}66 \times 10^{-27} \text{ kg}) = 0{,}83 \times 10^{-27}$ kg. Par conséquent, de l'équation 12.5, nous avons:

$$\lambda = \frac{c}{f} = 2\pi c\sqrt{\frac{\mu}{k}} = 2\pi(3{,}0 \times 10^8 \text{ m/s})\sqrt{\frac{0{,}83 \times 10^{-27} \text{ kg}}{5{,}5 \times 10^2 \text{ N/m}}} = 2{,}3\ \mu\text{m},$$

qui se trouve dans la région infrarouge du spectre.

Expérimentalement, nous procédons dans l'ordre inverse: les longueurs d'onde des transitions de vibration pour une molécule donnée sont mesurées, et c'est à partir de ces longueurs d'onde qu'on calcule la constante de rappel k. Les valeurs de k ainsi calculées sont une mesure de la force du lien moléculaire. (Voir les problèmes.)

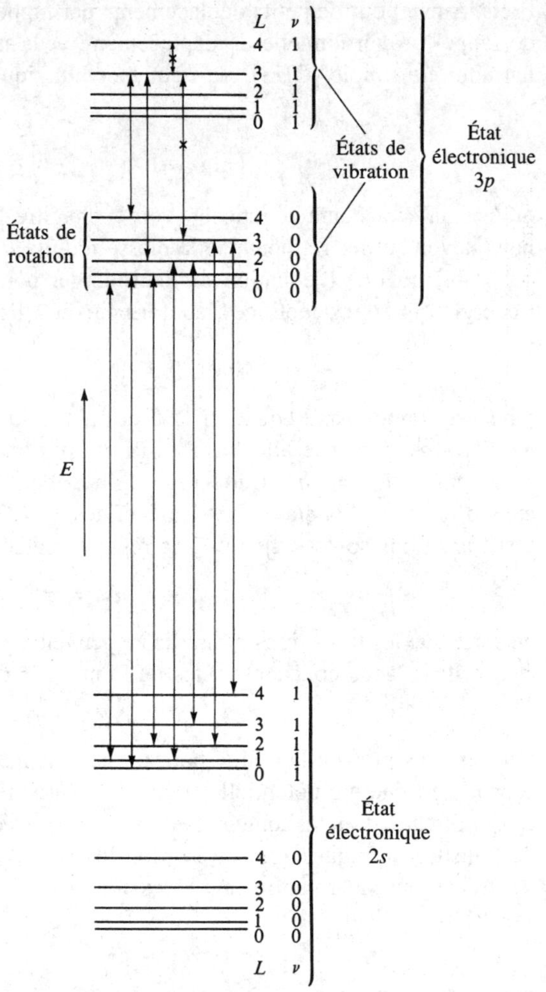

FIGURE 12.18 Niveaux d'énergie électroniques, de vibration et de rotation, combinés. Les transitions marquées d'un × sont interdites en vertu des règles de sélection.

Quand on donne de l'énergie à une molécule, on peut exciter des modes de rotation de même que de vibration. Comme les énergies de rotation sont plus petites, d'à peu près un ordre de grandeur, que les énergies de vibration, lesquelles sont à leur tour plus petites que les niveaux d'énergie électroniques, nous pouvons regrouper les niveaux comme dans la figure 12.18. Ces transitions qui s'accompagnent de l'émission d'un photon sont assujetties aux règles de sélection:

$$\Delta v = \pm 1 \quad \text{et} \quad \Delta L = \pm 1.$$

La figure 12.18 indique certaines transitions permises ou interdites (marquées d'un ×). La figure ne montre pas toutes les transitions et tous les niveaux; de plus, la séparation entre les niveaux de vibration et (encore plus) entre les niveaux de rotation y est exagérée. Nous pouvons clairement voir, toutefois, l'origine des raies très rapprochées

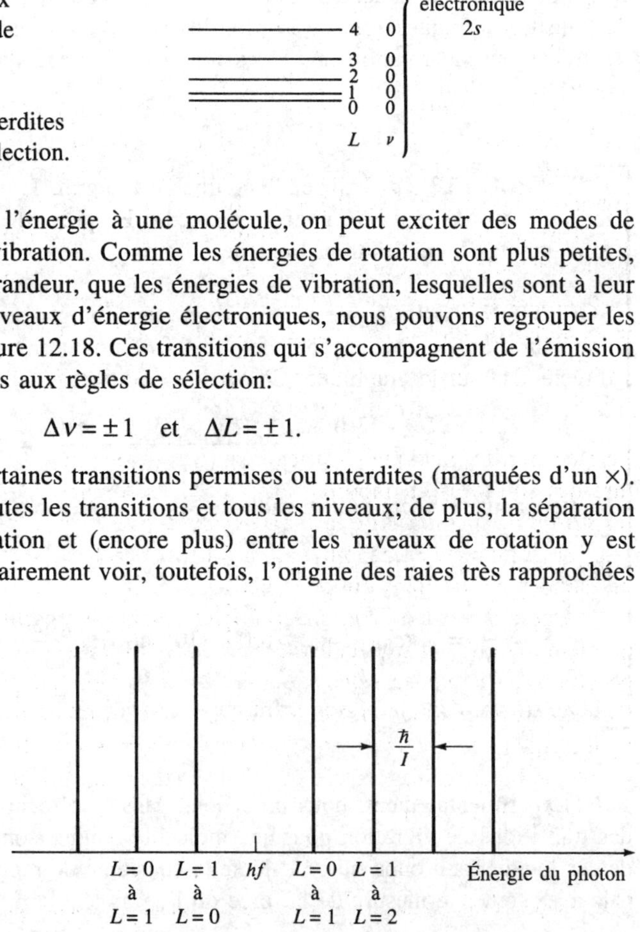

FIGURE 12.19 Séquences prédites des transitions entre les états combinés de rotation et de vibration.

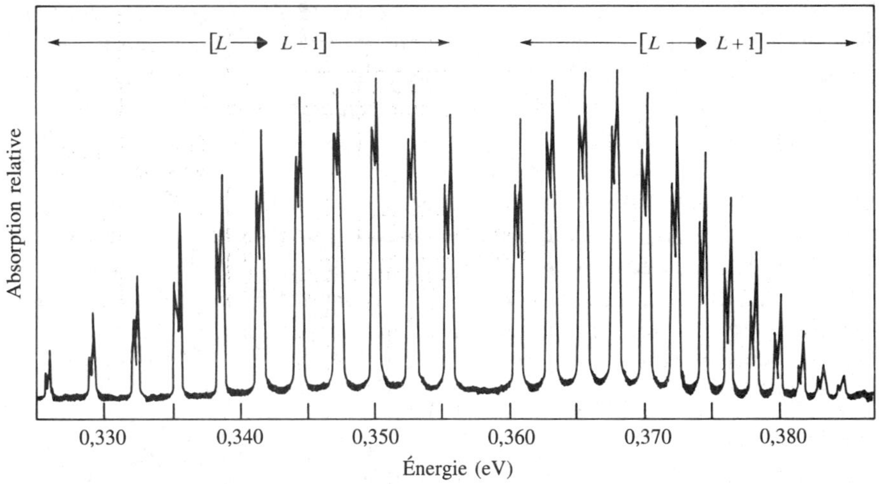

FIGURE 12.20 Spectre d'absorption des molécules HCl. Les pics à gauche correspondent à des transitions $L \to L-1$, celles à droite, à des transitions $L \to L+1$. Chaque pic est dédoublé parce que le chlore a deux isotopes de masses différentes et de moments d'inertie différents.

les unes des autres qui donnent naissance aux spectres de bande, déjà mentionnés dans la présente section à propos de la figure 12.13.

Les spectres sont très compliqués et nous ne considérerons donc brièvement que les transitions à l'intérieur du même niveau électronique, comme ceux en haut de la figure 12.18. Une transition d'un état avec les nombres quantiques v et L à un état avec les nombres quantiques $v+1$ et $L \pm 1$ (voir les règles de sélection à la page précédente), absorbera[†] un photon d'énergie:

$$\begin{aligned} \Delta E = \Delta E_{\text{rot}} + \Delta E_{\text{vib}} &= hf + (L+1)\frac{\hbar^2}{I} \qquad [L \to L+1], \quad L = 0, 1, 2, \ldots \\ &= hf - L\frac{\hbar^2}{I} \qquad [L \to L-1], \quad L = 1, 2, 3, \ldots, \end{aligned} \tag{12.8}$$

où nous avons utilisé les équations 12.4 et 12.7 (voir le problème 16). Notez que pour les transitions $L \to L-1$, L ne peut être nul puisqu'il n'y aurait pas alors d'état avec $L-1$ ($=-1$, qui n'existe pas). Les équations 12.8 prédisent un spectre d'absorption comme celui représenté schématiquement à la figure 12.19, avec les transitions $L \to L-1$ à gauche et $L \to L+1$ à droite. La figure 12.20 montre le spectre d'absorption de la molécule HCl, qui suit très bien ce schéma. (Chaque raie du spectre est scindée en deux parce que le chlore comporte deux isotopes de masses différentes; il y a donc deux sortes de molécules HCl avec des moments d'inertie I différents.)

12.5 La liaison dans les solides

La mécanique quantique s'est révélée un outil très précieux pour comprendre la structure des solides. Cet important champ de recherches s'appelle aujourd'hui **physique du solide** ou **physique de la matière condensée** afin d'y inclure aussi les liquides. Il fait l'objet du reste du chapitre. Nous jetterons d'abord un bref coup d'œil à la structure des solides et aux liens qui les tiennent ensemble.

Quoique certains matériaux solides soient de structure *amorphe*, ce qui signifie que leurs atomes et molécules ne présentent pas d'ordre à longue portée, nous nous pencherons maintenant sur la classe étendue des substances cristallines, dont les atomes, les ions ou les molécules forment une structure ordonnée nommée *réseau.* La figure 12.21 montre trois arrangements d'atomes possibles dans un cristal: cubique simple, cubique à face centrée et cubique centré. Le cristal de NaCl est cubique à face centrée (figure 12.22).

[†] Ceci est pour l'absorption; pour l'émission d'un photon, la transition serait $v \to v-1$, $L \to L \pm 1$.

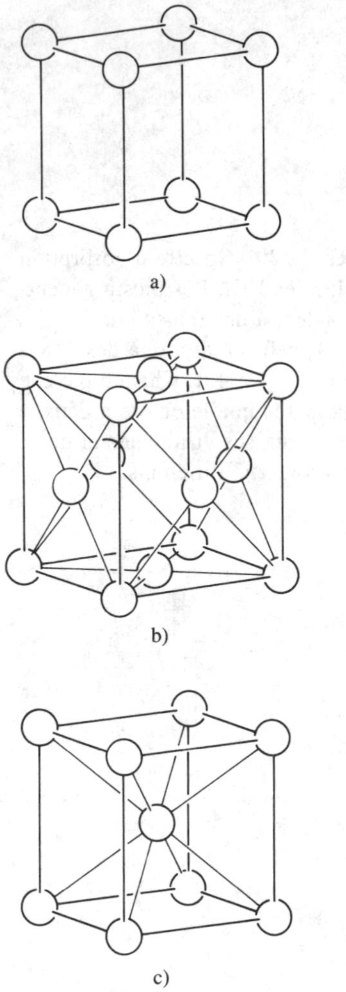

FIGURE 12.21 Arrangement des atomes dans a) un cristal cubique simple, b) un cristal cubique à face centrée (notez l'atome au centre de chaque face) et c) un cristal cubique centré. Pour chaque structure, les liens interatomiques sont indiqués.

Les molécules d'un solide sont retenues ensemble de différentes façons. La liaison *covalente* (comme entre les atomes de carbone du diamant) et la liaison *ionique* (comme dans un cristal de NaCl) sont les plus courantes. Souvent les liaisons sont partiellement covalentes et partiellement ioniques. Notre étude antérieure de ces liens dans le présent chapitre vaut également pour les solides.

Considérons brièvement le cristal de NaCl représenté à la figure 12.22. Chaque ion Na^+ sent une attraction coulombienne due à chacun de ses six «plus proches voisins»: les ions Cl^- qui l'entourent. Notez qu'un ion Na^+ n'«appartient» pas qu'à un seul ion Cl^- et que nous ne devons donc pas considérer que les solides ioniques sont composés de molécules. Chaque ion Na^+ sent aussi une répulsion coulombienne due aux ions Na^+ «seconds voisins», quoique ce dernier potentiel soit plus faible car ces ions Na^+ sont situés plus loin. On peut donc s'attendre à un potentiel net attractif

$$U = -\alpha \frac{1}{4\pi\varepsilon_0} \frac{e^2}{r}.$$

Le facteur α est appelé *constante de Madelung*. Si chaque ion Na^+ était entouré par seulement six ions Cl^-, α serait de 6, mais l'influence de tous les autres ions réduit cette valeur à $\alpha = 1,75$ dans le cristal de NaCl. Le potentiel doit aussi inclure un terme représentant la force répulsive due aux fonctions d'onde des couches et des sous-couches internes qui se chevauchent, et ce terme a la forme $U = B/r^m$, où m est un petit entier. Par conséquent,

$$U = -\frac{\alpha}{4\pi\varepsilon_0} \frac{e^2}{r} + \frac{B}{r^m}, \qquad (12.9)$$

qui a une forme identique à celle de l'équation 12.1 pour les molécules (section 12.2). Il est facile de montrer (problème 21) qu'à la distance d'équilibre r_0,

$$U = U_0 = -\frac{\alpha}{4\pi\varepsilon_0} \frac{e^2}{r_0}\left(1 - \frac{1}{m}\right).$$

U_0 est appelé *énergie de cohésion ionique*; il s'agit d'une sorte d'«énergie de liaison»: l'énergie (par ion) nécessaire pour dissocier le solide en ions séparés.

Un type différent de lien se produit dans les métaux. En effet, les électrons externes des atomes des métaux sont retenus assez faiblement; selon les théories actuelles sur les **liens métalliques**, ces électrons externes vagabondent plus ou moins librement parmi tous les atomes du métal et ceux-ci se comportent, sans leurs électrons externes, comme des ions positifs. On pense que l'attraction électrostatique entre les ions du métal et ce «gaz» d'électrons négatifs est ce qui retient le solide ensemble. L'énergie de cohésion des liens métalliques est typiquement de 1 à 3 eV, ce qui est un peu plus faible que les liens ioniques et covalents (de 5 à 10 eV dans les solides). Selon cette théorie, les «électrons libres» sont responsables de la haute conductivité

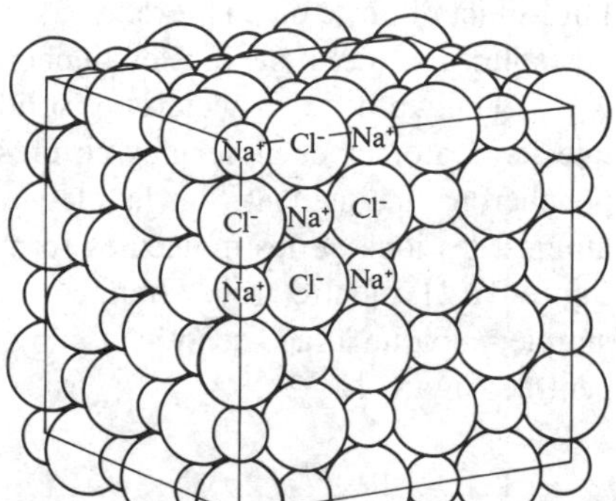

FIGURE 12.22 Diagramme d'un cristal de NaCl, montrant «l'empilement» des atomes.

électrique et thermique des métaux (sections 12.6 et 12.7). La théorie permet aussi de rendre compte élégamment de la brillance des surfaces métalliques lisses: comme les électrons libres peuvent vibrer à toute fréquence, lorsque de la lumière contenant un large domaine de fréquences frappe le métal, les électrons peuvent réagir en vibrant et en réémettant la lumière à ces mêmes fréquences. Par conséquent, la lumière réfléchie contient en grande partie les mêmes fréquences que la lumière incidente. Par contre dans les matériaux ordinaires qui ont une couleur spécifique, les électrons existent seulement dans certains états d'énergie, de sorte que lorsque de la lumière frappe ces matériaux, les électrons ne peuvent résonner et émettre de la lumière qu'à certaines fréquences, ce qui explique la couleur que nous voyons.

Les atomes ou les molécules de certains matériaux, comme les gaz nobles, ne peuvent former entre eux que des **liens faibles**. Comme nous l'avons vu à la section 12.3, les liens faibles ont des énergies de liaison très basses; on ne s'attend donc pas à ce qu'ils retiennent ensemble les atomes pour former des liquides ou des solides à la température de la pièce. Les gaz nobles ne se condensent qu'à de très basses températures quand l'énergie cinétique des atomes est petite, de sorte que l'attraction faible entre les atomes peut les retenir ensemble.

12.6 La théorie des électrons libres dans les métaux

Nous étudierons maintenant plus en détail la théorie, mentionnée dans la section précédente, des électrons libres dans les métaux. Imaginons que les électrons soient piégés dans le métal comme dans un puits de potentiel: à l'intérieur du métal l'énergie potentielle est constante (on peut la poser nulle), mais aux limites du métal il y a de hautes parois de potentiel. Comme très peu d'électrons quittent le métal à la température de la pièce, nous pouvons imaginer les parois comme infiniment élevées (comme dans la section 10.8). À des températures plus élevées, des électrons quittent le métal (nous savons en effet, d'après la section 7.9 du tome 2, que l'émission thermo-ionique se produit), et nous pouvons donc conclure que le puits est de profondeur finie. Dans ce modèle simple, les électrons, même s'ils sont piégés dans le métal, peuvent néanmoins bouger librement dans le puits dont les dimensions sont macroscopiques (les dimensions du morceau de métal). L'énergie des électrons est quantifiée mais l'espacement entre les niveaux d'énergie est toutefois extrêmement petit (voir l'équation 10.13) étant donné que L est très grand. En effet, pour un cube de 1 cm de côté, le nombre de niveaux d'énergie entre, disons, 5,0 et 5,5 eV est de l'ordre de 10^{22} (voir l'exemple 12.4).

Pour traiter un tel nombre d'états, si rapprochés les uns des autres que la distribution semble continue, il faut recourir aux méthodes statistiques. À cette fin, on définit une nouvelle quantité: la **densité d'états**, $g(E)$, dont la signification est similaire à celle de la distribution de Maxwell. La quantité $g(E)\,dE$ représente le nombre d'états par unité de volume qui ont une énergie comprise entre E et $E + dE$. Un calcul rigou-

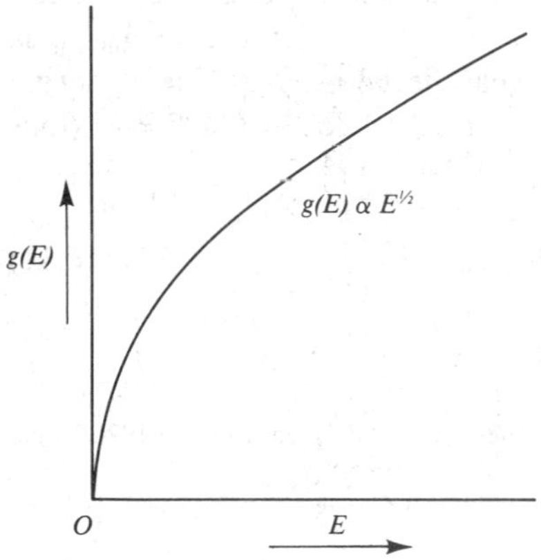

FIGURE 12.23 Densité des états $g(E)$ en fonction de l'énergie E (équation 12.10).

reux (voir les problèmes 37 et 38), dans lequel on doit tenir compte du caractère tridimensionnel du puits de potentiel, montre que

$$g(E) = \frac{8\sqrt{2}\pi m_e^{3/2}}{h^3} E^{1/2}. \tag{12.10}$$

La figure 12.23 donne la représentation graphique de ce résultat.

EXEMPLE 12.4 Estimez le nombre d'états entre 5,0 et 5,5 eV disponibles aux électrons dans un cube de cuivre de 1,0 cm de côté.

SOLUTION Comme $g(E)$ est le nombre d'états par unité de volume par unité d'intervalle d'énergie, le nombre N d'états est approximativement (il est approximatif parce que ΔE n'est pas petit)

$$N \approx g(E)V\,\Delta E,$$

où le volume $V = 1{,}0\ \text{cm}^3 = 1{,}0 \times 10^{-6}\ \text{m}^3$ et $\Delta E = 0{,}50$ eV. En évaluant $g(E)$ à 5,25 eV, nous trouvons (équation 12.10):

$$N \approx g(E)V\,\Delta E = \frac{8\sqrt{2}\pi(9{,}1 \times 10^{-31}\ \text{kg})^{3/2}}{(6{,}63 \times 10^{-34}\ \text{J}\cdot\text{s})^3}\sqrt{(5{,}25\ \text{eV})(1{,}6 \times 10^{-19}\ \text{J/eV})}$$
$$\times (1{,}0 \times 10^{-6}\ \text{m}^3)(0{,}50\ \text{eV})(1{,}6 \times 10^{-19}\ \text{J/eV})$$
$$\approx 8 \times 10^{21}.$$

L'équation 12.10 donne la densité d'états. Nous devons maintenant poser la question suivante: de quelle manière les états disponibles à un gaz d'électrons sont-ils en fait peuplés? Considérons d'abord la situation au zéro absolu, $T = 0$ K. Dans le cas d'un gaz idéal classique, toutes les particules seraient à l'état le plus bas, avec une énergie cinétique nulle ($\frac{3}{2}kT = 0$). Dans le cas d'un gaz d'électrons, toutefois, la situation est très différente, car les électrons obéissent au principe d'exclusion. Les électrons n'obéissent donc pas aux statistiques classiques mais aux statistiques quantiques appelées les **statistiques de Fermi-Dirac**†, lesquelles tiennent compte du principe d'exclusion. Toutes les particules de spin $\frac{1}{2}$(ou un spin demi-entier comme $\frac{3}{2}$, $\frac{5}{2}$, etc.), comme les électrons, les protons et les neutrons, obéissent aux statistiques de Fermi-Dirac et on nomme ces particules des **fermions**‡. Le gaz d'électrons dans un métal est souvent appelé un **gaz de Fermi.** Le principe d'exclusion interdit à deux électrons dans le métal d'avoir le même ensemble de nombres quantiques. Par conséquent, dans chacun des états de notre puits de potentiel, il ne peut y avoir au plus que deux électrons: un avec un spin en haut ($m_s = +\frac{1}{2}$) et un avec un spin en bas ($m_s = -\frac{1}{2}$). (Ce facteur de 2 est déjà inclus dans l'équation 12.10.) Ainsi, les niveaux d'énergie possibles sont remplis, chacun par deux électrons, jusqu'à un niveau maximal appelé le **niveau de Fermi.** C'est ce que montre la figure 12.24 dans laquelle l'axe vertical représente $n_0(E)$, la «densité d'états occupés». L'énergie de l'état au niveau de Fermi s'appelle l'**énergie de Fermi**, E_F. Pour déterminer E_F, on intègre l'équation 12.10 de $E = 0$ à $E = E_F$ (tous les états jusqu'à E_F sont remplis à $T = 0$ K):

$$\frac{N}{V} = \int_0^{E_F} g(E)\,dE, \tag{12.11}$$

† Elles furent développées indépendamment par Enrico Fermi (figures 10.2 et 13.5), au début de 1926, et par P. A. M. Dirac quelques mois plus tard.

‡ Les particules avec des spins entiers (0, 1, 2, etc.), comme les photons, obéissent aux statistiques de Bose-Einstein et on les nomme des *bosons.*

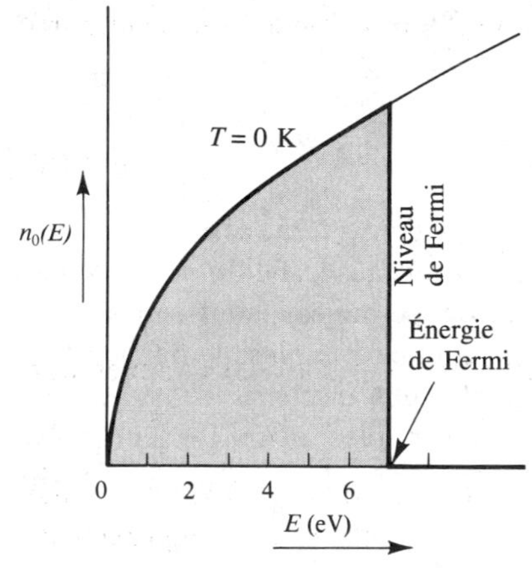

FIGURE 12.24 À $T = 0$ K, tous les états jusqu'au niveau d'énergie E_F, appelé le niveau de Fermi, sont remplis.

où N/V est le nombre d'électrons de conduction par unité de volume dans le métal. Puis, en solutionnant l'intégrale et en isolant E_F, on obtient (voir l'exemple 12.5):

$$E_F = \frac{h^2}{8m_e}\left(\frac{3}{\pi}\frac{N}{V}\right)^{2/3}. \tag{12.12}$$

L'énergie moyenne dans cette distribution (voir le problème 33) est:

$$\overline{E} = \tfrac{3}{5}E_F. \tag{12.13}$$

Pour le cuivre, $E_F = 7{,}0$ eV (voir l'exemple 12.5) et $\overline{E} = 4{,}2$ eV. Cette valeur est bien plus grande que l'énergie du mouvement thermique à la température de la pièce ($kT \approx 0{,}025$ eV). Il est clair que tout mouvement n'arrête pas au zéro absolu.

Ainsi, à $T = 0$, tous les états avec une énergie inférieure à E_F sont occupés et tous ceux avec une énergie supérieure à E_F sont vides. Que se passe-t-il quand $T > 0$? On devrait s'attendre à ce que l'énergie de certains électrons (au moins) augmente en raison du mouvement thermique. Classiquement, la distribution des états occupés nous serait donnée par le facteur de Boltzmann, $e^{-E/kT}$ (voir la section 11.9). Mais dans le cas de notre gaz d'électrons, un système quantique qui obéit au principe d'exclusion, la probabilité qu'un état d'énergie E donné soit occupé est donnée par la **fonction de probabilité de Fermi-Dirac** (ou la **distribution de Fermi**):

$$f(E) = \frac{1}{e^{(E - E_F)/kT} + 1}, \tag{12.14}$$

où E_F est l'énergie de Fermi. La figure 12.25 donne la représentation graphique de cette fonction pour deux températures, $T = 0$ K et $T = 1200$ K (juste sous le point de

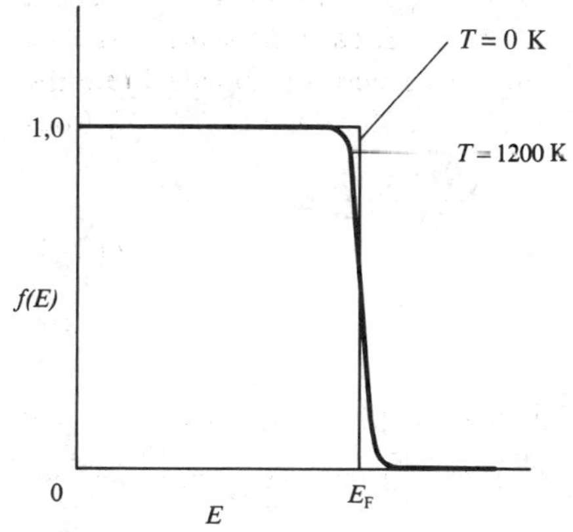

FIGURE 12.25 La fonction de probabilité de Fermi-Dirac pour deux températures, $T = 0$ K et $T = 1200$ K. Un état à l'énergie E tel que $f(E) = 1$ est certainement occupé. L'état à E_F a 50 % de chance d'être occupé, car $f(E_F) = 0{,}5$.

fusion du cuivre). À $T = 0$ (ou à un T avoisinant zéro), le facteur $e^{(E-E_F)/kT}$ dans l'équation 12.14 est zéro, si $E < E_F$, et ∞, si $E > E_F$. Et donc,

$$f(E) = \begin{cases} 1 & E < E_F \\ 0 & E > E_F \end{cases} \quad \text{à} \quad T = 0.$$

C'est ce que représente, pour $T = 0$, le graphique de la figure 12.25; ces résultats sont cohérents avec la figure 12.24: tous les états jusqu'au niveau de Fermi sont occupés [probabilité $f(E) = 1$] et tous les états au-dessus de ce niveau sont vides. Pour $T = 1200$ K, la fonction de Fermi ne varie qu'un peu, comme le montre la figure 12.25. Pour voir comment $f(E)$ affecte la distribution réelle des électrons dans les états d'énergie, nous devons pondérer la densité des états accessibles, $g(E)$, par leur probabilité d'occupation, $f(E)$. Le produit de ces deux fonctions donne alors la **densité d'états occupés**:

$$n_0(E) = g(E)f(E) = \frac{8\sqrt{2}\pi m_e^{3/2}}{h^3} \frac{E^{1/2}}{e^{(E-E_F)/kT} + 1}. \qquad (12.15)$$

Ainsi $n_0(E)\, dE$ représente le nombre d'électrons par unité de volume avec une énergie entre E et $E + dE$ en équilibre thermique à la température T. Ce résultat est représenté graphiquement à la figure 12.26 pour $T = 1200$ K, température à laquelle un métal est si chaud qu'il devient incandescent. Nous voyons immédiatement que la distribution diffère très peu de celle à $T = 0$. Nous voyons aussi que les changements qui se produisent sont concentrés autour du niveau de Fermi. Quelques électrons légèrement au-dessous du niveau de Fermi montent à des états d'énergie légèrement au-dessus de ce niveau. L'énergie moyenne des électrons n'augmente que très légèrement quand la température augmente de $T = 0$ K jusqu'à $T = 1200$ K. Ce comportement diffère beaucoup de celui d'un gaz parfait classique, pour lequel l'énergie cinétique augmente en raison directe de T. On peut néanmoins aisément comprendre ce comportement. L'énergie du mouvement thermique à $T = 1200$ K est d'environ $kT \approx 0{,}1$ eV. À cause du principe d'exclusion, les électrons remplissent toutefois les états jusqu'à un niveau d'énergie beaucoup plus grand, de l'ordre de plusieurs eV: pour le cuivre, ce niveau est $E_F \approx 7{,}0$ eV. Un électron à $T = 1200$ K peut acquérir au plus une énergie de quelques fois 0,1 eV par une collision (thermique) avec le réseau. Seuls les électrons très près du niveau de Fermi ont des états vides assez rapprochés pour faire une telle transition. La probabilité que l'énergie d'un électron augmente de 3 eV, par exemple, est si faible que les électrons plus bas en énergie ne sont pas affectés. Seuls les électrons près du sommet de la distribution d'énergie peuvent être excités thermiquement jusqu'à des états plus élevés. Et leur nouvelle énergie n'est en moyenne que légèrement plus élevée que leur énergie antérieure.

EXEMPLE 12.5 Pour le cuivre métallique, déterminez *a*) l'énergie de Fermi, *b*) l'énergie moyenne des électrons et *c*) la vitesse des électrons au niveau de Fermi (qu'on appelle la *vitesse de Fermi*).

SOLUTION *a*) En combinant les équations 12.10 et 12.11, nous obtenons:

$$\frac{N}{V} = \frac{8\sqrt{2}\pi m_e^{3/2}}{h^3} \int_0^{E_F} E^{1/2}\, dE = \frac{8\sqrt{2}\pi m_e^{3/2}}{h^3} \frac{2}{3} E_F^{3/2}.$$

En isolant E_F, nous obtenons:

$$E_F = \frac{h^2}{8m_e} \left(\frac{3}{\pi} \frac{N}{V}\right)^{2/3}$$

[note: $(\sqrt{2})^{2/3} = 2(\sqrt{2}/2^{3/2})^{2/3} = 2(\frac{1}{2})^{2/3}$], ce qui correspond à l'équation 12.12. Dans l'exemple 5.5 du tome 2, nous avons calculé que N/V, le nombre d'électrons de

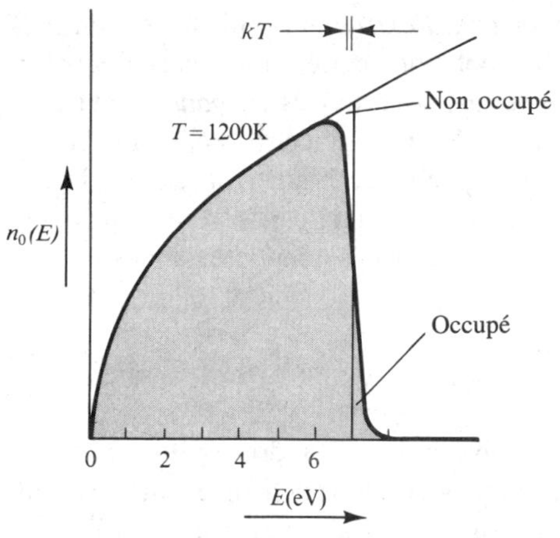

FIGURE 12.26 La densité des états occupés pour le gaz d'électrons dans le cuivre. La largeur kT représente l'énergie thermique à T = 1200 K.

conduction par unité de volume dans le cuivre, était $N/V = 8{,}43 \times 10^{28}\ \mathrm{m}^{-3}$. Et donc, pour le cuivre,

$$E_F = \frac{(6{,}63 \times 10^{-34}\ \mathrm{J \cdot s})^2}{8(9{,}1 \times 10^{-31}\ \mathrm{kg})}\left[\frac{3(8{,}43 \times 10^{28}\ \mathrm{m}^{-3})}{\pi}\right]^{2/3} \frac{1}{1{,}6 \times 10^{-19}\ \mathrm{J/eV}} = 7{,}0\ \mathrm{eV}.$$

b) D'après l'équation 12.13, $\overline{E} = \frac{3}{5}E_F = 4{,}2$ eV. *c*) Dans notre modèle, nous avons posé $U = 0$ à l'intérieur du métal, de sorte que $E = K = \frac{1}{2}mv^2$. Par conséquent, au niveau de Fermi, la vitesse de Fermi est:

$$v_F = \sqrt{\frac{2E_F}{m_e}} = \sqrt{\frac{2(7{,}0\ \mathrm{eV})(1{,}6 \times 10^{-19}\ \mathrm{J/eV})}{9{,}1 \times 10^{-31}\ \mathrm{kg}}} = 1{,}6 \times 10^6\ \mathrm{m/s},$$

ce qui est une très grande vitesse. La température d'un gaz classique devrait être extrêmement élevée pour produire une vitesse moyenne par particule aussi grande.

Le modèle simple du gaz d'électrons présenté ici explique bien les propriétés électriques et thermiques des conducteurs. Il n'explique toutefois pas pourquoi certains matériaux sont de bons conducteurs et d'autres, de bons isolants. Pour l'expliquer, il est nécessaire d'améliorer notre modèle d'un métal en tant que puits de potentiel uniforme de façon à inclure l'effet du réseau. La figure 12.27 illustre un potentiel «périodique» tenant compte de l'attraction des électrons par chaque ion atomique dans le réseau. Nous supposons ici que $U = 0$ pour un électron libre hors du métal; ainsi, dans le métal, les énergies électroniques sont inférieures à zéro (tout comme pour les molécules ou pour l'atome d'hydrogène, par exemple, dans lequel l'état fondamental se trouve à $E = -13{,}6$ eV). La quantité $e\phi$ représente l'énergie minimale nécessaire

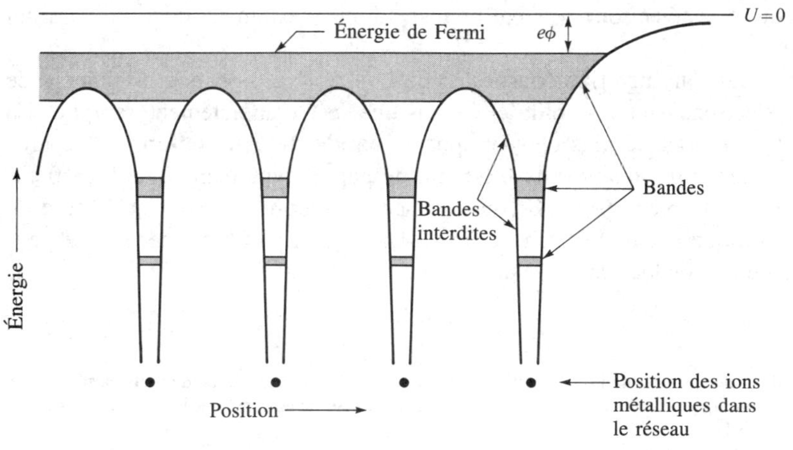

FIGURE 12.27 Énergie potentielle des électrons dans un cristal métallique, avec des puits de Coulomb profonds dans le voisinage de chaque ion du réseau cristallin.

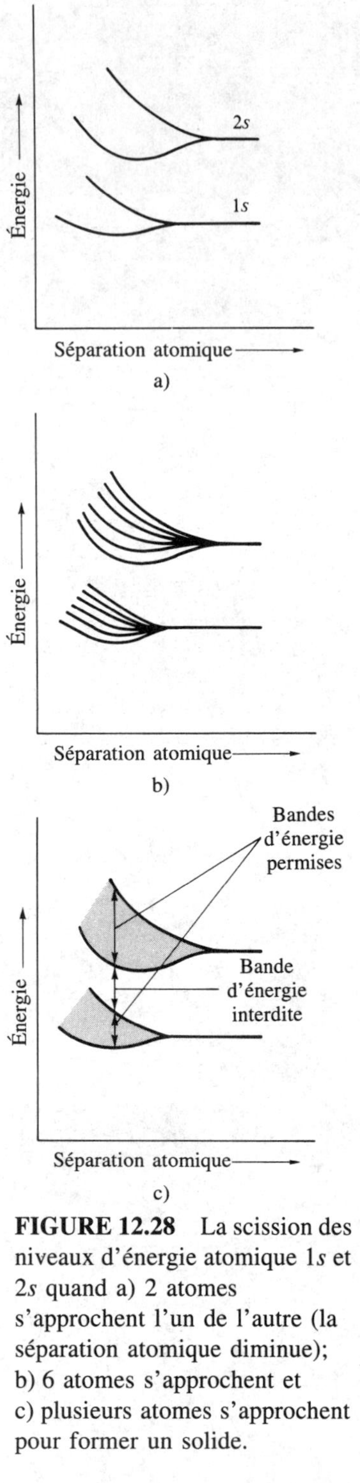

FIGURE 12.28 La scission des niveaux d'énergie atomique $1s$ et $2s$ quand a) 2 atomes s'approchent l'un de l'autre (la séparation atomique diminue); b) 6 atomes s'approchent et c) plusieurs atomes s'approchent pour former un solide.

pour extraire un électron du métal, ϕ étant le *travail d'extraction* (voir la section 9.2). La conséquence cruciale de l'introduction d'un potentiel périodique† dans l'équation de Schrödinger est que les niveaux d'énergie permis sont divisés en *bandes*, avec des bandes d'énergie interdites, ou «gaps», entre elles. Seuls les électrons dans les bandes les plus élevées, près du niveau de Fermi, sont capables de bouger librement dans le cristal métallique. Dans la prochaine section, nous verrons quelle est l'origine physique des bandes et comment celles-ci expliquent les propriétés des conducteurs, des isolants et des semiconducteurs.

12.7 La théorie des bandes dans les solides

Nous avons vu, à la section 12.1, que lorsque deux atomes d'hydrogène s'approchent l'un de l'autre, leurs fonctions d'onde électroniques se chevauchent et que les deux états $1s$ (un pour chaque atome) se scindent en deux états d'énergies différentes. (Comme nous l'avons vu, seulement l'un de ces états, $S = 0$, a une énergie suffisamment basse pour donner une molécule liée H_2.) La figure 12.28a illustre cette situation pour les états $1s$ et $2s$ de deux atomes. Lorsque six atomes s'approchent, comme dans la figure 12.28b, chacun des états se scinde en six niveaux. Lorsqu'un grand nombre d'atomes se rapprochent pour former un solide, chacun des niveaux atomiques originaux devient une **bande** (figure 12.28c). Les niveaux d'énergie sont si voisins les uns des autres qu'ils semblent pratiquement continus. C'est pourquoi le spectre des solides chauffés (section 9.1) semble continu.

La caractéristique principale d'un bon conducteur est que sa bande d'énergie la plus élevée contenant des électrons n'est que partiellement remplie. Considérons par exemple le sodium, dont les bandes d'énergie sont représentées à la figure 12.29. Les bandes $1s$, $2s$ et $2p$ sont remplies (tout comme dans un atome de sodium) et ne nous intéressent pas. La bande $3s$, toutefois, n'est qu'à moitié remplie. Pour comprendre pourquoi, souvenez-vous que dans un atome, deux électrons peuvent être dans l'état $3s$, un avec le spin en haut et l'autre avec le spin en bas. Ces deux états ont des énergies légèrement différentes. Pour un solide composé de N atomes, la bande $3s$ contient $2N$ états d'énergie possibles. Or un atome de sodium a un seul électron $3s$, de sorte que dans un échantillon de sodium métallique contenant N atomes, il y a N électrons dans la bande $3s$ et N états vacants. Lorsqu'on applique une différence de potentiel dans ce métal, les électrons peuvent réagir en accélérant, car de nombreux états vacants d'énergie légèrement plus élevée sont disponibles. Un courant peut donc passer facilement, ce qui fait du sodium un bon conducteur. Pour être plus précis, ajoutons que la caractéristique principale de tous les bons conducteurs est que leur bande la plus élevée n'est que partiellement remplie ou que deux bandes se chevauchent de sorte que des états vacants sont disponibles. Le magnésium est un exemple de ce dernier cas; il a, en effet, deux électrons $3s$, de sorte que sa bande $3s$ est remplie. La bande non remplie $3p$ chevauche toutefois la bande d'énergie $3s$, de sorte qu'il y a beaucoup d'états disponibles dans lesquels les électrons peuvent bouger. Le magnésium est donc lui aussi un bon conducteur.

Par contre, dans un matériau constituant un bon *isolant*, la bande la plus élevée contenant des électrons, appelée **bande de valence**, est complètement remplie. La deuxième bande d'énergie la plus élevée, appelée **bande de conduction**, est séparée de la bande de valence par une **bande interdite** ou gap E_g typiquement de 5 à 10 eV. À la température de la pièce (300 K), où les énergies thermiques sont de l'ordre de $kT \approx 0{,}025$ eV, presque aucun électron ne peut donc acquérir le 5 eV nécessaire pour atteindre la bande de conduction. Lorsqu'on applique une différence de potentiel dans

† Il est plus facile de traiter un potentiel plus simple, consistant en une série périodique de puits carrés étroits, dans l'équation de Schrödinger; ce potentiel plus simple est donc utilisé couramment et il présente les mêmes caractéristiques générales.

le matériau, il n'y a pas d'états disponibles accessibles aux électrons et aucun courant ne passe. Le matériau est donc un bon isolant.

La figure 12.30 compare les bandes d'énergie pertinentes pour *a*) des conducteurs, *b*) des isolants et aussi *c*) la catégorie importante des matériaux appelés **semiconducteurs**. Les bandes d'un semiconducteur pur (ou **intrinsèque**) comme le silicium ou le germanium sont comme ceux d'un isolant, sauf que la bande de conduction vide est séparée de la bande de valence pleine par une bande d'énergie interdite, E_g, beaucoup plus petite, typiquement de l'ordre de 1 eV. Par conséquent, à la température de la pièce, quelques électrons peuvent atteindre la bande de conduction et peuvent transporter un très petit courant quand on applique une tension. À des températures plus élevées, plus d'électrons auront suffisamment d'énergie pour franchir la bande interdite. Cet effet peut souvent faire plus que compenser les effets des collisions plus fréquentes dues au désordre qui augmente à plus haute température, de sorte que la résistivité des semiconducteurs peut diminuer avec la température (voir le tableau 5.1 du tome 2).

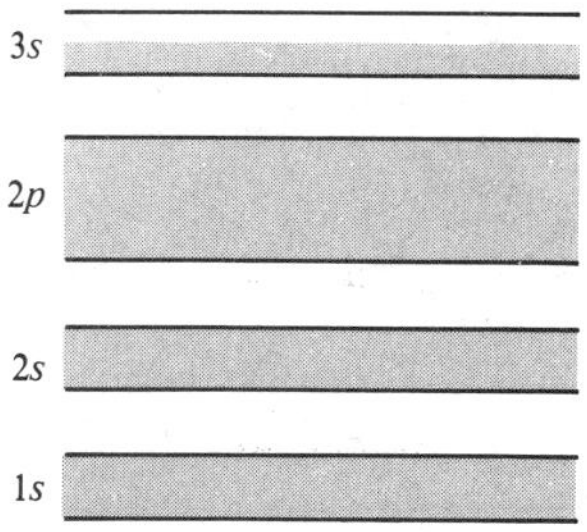

FIGURE 12.29 Bandes d'énergie du sodium.

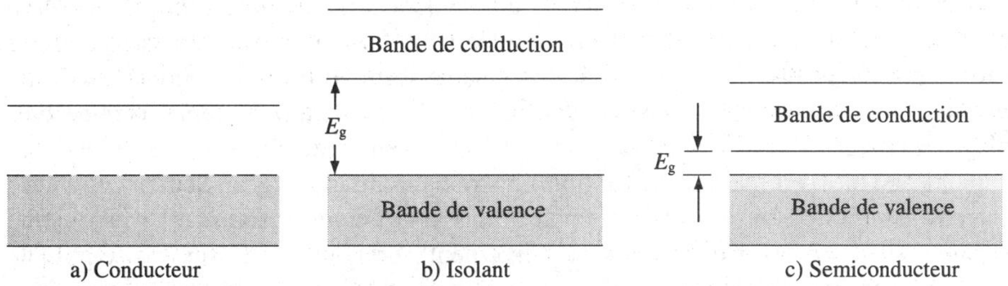

FIGURE 12.30 Bandes d'énergie pour a) un conducteur, b) un isolant et c) un semiconducteur. Les régions ombragées représentent les états occupés. Celle plus pâle dans la partie c représente des électrons qui peuvent passer de la bande de valence à la bande de conduction à cause de l'agitation thermique à la température de la pièce.

EXEMPLE 12.6 Utilisez la fonction de distribution de Fermi-Dirac, l'équation 12.14, pour estimer l'ordre de grandeur du nombre d'électrons libres dans la bande de conduction d'un solide contenant 10^{21} atomes, en supposant que le solide est *a*) un semiconducteur avec $E_g \approx 1{,}1$ eV, *b*) un isolant avec $E_g \approx 5$ eV. Comparez avec un conducteur.

SOLUTION À $T = 0$, tous les états au-dessus de l'énergie de Fermi, E_F, sont vides et tous ceux au-dessous sont remplis. Pour les semiconducteurs et les isolants, nous pouvons donc supposer que E_F se trouve à mi-chemin entre les bandes de conduction et de valence (figure 12.31); cette valeur de E_F ne varie pas de façon significative à la température de la pièce. *a*) Pour le semiconducteur, la bande d'énergie interdite $E_g \approx 1{,}1$ eV, et donc $E - E_F \approx 0{,}55$ eV pour les états les plus bas dans la bande de conduction. Comme, à la température de la pièce, nous avons $kT \approx 0{,}025$ eV, alors $(E - E_F)/kT \approx 0{,}55 \text{ eV}/\ 0{,}025 \text{ eV} \approx 22$ et

$$f(E) = \frac{1}{e^{(E-E_F)/kT} + 1} \approx \frac{1}{e^{22}} \approx 10^{-10}.$$

Environ 1 atome sur 10^{10} peut donc contribuer à la conductivité en donnant un électron à la bande de conduction. *b*) Pour l'isolant avec $E - E_F \approx 2{,}5$ eV, nous obtenons:

$$f(E) \approx \frac{1}{e^{2,5/0,025}} = \frac{1}{e^{100}} \approx 10^{-44}.$$

Donc, dans un échantillon ordinaire contenant 10^{21} atomes, le nombre d'électrons de conduction est d'environ 10^{21} pour un bon conducteur, de 10^{11} ($10^{21} \times 10^{-10}$) pour un semiconducteur, et il est de zéro ($10^{21} \times 10^{-44} = 10^{-23}$) dans un isolant.

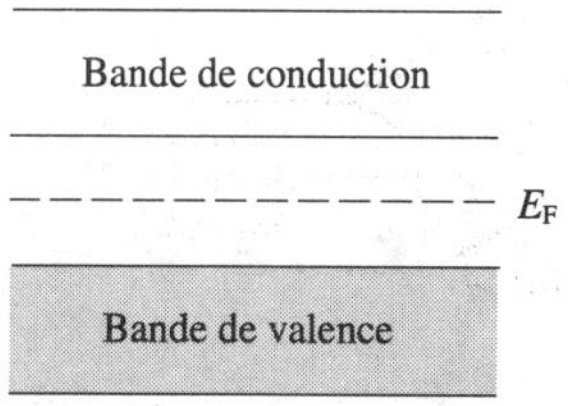

FIGURE 12.31 L'énergie de Fermi se trouve à mi-chemin entre la bande de valence et la bande de conduction.

Quand on applique une différence de potentiel à un semiconducteur, les quelques électrons dans la bande de conduction se mettent en mouvement vers l'électrode positive. Les électrons dans la bande de valence essaient de faire de même et quelques-uns réussissent parce qu'il y a un petit nombre d'états vacants (qui ont été délaissés par les électrons promus dans la bande de conduction). Chaque électron dans la bande de valence, qui prend ainsi une place dans un état vacant en se dirigeant vers la borne positive, crée une place vacante derrière lui. Comme les électrons tendent à s'accumuler d'un côté du matériau, les places vacantes, nommés **trous**, tendent à s'accumuler de l'autre côté. Nous étudierons ce phénomène plus en détail dans la section suivante.

12.8 Les semiconducteurs et le dopage

Les semiconducteurs les plus couramment utilisés aujourd'hui en électronique sont le silicium et le germanium. Les atomes de silicium, de même que ceux de germanium, sont pourvus chacun de quatre électrons externes de sorte que chaque atome établit quatre liens covalents avec quatre autres atomes, le tout formant ainsi un réseau régulier cristallin comme celui qui est représenté schématiquement à la figure 12.32a. Les propriétés du germanium et du silicium ne deviennent utiles en électronique que lorsqu'on introduit une infime quantité d'impuretés dans la structure du cristal (peut-être un atome sur 10^6 ou 10^7). Ce procédé s'appelle le **dopage** du semiconducteur. Deux types de semiconducteurs dopés peuvent être utilisés selon le genre d'impuretés employé. Lorsque les impuretés sont des atomes ayant cinq électrons externes (par exemple, l'arsenic), on obtient la situation illustrée à la figure 12.32b. Seulement quatre des électrons de l'arsenic trouvent une place dans la structure cristalline. Le cinquième n'y trouve pas de place et peut bouger relativement librement, de façon très semblable aux électrons dans un conducteur. Ce petit nombre d'électrons supplémentaires rend un semiconducteur dopé légèrement conducteur. Nous avons vu, dans l'exemple 12.6, que dans un semiconducteur intrinsèque, la densité des électrons de conduction est d'environ 1 par 10^{10} atomes. Avec une concentration d'impuretés de une partie par 10^6 ou 10^7, l'impureté domine la conductivité et on peut contrôler son niveau de façon très précise. Un cristal de silicium dopé à l'arsenic s'appelle un **semiconducteur de type *n*** parce que les électrons (chargés *n*égativement) transportent le courant électrique.

Dans un **semiconducteur de type *p***, on ajoute au semiconducteur une petite quantité d'impuretés dont les atomes ont trois électrons externes (par exemple, le gallium). Comme on peut le voir à la figure 12.33a, il y a un «**trou**» dans la structure de réseau près de l'atome de gallium puisque celui-ci n'a que trois électrons externes. Les électrons provenant des atomes de silicium voisins peuvent sauter dans ce trou et le remplir. Ceci crée évidemment un trou là ou l'électron se trouvait antérieurement (figure 12.33b). Comme la grande majorité des atomes sont du silicium, le trou se trouve presque toujours près d'un atome de silicium. Comme il faut quatre électrons externes aux atomes de silicium pour être neutres, une charge positive nette se produit à la position du trou. Dès qu'un électron se déplace pour remplir un trou, le trou positif

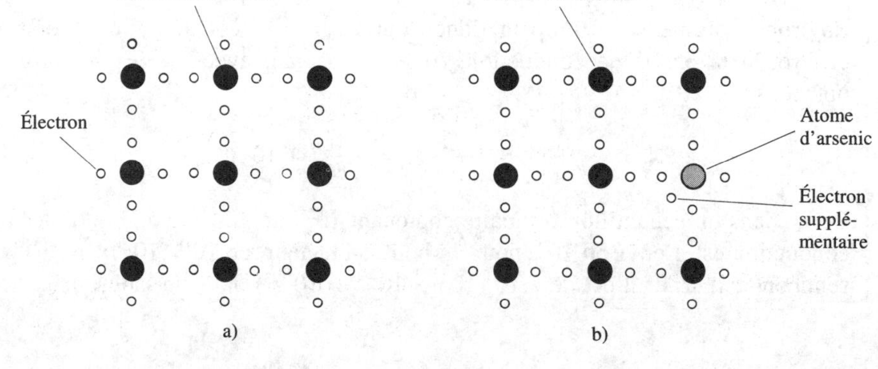

FIGURE 12.32 Représentation schématique d'un cristal de silicium. a) Quatre électrons (externes) entourent chaque atome de silicium. b) Cristal de silicium dopé avec quelques atomes d'arsenic. L'électron supplémentaire ne participe pas aux liens du réseau cristallin et est donc libre de se déplacer. Ceci est un semiconducteur de type *n*.

se trouve à la position antérieure de cet électron. Un autre électron peut alors remplir ce trou, le trou se déplaçant à un autre endroit, et ainsi de suite. Ce type de semiconducteur est dit de *type p* parce que ce sont les trous *p*ositifs qui transportent le courant électrique. Notez toutefois que les semiconducteurs de type *p* et de type *n* ne portent *aucune charge nette*, la charge des électrons ou des trous étant compensée par la charge opposée des atomes d'impureté qui se trouvent ionisés.

Selon la théorie des bandes (section 12.7), dans un semiconducteur dopé, les impuretés fournissent des états d'énergie additionnels entre les bandes (figure 12.34). Dans un semiconducteur de type *n*, le niveau d'énergie des impuretés se situe juste sous la bande de conduction. Il ne faut aux électrons dans ce niveau qu'une énergie de 0,05 eV (dans le silicium, encore moins dans le germanium) pour atteindre la bande de conduction; des transitions se produisent donc aisément à la température de la pièce. Comme ce niveau fournit les électrons à la bande de conduction, on l'appelle un niveau **donneur**. Dans les semiconducteurs de type *p*, le niveau d'énergie des impuretés se situe juste au-dessus de la bande de valence (figure 12.34). On l'appelle un niveau **accepteur** parce que les électrons de la bande de valence peuvent facilement y sauter. En ce cas, un trou positif se crée dans la bande de valence et le trou s'y déplace librement, comme nous l'expliquions plus haut.

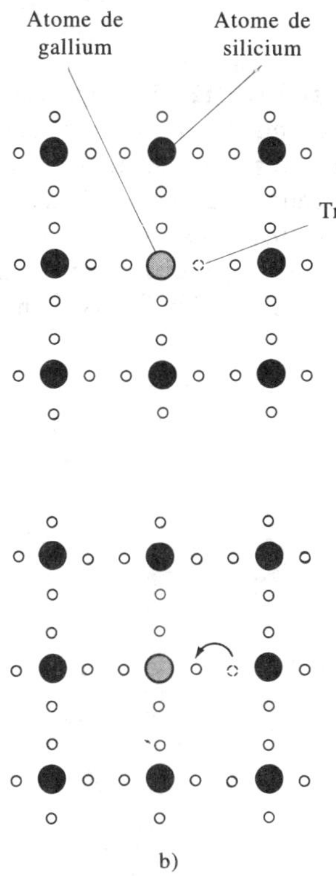

FIGURE 12.33 Un semiconducteur de type *p*, le silicium dopé avec du gallium. a) Comme le gallium n'a que trois électrons externes, il y a un emplacement vide, ou un trou, dans la structure. b) Les électrons des atomes de silicium peuvent sauter dans le trou et le remplir. En conséquence, le trou se déplace (à droite dans la figure).

12.9 Les dispositifs semiconducteurs: les diodes et les transistors

Les diodes et les transistors constituent des composants essentiels des dispositifs électroniques modernes. La miniaturisation réalisée aujourd'hui permet de placer plusieurs milliers de diodes, de transistors, de résistances, etc., sur une seule *puce* de seulement un centimètre de côté. Nous traiterons maintenant, brièvement et qualitativement, du fonctionnement des diodes et des transistors.

Quand on joint un semiconducteur de type *n* à un autre de type *p*, on obtient une **diode à jonction *p-n***. Séparément, les deux semiconducteurs sont électriquement neutres. Lorsqu'on les joint, quelques électrons près de la jonction diffusent du semiconducteur de type *n* dans celui de type *p* où ils remplissent quelques trous. Le conducteur de type *n* acquiert donc une charge positive nette et le conducteur de type *p* acquiert une charge négative nette. Une différence de potentiel est donc établie, le côté *n* étant positif relativement au côté *p*, ce qui, éventuellement, empêche la diffusion d'électrons supplémentaires.

Lorsqu'on joint la borne positive d'une pile au côté *p* d'une diode et la borne négative au côté *n* (figure 12.35a), la tension ainsi appliquée de façon externe s'oppose à la différence de potentiel interne; on dit alors que la diode est **polarisée vers l'avant**. Lorsque la tension est suffisamment grande (environ 0,3 V pour le germanium et 0,6 V pour le silicium, à la température de la pièce), un courant passe. Les trous positifs dans le semiconducteur de type *p* sont repoussés par la borne positive de la pile tandis que les électrons dans le conducteur de type *n* sont repoussés par la borne négative. Les trous et les électrons se rencontrent à la jonction et les électrons traversent celle-ci et remplissent les trous. Un courant passe. Dans le même temps, la borne positive de la pile extrait continuellement des électrons du côté *p* de la diode, ce qui crée de nou-

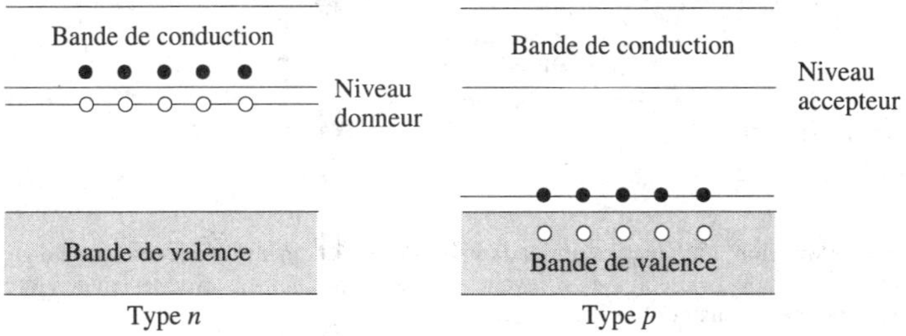

FIGURE 12.34 Niveau d'énergie des impuretés dans les semiconducteurs dopés.

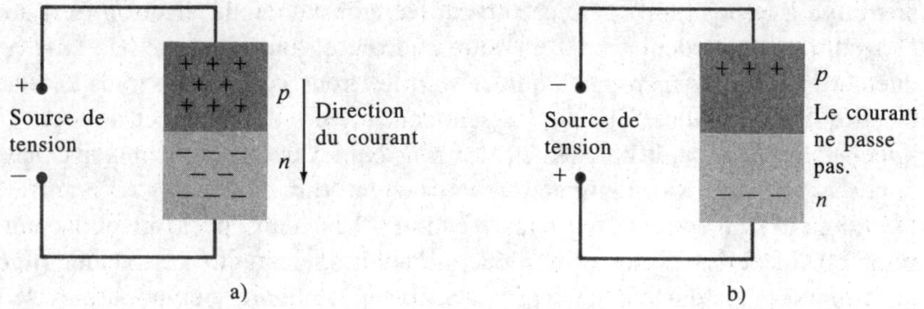

FIGURE 12.35 Représentation schématique du fonctionnement d'une diode semiconductrice. Le courant passe quand la tension est branchée en polarisation avant comme en a), mais elle ne passe pas quand la tension est branchée en polarisation inverse comme en b).

veaux trous, et la borne négative fournit des électrons du côté *n* de la diode. En conséquence, un fort courant passe dans la diode.

Quand une diode est **polarisée en inverse** (figure 12.35b), les trous du côté *p* sont attirés à la borne négative de la pile et les électrons du côté *n* sont attirés à la borne positive. Les porteurs de charge ne se rencontrent donc pas à la jonction et, idéalement, aucun courant ne passe.

La figure 12.36 est un graphique du courant en fonction de la tension pour une diode ordinaire. Comme on peut le voir, une diode réelle permet à un faible courant en inverse de passer. Pour la plupart des applications pratiques, celui-ci est négligeable†.

EXEMPLE 12.7 On branche la diode, dont les caractéristiques courant-tension sont indiquées à la figure 12.36, en série avec une pile de 4,0 V et une résistance. Pour faire passer un courant de 10 mA dans la diode, quelle doit être la valeur de la résistance?

SOLUTION D'après la figure 12.36, on peut voir que la chute de tension dans la diode est d'environ 0,7 V lorsque le courant est de 10 mA. Par conséquent, la chute de tension dans la résistance est de 4,0 V − 0,7 V = 3,3 V, et $R = V/I = (3{,}3\ \text{V})/(1{,}0 \times 10^{-2}\ \text{A}) = 330\ \Omega$.

Lorsqu'on augmente de beaucoup la tension dans une diode branchée en polarisation inverse, on atteint le point de claquage. Le champ électrique dans la jonction devient si fort qu'il en résulte l'ionisation des atomes. Les électrons ainsi extraits de leurs atomes contribuent à un courant de plus en plus fort au fur et à mesure que le claquage se poursuit. Au-delà du point de claquage, le courant pourra augmenter de façon considérable pour une variation très faible de la tension. C'est ce qu'on peut voir à l'extrémité gauche du graphique de la figure 12.36. On peut utiliser cette propriété

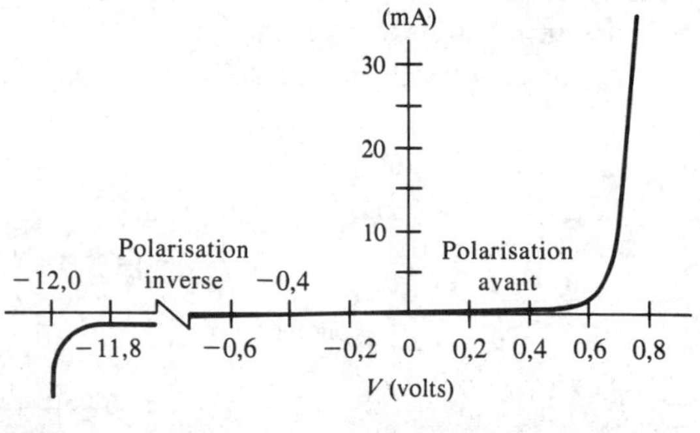

FIGURE 12.36 Courant au travers d'une diode, en fonction de la tension appliquée.

† Le courant en inverse dans le germanium à la température de la pièce est typiquement de quelques μA; dans le silicium, il est de quelques pA. Toutefois, le courant en inverse augmente rapidement avec la température et peut rendre une diode inopérante au-dessus de 200 °C.

des diodes pour stabiliser de façon précise un courant. Une diode conçue à cette fin s'appelle une **diode Zener**. Une diode Zener branchée aux bornes d'une alimentation non stabilisée peut maintenir la tension à sa valeur de tension de claquage tant que la tension d'alimentation demeure au-dessus de ce point. On peut obtenir des diodes Zener pour des tensions allant de quelques volts jusqu'à des centaines de volts.

Comme une diode *p-n* ne permet à un courant de passer que dans une direction (à la condition que la tension ne soit pas trop haute), on peut l'utiliser comme **redresseur**, changeant une tension alternative en tension continue. La figure 12.37a illustre un circuit redresseur simple; la flèche dans le symbole conventionnel de la diode y indique la direction dans laquelle une diode conduit le courant. La source de courant alternatif applique une tension dans la diode alternativement positive et négative. (Le signe, positif ou négatif, de la tension réfère à la direction, avant ou arrière, respectivement, de la polarisation.) Ce n'est que durant la moitié de chaque cycle qu'un courant passe dans la diode; ce n'est donc qu'alors qu'un courant passe dans la résistance *R*. Par conséquent, la tension V_{ab} dans la résistance *R* en fonction du temps ressemble à la courbe représentée à la figure 12.37b. Ce **redressement simple alternance** n'est pas exactement *dc*, mais il est unidirectionnel. Un circuit **redresseur double alternance** est plus utile; un tel circuit comporte deux (parfois quatre) diodes (figure 12.38a). En tout instant, soit une diode soit l'autre, conduit le courant vers la droite. Par conséquent, la chute de tension à travers la résistance de charge *R* est celle représentée à la figure 12.38b. Telle serait en fait la tension si le condensateur *C* n'était pas dans le circuit. Le condensateur sert à accumuler la charge, ce qui aide à stabiliser la tension, conformément au graphique de la figure 12.38c.

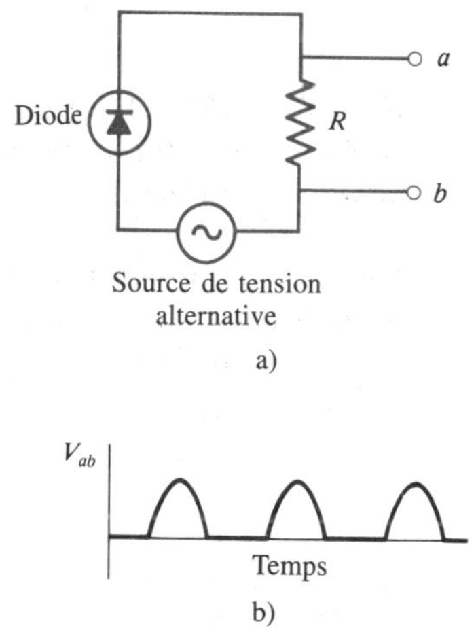

FIGURE 12.37 a) Circuit redresseur (simple alternance) utilisant une diode semiconductrice. b) Tension de sortie à travers *R*, en fonction du temps.

Les circuits redresseurs sont importants parce que la plupart des réseaux de distribution délivrent une tension alternative et que la plupart des appareils électroniques requièrent, pour fonctionner, une tension continue. On trouve donc des diodes dans presque tous les appareils électroniques, y compris les postes de radio et de télévision, les calculatrices et les ordinateurs.

Comme, dans une diode, le courant n'est pas proportionnel à la tension, le graphique du courant en fonction de la tension (figure 12.36) n'étant en effet pas une droite comme c'est le cas pour une résistance (qui *est* idéalement linéaire), une diode est dite un **dispositif non linéaire**. Les transistors sont aussi des dispositifs *non linéaires.*

Une **jonction transistor** simple consiste en un semiconducteur comportant une région dopée d'un type donné prise en sandwich entre deux régions dopées du type opposé. On peut fabriquer des transistors *pnp* aussi bien que *npn*; la figure 12.39a en donne des illustrations schématiques. On donne respectivement les noms de collecteur,

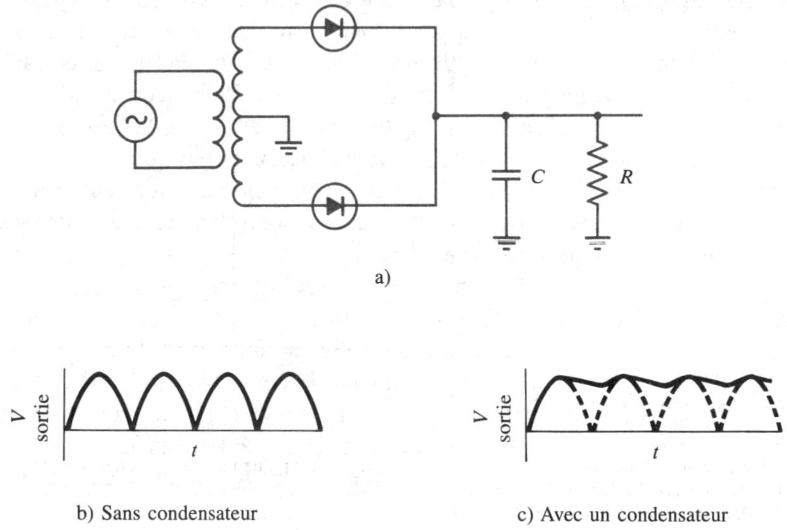

FIGURE 12.38 a) Circuit redresseur double alternance (comprenant un transformateur pour que l'amplitude de la tension puisse être changée). b) Tension de sortie en l'absence du condensateur *C*. c) Tension de sortie avec un condensateur dans le circuit.

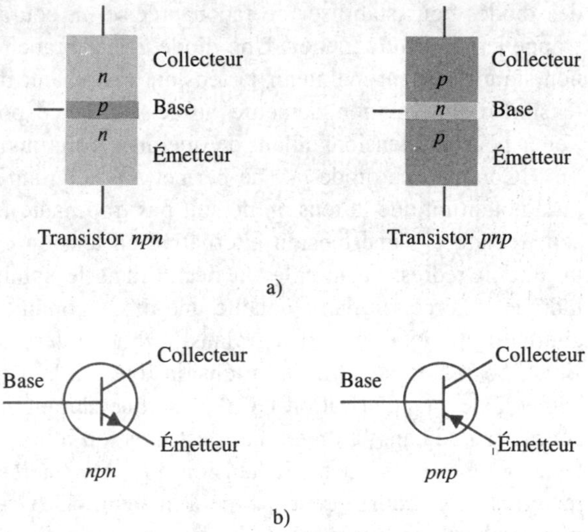

FIGURE 12.39 a) Représentation schématique de transistors *npn* et *pnp*. b) Symboles pour les transistors *npn* et *pnp*.

de base et d'émetteur aux trois régions. Les symboles des transistors *npn* et *pnp* apparaissent à la figure 12.39b. La flèche est toujours placée sur l'émetteur et indique la direction du courant en mode normal d'opération.

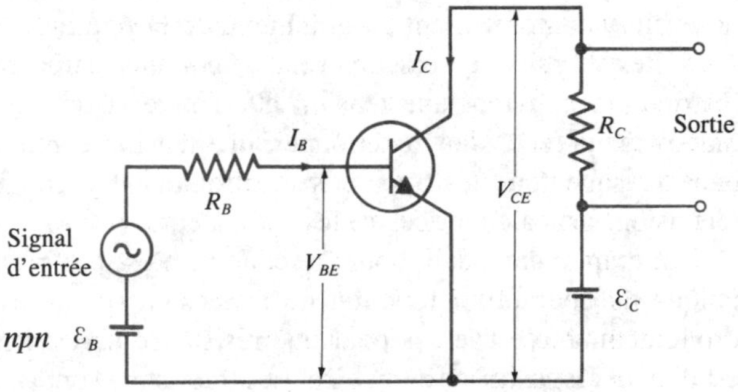

FIGURE 12.40 Transistor *npn* utilisé comme amplificateur.

On peut très brièvement analyser qualitativement le fonctionnement d'un transistor de la manière suivante. Considérons un transistor *npn* branché de la manière illustrée à la figure 12.40. On applique, à l'aide d'une pile $\mathscr{E}_C$, une tension V_{CE} entre le collecteur et l'émetteur. On dit que la tension appliquée à la base est la *tension de polarisation de la base*, V_{BE}; lorsqu'elle est positive, les électrons de conduction dans l'émetteur sont attirés dans la base. Comme la région de la base est très mince (peut-être de 1 μm), la plupart de ces électrons passent directement dans le collecteur, dans lequel on maintient une tension positive. Un fort courant, I_C, passe entre le collecteur et l'émetteur et un courant beaucoup moins fort, I_B, passe entre l'émetteur et la base. Une faible variation de la tension d'un signal d'entrée qu'on applique à la base cause une forte variation dans le courant de collecteur et par conséquent une forte variation de la chute de tension dans la résistance de charge R_C. Ainsi, un transistor peut servir à amplifier un signal. En fait, les transistors constituent aujourd'hui les éléments de base des amplificateurs électroniques de toutes sortes.

Un transistor *pnp* fonctionne de la même manière, sauf que ce sont les trous qui se déplacent au lieu des électrons. La tension dans le collecteur est négative, tout comme la tension de la base dans les conditions normales de fonctionnement.

La figure 12.40 représente deux piles: $\mathscr{E}_C$ alimente le collecteur et $\mathscr{E}_B$ fournit la tension de polarisation de la base. En pratique, on n'utilise souvent qu'une seule source et on peut obtenir la tension de polarisation de la base à l'aide d'un diviseur de potentiel (figure 12.41). On peut brancher les transistors de bien d'autres manières et on leur a trouvé plusieurs autres applications.

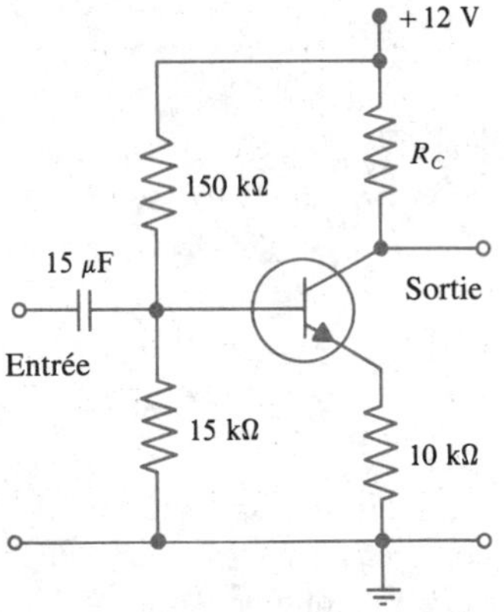

FIGURE 12.41 Circuit typique comprenant un transistor *npn*. $\mathscr{E}_C$ = +12 V, et $\mathscr{E}_B$ est déterminé par les valeurs des résistances.

Les transistors ont constitué un progrès considérable dans la miniaturisation des circuits électroniques. Quoique très petits comparativement aux tubes à vide, les transistors individuels sont énormes comparativement aux **circuits intégrés** ou **puces**. On peut placer des quantités minuscules d'impuretés à des endroits spécifiques d'un même cristal de silicium et on peut disposer ces impuretés de façon qu'elles forment des diodes, des transistors et des résistances (semiconducteurs non dopés). On peut aussi former des condensateurs et des inducteurs, quoiqu'on les branche souvent séparément. Une puce minuscule, de seulement 1 centimètre de côté, peut contenir des milliers de transistors et autres éléments de circuit.

RÉSUMÉ

La mécanique quantique explique la liaison des atomes à l'intérieur des molécules. Dans un *lien covalent*, les nuages électroniques de deux atomes, ou plus, se chevauchent à cause de l'interférence constructive entre les ondes électroniques. Les noyaux positifs sont attirés par cette concentration de charge négative entre eux; cette attraction constitue le lien. Un *lien ionique* est un cas extrême de lien covalent; dans ce type de lien, un ou plusieurs électrons provenant d'un atome passent beaucoup plus de temps autour de l'autre atome que de leur atome propre. Les atomes se comportent en conséquence comme des ions de signes opposés et s'attirent mutuellement, ce qui crée le lien. Ces *liens forts* tiennent les molécules ensemble, de même qu'ils tiennent ensemble les atomes et les molécules dans les solides. Les *liens faibles* (ou *liens de van der Waals*) sont également importants; ils résultent généralement de l'attraction dipolaire entre des molécules.

Lorsque des atomes forment ensemble des molécules, les niveaux d'énergie des électrons externes sont modifiés parce qu'ils interagissent maintenant les uns avec les autres. Des niveaux d'énergie additionnels apparaissent aussi parce que les atomes peuvent vibrer relativement les uns aux autres et que la molécule peut tourner sur elle-même. Les niveaux d'énergie pour les mouvements de vibration et de rotation sont quantifiés, et ils sont très près l'un de l'autre (typiquement séparés de 10^{-1} eV à 10^{-3} eV). Chaque niveau d'énergie atomique devient ainsi un ensemble de niveaux très rapprochés, correspondant aux mouvements de vibration et de rotation. Les transitions d'un niveau à un autre apparaissent comme plusieurs lignes *très* près les unes des autres. Ces spectres sont alors appelés des *spectres de bande*. Les niveaux d'énergie de rotation sont donnés par:

$$E_{\text{rot}} = L(L+1)\frac{\hbar^2}{2I} \qquad L = 0, 1, 2, \ldots,$$

où $I = \mu r^2$ est le moment d'inertie, r, la longueur du lien et μ, la masse réduite pour une molécule diatomique. Les niveaux d'énergie de vibration sont donnés par

$$E_{\text{vib}} = (v + \tfrac{1}{2})h \qquad v = 0, 1, 2, \ldots$$

Les transitions sont assujetties aux règles de sélection $\Delta L = \pm 1$ et $\Delta v = \pm 1$.

Tout comme les molécules, les solides sont retenus ensemble par des liens covalents et ioniques. Dans les métaux, la force électrostatique entre les électrons libres et les ions positifs constitue le *lien métallique*.

Dans la théorie des électrons libres dans les métaux, les électrons occupent les états d'énergie possibles conformément au principe d'exclusion. À $T = 0$ K, tous les états possibles sont remplis jusqu'à un niveau d'énergie maximal appelé l'*énergie de Fermi*, E_F, dont la grandeur est typiquement de quelques eV. Tous les états au-dessus de E_F sont inoccupés. Aux températures normales (300 K), la distribution des états occupés n'est que légèrement modifiée et la variation est donnée par la *fonction de distribution de Fermi-Dirac*:

$$f(E) = \frac{1}{e^{(E-E_F)/kT} + 1}.$$

Dans un solide cristallin, les états d'énergie possibles pour les électrons sont arrangés en *bandes*. À l'intérieur de chaque bande, les niveaux sont très près les uns des autres, mais entre les bandes, il y a des *gaps ou bandes d'énergie interdites*. Les bons conducteurs sont caractérisés par le fait que la bande occupée la plus élevée n'est que partiellement remplie, de sorte que les électrons disposent de plusieurs états disponibles pour se déplacer et accélérer lorsqu'on applique une tension. Dans un bon isolant, la bande d'énergie occupée la plus élevée (la *bande de valence*) est complètement remplie et il y a une large bande d'énergie interdite (de 5 à 10 eV) jusqu'à la bande suivante la plus élevée, la *bande de conduction*. À la température de la pièce, l'énergie thermique disponible due aux collisions n'est que de 0,025 eV environ, de sorte que presque aucun électron ne peut sauter de la bande de valence à la bande de conduction. Dans un semiconducteur, la bande interdite entre les bandes de valence et de conduction est beaucoup plus petite, de l'ordre de 1 eV, de sorte que quelques électrons peuvent faire la transition de la bande de valence pratiquement pleine à la bande de conduction presque vide.

Dans un semiconducteur *dopé*, un petit pourcentage d'atomes d'impuretés avec cinq ou trois électrons de valence remplacent quelques-uns des atomes normaux de silicium ou de germanium avec leurs quatre électrons de valence. Des impuretés à cinq électrons de valence produisent un semiconducteur de *type n* dans lequel des électrons négatifs transportent le courant. Des impuretés à trois électrons de valence produisent un semiconducteur de *type p* dans lequel des *trous* positifs transportent le courant. Le niveau d'énergie des atomes des impuretés se situe légèrement au-dessous de la bande de conduction dans un semiconducteur de type *n* et il se comporte comme un niveau *donneur* à partir duquel les électrons passent facilement dans la bande de conduction. Le niveau d'énergie des atomes des impuretés dans un semiconducteur de type *p* se situe légèrement au-dessus de la bande de valence et il se comporte comme un niveau *accepteur*, car les électrons de la bande de valence peuvent facilement l'atteindre en laissant derrière eux des trous qui transportent la charge.

QUESTIONS

1. Quel type de lien prévoyez-vous dans *a*) une molécule N_2, *b*) une molécule HCl et *c*) les atomes Fe dans un solide?
2. Décrivez comment une molécule $CaCl_2$ pourrait être formée.
3. La molécule H_2 a-t-elle un moment dipolaire permanent? Qu'en est-il de O_2? Et de H_2O? Expliquez.
4. Quoique la molécule H_3 ne soit pas stable, l'ion H_3^+ l'est. Expliquez pourquoi à l'aide du principe d'exclusion de Pauli.
5. L'énergie d'une molécule peut être divisée en quatre catégories. Quelles sont-elles?
6. Si les électrons de conduction peuvent errer librement dans un métal, pourquoi ne quittent-ils pas le métal complètement?
7. Un semiconducteur de silicium est dopé avec du phosphore. Ces atomes sont-ils des donneurs ou des receveurs? De quel type de semiconducteur s'agit-il?
8. Expliquez pourquoi la résistivité des métaux augmente avec la température tandis que la résistivité des semiconducteurs diminue pour une température croissante.
9. Discutez de la différence entre un gaz parfait classique et un gaz d'électrons de Fermi.
10. Quels aspects de la figure 12.26 sont particuliers au cuivre et quels aspects sont valides en général pour tous les métaux?
11. Peut-on utiliser une diode pour amplifier un signal?
12. La figure 12.42 représente un redresseur à double alternance à quatre diodes «en pont». Expliquez comment le courant est redressé et comment le courant circule durant chaque demi-cycle.

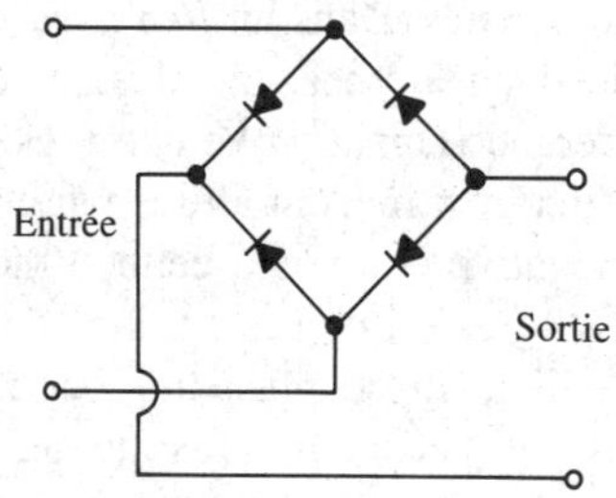

FIGURE 12.42 Question 12.

13. Comparez la résistance d'une diode *pn* branchée en polarisation avant à la résistance de la même diode branchée en polarisation inverse.
14. Expliquez comment il est possible d'utiliser un transistor comme un interrupteur.
15. Si $\mathscr{E}_C$ était inversé dans la figure 12.40, comment faudrait-il modifier le circuit pour réaliser un amplificateur?
16. Décrivez comment un transistor *pnp* peut fonctionner comme un amplificateur.
17. Dans un transistor, la jonction base-émetteur et la jonction base-collecteur sont fondamentalement des diodes. Ces jonctions sont-elles polarisées en inverse ou vers l'avant dans l'application représentée à la figure 12.40?
18. À quoi sert le condensateur de la figure 12.41?

PROBLÈMES

SECTIONS 12.1 À 12.3

1. (I) Estimez l'énergie de liaison d'une molécule de KCl en calculant l'énergie potentielle électrostatique quand les ions K^+ et Cl^- sont à leur distance d'équilibre de 0,28 nm. Supposez que chacun d'eux a une charge de grandeur 1,0 *e*.
2. (I) L'énergie de liaison mesurée du KCl est de 4,43 eV. D'après le résultat du problème 1, estimez la contribution des nuages électroniques répulsifs à l'énergie de liaison à la distance d'équilibre $r_0 = 0{,}28$ nm.
3. (II) Estimez l'énergie de liaison de la molécule H_2, si vous supposez que les deux noyaux H sont séparés de 0,074 nm et que les deux électrons passent 33 % plus de temps à mi-chemin entre eux qu'ailleurs.
4. (II) Par un raisonnement semblable à celui contenu dans le texte sur le rôle des états $S = 0$ et $S = 1$ dans la formation de la molécule H_2, montrez pourquoi il *ne se forme pas* de molécule He_2. Montrez aussi comment l'ion moléculaire He_2^+ *se forme* (avec une énergie de liaison de 3,1 eV à $r_0 = 0{,}11$ nm).

5. (III) Estimez l'énergie de liaison de la molécule H_2 en calculant la différence en énergie cinétique des électrons pour les atomes séparés et pour la molécule à l'aide du principe d'incertitude. Supposez que Δx pour les électrons dans les atomes séparés est le rayon de la première orbite de Bohr, 0,053 nm, et supposez que pour la molécule, Δx est la séparation des noyaux, 0,074 nm.

SECTION 12.4

6. (I) Quelle est la masse réduite des molécules *a*) NaCl; *b*) N_2; *c*) HCl?
7. (I) Quelle est la fréquence et l'énergie du photon émis lors d'une transition de vibration dans H_2 selon l'explication de l'exemple 12.3?
8. (II) L'«énergie caractéristique de rotation», $\hbar^2/2I$, pour N_2 est $2{,}48 \times 10^{-4}$ eV. Calculez la longueur du lien N_2.
9. (II) Calculez l'énergie caractéristique de rotation, $\hbar^2/2I$, pour la molécule O_2 dont la longueur du lien est 0,121 nm.
10. (II) La séparation d'équilibre des atomes H dans la molécule H_2 est 0,074 nm (figure 12.8). Calculez les énergies et les longueurs d'onde des photons pour les transitions de rotation *a*) $L = 1$ à $L = 0$; *b*) $L = 2$ à $L = 1$; *c*) $L = 3$ à $L = 2$.
11. (II) Calculez la longueur de lien de la molécule NaCl si vous savez que trois longueurs d'onde successives pour les transitions de rotation sont de 23,1 mm, 11,6 mm et 7,71 mm.
12. (II) La fréquence de vibration fondamentale de la molécule CO est de $6{,}42 \times 10^{13}$ Hz. Déterminez *a*) la masse réduite et *b*) la valeur effective de la constante *k*. Comparez au *k* de la molécule H_2.
13. (II) La fréquence de vibration fondamentale de la molécule HCl est de $8{,}66 \times 10^{13}$ Hz. Déterminez *a*) la masse réduite et *b*) la valeur effective de la constante *k*. Comparez au *k* de la molécule H_2.
14. (II) Imaginez que le lien entre deux atomes d'une molécule diatomique soit un ressort (figure 12.43). Montrez que la fréquence classique de vibration est donnée par l'équation 12.5. [Indice: soit x_1 et x_2 les déplacements de chaque masse par rapport aux positions d'équilibre initiales; alors $m_1 d^2x_1/dt^2 = -kx$ et $m_2 d^2x_2/dt^2 = -kx$, où $x = x_1 + x_2$. Trouvez une autre relation entre x_1 et x_2 si vous supposez que le centre de masse du système reste au repos, puis montrez que $\mu d^2x/dt^2 = -kx$.]

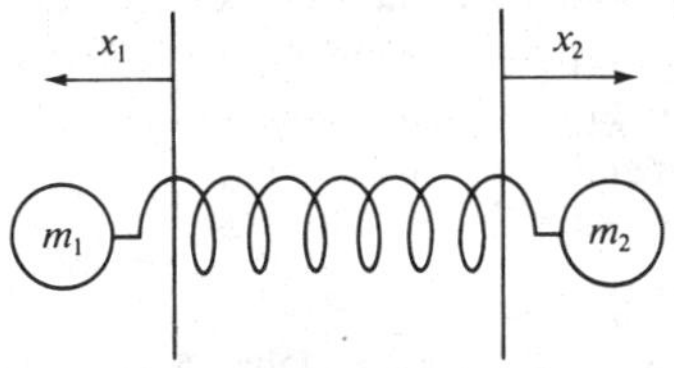

FIGURE 12.43 Problème 14.

15. (II) La figure 12.44 donne le graphique de l'énergie potentielle de la molécule NaCl. *a*) Estimez, à l'aide du graphique, la valeur de *k*. *b*) Calculez la fréquence fondamentale pour les transitions de vibration.
16. (II) Démontrez les équations 12.8.
17. (II) Expliquez pourquoi il n'y a pas de transition pour $E = hf$ dans les figures 12.19 et 12.20.
18. (II) Expliquez, à l'aide du facteur de Boltzmann (équation 11.18), pourquoi les hauteurs des pics de la figure 12.20 sont différents les uns des autres. Expliquez aussi pourquoi les lignes ne sont pas également espacées. [Indice: le moment d'inertie demeure-t-il nécessairement constant?]

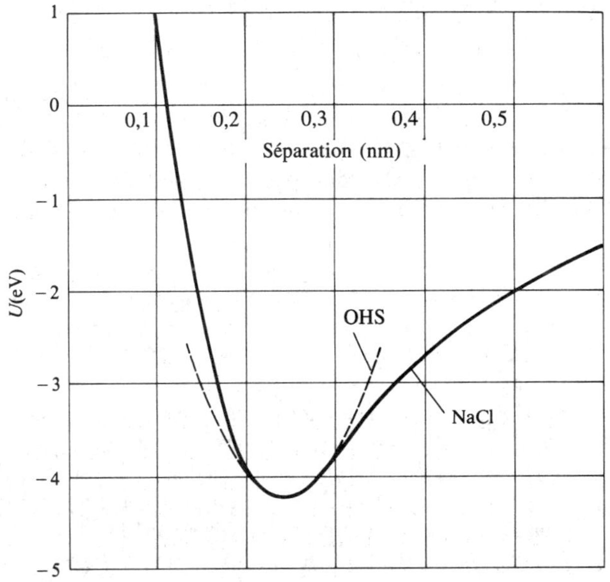

FIGURE 12.44 Problème 15: l'énergie potentielle pour la molécule NaCl.

19. (II) Dans le spectre d'absorption de la molécule HCl (figure 12.20), les lignes sont séparées par $2{,}6 \times 10^{-3}$ eV. Déterminez *a*) le moment d'inertie de la molécule HCl et *b*) la longueur du lien. Supposez que Cl représente l'isotope ^{35}Cl.

SECTION 12.5

20. (I) Estimez l'énergie de cohésion ionique du NaCl en posant $\alpha = 1{,}75$, $m = 8$ et $r_0 = 0{,}28$ nm.
21. (II) *a*) En vous basant sur l'équation 12.9, montrez que l'énergie de cohésion ionique est donnée par $U_0 = -(\alpha e^2/4\pi\varepsilon_0 r_0)(1 - 1/m)$. Déterminez U_0 pour *b*) le NaI ($r_0 = 0{,}33$ nm) et *c*) le MgO ($r_0 = 0{,}21$ nm). Supposez que $m = 10$. *d*) Si vous supposiez que $m = 8$, de combien vos résultats seraient-ils différents?
22. (III) Pour une longue chaîne linéaire d'ions alternativement positifs et négatifs, montrez que la constante de Madelung serait $\alpha = 2 \ln 2$ [Conseil: utilisez un développement en série pour $\ln(1 + x)$.]

SECTION 12.6

23. (I) Estimez le nombre d'états disponibles aux électrons entre 6,90 et 7,00 eV dans un cube de cuivre de 1,0 cm^3.
24. (II) Quel est, approximativement, le rapport de la densité des molécules dans un gaz parfait à 300 K et à 1 atm (disons O_2), à la densité des électrons dans un métal (le cuivre) également à 300 K?
25. (II) Calculez l'énergie qui a une probabilité d'occupation de 90 % pour le cuivre à *a*) $T = 300$ K; *b*) $T = 1200$ K; *c*) $T = 0$ K.
26. (II) Calculez l'énergie qui a une probabilité d'occupation de 10 % pour le cuivre à *a*) $T = 300$ K; *b*) $T = 1200$ K; *c*) $T = 0$ K.

27. (II) Quelle est la probabilité d'occupation d'un état de la bande de conduction dans le cuivre à $T = 300$ K pour une énergie $E = 1{,}010\ E_F$?

28. (II) Calculez le nombre d'états électroniques possibles dans un cube d'argent de 1,00 cm^3 entre 0,99 E_F et E_F (= 5,48 eV).

29. (II) Calculez l'énergie de Fermi et la vitesse de Fermi pour le sodium qui a une densité de $0{,}97 \times 10^3\ kg/m^3$ et qui a un électron de conduction par atome.

30. (II) Les atomes dans le métal de zinc ($\rho = 7{,}1 \times 10^3\ kg/m^3$) ont chacun deux électrons libres. Calculez *a*) la densité des électrons de conduction, *b*) l'énergie de Fermi et *c*) la vitesse de Fermi.

31. (II) Si l'énergie de Fermi de l'aluminium est de 11,63 eV, *a*) calculez la densité des électrons libres à l'aide de l'équation 12.12 et *b*) estimez la valence de l'aluminium à l'aide de ce modèle ainsi que de la densité connue ($2{,}70 \times 10^3\ kg/m^3$) et le nombre atomique ($A = 27{,}0$) de l'aluminium.

32. (II) On peut traiter les neutrons dans une étoile à neutrons (chapitre 16) comme un gaz de Fermi, les neutrons prenant la place des électrons dans notre modèle d'un gaz d'électrons. Déterminez l'énergie de Fermi pour une étoile à neutrons d'un rayon de 10 km et d'une masse du double de celle du Soleil. Supposez que l'étoile est entièrement faite de neutrons et qu'elle est de densité uniforme.

33. (II) Montrez que l'énergie moyenne des électrons de conduction dans un métal à $T = 0$ K est $\overline{E} = \frac{3}{5}E_F$ (équation 12.13) en calculant

$$\overline{E} = \frac{\int E n_0(E)\, dE}{\int n_0(E)\, dE}.$$

34. (II) Montrez que la probabilité d'occupation à l'énergie de Fermi est exactement de $\frac{1}{2}$, indépendamment de la température.

35. (II) *a*) Pour le cuivre à la température de la pièce ($T = 300$ K), calculez la fonction de Fermi (équation 12.14) pour un électron à une énergie de 0,10 eV au-dessus de l'énergie de Fermi. Ceci représente la probabilité que cet état soit occupé. Est-ce raisonnable? *b*) Quelle est la probabilité qu'un état 0,10 eV au-dessous de l'énergie de Fermi soit occupé? Quelle est la probabilité que l'état dans la partie *b*) du présent problème soit innocupé.

36. (II) On définit la *température de Fermi*, T_F, comme la température à laquelle l'énergie thermique est égale à l'énergie de Fermi: $kT_F = E_F$. *a*) Déterminez la température de Fermi pour le cuivre. *b*) Montrez que pour $T >> T_F$, la fonction de Fermi (équation 12.14) avoisine le facteur de Boltzmann. (Note: ce dernier résultat n'est pas très utile pour comprendre les conducteurs. Pourquoi?)

37. (III) Pour un puits de potentiel à une dimension, montrez, à l'aide de l'équation 10.13, que la densité des états pour un gaz d'électrons est donnée par:

$$g_{1D}(E) = \sqrt{\frac{8m_e L^2}{h^2 E}}.$$

Souvenez-vous que deux électrons peuvent occuper chaque état. [Conseil: écrivez le nombre quantique n en fonction de E. Puis $g(E) = 2dn/dE$, puisque gdE est le nombre d'états entre E et $E + dE$.]

38. (III) Procédez de la manière suivante pour trouver la densité des états, $g(E)$, équation 12.10. Supposez que le métal est un cube de côté L. Appliquez la discussion de la section 10.8 à un puits infini à trois dimensions pour lequel les niveaux d'énergie sont donnés par:

$$E = \frac{h^2}{8mL^2}(n_x^2 + n_y^2 + n_z^2).$$

(Expliquez la signification de n_x, n_y, n_z.) Chaque ensemble de valeurs prises par les nombres quantiques n_x, n_y, n_z correspond à un état. Imaginez un espace où n_x, n_y, n_z sont les axes et où chaque état est représenté par un point sur un réseau cubique dans cet espace, chacun séparé de son voisin par une unité sur l'axe des x. Considérez l'octant $n_x > 0$, $n_y > 0$, $n_z > 0$. Montrez que le nombre d'états N en deçà d'un rayon $R = (n_x^2 + n_y^2 + n_z^2)^{1/2}$ est $2(\frac{1}{8})(\frac{4}{3}\pi R^3)$. Puis utilisez $g(E) = dN/dE$ pour obtenir l'équation 12.10.

39. (III) Utilisez le résultat du problème 28 dans le chapitre 5 du tome 2 pour la résistivité ρ d'un métal, $\rho = m_e v/ne^2 l_m$, où v est la vitesse moyenne des électrons (= la vitesse de Fermi), pour déterminer l_m, le libre parcours moyen entre les collisions, dans le cuivre. Approximativement combien de distances inter-atomiques un électron parcourt-il entre les collisions?

SECTION 12.7

40. (I) Expliquez à l'aide des bandes d'énergie pourquoi le chlorure de sodium est un bon isolant. [Indice: considérez les couches électroniques des ions Na^+ et Cl^-.]

41. (II) Nous avons vu qu'il y a $2N$ états électroniques possibles dans la bande 3*s* du sodium, où N est le nombre total d'atomes. Combien d'états électroniques possibles y a-t-il dans *a*) la bande 2*s*; *b*) la bande 2*p*; *c*) la bande 3*p*? *d*) Établissez une formule générale donnant le nombre total d'états possibles dans une bande électronique quelconque.

42. (II) Calculez le photon de plus grande longueur d'onde qui puisse faire sauter un électron du silicium de la bande de valence dans la bande de conduction ($E_g = 1{,}1$ eV).

43. (II) La largeur de la bande interdite, E_g, dans le germanium est de 0,72 eV. Lorsqu'on l'utilise comme un détecteur de photon, approximativement combien d'électrons peut-on faire sauter de la bande de valence dans la bande de conduction par l'absorption d'un photon de 660 keV si environ 25 % de l'énergie du photon contribue à ce processus (le reste étant perdu en chaleur)?

SECTION 12.8

44. (II) Supposez qu'un semiconducteur de silicium est dopé avec du phosphore de façon qu'un atome de silicium sur 10^6 soit remplacé par un atome de phosphore. Si l'électron «supplémentaire» de chaque atome de phosphore est donné à la bande de conduction, par quel facteur la densité des électrons de conduction augmente-t-elle? La densité du silicium est de 2330 kg/m^3, et la densité des électrons de conduction dans le silicium pur est d'environ $10^{16}\ m^{-3}$ à la température de la pièce.

45. (II) Pour un atome donneur d'arsenic dans un semiconducteur de silicium dopé, supposez que l'électron «supplémentaire» se trouve sur une orbite de Bohr autour de l'ion

d'arsenic. Pour cet électron dans l'état fondamental, tenez compte de la constante diélectrique $\kappa = 12$ du silicium (qui représente la diminution de la force de Coulomb due à tous les autres atomes ou ions dans le réseau), et estimez *a*) l'énergie de liaison et *b*) le rayon de l'orbite de cet électron supplémentaire.

SECTION 12.9

46. (I) Une diode au silicium dont les caractéristiques courant-tension sont données dans la figure 12.36 est branchée en série avec une pile et une résistance de 200 Ω. Quelle tension la pile doit-elle fournir pour produire un courant de 10 mA?

47. (II) Supposez que le gain en courant du transistor de la figure 12.40 soit $\beta = I_C/I_B = 100$. Si $R_C = 3{,}0$ kΩ, calculez la tension de sortie pour un courant d'entrée variant dans le temps d'une amplitude de 2,0 μA.

48. (II) Supposez que le gain en courant de l'amplificateur à transistor dans la figure 12.40 soit $\beta = I_C/I_B = 60$. Quelle doit être la valeur de R_C pour qu'un courant de base de 1,0 μA produise une tension de sortie de 0,40 V?

49. (II) Un transistor, dont le gain en courant $\beta = I_C/I_B = 80$, est branché comme dans la figure 12.40 avec $R_B = 2{,}0$ kΩ et $R_C = 6{,}5$ kΩ. Calculez *a*) le gain en tension et *b*) le gain en puissance.

50. (II) Un amplificateur a un gain en tension de 90 et une résistance de charge (sortie) de 10 kΩ. Quel est le courant de sortie maximal dans la résistance de charge si la tension d'entrée est un signal alternatif avec une tension de crête de 0,080 V?

51. (II) Une tension alternative d'une valeur moyenne quadratique de 240 V doit être redressée. Estimez le courant moyen dans la résistance de sortie *R* (15 kΩ) pour *a*) un redresseur simple alternance (figure 12.37), et *b*) un redresseur double alternance (figure 12.38) sans condensateur.

52. (II) Une tension alternative à 60 Hz d'une valeur moyenne quadratique de 240 V doit être redressée avec un redresseur double alternance comme dans la figure 12.38, où $R = 15$ kΩ et $C = 30$ μF. *a*) Quel sera le courant moyen (approximativement)? *b*) Que se passe-t-il si $C = 0{,}10$ μF? (Indice: reportez-vous à la section 6.5 du tome 2).

53. (II) Supposez que la diode de la figure 12.36 soit branchée en série à une résistance de 100 Ω et une pile de 2,0 V. Quel courant passe dans le circuit? (Indice: tracez une ligne dans la figure 12.36 représentant le courant dans la résistance en fonction de la tension aux bornes de la diode; l'intersection de cette ligne avec la courbe caractéristique donnera la réponse.)

54. (III) Un redresseur double alternance (figure 12.38) utilise deux diodes pour redresser une tension alternative d'une valeur moyenne quadratique de 74 V. Si $R = 10$ kΩ et $C = 20$ μF, quel est approximativement le pourcentage de variation de la tension de sortie? Ceci s'appelle la *tension d'ondulation* (figure 12.38c).

55. (III) La figure 12.45 représente un régulateur de tension à diode Zener. Supposez que $R = 2{,}0$ kΩ et que la tension de claquage de la diode soit de 130 V; le courant maximal de la diode est de 100 mA. *a*) Si $R_{\text{charge}} = 15$ kΩ, sur quel domaine de tensions d'entrée le circuit maintiendra-t-il la tension de sortie à 130 V? *b*) Si la tension d'entrée est de 200 V, sur quel domaine de résistances de charge la tension sera-t-elle stabilisée?

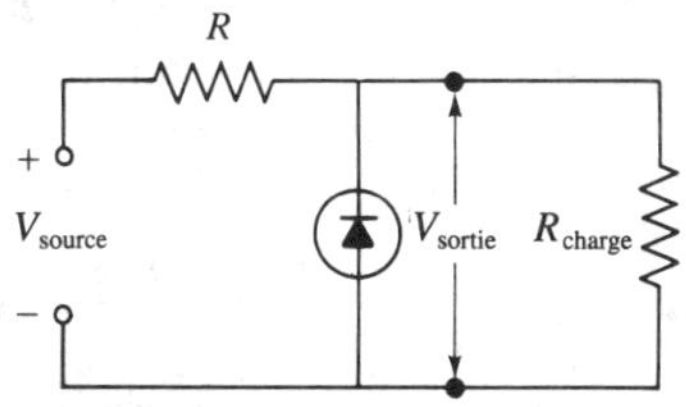

FIGURE 12.45 Problème 55.

56. (III) Dans une diode au silicium, il ne passe de courant de façon significative que si la tension en polarisation avant dépasse environ 0,6 V. Estimez le courant moyen dans la résistance de sortie *R a*) d'un redresseur simple alternance (figure 12.37) et *b*) d'un redresseur double alternance (figure 12.38) sans condensateur. Supposez, dans chaque cas, que $R = 200$ Ω et que la tension alternative ait une valeur moyenne quadratique de 2,0 V.

CHAPITRE

13

LA PHYSIQUE NUCLÉAIRE ET LA RADIOACTIVITÉ

Les expériences faites par Rutherford au début du XXe siècle semblaient étayer l'hypothèse qu'un noyau, massif quoique extrêmement petit, se trouvait au centre de l'atome. Alors que s'élaborait la théorie des quanta et que les scientifiques poursuivaient leurs efforts pour comprendre la structure de l'atome et de ses électrons, des recherches sur le noyau avaient aussi commencé. Dans le présent chapitre ainsi que dans le suivant, nous nous intéresserons à la *physique nucléaire.*

13.1 La structure et les propriétés du noyau

Pour les physiciens du début du siècle, il était important de savoir si le noyau avait une structure et, le cas échéant, ce qu'était cette structure. On sait maintenant que le noyau est un objet complexe, qui n'est pas encore complètement compris, même aujourd'hui. Cependant, au début des années 1930, un modèle du noyau, encore en usage aujourd'hui, avait été élaboré. Dans ce modèle, on considère le noyau comme un agrégat de deux types de particules: les protons et les neutrons. (Il importe, bien entendu, de ne pas oublier que ces «particules» ont aussi des propriétés ondulatoires, mais pour faciliter leur description et leur représentation visuelle, nous en parlons néanmoins comme de simples «particules».) Le noyau de l'atome le plus simple, c'est-à-dire l'hydrogène, est un **proton**. Il a une charge positive de $+e$ ($= +1{,}60 \times 10^{-19}$ C) et une masse

$$m_p = (1{,}6726231 \pm 0{,}0000010) \times 10^{-27}\ \text{kg}$$

ou, arrondie,

$$m_p = 1{,}6726 \times 10^{-27}\ \text{kg}.$$

Le **neutron**, dont l'existence ne fut démontrée qu'en 1932 par l'Anglais James Chadwick (1891-1974), est, comme son nom l'indique, électriquement neutre ($q = 0$). Sa masse, presque identique à celle du proton, est:

$$m_n = (1{,}6749286 \pm 0{,}0000010) \times 10^{-27}\ \text{kg}$$

ou, arrondie,

$$m_n = 1{,}6749 \times 10^{-27}\ \text{kg}.$$

Le terme générique désignant ces deux composants du noyau, les neutrons et les protons, est **nucléon**.

Nous avons vu que le noyau de l'hydrogène ne consiste qu'en un seul proton; les noyaux des autres éléments sont toutefois formés de neutrons et de protons. On nomme **nucléides** les différents types de noyaux. Le nombre de protons dans un noyau (ou nucléide) est son **numéro atomique**; il est représenté par la lettre Z . Le nombre total de nucléons, c'est-à-dire de protons et de neutrons, est représenté par la lettre A et est appelé **nombre de masse atomique**. Ce nom s'explique par le fait que la masse d'un noyau est presque égale à A fois la masse d'un nucléon. Donc, pour un noyau de 7 protons et 8 neutrons, $Z = 7$ et $A = 15$. Le **nombre de neutrons**, représenté par la lettre N, est $N = A - Z$.

Pour spécifier un nucléide donné, A et Z suffisent. On utilise ordinairement le symbole suivant:

$$^{A}_{Z}X,$$

où X est le symbole chimique de l'élément (voir appendice D), A, le nombre de masse atomique et Z, le numéro atomique. Par exemple, $^{15}_{7}N$ représente un noyau d'azote contenant 7 protons et 8 neutrons, soit un total de 15 nucléons. Dans un atome neutre, le nombre d'électrons en orbite autour du noyau est égal au numéro atomique Z (puisque la charge d'un électron est de grandeur égale, mais de signe opposé, à celle d'un proton). C'est le nombre d'électrons qui détermine les principales propriétés de l'atome. Donc Z détermine l'espèce de l'atome: carbone, oxygène, or, ainsi de suite. Par conséquent, il n'est pas vraiment nécessaire de donner en même temps le symbole d'un élément et son numéro atomique Z comme nous l'avons fait plus haut. Si, par exemple, l'élément est l'azote, nous savons automatiquement que $Z = 7$. On omet donc parfois le numéro atomique Z et on écrit ^{15}N plutôt que $^{15}_{7}N$; on prononce «azote 15». Le numéro atomique Z est néanmoins souvent conservé par commodité.

Tous les noyaux d'un même élément (par exemple, le carbone) contiennent le même nombre de protons; le nombre de leurs neutrons peut cependant varier. Ainsi, les noyaux de carbone contiennent toujours 6 protons, mais ils peuvent avoir 5, 6, 7, 8, 9 ou 10 neutrons. On appelle **isotopes** les nucléides ayant le même nombre de protons mais des nombres différents de neutrons. Ainsi, $^{11}_{6}C$, $^{12}_{6}C$, $^{13}_{6}C$, $^{14}_{6}C$, $^{15}_{6}C$, et $^{16}_{6}C$ sont tous des isotopes du carbone. Bien entendu, les différents isotopes d'un même élément n'ont pas tous la même abondance. Par exemple, le carbone présent naturellement sur la Terre est constitué à 98,9 % de $^{12}_{6}C$ et à 1,1 % environ de $^{13}_{6}C$. On appelle ces pourcentages des **abondances naturelles**†. Plusieurs isotopes qu'on ne peut trouver dans la Nature peuvent être produits en laboratoire par réactions nucléaires (traitées au chapitre 14). En fait, les éléments de numéro atomique supérieur à celui de l'uranium ($Z > 92$) n'existent pas sur la Terre et on ne peut les produire qu'artificiellement.

C'est Rutherford qui, le premier, détermina les dimensions approximatives des noyaux en utilisant la diffusion des particules chargées. Bien entendu, la dualité onde-particule nous interdit d'assigner des dimensions définies aux noyaux: l'espace qu'ils occupent doit demeurer quelque peu flou. Néanmoins, on peut, en utilisant des critères appropriés, définir une «dimension» pour les noyaux; des mesures précises de cette quantité existent maintenant grâce à la technique de diffusion d'électrons à haute vitesse sur des noyaux. En bref, on a trouvé que les noyaux ont une forme sphérique, avec un rayon qui augmente avec A selon la formule approximative suivante:

$$r \approx (1{,}2 \times 10^{-15}\ \text{m})(A^{1/3}). \tag{13.1}$$

Comme le volume d'une sphère est $V = \frac{4}{3}\pi r^3$, celui d'un noyau est évidemment proportionnel au nombre de ses nucléons, $V \propto A$. Ceci est normal si on se représente les nucléons comme étant des boules de billard impénétrables: en doublant le nombre de boules, on double le volume total. Tous les noyaux ont donc presque la même densité.

Une méthode permet de déterminer les masses des noyaux en mesurant le rayon de courbure de noyaux à haute vitesse dans un champ magnétique à l'aide d'un spectromètre, tel qu'il est expliqué à la section 7.10 du tome 2. En fait, comme nous l'avons mentionné dans cette section, l'existence des différents isotopes d'un même élément

† Les masses inscrites dans le tableau périodique sont des moyennes qui tiennent compte des abondances naturelles des isotopes de chaque élément.

ENCADRÉ 13.1

Le neutron caché

Dès la fin du XVIIIe siècle, on avait de bonnes raisons de croire à l'existence de l'atome parce qu'on avait découvert que les éléments chimiques se combinent en proportion de nombres entiers. Demi-succès et échecs ponctuèrent cette longue recherche de l'atome, qui se termina en 1932 avec la découverte du neutron, suivie de l'établissement de sa théorie en 1934.

La structure de l'atome explique la grande majorité des phénomènes chimiques: l'atome se compose d'électrons et d'un noyau, lui-même constitué de protons et de neutrons. Le neutron fut le dernier des trois composants à être découvert. Sa neutralité électrique le rendait difficilement détectable. De plus, l'électron et le proton suffisaient à eux seuls pour bâtir un atome qui soit une image assez fidèle de la réalité, même si certains problèmes demeuraient sans solution. Certains faits suggéraient l'existence d'une particule neutre. Cette idée suscitait cependant la peur secrète de voir augmenter sans fin le nombre des particules fondamentales. On alla même jusqu'à vouloir abandonner la validité du principe de conservation d'énergie à l'intérieur du noyau plutôt que d'accepter l'existence d'une troisième particule élémentaire.

La logique et l'histoire

L'atome est composé d'électrons, de protons et de neutrons. Il est caractérisé par son nombre atomique, soit le nombre de protons de son noyau. Enlever ou ajouter un neutron à son noyau ne change pas ses propriétés chimiques: il demeure le même atome; son isotopie change cependant, de même que sa masse atomique.

Les concepts de masse atomique et d'isotope sous-entendent celui de neutron. La première colonne du tableau 1 montre cependant que ces concepts ont pris naissance dans un ordre bien différent; la logique et l'histoire ne vont généralement pas de pair. Les deuxième et troisième colonnes nous renseignent sur les contextes théorique et expérimental de leur apparition; la quatrième colonne donne l'auteur probable du nom du concept et la cinquième, les noms des physiciens ayant contribué à leur naissance.

Les théories de Leucippe et Démocrite ainsi que de Dalton sur l'atome soutiennent la même idée: la matière est formée à partir d'un même élément indivisible.

La masse atomique, le faux étalon du tableau périodique

En 1799, Joseph-Louis Proust établit que les éléments d'un composé se combinent selon des proportions définies. À peine un an plus tard, Dalton explique la loi de Proust en postulant que toutes les substances chimiques sont composées d'un multiple entier d'atomes d'hydrogène, la substance la plus légère. Jöns Jakob Berzélius (1779-1848) reprit la théorie de Dalton en 1828: il établit une liste des éléments par ordre des masses atomiques, valeurs des masses des atomes relativement à celui de l'hydrogène. Cette initiative eut peu d'écho.

En 1869, Mendeleev montrait explicitement, dans son tableau périodique, que la liste des éléments par ordre de masse atomique est périodique. Le tableau est divisé en colonnes, et les éléments d'une même colonne présentent des propriétés chimiques grossièrement semblables. On adopta le tableau de Mendeleev après qu'il eut prédit avec succès l'existence d'éléments alors inconnus.

Le nombre atomique, le vrai étalon du tableau périodique

En 1886, on pouvait mesurer les masses atomiques avec suffisamment d'exactitude pour s'interroger sur la loi de Proust. En effet, les valeurs des masses atomiques ne correspondaient pas toujours à des nombres entiers, ce qui remettait en question la théorie atomique de Dalton voulant que tout élément soit constitué d'atomes d'hydrogène. On cherchait diverses solutions, et on émit l'hypothèse d'un atome plus élémentaire que celui de l'hydrogène. On pouvait difficilement croire alors que la masse atomique n'était pas le bon critère de classement des éléments; le neutron, le responsable, commençait déjà à faire des siennes, avant même que l'électron et le proton ne soient découverts.

Les recherches qui révélèrent l'existence de l'électron et du proton ainsi que celles consacrées à la mesure des masses atomiques des radio-éléments nouvellement apparus donnèrent naissance aux concepts d'isotope et de nombre atomique. Francis Aston continua les travaux que J. J. Thomson entreprit en 1912 sur les rayons positifs; il utilisa son spectromètre de masse (perfectionnement du système expérimental de Thomson) et démontra hors de tout doute que plusieurs éléments avaient un nombre de charges identiques mais des masses atomiques différentes. En 1914, Henry Gwyn-Jeffreys Moseley étudiait les spectres des rayons X produits par différents éléments au moyen du spectromètre à cristal nouvellement inventé. Il montra, au moyen de la théorie atomique de Bohr, qu'il devait y avoir corrélation directe entre la position d'un élément du tableau périodique et la charge de son noyau, ce que ses résultats confirmèrent. Ainsi, le cobalt (de nombre atomique 27) précède le nickel (de nombre atomique 28), même si ce dernier a une masse atomique plus petite.

En 1924, Marie Curie déclarait dans *L'isotopie et les éléments isotopes*: «Les recherches sur les rayons positifs (les particules positives d'une décharge dans les gaz) ont élargi et complété la notion de l'isotopie dans toute sa généralité et ont définitivement dépossédé le poids atomique (masse atomique) du rôle qui lui était assigné dans le système périodique à une grandeur physique d'importance plus fondamentale: la charge positive du noyau, partie centrale de l'atome. La classification périodique ainsi généralisée avec une interprétation nouvelle nous ramène à la conception de l'unité de matière, idée grandiose, aussi ancienne que la théorie atomique, mais réfutée en apparence par les déterminations très précises des poids atomiques, auxquels la chimie accordait une signification simple dont ils sont dépourvus.»

Le faux noyau, fait de protons et d'électrons

J. J. Thomson présenta, en 1897, un ensemble de preuves appuyant l'idée que les rayons cathodiques étaient constitués de la particule fondamentale de charge négative. Lorentz décida de les appeler des *électrons*, d'après une suggestion faite par Stoney selon laquelle le déplacement d'une hypothétique charge élémentaire constituerait le courant électrique. En 1914, Rutherford montra que la particule la moins chargée d'un rayon positif (d'une décharge) était un noyau d'hydrogène; il considéra que c'était la particule fondamentale de charge positive et l'appela *proton*.

TABLEAU 1
L'histoire des concepts liés à la différenciation des atomes.

Concept et date	Cadre théorique	Cadre expérimental	Auteurs du nom	Physiciens à l'origine des concepts
Atome 450 av. J.-C.	Philosophie	Observations	Leucippe, Démocrite	Leucippe (*c.* 490 av. J.-C.), Démocrite (460-370 av. J.-C.)
Masse atomique 1808	Atome chimique	Réactions chimiques, balance	Dalton 1808	J.-L. Proust (1754-1826), John Dalton (1766-1844), Dimitri Mendeleev (1834-1907)
Électron 1897	Atome électrique	Électrochimie, décharge dans les gaz (rayons négatifs)	Stoney 1891, Lorentz	E. Goldstein (1850-1931), Crookes (1832-1919), Lorentz (1853-1928), J. J. Thomson (1856-1940)
Isotope 1913	Atome électrique	Décharge dans les gaz (rayons positifs), radioactivité	Soddy 1913	Frederick Soddy (1877-1956), J. J. Thomson (1856-1940), William Aston (1877-1945)
Proton 1914	Atome électrique	Décharge dans les gaz (rayons positifs)	Rutherford 1914	Goldstein, J. Perrin (1870-1942), J. J. Thomson (1856-1940), Ernest Rutherford (1871-1937)
Nombre atomique 1914	Atome de Bohr	Spectroscopie des rayons X	Moseley 1914	Henry Gwyn-Jeffreys Moseley (1887-1915)
Neutron 1932	Théorie quantique	Radioactivité, rayons γ, principe de conservation de l'énergie	Heisenberg, Chadwick 1932	Bothe (1891-1957), J.-F. Joliot (1900-1958), Irène Curie (1897-1956), J. Chadwick (1891-1974)

Par la suite, et jusqu'à la découverte du neutron, on pensa que le noyau de l'atome était composé de protons et d'électrons.

Le vrai noyau, fait de protons et de neutrons

En 1932, James Chadwick montra que le béryllium bombardé par des particules α n'émettait pas des rayons γ intenses, comme le croyaient les Joliot-Curie, mais bien des particules neutres de masse comparable à celle du proton, soit les *neutrons*. Heisenberg en développa la théorie en 1934. Ainsi, le neutron n'est pas composé d'un électron et d'un proton, ce qui résout les problèmes posés par le modèle d'un noyau constitué de protons et d'électrons. La longueur d'onde de l'électron était trop grande pour qu'il puisse se retrouver dans le noyau, et la valeur du spin du noyau était incompatible avec la théorie quantique. Le neutron est plutôt une variété de la même espèce que le proton.

Il n'y a pas d'électron dans le noyau atomique, mais bien des protons et des neutrons. Le nombre atomique correspond au nombre de protons. Les différents isotopes d'un même élément se différencient par leur nombre de neutrons.

La découverte du neutron illustre bien que l'ordre des découvertes ne suit généralement pas l'ordre logique. Elle montre également la part indispensable jouée par l'instrument; par exemple, c'est l'invention du spectromètre de masse qui a mené à la découverte de l'isotopie.

P.-É. O.

Références

G. BRUZZANITI et N. GÄHLER (1989). «The Affirmation of the Concept of Isotopy and the Birth of Mass Spectrography», *Archives internationales d'histoire des sciences*, *39*, 309-334.
Marie CURIE (1924). *L'isotopie et les éléments isotopes*, Paris, p. 18.
Jules SIX (1988). «Pourquoi ni Bothe ni les Joliot-Curie n'ont découvert le neutron», *Revue d'histoire des sciences*, XLI/1, p. 3-24.

fut découverte à l'aide de ce dispositif. Les masses nucléaires sont exprimées en *unités de masse atomique* (u). Sur cette échelle, on donne à la masse d'un atome de $^{12}_{6}C$ la valeur exacte de 12,000000 u. La masse d'un neutron devient alors 1,008665 u, celle d'un proton 1,007276 u et celle d'un atome d'hydrogène neutre, $^{1}_{1}H$ (un proton plus un électron) 1,007825 u. Les masses de plusieurs nucléides sont données à l'appendice E. Il convient de noter que les masses apparaissant dans ce tableau sont, comme il est d'usage, celles de l'*atome neutre* et non celles du noyau nu.

On exprime souvent les masses à l'aide de l'unité d'énergie électron-volt. Cela est possible parce que la masse et l'énergie sont liées; elles suivent précisément l'équation d'Einstein $E = mc^2$ (chapitre 8). Comme la masse d'un atome $^{1}_{1}H$ est de $1{,}67353 \times 10^{-27}$ kg ou 1,007825 u, alors $1{,}0000\ \text{u} = (1{,}00000/1{,}007825) \cdot (1{,}67353 \times 10^{-27}\ \text{kg}) = 1{,}66054 \times 10^{-27}$ kg; ceci équivaut à une énergie $E = mc^2 = (1{,}66054 \times 10^{-27}\ \text{kg}) \cdot (2{,}9979 \times 10^8\ \text{m/s})^2/(1{,}6022 \times 10^{-19}\ \text{J/eV}) = 931{,}5$ MeV. Les valeurs précises sont:

$$1\ \text{u} = (1{,}6605402 \pm 0{,}0000010) \times 10^{-27}\ \text{kg} = (931{,}49432 \pm 0{,}00028)\ \text{MeV}/c^2,$$

ce qui peut être arrondi à

$$1\ \text{u} = 1{,}6605 \times 10^{-27}\ \text{kg} = 931{,}5\ \text{MeV}/c^2.$$

Les masses au repos de quelques particules fondamentales sont données dans le tableau 13.1.

Tout comme l'électron, les noyaux et leurs composants (le proton et le neutron) ont un spin intrinsèque et un moment angulaire. Le proton et le neutron sont tous deux des particules de spin $\frac{1}{2}$. Un noyau, composé de protons et de neutrons, a un **spin nucléaire**, I, qui peut être soit un entier, soit un demi-entier, selon qu'il est composé d'un nombre pair ou impair de nucléons. Le *moment angulaire nucléaire* d'un noyau

TABLEAU 13.1
Masses au repos en kilogrammes, en unités de masse atomique unifiées et en MeV/c^2

	Masse		
Objet	**kg**	**u**	**MeV/c^2**
Électron	$9{,}1094 \times 10^{-31}$	0,00054858	0,51100
Proton	$1{,}67262 \times 10^{-27}$	1,007276	938,27
Atome ^1_1H	$1{,}67353 \times 10^{-27}$	1,007825	938,78
Neutron	$1{,}67493 \times 10^{-27}$	1,008665	939,57

est donné, comme prévu (voir la section 11.2), par $\sqrt{I(I+1)}\hbar$. L'unité dans laquelle on exprime les mesures des *moments magnétiques nucléaires* est le **magnéton nucléaire**,

$$\mu_N = \frac{e\hbar}{2m_p}, \tag{13.2}$$

qui est défini par analogie avec le magnéton de Bohr pour les électrons ($\mu_B = e\hbar/2m_e$, section 11.7). Comme μ_N contient la masse du proton, m_p, au lieu de la masse de l'électron, il est environ 2000 fois plus petit. Le moment magnétique de l'électron étant d'environ 1 magnéton de Bohr, on pourrait s'attendre à ce que le proton ait un moment magnétique μ_p d'environ 1 μ_N. En fait, ce moment est

$$\mu_p = 2{,}7928\mu_N.$$

Il n'existe pas d'explication satisfaisante pour cette différence substantielle. Il est aussi surprenant que le neutron ait un moment magnétique:

$$\mu_n = -1{,}9135\mu_N.$$

Ceci donne à penser qu'il y a peut-être une sorte de courant électrique à l'intérieur du neutron, bien que celui-ci ne possède pas de charge nette. La valeur négative de μ_n indique que son moment magnétique est opposé à son spin.

13.2 L'énergie de liaison et les forces nucléaires

La masse totale d'un noyau est toujours inférieure à la somme des masses de ses composants, protons et neutrons, comme l'exemple suivant le montre.

EXEMPLE 13.1 Comparez la masse d'un noyau ^4_2He, à celle de ses nucléons composants.

SOLUTION La masse d'un atome neutre ^4_2He, d'après l'appendice E, est de 4,002603 u. La masse de deux neutrons et de deux protons (chacun de ces derniers étant accompagné d'un électron) est:

$$\begin{aligned} 2m_n &= 2{,}017330 \text{ u} \\ 2m(^1_1H) &= \underline{2{,}015650 \text{ u}} \\ &\ 4{,}032980 \text{ u.} \end{aligned}$$

(On utilise presque toujours, dans les calculs, les masses des atomes neutres, c'est-à-dire celles des noyaux entourés de Z électrons, puisque c'est ainsi que ces masses sont mesurées. Il faut donc toujours tenir compte des électrons lorsqu'on compare les masses; c'est pourquoi, dans le présent exemple, nous utilisons la masse d'un atome ^1_1H plutôt que celle d'un proton seul.)

Donc, la masse mesurée de l'atome ${}^{4}_{2}He$ est de 4,032980 u − 4,002603 u = 0,030377 u plus petite que les masses de ses composants. Comment cela est-il possible? Où cette masse est-elle allée?

Elle s'est, en fait, convertie en une autre forme d'énergie (comme le rayonnement électromagnétique, l'énergie cinétique, et ainsi de suite). La différence de masse (ou d'énergie) dans le cas de ${}^{4}_{2}He$ est de (0,030377 u)(931,5 MeV/u) = 28,30 MeV. On appelle cette différence l'**énergie totale de liaison** du noyau. L'énergie totale de liaison représente la quantité d'énergie qu'il faut donner au noyau pour le briser en ses différents composants, protons et neutrons. Si la masse d'un noyau de ${}^{4}_{2}He$, par exemple, était exactement égale à celle de deux neutrons plus deux protons, le noyau pourrait se désintégrer sans apport d'énergie. Pour qu'il soit stable, il *faut* que sa masse soit inférieure à celle de ses constituants. Notez qu'il n'est pas exact de dire que le noyau possède une énergie de liaison; en fait, c'est de l'énergie qu'il a en «moins» par rapport à la masse totale de ses composants séparés.

On peut comparer l'énergie de liaison nucléaire à l'énergie de liaison des électrons dans un atome. Nous avons vu, au chapitre 9, que l'énergie de liaison d'un électron dans l'atome d'hydrogène, par exemple, est de 13,6 eV. La masse d'un atome de ${}^{1}_{1}H$ est inférieure de 13,6 eV à la somme des masses d'un proton et d'un électron. Comparée à la masse totale de l'atome (938 MeV), cette différence est incroyablement petite (1 partie par 10^8) et peut, en pratique, être négligée. Les énergies de liaison des noyaux sont environ 10^6 fois plus grandes que les énergies de liaison des atomes; elles sont donc beaucoup plus importantes.

On définit l'**énergie de liaison moyenne par nucléon** comme l'énergie de liaison totale du noyau divisée par A, le nombre total de nucléons. Pour ${}^{4}_{2}He$, cette énergie est de 28,3 MeV/4 = 7,1 MeV. La figure 13.1 représente l'énergie de liaison moyenne par nucléon en fonction de A pour des noyaux stables. La courbe croît lorsque A augmente, et elle atteint un plateau à environ 8 MeV par nucléon au-dessus de $A \approx 15$. Au delà d'environ $A = 60$, la courbe décroît lentement, ce qui indique que les noyaux les plus grands sont un peu moins bien tenus ensemble que ceux situés au milieu du tableau périodique. (Nous verrons plus loin que ces variations sont la cause de l'émission d'énergie nucléaire dans les processus de fission et de fusion.)

En plus d'analyser les noyaux du point de vue énergétique, on peut étudier les forces qui les tiennent ensemble. La réunion spontanée d'un ensemble de protons et

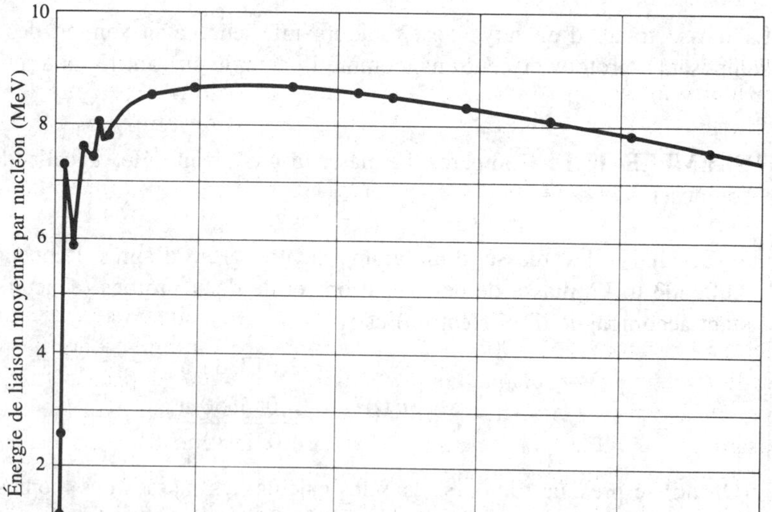

FIGURE 13.1 L'énergie de liaison moyenne par nucléon en fonction du nombre de masse *A* pour des noyaux stables.

de neutrons est un phénomène improbable, puisque les protons sont tous chargés positivement et qu'ils exercent donc une force répulsive les uns sur les autres. En fait, on peut même se demander comment un noyau peut rester en un morceau, alors que la répulsion électrostatique entre les protons devrait le faire éclater. En effet, comme les composants des noyaux stables *parviennent* à rester ensemble, il faut de toute évidence qu'une autre force agisse. Cette nouvelle force, plus intense que la force électrique (qui est elle-même beaucoup plus intense que la gravité au niveau nucléaire), est appelée l'**interaction nucléaire forte**. L'interaction forte est une force attractive agissant entre tous les nucléons, neutrons aussi bien que protons. Les protons s'attirent ainsi mutuellement par l'interaction forte en même temps qu'ils se repoussent sous l'effet de la force électrique. Comme les neutrons sont électriquement neutres, ils ne font qu'attirer les autres neutrons et les protons par l'interaction nucléaire forte.

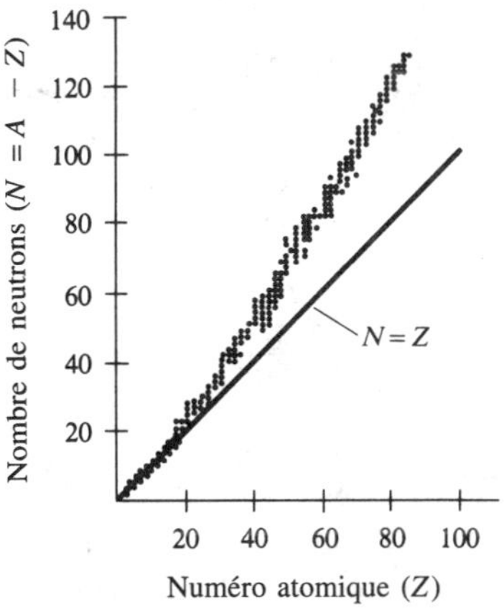

FIGURE 13.2 Nombre de neutrons en fonction du numéro atomique dans des nucléides stables, qui sont représentés par des points.

L'interaction forte s'est révélée être beaucoup plus compliquée que les forces gravitationnelle et électromagnétique. Il n'est pas encore possible de la décrire mathématiquement de façon précise. De nombreuses recherches ont néanmoins été menées pour essayer de la comprendre. Un aspect important de l'interaction forte est qu'il s'agit d'une force **à courte portée** qui n'agit qu'à très petite distance. Très intense entre deux nucléons séparés par moins de 10^{-15} m, elle devient, toutefois, pratiquement nulle lorsque la distance entre les nucléons dépasse cette valeur. Les forces gravitationnelle et électrique peuvent agir sur de grandes distances et on les appelle par conséquent des forces **à longue portée**. L'interaction forte présente des caractéristiques bizarres. Ainsi, lorsqu'un noyau contient trop ou trop peu de neutrons par rapport au nombre de protons, la force nucléaire est affaiblie; les nucléides qui sont trop loin de l'équilibre dans ce domaine sont instables. Comme on peut le voir à la figure 13.2, les noyaux stables tendent à avoir le même nombre de protons que de neutrons ($N = Z$) jusqu'à environ $A \approx 30$ ou 40. Au-delà de cette région, les noyaux stables contiennent plus de neutrons que de protons. Ceci s'explique aisément par le fait que lorsque Z augmente, la répulsion électrique augmente aussi, de sorte qu'il faut un plus grand nombre de neutrons (qui n'exercent que la force nucléaire attractive) pour maintenir la stabilité. Pour un très grand Z, les neutrons, quel que soit leur nombre, ne peuvent faire contrepoids à la répulsion électrique devenue très importante. En fait, on ne trouve pas de nucléide vraiment stable au-dessus de $Z = 82$.

Par noyau stable, nous entendons un noyau qui reste entier indéfiniment. Qu'est-ce donc qu'un noyau instable? C'est un noyau qui se brise en plus d'un morceau, ce qui donne lieu à une désintégration radioactive. Avant de traiter de l'important sujet de la radioactivité (à la section suivante), notons qu'il existe un second type de force nucléaire qui est bien plus faible que l'interaction forte. On l'appelle l'**interaction nucléaire faible**; on connaît l'existence de cette force parce qu'elle se manifeste dans certains types de désintégration radioactive. Ces deux forces nucléaires, l'interaction forte et l'interaction faible, ainsi que les forces gravitationnelle et électrique, sont les quatres types connus de force existant dans la Nature (nous en reparlerons au chapitre 15).

13.3 La radioactivité

La physique nucléaire remonte à 1896, année d'une importante découverte faite par Henri Becquerel (1852-1908). Dans ses recherches sur la phosphorescence, celui-ci se rendit compte qu'une plaque photographique, même enveloppée de façon à être protégée de la lumière, était assombrie par un certain type de minerai (qui contenait par hasard de l'uranium). Il était donc clair que le minerai émettait un nouveau type de radiation qui, contrairement aux rayons X, n'avait pas besoin de stimulus externe pour se produire. Ce nouveau phénomène fut éventuellement appelé **radioactivité**.

Peu après la découverte de Becquerel, Marie Curie (1867-1934) et son mari, Pierre Curie (1859-1906), isolèrent deux nouveaux éléments hautement radioactifs; ils furent nommés polonium et radium. D'autres éléments radioactifs furent bientôt décou-

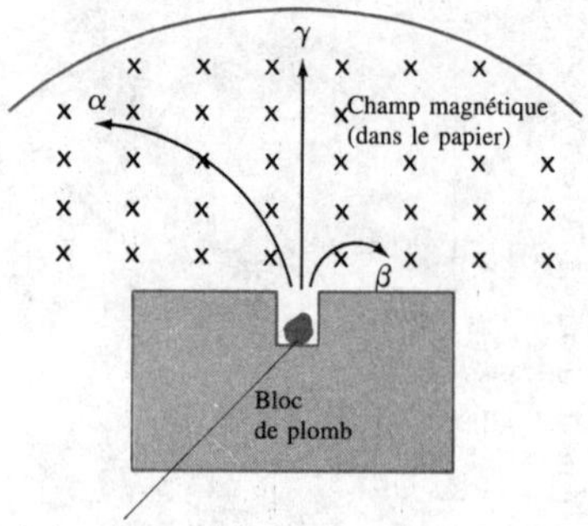

FIGURE 13.3 Les rayons alpha et bêta sont déviés dans des directions opposées par un champ magnétique, tandis que les rayons gamma ne sont pas affectés du tout.

verts. On démontra que la radioactivité n'était en aucun cas affectée par les traitements physique et chimique les plus violents, y compris de forts chauffages ou refroidissements ou l'action de produits chimiques puissants. On s'en aperçut rapidement: il fallait que la source de la radioactivité se situe dans les profondeurs de l'atome, et donc que la radioactivité émane du noyau. On se rendit compte aussi que la radioactivité était le résultat de la *désintégration* d'un noyau instable. Certains isotopes ne sont pas stables malgré l'action de la force nucléaire et ils se désintègrent en émettant des radiations ou «rayons».

Il existe plusieurs isotopes instables dans la Nature; on dit que leur radioactivité est une «radioactivité naturelle». On peut produire en laboratoire, par réactions nucléaires, d'autres isotopes instables (section 14.1); ces isotopes étant créés artificiellement, on dit que leur radioactivité est une «radioactivité artificielle».

Rutherford et d'autres chercheurs commencèrent à étudier la nature des rayons émis dans la radioactivité vers 1898. Leurs expériences permirent de voir qu'on pouvait classer les rayonnements en trois types différents selon leur pouvoir de pénétration. Le premier type de radiation pouvait à peine pénétrer une feuille de papier; le second pouvait traverser jusqu'à 3 mm d'aluminium; le troisième, extrêmement pénétrant, pouvait franchir plusieurs centimètres de plomb et être détecté de l'autre côté. Ils baptisèrent ces trois types de radiations, alpha (α), bêta (β) et gamma (γ), respectivement, d'après les trois premières lettres de l'alphabet grec.

On trouva que chaque type de rayons avait une charge différente et était en conséquence dévié différemment par un champ magnétique (figure 13.3); les rayons α sont chargés positivement, les rayons β sont chargés négativement et les rayons γ sont neutres. On découvrit rapidement que les trois types de radiation étaient constitués de particules bien connues. Les rayons gamma sont des radiations électromagnétiques (des photons) d'une énergie encore plus élevée que celle des rayons X. Les rayons bêta sont des électrons identiques à ceux qui tournent autour du noyau (mais ils sont produits à l'intérieur du noyau lui-même). Les rayons alpha (ou particules α) sont simplement des noyaux d'hélium ${}^{4}_{2}\text{He}$; autrement dit, un rayon α est constitué de deux protons et deux neutrons liés ensemble.

Nous traiterons maintenant plus en détail de chacun de ces trois types de radioactivité, ou de désintégration.

13.4 La désintégration alpha

Après l'émission d'une particule α (${}^{4}_{2}\text{He}$), le noyau restant diffère évidemment du noyau initial, puisqu'il a maintenant deux protons et deux neutrons en moins. Ainsi, le radium 226 (${}^{226}_{88}\text{Ra}$) est un émetteur α. Il se désintègre en un noyau pour lequel $Z = 88 - 2 = 86$ et $A = 226 - 4 = 222$. Le noyau pour lequel $Z = 86$ est le radon (Rn). Le radium se désintègre donc en radon par l'émission d'une particule α. Cette désintégration s'écrit

$$ {}^{226}_{88}\text{Ra} \rightarrow {}^{222}_{86}\text{Rn} + {}^{4}_{2}\text{He}. $$

Il est évident que lors d'une désintégration α, un nouvel élément est formé. Le noyau **fils** (${}^{222}_{86}\text{Rn}$ en l'occurrence) diffère du noyau **père** ou **parent** (${}^{226}_{88}\text{Ra}$ en l'occurrence). Cette transformation d'un élément en un autre s'appelle une **transmutation**.

La désintégration alpha se produit parce que l'interaction nucléaire forte est incapable de retenir ensemble les composants de grands noyaux. Comme l'interaction nucléaire est une force à courte portée, elle n'agit qu'entre des nucléons voisins. La force électrique, par contre, peut se faire sentir à travers tout le noyau. Pour de très grands noyaux, le grand Z signifie que la force électrique répulsive devient très grande (d'après la loi de Coulomb) et qu'elle agit entre tous les protons. L'interaction forte, qui n'agit qu'entre des nucléons voisins, est donc vaincue et ne peut tenir le noyau ensemble.

On peut exprimer l'instabilité en fonction de l'énergie (ou de la masse): la masse du noyau parent est plus grande que la somme des masses du noyau fils et de la particule α. La différence de masse réapparaît sous la forme d'énergie cinétique, transportée principalement par la particule α. L'énergie totale libérée s'appelle l'**énergie de désintégration** Q, ou le Q de la désintégration; on la définit comme

$$Q = (M_P - M_F - M_\alpha)c^2, \tag{13.3}$$

où M_P, M_F et M_α sont les masses du noyau parent, du noyau fils et de la particule α, respectivement. Si la masse du parent était *inférieure* à la somme des masses du fils et de la particule α, la désintégration ne pourrait se produire, car cela violerait la loi de conservation de l'énergie.

EXEMPLE 13.2 Calculez l'énergie de désintégration pour un noyau de ${}^{232}_{92}U$ (masse = 232,03714 u) se désintégrant en ${}^{228}_{90}Th$ (228,02873 u) par l'émission d'une particule α.

SOLUTION Comme la masse d'un noyau de ${}^{4}_{2}He$ est de 4,002603 u, la masse totale à l'état final est de 228,02873 u + 4,002603 u = 232,03133 u. La masse perdue lors de la désintégration du noyau de ${}^{232}_{92}U$ est de 232,03714 u − 232,03133 u = 0,00581 u. Cette masse est transformée en énergie cinétique. Comme 1 u = 931,5 MeV, l'énergie cinétique libérée (= Q) est de (0,00581 u) · (931,5 MeV/u) ≈ 5,41 MeV. (En utilisant la conservation de la quantité de mouvement, on peut montrer que la particule α, dans cette désintégration, a une énergie cinétique d'environ 5,3 MeV. Le noyau fils — qui recule dans la direction opposée à celle de la particule α émise — a une énergie cinétique d'environ 0,1 MeV. Voir le problème 30.)

Si la somme des masses du noyau fils et de la particule α est inférieure à la masse du noyau parent (de sorte qu'il est permis au parent de se désintégrer), comment l'existence d'un noyau parent quelconque est-elle possible? En d'autres mots, pourquoi les noyaux radioactifs ne se sont-ils pas tous désintégrés il y a longtemps, tout de suite après leur formation dans les premiers temps de l'Univers? On peut comprendre la désintégration grâce à un modèle dans lequel la particule α existe déjà à l'intérieur du noyau (au moins à certains moments), et qu'elle y rebondit ici et là. L'énergie potentielle «vue» par cette particule α aurait une forme semblable à celle représentée à la figure 13.4. Le puits (approximativement carré) entre $r = 0$ et $r = R_0$ représente l'interaction nucléaire attractive à faible portée. Au-delà du rayon du noyau, R_0, la répulsion coulombienne l'emporte (puisque la force nucléaire chute à zéro) et nous voyons la dépendance $1/r$ caractéristique du potentiel coulombien. On peut imaginer la particule α piégée dans le noyau, rebondissant entre les parois du potentiel. Comme l'énergie

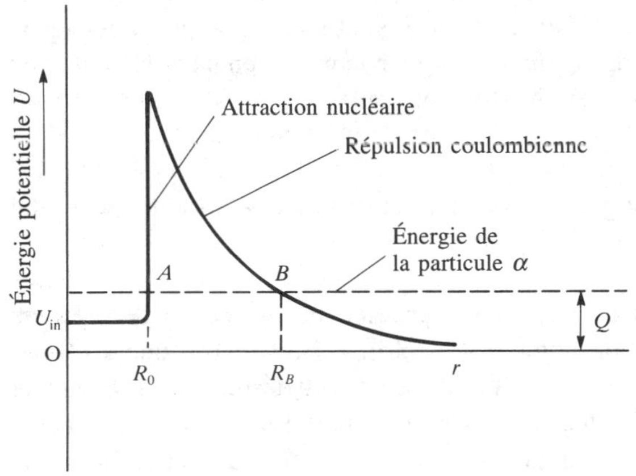

FIGURE 13.4 L'énergie potentielle d'une particule alpha et d'un noyau (fils), montrant la barrière coulombienne à travers laquelle la particule α doit subir l'effet tunnel pour s'échapper. Le Q de la réaction est aussi indiqué.

potentielle juste au-delà de $r = R_0$ est plus grande que l'énergie de la particule α (ligne à tirets), cette dernière ne pourrait s'échapper du noyau si elle obéissait aux lois de la physique classique. En mécanique quantique, cependant, il existe une certaine probabilité que la particule α traverse la barrière de Coulomb du point A au point B de la figure 13.4, grâce à l'effet tunnel, comme nous l'avons vu à la section 10.9. La hauteur et la largeur de la barrière affectent le taux de désintégration des noyaux (section 13.8). À cause de cette barrière, la durée de vie des noyaux instables α peut être très longue, allant d'une fraction de microseconde à plus de 10^{10} années. Notez que, dans la figure 13.4, Q représente l'énergie cinétique totale lorsque la particule α est loin du noyau.

Une autre question intéressante est la suivante: pourquoi les noyaux émettent-ils cette combinaison de quatre nucléons appelée une particule α? Pourquoi pas seulement quatre nucléons, ou même un seul? La réponse vient du fait que la particule α est très fortement liée, si bien que sa masse est beaucoup plus petite que celle de quatre nucléons séparés. Comme nous l'avons vu à l'exemple 13.1, la somme des masses séparées de deux protons et de deux neutrons est d'environ 4,03298 u. La somme des masses séparées d'un noyau de ${}^{228}_{90}\mathrm{Th}$ et de quatre nucléons est de 232,06171 u; elle est donc supérieure à la masse du noyau parent. Une telle désintégration ne pourrait se produire parce qu'elle violerait la loi de la conservation de l'énergie. De même, il est presque toujours vrai que l'émission d'un seul nucléon n'est pas énergétiquement possible (problèmes 20 et 21).

13.5 La désintégration bêta

Des transmutations d'éléments se produisent également lorsqu'un noyau subit une désintégration β, c'est-à-dire qu'il se désintègre par l'émission d'un électron ou particule β. Le noyau de ${}^{14}_{6}\mathrm{C}$, par exemple, émet un électron lorsqu'il se désintègre:

$${}^{14}_{6}\mathrm{C} \rightarrow {}^{14}_{7}\mathrm{N} + e^{-}.$$

(Le symbole ${}^{\;0}_{-1}e$ est parfois utilisé pour représenter l'électron, dont la charge correspond à $Z = -1$; comme un électron n'est pas un nucléon et qu'il a une très petite masse, il a $A = 0$.) L'émission d'un électron n'entraîne la perte d'aucun nucléon, de sorte que le nombre total de nucléons, A, est le même dans le fils et dans le parent. Cependant, comme un électron a été émis, la charge du fils est différente de celle du parent. Pour le parent, $Z = +6$. Durant la désintégration, le noyau perd une charge de -1, de sorte que le noyau restant (en vertu de la conservation de la charge) doit avoir une charge positive supplémentaire, pour un total de 7. Donc, pour le fils, $Z = 7$, ce qui donne un noyau d'azote.

Il importe de noter que l'électron émis dans une désintégration β *n'est pas* un électron orbital. Au contraire, l'électron est créé *à l'intérieur du noyau lui-même.* Tout se passe comme si l'un des neutrons se transformait en proton et qu'il émettait en même temps un électron (de façon à ce que la charge soit conservée). D'ailleurs, les neutrons libres se désintègrent de cette manière: $n \rightarrow p + e^{-}$. À cause de leur origine nucléaire, les électrons émis dans une désintégration β sont souvent appelés des «particules β» plutôt que des électrons, de façon à souligner leur provenance. Néanmoins, ils ne sont absolument pas différents des électrons orbitaux.

EXEMPLE 13.3 Combien d'énergie est libérée lorsque le ${}^{14}_{6}\mathrm{C}$ se désintègre en ${}^{14}_{7}\mathrm{N}$ par une émission β? Utilisez l'appendice E.

SOLUTION Comme les masses données à l'appendice E sont celles des atomes neutres, nous devons tenir compte du nombre d'électrons. On suppose que six électrons tournent autour du noyau parent. Celui-ci est donc neutre; sa masse est de 14,003242 u. Le fils, dans cette désintégration ${}^{14}_{7}\mathrm{N}$, n'est toutefois pas neutre puisque seulement six électrons tournent autour de lui alors que le noyau a une charge de

+7*e*. Cependant, la masse du fils avec ses six électrons, plus la masse de l'électron émis (pour un total de sept électrons) est exactement la masse d'un atome d'azote neutre. Dans l'état final, la masse est donc

$$\begin{aligned}&(\text{masse du noyau de } {}^{14}_{7}\text{N} + 6 \text{ électrons}) + (\text{masse de 1 électron})\\ &\quad = \text{masse de } {}^{14}_{7}\text{N neutre (comprenant 7 électrons)}\\ &\quad = 14{,}003074 \text{ u.}\end{aligned}$$

Par conséquent, la masse avant la désintégration est de 14,003242 u et après la désintégration de 14,003074 u, de sorte que la différence de masse est de 0,000168 u, ce qui correspond à 0,156 MeV ou 156 keV.

Donc, on devrait s'attendre à ce que l'électron émis ait une énergie cinétique de 156 keV. (Pour que la quantité de mouvement soit conservée, comme la masse du noyau fils est beaucoup plus grande que celle de l'électron, le fils doit reculer à très faible vitesse et ainsi recevoir très peu de l'énergie cinétique disponible.) En effet, des mesures très précises indiquent que quelques particules β émises dans ces conditions ont une énergie cinétique proche de la valeur calculée. La grande majorité des électrons émis, cependant, n'ont pas autant d'énergie. En fait, l'énergie de l'électron peut se situer n'importe où entre zéro et la valeur maximale calculée ci-dessus. Ceci a été vérifié pour toutes les désintégrations β. Tout se passe comme si la loi de la conservation de l'énergie était violée, et d'ailleurs Bohr envisagea cette possibilité. Des expériences rigoureuses indiquèrent aussi que la quantité de mouvement linéaire et le moment angulaire ne semblaient pas non plus être conservés. Les physiciens furent troublés par l'idée d'avoir à abandonner les lois de conservation qui avaient si bien fonctionné dans tous les cas précédents. En 1930, Wolfgang Pauli suggéra une solution de rechange: peut-être qu'une nouvelle particule très difficile à détecter était émise, durant la désintégration β, en plus de l'électron. Cette particule hypothétique pourrait transporter l'énergie, la quantité de mouvement et le moment angulaire requis pour que les lois de conservation demeurent valides. Le grand physicien Enrico Fermi (1901-1954; figure 13.5), qui en 1934 élabora une théorie détaillée de la désintégration β, nomma cette nouvelle particule **neutrino** (ce qui signifie «petit et neutre»). (C'est Fermi qui, dans cette théorie, postula l'existence de la quatrième force de la Nature, que nous appelons l'interaction nucléaire faible.) Le neutrino a une charge nulle et semble avoir une masse au repos de zéro, quoique certains indices fassent maintenant penser qu'il pourrait avoir une masse non nulle bien qu'extrêmement petite. Si sa masse au repos était zéro, le neutrino ressemblerait beaucoup au photon qui, tout comme lui, est neutre et voyage à la vitesse de la lumière. Le neutrino est toutefois beaucoup plus difficile à détecter. En 1956, des expériences complexes fournirent des preuves supplémentaires de l'existence du neutrino mais à ce moment-là la plupart des physiciens avaient déjà accepté son existence.

Le symbole du neutrino est la lettre grecque nu (ν). La façon correcte d'écrire la désintégration de ${}^{14}_{6}\text{C}$ est donc

$${}^{14}_{6}\text{C} \rightarrow {}^{14}_{7}\text{N} + e^{-} + \overline{\nu}.$$

La barre au-dessus du symbole du neutrino ( ) sert à indiquer qu'il s'agit d'un «anti-neutrino». (La question de savoir pourquoi il s'agit d'un anti-neutrino plutôt que d'un neutrino ne nous intéresse pas pour l'instant; nous en discuterons au chapitre 15.)

Plusieurs isotopes se désintègrent par l'émission d'un électron. Ce sont toujours des isotopes dont le nombre de neutrons excède leur nombre de protons. Ces isotopes se trouvent donc au-dessus des isotopes stables dans la figure 13.2. Mais qu'en est-il des isotopes instables dont le nombre de neutrons est insuffisant par rapport au nombre de leurs protons (isotopes qui se trouvent au-dessous des isotopes stables de la figure 13.2)? On a découvert qu'ils se désintègrent par l'émission d'un **positron** plutôt que

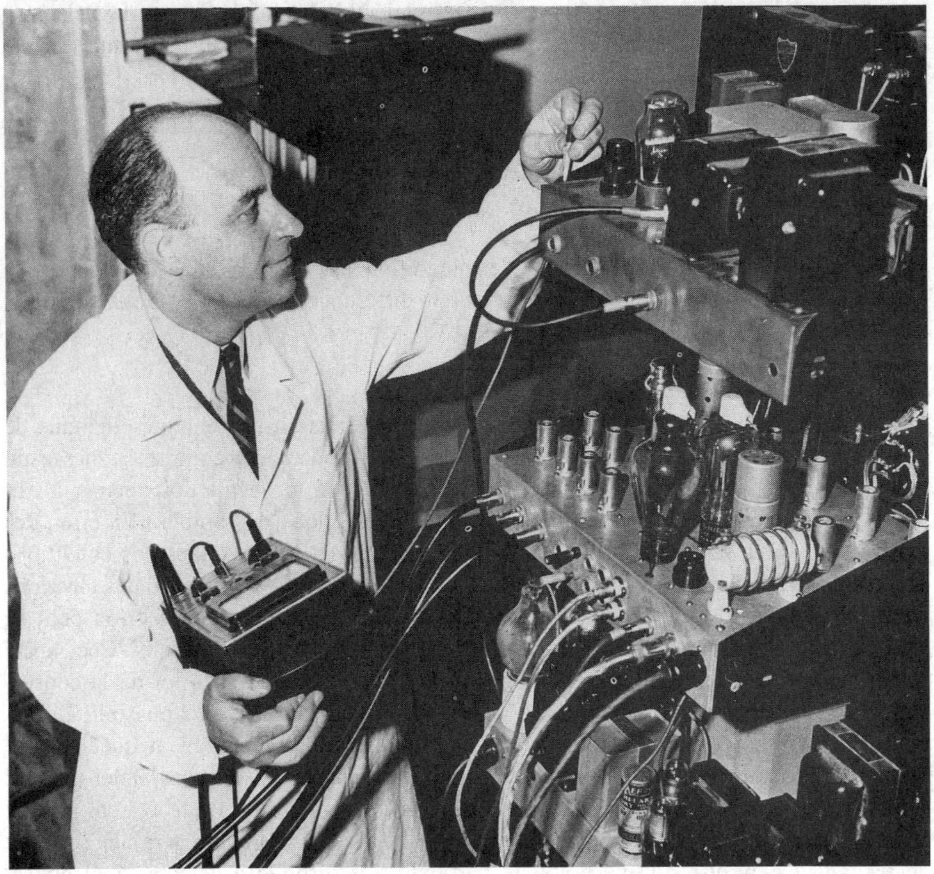

FIGURE 13.5 Enrico Fermi (1901-1954). Fermi contribua de façon significative au développement de la physique aussi bien théorique qu'expérimentale, ce qui représente un exploit presque unique en ce siècle.

d'un électron. Le positron (parfois appelé particule e^+ ou β^+) a une masse égale à celle de l'électron mais une charge positive de $+1e$. Comme il ressemble tellement à l'électron, sauf pour sa charge, on l'appelle l'**antiparticule**† de l'électron. Un exemple de désintégration β^+ est celui du ${}^{19}_{10}\text{Ne}$:

$${}^{19}_{10}\text{Ne} \rightarrow {}^{19}_{9}\text{Fe} + e^+ + \nu,$$

où e^+ (${}^{1}_{0}e$) représente un positron. (Notez que le υ émis ici est un neutrino, tandis que celui émis dans une désintégration β^- s'appelle un antineutrino. Un antiélectron (un positron) est donc émis avec un neutrino, tandis qu'un antineutrino est émis avec un électron; nous en reparlerons au chapitre 15.)

En plus des émissions β^- et β^+, il existe un troisième phénomène connexe, appelé **capture d'électron**, qui consiste en l'absorption d'un de ses électrons orbitaux par le noyau. ${}^{7}_{4}\text{Be}$, qui devient, en vertu de ce phénomène, ${}^{7}_{3}\text{Li}$, en est un exemple. La réaction s'écrit

$${}^{7}_{4}\text{Be} + e^- \rightarrow {}^{7}_{3}\text{Li} + \nu.$$

Habituellement, c'est un électron de la couche la plus interne (K) qui est capturé; on dit alors qu'il s'agit d'une «capture K». L'électron disparaît durant la capture et un proton du noyau devient un neutron; de plus, un neutrino est émis. On infère expérimentalement ce phénomène grâce à la détection des rayons X qui sont émis (lors du saut vers le bas des électrons qui remplissent l'état vacant) avec exactement la bonne énergie.

† Nous en reparlerons au chapitre 15. Brièvement, une antiparticule a une masse identique, mais une charge opposée à la particule qui lui correspond.

Dans la désintégration β, c'est l'interaction nucléaire faible qui joue le rôle crucial. Le neutrino a un caractère unique parce qu'il n'interagit avec la matière que par l'interaction faible; c'est d'ailleurs pourquoi il est si difficile à détecter.

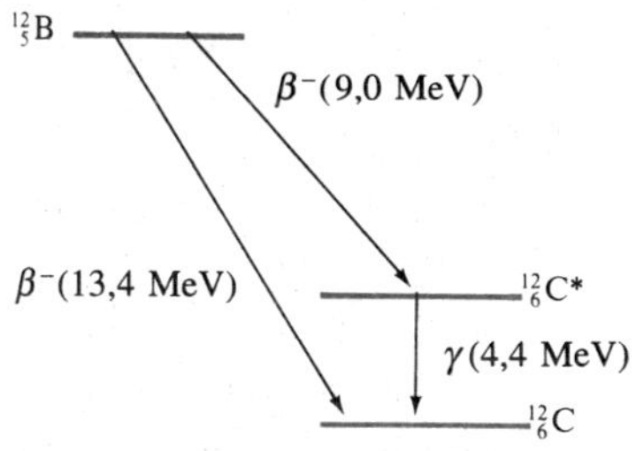

FIGURE 13.6 Diagramme des niveaux d'énergie, montrant comment le $^{12}_{5}B$ peut se désintégrer vers l'état fondamental du $^{12}_{6}C$ par une émission β (énergie totale libérée = 13,4 MeV) ou vers un état excité du $^{12}_{6}C$ (indiqué par *) par une émission β; le noyau excité retourne ultérieurement à son état fondamental par l'émission d'un rayon γ de 4,4 MeV.

13.6 La désintégration gamma

Les rayons gamma sont des photons de très haute énergie. La désintégration d'un noyau par l'émission d'un rayon γ est très semblable à l'émission de photons par des atomes excités. Tout comme un atome, un noyau peut se trouver dans un état excité. En sautant dans un niveau d'énergie plus bas, ou à l'état fondamental, il émet un photon. Les niveaux d'énergie possibles pour un noyau sont séparés par beaucoup plus d'énergie que ceux d'un atome: de l'ordre des keV ou des MeV, comparativement à quelques eV pour un atome. Les photons émis ont par conséquent des énergies allant de quelques keV à plusieurs MeV. Pour une désexcitation donnée, le rayon γ a toujours la même énergie. Comme un rayon γ ne possède pas de charge, il n'y a pas de changement dans l'atome à la suite de la désintégration γ.

Comment un noyau atteint-il un état excité? Cela peut être dû à une collision avec une autre particule. Plus fréquemment, il s'agit du noyau restant après une désintégration radioactive antérieure qui se retrouve dans un état excité. Un exemple typique est illustré par le diagramme de niveaux d'énergie de la figure 13.6. $^{12}_{5}B$ peut se désintégrer par émission β directement vers l'état fondamental de $^{12}_{6}C$; ou il peut passer par émission β à un état excité de $^{12}_{6}C$, qui se désexcite alors par l'émission d'un rayon γ de 4,4 MeV vers l'état fondamental.

Parfois, un noyau peut demeurer dans un état excité pendant un certain temps avant d'émettre un rayon γ (figure 13.6). On dit alors que le noyau se trouve dans un **état métastable** et on l'appelle un **isomère**.

Un noyau excité retourne parfois à l'état fondamental par un autre processus appelé **conversion interne.** Dans ce phénomène, le noyau excité interagit avec l'un des électrons orbitaux et expulse cet électron de l'atome avec une énergie cinétique égale à celle qu'aurait eu un rayon γ.

Quelle est la différence, vous demandez-vous peut-être, entre un rayon γ et un rayon X? dans les deux cas, il s'agit de radiations électromagnétiques (photons) et leurs domaines d'énergie se chevauchent dans une certaine mesure. La différence n'est pas intrinsèque. Nous utilisons le terme rayon X si le photon est produit par l'interaction entre un électron et l'atome, et rayon γ si le photon résulte d'un phénomène nucléaire.

13.7 La conservation du nombre de nucléons et les autres lois de conservation

Dans les trois types de désintégration radioactive, les lois classiques de conservation tiennent. L'énergie, la quantité de mouvement linéaire, le moment angulaire et la charge électrique sont tous conservés. Ces quantités sont identiques avant et après la désintégration. Mais une nouvelle loi de conservation apparaît: la **loi de conservation du nombre de nucléons**. Selon cette loi, le nombre total de nucléons (A) demeure constant dans tout phénomène, quoiqu'un type de nucléon puisse se transformer en un autre (des protons en neutrons et vice versa). Cette loi est valide pour les trois types de désintégration. Le tableau 13.2 présente de façon synoptique les désintégrations α, β et γ.

13.8 Les demi-vies et les taux de désintégration

Un échantillon macroscopique d'un isotope radioactif quelconque consiste en un très grand nombre de noyaux radioactifs. Ces noyaux ne se désintègrent pas tous en même temps, mais un par un pendant une certaine période de temps. Le phénomène est aléatoire: on ne peut prédire exactement quand un noyau donné se désintégrera. On peut cependant déterminer approximativement, en utilisant les probabilités, le nombre de noyaux qui se désintégreront dans un échantillon pendant une période donnée.

On a trouvé que le nombre de désintégrations ΔN dans un très court intervalle de temps Δt est proportionnel à Δt et au nombre total N de noyaux radioactifs présents:

$$\Delta N = -\lambda N \, \Delta t. \tag{13.4}$$

Dans cette équation, λ est une constante de proportionnalité appelée la **constante de désintégration**, qui varie selon les isotopes. (λ est une constante pour un isotope donné et ne dépend pas de la présence de noyaux d'un autre type.) Plus λ est grand, plus le taux de désintégration est élevé, et plus l'isotope est dit radioactif. Le nombre de désintégrations qui surviennent dans le court intervalle de temps Δt est représenté par ΔN parce que chaque désintégration correspond à une diminution de 1 dans le nombre N de noyaux présents. La désintégration radioactive est en effet un «événement unique» (figure 13.7). Lorsqu'un noyau parent particulier s'est désintégré, il ne peut plus répéter le phénomène. Le signe moins dans l'équation 13.4 indique que N décroît.

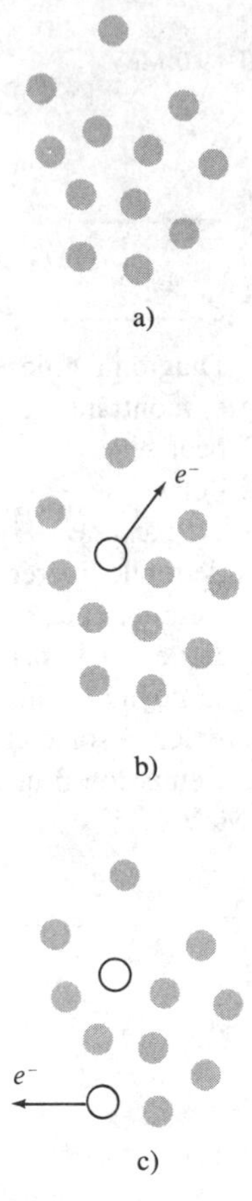

Légende

Atome $^{14}_{6}C$ (parent)

Atome $^{14}_{7}N$ (fils)

FIGURE 13.7 Les noyaux radioactifs se désintègrent un par un. Le nombre de noyaux parents dans un échantillon diminue donc constamment. Un noyau de $^{14}_{6}C$ qui émet un électron devient un noyau de $^{14}_{7}N$.

Si nous prenons la limite $\Delta t \to 0$ dans l'équation 13.4, ΔN est petit comparativement à N, et nous pouvons écrire l'équation sous forme infinitésimale:

$$dN = -\lambda N \, dt \tag{13.5}$$

On peut exprimer N en fonction de t en réarrangeant ainsi l'équation précédente:

$$\frac{dN}{N} = -\lambda \, dt,$$

puis l'intégrer de $t = 0$ à $t = t$:

$$\int_{N_0}^{N} \frac{dN}{N} = -\int_0^t \lambda \, dt,$$

où N_0 est le nombre de noyaux parents présents à $t = 0$ et N, le nombre restant au temps t. L'intégration donne

$$\ln \frac{N}{N_0} = -\lambda t$$

ou

$$N = N_0 e^{-\lambda t}. \tag{13.6}$$

On appelle l'équation 13.6 la **loi de désintégration radioactive**. Cette loi nous dit que le nombre de noyaux radioactifs dans un échantillon donné décroît exponentiellement avec le temps. La figure 13.8a en donne une représentation graphique pour le $^{14}_{6}C$ dont la constante de désintégration est $\lambda = 3{,}8 \times 10^{-12}\ s^{-1}$.

Le taux de désintégration, ou le nombre de désintégrations par seconde, dans un échantillon pur est

$$\frac{dN}{dt},$$

TABLEAU 13.2
Les trois types de désintégrations radioactives†

Désintégration α
$N(A, Z) \to N(A-4, Z-2) + {}^{4}_{2}He$
Désintégration β
β^-: $N(A, Z) \to N(A, Z+1) + e^- + \overline{\nu}$
β^+: $N(A, Z) \to N(A, Z-1) + e^+ + \nu$
Capture d'électron: $N(A, Z) + e^- \to N(A, Z-1) + \nu$
Désintégration γ
$N^*(A, Z) \to N(A, Z) + \gamma$

† $N(A, Z)$ signifie un noyau avec un numéro atomique Z et un nombre de masse A; l'astérisque (*) indique un état excité du noyau.

qu'on appelle l'**activité** de l'échantillon. D'après les équations 13.5 et 13.6,

$$\frac{dN}{dt} = -\lambda N = -\lambda N_0 e^{-\lambda t}.$$

À $t = 0$, l'activité est

$$\left(\frac{dN}{dt}\right)_0 = -\lambda N_0.$$

Donc,

$$\frac{dN}{dt} = \left(\frac{dN}{dt}\right)_0 e^{-\lambda t}, \qquad (13.7)$$

et l'activité aussi décroît exponentiellement, et au même taux que N (figure 13.8b).

On exprime souvent le taux de désintégration d'un isotope quelconque par sa demi-vie plutôt que par la constante de désintégration λ. La **demi-vie** d'un isotope est définie comme étant le temps nécessaire pour que la moitié des noyaux de cet isotope présents dans un échantillon se désintègrent. Par exemple, la demi-vie de $^{14}_{6}C$ est d'environ 5730 ans. Un morceau de bois pétrifié qui à un certain moment contient, disons, $1{,}00 \times 10^{22}$ noyaux de $^{14}_{6}C$ ne contiendra que $0{,}50 \times 10^{22}$ noyaux 5730 années plus tard. Après 5730 autres années, il ne contiendra plus que $0{,}25 \times 10^{22}$ noyaux, et ainsi de suite. Ceci est caractéristique de la fonction exponentielle et la figure 13.8a en donne une représentation graphique. Comme le taux de désintégration dN/dt est proportionnel à N, il décroît aussi par un facteur de 2 à chaque demi-vie (figure 13.8b).

Les demi-vies des isotopes radioactifs connus varient de quelque 10^{-22} secondes à environ 10^{28} s (environ 10^{21} années). L'appendice E donne les demi-vies de plusieurs isotopes. Il est facile de voir que la demi-vie (qu'on désigne par le symbole $T_{\frac{1}{2}}$) varie de façon inversement proportionnelle à la constante de désintégration. Plus la demi-vie d'un isotope est longue, plus sa désintégration est lente et plus λ est petit. C'est ce qu'exprime la relation suivante tirée de l'équation 13.6 en posant $N = N_0/2$ à $t = T_{\frac{1}{2}}$:

$$\frac{N_0}{2} = N_0 e^{-\lambda T_{\frac{1}{2}}}$$

$$T_{\frac{1}{2}} = \frac{\ln 2}{\lambda} = \frac{0{,}693}{\lambda}. \qquad (13.8)$$

EXEMPLE 13.4 L'isotope de $^{14}_{6}C$ a une demi-vie de 5730 ans. Si, à un certain moment, un échantillon contient $1{,}0 \times 10^{22}$ noyaux de carbone 14, quelle est l'activité de l'échantillon?

SOLUTION L'équation 13.8 nous donne d'abord la valeur de la constante de désintégration λ:

$$\lambda = \frac{0{,}693}{T_{\frac{1}{2}}} = \frac{0{,}693}{(5730 \text{ ans})(3{,}156 \times 10^7 \text{ s/an})} = 3{,}83 \times 10^{-12} \text{ s}^{-1},$$

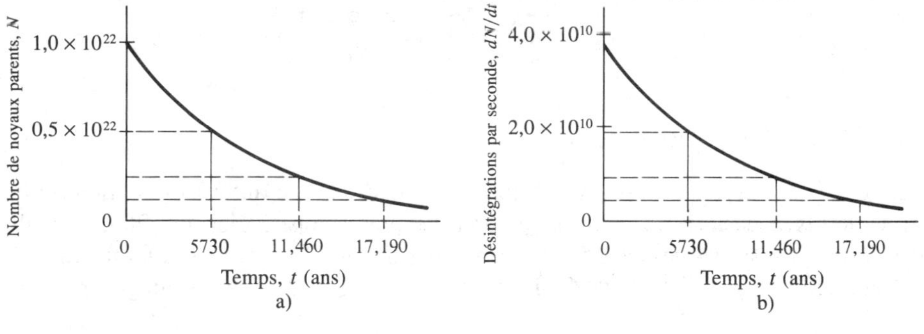

FIGURE 13.8 a) Le nombre N de noyaux parents dans un échantillon donné de $^{14}_{6}C$ décroît de façon exponentielle. b) Le nombre de désintégrations par seconde décroît aussi de façon exponentielle. La demi-vie du $^{14}_{6}C$ est d'environ 5730 ans, ce qui signifie que le nombre de noyaux parents, N, et le taux de désintégration, dN/dt, diminuent de moitié tous les 5730 ans.

car il y a (60)(60)(24)(365 $\frac{1}{4}$) = 3,156 × 10^7 s dans une année. D'après l'équation 13.5, l'activité ou le taux de désintégration est (en ignorant le signe négatif)

$$\frac{dN}{dt} = \lambda N = (3,83 \times 10^{-12}\ s^{-1})(1,0 \times 10^{22})$$

$$= 3,83 \times 10^{10}\ \text{désintégrations/s.}$$

Notons que le graphique de la figure 13.8b commence à cette valeur, qui correspond à la valeur de $N = 1,0 \times 10^{22}$ noyaux dans la figure 13.8a.

EXEMPLE 13.5 Un laboratoire possède 1,49 μg de $^{13}_{7}N$ pur, qui a une demi-vie de 10,0 min. *a*) Combien de noyaux sont présents initialement? *b*) Quelle est l'activité initiale? *c*) Quelle est l'activité après 1,00 h? *d*) Après approximativement combien de temps l'activité chute-t-elle à moins de 1 par seconde?

SOLUTION *a*) Comme la masse atomique est de 13,0, alors 13,0 g contiennent $6,02 \times 10^{23}$ noyaux (le nombre d'Avogadro). Comme nous avons seulement $1,49 \times 10^{-6}$ g, nous devons avoir un nombre N de noyaux tel que

$$\frac{N}{6,02 \times 10^{23}} = \frac{1,49 \times 10^{-6}\ g}{13,0\ g},$$

et donc $N = 6,90 \times 10^{16}$ noyaux.

b) D'après l'équation 13.8, $\lambda = (0,693)/(600\ s) = 1,16 \times 10^{-3}\ s^{-1}$. Alors, à $t = 0$

$$\left(\frac{dN}{dt}\right)_0 = \lambda N = 8,00 \times 10^{13}\ \text{désintégrations/s.}$$

c) Après 1,00 h = 3600 s, l'activité sera

$$\frac{dN}{dt} = \left(\frac{dN}{dt}\right)_0 e^{-\lambda t}$$

$$= (8,00 \times 10^{13}\ s^{-1})e^{-(1,16 \times 10^{-3}\ s^{-1})(3600\ s)} = 1,23 \times 10^{12}\ s^{-1}.$$

On peut obtenir ce résultat d'une autre manière: comme 1,00 h représente six demi-vies (6 × 10,0 min), l'activité diminuera de $(\frac{1}{2})(\frac{1}{2})(\frac{1}{2})(\frac{1}{2})(\frac{1}{2})(\frac{1}{2}) = (\frac{1}{2})^6 = \frac{1}{64}$ fois sa valeur initiale, ou de $(800 \times 10^{13}\ s^{-1})/64 = 1,25 \times 10^{12}\ s^{-1}$. (L'écart entre les deux valeurs est dû au fait que nous n'avons gardé que trois chiffres significatifs.)

d) Nous cherchons le temps t pour lequel

$$\frac{dN}{dt} = 1,00\ s^{-1}.$$

D'après l'équation 13.7, nous avons

$$e^{-\lambda t} = \frac{1,00\ s^{-1}}{8,00 \times 10^{13}\ s^{-1}} = 1,25 \times 10^{-14}.$$

Et donc,

$$t = -\frac{\ln (1,25 \times 10^{-14})}{\lambda} = 2,76 \times 10^4\ s$$

ou 7,66 h.

13.9 Les séries radioactives

Il arrive souvent qu'un isotope radioactif se désintègre en un autre isotope radioactif. Parfois, le fils se désintègre, lui-aussi, en un troisième isotope radioactif. On dit que de telles désintégrations successives forment une *série* ou *famille radioactive.* La figure 13.9 en donne un exemple important. Comme on peut le voir, $^{238}_{92}U$ se désintègre, par une

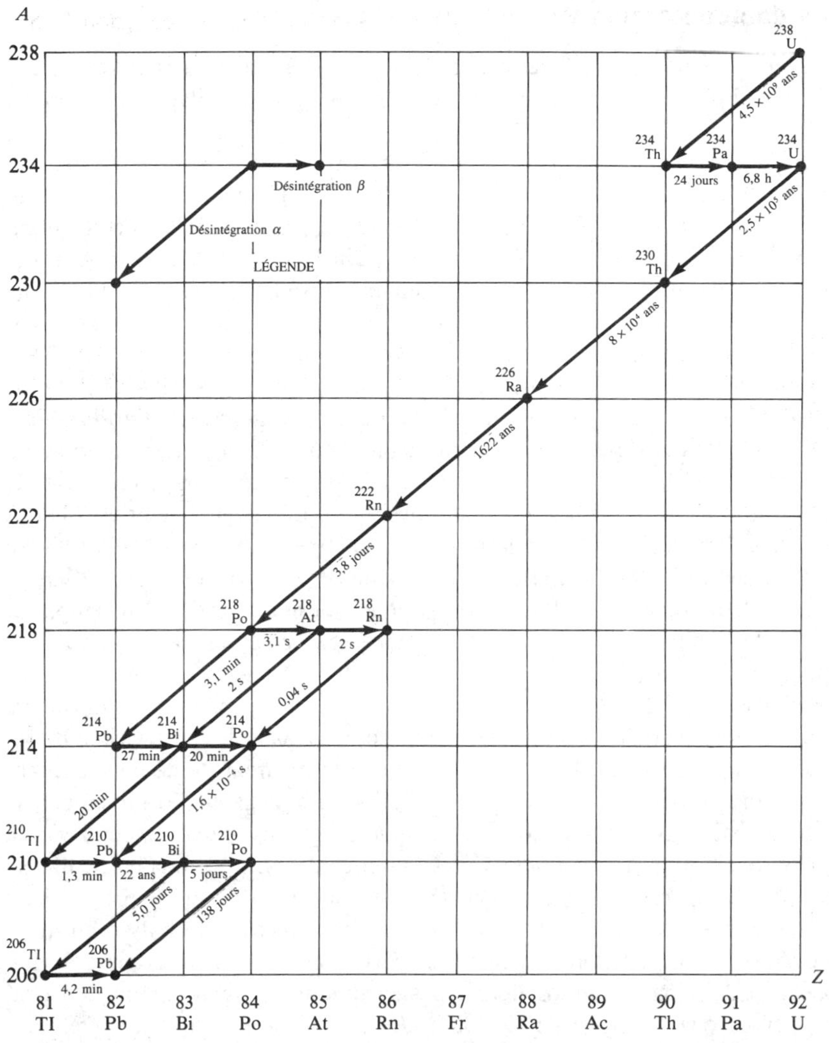

FIGURE 13.9 Famille ou série radioactive commençant avec le $^{238}_{92}U$. Les noyaux appartenant à la série sont représentés par un point donnant les valeurs de *A* et *Z*. Les demi-vies sont données en secondes (s), en minutes (min), en heures (h), en jours ou en années (ans). Notez qu'une flèche horizontale représente une désintégration β (*A* ne varie pas) et une ligne diagonale représente une désintégration α (*A* varie de 4, *Z* varie de 2.)

émission α, en $^{234}_{90}Th$, lequel se désintègre à son tour, par une émission β, en $^{234}_{91}Pa$. La série continue comme il est indiqué sur la figure, avec plusieurs embranchements possibles près du bas de la figure. Par exemple, $^{218}_{84}Po$ peut se désintégrer, par émission α, en $^{214}_{82}Pb$ ou, par émission β, en $^{218}_{85}At$. La série se termine avec l'isotope stable du plomb, $^{206}_{82}Pb$. Il existe aussi d'autres familles radioactives.

À cause de ces séries radioactives, on trouve dans la Nature certains éléments radioactifs qui n'y seraient pas autrement. En effet, on croit que lorsque le système solaire prit sa forme actuelle il y a quelques milliards d'années, presque tous les nucléides avaient déjà été formés (par fusion nucléaire, sections 14.4 et 16.2). Plusieurs isotopes de courtes demi-vies se désintégrèrent rapidement et n'existent donc plus aujourd'hui. Les isotopes de longues demi-vies, comme le $^{238}_{92}U$, avec une demi-vie de $4{,}5 \times 10^9$ années, sont encore présents dans la Nature. En effet, environ la moitié du $^{238}_{92}U$ original existe encore (en supposant que la formation du système solaire eut lieu il y a 5×10^9 années). Nous pourrions penser toutefois que le radium ($^{226}_{88}Ra$), avec une demi-vie de 1600 années, aurait disparu de la Terre depuis longtemps. Tous les noyaux originaux de $^{226}_{88}Ra$ doivent certainement s'être déjà désintégrés. Toutefois, comme le $^{238}_{92}U$ se désintègre (en plusieurs étapes) en $^{226}_{88}Ra$, les réserves de $^{226}_{88}Ra$ sont continuellement renouvelées, et c'est pourquoi il en existe encore sur la Terre aujourd'hui. Cela est aussi vrai pour d'autres nucléides radioactifs.

13.10 La datation radioactive

Il existe plusieurs applications intéressantes de la désintégration radioactive. L'une d'elles est la technique de *datation radioactive* qui permet d'établir l'âge de matériaux anciens.

On peut déterminer l'âge de tout objet fait de matière autrefois vivante, telle le bois, à l'aide de la radioactivité naturelle du $^{14}_{6}C$. Toutes les plantes vivantes absorbent le dioxide de carbone (CO_2) de l'air et l'utilisent pour la synthèse de molécules organiques. De ces atomes de carbone, la grande majorité est du $^{12}_{6}C$, mais une petite fraction, environ $1{,}3 \times 10^{-12}$, est du $^{14}_{6}C$, un isotope radioactif. Le rapport du $^{14}_{6}C$ au $^{12}_{6}C$ dans l'atmosphère est demeuré relativement constant durant plusieurs milliers d'années, en dépit du fait que la demi-vie du $^{14}_{6}C$ est d'environ 5730 ans. Ceci s'explique par le fait que les neutrons qui font partie des rayons cosmiques s'abattant sur l'atmosphère terrestre depuis l'espace entrent en collision avec les atomes de l'atmosphère. En particulier, les collisions avec les noyaux d'azote donnent lieu à la transformation nucléaire suivante: $n + {}^{14}_{7}N \rightarrow {}^{14}_{6}C + p$. Autrement dit, un neutron frappe un noyau de $^{14}_{7}N$ et est absorbé par lui tout en lui arrachant un proton. Le noyau restant est du $^{14}_{6}C$. La production continuelle de $^{14}_{6}C$ dans l'atmosphère compense plus ou moins la perte de $^{14}_{6}C$ par désintégration. Tant qu'elle est en vie, une plante ou un arbre utilise le carbone du dioxide de carbone de l'air pour fabriquer du nouveau tissu ou remplacer du tissu ancien. Les animaux se nourrissent de plantes et, de cette manière, assimilent continuellement le carbone dont ils ont besoin pour leurs tissus. Les organismes ne peuvent distinguer[†] le $^{14}_{6}C$ du $^{12}_{6}C$, et comme le rapport du $^{14}_{6}C$ au $^{12}_{6}C$ dans l'atmosphère demeure presque constant, le rapport des deux isotopes dans les êtres vivants demeurent aussi presque constant. Lorsque les organismes meurent, toutefois, ils n'absorbent plus de dioxide de carbone. Comme le $^{14}_{6}C$ se désintègre radioactivement, le rapport du $^{14}_{6}C$ au $^{12}_{6}C$ dans l'organisme mort diminue progressivement. La demi-vie du $^{14}_{6}C$ étant d'environ 5730 ans, le rapport $^{14}_{6}C/^{12}_{6}C$ diminue de moitié à tous les 5730 ans. Si, par exemple, ce rapport dans un ancien outil en bois est la moitié de ce qu'il est dans les arbres vivants, alors l'objet doit avoir été fabriqué avec le bois d'un arbre abattu il y a 5730 ans. En fait, on doit faire des corrections pour tenir compte du fait que le rapport $^{14}_{6}C/^{12}_{6}C$ dans l'atmosphère n'a pas toujours été exactement constant. Pour déterminer ce que ce rapport a été au cours des siècles, on utilise différentes techniques; par exemple, on compare le rapport attendu au rapport mesuré chez certains objets dont l'âge est connu, tels de très anciens arbres dont on peut compter les anneaux annuels.

La datation au carbone peut servir à établir l'âge d'objets vieux d'au plus 60 000 ans environ. La quantité de $^{14}_{6}C$ restant dans les objets plus anciens est généralement trop petite pour être mesurée de façon précise, quoique de nouvelles techniques permettent la détection de quantités encore plus faibles de $^{14}_{6}C$, ce qui fait reculer d'autant la limite du passé mesurable. On peut aussi, dans certaines circonstances, utiliser des isotopes radioactifs avec des demi-vies plus longues pour obtenir l'âge d'objets plus anciens. Par exemple, la désintégration du $^{238}_{92}U$, dont la demi-vie est de $4{,}5 \times 10^9$ années, sert à déterminer l'âge des roches sur une échelle de temps géologique.

13.11 La détection de la radiation

Comme nos sens ne nous permettent pas de percevoir directement les particules individuelles comme les électrons, les protons, les particules α et les rayons γ, différents instruments pour les détecter ont été inventés.

[†] Les organismes vivants fonctionnent presque exclusivement par réactions chimiques, qui n'engagent que les électrons orbitaux externes de l'atome; les neutrons supplémentaires dans le noyau n'ont presque pas d'effet.

Le **compteur Geiger** (figure 13.10) est un des plus communs. Il consiste en un tube métallique cylindrique rempli d'un certain type de gaz et parcouru en son centre par un long fil dans lequel on maintient une tension positive élevée (~ 10^3 V) relativement au cylindre. La tension est légèrement inférieure à celle requise pour ioniser les atomes du gaz. Toute particule chargée entrant par la mince «fenêtre» située à une des extrémités du tube ionise quelques atomes du gaz. Les électrons ainsi libérés sont attirés vers le fil positif; durant leur accélération, ils frappent et ionisent des atomes additionnels. Une «avalanche» d'électrons se produit rapidement et, lorsqu'elle atteint le fil d'anode, une impulsion de voltage est générée. Après avoir été amplifiée, l'impulsion peut être envoyée à un compteur électronique qui garde en mémoire le nombre de particules détectées. Les impulsions peuvent aussi être envoyées à un haut-parleur; alors chaque détection de particule est signalée par un «clic».

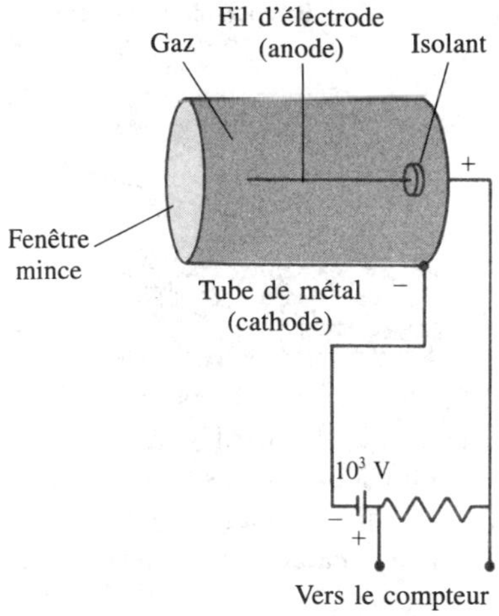

FIGURE 13.10 Diagramme d'un compteur Geiger.

Dans un **compteur à scintillations**, on se sert d'un solide, d'un liquide ou d'un gaz comme **scintillateur**. Les atomes du scintillateur sont facilement excités lorsqu'ils sont frappés par une particule incidente et ils émettent de la lumière visible lorsqu'ils retombent à leurs états fondamentaux. Les cristaux de NaI et certains plastiques constituent des scintillateurs typiques. On enveloppe les scintillateurs solides dans une matière opaque de façon à les protéger parfaitement de la lumière, sauf sur une face, qui est collée à un tube photomultiplicateur. Le **photomultiplicateur** (*PM*) convertit l'énergie du ou des photons émis par le scintillateur en un signal électrique. Un PM est un tube dans lequel on a fait le vide et qui contient plusieurs électrodes (typiquement de 8 à 14), appelées *dynodes*, dont chacune est maintenue à un voltage plus élevé que la précédente, comme sur la figure 13.11. À la face supérieure du tube se trouve une surface photoélectrique, appelée la *photocathode*, dont la fonction de travail (section 9.2) est suffisamment petite pour que les électrons soient facilement libérés lorsqu'ils sont frappés par un photon du scintillateur. Un tel électron est accéléré vers la première dynode. Lorsqu'il frappe la première dynode, l'électron a acquis suffisamment d'énergie cinétique pour éjecter de deux à cinq électrons supplémentaires. Ceux-ci, à leur tour, sont accélérés vers la seconde dynode et un processus multiplicateur s'enclenche. Le nombre d'électrons qui frappent la dernière dynode peut atteindre ou dépasser 10^6. Le passage d'une particule dans le scintillateur produit donc, à la sortie du photomultiplicateur, un signal électrique qui peut être envoyé à un compteur électronique tout comme pour le tube Geiger. Comme le cristal d'un scintillateur est beaucoup plus dense que le gaz d'un compteur Geiger, c'est un détecteur plus efficace, en particulier pour les rayons γ, qui interagissent moins avec la matière que les rayons β.

Dans les traçages et autres expériences biologiques, on utilise souvent des scintillateurs liquides. Des échantillons radioactifs pris à différents moments ou sur différentes parties d'un organisme sont placés directement dans des petites bouteilles contenant le scintillateur liquide. Ceci est particulièrement utile pour la détection de rayons β de ${}^3_1$H et de ${}^{14}_6$C, qui ont de très petites énergies et qui ont de la difficulté à passer par le revêtement externe d'un scintillateur en cristal ou d'un tube Geiger. On utilise ici aussi un tube PM pour produire le signal électrique.

Un **détecteur semiconducteur** consiste en une jonction diode *pn* polarisée en inverse. Une particule passant par la jonction peut exciter les électrons vers la bande de conduction, ce qui crée des trous dans la bande de valence. Les charges libérées produisent de courtes impulsions électriques qui peuvent être comptées comme dans les compteurs Geiger et à scintillations.

On utilise les trois instruments décrits jusqu'ici pour compter le nombre de particules (ou de désintégrations d'isotopes radioactifs). D'autres dispositifs ont été inventés pour permettre d'observer la trace d'une particule chargée. Le plus simple est l'**émulsion photographique** (qui étant de faible dimension, simple et donc portative, est maintenant utilisée pour les études des rayons cosmiques faites à partir de ballons). Une particule passant à travers une couche d'émulsion photographique ionise les

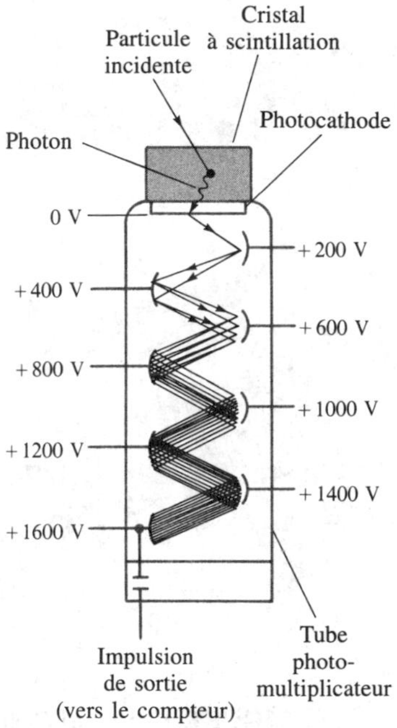

FIGURE 13.11 Compteur à scintillations avec un tube photomultiplicateur.

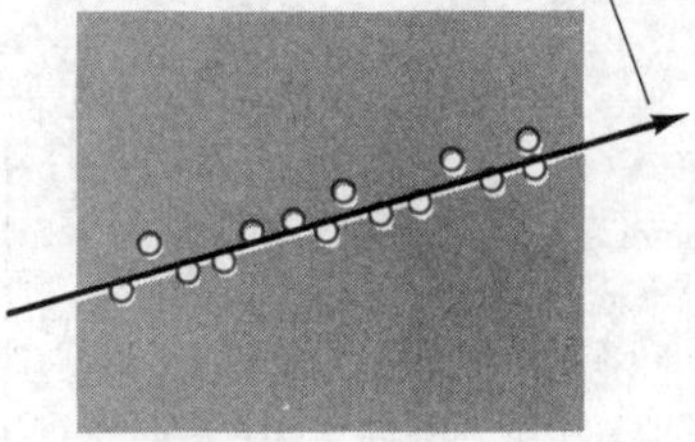

FIGURE 13.12 Dans une chambre à brouillard ou dans une chambre à bulles, des bulles sont créées par le passage d'une particule chargée.

atomes le long de son parcours. Ceci cause des changements chimiques à ces points, et lorsqu'on développe l'émulsion, le parcours de la particule est révélé.

Dans une **chambre à brouillard** ou **chambre de Wilson**, on refroidit un gaz jusqu'à une température légèrement plus basse que son point de condensation. (On dit qu'on forme une vapeur«sursaturée».) Les molécules du gaz commencent à se condenser sur toute molécule ionisée qui apparaît. Les ions produits lorsqu'une particule chargée traverse la chambre servent de centres sur lesquels des bulles minuscules se forment (figure 13.12). La lumière est davantage diffusée par ces bulles que par le fond de gaz, de sorte qu'une photographie de la chambre à brouillard prise au bon moment montrera le parcours de la particule. Cet instrument, important aux premiers jours de la physique nucléaire, n'est plus très utilisé aujourd'hui.

Dans la **chambre à bulles**, inventée en 1952 par D. A. Glaser (1926-   ), on utilise un liquide surchauffé. On maintient le liquide près de son point d'ébullition et des bulles caractéristiques de l'ébullition se forment autour des ions produits par le passage d'une particule chargée (figure 13.13). Une photographie de l'intérieur de la chambre à bulles révèle donc le parcours des particules qui ont récemment traversé la chambre. Comme on utilise un liquide dans la chambre à bulles (souvent de l'hydrogène liquide), la densité des atomes est beaucoup plus grande que dans une chambre à brouillard. Cet instrument est en conséquence beaucoup plus efficace pour observer les particules et leurs interactions avec les noyaux du liquide. Habituellement, on applique un champ magnétique dans la chambre et la quantité de mouvement des particules peut être déterminée grâce au rayon de courbure de leur parcours.

La **chambre à étincelles** et la **chambre à fils** consistent respectivement en un ensemble de plaques parallèles ou de fils fins, très rapprochés. Une plaque ou un plan de fils sur deux est mis à la terre, alors que les autres sont maintenus à une tension très élevée. Lorsqu'une particule chargée traverse la chambre, les ions produits dans le gaz forment une avalanche; il en résulte un fort courant qui génère une étincelle visible. Le parcours de la particule devient donc visible et peut être photographié. Aussi, dans le cas d'une chambre à fils, les étincelles produisent des impulsions électriques dont on peut déterminer les positions grâce au temps qu'elles mettent à atteindre des capteurs placés aux extrémités des fils; le parcours de la particule est alors reconstruit électroniquement. Dans une **chambre à dards** à haute tension, il y a seulement deux plaques, très espacées, et la décharge électrique suit de très près le parcours de la particule, qu'on voit comme une luminescence ou un dard. Les chambres à étincelles et à dards ont l'avantage de se regénérer plus rapidement que les chambres à bulles, de sorte qu'on peut y voir plus de particules ou d'événements dans un temps donné, bien qu'elles permettent de voir moins de parcours par photographie.

a)

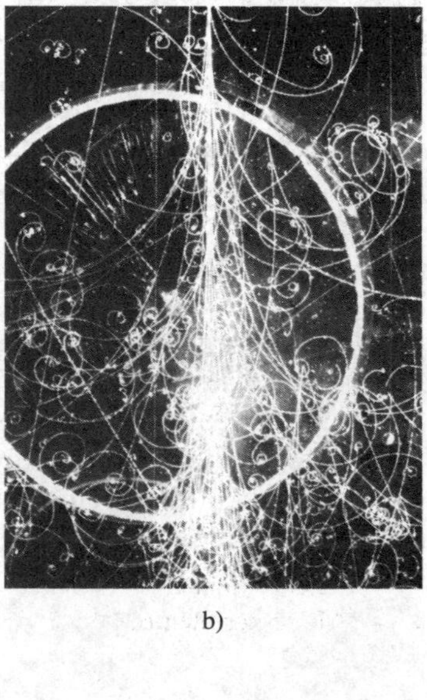

b)

FIGURE 13.13 a) Chambre à bulles; b) traces d'une particule dans une chambre à bulles. (Gracieuseté du Fermilab.)

RÉSUMÉ

La *physique nucléaire* est l'étude des noyaux atomiques. Les noyaux contiennent des *protons* et des *neutrons*, qui sont désignés par le terme générique de *nucléons.* Le nombre total de nucléons, A, est le *nombre de masse atomique.* Le nombre de protons, Z, est le *nombre atomique.* Le nombre de neutrons égale $A - Z$. Les *isotopes* sont des noyaux avec un même Z, mais des nombres de neutrons différents. Pour un élément X, un isotope d'un Z et d'un A donnés est désigné par le symbole ${}^{A}_{Z}\mathrm{X}$. Le rayon du noyau est proportionnel à $A^{1/3}$, ce qui indique que tous les noyaux ont environ la même densité. Les masses nucléaires sont spécifiées en unités de masse atomique (u), qui est définie de façon à ce que la masse du ${}^{12}_{6}\mathrm{C}$ soit exactement 12,0000 u, ou au moyen de leur énergie équivalente (parce que $E = mc^2$), où $1\ \mathrm{u} = 931{,}5\ \mathrm{MeV}/c^2$.

La masse d'un noyau est inférieure à la somme des masses de ses nucléons constituants. La différence de la masse (multipliée par c^2) est l'*énergie totale de liaison.* Elle représente l'énergie nécessaire pour briser le noyau en ses nucléons constituants. L'*énergie de liaison par nucléon* est en moyenne de 8 MeV par nucléon et elle atteint un minimum chez les noyaux très légers et très lourds.

Les noyaux instables subissent une *désintégration radioactive*: ils se transforment en d'autres noyaux par l'émission d'une particule α, β ou γ. Une particule α est un noyau de ${}^{4}_{2}\mathrm{He}$; une particule β est un électron ou un positron; un rayon γ est un photon de haute énergie. Dans une désintégration β, un *neutrino* est également émis. La transformation d'un noyau parent en un noyau fils s'appelle une *transmutation* d'éléments. La désintégration radioactive ne se produit spontanément que lorsque la masse au repos des produits est inférieure à la masse des noyaux parents. La masse perdue réapparaît sous forme de l'énergie cinétique des produits.

Les noyaux sont tenus ensemble par l'*interaction nucléaire forte.* L'*interaction nucléaire faible* se manifeste dans la désintégration β. Ces deux types de force, plus les forces gravitationnelles et électromagnétiques, sont les quatre types de forces connues. La charge électrique, la quantité de mouvement linéaire, le moment angulaire, la masse-énergie et le *nombre de nucléons* sont *conservés* dans toutes les désintégrations.

La désintégration radioactive est un phénomène statistique. Le nombre de noyaux qui se désintègrent (ΔN) dans un temps Δt est proportionnel au nombre N de noyaux parents présents: $\Delta N = -\lambda N\ \Delta t$. La constante de proportionnalité, λ, est appelée la *constante de désintégration* et est caractéristique d'un noyau donné. La demi-vie, $T_{\frac{1}{2}}$, est le temps requis pour que la moitié des noyaux d'un échantillon radioactif se désintègrent. Elle est reliée à la constante de désintégration par la relation $T_{\frac{1}{2}} = \ln 2/\lambda$.

QUESTIONS

1. Qu'y a-t-il de commun entre deux isotopes différents d'un élément donné? En quoi diffèrent-ils?

2. Quel élément le X représente-t-il dans les symboles suivants: *a*) ${}^{232}_{92}X$; *b*) ${}^{18}_{7}X$; *c*) ${}^{1}_{1}X$; *d*) ${}^{82}_{38}X$; *e*) ${}^{247}_{97}X$?

3. Combien de protons et de neutrons chacun des isotopes de la question 2 a-t-il?

4. Pourquoi les masses atomiques de plusieurs éléments (voir l'appendice D) ne sont-ils pas proches de nombres entiers?

5. Comment le neutron, qui pourtant est neutre, peut-il avoir un moment magnétique? Pourquoi ce moment magnétique est-il négatif?

6. Comment savons-nous que l'interaction nucléaire forte existe?

7. Quelles sont les similitudes et les différences entre l'interaction nucléaire forte et la force électrique?

8. Quelles observations expérimentales tendent à démontrer que la radioactivité est un phénomène nucléaire?

9. L'isotope ${}^{64}_{29}\mathrm{Cu}$ est remarquable parce qu'il peut se désintégrer par une émission γ, β^- ou β^+. Quel est le nucléide résultant dans chaque cas?

10. Combien de neutrons contient le noyau en lequel le noyau de ${}^{238}_{92}\mathrm{U}$ se désintègre?

11. Décrivez, de la façon la plus complète possible, les différences entre les rayons α, β et γ.

12. Expliquez la désintégration α par effet tunnel à l'aide du principe d'incertitude.

13. En quoi les neutrinos diffèrent-ils des photons? En quoi sont-ils semblables?

14. Quel élément résulte de la désintégration radioactive *a*) du ${}^{24}_{11}\mathrm{Na}(\beta^-)$; *b*) du ${}^{22}_{11}\mathrm{Na}(\beta^+)$; *c*) du ${}^{210}_{84}\mathrm{Po}(\alpha)$?

15. Quel élément résulte de la désintégration radioactive *a*) du ${}^{32}_{15}\mathrm{P}(\beta^-)$; *b*) du ${}^{35}_{16}\mathrm{S}(\beta^-)$; *c*) du ${}^{211}_{83}\mathrm{Bi}(\alpha)$?

16. Déterminez la particule ou le noyau manquant:

a) ${}^{45}_{20}\mathrm{Ca} \rightarrow ? + e^- + \overline{\nu}$

b) ${}^{58}_{29}\mathrm{Cu} \rightarrow ? + \gamma$

c) ${}^{46}_{24}\mathrm{Cr} \rightarrow {}^{46}_{23}\mathrm{V} + ?$

d) ${}^{234}_{94}\mathrm{Pu} \rightarrow ? + \alpha$

e) ${}^{239}_{93}\mathrm{Np} \rightarrow {}^{239}_{92}\mathrm{U} + ?$

17. Immédiatement après la désintégration d'un noyau de ${}^{238}_{92}\mathrm{U}$ en ${}^{234}_{90}\mathrm{Th} + {}^{4}_{2}\mathrm{He}$, 92 électrons sont encore en orbite autour du noyau de thorium. Comme le thorium retient d'ordinaire 90 électrons, que supposez-vous qu'il arrivera aux deux électrons supplémentaires?

18. Les isotopes qui subissent une capture d'électron se situent-ils généralement au-dessus ou au-dessous de la ligne de stabilité dans la figure 13.2?

19. Pourquoi plusieurs isotopes radioactifs produits artificiellement sont-ils rares dans la Nature?

20. L'hydrogène ou le deutérium peuvent-ils émettre une particule α?

21. Décrivez comment la courbe de l'énergie potentielle d'une particule α dans un noyau émetteur de particules α diffère de celle qu'elle aurait dans un noyau stable.

22. La demi-vie d'un isotope est de un mois. Après deux mois, un échantillon donné de cet isotope s'est-il complètement désintégré? Sinon, combien en reste-t-il?

23. Peut-on se servir de la datation au ${}^{14}_{6}C$ pour mesurer l'âge de murs et de tablettes de pierre de civilisations antiques? Expliquez.

24. Expliquez l'absence d'émetteurs β^+ dans la série de désintégrations radioactives de la figure 13.9.

PROBLÈMES

SECTION 13.1

1. (I) Quelle est l'énergie au repos d'une particule α en MeV/c^2?

2. (I) La masse d'un méson pi est de 139 MeV/c^2. Quelle est-elle en unités de masse atomique?

3. (I) *a*) Quel est le rayon approximatif d'un noyau de ${}^{64}_{29}Cu$? *b*) Quelle est la valeur approximative de A pour un noyau dont le rayon est de $3{,}6 \times 10^{-15}$ m?

4. (II) Combien d'énergie une particule α doit-elle avoir pour juste «toucher» la surface d'un noyau de ${}^{238}_{92}U$?

5. (II) *a*) Déterminez la densité de la matière nucléaire en kg/m^3. *b*) Quel serait le rayon de la Terre si elle avait la densité d'un noyau atomique tout en conservant sa masse actuelle? *c*) Quel serait le rayon d'un noyau de ${}^{238}_{92}U$ qui aurait la densité de la Terre?

6. (II) Quel noyau stable a (approximativement) la moitié du rayon d'un noyau d'uranium?

7. (II) Expliquez, à l'aide du principe d'incertitude, pourquoi il est improbable de trouver des électrons dans le noyau. Expliquez le même fait à l'aide de la relativité.

8. (II) Une étoile à neutrons est constituée de neutrons entassés à une densité approximativement égale à celle de la matière nucléaire. Estimez, pour une étoile à neutrons d'un diamètre de 10 km, *a*) son nombre de masse, *b*) sa masse et *c*) l'accélération due à la gravité à sa surface.

SECTION 13.2

9. (I) Estimez l'énergie totale de liaison du ${}^{40}_{20}Ca$.

10. (I) À l'aide de la figure 13.1, estimez l'énergie totale de liaison *a*) du ${}^{238}_{92}U$ et *b*) du ${}^{107}_{47}Ag$.

11. (I) À l'aide de l'appendice E, calculez l'énergie de liaison de ${}^{2}_{1}H$.

12. (II) Estimez l'énergie totale de liaison du cuivre. À l'aide de votre résultat, estimez l'énergie, en joules, nécessaire pour briser une pièce de un cent en cuivre de 3 g en ses nucléons constituants.

13. (II) Calculez l'énergie de liaison et l'énergie de liaison par nucléon *a*) du ${}^{6}_{3}Li$, *b*) du ${}^{208}_{82}Pb$. Utilisez l'appendice E.

14. (II) Calculez l'énergie de liaison par nucléon d'un noyau de ${}^{12}_{6}C$. Utilisez l'appendice E.

15. (II) Calculez l'énergie de liaison du dernier neutron dans un noyau de ${}^{12}_{6}C$.

16. (II) *a*) Montrez que le noyau de ${}^{8}_{4}Be$ (masse = 8,005308 u) est instable et qu'il se désintègre en deux particules α. *b*) Le ${}^{12}_{6}C$ est-il stable et protégé de la désintégration en trois particules α? Expliquez pourquoi ou pourquoi pas.

17. (II) Au lieu de donner les masses atomiques des nucléides comme dans l'appendice E, certaines tables donne l'*excès de masse* Δ défini comme $\Delta = M - A$, où A est le nombre atomique. Déterminez l'excès de masse, en u et en MeV/c^2, *a*) du ${}^{4}_{2}He$, *b*) du ${}^{12}_{6}C$, *c*) du ${}^{107}_{47}Ag$ et *d*) du ${}^{235}_{92}U$. *e*) En jetant un coup d'œil à l'appendice E, pouvez-vous trouver une règle générale donnant le signe de Δ en fonction de Z ou de A?

SECTIONS 13.3 À 13.7

18. (I) Un ${}^{60}_{27}Co$ dans un état excité émet un rayon γ de 1,33 MeV en retombant à l'état fondamental. Quelle est la masse de l'atome de cobalt excité?

19. (I) Montrez, à l'aide des désintégrations données à la section 13.5, que le neutrino doit avoir un spin de $\frac{1}{2}$.

20. (II) Montrez que la désintégration ${}^{11}_{6}C \rightarrow {}^{10}_{5}B + p$ est impossible, car alors l'énergie ne serait pas conservée.

21. (II) Donnez le résultat d'un calcul visant à démontrer si oui ou non les désintégrations suivantes sont possibles: *a*) ${}^{236}_{92}U \rightarrow {}^{235}_{92}U + n$, *b*) ${}^{16}_{8}O \rightarrow {}^{15}_{8}O + n$ et *c*) ${}^{23}_{11}Na \rightarrow {}^{22}_{11}Na + n$.

22. (II) La particule α émise durant la désintégration de ${}^{238}_{92}U$ a $K = 4{,}20$ MeV. Calculez l'énergie cinétique de recul K du noyau fils et le Q de la désintégration.

23. (II) On peut classer les séries radioactives comme celle de la figure 13.9, en quatre familles selon que le nombre de masse a la forme $4n$, $4n + 1$, $4n + 2$ ou $4n + 3$, où n est un entier. Justifiez cet énoncé et montrez que tous les fils d'un nucléide d'une famille donnée sont dans cette même famille.

24. (II) Lorsque ${}^{23}_{10}Ne$ (masse = 22,9945 u) se désintègre en ${}^{23}_{11}Na$ (masse 22,9898 u), quelle est l'énergie cinétique maximale de l'électron émis? Quelle est son énergie minimale? Quelle est l'énergie du neutrino dans chaque cas?

25. (II) Le nucléide ${}^{32}_{15}P$ se désintègre par l'émission d'un électron dont l'énergie cinétique maximale peut être de 1,71 MeV. *a*) Quel est son fils? *b*) Calculez sa masse atomique (en u).

26. (II) L'isotope ${}^{218}_{84}Po$ (masse = 218,008969 u) peut se désintégrer par émission α ou β^-. Combien d'énergie est libérée dans chaque cas?

27. (II) Combien d'énergie est libérée durant la capture d'un électron par le béryllium: ${}^{7}_{4}\text{Be} + e^- \rightarrow {}^{7}_{3}\text{Li} + \nu$?

28. (II) Le nucléide ${}^{191}_{76}\text{Os}$ se désintègre en émettant une particule β^- ayant une énergie de 0,14 MeV accompagnée par des rayons γ d'une énergie de 0,042 MeV et de 0,129 MeV. *a*) Quel est le noyau fils? *b*) Tracez un diagramme des niveaux d'énergie montrant les états fondamentaux du parent et du fils et les états excités du fils. Vers lequel des états du fils y a-t-il désintégration β de ${}^{191}_{76}\text{Os}$?

29. (II) *a*) Montrez que lorsqu'un noyau se désintègre par émission β^+, l'énergie totale libérée est égale à $(M_P - M_F - 2m_e)c^2$, où M_P et M_F sont les masses des atomes (neutres) parent et fils et où m_e est la masse d'un électron ou d'un positron. *b*) Déterminez l'énergie cinétique maximale des particules β^+ libérées lorsque le ${}^{11}_{6}\text{C}$ se désintègre en ${}^{11}_{5}\text{B}$. Quelle énergie maximale le neutrino peut-il avoir? Quelle est son énergie minimale?

30. (II) Dans la désintégration α d'un noyau de ${}^{226}_{88}\text{Ra}$, par exemple, montrez que le noyau emporte une fraction $1/(1 + A_F/4)$ de l'énergie totale disponible, où A_F est le nombre de masse du noyau fils. [Indice: servez-vous de la conservation de la quantité de mouvement ainsi que de la conservation de l'énergie.] Approximativement quel pourcentage de l'énergie disponible est emporté par la particule α dans ce cas?

31. (II) Un noyau de ${}^{232}_{92}\text{U}$ émet une particule α ayant K = 5,32 MeV comme énergie cinétique. Quel est le noyau final et quelle est la masse approximative (en u) de l'atome final?

32. (II) Quelle est l'énergie de la particule α émise lors de la désintégration ${}^{210}_{84}\text{Po} \rightarrow {}^{206}_{82}\text{Pb} + \alpha$?

33. (III) *a*) Calculez l'énergie cinétique de la particule α émise lorsque du ${}^{236}_{92}\text{U}$ se désintègre. *b*) Utilisez l'équation 13.1 pour estimer le rayon d'une particule α et d'un noyau de ${}^{232}_{90}\text{Th}$. Utilisez votre résultat pour estimer *c*) la hauteur maximale de la barrière coulombienne et *d*) sa largeur *AB*, figure 13.4.

34. (III) Dans un modèle théorique très simple de la désintégration α, la particule α décrit un mouvement de va-et-vient dans le noyau parent à la vitesse v_{in}, en entrant en collision avec la barrière coulombienne (figure 13.4) chaque $2\,R_0/v_{\text{in}}$ secondes, où R_0 est le rayon du noyau. Montrez que la constante de désintégration λ dans ce modèle peut s'écrire approximativement (à l'aide de l'équation 10.17) $\lambda = (v_{\text{in}}/2R_0)e^{-2KL}$, où $L = \frac{1}{2}(R_B - R_0)$ est l'épaisseur «moyenne» de la barrière (figure 13.4; le facteur de $\frac{1}{2}$ est une correction pour le fait que la barrière n'est pas carrée) et $K = \sqrt{2m(U_0 - E)/\hbar^2}$. Dans cette dernière expression, nous utilisons pour U_0 une moyenne, soit $U_0 = \frac{1}{2}(U_A - U_B)$, car l'équation 10.17 s'applique à une barrière carrée. Justifiez cette supposition et toutes les autres que vous ferez.

35. (III) Utilisez les résultats des problèmes 33 et 34 pour estimer la durée de vie de ${}^{236}_{92}\text{U}$. Pour l'épaisseur de la barrière (figure 13.4), utilisez *a*) $L = R_B - R_0$ ou *b*) supposez que l'épaisseur moyenne $L = \frac{1}{2}(R_B - R_0)$ puisque la barrière n'est pas carrée (figure 13.4) . Donnez au potentiel U_{in} à l'intérieur du puits la valeur zéro.

36. (III) *a*) Utilisez le principe d'incertitude pour estimer l'énergie cinétique d'une particule α à l'intérieur, disons, d'un noyau de ${}^{232}_{90}\text{Th}$. *b*) Qu'est-ce que cela nous apprend sur U_{in}, l'énergie potentielle de la particule α à l'intérieur du parent (figure 13.4)? En particulier, est-ce que U_{in} est positif ou négatif, et quelle est sa valeur approximative?

SECTIONS 13.8 À 13.10

37. (I) À un certain moment, un matériau radioactif produit dans un compteur Geiger 1280 coups par minute. Six heures plus tard, le compteur enregistre 320 coups par minute. Quelle est la demi-vie du matériau?

38. (I) *a*) Quelle est la constante de désintégration de ${}^{238}_{92}\text{U}$, dont la demi-vie est de $4{,}5 \times 10^9$ années? *b*) La constante de désintégration d'un noyau donné est de $8{,}2 \times 10^{-5}\ \text{s}^{-1}$. Quelle est sa demi-vie?

39. (I) Quelle fraction d'un échantillon de ${}^{68}_{32}\text{Ge}$, dont la demi-vie est d'environ 9 mois, reste-t-il après 4,5 années?

40. (I) Quelle est l'activité d'un échantillon de ${}^{14}_{6}\text{C}$ qui contient $3{,}3 \times 10^{20}$ noyaux?

41. (I) Combien de noyaux de ${}^{238}_{92}\text{U}$ reste-t-il dans une roche si l'activité est de $1{,}8 \times 10^4$ désintégrations par seconde?

42. (II) Dans une série radioactive, le nucléide ${}^{235}_{92}\text{U}$ devient ${}^{207}_{82}\text{Pb}$. Combien de particules α et β^- sont-elles émises dans cette série?

43. (II) Le ${}^{124}_{55}\text{Cs}$ a une demi-vie de 30,8 s. *a*) Si nous en avons initialement 6,2 μg, combien cela représente-t-il de noyaux? *b*) Combien y en a-t-il 1,20 minutes plus tard? *c*) Quelle est l'activité à ce moment-là? *d*) Après combien de temps l'activité baisse-t-elle à moins de 1 par seconde?

44. (II) L'activité d'un échantillon diminue par un facteur de 10 en 38 minutes. Quelle est sa demi-vie?

45. (II) Selon certaines théories récentes sur les particules élémentaires (section 15.10), le proton serait instable, avec une demi-vie de $\gtrsim 10^{32}$ années. Combien de temps pensez-vous devoir attendre pour qu'un proton de votre corps se désintègre? (Supposez que votre corps soit entièrement composé d'eau).

46. (II) Calculez l'activité d'un échantillon pur de 5,5 μg de ${}^{32}_{15}\text{P}$ ($T_{\frac{1}{2}} = 1{,}24 \times 10^6$ s).

47. (II) L'activité d'un échantillon de ${}^{35}_{16}\text{S}$ ($T_{\frac{1}{2}} = 7{,}5 \times 10^6$ s) est de $5{,}2 \times 10^6$ désintégrations par seconde. Quelle est la masse de l'échantillon?

48. (II) Un échantillon de ${}^{233}_{92}\text{U}$ ($T_{\frac{1}{2}} = 1{,}6 \times 10^5$ années) contient $2{,}0 \times 10^{18}$ noyaux. *a*) Quelle est la constante de désintégration? *b*) Approximativement combien de désintégrations se produisent-elles par minute?

49. (II) Utilisez la figure 13.9 et calculez les taux de désintégration relatifs pour les désintégrations α et β du ${}^{218}_{84}\text{Po}$.

50. (II) Un matériau radioactif produit 2880 coups par minute dans un compteur Geiger et, 1,6 h plus tard, 820 coups par minute. Quelle est la demi-vie de ce type de noyau?

51. (II) L'isotope ${}^{3}_{1}\text{H}$ de l'hydrogène, le *tritium*, a une demi-vie de 12,33 années. On peut l'utiliser pour mesurer l'âge des objets jusqu'à environ 100 ans. Il est produit dans la haute atmosphère par les rayons cosmiques et est amené à la surface par la pluie. Déterminez l'âge d'une bouteille de vin dont la radiation ${}^{3}_{1}\text{H}$ est d'environ $\frac{1}{10}$ de celle d'un nouveau vin?

52. (II) On utilise l'isotope du rubidium, ${}^{87}_{37}\text{Rb}$, un émetteur β avec une demi-vie de $4{,}9 \times 10^{10}$ années, pour déterminer l'âge de roches et de fossiles. Des roches contenant des fos-

siles d'animaux préhistoriques contiennent un rapport de ${}^{87}_{38}Sr$ à ${}^{87}_{37}Rb$ de 0,018. Si vous supposez qu'il n'y avait pas de ${}^{87}_{38}Sr$ quand les roches furent formées, calculez l'âge de ces fossiles.

53. (II) Au temps $t = 0$, un échantillon pur de noyaux radioactifs contient N_0 noyaux dont la constante de désintégration est λ. Déterminez une formule donnant le nombre de noyaux fils, N_F, en fonction du temps; supposez que $N_F = 0$ à $t = 0$.

54. (II) Une ancienne massue contient 240 g de carbone et a une activité de 5,0 désintégrations par seconde. Déterminez l'âge de la massue, en utilisant le fait que dans les arbres vivants, le rapport ${}^{14}C/{}^{12}C$ est d'environ $1{,}3 \times 10^{-12}$.

55. (II) *a*) Montrez que la *vie moyenne* d'un nucléide radioactif, définie comme

$$\tau = \frac{\int_0^\infty N(t)\,t\,dt}{\int_0^\infty N(t)\,dt}$$

est $\tau = 1/\lambda$. *b*) Quelle fraction du nombre initial de noyaux reste-t-il après une vie moyenne?

56. (III) À $t = 0$, un échantillon pur d'un nucléide radioactif (le parent) contient N_{P0} noyaux dont la demi-vie est T_P. Le nucléide fils est aussi radioactif, avec une demi-vie de T_F. *a*) Déterminez le nombre de noyaux fils, N_D, en fonction du temps, en supposant que $N_F = 0$ à $t = 0$. *b*) Représentez graphiquement N_F en fonction de t pour les cas où $T_P = T_F$, $T_P = 3T_F$, $T_P = \frac{1}{3}T_F$. (Indice: il faut modifier l'équation 13.5.)

CHAPITRE

14

L'ÉNERGIE NUCLÉAIRE, SES EFFETS ET SES APPLICATIONS

Dans le présent chapitre, nous traiterons d'abord des réactions nucléaires, puis nous étudierons la fission et la fusion, qui sont des phénomènes libérant de l'énergie. Enfin, nous nous pencherons sur les effets de la pénétration dans la matière des radiations nucléaires, sur la mesure des doses de radiations et sur les techniques d'imagerie récemment mises au point qui utilisent les radiations dans le domaine médical.

14.1 Les réactions nucléaires et la transmutation d'éléments

Lorsqu'un noyau subit une désintégration α ou β, les noyaux fils et parent sont des éléments différents. Cette transformation d'un élément en un autre, appelée *transmutation*, résulte de réactions nucléaires. On dit qu'il se produit une **réaction nucléaire** lorsqu'un noyau est frappé par un autre noyau, ou par une particule plus simple comme un rayon γ ou un neutron, en donnant lieu à une interaction. Ernest Rutherford rapporta le premier avoir observé une réaction nucléaire. En 1919, il constata que certaines des particules α traversant de l'azote sous forme gazeuse étaient absorbées et que des protons étaient émis. Il en conclut que les noyaux d'azote avaient été transformés en noyaux d'oxygène par la réaction

$$^{4}_{2}\text{He} + {}^{14}_{7}\text{N} \longrightarrow {}^{17}_{8}\text{O} + {}^{1}_{1}\text{H},$$

où $^{4}_{2}$He est une particule α et $^{1}_{1}$H, un proton. Depuis lors, on a observé de très nombreuses réactions nucléaires, aussi bien dans la Nature qu'en laboratoire. Nous avons vu, au chapitre 13, un exemple de réaction nucléaire se produisant dans la Nature: la fabrication continuelle dans l'atmosphère de $^{14}_{6}$C par la réaction $n + {}^{14}_{7}\text{N} \rightarrow {}^{14}_{6}\text{C} + p$.

Il existe une notation compacte pour décrire les réactions nucléaires. Par exemple, la réaction $n + {}^{14}_{7}\text{N} \rightarrow {}^{14}_{6}\text{C} + {}^{1}_{1}\text{H}$ peut s'écrire $^{14}_{7}\text{N}(n, p)^{14}_{6}\text{C}$. Les symboles à l'extérieur des parenthèses, à gauche et à droite, représentent respectivement le noyau initial et le noyau final. Le premier symbole à l'intérieur des parenthèses (n pour le neutron) représente la particule utilisée comme projectile, et le second symbole (p pour le proton), la petite particule émise.

La charge électrique et le nombre de nucléons sont conservés dans toute réaction nucléaire. Ces deux lois de conservation sont souvent utiles, comme le montrera l'exemple suivant.

EXEMPLE 14.1 Un neutron frappe un noyau de $^{16}_{8}$O et un deuton est émis. (Le *deuton*, aussi appelé *deutéron*, est le noyau du deutérium, l'isotope de l'hydrogène qui contient un proton et un neutron, $^{2}_{1}$H.) Quel est le noyau résultant?

SOLUTION La réaction peut s'écrire $n + {}^{16}_{8}O \rightarrow ? + {}^{2}_{1}H$. Le nombre total de nucléons est initialement de 16 + 1 = 17, et la charge totale, de 8 + 0 = 8; les mêmes totaux s'appliquent au côté droit de la réaction. Le noyau résultant doit donc avoir $Z = 7$ et $A = 15$. Le tableau périodique indique que l'élément correspondant au numéro atomique $Z = 7$ est l'azote; le noyau résultant est donc ${}^{15}_{7}N$. La réaction peut s'écrire ${}^{16}_{8}O(n, d){}^{15}_{7}N$, où d représente le deutérium, ${}^{2}_{1}H$.

L'énergie (tout comme la quantité de mouvement) est conservée dans les réactions nucléaires; cette loi permet de déterminer si une certaine réaction peut ou non se produire. On sait en effet que si, dans une réaction, la masse totale des produits est inférieure à celle des particules initiales, de l'énergie est libérée, sous la forme de l'énergie cinétique de la particule émise. Si la masse totale des produits est au contraire supérieure à celle des réactants initiaux, la réaction requiert de l'énergie. La réaction ne peut donc se produire que si la particule incidente a suffisamment d'énergie cinétique. Considérons une réaction nucléaire ayant la forme générale

$$a + X \longrightarrow Y + b,$$

où a est une particule ou un petit noyau qui frappe le noyau X, produisant un noyau Y et une particule b (typiquement, p, n, α, γ). On définit l'**énergie de réaction**, ou le $\boldsymbol{Q}$ de la réaction, en fonction des masses:

$$Q = (M_a + M_X - M_b - M_Y)c^2. \tag{14.1}$$

Comme l'énergie est conservée, Q est égal à la variation de l'énergie cinétique (finale moins initiale):

$$Q = (K_b + K_Y - K_a - K_X). \tag{14.2}$$

Normalement, $K_X = 0$, puisque X est le noyau cible au repos (ou presque) heurté par un projectile a. Lorsque $Q > 0$, la réaction est dite *exothermique*; de l'énergie est libérée, de sorte que l'énergie cinétique a augmenté lors de la réaction. Lorsque le Q est négatif ($Q < 0$), la réaction est dite *endothermique*. Dans ce cas, l'énergie cinétique totale finale est inférieure à l'énergie cinétique initiale, et il faut un apport d'énergie pour déclencher la réaction; l'apport d'énergie est fourni par l'énergie cinétique des particules en collision (a et X).

EXEMPLE 14.2 On constate que la réaction nucléaire

$$n + {}^{10}_{5}B \longrightarrow {}^{7}_{3}Li + {}^{4}_{2}He$$

se produit même lorsque des neutrons bougeant très lentement (M_n = 1,0087 u) heurtent un atome de bore au repos. On constate aussi que, pour une certaine réaction dans laquelle $K_n \approx 0$, l'hélium (M_{He} = 4,0026 u) a une vitesse de $9{,}30 \times 10^6$ m/s. Déterminez *a*) l'énergie cinétique K du lithium (M_{Li} = 7,0160 u) et *b*) le Q de la réaction.

SOLUTION *a*) Comme le neutron et le bore sont pratiquement au repos, la quantité de mouvement totale est nulle, avant aussi bien qu'après la réaction. Par conséquent,

$$M_{Li}v_{XLi} = M_{He}v_{XHe}.$$

Et donc,

$$K_{Li} = \tfrac{1}{2}M_{Li}v_{Li}^2 = \tfrac{1}{2}M_{Li}\left(\frac{M_{He}v_{He}}{M_{Li}}\right)^2 = \frac{M_{He}^2v_{He}^2}{2M_{Li}}$$

$$= \frac{(4{,}0026\ \text{u})^2(1{,}66 \times 10^{-27}\ \text{kg/u})^2(9{,}30 \times 10^6\ \text{m/s})^2}{2(7{,}0160\ \text{u})(1{,}66 \times 10^{-27}\ \text{kg/u})}$$

$$= 1{,}64 \times 10^{-13}\ \text{J} = 1{,}02\ \text{MeV},$$

où nous avons utilisé 1 u = $1{,}66 \times 10^{-27}$ kg et 1 MeV = $1{,}60 \times 10^{-13}$ J.

b) Nous posons $K_a = K_X = 0$ dans l'équation 14.2, de sorte que $Q = K_{Li} + K_{He}$, où

$$K_{He} = \tfrac{1}{2}M_{He}v_{He}^2 = \tfrac{1}{2}(4{,}0026\ u)(1{,}66 \times 10^{-27}\ kg/u)(9{,}30 \times 10^6\ m/s)^2$$

$$= 2{,}84 \times 10^{-13}\ J = 1{,}78\ MeV.$$

Et donc, $Q = 1{,}02$ MeV + 1,78 MeV = 2,80 MeV.

EXEMPLE 14.3 La réaction $^{13}_{6}C(p, n)^{13}_{7}N$ peut-elle se produire lorsque $^{13}_{6}C$ est bombardé par des protons de 2,0 MeV?

SOLUTION Cherchons les masses des noyaux à l'appendice E. Les masses totales avant et après la réaction sont:

Avant	Après
$m(^{13}_{6}C) = 13{,}003355$	$m(^{13}_{7}N) = 13{,}005739$
$m(^{1}_{1}H) = 1{,}007825$	$m(n) = 1{,}008665$
14,011180	14,014404

(Il est important d'utiliser la masse de l'atome $^{1}_{1}H$ et non celle du proton nu. En effet, les masses de $^{13}_{6}C$ et de $^{13}_{7}N$ comprennent les électrons et nous devons inscrire un nombre égal d'électrons de chaque côté de l'équation, car aucun n'est créé ou détruit.) Les produits ont une masse excédentaire de 0,003224 u × 931,5 MeV/u = 3,00 MeV. Par conséquent $Q = -3{,}00$ MeV, et la réaction est endothermique. Cette réaction requiert de l'énergie et les protons de 2,0 MeV n'en ont pas assez pour la déclencher. La réaction ne peut donc pas se produire.

L'énergie cinétique du proton dans l'exemple précédent devrait être d'un peu plus que 3,00 MeV. Exactement 3,00 MeV suffirait pour conserver l'énergie, mais un proton de cette énergie produirait un $^{13}_{7}N$ et un *n* sans énergie cinétique, donc sans quantité de mouvement. Or puisque le proton incident a une quantité de mouvement, la conservation de la quantité de mouvement serait violée. Un calcul plus complet montre que pour conserver et l'énergie et la quantité de mouvement, l'énergie minimale requise pour le proton, appelée l'**énergie seuil**, est dans ce cas de 3,23 MeV (problème 9).

On put réaliser des progrès énormes dans le domaine de la transmutation artificielle des éléments lorsque Enrico Fermi se rendit compte, dans les années 1930, que les neutrons constituaient les projectiles les plus efficaces pour déclencher des réactions nucléaires et, en particulier, pour produire de nouveaux éléments. En effet, les neutrons, n'ayant pas de charge électrique nette, ne sont pas repoussés par les noyaux chargés positivement comme le sont les protons et les particules alpha. (Ces derniers doivent traverser la «barrière coulombienne».) Il s'ensuit que la probabilité qu'un projectile parvienne jusqu'à un noyau et provoque une réaction est beaucoup plus grande pour un neutron que pour une particule chargée†, surtout aux basses énergies. Fermi et ses collaborateurs à Rome produisirent ainsi, entre 1934 et 1936, plusieurs isotopes auparavant inconnus, en bombardant différents éléments avec des neutrons. Fermi se rendit compte qu'il était possible qu'en bombardant avec des neutrons l'élément le plus lourd connu à l'époque, l'uranium, on produise de nouveaux éléments de numéros atomiques supérieurs à celui de l'uranium. Après plusieurs années de travail acharné, on pensa avoir produit deux nouveaux éléments: le neptunium ($Z = 93$) et le plutonium ($Z = 94$). Ceci fut confirmé plusieurs années plus tard par des expériences menées à l'Université de Californie à Berkeley. La preuve était ainsi faite qu'il était

† C'est-à-dire pour des particules chargées positivement. Les électrons causent rarement des réactions nucléaires parce qu'ils n'interagissent pas par l'interaction forte.

a) $n + {}^{238}_{92}U \rightarrow {}^{239}_{92}U$

Neutron capturé par ${}^{238}_{92}U$

b) ${}^{239}_{92}U \rightarrow {}^{239}_{93}Np + e^- + \overline{\nu}$

${}^{239}_{92}U$ se désintègre en neptunium 239 par émission β.

c) ${}^{239}_{93}Np \rightarrow {}^{239}_{94}Pu + e^- + \overline{\nu}$

${}^{239}_{93}Np$ se désintègre lui aussi par émission β, devenant du plutonium 239.

FIGURE 14.1 Du neptunium et du plutonium sont produits dans cette série de réactions, après le bombardement de ${}^{238}_{92}U$ par des neutrons.

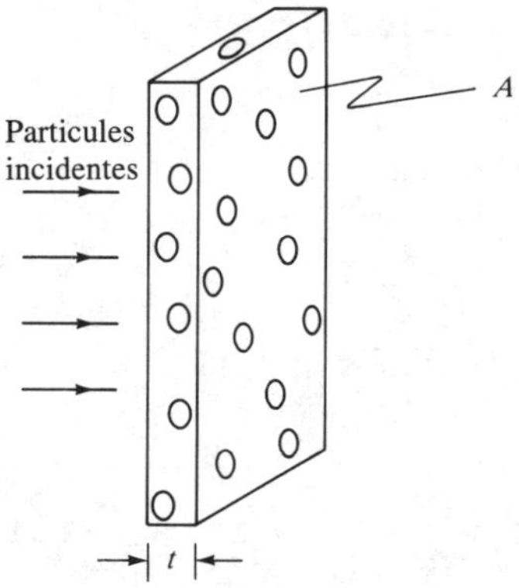

FIGURE 14.2 Les particules incidentes frappent une cible d'aire A et d'épaisseur t faite de n noyaux par unité de volume.

possible de produire de tels éléments «transuraniques». Ces réactions sont illustrées à la figure 14.1.

Peu après on démontra que ce que Fermi avait observé en bombardant l'uranium était en fait un phénomène encore plus étrange qu'on ne le pensait, et qui allait être appelé à jouer un rôle extraordinaire dans notre monde. Nous en reparlerons à la section 14.3.

14.2 La section efficace

Certaines réactions ont une plus grande probabilité de se produire que d'autres. La probabilité de réaction est exprimée par une quantité appelée la *section efficace.* La taille d'un noyau (tout comme celle d'un atome) n'est pas une quantité clairement définie puisque ses limites ne sont pas nettement repérables, comme c'est le cas pour une balle de tennis ou de baseball; on peut néanmoins définir, au moyen d'une analogie, une **section efficace** pour les noyaux entrant en collision. Imaginons des particules qui servent de projectiles et qui frappent une cible stationnaire d'une aire totale A et d'une épaisseur t (figure 14.2). Supposons de plus que la cible soit composée d'objets identiques (comme des billes ou des noyaux), dont chacun a une aire de section transversale σ. Nous supposons en outre que les objets sont raisonnablement séparés, pour ne pas avoir à nous préoccuper du chevauchement. S'il y a n objets de ce type par unité de volume, l'aire totale de toutes ces cibles minuscules est

$$A' = nAt\sigma,$$

puisque $nAt = (n)(\text{volume})$ est le nombre total de cibles et que σ est l'aire de chaque cible. Si $A' << A$, la plupart des projectiles incidents traverseront la cible sans subir de collision. Si R_0 est le taux auquel les projectiles frappent la cible (nombre/seconde), le taux auquel des collisions se produisent, R, est

$$R = R_0 \frac{A'}{A} = R_0 \frac{nAt\sigma}{A},$$

donc

$$R = R_0 nt\sigma.$$

Ainsi, en mesurant le taux de collision, R, nous pouvons déterminer σ:

$$\sigma = \frac{R}{R_0 nt}. \tag{14.3}$$

Si les noyaux étaient de simples boules de billard, et R, le nombre de particules déviées à la seconde, σ représenterait l'aire en coupe de chaque boule. Mais les noyaux sont des objets compliqués auxquels on ne peut reconnaître des frontières nettes. De plus, les collisions peuvent être élastiques ou inélastiques et des réactions peuvent se produire dans lesquelles la nature des particules change. En mesurant R pour chaque processus possible, nous pouvons déterminer une **section efficace effective**, σ, pour chaque processus. Aucune de ces sections efficaces n'est nécessairement reliée à une aire géométrique. σ est plutôt une aire de cible «effective». Il s'agit d'une *mesure de la probabilité qu'une collision ou une réaction particulière se produise*, par noyau cible, indépendamment des dimensions de la cible entière. Le concept de section efficace est utile parce que σ ne dépend que des propriétés des particules en interaction, tandis que R dépend de l'épaisseur et de l'aire de la cible macroscopique, du nombre de particules dans le faisceau incident, et ainsi de suite.

On peut définir la section efficace élastique $\sigma_{él}$ à l'aide de l'équation 14.3 où, pour un montage expérimental donné, R est le taux de collisions élastiques (ou **diffusion élastique**), c'est-à-dire de collisions pour lesquelles les particules finales sont identiques aux particules initiales ($a = b$, $X = Y$) et $Q = 0$. De même, la section efficace inélastique $\sigma_{inél}$ est liée au taux de collisions inélastiques, ou **diffusion inélastique**, pour lesquelles les particules finales et initiales sont les mêmes, mais où $Q \neq 0$, généralement parce que des états excités entrent en jeu. Pour chaque réaction possible, il existe donc une section efficace particulière. Pour des protons (p) incidents sur du ${}^{13}_{6}C$, par exemple, nous pourrions avoir différentes réactions, telles que $p + {}^{13}_{6}C \rightarrow {}^{13}_{7}N + n$ ou $p + {}^{13}_{6}C \rightarrow {}^{10}_{5}B + {}^{4}_{2}He$, et ainsi de suite. La somme des sections efficaces de toutes les réactions s'appelle la **section efficace de réaction totale**, σ_R. La **section efficace totale**, σ_T, est

$$\sigma_T = \sigma_{él} + \sigma_{inél} + \sigma_R,$$

et elle constitue une mesure de toutes les interactions ou collisions possibles. En d'autres mots, σ_T donne le nombre de particules qui interagissent d'une certaine manière et qui sont donc éliminées du faisceau incident. Il est aussi possible de définir des «sections efficaces différentielles», qui représentent la probabilité que des particules déviées (ou émises) quittent la cible à des angles particuliers.

On raconte qu'aux temps des premières mesures de sections efficaces nucléaires, un physicien, étonné par leur grandeur inattendue ($\approx 10^{-28}$ m^2), s'exclama: «C'est aussi gros qu'une grange!» («Grange» se dit «barn» en anglais.) Depuis lors, l'unité de mesure des sections efficaces est le «barn» (b), qui vaut 10^{-28} m^2.

La valeur de σ pour une réaction donnée dépend, entre autres choses, de l'énergie cinétique de la particule incidente. Les sections efficaces nucléaires typiques sont de quelques barns, mais elles peuvent aller d'une petite fraction de barn à 1000 b ou plus. La figure 14.3 montre la section efficace pour la capture du neutron par le cadmium ($n + {}^{114}Cd \rightarrow {}^{115}Cd + \gamma$) en fonction de l'énergie. Les sections efficaces neutroniques pour la plupart des matériaux sont plus grandes à basse énergie, comme dans la figure 14.3. Pour produire des réactions nucléaires à un rythme rapide, il est donc souhaitable que l'énergie des neutrons utilisés comme projectiles soit basse. Les neutrons qui ont été ralentis et qui ont atteint l'équilibre avec la matière à la température de la pièce ($kT \approx 0{,}025$ eV à $T = 300$ K) sont appelés **neutrons thermiques**.

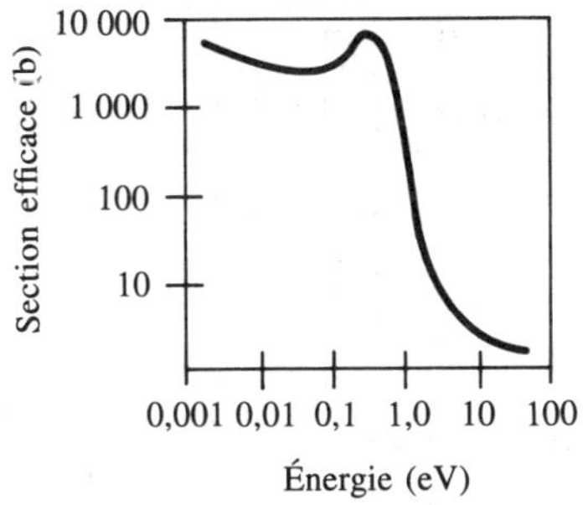

FIGURE 14.3 La section efficace neutronique pour le cadmium. Notez que les deux échelles sont logarithmiques. (D'après H. H. Goldsmith, H. W. Ibser et B. T. Feld, *Rev. Mod. Phys.* 19:261, 1947.)

14.3 La fission nucléaire; les réacteurs nucléaires

En 1938, les scientifiques allemands Otto Hahn et Fritz Strassmann firent une découverte étonnante. Poursuivant leurs travaux dans la lignée de ceux de Fermi, ils constatèrent que l'uranium bombardé par des neutrons produisait parfois des noyaux de dimensions environ deux fois plus petites que le noyau d'uranium initial. Lise Meitner et Otto Frisch, deux réfugiés de l'Allemagne nazie qui travaillaient en Scandinavie, comprirent bientôt ce qui s'était produit: le noyau d'uranium, après avoir absorbé un neutron, s'était en fait divisé en deux morceaux presque égaux. Cette découverte était surprenante, car les réactions nucléaires connues jusqu'alors ne comportaient que l'éjection par collision d'un fragment minuscule (par exemple, n, p ou α) d'un noyau.

Ce nouveau phénomène fut baptisé **fission nucléaire** par analogie avec la fission biologique (division cellulaire). La fission nucléaire se produit beaucoup plus facilement pour le ${}^{235}_{92}U$ que pour l'isotope plus abondant ${}^{238}_{92}U$. On peut imaginer le phénomène en se représentant le noyau d'uranium comme une goutte de liquide. Selon ce **modèle de la goutte**, le neutron absorbé par le noyau de ${}^{235}_{92}U$ augmente l'énergie interne de ce noyau (comme le chauffage d'une goutte d'eau). Cet état intermédiaire, ou **noyau composé**, est ${}^{236}_{92}U$ (à cause du neutron absorbé). L'énergie supplémentaire de ce noyau (qui se trouve dans un état excité) se manifeste par le mouvement accru de chacun des nucléons, ce qui donne au noyau des formes anormalement allongées, comme sur la figure 14.4. Lorsque le noyau s'allonge et prend la forme représentée à la figure 14.4c, l'attraction entre les deux bouts, par la force nucléaire à courte portée, est grandement diminuée par la séparation accrue, et la force répulsive électrique devient dominante. Le noyau se divise en deux. Les deux noyaux résultants, N_1 et N_2,

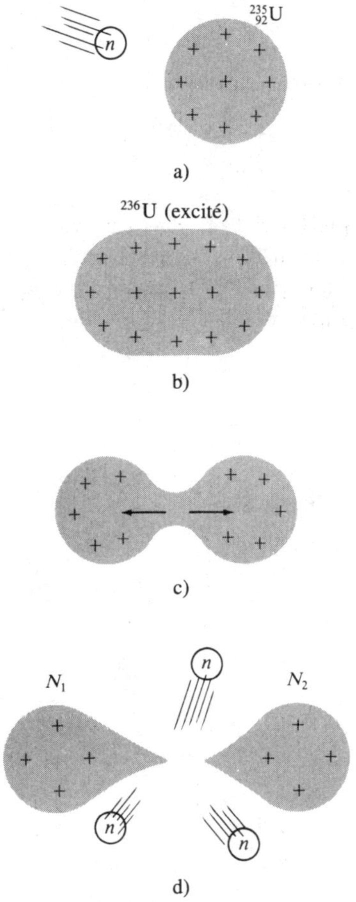

FIGURE 14.4 Fission d'un noyau de ${}^{235}_{92}U$ après la capture d'un neutron.

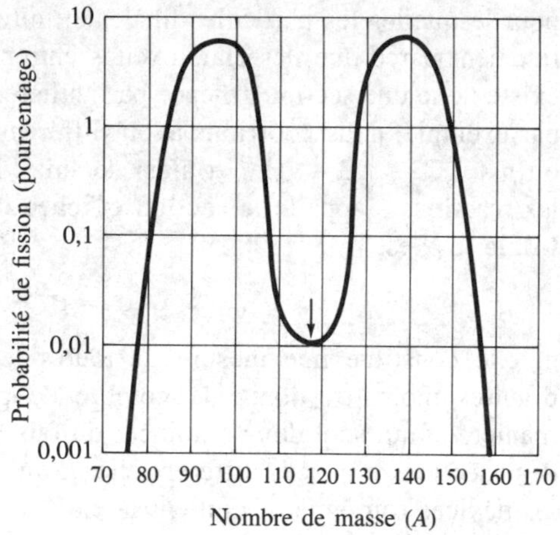

FIGURE 14.5 La distribution de masse des fragments de fission du $^{235}_{92}U$. La petite flèche indique des fragments de masses égales. ($\frac{1}{2} \times (236 - 2) = 117$). Notez que l'échelle verticale est logarithmique.

sont appelés des **fragments de fission**, et durant la réaction, un certain nombre de neutrons (typiquement deux ou trois) sont également émis. La réaction peut s'écrire

$$n + {}^{235}_{92}U \longrightarrow {}^{236}_{92}U \longrightarrow N_1 + N_2 + \text{neutrons}. \qquad (14.4)$$

Le noyau composé, $^{236}_{92}U$, existe pendant moins de 10^{-12} s. La réaction se produit donc extrêmement rapidement. Les deux fragments de fission ont environ la moitié de la masse de l'uranium, quoiqu'ils soient rarement de masses exactement égales. Une réaction de fission typique est

$$n + {}^{235}_{92}U \longrightarrow {}^{141}_{56}Ba + {}^{92}_{36}Kr + 3n, \qquad (14.5)$$

quoique de nombreuses autres existent. La figure 14.5 montre la distribution des fragments de fission en fonction de la masse. Notez qu'une fission ne produit que rarement (~1 dans 10^4) des fragments de masses égales (petite flèche dans la figure 14.5).

Une réaction de fission libère une quantité énorme d'énergie parce que la masse de $^{235}_{92}U$ est considérablement supérieure à celle des fragments de fission. C'est ce que montre la courbe de l'énergie de liaison par nucléon de la figure 13.1: l'énergie de liaison par nucléon pour l'uranium est d'environ 7,6 MeV/nucléon mais, pour les fragments de fission qui ont des masses intermédiaires (dans la partie centrale du graphique, $A \approx 120$), l'énergie de liaison moyenne par nucléon est d'environ 8,5 MeV/nucléon. Comme les fragments de fission sont liés plus fortement, ils ont moins de masse. La différence de masse (ou d'énergie) entre le noyau d'uranium initial et les fragments de fission est d'environ $8{,}5 - 7{,}6 = 0{,}9$ MeV/nucléon. Comme il y a 236 nucléons qui participent à chaque fission, l'énergie totale libérée par la fission est

$$(0{,}9 \text{ MeV/nucléon})(236 \text{ nucléons}) \approx 200 \text{ MeV}.$$

Cette quantité d'énergie est énorme à l'échelle nucléaire. D'un point de vue pratique, cependant, l'énergie d'une seule fission est évidemment minuscule, mais la production simultanée de plusieurs fissions semblables pourrait fournir une grande quantité d'énergie au niveau macroscopique. Un certain nombre de physiciens, dont Fermi, se rendirent compte qu'il serait peut-être possible d'utiliser les neutrons libérés par chaque fission (équations 14.4 et 14.5) pour créer une **réaction en chaîne**. Dans un tel cas, un neutron cause d'abord la fission d'un noyau; les deux ou trois neutrons libérés peuvent causer des fissions additionnelles, de sorte que le phénomène se reproduit de multiples fois de la manière illustrée schématiquement à la figure 14.6. S'il était possible, en pratique, de réaliser une **réaction en chaîne auto-entretenue**, l'énergie énorme libérée par la fission deviendrait disponible. Fermi et ses collaborateurs (à l'Université de Chicago) montrèrent que c'était possible en construisant, en 1942, le premier **réacteur nucléaire** (figure 14.7).

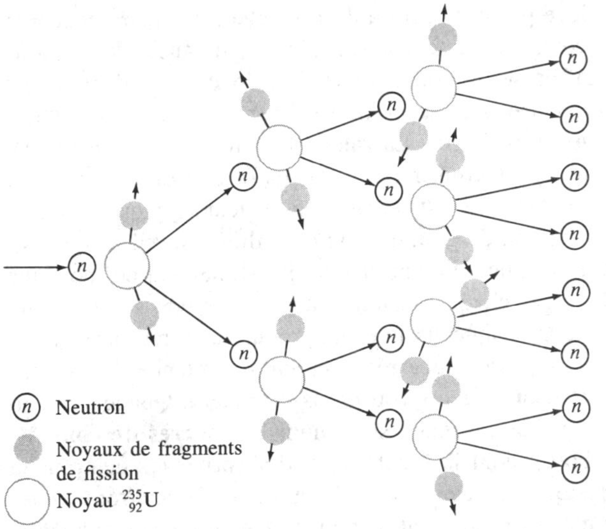

FIGURE 14.6 Réaction en chaîne.

Tout réacteur nucléaire présente plusieurs problèmes qu'il faut résoudre. Premièrement, la section efficace pour l'absorption de neutrons (la *section efficace neutronique*) de $^{235}_{92}U$ n'est importante que pour les neutrons lents. Or, les neutrons émis durant la fission, nécessaires pour entretenir la réaction en chaîne, sont très rapides. Pour les ralentir, on utilise un matériau dit **modérateur**. Celui-ci est d'autant plus efficace que la masse de ses atomes se rapproche le plus possible de celle des neutrons; de cette manière, la perte d'énergie par collision des neutrons, durant la diffusion élastique, est maximale. (Voir le chapitre 9 du tome 1, en particulier l'exemple 9.11.) Le meilleur modérateur contiendrait donc des atomes $^{1}_{1}H$. Malheureusement, $^{1}_{1}H$ possède une grande section efficace pour l'absorption de neutrons. Par contre, la section efficace de capture neutronique sur le *deutérium*, $^{2}_{1}H$, est faible; c'est donc un modérateur idéal. On peut utiliser, sous la forme d'eau, l'hydrogène $^{1}_{1}H$ ou $^{2}_{1}H$ (dans ce dernier cas, les atomes d'hydrogène de l'eau sont du deutérium et l'eau est dite **lourde**). Un autre modérateur utilisé fréquemment est le *graphite*, composé d'atomes de $^{12}_{6}C$.

Deuxième problème présenté par les réacteurs, les neutrons émis durant une fission peuvent être absorbés par d'autres noyaux dans le réacteur et causer d'autres réactions nucléaires plutôt que des fissions additionnelles. Dans un réacteur à «eau légère», les noyaux $^{1}_{1}H$ absorbent les neutrons, comme le fait le $^{238}_{92}U$ de façon à former $^{239}_{92}U$ dans la réaction $n + {}^{238}_{92}U \rightarrow {}^{239}_{92}U + \gamma$. L'uranium trouvé dans la Nature contient 99,3 % de $^{238}_{92}U$ et seulement 0,7 % de $^{235}_{92}U$ fissible. Pour augmenter la probabilité de fission des noyaux de $^{235}_{92}U$, l'uranium naturel est souvent **enrichi**, de façon à faire grimper le pourcentage de $^{235}_{92}U$ par des procédés comme la diffusion ou la centrifugation. (L'emploi d'uranium enrichi n'est pas nécessaire, habituellement, dans les réacteurs où on utilise de l'eau lourde comme modérateur, car celle-ci n'absorbe pas les neutrons.)

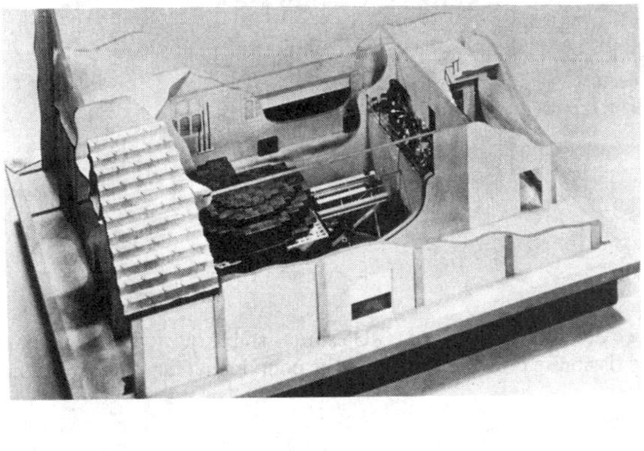

FIGURE 14.7 Photographie d'un modèle à l'échelle du premier réacteur nucléaire. Le réacteur fut construit par Fermi sous la tribune de «Stagg Field» à l'Université de Chicago. (Il n'existe pas de photographie du réacteur original à cause du secret militaire.) On utilisait de l'uranium naturel avec du graphite comme modérateur. Le 2 décembre 1942, Fermi retira lentement les barres de contrôle en cadmium et le réacteur devint critique. Cette première réaction en chaîne auto-entretenue fut annoncée par téléphone aux gens de Washington par Arthur Compton, qui avait été témoin de l'expérience; il leur dit: «Le navigateur italien vient de toucher le Nouveau Monde.» (Gracieuseté de l'Université de Chicago.)

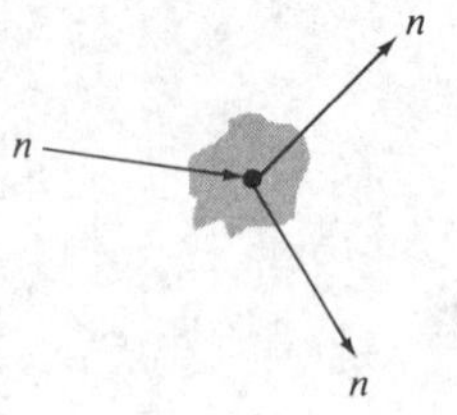

a)

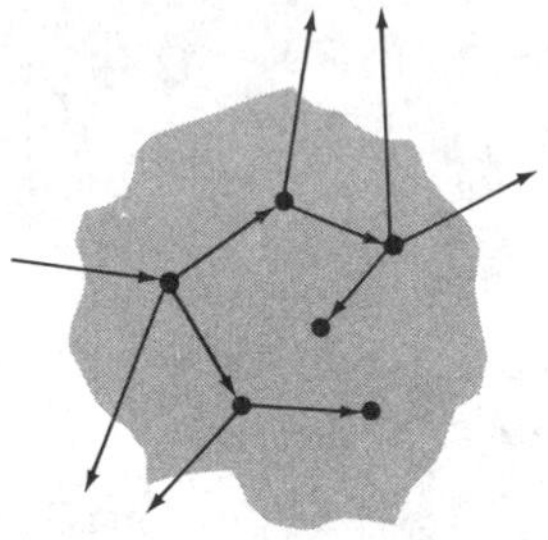

b)

FIGURE 14.8 Si la quantité d'uranium dépasse la masse critique, comme en b), une réaction en chaîne entretenue est possible. Si la masse est inférieure à la masse critique, comme en a), la plupart des neutrons s'échappent avant que ne se produisent des fissions additionnelles et la réaction en chaîne n'est pas entretenue.

Le troisième problème soulevé par l'utilisation d'un réacteur nucléaire concerne les neutrons qui s'échappent du cœur du réacteur avant d'avoir pu causer des fissions supplémentaires (figure 14.8). La masse du combustible doit donc être suffisamment grande pour qu'une réaction auto-entretenue se produise. La masse minimale d'uranium nécessaire porte le nom de **masse critique**. La valeur de la masse critique dépend du modérateur, du combustible (on peut utiliser du ${}^{239}_{94}Pu$ plutôt que du ${}^{235}_{92}U^{\dagger}$) et du degré d'enrichissement du combustible (si c'est le cas). Les valeurs typiques sont de l'ordre de quelques kilogrammes (et non de grammes ou de milliers de kilogrammes).

Pour obtenir une réaction en chaîne auto-entretenue, il est clair qu'en moyenne au moins un des neutrons produits par chaque fission doit produire une autre fission. Le nombre moyen de neutrons pour chaque fission qui produit d'autres fissions est appelé le **facteur de multiplication**, f. Pour une réaction auto-entretenue, il faut que $f \geq 1$. Quand $f < 1$, le réacteur est «convergent» (ou «sous-critique»). Quand $f > 1$, il est «divergent» (ou «sur-critique»). Les réacteurs sont munis de **barres de contrôle** (d'ordinaire en cadmium ou en bore), dont la fonction est d'absorber les neutrons et de maintenir le réacteur tout juste «critique», $f = 1$. L'émission de neutrons et les fissions ultérieures causées par eux se produisent si rapidement que la manipulation des barres de réglage pour rester à $f = 1$ serait impossible si ce n'était du petit pourcentage (~1 %) de **neutrons retardés**. Ces derniers proviennent de la désintégration des fragments de fission (ou de leurs fils) riches en neutrons, dont les durées de vie sont de l'ordre de quelques secondes, ce qui est suffisant pour réagir et rester à $f = 1$.

On se sert des réacteurs nucléaires en recherche et pour la production d'énergie électrique. Le phénomène de la fission produit plusieurs neutrons, et un «réacteur de recherche» est fondamentalement une source intense de neutrons dont on se sert notamment comme projectiles pour produire des réactions nucléaires. Un «réacteur de centrale nucléaire» sert à produire de l'électricité. L'énergie libérée dans la fission apparaît sous forme de chaleur avec laquelle on fait bouillir de l'eau. La vapeur ainsi produite fait tourner une turbine reliée à une génératrice d'électricité (figure 14.9). Le **cœur** du réacteur nucléaire est constitué de combustible et d'un modérateur (de l'eau dans la plupart des réacteurs commerciaux). Le combustible est d'ordinaire de l'uranium enrichi qui contient de 2 % à 4 % de ${}^{235}_{92}U$. On fait passer l'eau, ou un autre liquide (comme le sodium liquide), dans le cœur. L'énergie thermique qu'elle absorbe est alors utilisée

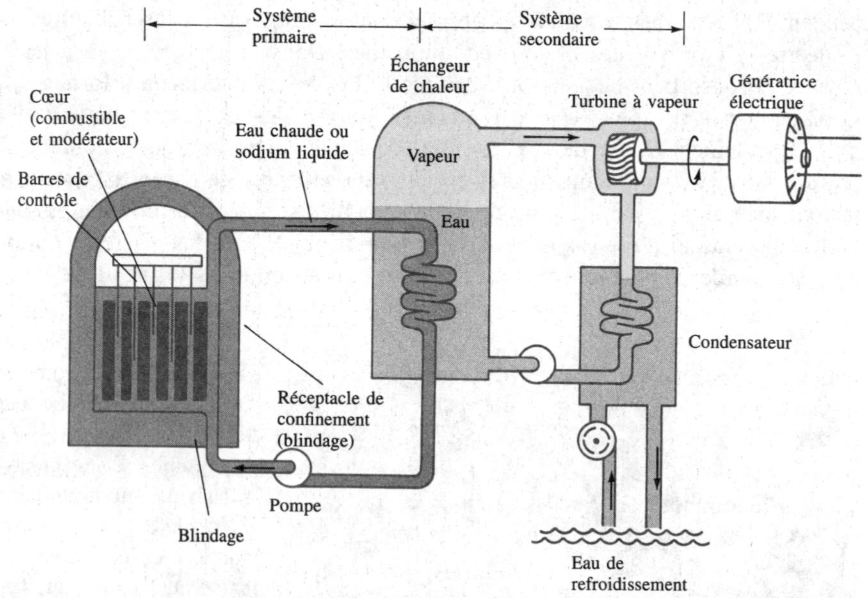

FIGURE 14.9 Un réacteur nucléaire. La chaleur produite par la fission dans les barres de combustible est transportée par de l'eau chaude ou du sodium liquide, et elle est utilisée pour faire bouillir l'eau de l'échangeur de chaleur. La vapeur fait tourner une turbine pour produire de l'électricité et est ensuite refroidie dans le condensateur.

† ${}^{238}_{92}U$ peut subir une fission, mais seulement avec des neutrons rapides (${}^{238}_{92}U$ est plus stable que ${}^{235}_{92}U$). La probabilité qu'un neutron rapide soit absorbé et qu'une fission se produise est trop petite pour donner lieu à une réaction auto-entretenue.

pour produire de la vapeur dans l'échangeur de chaleur, de sorte que le combustible fissible sert d'apport de chaleur pour le moteur thermique.

Plusieurs problèmes sont associés aux centrales nucléaires. Outre la pollution créée par les moteurs thermiques, la mise au rebut des fragments de fission radioactifs produits dans le réacteur ainsi que des nucléides radioactifs produits par les neutrons interagissant avec les parties structurales du réacteur fait problème. Les fragments de fission, de même que leurs parents uranium ou plutonium, ont 50 % de plus de neutrons que de protons. Les noyaux avec des numéros atomiques se trouvant dans le domaine typique des fragments de fission ($Z \approx 30$ à 60) ne sont stables que lorsqu'ils ont presque le même nombre de protons et de neutrons (figure 13.2). Les fragments de fission riches en neutrons sont donc très instables et se désintègrent radioactivement. L'émission accidentelle de fragments de fission hautement radioactifs dans l'atmosphère constitue une menace sérieuse à la santé humaine, tout comme les fuites possibles de déchets radioactifs. Enfin, la durée de vie d'une centrale nucléaire ne dépasse probablement pas 30 ans, à cause de l'accumulation de radioactivité et à cause du fait que les matériaux structuraux eux-mêmes sont affaiblis par les conditions intenses à l'intérieur de la centrale. La mise hors service d'une centrale nucléaire pourrait se faire de différentes manières; de toute façon, le coût de la mise hors service d'une grande centrale serait probablement très élevé.

Les réacteurs appelés *surrégénérateurs* (ou *surgénérateurs*) présentent des désavantages identiques à ceux reliés au fonctionnement des centrales nucléaires. On proposa néanmoins de les utiliser pour résoudre le problème de la rareté de l'uranium fissible. Dans un surrégénérateur, une partie des neutrons émis par la fission du ${}^{235}_{92}U$ est absorbée par le ${}^{238}_{92}U$, et du ${}^{239}_{94}Pu$ est produit par les réactions indiquées à la figure 14.1. Comme le ${}^{239}_{94}Pu$ est fissible par des neutrons lents, on peut l'utiliser, après extraction, comme combustible dans un réacteur nucléaire. Un surrégénérateur «génère» donc du nouveau combustible† (${}^{239}_{94}Pu$) à partir de ${}^{238}_{92}U$ qui serait autrement inutilisable. Comme le ${}^{238}_{92}U$ constitue 99,3 % de l'uranium naturel, on peut ainsi accroître l'abondance du combustible fissible de deux ordres de grandeur. Les surrégénérateurs présentent toutefois des problèmes additionnels. En effet, le plutonium est une substance hautement toxique, très dangereuse pour la santé. De plus, le plutonium produit dans un réacteur peut facilement être utilisé pour la construction d'une bombe. Les risques de prolifération nucléaire et de vol de combustible par des terroristes décidés à construire une bombe sont plus grands pour les surrégénérateurs que pour les réacteurs à uranium ordinaire.

La première application de la fission n'a pas été la production d'électricité mais la construction d'une bombe à fission (la «bombe atomique»). Au début de l'année 1940, des physiciens des États-Unis demandèrent à Einstein (un homme connu de tous) d'écrire une lettre au président Roosevelt pour l'avertir de la possibilité d'utiliser la fission nucléaire pour créer une bombe beaucoup plus puissante que toutes celles fabriquées jusqu'alors, et du danger que l'Allemagne se soit déjà penchée sur le développement d'une telle bombe. Après avoir pris connaissance de cette lettre, Roosevelt donna l'autorisation nécessaire à la mise sur pied du programme connu sous le nom de «Projet Manhattan», qui visait à déterminer la faisabilité de cette bombe. Le travail commença sérieusement après la démonstration par Fermi, en 1942, qu'une réaction en chaîne entretenue était possible. On mit sur pied un nouveau laboratoire secret sur un plateau isolé du Nouveau-Mexique appelé Los Alamos. Dirigé par J. Robert Oppenheimer (1904-1967; figure 14.10), ce laboratoire devint le lieu de résidence de scientifiques renommés provenant de tous les coins de l'Europe et des États-Unis.

Pour construire une bombe qui resterait convergente durant le transport et ne deviendrait divergente (pour déclencher une réaction en chaîne) qu'au moment voulu, on utilisa deux morceaux d'uranium dont les masses étaient sous-critiques séparément

† Un réacteur surrégénérateur *ne produit pas* plus de combustible qu'il en consume, fournissant ainsi un approvisionnement presque illimité, comme la presse populaire le laisse souvent entendre.

ENCADRÉ 14.1

Les centrales nucléaires

C'est en 1942, à Chicago, que fut mis en activité le premier réacteur à fission nucléaire, construit par Enrico Fermi. Le premier réacteur destiné à la production d'énergie électrique fut exploité aux États-Unis en 1951. La part du nucléaire dans la production mondiale d'énergie s'élève aujourd'hui à environ 5 % et se limite presque exclusivement à la production d'électricité et ce, dans une proportion atteignant 17 % de l'énergie électrique totale produite dans le monde. Le tableau 1 montre la répartition, en 1989, des principales sources d'énergie électrique parmi les pays possédant des réacteurs nucléaires. Comme dans la production d'électricité par les hydrocarbures, le rendement des centrales nucléaires varie de 35 % à 45 %; le reste est communiqué en chaleur au fluide de refroidissement. Rappelons que l'énergie nucléaire provient de la fission des noyaux des atomes.

Les types de réacteurs nucléaires

La fission se produit quand on bombarde le noyau au moyen d'un projectile. Dans certaines situations, le noyau est déformé au point de se scinder en deux parties. Le neutron se révèle le meilleur des projectiles à cause de sa neutralité qui le rend insensible à la force électrique du noyau-cible. L'énergie provenant des forces de liaison entre les nucléons du noyau scindé est presque totalement convertie en énergie cinétique communiquée aux deux noyaux produits (environ 83 %), qui eux-mêmes la communiquent par collision au fluide caloporteur, lequel transporte, dans un circuit fermé, la chaleur à la chaudière. Cette chaleur sert à produire de la vapeur: il ne s'agit pas ici d'une chaudière au charbon, au mazout ou au gaz naturel, mais bien d'une *chaudière nucléaire.* La vapeur produite actionne un turbo-alternateur, producteur d'électricité.

Les noyaux fissiles (^{233}U, ^{235}U, ^{239}Pu)

L'uranium 233, l'uranium 235 et le plutonium 239 fissionnent lors de collisions avec des neutrons d'énergie cinétique nulle; on les qualifie de *fissiles.*

Seul l'uranium 235 est disponible dans la Nature (une quantité donnée d'uranium naturel contient 0,718 % d'uranium 235, 99,28 % d'uranium 238 et 0,0056 % d'uranium 234).

Les noyaux fertiles (^{238}U, ^{232}Th)

D'autres noyaux peuvent donner des noyaux fissiles s'ils capturent des neutrons; ce sont les noyaux *fertiles.* L'uranium 238 et le thorium 232 sont des noyaux fertiles. Notons que le thorium 232 est trois fois plus abondant dans l'écorce terrestre que l'uranium naturel.

Ces deux noyaux fertiles produisent respectivement les noyaux fissiles plutonium 239 et uranium 233 selon les séries de réactions suivantes[†]:

$$^{238}_{92}U + ^{1}_{0}n \rightarrow ^{239}_{92}U \xrightarrow[\beta^-(23{,}5\ mn)]{} ^{239}_{93}Np \xrightarrow[\beta^-(2{,}3\ j)]{} ^{239}_{94}Pu,$$

$$^{232}_{90}Th + ^{1}_{0}n \rightarrow ^{233}_{90}Th \xrightarrow[\beta^-(23\ mn)]{} ^{233}_{91}Pa \xrightarrow[\beta^-(27{,}4\ j)]{} ^{233}_{92}U.$$

† Jules GUÉRON (1977). *L'énergie nucléaire*, Presses universitaires de France, coll. «Que sais-je?», p. 57.

TABLEAU 1
Production annuelle d'électricité (en TWh): comparaison internationale (pays possédant des réacteurs nucléaires) par source d'énergie, 1989[†].

Pays	Nucléaire	Hydraulique	Thermique classique	Proportion du nucléaire	Total
États-Unis	529	272	2163	18 %	2964
France	304	51	52	75 %	407
URSS	213	223	1286	12 %	1722
Japon	183	98	518	23 %	799
Allemagne	161	19	376	29 %	556
Canada	80	291	128	16 %	500
Suède	66	72	6	46 %	144
Royaume-Uni	65	7	240	21 %	312
Espagne	56	20	71	38 %	147
Tchécoslovaquie	25	4	60	28 %	89
Inde	7	64	190	3 %	261

† Adapté de l'*Annuaire des statistiques de l'énergie*, Nations Unies, 1989, p. 386-412.

La régénération et la surrégénération

Les réacteurs actuels contiennent une petite quantité d'uranium 235 mais une quantité importante d'uranium 238. À cause de la présence du noyau fertile uranium 238, les réacteurs produisent tous une certaine quantité de plutonium 239, noyau fissile qui contribue partiellement à la fission nucléaire totale dans le réacteur: il y a *régénérescence* de noyaux fissiles (Pu 239) par l'uranium 238.

Aucun réacteur industriel n'utilise encore du thorium 232, noyau fertile et disponible en abondance dans la Nature. On le fera sûrement dans l'avenir pour produire le noyau fissile uranium 233.

Dans certains cas de régénérescence (réacteurs à neutrons rapides), le nombre total des noyaux fissiles artificiels (obtenus à partir des noyaux fertiles) est plus grand que le nombre des noyaux fissiles disponibles au départ: si le facteur de régénération est plus grand que 1, on a *surrégénération*.

Les réacteurs à neutrons lents et les réacteurs à neutrons rapides

Pour qu'il y ait réaction en chaîne, il faut que le nombre de neutrons disponibles pouvant entrer en collision avec les noyaux fissiles demeure suffisant. Dans le cas du noyau fissile uranium 235, les neutrons doivent être lents pour que leur probabilité de collision avec les noyaux fissiles soit suffisamment élevée. Pour arriver à cette fin, il faut *modérer* les neutrons. On reconnaît donc une première catégorie de réacteurs, les *réacteurs à neutrons lents*, appelés souvent *réacteurs thermiques*, parce que les neutrons suffisamment modérés (ralentis) entrent en équilibre thermique avec les noyaux lourds du cœur du réacteur.

Le plutonium 239 demande des neutrons plus rapides pour fissionner, ce qui évite d'avoir à ralentir les neutrons au moyen d'un modérateur. On se retrouve ainsi avec une deuxième catégorie de réacteurs, les *réacteurs à neutrons rapides*, qui ont comme immense avantage de permettre la surrégénération pour ainsi, dans le cas de l'uranium naturel, obtenir jusqu'à 60 fois plus d'énergie à partir de la même quantité d'uranium.

Les familles de réacteurs

Une combinaison donnée de matériau fissile, de matériau fertile, de modérateur et de caloporteur conduit à une famille (filière) spécifique de réacteurs; il y a plus de 200 familles possibles au total. Le tableau 2 présente les «ingrédients» que l'on peut utiliser pour composer une famille éventuelle.

Parmi les familles réalisables, cinq ont atteint le stade industriel.

Une première famille utilise l'uranium naturel comme combustible, le graphite comme modérateur et le gaz carbonique comme caloporteur. Le premier réacteur expérimental (Chicago, 1942) et les premiers réacteurs développés en France et en Angleterre pour la production industrielle d'électricité en font partie. Cette filière est quasiment abandonnée aujourd'hui.

Une deuxième famille utilise l'eau ordinaire comme modérateur et caloporteur et l'uranium enrichi en uranium 235 comme combustible. C'est la famille la plus répandue, tant en Europe qu'aux États-Unis.

Une troisième famille utilise le graphite comme ralentisseur, l'eau bouillante comme caloporteur et l'uranium enrichi comme combustible. C'est la plus répandue dans les pays de l'Est.

Une quatrième famille utilise l'eau lourde comme modérateur et caloporteur et l'uranium naturel comme combustible. Les réacteurs canadiens CANDU sont les seuls réacteurs de cette filière.

Ces quatre premières familles sont toutes à neutrons lents et nécessitent donc un modérateur. La cinquième filière comprend les réacteurs à neutrons rapides qui, eux, ne comportent pas de modérateurs. Ces réacteurs surrégénérateurs, rappelons-le, sont encore considérés comme des prototypes industriels.

TABLEAU 2
«Ingrédients» possibles d'un réacteur nucléaire†.

Noyaux fissiles	Noyaux fertiles	Modérateurs	Caloporteurs
U 235	U 238	H_2O	H_2O
Pu 239	Th 232	D_2O (eau lourde)	D_2O (eau lourde)
U 233		C (graphite)	C_xH_y
		C_xH_y	CO_2
		Be	He
		BeO	Na (liquide)
			Fluorures fondus

† Jules GUÉRON, *op. cit.*, p. 121.

ENCADRÉ 14.1(suite)

Le cœur des prototypes actuels est constitué d'un mélange fissile-fertile d'uranium et de plutonium et est entouré d'une «couverture» de matière fertile faite d'uranium 238 (ça pourrait être du thorium 232). On utilise du sodium liquide comme caloporteur, parce que le coefficient de transfert de chaleur d'un métal liquide est de beaucoup supérieur à celui de l'eau, et que le sodium modère très peu les neutrons. À long terme, cette filière deviendra un choix judicieux en raison de la surrégénération qui permet une bien meilleure utilisation de l'uranium naturel et du thorium 232, lui aussi présent dans la Nature.

Les produits radioactifs des réacteurs nucléaires

La production d'électricité au moyen de l'énergie nucléaire suscite beaucoup d'interrogations parmi la population à cause des produits radioactifs utilisés et générés dans les réacteurs nucléaires. Disons tout de suite qu'il est impossible qu'un réacteur nucléaire se transforme en bombe nucléaire: il faut, pour cela, des matériaux fissiles presque purs. S'il y avait explosion, elle serait chimique. Cependant, les produits radioactifs générés dans les réacteurs nucléaires représentent un danger potentiel et nécessitent des mesures de sûreté.

Dans les réacteurs nucléaires, il existe quatre sources principales de rayonnement:

- la capture d'un neutron par un noyau avec formation successive d'une suite de noyaux radioactifs de nombres atomiques supérieurs, toujours par capture d'un neutron; par exemple, le noyau fertile $^{238}_{92}U$ donnera une suite de radioéléments tels $^{237}_{93}Np$, $^{241}_{95}Am$, $^{244}_{96}Cm$, qui sont des émetteurs α;
- les produits de fission, qui sont des émetteurs β, γ et plus rarement α;
- les produits d'activation formés par l'action du flux de neutrons sur les structures du cœur (autres matériaux que le combustible lui-même), sur les corps contenus dans l'eau de refroidissement et sur les impuretés qui proviennent de la corrosion des matériaux du circuit; ce sont des émetteurs β et γ.

La radioactivité décroît avec le temps. On insiste souvent sur le fait qu'il existe quelques radionucléides dont la durée de demi-vie est très longue — 24 000 ans pour le plutonium 239, 2 millions d'années pour le neptunium 237 —, mais s'il est exact que ceux-ci réclament une attention particulière, l'essentiel de la radioactivité disparaît dans des temps beaucoup plus courts.

On doit faire la distinction entre les produits de fission ou d'activation, qui sont radioactifs (β, γ), et les radioéléments, ces produits d'irradiation de l'uranium qui sont émetteurs α. Dans la première catégorie, on retrouve principalement le césium 137 (demi-vie de 30 ans), le strontium 90 (30 ans), le cobalt 60 (5 ans) et le fer 55 (2,5 ans). Le neptunium 237 (2 000 000 d'années), le plutonium 239 (24 000 ans), l'américium 243 (7400 ans) et l'américium 241 (430 ans) font partie de la deuxième catégorie[†].

Les déchets des produits de fission ou d'activation sont stockés en surface alors que les déchets des radioéléments sont traités et stockés en profondeur. Des écrans successifs captent les rayonnements émis. Ce stockage en profondeur s'effectue déjà dans certains pays, et il est à prévoir que d'autres pays emboîteront le pas.

Concluons en citant Jean Teillac:

> Les réflexions menées sur les problèmes encore ouverts, la vigueur des recherches entreprises, la coopération internationale sont les meilleures garanties pour que soit maintenue, en permanence, la maîtrise technique nécessaire à la poursuite de l'utilisation de cette nouvelle forme d'énergie (énergie nucléaire)[‡].

P.-É. O.

Références

Daniel BLANC (1986). *Les réacteurs atomiques*, Presses universitaires de France, coll. «Que sais-je?».

Jules GUÉRON (1977). *L'énergie nucléaire*, Presses universitaires de France, coll. «Que sais-je?».

Colette LEWINER (1988). *Les centrales nucléaires*, Presses universitaires de France, coll. «Que sais-je?».

Jean TEILLAC (1984). *Conditionnement et stockage des déchets radioactifs*, Le Conseil supérieur de la sûreté nucléaire et de la gestion des déchets nucléaires (rapport Castaing), Conseil de l'Europe, Stockholm, 10 septembre 1984.

Jean TEILLAC (1988). *Les déchets nucléaires*, Presses universitaires de France, coll. «Que sais-je?».

[†] Jean TEILLAC (1984). *Conditionnement et stockage des déchets radioactifs*, Le Conseil supérieur de la sûreté nucléaire (rapport Castaing), Conseil de l'Europe, Stockholm, 10 septembre 1984, p. 9.
[‡] *Op. cit*, p. 22.

FIGURE 14.10 Robert Oppenheimer (1904-1967), à gauche, avec le général Leslie Groves, qui était le directeur administratif de Los Alamos durant la guerre. La photographie fut prise au site Trinity dans le désert du Nouveau Mexique, où l'on fit exploser la première bombe atomique.

mais critiques une fois mises ensemble. Les masses seraient donc tenues séparées jusqu'à leur détonation. À ce moment-là, une sorte de canon projetterait les deux morceaux l'un sur l'autre très rapidement, déclenchant ainsi une réaction en chaîne carrément explosive, et libérant soudainement une quantité énorme d'énergie. On testa la première bombe à fission dans le désert du Nouveau-Mexique en juillet 1945. Ce fut une réussite. Au début d'août, une bombe atomique à base d'uranium fut larguée sur Hiroshima, et une deuxième, utilisant le plutonium, sur Nagasaki. La Seconde Guerre mondiale se termina peu après, mais l'utilisation de ces bombes donna lieu à de vives controverses qui se poursuivent encore aujourd'hui.

En plus de sa puissance de destruction gigantesque, une bombe à fission a un autre effet: elle produit des fragments de fission hautement radioactifs, similaires à ceux produits par un réacteur. Lors de l'explosion d'une bombe, ces isotopes radioactifs sont libérés dans l'atmosphère; c'est ce qu'on appelle les *retombées radioactives*. La crainte des dangers entraînés par ces retombées poussa plus de 100 pays à signer le traité de 1963 sur le bannissement des essais d'armes nucléaires dans l'atmosphère.

14.4 La fusion

La masse de tout noyau stable est inférieure à la somme des masses des protons et neutrons qui le composent. Ainsi, la masse de l'isotope de l'hélium ^4_2He, est inférieure à la somme des masses de ses deux protons et de ses deux neutrons. Par conséquent, lorsque deux protons et deux neutrons se combinent pour former un noyau d'hélium, il se produit une perte de masse, qui se manifeste par la libération d'une grande quantité d'énergie. On appelle **fusion nucléaire** la formation de noyaux par la combinaison de protons et de neutrons, ou celle de grands noyaux par la combinaison de noyaux plus petits. Un coup d'œil aux énergies de liaison moyennes par nucléon sur la figure 13.1 montre comment de petits noyaux peuvent se combiner pour former des noyaux plus grands tout en libérant de l'énergie: c'est parce que l'énergie de liaison par nucléon est plus faible pour les noyaux légers que pour ceux de dimensions intermédiaires ($A = 50$ à 100). On croit que tous les éléments de l'univers ont été créés par fusion (chapitre 16). De nos jours, la fusion se produit sans cesse dans les étoiles (y compris dans notre Soleil) fournissant les prodigieuses quantités d'énergie qu'elles émettent.

EXEMPLE 14.4 Une des réactions de fusion les plus simples est la production du deutérium, ${}^2_1H$, à partir d'un neutron et d'un proton: ${}^1_1H + n \rightarrow {}^2_1H + \gamma$. Combien cette réaction libère-t-elle d'énergie?

SOLUTION D'après l'appendice E, la masse au repos initiale est de 1,007825 u + 1,008665 u = 2,016490 u. Après la réaction, la masse au repos est celle de ${}^2_1H$, soit 2,014102 u. Donc l'énergie libérée est de (0,002388 u)(931,5 MeV/u) = 2,22 MeV, et elle est transportée par le noyau ${}^2_1H$ et le rayon γ.

On croit que l'énergie émise par le Soleil est principalement due à la séquence suivante de réactions de fusion:

$${}^1_1H + {}^1_1H \longrightarrow {}^2_1H + e^+ + \nu \qquad (0{,}42\ \text{MeV}) \qquad (14.6a)$$

$${}^1_1H + {}^2_1H \longrightarrow {}^3_2He + \gamma \qquad (5{,}49\ \text{MeV}) \qquad (14.6b)$$

$${}^3_2He + {}^3_2He \longrightarrow {}^4_2He + {}^1_1H + {}^1_1H \qquad (12{,}86\ \text{MeV}) \qquad (14.6c)$$

où les Q de chaque réaction sont donnés entre parenthèses. L'effet net de cette séquence, qu'on appelle le **cycle proton-proton**, est que quatre protons se combinent pour donner un noyau ${}^4_2He$ plus deux positrons, deux neutrinos et deux rayons gamma:

$$4\ {}^1_1H \longrightarrow {}^4_2He + 2e^+ + 2\nu + 2\gamma. \qquad (14.7)$$

Notez que chacune des deux premières réactions (équations 14.6a et b) doit avoir lieu deux fois pour produire les deux ${}^3_2He$ requis pour la dernière réaction, de sorte que la libération totale d'énergie pour la réaction nette (équation 14.7) est de ($2 \times 0{,}42$ MeV + $2 \times 5{,}49$ MeV + 12,86 MeV) = 24,7 MeV. Chacun des deux e^+ (formés dans la réaction 14.6a) s'annihile rapidement avec un électron en produisant $2m_ec^2 = 1{,}022$ MeV, de sorte que la libération totale d'énergie est de 24,7 MeV + 2(1,022 MeV) = 26,7 MeV. La première réaction, la formation du deutérium à partir des deux protons (équation 14.6a) possède une très petite section efficace, et la rareté de cette réaction limite le rythme de production d'énergie du Soleil. Dans les étoiles plus chaudes que le Soleil, la plus grande partie de l'énergie produite provient plutôt du **cycle du carbone**, qui comprend la séquence de réactions suivante:

$$\begin{aligned}
{}^{12}_6C + {}^1_1H &\longrightarrow {}^{13}_7N + \gamma \\
{}^{13}_7N &\longrightarrow {}^{13}_6C + e^+ + \nu \\
{}^{13}_6C + {}^1_1H &\longrightarrow {}^{14}_7N + \gamma \\
{}^{14}_7N + {}^1_1H &\longrightarrow {}^{15}_8O + \gamma \\
{}^{15}_8O &\longrightarrow {}^{15}_7N + e^+ + \nu \\
{}^{15}_7N + {}^1_1H &\longrightarrow {}^{12}_6C + {}^4_2He
\end{aligned}$$

(voir le problème 40). C'est Hans Bethe (1906-   ) qui le premier développa, en 1939, les théories du cycle proton-proton et du cycle du carbone.

L'idée d'utiliser l'énergie libérée par la fusion pour alimenter un réacteur destiné à produire de l'électricité est très attrayante. Les réactions de fusion les plus susceptibles d'être utilisées avec succès dans un réacteur font intervenir les isotopes de l'hydrogène deutérium (^2_1H) et tritium (^3_1H). Voici ces réactions, avec l'énergie qu'elles libèrent:

$$^2_1H + ^2_1H \longrightarrow ^3_1H + ^1_1H \quad (4{,}03\ \text{MeV}) \tag{14.8a}$$

$$^2_1H + ^2_1H \longrightarrow ^3_2He + n \quad (3{,}27\ \text{MeV}) \tag{14.8b}$$

$$^2_1H + ^3_1H \longrightarrow ^4_2He + n \quad (17{,}59\ \text{MeV}). \tag{14.8c}$$

Si on compare ces rendements énergétiques avec ceux de la fission de ^{235}U, on voit que l'énergie libérée par les réactions de fusion peut dépasser, pour une masse donnée de combustible, celle libérée par les réactions de fission. De plus, le problème de la mise à l'écart des déchets radioactifs est moins aigu dans le cas de la fusion. Dans un réacteur à fusion, on pourrait utiliser comme combustible le deutérium, que l'eau des océans renferme en grande quantité (l'abondance naturelle de ^2_1H est de 0,015 %, ou environ de 1 g de deutérium par 60 L d'eau). La réaction proton-proton de l'équation 14.6a aurait à sa disposition beaucoup plus de son combustible, le ^1_1H, mais elle possède une section efficace si petite qu'on peut la considérer comme pratiquement inutilisable sur Terre.

Les problèmes considérables qui doivent être résolus ont jusqu'à maintenant empêché la construction d'un réacteur à fusion opérationnel. Ces difficultés sont des conséquences de la répulsion qui existe entre les noyaux, tous chargés positivement. Cependant, si on réussit à les rapprocher suffisamment les uns des autres, l'entrée en jeu de la force nucléaire (attractive mais de courte portée) a pour effet d'attirer les noyaux les uns vers les autres et de donner lieu à la fusion. Pour que les noyaux s'approchent suffisamment les uns des autres, leur énergie cinétique doit être suffisamment grande pour franchir la barrière coulombienne. On peut facilement atteindre de hautes énergies cinétiques à l'aide d'accélérateurs de particules comme les cyclotrons, mais le nombre de particules ainsi obtenu est trop petit. Pour produire des quantités utiles d'énergie, nous devons travailler avec des quantités substantielles de matière, auquel cas les énergies cinétiques élevées signifient de hautes températures. Des températures élevées sont en effet nécessaires pour que la fusion se produise; c'est pourquoi on appelle souvent les dispositifs de fusion des **dispositifs thermonucléaires**. Le Soleil et les autres étoiles sont des astres très chauds (plusieurs millions de degrés); les noyaux y bougent donc suffisamment rapidement pour que des fusions aient lieu; l'énergie libérée de cette façon maintient la température élevée, ce qui permet d'autres réactions de fusion. Le Soleil et les étoiles constituent des réacteurs thermonucléaires auto-entretenus, mais sur la Terre il n'est pas facile d'atteindre et de contrôler les hautes températures et les densités requises.

Après la Seconde Guerre mondiale, on découvrit que la température produite par une bombe à fission (ou «atomique») s'approchait de 10^8 K. On en conclut qu'il était peut-être possible d'utiliser une bombe à fission pour faire exploser une bombe à fusion (plutôt appelée bombe thermonucléaire ou à hydrogène), de façon à libérer l'énergie énorme fournie par la fusion. Il était relativement facile d'obtenir une libération non contrôlée d'énergie de fusion dans une bombe H, mais pas de produire de l'énergie utilisable grâce à une fusion lente et contrôlée.

EXEMPLE 14.5 Estimez *a*) la hauteur de la barrière coulombienne pour deux deutons (^2_1H) en supposant que la force nucléaire s'exerce jusqu'à environ $R = 2$ fm, et *b*) la température requise pour franchir cette barrière.

SOLUTION *a*) La force attractive entre les deux noyaux commence à se faire sentir lorsque leurs centres sont séparés par environ $2R \approx 4$ fm. À cette distance, la grandeur du potentiel coulombien (voir le diagramme de l'énergie potentielle à la figure 13.4, qui a la même forme que dans le cas présent) est

$$U = \frac{1}{4\pi\varepsilon_0}\frac{e^2}{2R} \approx (9 \times 10^9 \ \mathrm{N\cdot m^2/C^2})\frac{(1{,}6 \times 10^{-19}\ \mathrm{C})^2}{4 \times 10^{-15}\ \mathrm{m}}$$

$$\approx 6 \times 10^{-14}\ \mathrm{J} \approx 400\ \mathrm{keV}.$$

Chaque deuton aurait besoin d'une énergie cinétique de ≈ 200 keV.

b) D'après la théorie cinétique, l'énergie cinétique moyenne $\overline{K} \approx \frac{3}{2}kT$, donc

$$T \approx \frac{2}{3}\left(\frac{\overline{K}}{k}\right) = \frac{2}{3}\frac{6 \times 10^{-14}\ \mathrm{J}}{1{,}38 \times 10^{-23}\ \mathrm{J/K}} \approx 3 \times 10^9\ \mathrm{K}.$$

Ce calcul très approximatif de la température requise dans le cas présent est environ un ordre de grandeur trop élevé. Des estimations plus rigoureuses devraient tenir compte du fait que les particules se trouvant dans la partie haute énergie de la distribution maxwellienne et celles traversant la barrière coulombienne grâce à l'effet tunnel peuvent à elles seules déclencher un nombre suffisant de réactions. Des estimations réalistes pour un réacteur fait de main d'homme donnent environ $T \approx 2 - 4 \times 10^8$ K.

Dans un réacteur à fusion, il faut non seulement une haute température mais aussi une haute densité des noyaux, de telle façon qu'il y ait un taux de collisions suffisant. Une des difficultés majeures de la fusion contrôlée est de contenir les noyaux assez longtemps à une densité assez élevée pour déclencher suffisamment de réactions, et ainsi obtenir une quantité d'énergie utilisable. Aux températures requises pour la fusion, les atomes sont ionisés; on appelle **plasma** l'ensemble de noyaux et d'électrons qui en résulte. Les matériaux ordinaires se vaporisent, au mieux, à quelques milliers de degrés, et on ne peut donc pas les utiliser pour contenir un plasma à haute température. Deux grandes techniques de confinement sont présentement à l'étude: le *confinement magnétique* et le *confinement inertiel.*

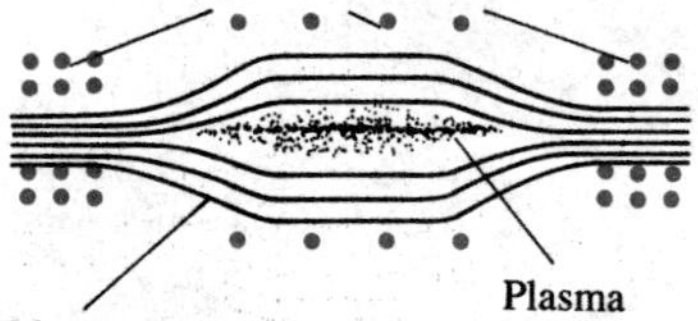

FIGURE 14.11 «Bouteille magnétique» utilisée pour confiner le plasma.

Dans le **confinement magnétique**, on essaie de contenir le plasma à l'aide de champs magnétiques. Une des façons possibles de le faire est d'utiliser une «bouteille magnétique» comme celle représentée à la figure 14.11. Les parcours des particules chargées dans le plasma sont déviés par le champ magnétique; aux endroits où les lignes se rapprochent, la force sur les particules agit de telle façon que ces dernières sont réfléchies vers le centre par ce «miroir magnétique». Malheureusement, les bouteilles magnétiques développent des «fuites» et les particules chargées s'échappent avant que ne se produise suffisamment de fusion. Un dispositif plus complexe appelé **tokamak**, d'abord mis au point en URSS, apparaît très prometteur. Un tokamak (figure 14.12) a une forme torique; on y utilise une combinaison de deux champs magnétiques: l'un dirigé le long de l'axe du tore, généré par des conducteurs porteurs de courant (champ «toroïdal»), et un second, généré par un courant traversant le plasma (champ «poloïdal»), qui non seulement contribue au confinement mais aussi au chauffage du plasma. La combinaison de ces deux champs produit un champ hélicoïdal, illustré à la figure 14.12a.

En 1957, J. D. Lawson montra que le produit de la densité ionique n et du temps de confinement τ doit au moins satisfaire, approximativement, à la relation suivante:

$$n\tau \gtrsim 3 \times 10^{20}\ \mathrm{s/m^3}.$$

Ce **critère de Lawson** doit être atteint pour produire l'**ignition**, c'est-à-dire la «combustion» thermonucléaire auto-entretenue qui se poursuit après l'arrêt du chauffage externe. Pour atteindre le **point d'équilibre**, c'est-à-dire le point où l'émission d'énergie due à la fusion est égale à l'apport d'énergie chauffant le plasma, il faut un $n\tau$ environ un ordre de grandeur plus petit. Le point d'équilibre a maintenant (1987) été approché de très près au Réacteur à fusion expérimental Tokamak (TFTR pour Toka-

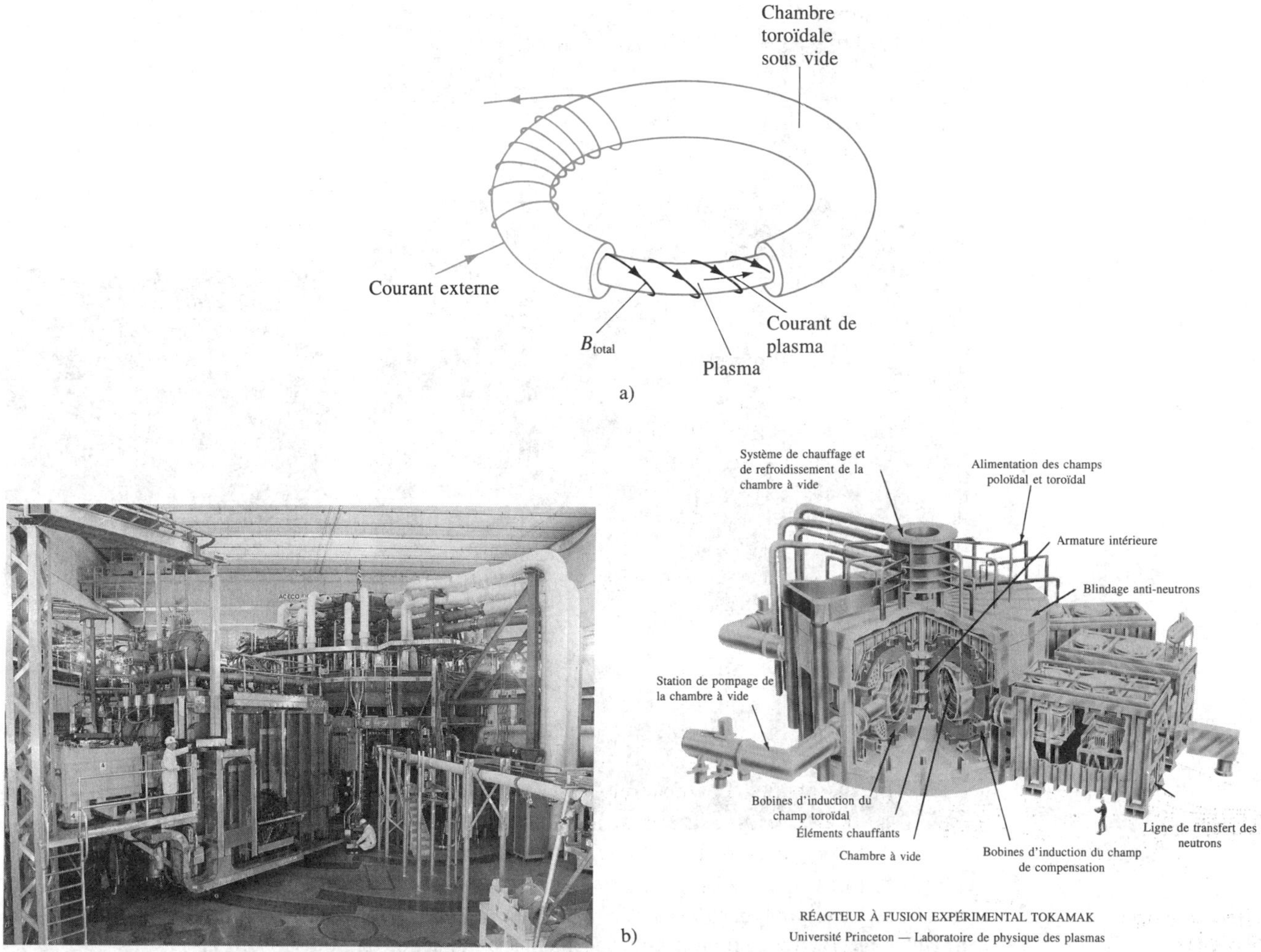

FIGURE 14.12 a) Configuration Tokamak montrant le champ total B dû au courant externe plus le courant dans le plasma. b) Le Réacteur expérimental de fusion Tokamak de Princeton.

mak Fusion Test Reactor), à Princeton (figure 14.12b), le plus important dispositif tokamak aux États-Unis. La température minimale très élevée requise pour l'ignition (2×10^8 K) a été atteinte et on s'est approché à un facteur de 2 du critère de Lawson, quoiqu'on n'ait pas réussi à réaliser ces deux résultats simultanément. Néanmoins, les grands progrès accomplis ces dernières années, après 40 années de recherche, font espérer qu'un réacteur à fusion utilisable pourrait devenir réalité dès le début du siècle prochain.

La seconde méthode pour contenir le combustible pour la fusion est le **confinement inertiel**: une petite boulette de deutérium et de tritium est frappée simultanément par plusieurs faisceaux laser très intenses venant de directions différentes. L'apport intense d'énergie dans un tel dispositif de fusion au laser transforme la boulette en plasma, par chauffage et ionisation. Les couches externes se vaporisent, mais leurs collisions avec les ions du cœur de la boulette pressent ce cœur vers l'intérieur. Cette implosion accroît la densité jusqu'à environ 10^3 fois la normale et augmente la température jusqu'au point où la fusion peut avoir lieu. Le temps de confinement est très court, de l'ordre de 10^{-11} à 10^{-9} s; durant ce temps, les ions ne bougent pas de façon appréciable à cause de leur inertie; immédiatement après, les boulettes explosent. Le laser NOVA utilisé pour les recherches sur la fusion au laboratoire Lawrence Livermore (figure 14.13) peut injecter 10^5 J dans la boulette pendant une impulsion de 10^{-9} s.

a)

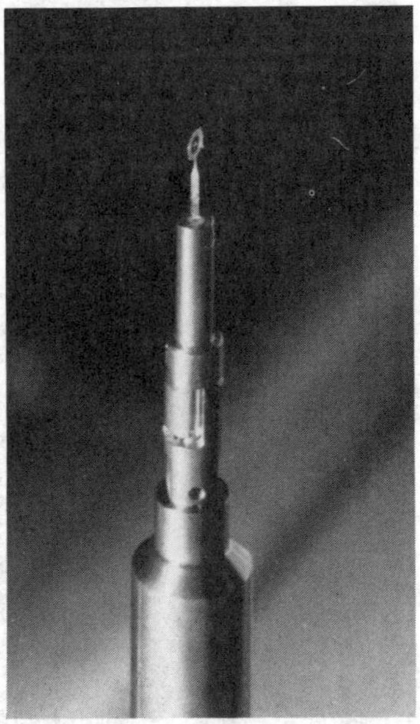

b)

FIGURE 14.13 a) Chambre cible (5 m de diamètre) du laser Nova au laboratoire Lawrence Livermore, dans lequel dix faisceaux laser convergent sur une cible. b) Une cible DT (deutérium-tritium) de 1 mm de diamètre, sur son support, au centre de la chambre cible.

Cela représente une puissance de 10^{14} W, soit plus que la capacité mondiale de production d'électricité! Bien entendu, cette puissance n'est maintenue que pendant un très court intervalle de temps. Un réacteur pourrait imploser 100 boulettes de ce genre à la seconde, ce qui nécessiterait un apport de $10^5\ \text{J} \times 100\ \text{s}^{-1} = 10^7\ \text{W}$ en moyenne. Le confinement inertiel requiert une haute densité particulaire n durant des temps τ très courts; en 1987, on s'était déjà approché de très près du critère de Lawson, mais à une température moins élevée que celle requise pour l'ignition.

14.5 Le passage de la radiation dans la matière; les dommages dus à la radiation

Le terme *radiation* comprend les rayons α, β, γ et X, ainsi que les protons, les neutrons et les autres particules comme les pions (chapitre 15). Comme les particules chargées peuvent ioniser les atomes ou les molécules de tout matériau au travers duquel elles passent, on les nomme des **radiations ionisantes**. Et comme les radiations produisent de l'ionisation, elles peuvent causer des dommages sévères aux matériaux, en particulier aux tissus biologiques.

Les particules chargées, comme les rayons α et β et les protons, causent de l'ionisation grâce à la force électrique. En d'autres termes, lorsqu'elles traversent un matériau, elles peuvent attirer ou repousser des électrons assez fortement pour les arracher des atomes du matériau. Comme les rayons α et β émis par les substances radioactives ont des énergies de l'ordre de 1 MeV (10^4 à 10^7 eV), alors que l'ionisation des atomes et des molécules requiert des énergies de l'ordre de 10 eV, il est clair que chaque particule α ou β peut causer des milliers d'ionisations.

Les particules neutres donnent aussi lieu à de l'ionisation lorsqu'elles traversent des matériaux. Ainsi, les rayons X et les rayons γ, qui sont des types de photons, peuvent ioniser des atomes en expulsant des électrons au moyen des effets photoélectrique et Compton (chapitre 9). De plus, un rayon γ qui a suffisamment d'énergie (plus que 1,02 MeV) peut donner lieu à une production de paire: un électron et un positron sont créés (section 9.4). Les particules chargées produites par ces trois processus peuvent elles-mêmes causer d'autres ionisations. D'autre part, l'interaction des neutrons avec la matière se fait surtout par le biais de collisions avec les noyaux, avec lesquels ils interagissent fortement. Souvent le noyau est brisé par de telles collisions, ce qui altère la molécule dont il fait partie. Et les fragments ainsi produits peuvent à leur tour causer de l'ionisation.

Le passage de radiations dans la matière peut causer des dommages considérables. Les métaux et les autres matériaux structuraux deviennent friables et leur force peut être réduite lorsque la radiation est très intense, comme dans le cas des réacteurs nucléaires et des véhicules spatiaux qui doivent traverser des régions de radiations cosmiques intenses. Les dommages causés par la radiation dans les organismes vivants sont dus principalement à l'ionisation produite dans les cellules. Plusieurs phénomènes interreliés peuvent se produire. Des ions ou des radicaux sont produits qui sont hautement réactifs et qui participent à des réactions chimiques qui entravent le fonctionnement normal de la cellule. L'ionisation peut briser ou altérer des molécules essentielles de manière à les empêcher de remplir leur fonction normale ou à leur faire avoir des effets nocifs. Les dommages causés au matériel génétique, l'ADN, sont particulièrement sérieux, car ils font tort non seulement à l'individu concerné mais aussi aux générations futures.

14.6 La mesure de la radiation: la dosimétrie

Quoique le passage de radiations ionisantes dans le corps humain puisse causer des dommages considérables, les radiations peuvent aussi servir au traitement de certaines maladies, en particulier le cancer; à cette fin, on utilise en général des faisceaux très étroits qu'on dirige sur la tumeur cancéreuse à détruire. Il est donc important de pouvoir quantifier, ou **doser**, les radiations qui passent à travers la matière. C'est là l'objet de la **dosimétrie**.

L'intensité d'une source à un temps donné peut être indiquée par son **activité**, c'est-à-dire le nombre de désintégrations ayant lieu chaque seconde. L'unité traditionnelle est le *curie* (Ci), défini comme suit:

$$1 \text{ Ci} = 3{,}70 \times 10^{10} \text{ désintégrations à la seconde.}$$

Quoique le curie soit encore d'usage courant, l'unité SI correcte pour l'activité d'une source est le *becquerel* (Bq), défini comme suit:

$$1 \text{ Bq} = 1 \text{ désintégration à la seconde.}$$

Les fournisseurs commerciaux de *radionucléides* (nucléides radioactifs) spécifient l'activité existant à un temps donné. Comme l'activité diminue avec le temps, en particulier pour les isotopes de courtes demi-vies, il importe d'en tenir compte. L'activité d'une source (dN/dt) est reliée à la demi-vie $T_{\frac{1}{2}}$ (section 13.8), par la relation

$$\frac{dN}{dt} = \lambda N = \frac{0{,}693}{T_{\frac{1}{2}}} N.$$

EXEMPLE 14.6 Dans une expérience, on injecte 0,016 μCi de $^{32}_{15}P$ dans un milieu contenant une culture bactérienne. Après 10 heures, on lave les cellules et un détecteur d'une efficacité de 70 % (qui compte 70 % des rayons β émis) enregistre 720 désintégrations à la minute dans l'ensemble des cellules. Quel pourcentage du $^{32}_{15}P$ initial a été absorbé par les cellules?

SOLUTION Le nombre total de désintégrations à la seconde était initialement de $(0{,}016 \times 10^{-6})(3{,}7 \times 10^{10}) = 590$. Le compteur aurait enregistré 70 % de ce nombre, soit 410 désintégrations à la seconde. Il n'en enregistre, toutefois, que $\frac{720}{60} = 12$ à la seconde. Par conséquent, $\frac{12}{410} = 0{,}029$ ou 2,9 % fut incorporé dans la cellule.

Une autre quantité qui peut être considérée est l'exposition, ou **dose absorbée**, c'est-à-dire l'effet de la radiation sur le matériau exposé. La première unité de dose fut le *röntgen* (R), lequel était défini en fonction de la quantité d'ionisation produite par la radiation ($1{,}6 \times 10^{12}$ paires d'ions par gramme d'air sec aux conditions normales). Aujourd'hui, on définit 1 R comme la quantité de rayons X ou γ qui dépose $0{,}878 \times 10^{-2}$ J d'énergie par kilogramme d'air. Le röntgen fut presque complètement remplacé par une autre unité de la dose absorbée, applicable à n'importe quel type de radiation, le *rad: 1 rad est la quantité de radiation qui dépose de l'énergie à un taux de $1{,}00 \times 10^{-2}$ J/kg dans tout matériel absorbant.* (Ceci est très près du röntgen pour les rayons X et γ). L'unité SI correcte pour la dose absorbée est le *gray* (Gy):

$$1 \text{ Gy} = 1 \text{ J/kg} = 100 \text{ rad},$$

dont l'usage est de plus en plus courant. La dose absorbée dépend non seulement de l'intensité d'un faisceau de radiation donné (nombre de particules par seconde) et de l'énergie de chaque particule, mais aussi du type de matériau qui absorbe la radiation. Comme les os, par exemple, sont plus denses que la chair et qu'ils absorbent davantage de la radiation normalement utilisée, le même faisceau déposera, en traversant un corps humain, une dose plus grande (en rads ou en grays) dans les os que dans la chair.

Le gray et le rad sont des unités physiques de dose, l'énergie déposée par unité de masse du matériau. Cependant, ils ne sont pas les unités les plus significatives pour mesurer les dommages biologiques produits par des radiations. Cela est dû au fait que des doses égales de différents types de radiation causent des quantités différentes de dommages. Par exemple, 1 rad de rayons α fait 10 fois ou 20 fois autant de dommages que 1 rad de rayons β ou γ. Ceci s'explique principalement par le fait que les rayons α (et d'autres particules lourdes comme les protons et les neutrons) se déplacent beaucoup plus lentement que des rayons β ou γ d'énergie égale, à cause de leurs masses plus grandes. Par conséquent, les collisions ionisantes sont beaucoup plus rapprochées les unes des autres et il en résulte plus de dommages irréversibles. On définit l'**efficacité biologique relative** (EBR) ou le **facteur de qualité** (FQ) d'un type donné de radiation comme le nombre de rads de rayons X ou γ qui produisent le même dommage biologique que 1 rad de la radiation donnée. Le FQ de plusieurs types de radiation est donné au tableau 14.1. Ces nombres sont approximatifs puisqu'ils dépendent un peu de l'énergie des particules et du type de dommage utilisé comme critère.

TABLEAU 14.1
Facteur qualité (FQ) de différents types de radiations

Type	*FQ*
Rayons X et γ	≈ 1
β (électrons)	≈ 1
Protons rapides	1
Neutrons lents	≈ 3
Neutrons rapides	Jusqu'à 10
Particules α et ions lourds	Jusqu'à 20

Le produit de la dose en rads et du FQ donne une unité nommée *rem* (soit le sigle de «*röntgen equivalent man*», qui signifie «équivalent en röntgens pour l'homme»):

$$\text{dose équivalente (en rems)} = \text{dose (en rads)} \times \text{FQ}.$$

Cette unité est de plus en plus remplacée par l'unité SI pour «la dose équivalente», le *sievert* (Sv):

$$\text{dose équivalente (Sv)} = \text{dose (Gy)} \times \text{FQ}.$$

En vertu de cette définition, 1 Sv de tout type de radiation cause à peu près la même quantité de dommages biologiques. Par exemple, 0,5 Sv de neutrons rapides causent le même dommage que 0,5 Sv de rayons γ. Notez, toutefois, que 0,5 Sv de neutrons rapides ne sont que 0,05 Gy, tandis que 0,5 Sv de rayons γ sont 0,5 Gy (tableau 14.1).

Nous sommes continuellement exposés à de faibles niveaux de radiation provenant de sources naturelles: les rayons cosmiques, la radioactivité naturelle dans les rochers et dans le sol, et les isotopes radioactifs présents naturellement dans la nourriture, comme le ${}^{40}_{19}K$. Chaque personne reçoit en moyenne environ 1,3 mSv par année à cause du fond naturel de radioactivité et environ 0,7 mSv par année dû aux rayons X utilisés en médecine. La Commission internationale de radioprotection recommande une limite supérieure de 5 mSv par année pour le grand public, en plus de la radiation naturelle. Comme de nombreux scientifiques croient que même de faibles doses de radiation peuvent augmenter les risques de cancer ou de défauts génétiques, on essaie de nos jours de maintenir les doses de radiation aux niveaux les plus bas possible.

Les personnes travaillant dans un milieu où des radiations sont présentes, comme dans les hôpitaux, les centrales nucléaires, les laboratoires de recherche, sont souvent exposées à des doses beaucoup plus élevées que 5 mSv par année. La limite supérieure pour des expositions en milieu de travail a été fixée un peu plus haut, à un niveau de l'ordre de 50 mSv par année pour le corps entier (sans doute parce que ces personnes connaissent les risques).

De fortes doses de radiation peuvent causer le rougeoiement de la peau, une réduction du nombre de leucocytes et quantité de symptômes désagréables, comme la nausée, la fatigue et la perte des poils et des cheveux. Ces effets sont parfois appelés «mal des rayons». De grandes doses peuvent aussi être mortelles, quoique le temps pris pour accumuler une dose est important également. Une courte exposition de 10 Sv est presque toujours mortelle. Une dose de 4 Sv, reçue dans un court laps de temps, est mortelle dans environ 50 % des cas. Le corps possède toutefois une force de récupération remarquable, de sorte qu'une dose de 4 Sv, reçue sur une période de plusieurs semaines n'est ordinairement pas mortelle. Néanmoins, une telle dose cause un dommage considérable à l'organisme.

EXEMPLE 14.7 Quelle dose pour le corps entier un patient de 70 kg exposé à une source de ${}^{60}_{27}Co$ de 1000 Ci reçoit-il si 2,0 % des rayons γ l'atteignent? Le ${}^{60}_{27}Co$ émet des rayons γ d'une énergie de 1,33 MeV et de 1,17 MeV en quantités égales. Approximativement 50 % des rayons γ interagissent à l'intérieur du corps et y déposent toute leur énergie. (Le reste passe au travers du corps.)

SOLUTION L'énergie moyenne des rayons γ est de 1,25 MeV, de sorte que l'énergie totale passant dans le corps est de $(1000\ \text{Ci})(3{,}7 \times 10^{10}\ \text{désintégrations/Ci} \cdot \text{s})(1{,}25\ \text{MeV})(0{,}020) = 9{,}3 \times 10^{11}\ \text{MeV/s}$. (Le facteur 0,020 représente le 2,0 % qui atteint le corps.) La moitié seulement de cette énergie est déposée dans le corps, de sorte que le taux d'exposition pour tout le corps est de $(\frac{1}{2})(9{,}3 \times 10^{11}\ \text{MeV/s})(1{,}6 \times 10^{-13}\ \text{J/MeV}) = 7{,}4 \times 10^{-2}\ \text{J/s}$. Puisque 1 Gy = 1 J/kg, le taux d'accumulation de la dose pour tout le corps est $(7{,}4 \times 10^{-2}\ \text{J/s})(1\ \text{J/kg} \cdot \text{Gy})(70\ \text{kg}) = 1{,}1 \times 10^{-3}\ \text{Gy/s}$.

14.7 L'imagerie médicale: la tomographie, la TAO, la TEP

De nos jours, on utilise les radiations non seulement pour traiter des maladies mais aussi pour établir des diagnostics médicaux. Nous étudierons brièvement quelques-unes des plus importantes techniques d'imagerie médicale.

Dans une radiographie médicale traditionnelle, les rayons X émis par le tube (figure 6.24, section 6.11) sont captés par une pellicule photographique ou un écran fluorescent après avoir traversé le corps (figure 14.14a). Comme aux longueurs d'onde des rayons X il y a peu de diffraction ou de réfraction, les rayons traversent le corps en suivant des lignes presque droites, avec des déviations minimes. Il se produit tou-

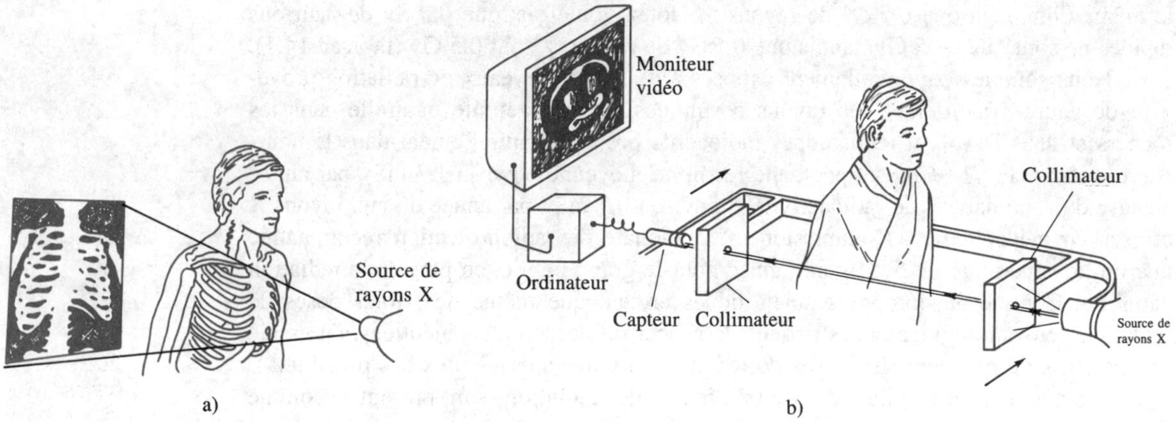

FIGURE 14.14 a) Imagerie traditionnelle par rayons X, qui consiste essentiellement à projeter une ombre du corps. b) Imagerie tomographique: la source de rayons X et le capteur se déplacent ensemble horizontalement, l'intensité transmise étant mesurée à un grand nombre de points; l'assemblage source-capteur subit alors une légère rotation (disons de 1°), et un autre balayage est exécuté. On répète cette opération plusieurs fois, peut-être pour 180°. L'ordinateur reconstruit l'image de la tranche et la présente sur un moniteur vidéo (un écran cathodique).

tefois de l'absorption (et de la diffusion) et les différences entre les diverses structures du corps du point de vue de l'absorption est ce qui donne lieu à l'image produite par les rayons X. Moins il y a d'absorption, plus il y a de transmission et plus la pellicule est sombre. L'image est, en un sens, une «ombre» des obstacles rencontrés par les rayons X.

Quelques mois seulement après leur découverte par Röntgen, en 1895, les rayons X étaient déjà devenus un outil de diagnostic puissant, ce qu'ils sont encore aujourd'hui. Quoique des progrès techniques aient été réalisés depuis cette époque, les principes fondamentaux ne changèrent pas de façon significative jusque dans les années 1970; à ce moment-là, une nouvelle technique révolutionnaire, appelée **tomographie par ordinateur** (TO), fut mise au point.

Dans les radiographies traditionnelles, c'est toute l'épaisseur du corps qui est projetée sur le film; les structures se chevauchent et, dans bien des cas, elles sont difficiles à distinguer. Une image tomographique, par contre, est une image d'une *tranche* du corps. (Le mot «tomographie» vient du grec *tomos*, qui veut dire «tranche», ajouté au suffixe *graphie*, qui signifie «image»). Des structures et des lésions auparavant impossibles à voir peuvent maintenant être visualisées avec une clarté remarquable. Le principe de fonctionnement de la TO est représenté à la figure 14.14b. Un étroit faisceau collimaté de rayons X («collimater» signifie «rendre droit», ce qu'on fait d'ordinaire en bloquant tous les rayons sauf ceux qui passent à travers un trou étroit) traverse le corps et atteint un capteur qui mesure l'intensité du faisceau transmis. Des mesures sont prises en un grand nombre de points car on fait bouger ensemble, par rapport au corps, la source et le capteur. On fait alors tourner l'appareil légèrement autour de l'axe du corps, lequel est à nouveau radiographié; on répète cette opération à des intervalles, disons, de 1° pour 180°. Les intensités du faisceau transmis pour les points multiples de chaque balayage et pour chaque angle sont alors envoyées à un ordinateur qui reconstruit l'image de la tranche (nous en parlerons plus en détail dans les prochains paragraphes). Notez que la tranche imagée est perpendiculaire à l'axe long du corps. C'est pourquoi la TO est parfois appelée **tomographie axiale par ordinateur** (TAO), quoique l'abréviation TAO (CAT en anglais) puisse aussi représenter la **tomographie assistée par ordinateur**. Dans les appareils de tomographie d'aujourd'hui, on utilise des faisceaux et des capteurs multiples, de sorte que l'image est produite plus rapidement.

Comment l'image est-elle formée? On peut imaginer que la tranche à imager est divisée en plusieurs minuscules éléments d'image (ou *points image*), par exemple des carrés, comme sur l'image de la figure 14.15. Pour la TO, on fixe la largeur de chaque point en fonction de la largeur des capteurs ou de la largeur des faisceaux de rayons X. Ceci détermine la résolution de l'image qui est typiquement d'environ 2 mm. Un capteur de rayons X mesure l'intensité du faisceau transmis qui a traversé le corps; en soustrayant cette valeur de l'intensité du faisceau à la source, on obtient l'absorption totale. Notez que seule l'absorption totale (appelée une «projection») le long de la trajectoire de chaque faisceau peut être mesurée (la somme des absorptions qui se produisent pour chacun des points image dans une ligne). Pour former une image, il faut radiographier à d'autres angles pour déterminer quelle quantité de radiation est absorbée à chaque point. On peut alors assigner à chaque point un «niveau de gris» d'après la quantité de radiation qui a été absorbée. On compose alors l'image avec des éléments minuscules (points image) de différents tons de gris, comme pour une image de télévision en noir et blanc. Souvent la quantité d'absorption est codée en couleur. Les couleurs, dans une telle image, n'ont rien à voir avec la couleur réelle de l'objet.

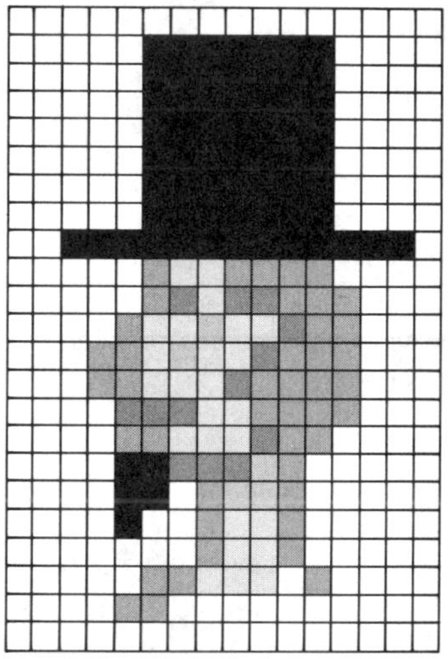

FIGURE 14.15 Exemple d'image faite de plusieurs petits carrés (pixels). La résolution, dans ce cas-ci, est plutôt mauvaise.

Il faut maintenant discuter de la façon dont cette image peut être formée malgré le fait que nous ne pouvons mesurer que l'absorption totale le long de chaque trajectoire de faisceau dans la tranche. Ceci peut se faire seulement en utilisant de nombreux balayages faits à un grand nombre d'angles différents. Supposons que l'image soit une matrice de 100×100 éléments, pour un total de 10^4 points. Si nous avons 100 capteurs et que nous mesurons les projections d'absorption à 100 angles différents, nous obtenons alors 10^4 éléments d'information. À partir de cette information, on peut reconstruire une image, floue cependant. Si on mesure davantage d'angles, la reconstruction de l'image peut se faire plus précisément.

Il existe un certain nombre de techniques mathématiques pour la reconstruction, toutes compliquées, et qui requièrent donc un ordinateur. Pour avoir une idée de la façon dont cela se fait, considérons un cas très simple où la technique dite «itérative» (du latin *iterativus*, qui veut dire «répétitif») est utilisée. Bien que cette technique soit aujourd'hui moins employée que les techniques plus directes de la «transformée de Fourier» et de la «projection arrière», elle est la plus simple à expliquer et elle permet de comprendre les principes en jeu. Supposons que notre tranche échantillon soit divisée en un tableau simple de 2×2 points-image, représenté à la figure 14.16. Le nombre dans chaque carré représente la quantité d'absorption par le matériau dans cette région (disons, en dixième de pourcentage), ce qui veut dire que 4 représente deux fois plus d'absorption que 2. Toutefois, nous ne pouvons pas mesurer directement ces valeurs. Nous ne pouvons mesurer que les projections, soit l'absorption totale le long de la ligne suivie par chaque faisceau. Ces projections sont indiquées sur le diagramme; chacune est la somme des absorptions pour les points-image le long de la ligne, à quatre angles différents. À partir de ces projections (indiquées au bout de chaque flèche), nous voulons voir jusqu'à quel point on peut découvrir la vraie valeur d'absorption de chaque carré, et répéter cela pour chaque angle. On assigne d'abord une valeur nulle à chaque point (figure 14.17a). Dans la technique itérative, on utilise les projections pour estimer la valeur d'absorption dans chaque carré, puis on recommence pour les autres angles. Les projections de l'angle 1 sont 7 et 13; on divise chacune également entre ses deux carrés: chaque carré dans la colonne de gauche reçoit $3\frac{1}{2}$ (la moitié de 7) et chaque carré dans la colonne de droite reçoit $6\frac{1}{2}$ (la moitié de 13) (figure 14.17b). Puis on utilise les projections à l'angle 2. On calcule la différence entre les projections mesurées à l'angle 2 (6 et 14) et les projections déterminées à partir de l'estimation précédente (rangée du haut: $3\frac{1}{2} + 6\frac{1}{2} = 10$; même opération pour la rangée du bas); on distribue cette différence également entre les carrés dans cette rangée. Pour la rangée du haut, on a

$$3\tfrac{1}{2} + \frac{6 - 10}{2} = 1\tfrac{1}{2} \quad \text{et} \quad 6\tfrac{1}{2} + \frac{6 - 10}{2} = 4\tfrac{1}{2},$$

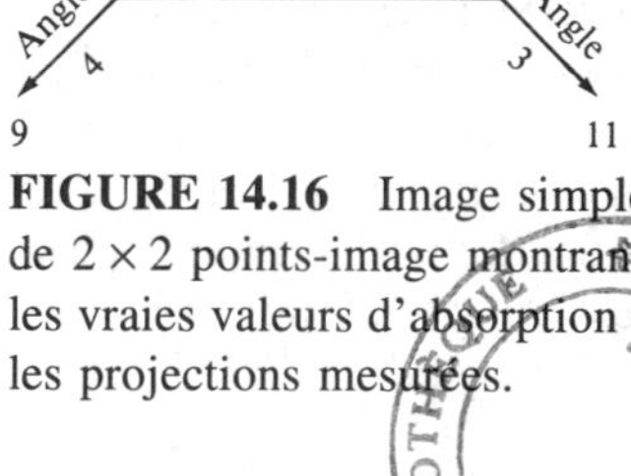

FIGURE 14.16 Image simple de 2×2 points-image montrant les vraies valeurs d'absorption et les projections mesurées.

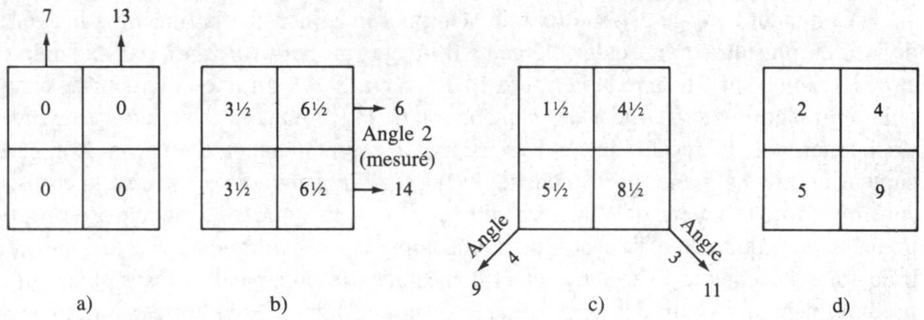

FIGURE 14.17 Reconstruction de l'image à l'aide des projections dans une procédure itérative.

et pour la rangée du bas,

$$3\tfrac{1}{2} + \frac{14 - 10}{2} = 5\tfrac{1}{2} \quad \text{et} \quad 6\tfrac{1}{2} + \frac{14 - 10}{2} = 8\tfrac{1}{2}.$$

Ces valeurs sont insérées dans les carrés, comme dans la figure 14.17c. La projection à l'angle 3 donne ensuite

$$\text{(en haut, à gauche) } 1\tfrac{1}{2} + \frac{11 - 10}{2} = 2 \quad \text{et} \quad \text{(en bas, à droite) } 8\tfrac{1}{2} + \frac{11 - 10}{2} = 9,$$

et celle pour l'angle 4 donne

$$\text{(en bas, à gauche) } 5\tfrac{1}{2} + \frac{9 - 10}{2} = 5 \quad \text{et} \quad \text{(en haut, à droite) } 4\tfrac{1}{2} + \frac{9 - 10}{2} = 4.$$

Le résultat, illustré à la figure 14.17d, correspond exactement aux vraies valeurs. (Notez que dans des situations réelles, les vraies valeurs ne sont pas connues, c'est pourquoi ces techniques informatiques sont nécessaires.) Pour obtenir ces quatre nombres précisément, on utilise six informations (deux pour chacun des angles 1 et 2 et une pour chacun des angles 3 et 4). Pour le nombre beaucoup plus grand de points image utilisé pour des images réelles, on n'obtient généralement pas de valeurs exactes. Le calcul est considéré comme suffisamment précis lorsque la différence entre la projection calculée et la projection mesurée est suffisamment petite. L'exemple ci-dessus illustre la «convergence» du procédé: la première itération (b à c sur la figure 14.17) change les valeurs par 2, la dernière itération (c à d), par seulement $\frac{1}{2}$.

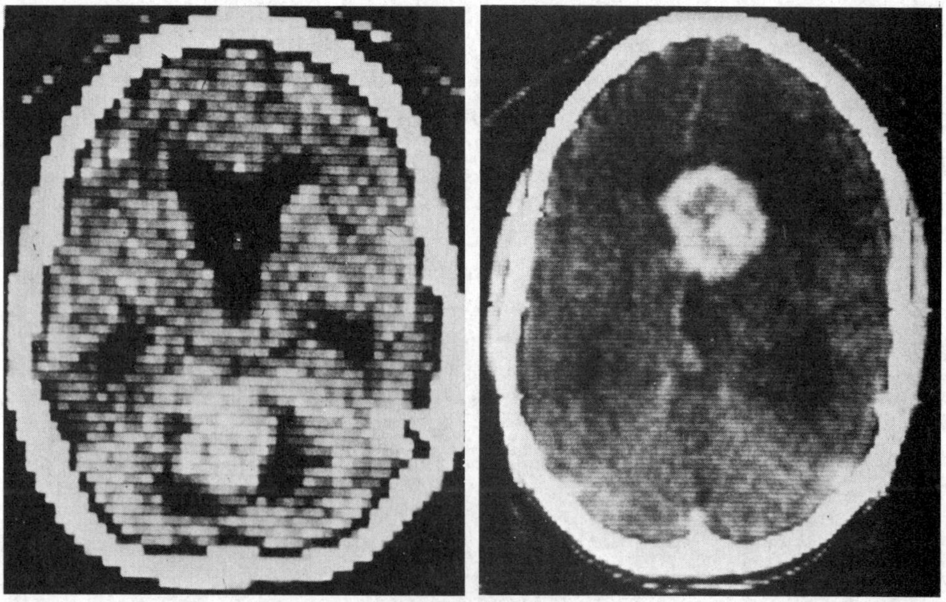

FIGURE 14.18 Deux images TO, avec des résolutions différentes, chacune montrant une section transversale du cerveau. L'aire brillante est une excroissance anormale (une tumeur). (Photographies de Martin M. Rotker, Taurus Photos, Science Photo Library International, New York.)

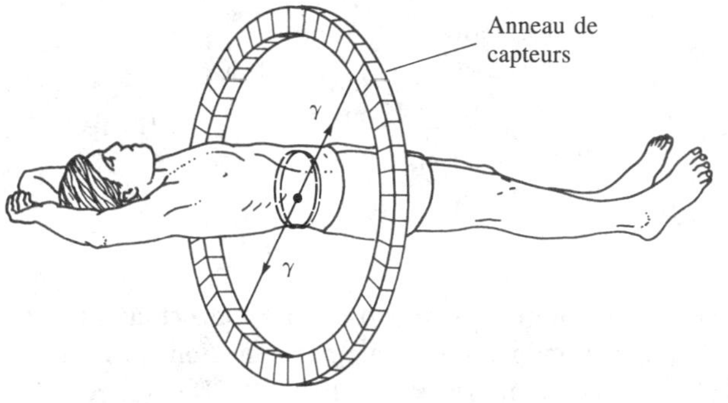

FIGURE 14.19 Système de tomographie par émission de positrons montrant un anneau de capteurs servant à détecter deux rayons γ d'annihilation ($e^+e^- \rightarrow 2\gamma$) émis à 180° l'un par rapport à l'autre.

La radiographie par TAO donne des images d'une résolution supérieure à 1 mm. La figure 14.18 montre un exemple d'image ainsi obtenue. On convient généralement que la tomographie par ordinateur a révolutionné certains domaines de la médecine en fournissant des méthodes de diagnostic beaucoup moins intrusives et plus exactes.

La tomographie par ordinateur peut aussi être appliquée aux émissions des radioisotopes. Une technique importante récemment développée est la **tomographie par émission de positrons** (TEP), qui tire parti des émetteurs de positrons comme le $^{11}_{6}C$, le $^{13}_{7}N$, le $^{15}_{8}O$ et le $^{18}_{9}F$. Ces isotopes sont incorporés dans des molécules qui, lorsqu'on les ingère, s'accumulent dans l'organe ou dans la région du corps qu'on veut étudier. Lorsque les isotopes se désintègrent par émission β, le positron émis voyage pendant au plus quelques millimètres avant d'entrer en collision avec un électron ordinaire. Dans cette collision, le positron et l'électron sont annihilés, ce qui produit deux rayons $\gamma(e^+ + e^- \rightarrow 2\gamma)$, chacun avec une énergie de 511 keV. Les deux rayons γ partent dans des directions opposées (180° ± 0,25°) puisqu'ils doivent avoir presque exactement des quantités de mouvement égales et opposées pour conserver la quantité de mouvement (les quantités de mouvement de e^+ et e^- sont essentiellement nulles comparativement à celles des rayons γ). Comme les deux photons voyagent sur la même droite dans des directions opposées, leur détection en coïncidence par des anneaux de capteurs autour du patient (figure 14.19) permet d'établir facilement la droite sur laquelle l'émission s'est produite. Si on pouvait déterminer exactement la différence de temps entre les arrivées des deux photons, la position réelle du nucléide émetteur sur cette droite pourrait être calculée. Les instruments électroniques modernes permettent de mesurer le temps au mieux à ± 300 ps, de sorte qu'à la vitesse d'un rayon γ ($c = 3 \times 10^8$ m/s), la position réelle peut être déterminée seulement à environ $(3 \times 10^8 \text{ m/s})(300 \times 10^{-12} \text{ s}) \approx$ 10 cm. Quoiqu'on puisse encore effectuer des progrès dans les mesures du temps de vol permettant de déterminer la position, on utilise plutôt les techniques de tomographie informatique moderne, qui sont semblables à celles de la TO avec des rayons X, qui permettent de reconstruire des scintigrammes TEP avec une résolution de l'ordre de 1 cm. Les systèmes TEP (PET en anglais) peuvent donner des images illustrant la biochimie, le métabolisme et les fonctions. Ces images peuvent être comparées aux radiographies obtenues par la TO avec des rayons X, qui reflètent la forme et la structure, c'est-à-dire l'anatomie de la région imagée.

14.8 La résonance magnétique nucléaire (RMN) et l'imagerie RMN

Peu après sa découverte en 1946, le phénomène de la *résonance magnétique nucléaire* (RMN) est devenu un important outil de recherche dans divers domaines scientifiques tels la physique, la chimie et la biochimie. Présentement, une technique d'imagerie médicale importante basée sur ce phénomène est en cours de développement. Nous traiterons d'abord brièvement du phénomène lui-même, puis nous examinerons ses applications.

Nous avons vu, au chapitre 11, que les niveaux d'énergie dans les atomes se séparent lorsqu'ils sont placés dans un champ magnétique B (l'effet Zeeman) selon le

FIGURE 14.20 Le niveau situé à l'énergie E_0 en l'absence d'un champ magnétique se sépare en deux en présence d'un champ magnétique.

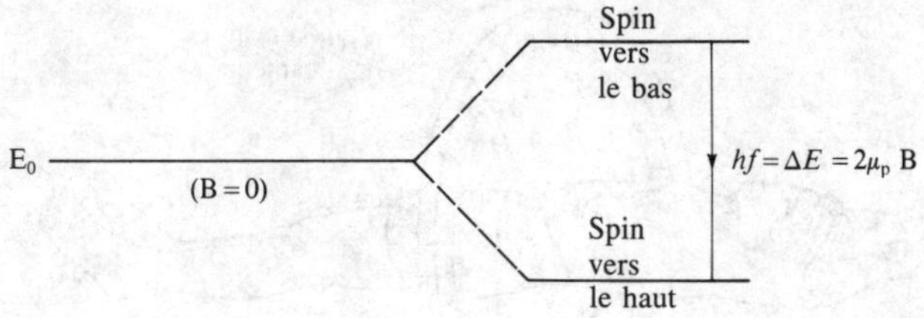

moment angulaire ou spin de l'état. La séparation est proportionnelle à B et au moment magnétique μ. Les noyaux ont aussi des moments magnétiques (section 13.1), mais nous n'examinerons ici que le plus simple, le noyau de l'hydrogène ($^1_1$H), qui consiste en un seul proton. Son moment angulaire de spin (et son moment magnétique), comme celui de l'électron, peut prendre seulement deux valeurs lorsqu'on place l'atome dans un champ magnétique; spin vers le haut (parallèle au champ) et spin vers le bas (antiparallèle au champ). Lorsqu'un champ magnétique est présent, un état d'énergie se scinde en deux niveaux comme dans la figure 14.20, le spin vers le haut (parallèle au champ) ayant l'énergie la plus basse. L'état avec spin vers le bas acquiert une énergie additionnelle μB_T et l'état avec spin vers le haut, $-\mu B_T$ (équation 7.12 du tome 2 et section 11.7), où B_T est le champ magnétique total à la position du noyau. La différence d'énergie entre les deux états est donc

$$\Delta E = 2\mu_p B_T,$$

où μ_p est le moment magnétique du proton.

Dans un dispositif de résonance magnétique nucléaire (RMN), l'échantillon à examiner est placé dans un champ magnétique statique. Une impulsion d'onde électromagnétique (c'est-à-dire des photons) dans la gamme des fréquences radio (RF) est envoyée à l'échantillon. Si la fréquence f de cette onde correspond précisément à la différence d'énergie entre les deux niveaux d'énergie (figure 14.20) de sorte que

$$hf = \Delta E = 2\mu B_T, \tag{14.9}$$

alors les photons du faisceau d'ondes RF sont absorbés et excitent plusieurs noyaux de l'état inférieur vers l'état supérieur. (Ceci est un phénomène de résonance, car il n'y a une absorption significative que si f est très près de $2\mu B_T/h$, d'où le nom de «résonance magnétique nucléaire»). Pour des noyaux libres de $^1_1$H, la fréquence est de 42,58 MHz pour un champ $B_T = 1{,}0$ T (exemple 14.8). Si les atomes d'hydrogène font partie d'une molécule, le champ magnétique total B_T à la position des noyaux de H est la somme du champ externe (B_{ext}) et du champ magnétique local (B_{loc}) dû aux électrons

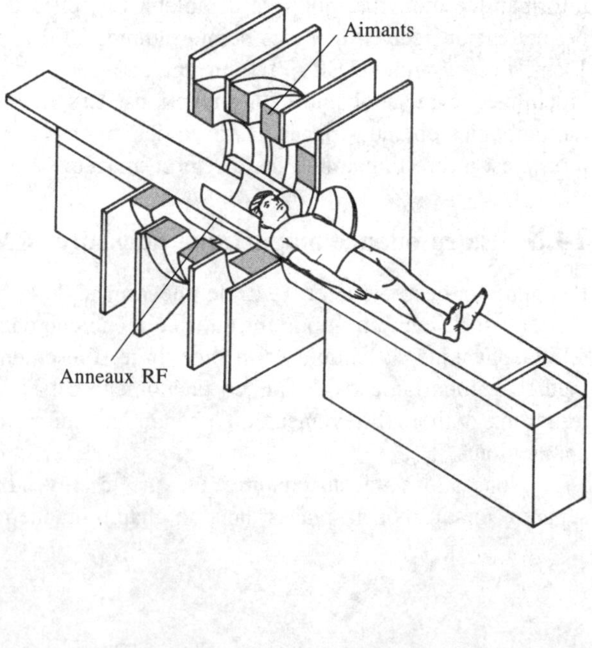

FIGURE 14.21 Dispositif typique d'imagerie RMN.

et aux noyaux des atomes voisins. Comme f est proportionnel à B_T, la valeur de f pour un champ externe donné est légèrement différente pour les atomes H liés que pour les atomes libres:

$$hf = 2\mu_p(B_{ext} + B_{loc}).$$

Ce changement de fréquence, qui peut être mesuré, est appelé le «décalage chimique». On a beaucoup appris sur la structure des molécules et des liens à l'aide de la technique RMN.

EXEMPLE 14.8 Calculez la fréquence de résonance pour les protons libres dans un champ magnétique de 1,000 T.

SOLUTION Nous avons vu, à la section 13.1, que le moment magnétique du proton est

$$\mu_p = 2{,}7928\mu_N = 2{,}7928\left(\frac{e\hbar}{2m_p}\right).$$

Et donc,

$$f = \frac{\Delta E}{h} = \frac{2\mu_p B}{h} = (2{,}7928)\left(\frac{eB}{2\pi m_p}\right) = 2{,}7928\left[\frac{(1{,}6022 \times 10^{-19}\ \text{C})(1{,}000\ \text{T})}{2\pi(1{,}6726 \times 10^{-27}\ \text{kg})}\right]$$

$$= 42{,}58\ \text{MHz}$$

Pour produire des images RMN utiles en médecine (souvent appelées IRM ou **imagerie par résonance magnétique**), l'élément le plus utilisé est l'hydrogène, puisqu'il s'agit de l'élément le plus abondant dans le corps humain et qu'il donne les signaux RMN les plus forts. L'appareillage expérimental est représenté à la figure 14.21. Les grandes bobines établissent le champ magnétique statique et les bobines RF génèrent les impulsions d'ondes électromagnétiques RF (photons) qui excitent les noyaux de l'état inférieur vers l'état supérieur (figure 14.20). Ces mêmes bobines (ou d'autres) peuvent détecter l'absorption d'énergie, ou la radiation émise (aussi de fréquence $f = \Delta E/h$) lorsque les noyaux retombent à l'état inférieur.

La formation d'une image à deux ou trois dimensions peut aussi se faire à l'aide de techniques de tomographie par ordinateur semblables à celles employées pour les rayons X et élaborées à la section 14.7. La chose la plus simple à mesurer pour créer une image est l'intensité de la radiation absorbée ou réémise par différents points du corps; ceci serait une mesure de la densité des atomes d'hydrogène en chaque point. Mais comment déterminer la partie du corps dont provient un photon donné? Une technique pour y arriver est de donner au champ magnétique statique un gradient; autrement dit, au lieu d'appliquer un champ magnétique uniforme B_T, on fait varier le champ en fonction de la position sur la largeur de l'échantillon (ou du patient). Comme la fréquence absorbée par les noyaux H est proportionnelle à B_T, un seul plan à l'intérieur du corps aura la valeur de B_T nécessaire pour absorber les photons d'une fréquence particulière f. En faisant varier f, on peut mesurer l'absorption par différents plans. D'autre part, si le gradient de champ est appliqué *après* l'impulsion, la fréquence des photons émis constitue une mesure de la position où ils furent émis (figure 14.22). Lorsqu'un gradient de champ magnétique dans une direction est appliqué durant l'excitation (absorption de photons) et que des photons d'une seule fréquence sont envoyés, seuls les noyaux H situés dans une tranche mince sont excités. En appliquant un gradient dans une direction différente (perpendiculaire à la première) durant la réémission, la fréquence f de la radiation réémise représente la profondeur de la tranche. On peut utiliser d'autres manières de faire varier le champ magnétique dans tout le volume du corps pour établir une corrélation entre une fréquence RMN et la position.

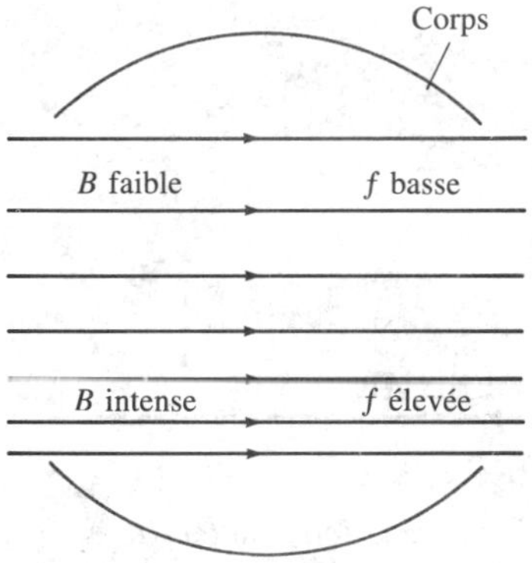

FIGURE 14.22 Un champ magnétique statique plus intense en bas qu'en haut. La fréquence de la lumière absorbée, ou émise, est proportionnelle à B en RMN.

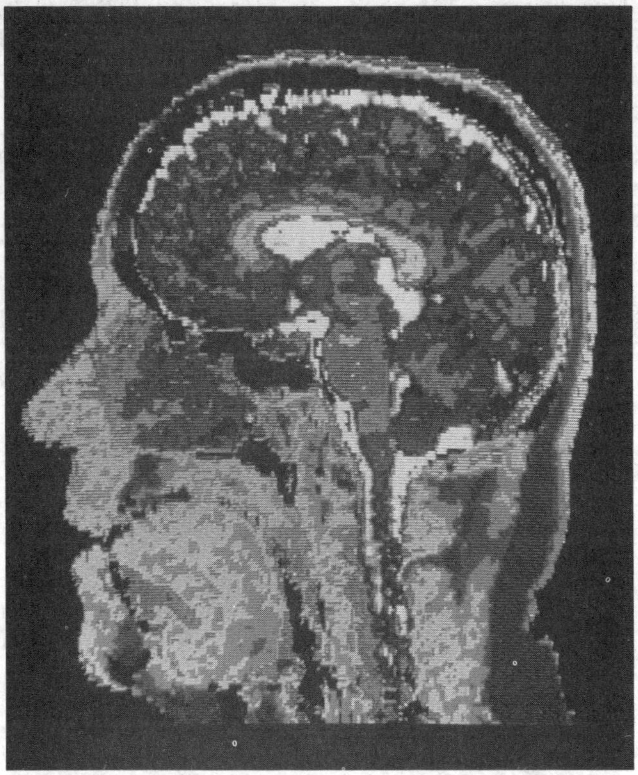

FIGURE 14.23 Image RMN d'une section verticale de la tête, montrant les sinus. (Science Photo Library/Photo Researchers.)

Une image reconstruite sur la base de la densité des atomes d'hydrogène (c'est-à-dire, l'intensité de la radiation absorbée ou émise) n'est pas très intéressante. Les images basées sur la vitesse à laquelle les noyaux retournent à l'état fondamental par désexcitation, qui peuvent produire une résolution de 1 mm ou mieux, sont plus utiles. Cette technique de RMN (parfois appelée *écho-spin)* permet de produire des images extrêmement utiles aux diagnostics, aussi bien en faisant ressortir les contours d'une structure (anatomie) qu'en étudiant les processus métaboliques. Une image RMN est donnée à la figure 14.23.

On considère l'imagerie RMN comme non intrusive. On peut calculer l'énergie des photons participants: comme nous le mentionnons plus haut, dans un champ magnétique de 1,0 T, $f = 42{,}58$ MHz pour le ${}^{1}_{1}H$. Ceci correspond à une énergie de $hf = (6{,}6 \times 10^{-34}\ \text{J} \cdot \text{s})(43 \times 10^{6}\ \text{Hz}) \approx 3 \times 10^{-26}$ J ou environ 10^{-7} eV. Comme les liens moléculaires sont de l'ordre de 1 eV, il est clair que les photons RF ne peuvent causer que peu de désordre cellulaire. On peut faire une comparaison avec les rayons X ou γ dont les énergies varient de 10^{4} à 10^{6} eV et qui causent en conséquence des dommages significatifs. On croit que les champs magnétiques statiques, bien qu'ils soient souvent importants (~ 0,1 à 1 T) sont inoffensifs (sauf pour les gens qui portent des stimulateurs cardiaques); cependant, comme il n'y a pas eu beaucoup de recherche dans ce domaine, la prudence est nécessaire.

RÉSUMÉ

Une *réaction nucléaire* se produit lorsque deux noyaux entrent en collision et que deux autres noyaux (ou particules), ou plus, sont produits. Dans une telle réaction, comme dans la radioactivité, il se produit une *transmutation* (ou transformation) des éléments. L'*énergie de réaction* ou le Q d'une réaction $a + X \rightarrow Y + b$ est $Q = (M_a + M_X - M_Y - M_b)c^2 = K_b + K_Y - K_a - K_X$. La *section efficace* d'une réaction est une mesure de la probabilité de réaction par noyau cible.

Dans la *fission*, un noyau lourd, tel l'uranium, se scinde en deux noyaux de plus petites dimensions après avoir été frappé par un neutron. Le ${}^{235}_{92}U$ est fissible par des neutrons lents, tandis que certains noyaux fissibles requièrent des neutrons rapides. Beaucoup d'énergie est libérée lors de la fission parce que l'énergie de liaison par nucléon est plus petite pour les noyaux lourds que pour les noyaux de dimensions intermédiaires, de sorte que la masse d'un noyau lourd est plus grande que la masse totale de ses produits de fission. La fission libère des neutrons qui rendent possible une *réaction en chaîne.* La *masse critique* est la masse minimale de combustible nécessaire pour déclencher une réaction en chaîne. Dans un *réacteur nucléaire* ou une bombe nucléaire, un modérateur est nécessaire pour ralentir les neutrons libérés.

Le phénomène de la *fusion*, où de petits noyaux se combinent pour former des noyaux plus grands, libère aussi de l'énergie. On croit que l'énergie de notre Soleil provient des réactions de fusion qui constituent ce qu'on appelle le cycle proton-proton, dans lequel quatre protons fusionnent pour former un noyau $^{4}_{2}He$ en produisant plus de 25 MeV d'énergie. Il n'a pas encore été prouvé qu'un réacteur à fusion permettant de produire de l'énergie est possible, en raison de la difficulté de maintenir le combustible (par exemple, le deutérium) à la haute température requise pendant suffisamment longtemps. On a néanmoins accompli de grands progrès dans la recherche de méthodes pour confiner dans un espace limité l'ensemble d'ions qu'on nomme *plasma.* Les deux méthodes principales sont le *confinement magnétique*, qui comporte l'usage d'un champ magnétique dans un dispositif comme le *tokamak* de forme toroïdale, et le *confinement inertiel*, qui comporte l'usage de faisceaux laser intenses pour comprimer une boulette de deutérium et de tritium.

La radiation peut causer des dommages aux matériaux, notamment aux tissus biologiques. La détermination des quantités de radiations est l'objet de la *dosimétrie.* Le curie (Ci) et le becquerel (Bq) sont des unités de mesure de l'activité ou du taux de désintégration d'un échantillon: $1\ \text{Ci} = 3{,}70 \times 10^{10}$ désintégrations à la seconde, tandis que 1 Bq = 1 désintégration à la seconde. Le rad mesure la quantité d'énergie déposée par unité de masse du matériau exposé: 1 rad est la quantité de radiation qui dépose de l'énergie au taux de 10^{-2} J/kg de matériau. L'unité SI de la dose absorbée est le gray: 1 Gy = 1 J/kg. Le Sievert (Sv) = Gy × FQ, où FQ est le «facteur qualité» d'un type donné de radiation; 1 Sv d'un type quelconque de radiation cause à peu près le même dommage biologique. La dose moyenne reçue par une personne chaque année est d'environ 2 mSv.

QUESTIONS

1. Déterminez les particules ou les noyaux manquants dans les réactions suivantes: *a)* $^{137}_{56}Ba(n, \gamma)?$; *b)* $^{137}_{56}Ba(n, ?)\ ^{137}_{55}Cs$; *c)* $^{2}_{1}H(d, ?)\ ^{4}_{2}He$; *d)* $^{197}_{97}Au(\alpha, d)?$, où *d* représente le deutérium, $^{2}_{1}H$.

2. L'isotope $^{32}_{15}P$ est produit par une réaction (*n*, *p*). Quel doit être le noyau cible?

3. Lorsqu'on bombarde le $^{22}_{11}Na$ avec des deutons ($^{2}_{1}H$), une particule α est émise. Quel est le nucléide résultant?

4. Pourquoi les neutrons constituent-ils de bons projectiles pour produire des réactions nucléaires?

5. Un proton frappe un noyau $^{20}_{10}Ne$ et une particule α est émise. Quel est le noyau résiduel? Écrivez l'équation de la réaction.

6. Les fragments de fission sont-ils des émetteurs β^+ ou β^-?

7. Si le $^{235}_{92}U$ émettait seulement une moyenne de 1,5 neutrons par fission, une réaction en chaîne serait-elle possible? Qu'est-ce qui serait différent?

8. Le $^{235}_{92}U$ émet en moyenne 2,5 neutrons par fission comparativement à 2,7 pour le $^{239}_{94}Pu$. Des échantillons purs de ces deux types de noyaux, lequel a la plus petite masse critique?

9. L'énergie de la fission nucléaire apparaît sous forme d'énergie thermique, mais d'énergie thermique de quoi?

10. Comment un neutron, avec pratiquement aucune énergie cinétique, peut-il exciter un noyau autant qu'on le montre à la figure 14.4?

11. Pourquoi un bloc poreux d'uranium est-il plus susceptible d'exploser sous l'eau que dans l'air?

12. Un réacteur dans lequel on utilise un uranium hautement enrichi peut fonctionner avec de l'eau ordinaire (plutôt qu'avec de l'eau lourde) comme modérateur et atteindre malgré cela une réaction en chaîne auto-entretenue. Expliquez.

13. Pourquoi le processus de fission doit-il émettre des neutrons pour être utile?

14. En tenant compte de la pollution et de la sécurité, discutez des avantages et des inconvénients respectifs de la production d'énergie au moyen de combustibles fossiles, de la fission nucléaire et de la fusion nucléaire.

15. Quelle est la raison du «système secondaire» dans la figure 14.9? Autrement dit, pourquoi l'eau chauffée par le combustible dans un réacteur nucléaire n'est-elle pas utilisée directement pour faire fonctionner les turbines?

16. Comment le cours de l'histoire aurait pu être changé si, durant la Seconde Guerre mondiale, les scientifiques avaient refusé de collaborer à la mise au point d'une bombe nucléaire? Pensez-vous qu'il aurait été possible de retarder indéfiniment la fabrication d'une telle bombe?

17. La recherche en biologie moléculaire pourrait bientôt permettre de pratiquer des manipulations génétiques sur les êtres humains. Les questions d'éthique que soulèvent ces découvertes futures ont conduit certains à déclarer qu'il pourrait s'agir là du «Hiroshima» des biologistes moléculaires. Discutez.

18. L'équation $E = mc^2$ s'applique-t-elle *a)* à la fission, *b)* à la fusion et *c)* aux réactions nucléaires?

19. L'énergie lumineuse émise par le soleil et les étoiles provient de la fusion. Quelles conditions existent à l'intérieur des étoiles pour rendre cela possible?

20. Quelle est la différence fondamentale entre la fission et la fusion?
21. Une plus haute température est requise pour l'ignition de la réaction deutérium-deutérium que pour celle du deutérium-tritium. Expliquez.
22. On stérilise parfois les fournitures médicales et même les aliments au moyen de radiations. Expliquez comment.
23. Pourquoi la dose de radiation maximale recommandée est-elle plus élevée pour les femmes qui n'ont plus l'âge de porter des enfants que pour les femmes plus jeunes?

PROBLÈMES

SECTION 14.1

1. (I) Déterminez si la réaction ${}^{2}_{1}\mathrm{H}(d, n){}^{3}_{2}\mathrm{He}$ requiert un seuil d'énergie. (*d* représente le deutérium, ${}^{2}_{1}\mathrm{H}$.)
2. (I) La réaction ${}^{238}_{92}\mathrm{U}$ $(n, \gamma){}^{239}_{92}\mathrm{U}$ est-elle possible avec des neutrons lents? Expliquez.
3. (II) La réaction ${}^{7}_{3}\mathrm{Li}(p, \alpha){}^{4}_{2}\mathrm{He}$ absorbe-t-elle ou libère-t-elle de l'énergie? Combien d'énergie?
4. (II) Calculez le Q de la réaction ${}^{9}_{4}\mathrm{Be}(\alpha, n){}^{12}_{6}\mathrm{C}$.
5. (II) Sachant que $Q = -2{,}453$ MeV pour la réaction ${}^{18}_{8}\mathrm{O}(p, n)$ ${}^{18}_{9}\mathrm{F}$, calculez la masse de ${}^{18}_{9}\mathrm{F}$.
6. (II) *a*) La réaction ${}^{24}_{12}\mathrm{Mg}(n, d){}^{23}_{11}\mathrm{Na}$ peut-elle se produire si les particules utilisées comme projectiles ont une énergie cinétique de 10,00 MeV? *b*) Si oui, combien d'énergie est libérée?
7. (II) *a*) La réaction ${}^{7}_{3}\mathrm{Li}(p, \alpha){}^{4}_{2}\mathrm{He}$ peut-elle se produire si le proton incident a une énergie cinétique de 1500 keV. *b*) Si oui, quelle est l'énergie cinétique totale des produits?
8. (II) Dans la réaction ${}^{14}_{7}\mathrm{N}(\alpha, p){}^{17}_{8}\mathrm{O}$, les particules α incidentes ont une énergie cinétique de 7,68 MeV. *a*) Cette réaction peut-elle se produire? *b*) Si oui, quelle est l'énergie cinétique de chacun des produits? La masse de ${}^{17}_{8}\mathrm{O}$ est de 16,999131 u.
9. (III) Montrez, à l'aide de la conservation de l'énergie et de la quantité de mouvement, qu'un proton doit avoir une énergie de 3,23 MeV pour provoquer la réaction ${}^{13}_{6}\mathrm{C}(p, n){}^{13}_{7}\mathrm{N}$ (voir l'exemple 14.3).
10. (III) Montrez, à l'aide des lois de la conservation de l'énergie et de la quantité de mouvement, que pour une réaction nucléaire endothermique $a + X \rightarrow b + Y$, l'énergie cinétique minimale de la particule incidente (l'*énergie seuil*) est égale à $|Q|(1 + M_a/M_X)$, où Q est l'énergie de réaction (la différence de masse totale entre les produits et les réactants). Supposez que le noyau cible est au repos avant que l'interaction ait lieu, et que toutes les particules sont non relativistes.

SECTION 14.2

11. (I) Pour la collision de deux sphères dures de rayons R_1 et R_2, quel est *a*) le paramètre d'impact (voir la figure 9.21 du tome 1)? *b*) Quelle est la section efficace?
12. (I) La section efficace de la réaction $n + {}^{10}_{5}\mathrm{B} \rightarrow {}^{7}_{3}\mathrm{Li} + {}^{4}_{2}\mathrm{He}$ est d'environ 40 b pour un neutron incident de basse énergie ($K \approx 0$). Le bore est contenu dans un gaz avec $n = 1{,}7 \times 10^{21}$ noyaux/m^3 et la cible a une épaisseur de $t = 12{,}0$ cm. Quelle fraction des neutrons incidents est diffusée?
13. (II) Lorsque la cible est épaisse, le taux auquel les projectiles frappent les noyaux dans la partie arrière de la cible est plus petit que celui dans la partie avant, car il se produit de la diffusion (c'est-à-dire des collisions) dans les couches avant. Soit R_0, le taux auquel les particules incidentes frappent l'avant de la cible, et R, le taux à une distance x à l'intérieur de la cible ($R = R_0$ à $x = 0$). Montrez que le taux auquel des particules sont diffusées (et donc éliminées du faisceau incident) dans une épaisseur dx est $-dR = Rn\sigma dx$, où le signe négatif signifie que R décroît et où n est le nombre de noyaux par unité de volume. Montrez ensuite que $R = R_0 e^{-n\sigma x}$, où σ est la section efficace totale. Si l'épaisseur de la cible est t, qu'est-ce que $R = R_0 e^{-n\sigma t}$ représente? (Notez que dans le présent problème le R n'est pas le même que dans l'équation 14.3).
14. (II) Une cible de plomb épaisse de 1,0 cm réduit l'intensité d'un faisceau de rayons gamma à 30 % de ce qu'elle était initialement. Quelle épaisseur de plomb permet à 1 γ sur 10^6 de passer (voir le problème 13).
15. (II) Estimez, à l'aide de la figure 14.3, quelle épaisseur de Cd ($\rho = 8{,}65 \times 10^3$ kg/m^3) cause un taux de réaction de 1 % ($R/R_0 = 0{,}01$) pour des neutrons *a*) de 0,1 eV et *b*) de 10 eV.
16. (II) Les premières expériences de diffusion exécutées en Angleterre dans le laboratoire de Rutherford, vers 1910, fournirent les premiers indices qu'un atome est constitué d'un noyau lourd entouré d'électrons. Dans l'une de ces expériences, des particules α frappaient une feuille d'or d'une épaisseur de $4{,}0 \times 10^{-5}$ cm, dans laquelle il y avait $5{,}9 \times 10^{28}$ atomes d'or par mètre cube. Quoique la plupart des particules α traversaient complètement la feuille ou étaient déviées à de petits angles, approximativement $1{,}6 \times 10^{-3}$ % d'entre elles étaient diffusées à des angles plus grands que 90°, c'est-à-dire vers l'arrière. *a*) Calculez la section efficace, en barns, pour la diffusion arrière. *b*) Rutherford conclut qu'une telle diffusion arrière ne pouvait se produire que si chaque atome était formé d'un noyau extrêmement petit, mais massif et chargé positivement, et entouré d'électrons en orbite à une certaine distance. En supposant que la diffusion arrière se produise pour les collisions presque directes (c'est-à-dire pour $\sigma \approx$ aire du noyau), estimez le diamètre d'un noyau d'or.

SECTION 14.3

17. (I) Calculez l'énergie libérée dans la réaction de fission $n + {}^{235}_{92}\mathrm{U} \rightarrow {}^{88}_{38}\mathrm{Sr} + {}^{136}_{54}\mathrm{Xe} + 12n$. Utilisez l'appendice E et supposez que l'énergie cinétique initiale du neutron est très petite.

18. (I) Combien d'énergie est libérée dans la réaction de fission de l'équation 14.5? (Les masses de $^{141}_{56}Ba$ et du $^{92}_{36}Kr$ sont de 140,9141 u et 91,9250 u, respectivement.)

19. (I) Combien se produit-il de fissions chaque seconde dans un réacteur de 25 MW? Supposez que 200 MeV soient libérés par fission.

20. (II) L'un des moyens d'enrichir l'uranium consiste à diffuser du gaz UF_6. Calculez le rapport des vitesses des molécules de ce gaz contenant du $^{235}_{92}U$ et du $^{238}_{92}U$, dont ce processus dépend.

21. (II) Supposez que la consommation moyenne d'énergie d'une maison typique soit de 300 W. Quelle masse de combustible de $^{235}_{92}U$ devrait subir la fission pour répondre aux besoins d'électricité d'une telle maison pendant un an? (Supposez que 200 MeV soient libérés par fission.)

22. (II) Quelle est la masse initiale du combustible de $^{235}_{92}U$ requise pour faire fonctionner un réacteur de 500 MW pendant 1 an? (Supposez une efficacité de 40 %.)

23. (II) *a*) Quelle masse de $^{235}_{92}U$ a réellement subi la fission dans la première bombe atomique, dont l'énergie était l'équivalent d'environ 20 kilotonnes de TNT (1 kilotonne de TNT libère 5×10^{12} J)? *b*) Quelle a été la masse réelle transformée en énergie?

24. (II) Si un neutron de 1,0 MeV émis dans une réaction de fission perd une moitié de son énergie cinétique à chaque collision avec un noyau du modérateur, combien de fois un tel neutron doit-il entrer en collision pour atteindre l'énergie thermique ($\frac{3}{2}kT = 0{,}040$ eV)?

25. (II) Estimez le rapport de la hauteur de la barrière coulombienne pour une désintégration α à cette hauteur pour une fission de $^{236}_{92}U$. (Ces deux réactions sont décrites par un diagramme d'énergie potentielle de la forme donnée à la figure 13.4.)

26. (II) *a*) Soit une fission de $^{236}_{92}U$ en deux fragments approximativement égaux; estimez l'énergie potentielle électrique juste au moment où les fragments se séparent l'un de l'autre. Supposez que les fragments sont sphériques (voir l'équation 13.1) et comparez votre résultat à l'énergie de fission nucléaire libérée (environ 200 MeV). *b*) La mesure de l'énergie libérée dans la fission pourrait-elle constituer une manière utile d'estimer les rayons nucléaires? Quel «rayon» mesurerait-on de cette manière? De quelle manière modifieriez-vous l'équation 13.1 (donnez une réponse quantitative pour les suppositions de la partie *a*).

27. (II) Supposez que le facteur de multiplication neutronique est de 1,0004. Si le temps moyen entre des fissions successives dans une réaction en chaîne est de 1,0 ms, par quel facteur le taux de réaction augmentera-t-il en 1,0 s?

28. (III) Un système de centrales nucléaires produit 4000 MW. *a*) Quelle est la masse totale du combustible de $^{235}_{92}U$ nécessaire pour faire fonctionner ces centrales pendant un an, si on suppose que 200 MeV sont libérés par fission? *b*) Typiquement, 6 % des noyaux de $^{235}_{92}U$ qui subissent le phénomène de fission sont convertis en $^{90}_{38}Sr$, un émetteur β^- ayant une demi-vie de 29 ans. Quelle est la radioactivité totale du $^{90}_{38}Sr$, en curies, après sa production? (Ne tenez pas compte du fait qu'une partie se désintègre durant la période de 1 an; 1 curie = $3{,}7 \times 10^{10}$ désintégrations par seconde.)

SECTION 14.4

29. (I) Quelle est l'énergie cinétique moyenne des protons au centre d'une étoile où la température est de 10^7 K?

30. (I) On donne souvent les températures de fusion en keV. Déterminez le facteur de conversion des kelvins aux keV, en utilisant, comme il est d'usage dans ce domaine, $K = kT$ sans le facteur $\frac{3}{2}$.

31. (I) Montrez que l'énergie libérée dans la réaction de fusion $^2_1H + ^3_1H \rightarrow ^4_2He + n$ est de 17,59 MeV.

32. (I) Montrez que l'énergie libérée lorsque deux noyaux de deutérium se fusionnent, pour former ^3_2He avec l'émission d'un neutron, est de 3,27 MeV.

33. (II) Vérifiez les Q pour chacune des réactions de l'équation 14.6. (Indice: tenez compte des électrons.)

34. (II) Calculez l'énergie libérée par gramme de combustible pour les réactions des équations 14.8 a, b et c. Comparez votre résultat à l'énergie libérée par gramme d'uranium dans le phénomène de la fission.

35. (II) Si une maison typique requiert en moyenne 300 W d'énergie électrique, combien faut-il de deutérium pour combler les besoins énergétiques d'une telle maison pendant un an? Supposez que la réaction est celle de l'équation 14.8b.

36. (II) Combien d'énergie (J) est contenue dans 1,00 kg d'eau si le deutérium naturel qui s'y trouve est utilisé dans la réaction de fusion de l'équation 14.8a? Comparez votre résultat à l'énergie obtenue par la combustion de 1,0 kg d'essence, environ 5×10^7 J.

37. (II) Dans la réaction nette (équation 14.7) pour le cycle proton-proton, les neutrinos s'échappent du Soleil avec une énergie d'environ 0,5 MeV. L'énergie restante, de 26,2 MeV, demeure disponible. Utilisez cette valeur pour calculer la «chaleur de combustion» par kilogramme d'hydrogène consumé, et comparez-la à la chaleur de combustion du charbon (environ 3×10^7 J/kg).

38. (II) Montrez que les énergies transportées par le noyau de ^4_2He et le neutron dans la réaction de l'équation 14.8c sont d'environ 3,5 MeV et 14 MeV, respectivement. S'agit-il de valeurs fixes, indépendantes de la température du plasma?

39. (II) Le deutérium constitue 0,015 % de l'hydrogène naturel. Faites une approximation de la quantité totale de deutérium dans les océans de la Terre et estimez l'énergie totale qui serait libérée si on utilisait tout ce deutérium dans des réacteurs à fusion.

40. (II) On pense que la production d'énergie dans les étoiles massives est due au *cycle du carbone* (voir la section 14.4). *a*) Montrez qu'aucun atome de carbone n'est consumé dans ce cycle et que l'effet net est le même que pour le cycle proton-proton. *b*) Quelle est la libération totale d'énergie? *c*) Déterminez le Q de chaque réaction et de chaque désintégration? *d*) Pourquoi le cycle du carbone requiert-il une température plus élevée ($\approx 2 \times 10^7$ K) que le cycle proton-proton ($\approx 1{,}5 \times 10^7$ K)?

41. (II) *a*) Comparez les hauteurs de la barrière coulombienne pour la première réaction du cycle du carbone et pour une réaction deuton-deuton (exemple 14.5). *b*) Si une réaction deuton-deuton requiert $T \approx 4 \times 10^8$ K, estimez la température nécessaire pour la première réaction du cycle du carbone.

42. (II) L'énergie en provenance du Soleil parvient à la Terre au taux d'environ 1400 W/m². Calculez *a*) l'émission totale d'énergie du Soleil, et *b*) le nombre de protons consumés à la seconde dans la réaction de l'équation 14.7, si on suppose que cette réaction est la source de toute l'énergie du Soleil. *c*) Si la masse du Soleil de $2{,}0 \times 10^{30}$ kg était initialement constituée de protons seulement, et si ces protons participaient tous aux réactions nucléaires au cœur du Soleil, combien de temps estimez-vous que le Soleil brillerait au niveau actuel?

43. (II) La boulette de deutérium-tritium d'un dispositif de fusion au laser contient des nombres égaux d'atomes de $^{2}_{1}H$ et de $^{3}_{1}H$ élevés à une densité de $200 \times 10^3\ kg/m^3$ par les impulsions laser. Estimez *a*) la densité des particules dans cet état comprimé et *b*) le temps τ pendant lequel la boulette doit être confinée pour satisfaire au critère de Lawson pour l'ignition.

SECTION 14.6

44. (I) On injecte dans un animal un échantillon de $^{32}_{15}P$ de 0,018 μCi pour des études de scintigraphie. Si un compteur Geiger intercepte 20 % des particules β émises et qu'il réussit à enregistrer 90 % de ces particules, quel est le taux d'enregistrement?

45. (I) Un corps adulte moyen contient environ 0,10 μCi de $^{49}_{19}K$, qui provient de la nourriture. Combien se produit-il de désintégrations chaque seconde?

46. (I) *a*) Une dose de 5 Sv de rayons γ dans une courte période serait mortelle pour environ la moitié des personnes exposées. Combien cela représente-t-il de grays? *b*) Cinq dixièmes de grays de radiation de particules α équivalent à combien de grays de rayons X pour ce qui est des dommages biologiques? *c*) Combien de grays de neutrons lents causent autant de dommages biologiques que 0,5 Gy de neutrons rapides?

47. (I) Combien d'énergie est déposée dans le corps d'un adulte de 70 kg exposé à une dose de 0,5 Gy?

48. (I) Il faut environ 35 eV pour produire une paire d'ions dans l'air. Montrez que cela est conforme aux deux définitions du röntgen données dans le texte.

49. (II) Une source de $^{32}_{15}P$ (en $NaHPO_4$) de 1,0 mCi, un émetteur β^-, est implantée dans un organe où elle doit administrer 50 Gy. La demi-vie du $^{32}_{15}P$ est de 14,3 jours, et 1 mCi fournit environ 0,01 Gy/min. Approximativement combien de temps la source devrait-elle rester implantée?

50. (II) Le $^{57}_{27}Co$ émet des rayons γ de 122 keV. Si une personne de 70 kg avale 2,0 μCi de $^{57}_{27}Co$, quel est le taux d'accumulation de la dose (Gy/jour) en moyenne pour tout le corps? Supposez que 50 % de l'énergie des rayons γ est déposé dans le corps.

51. (II) Quelle est la masse d'une source de $^{14}_{6}C$ de 1,0 μCi?

52. (II) Dans une certaine ville, le fond de radiation consiste, en moyenne, en 0,25 mGy par année de rayons X et γ et 0,3 mGy de particules ayant un FQ de 10. Combien de sieverts une personne reçoit-elle en moyenne par année?

53. (II) Une source de rayons γ blindée fournit un taux de dose de 0,5 mGy/h à une distance de 1,0 m pour une personne de taille moyenne. Si le taux de dose maximal permis pour des travailleurs est de 0,05 Sv/année, à quelle distance de la source ceux-ci doivent-ils se tenir si on suppose une semaine de travail de 40 heures? Supposez que l'intensité de la radiation décroît comme le carré de la distance. (En fait, elle décroît plus rapidement que $1/r^2$ à cause de l'absorption de l'air, de sorte que le résultat ci-dessus sera une valeur plus sûre que la valeur permise.)

SECTION 14.7

54. (II) *a*) Supposez que le faisceau de rayons X d'une radiographie ordinaire est composé de rayons parallèles. Quel est l'agrandissement de l'image? *b*) Supposez que les rayons X proviennent plutôt d'une source ponctuelle (figure 14.14a) située à 15 cm devant un corps humain d'une épaisseur de 25 cm et que la pellicule soit pressée sur le dos de la personne. Déterminez l'ordre de grandeur de l'agrandissement qui en résulte. Discutez.

SECTION 14.8

55. (II) Déterminez la longueur d'onde des photons requis pour produire les transitions RMN dans des protons libres dans un champ de 1,000 T. Dans quelle région du spectre se situent-ils?

CHAPITRE

15

LES PARTICULES ÉLÉMENTAIRES

Le présent chapitre porte sur le sujet fascinant de la physique des *particules élémentaires*, le champ de recherche qui vise à comprendre les constituants fondamentaux de la matière.

Dans les années qui ont suivi la Seconde Guerre mondiale, on s'est rendu compte que de nouveaux types de particules pouvaient être produits lorsque la particule incidente dans une réaction nucléaire avait suffisamment d'énergie. Pour obtenir des particules à haute énergie, différents types d'accélérateurs de particules ont été construits; la plupart des accélérateurs permettent de faire accélérer des protons ou des électrons, quoique certains soient conçus de manière à pouvoir faire accélérer des ions lourds. Ces accélérateurs à haute énergie ont servi à sonder le noyau plus profondément, à produire et à étudier de nouvelles particules et à recueillir des données sur les forces et les composants fondamentaux de la Nature.

15.1 Les particules à haute énergie et les accélérateurs de particules

On se sert des particules à hautes vitesses comme projectiles pour sonder l'intérieur des noyaux et des nucléons cibles. Il importe de comprendre que les projectiles à très haute vitesse font ressortir plus de détails. La longueur d'onde des particules projectiles est donnée par la formule de la longueur d'onde du physicien français de Broglie,

$$\lambda = \frac{h}{mv}, \tag{15.1}$$

qui montre que plus la quantité de mouvement d'une particule est grande plus sa longueur d'onde est courte. Comme nous l'avons vu au chapitre 6, la résolution des détails est limitée par la longueur d'onde: plus celle-ci est petite, plus les détails obtenus sont fins. C'est notamment pourquoi on a construit, dans les dernières années, des accélérateurs de particules à énergie de plus en plus élevée.

EXEMPLE 15.1 Quelle est la longueur d'onde, et donc la résolution spatiale, d'électrons de 1,3 GeV?

SOLUTION 1,3 GeV = 1300 MeV, c'est-à-dire environ 2500 fois la masse de l'électron. Nous avons clairement affaire à des vitesses relativistes et on peut montrer facilement que la vitesse de l'électron est presque $c = 3{,}0 \times 10^8$ m/s. (D'après l'équation 8.10, $K = mc^2 - m_0c^2 \approx mc^2$; et d'après l'équation 8.13, $E^2 = p^2c^2 + m_0^2c^4 \approx p^2c^2$ puisque m_0c^2 est petit devant pc; par conséquent $p^2c^2 = m^2v^2c^2 \approx m^2c^4$, de sorte que $v \approx c$.) Et donc,

$$\lambda = \frac{h}{mv} \approx \frac{h}{mc} = \frac{hc}{mc^2},$$

où $mc^2 = 1{,}3$ GeV et

$$\lambda = \frac{(6{,}6 \times 10^{-34}\ \mathrm{J \cdot s})(3{,}0 \times 10^{8}\ \mathrm{m/s})}{(1{,}3 \times 10^{9}\ \mathrm{eV})(1{,}6 \times 10^{-19}\ \mathrm{J/eV})} = 0{,}96 \times 10^{-15}\ \mathrm{m},$$

ou 0,96 fm. Ceci est un peu moins que les dimensions des noyaux.

Un autre avantage important des accélérateurs à haute énergie est qu'ils rendent possible la production de nouvelles particules de masse plus élevée et à plus haute énergie, comme nous le verrons bientôt. Passons maintenant brièvement en revue différents types d'accélérateurs de particules.

L'accélérateur Van de Graaff. L'élément clé d'un accélérateur Van de Graaff (figure 15.1) est le générateur Van de Graaff, inventé en 1931. Une grande sphère creuse et conductrice est supportée par une colonne isolante installée sur une base. La sphère est chargée jusqu'à une tension élevée, par une courroie isolante en mouvement, de la manière suivante: une tension de l'ordre de 50 000 V est appliquée à une pointe conductrice *A* qui «asperge» de charges positives la courroie en mouvement. (En fait, l'électrode *A* arrache des électrons de la courroie.) La courroie transporte les charges positives à l'intérieur de la sphère, où elles sont «essuyées» en *B* et d'où elles se distribuent à la surface externe de la sphère. (En effet, comme les charges se repoussent entre elles et qu'elles tendent à s'éloigner le plus possible les unes des autres, elles s'accumulent à la surface externe de tout conducteur.) Au fur et à mesure que des charges sont transportées, la sphère se charge de plus en plus, jusqu'à une tension très élevée. Cette élévation de tension requiert bien entendu de l'énergie, car la sphère chargée repousse la courroie chargée ascendante; l'énergie est fournie par le moteur qui transmet son mouvement à la courroie. On peut ainsi obtenir des différences de potentiel très élevées qui permettent de communiquer aux particules accélérées une énergie cinétique pouvant souvent atteindre jusqu'à 30 MeV. Un tube sous vide est relié au générateur de Van de Graaff pour réaliser un accélérateur de particules. Une source d'ions d'hydrogène (protons) ou d'hélium (particules α) se trouve à l'intérieur du tube; la grande tension positive repousse les ions, ce qui a pour effet de les faire accélérer vers la cible mise à la terre à l'autre extrémité du tube.

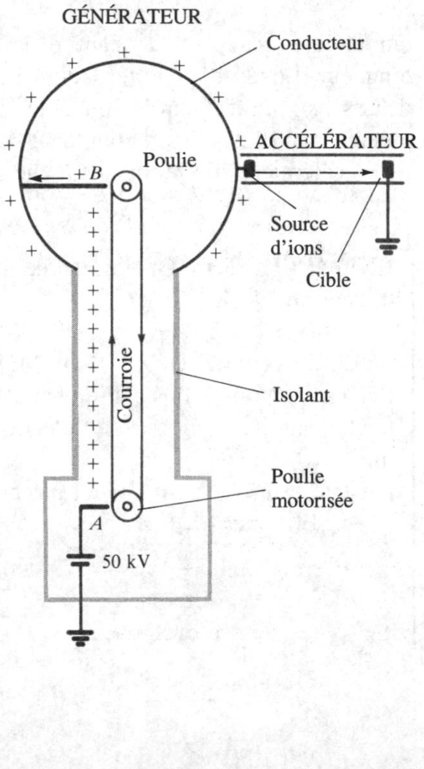

FIGURE 15.1 Générateur et accélérateur de Van de Graaff.

FIGURE 15.2 Ernest O. Lawrence (1901-1958) tenant le premier cyclotron, vers 1930.

Le cyclotron. Conçu et mis au point par E. O. Lawrence (1901-1958; figure 15.2) en 1930, à l'Université de Californie à Berkeley, le cyclotron maintient, au moyen d'un champ magnétique, les particules chargées (comme les protons ou les ions lourds) sur un parcours presque circulaire (chapitre 7 du tome 2). Les protons circulent à l'intérieur de deux cavités en forme de D (figure 15.3). Chaque fois qu'ils traversent l'intervalle entre les «dés» métalliques, une tension appliquée les fait accélérer. Ceci augmente leur vitesse et le rayon de courbure de leur parcours. Après plusieurs révolutions, les protons ont acquis une grande énergie cinétique et atteignent la circonférence externe du cyclotron. Ils frappent alors une cible placée dans le cyclotron ou encore quittent le cyclotron sous l'influence d'un «aimant d'extraction» placé de façon appropriée et qui les dirige vers une cible externe. La tension d'accélération appliquée entre les dés doit être alternative. Lorsque les protons traversent l'intervalle vers la droite, dans la figure 15.3, le dé de droite doit être négatif et le dé de gauche, positif. Un demi-cycle plus tard, les protons traversent vers la gauche de sorte que, pour permettre l'accélération, le dé de gauche doit être négatif et le dé de droite, positif. La fréquence f de la tension d'accélération doit être égale à la fréquence de rotation des protons, qu'on appelle la fréquence cyclotron. Cette fréquence est déterminée à l'aide de l'équation 7.7 du tome 2.

$$f = \frac{qB}{2\pi m}, \tag{15.2}$$

où q et m sont respectivement la charge et la masse des particules tournant dans le champ magnétique B.

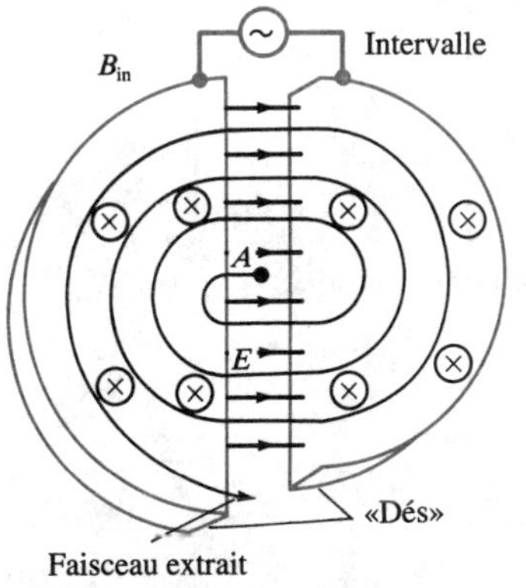

FIGURE 15.3 Diagramme d'un cyclotron. Le champ magnétique produit par un grand électro-aimant pointe dans le papier. *A* est la source d'ions. Les lignes de champ *E* représentent le champ électrique dans l'intervalle.

EXEMPLE 15.2 Un petit cyclotron de rayon maximal $R = 0{,}25$ m fait accélérer des protons dans un champ magnétique de 1,7 T. Calculez *a*) la fréquence nécessaire pour la tension alternative d'accélération et *b*) l'énergie cinétique des protons lorsqu'ils quittent le cyclotron.

SOLUTION *a*) D'après l'équation 15.2,

$$f = \frac{qB}{2\pi m} = \frac{(1{,}6 \times 10^{-19}\ \text{C})(1{,}7\ \text{T})}{(6{,}28)(1{,}67 \times 10^{-27}\ \text{kg})} = 2{,}6 \times 10^{7}\ \text{Hz}.$$

b) Les protons quittent le cyclotron à $r = R = 0{,}25$ m. Alors, puisque $v = qBr/m$,

$$K = \tfrac{1}{2}mv^2 = \tfrac{1}{2}m\frac{q^2B^2R^2}{m^2} = \frac{q^2B^2R^2}{2m}$$

$$= \frac{(1{,}6 \times 10^{-19}\ \text{C})^2(1{,}7\ \text{T})^2(0{,}25\ \text{m})^2}{(2)(1{,}67 \times 10^{-27}\ \text{kg})} = 1{,}4 \times 10^{-12}\ \text{J},$$

ou 8,8 MeV. Notez que la grandeur de la tension appliquée aux dés n'affecte pas l'énergie finale. Toutefois, plus cette tension est élevée, moins il faut de révolutions pour donner aux protons leur énergie maximale.

Un aspect intéressant du cyclotron est que la fréquence de la tension appliquée, d'après l'équation 15.2, ne dépend pas du rayon *r.* Autrement dit, il n'y a pas à faire varier la fréquence pendant que les ions quittent la source et sont accélérés sur un parcours de rayon de plus en plus grand. Malheureusement, ceci n'est vrai que pour les énergies non relativistes. En effet, à des vitesses plus élevées, la masse des ions augmente en conformité avec la formule d'Einstein, $m = m_0/\sqrt{1 - v^2/c^2}$, où m_0 est la masse au repos. Comme on peut le voir d'après l'équation 15.2, au fur et à mesure que la masse augmente, la fréquence de la tension appliquée doit être réduite. Pour obtenir des énergies plus élevées, il faut un équipement électronique complexe qui permette de diminuer la fréquence au fur et à mesure qu'un paquet de protons augmente de vitesse et atteint des orbites plus grandes. Un cyclotron ainsi modifié est appelé un **synchro-cyclotron**.

Le synchrotron. Une autre façon de régler le problème de l'augmentation de la masse avec la vitesse est d'augmenter le champ magnétique *B* au fur et à mesure que les particules accélèrent. On appelle *synchrotron* un tel dispositif. Aujourd'hui, les accélérateurs circulaires les plus grands, qui sont énormes, appartiennent à cette catégorie. Les rayons des synchrotrons du Fermi National Accelerator Laboratory (Fermilab), à Batavia, dans l'État de l'Illinois aux États-Unis, et du Super Proton Synchrotron (SPS) au Centre européen pour la recherche nucléaire (CERN), à Genève, en Suisse, sont respectivement de 1,0 km et 1,1 km. Ces accélérateurs peuvent faire accélérer les protons jusqu'à des énergies de 500 GeV; le nouveau *Tévatron* au Fermilab peut, à l'aide d'aimants superconducteurs, accélérer les protons jusqu'à 1 TeV (d'où son nom; 1 TeV = 10^{12} eV). Ces grands synchrotrons ne sont pas munis d'énormes aimants de 1 km de rayon mais plutôt d'étroits anneaux d'aimants (figure 15.4), tous placés sur un cercle. Les aimants alternent avec des cavités accélératrices dans lesquelles des champs électriques élevés accélèrent les particules. Ces dernières doivent, après leur injection, circuler sur un cercle de rayon constant. Pour ce faire, on les injecte dans le synchrotron à une énergie initiale considérable à l'aide d'un accélérateur beaucoup plus petit, puis on augmente lentement le champ magnétique au fur et à mesure qu'elles sont accélérées.

L'un des problèmes présenté par tout accélérateur est que des charges électriques accélérées irradient de l'énergie électromagnétique (chapitre 12 du tome 2). Comme dans tout accélérateur les ions ou les électrons sont accélérés, on peut s'attendre à ce qu'une énergie considérable soit perdue par radiation. L'effet augmente avec la vitesse et est particulièrement important dans les machines circulaires, où la force magnétique produit une accélération centripète. Il est surtout important dans les synchrotrons et on l'appelle en conséquence la **radiation synchrotron.** La radiation synchrotron peut, toutefois, être utile pour produire des faisceaux intenses de photons.

a)

b)

FIGURE 15.4 a) Vue aérienne du Fermilab à Batavia, dans l'État de l'Illinois aux États-Unis; l'accélérateur est un anneau circulaire de 2,0 km de diamètre. (Gracieuseté du Fermilab.) b) L'intérieur du tunnel de l'accélérateur principal au Fermilab. L'anneau d'aimants supérieur (de forme rectangulaire) est pour l'accélérateur de 400 GeV. Sous cet anneau se trouve l'anneau des aimants supraconducteurs du Tevatron. (Gracieuseté du Fermilab.)

Les accélérateurs linéaires. Un accélérateur Van de Graaff est en fait un accélérateur linéaire puisque les ions y suivent une trajectoire linéaire. Habituellement, toutefois, le terme *accélérateur linéaire* («linac») sert à désigner un arrangement plus complexe dans lequel les particules sont accélérées dans plusieurs cavités accélératrices successives le long d'un parcours rectiligne. La figure 15.5 est un diagramme d'un «linac» simple. Les ions traversent une série de cavités conductrices tubulaires. La tension appliquée aux tubes doit être alternative, de façon que le tube soit négatif devant les ions et positif derrière eux, chaque fois que les ions passent entre deux tubes. Ainsi ils accélèrent à chaque étape. Au fur et à mesure que leur vitesse augmente, les ions parcourent une plus grande distance dans le même temps. Par conséquent, les tubes doivent être d'autant plus longs qu'ils sont éloignés de la source. Le Heavy Ion Linear Accelerator (Hilac), à Berkeley, en Californie, peut accélérer des ions, de l'hydrogène à l'uranium, en leur donnant jusqu'à 8,5 MeV par nucléon. Les accélérateurs linéaires sont particulièrement importants pour accélérer les électrons. À cause de leur petite masse, les électrons atteignent de hautes vitesses très rapidement et, dans les machines circulaires, perdent beaucoup d'énergie sous forme de radiation synchrotron. Les tubes d'un linac à électrons de haute énergie, comme celui représenté à la figure 15.5, seraient presque d'égales longueurs, car les électrons y voyageraient presque à $c = 3{,}0 \times 10^8$ m/s sur toute la distance. Le plus grand accélérateur linéaire d'électrons est celui de Stanford, en Californie (États-Unis), appelé le Stanford Linear Accelerator Center (SLAC). Il a plus de 3 km de long et peut faire accélérer des électrons jusqu'à 50 GeV (1 GeV = 10^9 eV).

Les collisionneurs. Un arrangement usuel dans les expériences de **physique des hautes énergies** (on nomme ainsi le champ de recherche dans lequel on utilise des accélérateurs à hautes énergies) est de projeter un faisceau de particules accélérées sur une cible stationnaire. Mais une technique importante pour augmenter l'énergie disponible dans une collision consiste à utiliser des *collisions de faisceaux*, c'est-à-dire des collisions entre deux faisceaux de particules circulant dans des directions opposées. Un tel collisionneur peut se faire à l'aide d'un seul accélérateur doté d'**anneaux de**

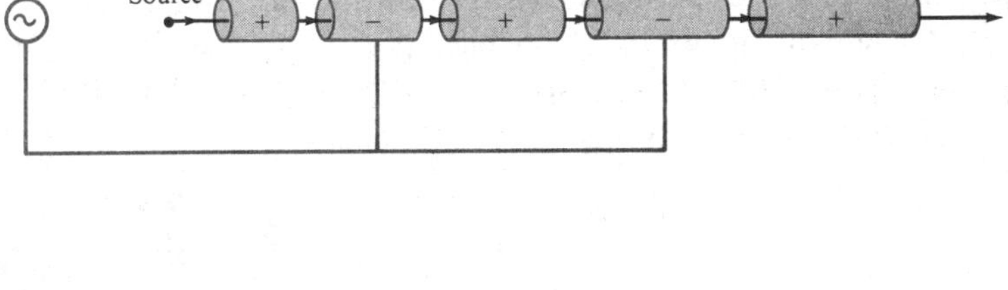

FIGURE 15.5 Accélérateur linéaire simplifié.

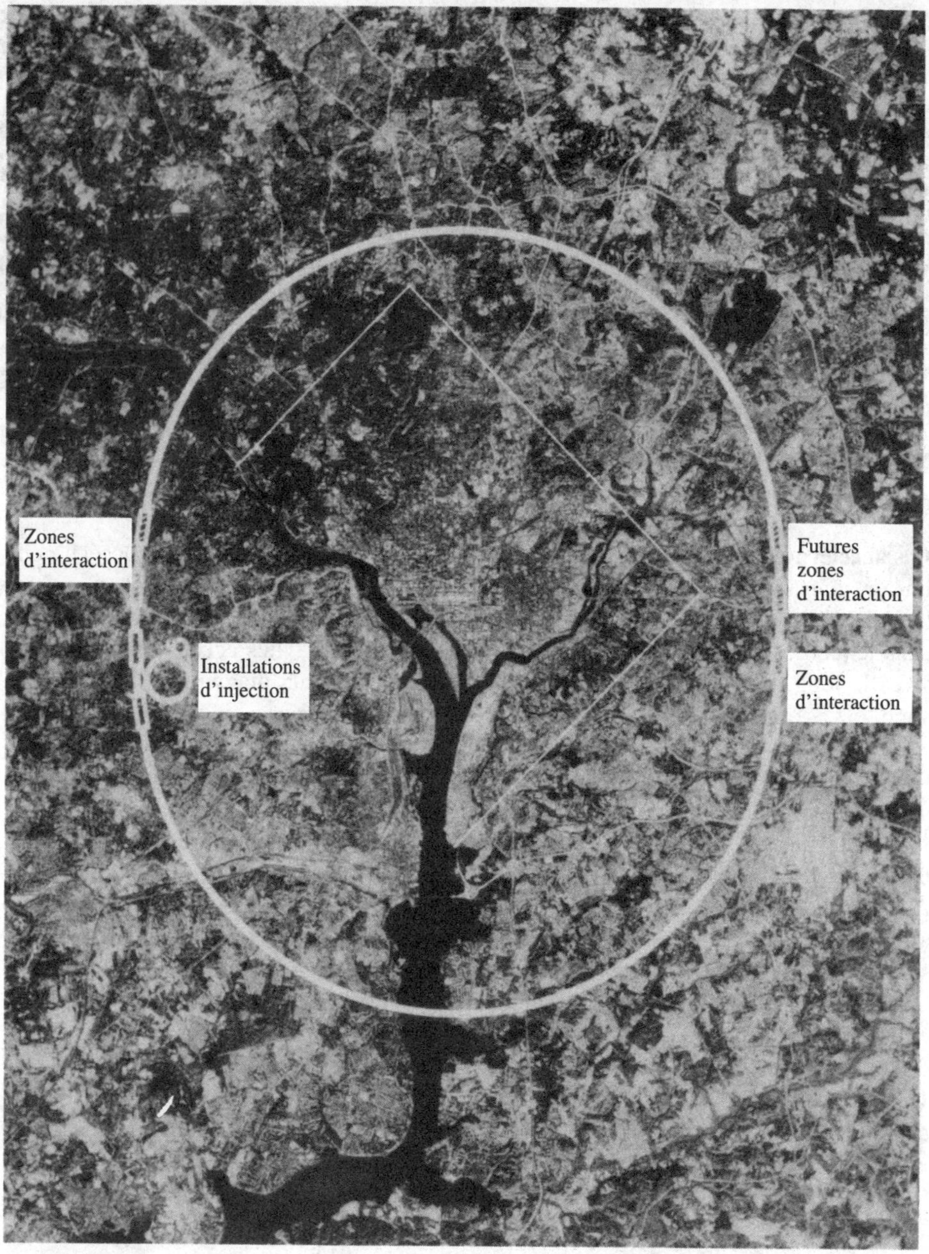

FIGURE 15.6 Plan du SSC (Supercollisionneur supraconducteur) représenté en surimpression sur une image de la ville de Washington, la capitale fédérale des États-Unis, de façon à donner une idée de ses dimensions projetées.

stockage. Les particules d'un certain type (par exemple des électrons ou des protons) sont accélérées jusqu'à une énergie maximale, puis sont dirigées, à l'aide d'aimants, dans un anneau de stockage circulaire où elles peuvent continuer à circuler pendant plusieurs heures. Des particules du même type ou d'un autre type (par exemple des positrons) sont ensuite accélérées et dirigées vers un second anneau de stockage. Comme les deux anneaux se chevauchent en plusieurs endroits, les deux faisceaux, circulant dans des directions opposées, entrent en collision frontale en ces points d'intersection. Utilisés pour les expériences de collision de faisceaux dans un certain nombre de centres de recherche dans le monde (notamment au CERN, au Fermilab et au Stanford Linear Collider [SLC], qui est conçu de façon légèrement différente), les anneaux de stockage ont joué un rôle important dans les progrès récents de la physique des particules élémentaires. Le **Supercollisionneur supraconducteur** (SSC), en cours de construction et qui devrait être prêt en 1999, est conçu pour fournir des protons de 20 TeV dans chaque faisceau, pour une énergie totale dans le centre de masse de 40 TeV (figure 15.6).

15.2 Les débuts de la physique des particules; la particule de Yukawa

Dès le milieu des années 1930, on savait que les atomes étaient composés de neutrons, de protons et d'électrons. On ne considérait donc plus les atomes comme les composants fondamentaux de l'Univers mais plutôt les protons, les neutrons et les électrons. On connaissait aussi plusieurs autres types de *particules élémentaires* (c'est le nom qu'on donna à ces particules), en plus des trois types précédents: le positron (électron positif), le neutrino et la particule γ (ou photon), pour un total de six particules élémentaires.

Rétrospectivement, les choses semblaient relativement simples en 1935. Au cours des décennies qui suivirent, toutefois, des centaines d'autres particules subnucléaires furent découvertes. Les propriétés et les interactions de ces particules, ainsi que la question de savoir lesquelles devaient être considérées fondamentales ou «élémentaires», devinrent l'objet d'un nouveau domaine de recherche, la **physique des particules élémentaires**.

On peut dire que la physique des particules élémentaires, telle que nous la connaissons aujourd'hui, a véritablement commencé en 1935, avec la prédiction, par le physicien japonais Hideki Yukawa (1907-1981), de l'existence d'une nouvelle particule jouant le rôle de médiateur de la force nucléaire d'interaction forte. Pour comprendre l'idée de Yukawa, penchons-nous d'abord sur la force électromagnétique. Lorsque nous avons abordé l'étude de l'électricité, nous avons vu que la force électrique agit sans contact, à distance, et que Faraday introduisit l'idée de *champ* afin de mieux comprendre comment une force peut agir à distance. On peut dire que la force qu'une particule chargée exerce sur une seconde particule est due au champ électrique produit par la première. De même, on peut dire que le champ magnétique transporte la force magnétique. Puis nous avons vu qu'il était possible de considérer la radiation électromagnétique (lumière) soit comme une onde (chapitre 12 du tome 2) soit comme un ensemble de particules appelées photons (chapitre 9). À cause de cette dualité onde-particule, il est possible d'imaginer que la force électromagnétique entre des particules chargées est due 1) au champ électromagnétique émis par l'une des particules et ressenti par l'autre ou 2) à un échange de photons (ou particules γ) entre elles. C'est sur le point de vue 2) que nous voulons nous concentrer ici; la figure 15.7 illustre une analogie simple permettant de comprendre comment un échange de particules pourrait donner lieu à une force. Dans la partie a) de la figure, deux enfants se lancent des oreillers, et chaque fois que l'un d'eux en attrape un, il est poussé vers l'arrière par l'impulsion; ceci équivaut à une force répulsive. Par ailleurs, si les deux enfants échangent leurs oreillers en se les arrachant des mains, ils sont attirés l'un vers l'autre, ce qui équivaut à une force attractive. Dans le cas de la force électromagnétique entre deux particules chargées, ce sont les photons échangés entre les deux particules qui donnent naissance à la force. La figure 15.8 décrit ceci au moyen d'un diagramme simple appelé **diagramme de Feynman** (d'après le nom du physicien américain Richard Feynman, 1918-1988); la théorie sur laquelle ce diagramme est basé a été baptisée **électrodynamique quantique** (EDQ). Le cas illustré, dans lequel un seul photon est échangé, est le plus simple. L'une des particules chargées émet le photon et subit en conséquence un petit mouvement vers l'arrière; la seconde particule absorbe le photon. Dans une collision ou *interaction* de ce genre, de l'énergie et de la quantité de mouvement, transportées par le photon, sont transférées d'une particule à l'autre. Le photon est absorbé par la seconde particule très peu de temps après son émission par la première et, comme il n'est pas observable, on dit qu'il s'agit d'un photon *virtuel*, pour le distinguer d'un photon libre qu'on peut détecter avec des instruments. On dit donc que le photon est le *médiateur* de la force électromagnétique.

Voyons maintenant la prédiction de Yukawa. Par analogie aux photons échangés qui jouent le rôle d'intermédiaires de la force électromagnétique, Yukawa fit valoir qu'il devait exister une particule jouant le rôle d'intermédiaire pour la force nucléaire d'interaction forte, c'est-à-dire la force qui retient les nucléons ensemble dans le noyau.

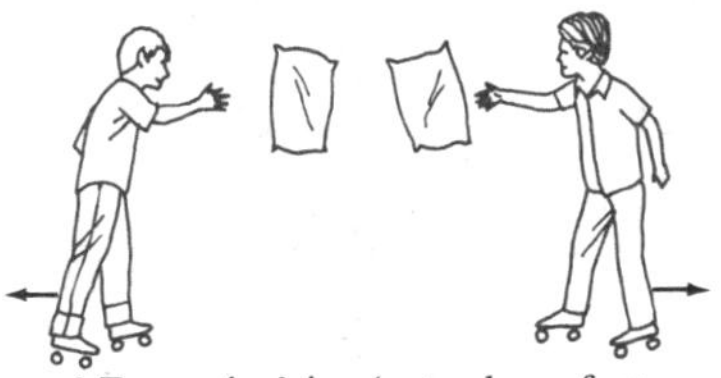

a) Force répulsive (entre des enfants qui se lancent des oreillers)

b) Force attractive (entre des enfants qui s'arrachent des oreillers)

FIGURE 15.7 Forces analogues à un échange de particules. a) Force répulsive (entre des enfants qui se lancent des oreillers). b) Force attractive (entre des enfants qui s'arrachent des oreillers).

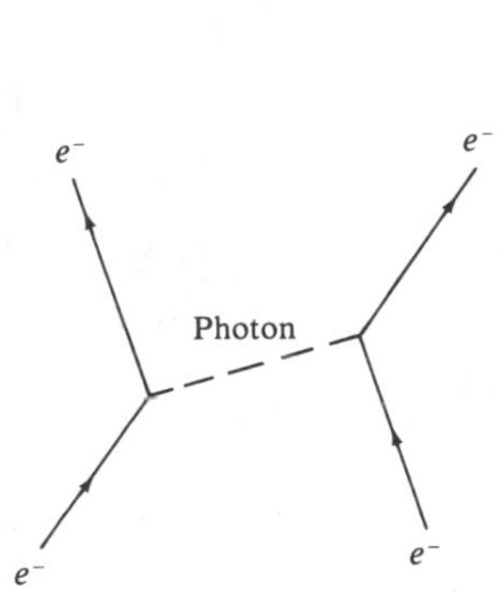

FIGURE 15.8 Diagramme de Feynman montrant comment un photon agit comme médiateur de la force électromagnétique entre deux électrons.

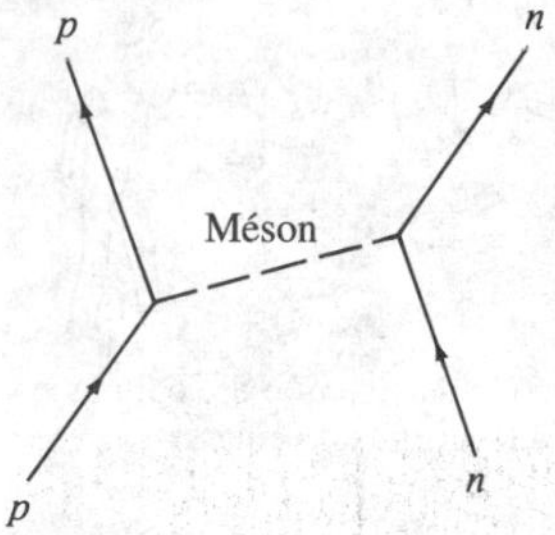

FIGURE 15.9 Échange de méson lorsqu'un proton et un neutron interagissent par la force nucléaire d'interaction forte.

Tout commc on dit que le photon est le quantum du champ ou de la force électromagnétique, la particule de Yukawa représenterait le quantum de la force nucléaire forte.

Yukawa prédit que la masse de cette nouvelle particule serait la masse intermédiaire entre celle de l'électron et celle du proton. On l'appela donc un **méson**, ce qui signifie «au milieu»; la figure 15.9 est un diagramme de Feynman représentant un échange de méson. On peut faire une approximation grossière de la masse du méson de la manière suivante. Supposons que le proton à gauche dans la figure 15.9 est au repos. Pour que ce proton émette un méson, de l'énergie est requise (pour produire sa masse) qui devrait provenir de nulle part; un tel phénomène violerait la loi de la conservation de l'énergie. Toutefois, le principe d'incertitude permet la non-conservation de l'énergie pour une quantité ΔE pendant un temps Δt donné par $(\Delta E)(\Delta t) \approx h/2\pi$. Nous posons ΔE égale à l'énergie nécessaire pour créer la masse du méson: $\Delta E = mc^2$. Notons que ce phénomène ne transgresse la conservation de l'énergie que pendant l'existence du méson, ce qui correspond au temps Δt requis pour que le méson passe d'un nucléon à un autre. Si nous supposons que le méson voyage à une vitesse relativiste proche de la vitesse de la lumière c, alors Δt est au plus environ $\Delta t = d/c$, où d est la distance maximale séparant les nucléons en interaction. Nous avons donc:

$$\Delta E \Delta t \approx \frac{h}{2\pi}$$

$$mc^2\left(\frac{d}{c}\right) \approx \frac{h}{2\pi}$$

ou

$$mc^2 \approx \frac{hc}{2\pi d}. \qquad (15.3)$$

La portée de l'interaction forte est environ de $d \approx 1{,}5 \times 10^{-15}$ m (ceci est la distance maximale à laquelle elle peut être ressentie), et donc

$$mc^2 \approx \frac{(6{,}6 \times 10^{-34}\ \text{J}\cdot\text{s})(3{,}0 \times 10^{8}\ \text{m/s})}{(6{,}28)(1{,}5 \times 10^{-15}\ \text{m})} \approx 2{,}2 \times 10^{-11}\ \text{J} = 130\ \text{MeV}.$$

La masse du méson prédit qui transporte l'interaction forte serait donc très approximativement de 130 MeV/c^2 ou environ 250 fois la masse d'un électron de 0,51 MeV/c^2. (Notez, incidemment, que puisque la force électromagnétique a une portée infinie, $d = \infty$, l'équation 15.3 suppose que la particule échangée pour la force électromagnétique, soit le photon, a une masse au repos nulle.)

Tout comme les photons peuvent être observés en tant que particules libres ou agir comme particule virtuelle dans un échange, on supposa qu'il était aussi possible d'observer directement les mésons. On chercha à détecter de tels mésons dans la radiation cosmique qui pénètre dans l'atmosphère terrestre, en provenance du Soleil et d'autres sources dans l'Univers. En 1937, on découvrit une nouvelle particule dont la masse était de 106 MeV (207 fois la masse de l'électron), ce qui est très près de la masse prédite. On se rendit compte, toutefois, que cette nouvelle particule appelée **muon** (ou *méson mu*) n'interagissait pas fortement avec la matière. Elle pouvait donc difficilement jouer le rôle d'intermédiaire de la force nucléaire d'interaction forte si elle n'interagissait pas elle-même avec la matière par l'interaction forte. Le muon, qui peut avoir une charge +e ou −e et qui ressemble tout au plus à un électron massif, n'est donc pas la particule de Yukawa.

On trouva finalement, en 1947, la particule prédite par Yukawa. On l'appelle le «π» ou le méson pi, ou simplement le **pion**. Il existe sous trois états de charge: +e, −e ou 0. Le π^+ et le π^- ont une masse de 139,6 MeV/c^2 et le π^0, une masse de 135,0 MeV/c^2. Les trois états de charge interagissent fortement avec la matière. Peu après leur découverte dans les rayons cosmiques, on produisit des pions en laboratoire, à l'aide d'un accélérateur de particules. Les réactions observées comprenaient

$$\begin{aligned} p + p &\rightarrow p + p + \pi^0 \\ p + p &\rightarrow p + n + \pi^+. \end{aligned} \qquad (15.4)$$

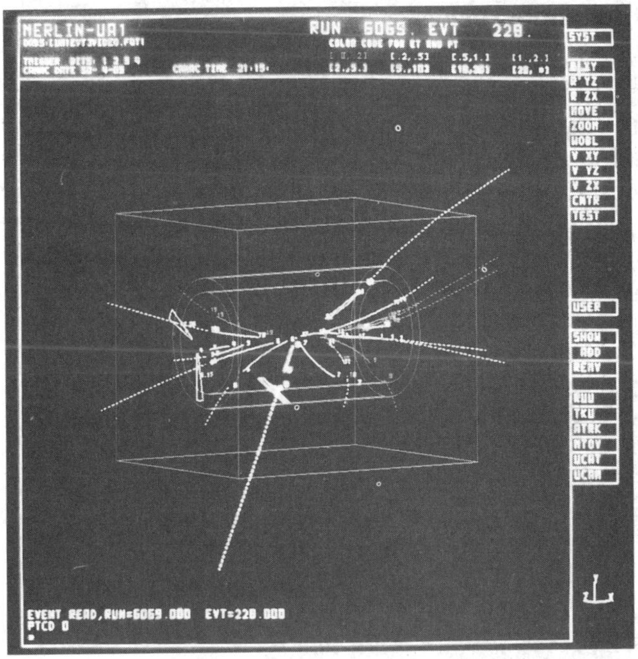

a)

b)

FIGURE 15.10 a) Reconstruction par ordinateur d'un événement de désintégration d'une particule W ($W \rightarrow e + \nu$) dans le détecteur UA1 au CERN. b) Photographie du détecteur UA1 au CERN, prise au moment de sa construction en 1980, montrant le mur de tubes photomultiplicateurs, à droite.

Le proton incident provenant de l'accélérateur dans de telles réactions doit avoir une énergie suffisante pour produire la masse additionnelle du pion. Plusieurs autres mésons, qu'on considéra aussi comme des intermédiaires de la force nucléaire d'interaction forte, furent découverts dans les années suivantes. Toutefois, la théorie récente de la chromodynamique quantique (CDQ), qui décrit l'interaction entre quarks, a remplacé les mésons par des *gluons* comme les médiateurs fondamentaux de l'interaction forte, comme nous le verrons à la section 15.9.

Jusqu'à maintenant nous avons traité des particules qui jouent le rôle d'intermédiaires des forces électromagnétique et nucléaire forte. Il existe cependant quatre types de force (ou d'interaction) connus dans la Nature. Qu'en est-il des deux autres types, la force nucléaire d'interaction faible et la gravité? Les théoriciens croient que ces forces agissent aussi par l'intermédiaire de particules. Les particules supposées transmettre la force d'interaction faible sont appelées W^+, W^- et Z^0. En 1983, après de longues recherches, la découverte tant attendue des particules W et Z^0 fut annoncée par Carlo Rubbia. Initiateur de la construction du collisionneur protons-antiprotons, appareil qui rendit possible cette découverte, au CERN, Carlo Rubbia dirigeait un important groupe de scientifiques (plus de 100) qui collaborèrent au projet (figure 15.10). Le quantum de la force gravitationnelle, appelée le **graviton**, n'a pas encore été observé. Le tableau 15.1 permet de comparer les quatre interactions, qui y sont énumérées dans l'ordre de leurs forces relatives (approximatives). Notez que même si la gravité est la force la plus facilement observable dans la vie de tous les jours (à cause de la masse énorme de la Terre), elle est de loin la plus faible des quatre forces à l'échelle nucléaire, et on peut presque toujours ignorer son effet.

TABLEAU 15.1
Les quatre forces de la Nature

Type	Force relative (approx.)	Particules du champ
Nucléaire forte	1	Mésons/gluons†
Électromagnétique	10^{-2}	Photon
Nucléaire faible	10^{-13}	$W^{\pm}$ et Z^0
Gravitationnelle	10^{-40}	Graviton (?)

† Voir la section 15.9.

15.3 Les particules et les antiparticules

Le positron, comme nous l'avons vu, est fondamentalement un électron positif. Autrement dit, plusieurs de ses propriétés sont identiques à celles de l'électron, notamment sa masse, mais il a une charge opposée. On dit que le positron est l'**antiparticule** de l'électron. Après la découverte du positron, en 1932, on prédit que les autres particules devaient aussi avoir leur antiparticule. En 1955, on découvrit l'antiparticule du proton, l'*antiproton* ($\overline{p}$) (figure 15.11). (La barre au-dessus du p indique qu'il s'agit d'une antiparticule.) Une grande quantité d'énergie fut nécessaire pour produire cette particule massive, qui a une masse identique à celle du proton. Sa découverte (par E. Segré et O. Chamberlain) fut faite seulement après l'achèvement du grand accélérateur (le Bevatron) à l'Université de Californie, à Berkeley aux États-Unis. Peu après, on découvrit l'antineutron ($\overline{n}$). La plupart des autres particules ont aussi des antiparticules. Toutefois, le photon, le π^0 et quelques autres particules n'ont pas d'antiparticule distincte, et on dit qu'elles sont leur propre antiparticule.

On peut produire des antiparticules dans les réactions nucléaires lorsqu'il y a suffisamment d'énergie disponible, mais elles ne survivent pas longtemps en présence de la matière. Par exemple, lorsqu'un positron rencontre un électron, les deux s'annihilent. L'énergie de leur masse disparue, qui s'ajoute à leur énergie cinétique, est convertie en énergie de rayons γ ou d'autres particules. Une telle annihilation se produit pour toutes les autres paires de particule-antiparticule.

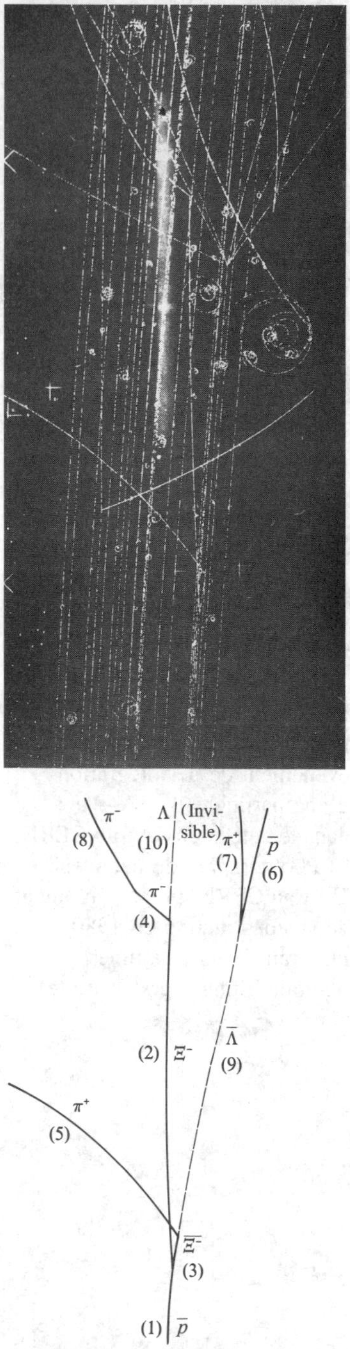

FIGURE 15.11 Collision, dans une chambre à bulles à hydrogène liquide, d'un antiproton ($\overline{p}$) avec un proton, produisant une paire d'hyperons ($\overline{p} + p \to \Xi^- + \overline{\Xi}^-$), qui se désintègrent ultérieurement en d'autres particules. Dans le dessin, les particules correspondent à chaque trace, et les parcours des particules neutres, à des lignes en tirets, ces particules ne produisant pas de bulles. (Gracieuseté du Brookhaven National Laboratory.)

15.4 Les interactions entre particules et les lois de la conservation

L'un des avantages importants des accélérateurs à haute énergie est de permettre l'étude des interactions entre particules élémentaires. Les lois de conservation sont des outils indispensables pour la quête d'un ordre dans ce monde subnucléaire. On trouve que les lois de la conservation de l'énergie, de la quantité de mouvement, du moment angulaire et de la charge électrique sont valides précisément dans toutes les interactions de particules. (Quoique le principe d'incertitude permette, par exemple, la non-conservation de l'énergie pendant des temps $\Delta t \approx h/2\pi\Delta E$, comme nous l'avons vu, ces temps sont beaucoup trop courts pour qu'on puisse les observer expérimentalement, et cette violation n'a jamais été détectée directement.)

L'étude des interactions entre particules a permis d'établir un certain nombre de nouvelles lois de la conservation. Nous traiterons maintenant de quelques-unes d'entre elles. Ces nouvelles lois de la conservation (tout comme les anciennes) sont des principes d'ordre: elles aident à expliquer pourquoi certaines réactions se produisent et non d'autres. Par exemple, on n'a jamais observé la réaction suivante:

$$p + n \not\rightarrow p + p + \overline{p},$$

même si la charge, l'énergie, et ainsi de suite, y sont conservées ($\overline{p}$ symbolise un antiproton et $\not\rightarrow$ signifie que la réaction ne se produit pas). Pour comprendre pourquoi la réaction ne se produit pas, les physiciens émirent l'hypothèse d'une nouvelle loi de la conservation, soit la conservation du **nombre de baryons**. (Le nombre de baryons est le même que le nombre de nucléons qui, comme nous l'avons vu à la section 13.7, est conservé dans les réactions nucléaires.) Un ajout important à cette loi tient dans l'hypothèse que si le nombre baryonique de tous les nucléons est de $B = +1$, le nombre baryonique de tous les antinucléons est de $B = -1$. La réaction précédente ne conserve pas le nombre baryonique. En effet, du côté gauche nous avons $B = (+1) + (+1) = +2$ et du côté droit, $B = (+1) + (+1) + (-1) = +1$. D'autre part, la réaction suivante conserve B et elle se produit si le proton incident a suffisamment d'énergie:

$$p + n \rightarrow p + n + \overline{p} + p$$
$$B = +1 + 1 = +1 + 1 - 1 + 1.$$

Comme cela est indiqué, $B = +2$ de chaque côté de l'équation. Sur la base de ces réactions et d'autres, on a établi que la conservation du nombre baryonique est une loi fondamentale de la physique.

D'autres lois de «nombre» utiles sont associées avec les interactions faibles, y compris les désintégrations. Dans une désintégration β ordinaire, un électron ou un positron est émis, ainsi qu'un neutrino ou un antineutrino. Dans un type similaire de désintégration, un muon est émis au lieu d'un électron. On observe que le neutrino (ν_e) qui accompagne un électron émis est différent du neutrino (ν_μ) qui accompagne un muon émis. Chacun de ces neutrinos possède son antiparticule, soit $\overline{\nu}_e$ pour le neutrino (ν_e) et $\overline{\nu}_\mu$ pour le neutrino (ν_μ). Dans une désintégration ordinaire β, nous avons, par exemple,

$$n \rightarrow p + e^- + \overline{\nu}_e,$$

mais jamais $n \rightarrow p + e^- + \overline{\nu}_\mu$ ou $n \rightarrow p + e^- + \overline{\nu}_e + \nu_e$. Pour expliquer pourquoi ces réactions ne se produisent pas, on a inventé le concept du nombre leptonique électronique, L_e. Si on donne la valeur $L_e = +1$ à l'électron (e^-) et au neutrino électronique (ν_e), la valeur $L_e = -1$ à e^+ et à $\overline{\nu}_e$ et la valeur $L_e = 0$ à toutes les autres particules, alors les désintégrations observées conservent L_e. Par exemple, dans la réaction $n \rightarrow p + e^- + \overline{\nu}_e$, $L_e = 0$ initialement, et $L_e = 0 + (+1) + (-1) = 0$ après la désintégration. On n'observe pas de désintégration qui tout en ne conservant pas L_e obéisse néanmoins aux autres lois de la conservation; on croit donc que L_e se conserve dans toutes les interactions.

Dans une désintégration comportant des muons, comme

$$\pi^+ \rightarrow \mu^+ + \nu_\mu,$$

un second nombre quantique, le nombre leptonique muonique (L_μ), est conservé. On assigne au μ^- et au ν_μ la valeur $L_\mu = +1$ et au μ^+ et au $\overline{\nu}_\mu$ la valeur $L_\mu = -1$, tandis que toutes les autres particules ont $L_\mu = 0$. On croit que L_μ est conservé aussi dans toutes les interactions ou désintégrations. De même, il existe un troisième nombre leptonique, L_τ, associé avec le lepton τ récemment découvert et son neutrino ν_τ.

Comme nous l'avons déjà vu, les antiparticules n'ont pas seulement des charges électriques opposées à celles de leurs particules respectives, mais aussi des nombres B, L_e, L_μ et L_τ opposés.

EXEMPLE 15.3 Laquelle des désintégrations suivantes du muon est possible: *a)* $\mu^- \rightarrow e^- + \overline{\nu}_e$; *b)* $\mu^- \rightarrow e^- + \overline{\nu}_e + \nu_\mu$; *c)* $\mu^- \rightarrow e^- + \overline{\nu}_e$? Toutes ces particules ont $L_\tau = 0$.

SOLUTION Un μ^- a $L_\mu = +1$ et $L_e = 0$. Ceci est l'état initial; l'état final (après la désintégration) doit aussi avoir $L_\mu = +1$ et $L_e = 0$. Dans *a*), l'état final a $L_\mu = 0 + 0 = 0$ et $L_e = +1 - 1 = 0$; L_μ ne serait donc pas conservé et, en effet, on n'a jamais observé cette désintégration. L'état final de *b*) a $L_\mu = 0 + 0 + 1 = +1$ et $L_e = +1 - 1 + 0 = 0$; ainsi L_μ et L_e sont tous les deux conservés. Ceci est en fait le mode de désintégration le plus fréquent du μ^-. Enfin *c*) ne se produit pas parce que L_e (= +2 dans l'état final) n'est pas conservé.

Des travaux théoriques récents laissent entrevoir que les lois de la conservation des nombres de baryons et de leptons sont approximatives plutôt qu'exactes, comme nous le verrons à la section 15.10.

15.5 La classification des particules

Au cours des décennies qui ont suivi la découverte du méson π vers la fin des années 1940, un grand nombre d'autres particules subnucléaires furent découvertes; on en compte maintenant des centaines. D'innombrables travaux théoriques et expérimentaux ont été entrepris dans le but de comprendre cette multitude de particules. La classification des particules selon leurs propriétés constitue un outil important pour cette recherche. On peut notamment classer les particules en catégories selon leurs interactions. En effet, toutes les particules n'interagissent pas avec chacune des quatre forces connues dans la Nature et on peut donc les classer selon ce critère. Le tableau 15.2 est une énumération de plusieurs des particules connues, classées selon ce critère, et de plusieurs de leurs propriétés. Les particules énumérées sont celles qui sont stables et celles qui, bien qu'elles soient instables, ne se désintègrent pas au moyen de l'interaction forte (voir la section suivante ainsi que le tableau 15.4). En haut du tableau on

TABLEAU 15.2
Particules élémentaires (stables sous l'interaction forte)†

Catégorie	Nom de la particule	Symbole	Antiparticule	Masse au repos (MeV/c^2)	B	L_e	L_μ	L_τ	S	Durée de vie§§	Principaux modes de désintégration
Bosons de jauge	Photon	γ	γ	0	0	0	0	0	0	Stable	
	W	W^+	W^-	82×10^3	0	0	0	0	0	$\gtrsim 10^{-25}$	$e\nu_e$, $\mu\nu_\mu$, $\tau\nu_\tau$, hadrons
	Z	Z^0	Z^0	93×10^3	0	0	0	0	0	$\gtrsim 10^{-25}$	e^+e^-, $\mu^+\mu^-$, $\tau^+\tau^-$, hadrons
Leptons	Électron	e^-	e^+	0,511	0	+1	0	0	0	Stable	
	Neutrino (e)	ν_e	$\overline{\nu}_e$	0 (?§	0	+1	0	0	0	Stable	
	Muon	μ^-	μ^+	105,7	0	0	+1	0	0	$2{,}20 \times 10^{-6}$	$e^-\overline{\nu}_e\nu_\mu$
	Neutrino (μ)	ν_μ	$\overline{\nu}_\mu$	0 (?)§	0	0	+1	0	0	Stable	
	Tauon	τ^-	τ^+	1784,	0	0	0	−1	0	3×10^{-13}	$\mu^-\overline{\nu}_\mu\nu_\tau$, $e^-\overline{\nu}_e\nu_\tau$, hadrons + ν_τ
	Neutrino (τ)	ν_τ	$\overline{\nu}_\tau$	0 (?)§	0	0	0	−1	0	Stable	
Hadrons											
Mésons	Pion	π^+	π^-	139,6	0	0	0	0	0	$2{,}60 \times 10^{-8}$	$\mu^+\nu_\mu$
		π^0	π^0	135,0	0	0	0	0	0	$0{,}83 \times 10^{-16}$	2γ
	Kaon	K^+	K^-	493,7	0	0	0	0	+1	$1{,}24 \times 10^{-8}$	$\mu^+\nu_\mu$, $\pi^+\pi^0$
		K_S^0	$\overline{K}_S^0$	497,7	0	0	0	0	+1	$0{,}89 \times 10^{-10}$	$\pi^+\pi^-$, $2\pi^0$
		K_L^0	$\overline{K}_L^0$	497,7	0	0	0	0	+1	$5{,}2 \times 10^{-8}$	$\pi^\pm e^\mp \overset{(-)}{\nu}_e$, $\pi^\pm\mu^\mp \overset{(-)}{\nu}_\mu$, 3π
	Êta	η^0	η^0	548,8	0	0	0	0	0	$<10^{-18}$	2γ, $3\pi^0$, $\pi^+\pi^-\pi^0$
Baryons	Proton	p	$\overline{p}$	938,3	+1	0	0	0	0	Stable‡	
	Neutron	n	$\overline{n}$	939,6	+1	0	0	0	0	900	$pe^-\overline{\nu}_e$
	Lambda	Λ^0	$\overline{\Lambda}^0$	1115,6	+1	0	0	0	−1	$2{,}6 \times 10^{-10}$	$p\pi^-$, $n\pi^0$
	Sigma	Σ^+	$\overline{\Sigma}^-$	1189,4	+1	0	0	0	−1	$0{,}80 \times 10^{-10}$	$p\pi^0$, $n\pi^+$
		Σ^0	$\overline{\Sigma}^0$	1192,5	+1	0	0	0	−1	6×10^{-20}	$\Lambda^0\gamma$
		Σ^-	$\overline{\Sigma}^+$	1197,3	+1	0	0	0	−1	$1{,}5 \times 10^{-10}$	$n\pi^-$
	Xi	Ξ^0	$\overline{\Xi}^0$	1315	+1	0	0	0	−2	$2{,}9 \times 10^{-10}$	$\Lambda^0\pi^0$
		Ξ^-	Ξ^+	1321	+1	0	0	0	−2	$1{,}64 \times 10^{-10}$	$\Lambda^0\pi^-$
	Oméga	Ω^-	Ω^+	1672	+1	0	0	0	−3	$0{,}82 \times 10^{-10}$	$\Xi^0\pi^0$, Λ^0K^-

† Voir aussi le tableau 15.4 pour les particules avec charme ou beauté.

‡ $>2{,}5 \times 10^{32}$ années pour $p \to \pi^0 e^+$, $>3{,}6 \times 10^{32}$ années pour $p \to e^+\gamma$, des limites plus basses pour les autres modes possibles.

§ Les limites supérieures pour les masses des neutrinos d'après les dernières expériences (1988) sont: $m_{\nu_e} \lesssim 20$ eV/c^2
$m_{\nu_\mu} \lesssim 250$ keV/c^2
$m_{\nu_\tau} \lesssim 70$ MeV/c^2.

§§ Durée de vie moyenne, $\tau = \frac{1}{\lambda} = T_{\frac{1}{2}}/\ln 2$ (voir la section13.8 et le problème 55 au chapitre 13).

trouve les **bosons de jauge** (ainsi nommés† d'après la «théorie de la jauge», qui les décrit) qui comprennent le *photon* et les particules *W* et *Z* qui transportent l'interaction électromagnétique et l'interaction faible, respectivement.

Ensuite, dans le tableau 15.2, viennent les **leptons**; ces particules n'interagissent pas par la force nucléaire d'interaction forte mais par l'interaction faible (ainsi que par la force gravitationnelle beaucoup plus faible); ceux qui transportent une charge électrique interagissent aussi par la force électromagnétique. Les leptons comprennent l'électron, le muon et le tauon (ou τ, découvert en 1976, et plus de 3000 fois plus lourd que l'électron), et trois types de neutrino: le neutrino électronique (ν_e), le neutrino muonique (ν_μ) et le neutrino taunique (ν_τ). Leurs antiparticules respectives sont indiquées au tableau 15.2.

La troisième catégorie de particules du tableau 15.2 comprend les **hadrons**. Les hadrons sont les particules qui peuvent interagir par la force d'interaction nucléaire forte. On dit donc qu'elles sont des **particules interagissant fortement**. Elles interagissent aussi par les autres forces, mais la force d'interaction forte prédomine aux courtes distances. Les hadrons comprennent les nucléons, les pions et un grand nombre d'autres particules. On les divise en deux sous-groupes‡: les **baryons**, qui sont ces particules dont le nombre baryonique est +1 (ou −1 dans le cas de leurs antiparticules), et les **mésons**, dont le nombre baryonique est 0.

Notez que les baryons Λ, Σ, Ξ et Ω se désintègrent tous en baryons plus légers et éventuellement en un proton ou un neutron. Tous ces processus conservent le nombre baryonique. Comme il n'existe pas de particule plus légère que le proton avec $B = +1$, si le nombre baryonique est strictement conservé, le proton lui-même ne peut pas se désintégrer et reste stable (voir toutefois la section 15.10).

15.6 Les particules instables et les résonances

Plusieurs des particules énumérées dans le tableau 15.2 sont instables. La durée de vie d'une particule instable dépend de la force qui prend la part la plus active dans sa désintégration. Lorsqu'on dit que l'interaction forte est plus forte que l'interaction électromagnétique, on veut dire que les deux particules interagissent plus fortement et plus rapidement si c'est cette première qui agit. Lorsqu'une interaction plus forte cause une désintégration, cette désintégration se produit plus rapidement. Les désintégrations causées par la force d'interaction faible ont des durées de vie typiques de 10^{-13} s ou plus; les particules qui se désintègrent par la force électromagnétique ont des durées de vie beaucoup plus courtes, typiquement d'environ 10^{-16} à 10^{-19} s. (Les particules *W* et *Z* constituent à cet égard des exceptions; en effet, elles se désintègrent par la force d'interaction faible, mais elles ont des durées de vie très courtes en raison de leur nature spéciale en tant que particules d'échange§.) Les particules instables énumérées au tableau 15.2 se désintègrent par interaction faible ou électromagnétique. Celles qui incluent un γ (photon) sont électromagnétiques (comme $\pi^0 \to 2\gamma$). Les autres particules énumérées se désintègrent par interaction faible, donnant souvent, dans l'état final, un

† Les bosons sont des particules qui ne sont pas régies par le principe d'exclusion de Pauli (sections 11.4 et 12.6).

‡ Originellement, on divisait les particules selon leur masse en leptons (c'est-à-dire en «particules légères»), en baryons (c'est-à-dire en «particules lourdes») et en mésons (c'est-à-dire en particules de masse «intermédiaire»). La nouvelle classification selon leurs interactions ne s'accorde pas toujours avec l'ancienne. Le muon, par exemple, s'appelle maintenant un lepton (il n'interagit pas fortement), quoiqu'on l'appelait autrefois le méson mu à cause de sa masse. D'autres exceptions sont les particules ψ, qui sont très lourdes, mais qui ont un $B = 0$ et qui sont donc classées comme des mésons (section 15.8), et le τ, qui est un lepton quoiqu'il soit plus lourd que certains baryons.

§ Brièvement, le diagramme de Feynman pour la plupart des désintégrations suppose deux «vertex» reliés par une particule d'échange, très semblables à ceux des figures 15.8 et 15.9. Les particules *W* et *Z*, étant elles-mêmes des particules d'échange, peuvent se désintégrer avec un seul vertex et la désintégration peut se produire beaucoup plus rapidement. De plus, la masse énorme du *W* et du *Z* leur permet de se désintégrer dans une diversité de particules différentes, ce qui contribue à accélérer la désintégration.

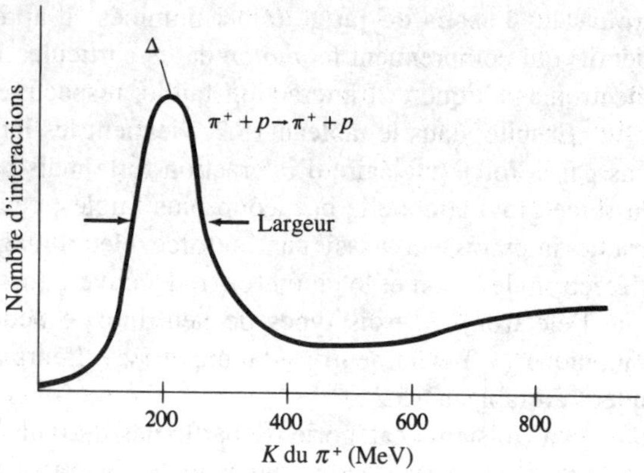

FIGURE 15.12 Nombre de π^+ diffusés par une cible de protons en fonction de l'énergie cinétique incidente du π^+.

neutrino qui n'interagit que par interaction faible; $\pi^+ \to \mu^+ \nu_\mu$ et $\Sigma^- \to n\pi^-$ en sont des exemples.

On a trouvé un grand nombre de particules qui se désintègrent par interaction forte, mais qui ne sont pas énumérées au tableau 15.2. Ces particules se désintègrent en d'autres particules interagissant fortement (par exemple, n, p, π, mais non γ, e, ν, et ainsi de suite) et leurs durées de vie sont très courtes, typiquement de 10^{-23} s. En fait, leurs durées de vie sont si courtes qu'elles ne vont pas assez loin pour être détectées avant de se désintégrer. Leurs produits de désintégration peuvent toutefois être détectés, et c'est à partir de ceux-ci qu'on infère l'existence de ces particules de courtes durées de vie. Voyons cela en considérant la première de ces particules à être découverte (par Fermi). Fermi utilisa un faisceau de π^+ dirigé vers une cible d'hydrogène (protons) à des énergies variables. La figure 15.12 est un graphique du nombre d'interactions (π^+ diffusé) en fonction de l'énergie cinétique du pion. Le pic large vers 200 MeV était beaucoup plus élevé que prévu et certainement beaucoup plus élevé que le nombre d'interactions aux énergies voisines. Ceci mena Fermi à penser que le π^+ et le proton se combinaient momentanément pour former une particule de courte durée de vie avant de se désintégrer à nouveau, ou qu'au moins ils résonnaient ensemble pendant un court temps. En effet, le pic large de la figure 15.12 ressemble à une courbe de résonance (voir les figures 15.14 du tome 1 et 11.8 du tome 2); on nomme d'ailleurs cette nouvelle «particule» (maintenant appelée Δ) une **résonance**. Des centaines d'autres résonances ont été trouvées de façon similaire. Plusieurs de ces résonances sont considérées comme des états excités d'autres particules comme le nucléon (proton ou neutron).

La largeur de ces résonances (dans la figure 15.12, la largeur du pic Δ est de l'ordre de 100 MeV) est une conséquence directe du principe d'incertitude. Si une particule ne survit que 10^{-23} s, alors sa masse (c'est-à-dire son énergie au repos) est incertaine d'une quantité $\Delta E \approx h/2\pi\Delta t \approx (6{,}6 \times 10^{-34}\ \mathrm{J \cdot s})/(6)(10^{-23}\ \mathrm{s}) \approx 10^{-11}\ \mathrm{J} \approx 100\ \mathrm{MeV}$, ce qui correspond à la valeur observée. En fait, on infère des durées de vie de $\approx 10^{-23}$ s pour de telles particules par le procédé inverse: à partir de la largeur mesurée de la résonance qui est de $\approx$100 MeV.

15.7 Les particules étranges

Au début des années 1950, on trouva que certaines des particules nouvellement découvertes, particulièrement les K, Λ et Σ, se comportaient plutôt étrangement de deux manières. D'abord, elles étaient toujours produites par paires. Par exemple, la réaction

$$\pi^- + p \to K^0 + \Lambda^0$$

se produisait avec une grande probabilité, mais la réaction $\pi^- + p \to K^0 + n$ n'était jamais observée; ceci paraissait étrange puisque cette réaction non observée n'aurait violé aucune loi de la conservation et qu'il y avait suffisamment d'énergie disponible. Seconde caractéristique de ces *particules étranges* (comme on les appela), elles ne se désintégraient pas à un taux caractéristique de l'interaction forte même si elles se désintégraient seulement en particules interagissant fortement (par exemple $K \rightarrow 2\pi$, $\Sigma^+ \rightarrow p + \pi^0$, bien qu'elles étaient clairement produites par la force d'interaction forte (c'est-à-dire, à un taux élevé). Au lieu des durées de vie de 10^{-23} s prévues pour les particules interagissant fortement, les particules étranges ont des durées de vie de 10^{-10} à 10^{-8} s qui sont caractéristiques de l'interaction faible.

Pour rendre compte de ces observations, un nouveau nombre quantique, l'**étrangeté**, et une nouvelle loi de la conservation, la conservation de l'étrangeté, fut introduite. En assignant les valeurs d'étrangeté (S) indiquées au tableau 15.2, on expliqua facilement la production des particules étranges par paires. On assigna aux antiparticules des étrangetés opposées à celles de leurs particules; on assigna $S = +1$ à une des particules de chaque paire et $S = -1$, à l'autre (voir le tableau 15.2). Par exemple, dans la réaction $\pi^- + p \rightarrow K^0 + \Lambda^0$, l'état initial a l'étrangeté $S = 0 + 0 = 0$ et l'état final a l'étrangeté $S = +1 - 1 = 0$, de sorte que l'étrangeté est conservée. Toutefois, pour $\pi^- + p \rightarrow K^0 + n$, l'état initial a $S = 0$ et l'état final a $S = +1 + 0 = +1$; l'étrangeté n'est donc pas conservée et cette réaction n'est pas observée.

Pour expliquer la désintégration des particules étranges, on suppose que l'étrangeté est conservée dans les interactions fortes mais *non* dans les interactions faibles. Ainsi, quoique la conservation de l'étrangeté interdit aux particules étranges de se désintégrer en particules non étranges de plus petites masses par interaction forte, elles peuvent néanmoins se désintégrer en de telles particules par interaction faible. Ceci se produit beaucoup plus lentement, bien entendu, ce qui explique leurs durées de vie plus longues de 10^{-10} à 10^{-8} s.

L'étrangeté fut le premier exemple de quantité «partiellement conservée». En ce cas, l'étrangeté est conservée par l'interaction forte mais non par l'interaction faible.

15.8 Les quarks et le charme

Toutes les particules observées se divisent en deux catégories: les *fermions* (qui obéissent au principe d'exclusion de Fermi) et les *bosons* (qui n'y obéissent pas). (Voir les sections 11.4 et 12.6.) Les fermions se subdivisent ensuite en deux groupes: les leptons et les hadrons (tableau 15.2). La différence principale entre ces deux groupes est que, contrairement aux leptons, les hadrons interagissent par la force d'interaction forte. Une autre différence importante, qui intrigua les physiciens des années 1960, était qu'il n'y avait que quatre leptons connus (e^-, μ^- et ν_e, ν_μ; les leptons τ et ν_τ n'avaient pas encore été découverts) alors qu'il existait plus d'une centaine d'hadrons.

On considère les leptons comme des particules élémentaires véritables, car elles ne semblent pas être composées d'entités plus petites, elles ne présentent pas de structure interne et elles n'ont pas de taille mesurable. (Les tentatives de détermination de la taille des leptons se sont soldées par une limite supérieure de 10^{-18} m.)

Les hadrons, par contre, sont plus complexes. Les expériences montrent qu'ils ont une structure interne. Par ailleurs, le fait qu'ils sont si nombreux laisse croire qu'ils ne peuvent pas être tous élémentaires. Pour résoudre ce problème, M. Gell-Mann et G. Zweig, chacun de leur côté, émirent l'hypothèse, en 1963, qu'aucun des hadrons observés jusqu'à maintenant n'était élémentaire et que les hadrons étaient composés de trois entités ponctuelles, plus fondamentales, appelées **quarks**†. Les quarks sont alors considérés comme de véritables particules élémentaires, comme les leptons. On désigna les trois quarks par les lettres *u*, *d* et *s* et on leur donna les noms anglais *up*, *down* et *sideways* (ou plus fréquemment aujourd'hui *strange* ou, en français, *étrange*). On supposa qu'ils portaient des charges fractionnelles ($\frac{1}{3}$ ou $\frac{2}{3}$ de la charge d'un

† Gell-Mann aurait pris ce mot dans une phrase de *Finnegan's Wake* de James Joyce: «Three quarks for Muster Mark.»

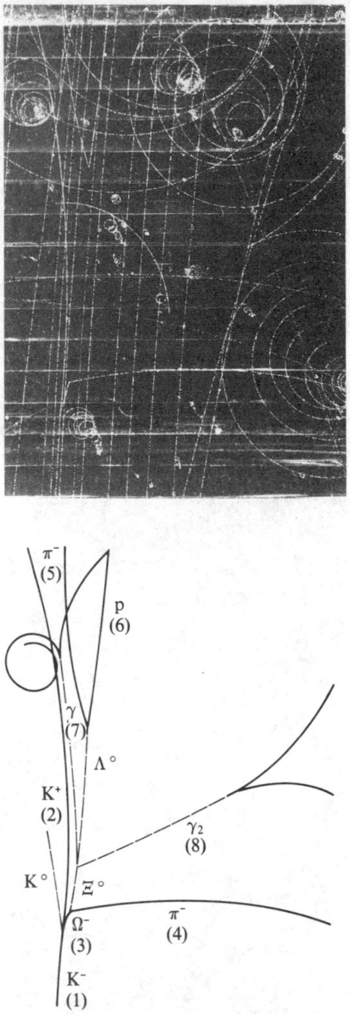

FIGURE 15.13 Photographie, dans une chambre à bulles à hydrogène liquide, montrant la production d'un baryon oméga chargé négativement (Ω^-) par l'interaction d'un *méson K* négatif (K^-) avec un proton (un noyau d'hydrogène dans la chambre à bulles). (Gracieuseté du Brookhaven National Laboratory.)

électron, c'est-à-dire moins que la charge qu'on supposait auparavant la plus petite possible). D'autres propriétés des quarks et des antiquarks sont indiquées au tableau 15.3. Tous les hadrons connus à cette époque pouvaient, en théorie, être construits avec ces trois types de quarks. D'autre part, les mésons consistent en une paire quark-antiquark. Par exemple, on considère un méson π^+ comme une paire $u\bar{d}$ (notez que, pour la paire $u\bar{d}$, $Q = \frac{2}{3}e + \frac{1}{3}e = +1e$, $B = \frac{1}{3} - \frac{1}{3} = 0$, $S = 0 + 0 = 0$, comme il se doit pour un π^+). Quant au K^+, on écrit $K^+ = u\bar{s}$ avec $Q = +1$, $B = 0$, $S = +1$. Les baryons, d'autre part, sont constitués de trois quarks; par exemple, un neutron est $n = ddu$ alors qu'un antiproton est $\bar{p} = \bar{u}\bar{u}\bar{d}$.

Peu après l'émission de la théorie des quarks, les physiciens commencèrent à rechercher de telles particules avec des charges fractionnelles. Bien qu'il existe des preuves expérimentales indirectes de l'existence des quarks, on ne les a pas encore détectés directement. En fait, plusieurs observations semblent montrer que les quarks sont liés si étroitement ensemble qu'ils n'existent peut-être jamais à l'état libre.

En 1964, plusieurs physiciens émirent l'hypothèse qu'il devait exister un quatrième quark. Ils basaient cette hypothèse sur la supposition qu'il existe une symétrie profonde dans la Nature, y compris un lien entre les quarks et les leptons. S'il existe quatre leptons (comme on le pensait en 1960), alors cette symétrie de la Nature suggérait qu'il devait aussi exister quatre quarks. Ce quatrième quark prit le nom de quark *charmé.* Des mêmes arguments de symétrie, on déduisit que sa charge était de $+\frac{2}{3}e$. On supposa aussi qu'une autre propriété le distinguait des autres quarks. On appela **charme** cette nouvelle propriété, ou nombre quantique (tableau 15.3), le nouveau quark charmé portant un charme $C = +1$ et son antiquark, $C = -1$. De plus, on supposa que le charme, comme l'étrangeté, se conservait dans les interactions fortes et électromagnétiques, mais non dans les interactions faibles.

Expérimentalement, toutefois, on n'avait nullement besoin de ce quark charmé. Avant 1974, tous les hadrons connus pouvaient s'expliquer comme des combinaisons des trois quarks originaux. En fait, on avait trouvé des hadrons correspondant à toutes les combinaisons de ces trois quarks et de leurs antiquarks. De plus, la théorie à trois quarks avait pu prédire l'existence du baryon Ω^- ($\Omega^- = sss$) qui fut découvert peu après (figure 15.13). Cependant, en 1974, un nouveau méson lourd fut découvert simultanément par deux groupes différents d'expérimentateurs. Ce nouveau méson, appelé le J/ψ (ou simplement ψ) n'était pas conforme au vieux schéma à trois quarks. Le J/ψ, dont la masse était de 3100 MeV/c^2, donc de beaucoup supérieure à celles de tous les autres mésons, ne pouvait pas non plus être un état excité d'un méson de plus petite masse (vers lequel il se désintègrerait) parce que sa durée de vie aurait alors été d'environ 10^{-23} s. En fait, on trouva que sa durée de vie était 1000 fois supérieure à cette valeur, environ 10^{-20} s. Il devint rapidement clair que l'existence du J/ψ pouvait s'expliquer grâce au quark charmé; un J/ψ serait une combinaison d'un quark charmé et de son antiquark ($c\bar{c}$). Le charme du J/ψ lui-même est zéro ($C = +1 - 1 = 0$), de sorte qu'il peut se désintégrer, par interaction forte, en hadrons (comme plusieurs pions, $p\bar{p}$, $\Lambda\bar{\Lambda}$, etc.), conformément aux observations. Sa durée de vie 1000 fois supérieure à celle des autres particules se désintégrant par interaction forte s'explique, en théorie, par le fait que les quarks c et $\bar{c}$ qui le composent doivent chacun être converti en quark non charmé pour former les hadrons observés après la désintégration. Ce phénomène diminuerait le taux auquel la désintégration se produirait, si bien que le modèle du quark charmé fournit une explication utile.

Peu après la découverte du J/ψ, un méson similaire, appelé le ψ', fut découvert, avec une masse d'environ 3685 MeV/c^2. Plusieurs autres mésons similaires au ψ furent aussi découverts et on croit qu'ils sont tous des états liés d'une paire $c\bar{c}$.

Quoique le méson J/ψ et ses semblables ne portent eux-mêmes aucun charme net, il est raisonnable de penser que la désintégration de l'une des combinaisons $c\bar{c}$ de plus grande masse pourra produire des mésons qui ont un charme. Autrement dit, les quarks c et $\bar{c}$ du méson initial devraient apparaître dans des particules séparées

TABLEAU 15.3
Propriétés des quarks et des antiquarks

Quarks								
Nom	**Symbole**	**Spin**	**Charge**	**Nombre baryonique**	**Étrangeté**	**Charme**	**Beauté**	**Vérité**
«Up»	u	$\frac{1}{2}$	$+\frac{2}{3}e$	$\frac{1}{3}$	0	0	0	0
«Down»	d	$\frac{1}{2}$	$-\frac{1}{3}e$	$\frac{1}{3}$	0	0	0	0
Étrange	s	$\frac{1}{2}$	$-\frac{1}{3}e$	$\frac{1}{3}$	-1	0	0	0
Charmé	c	$\frac{1}{2}$	$+\frac{2}{3}e$	$\frac{1}{3}$	0	+1	0	0
Beau	b	$\frac{1}{2}$	$-\frac{1}{3}e$	$\frac{1}{3}$	0	0	-1	0
Vrai	t	$\frac{1}{2}$	$+\frac{2}{3}e$	$\frac{1}{3}$	0	0	0	+1

Antiquarks								
Nom	**Symbole**	**Spin**	**Charge**	**Nombre baryonique**	**Étrangeté**	**Charme**	**Beauté**	**Vérité**
«Up»	$\bar{u}$	$\frac{1}{2}$	$-\frac{2}{3}e$	$-\frac{1}{3}$	0	0	0	0
«Down»	$\bar{d}$	$\frac{1}{2}$	$+\frac{1}{3}e$	$-\frac{1}{3}$	0	0	0	0
Étrange	$\bar{s}$	$\frac{1}{2}$	$+\frac{1}{3}e$	$-\frac{1}{3}$	+1	0	0	0
Charmé	$\bar{c}$	$\frac{1}{2}$	$-\frac{2}{3}e$	$-\frac{1}{3}$	0	-1	0	0
Beau	$\bar{b}$	$\frac{1}{2}$	$+\frac{1}{3}e$	$-\frac{1}{3}$	0	0	+1	0
Vrai	$\bar{t}$	$\frac{1}{2}$	$-\frac{2}{3}e$	$-\frac{1}{3}$	0	0	0	-1

pour leur conférer un charme de +1 ou -1. Dans un tel phénomène de désintégration, d'autres quarks seraient aussi produits. Par exemple, la désintégration

$$\psi \rightarrow D^+ + D^-$$

pourrait se produire selon le processus

$$\psi = c\bar{c} \rightarrow c\bar{c}d\bar{d} \rightarrow c\bar{d} + \bar{c}d.$$

La production des quarks $d\bar{d}$ à la troisième étape nécessite de l'énergie; comme les quarks d et $\bar{d}$ ont des nombres quantiques et des charges opposés, aucune loi de la conservation n'est violée et il faut seulement de l'énergie pour produire leur masse. La combinaison $c\bar{d}$ qui a $Q = +1$, $B = 0$, $S = 0$, $C = +1$, a été nommée le méson D^+, et $\bar{c}d$ est son antiparticule, D^-. Ces mésons, de même que leur contrepartie neutre, D^0, furent découverts en 1977 à une masse d'environ 1870 MeV$/c^2$. Des expériences plus récentes indiquent qu'il existe aussi des baryons charmés. On trouvera une liste de quelques-unes de ces nouvelles particules au tableau 15.4.

Vers la même époque, on découvrit des preuves très probantes de l'existence du lepton tauon (τ), avec une masse de 1784 MeV$/c^2$. Ce lepton, tout comme l'électron et le muon, possède vraisemblablement un neutrino associé. Ainsi, on croit donc maintenant que la famille des leptons comprend six membres. L'équilibre numérique est ainsi rompu entre les leptons et les quarks, à moins qu'il n'existe deux nouveaux quarks. Les théoriciens ont donc postulé l'existence d'un cinquième et d'un sixième quarks. Ceux-ci furent nommés en anglais les quarks *top* et *bottom*, car ils sont analogues aux quarks «up» et «down». (Certains physiciens préfèrent les noms *vérité* et *beauté* pour ces quarks t et b.) Les noms s'appliquent aussi aux nouvelles propriétés (nombres quantiques) qui distinguent les nouveaux quarks des quarks déjà connus. (Ces nombres figurent dans le tableau 15.3.) On a en effet détecté, à environ 9400 MeV$/c^2$, un autre nouveau méson, Υ (upsilon), considéré comme une combinaison $b\bar{b}$. En 1983, on a observé le méson B, porteur de «beauté», et qui consiste seulement en un quark b plus un antiquark autre que $\bar{b}$. Il n'existe pas encore de preuve expérimentale ferme (en 1993) de l'existence du quark t.

TABLEAU 15.4
Liste partielle des hadrons porteurs de charme ou de beauté ($L_e = L_\mu = L_\tau = 0$)

Catégorie	Particule	Antiparticule	Masse au repos (MeV/c^2)	Nombre baryonique	Étrangeté	Charme	Beauté	Durée de vie (s)	Principaux modes de désintégration
Mésons	D^+	D^-	1869	0	0	+1	0	9×10^{-13}	K + autres, e + autres
	D^0	$\overline{D}^0$	1865	0	0	+1	0	4×10^{-13}	K + autres
	D_S^+	D_S^-	1971	0	+1	+1	0	$\sim 3 \times 10^{-13}$	$K\overline{K}\pi$, $K\overline{K}3\pi$, $\eta\pi$, $\eta 3\pi$
	J/ψ (3097)	J/ψ (3097)	3097	0	0	0	0	$\sim 1 \times 10^{-20}$	Hadrons, e^+e^-, $\mu^+\mu^-$
	ψ' (3685)	ψ' (3685)	3686	0	0	0	0	$\sim 3 \times 10^{-21}$	$J/\psi\pi\pi$, hadrons, e^+e^-, $\mu^+\mu^-$
	Υ	Υ	9460	0	0	0	0	$\sim 1 \times 10^{-20}$	Hadrons, $\mu^+\mu^-$, e^+e^-, $\tau^+\tau^-$
	B^-	B^+	5271	0	0	0	−1	2×10^{-12}	D^0 + autres
	B^0	$\overline{B}^0$	5275	0	0	0	−1	2×10^{-12}	D^0 + autres
Baryons	Λ_C^+	Λ_C^-	2284	+1	0	+1	0	$1{,}8 \times 10^{-13}$	Hadrons (ex.: Λ + autres)
	Σ_C^{++}	Σ_C^{--}	2451	+1	0	+1	0	?	$\Lambda_C^+ \pi^+$
	Σ_C^+	Σ_C^-	2452	+1	0	+1	0	?	$\Lambda_C^+ \pi^0$
	Σ_C^0	$\overline{\Sigma}_C^0$	2462	+1	0	+1	0	?	$\Lambda_C^+ \pi^-$

On considère aujourd'hui que les particules élémentaires «authentiques» sont les 6 quarks, les 6 leptons et les bosons gauge qui transportent les forces fondamentales. Voir le tableau 15.5.

15.9 Le «modèle normalisé»: la chromodynamique quantique (CDQ) et la théorie électrofaible

Peu après l'apparition de la théorie des quarks, on émit l'hypothèse que les quarks possédaient une autre propriété (ou qualité) appelée la **couleur**. La distinction entre les six quarks (u, d, s, c, b, t) fut nommée **saveur**. Selon la théorie, chacune des saveurs de quark peut se présenter sous la couleur rouge, verte ou bleue. (Notez que les dénominations «couleur» et «saveur» n'ont rien à voir avec nos sens: elles sont purement fantaisistes, de même que les autres dénominations comme «charme» dans ce nouveau domaine.) Les antiquarks sont antirouges, antiverts ou antibleus. Les baryons sont composés de trois quarks, un de chaque couleur. Les mésons consistent en une paire quark-antiquark d'un couleur particulière et de son anticouleur. Ainsi, les baryons et les mésons sont toujours blancs ou sans couleur.

Originellement, on avait émis l'idée de la couleur des quarks pour sauvegarder le principe d'exclusion de Pauli (section 11.4), qui s'applique aux fermions comme les électrons et les nucléons. Les quarks aussi sont des fermions (ils ont un spin $\frac{1}{2}$) et devraient donc obéir au principe d'exclusion. Cependant, pour trois baryons particuliers (*uuu*, *ddd*, *sss*), les trois quarks auraient les mêmes nombres quantiques, et au moins deux d'entre eux ont leur spin dans la même direction (puisqu'il n'y a que deux directions possibles, spin en haut [$m_s = +\frac{1}{2}$] ou spin en bas [$m_s = -\frac{1}{2}$]. Ceci semble à première vue violer le principe d'exclusion, mais si les quarks portent un nombre quantique additionnel (la couleur) qui puisse être différent pour chaque quark d'un hadron donné, ceci permettrait de les distinguer et de satisfaire le principe d'exclusion. Bien que la couleur des quarks, et l'augmentation résultante du nombre de quarks (trois fois), était ainsi initialement une idée *ad hoc*, elle servit aussi à rendre la théorie plus conforme à l'expérience, par exemple pour prédire la durée de vie correcte du méson π^0. L'idée de la couleur devint bientôt, en outre, une caractéristique centrale de la théorie, qui explique la force de liaison tenant ensemble les quarks dans un hadron. On suppose que chaque quark porte une *charge de couleur*, analogue à la charge électrique, et on se réfère souvent à la force d'interaction forte entre les quarks comme la **force de couleur**. Cette nouvelle théorie de la force d'interaction forte est appelée la **chromodynamique quantique** (du grec *chromos* pour couleur) ou CDQ, pour indiquer que la force agit entre des charges de couleur (et non entre, disons, des charges

TABLEAU 15.5
Les particules élémentaires† (en 1992)

Quarks:	u, d,	s, c,	b, (t)
Leptons:	e, ν_e,	μ, ν_μ,	τ, (ν_τ)
Bosons de jauge:	graviton; γ;	Z^0, $W^\pm$;	gluons

† Notez que les quarks et les leptons se classent naturellement en trois familles. Les bosons de jauge sont présentés selon l'interaction qu'ils transmettent, de la plus faible (gravitation) à la plus forte (nucléaire forte).

électriques). On considère que la force d'interaction forte entre les hadrons† est due à la force entre les quarks qui les constituent, comme le suggère la figure 15.14. Les particules qui transmettent la force (analogues aux photons pour la force électromagnétique) sont appelées des **gluons** (du mot anglais «glue» qui signifie colle). Ceux-ci apparaissent, avec les autres bosons de jauge, au tableau 15.5. Théoriquement, il y a huit gluons, tous sans masse, dont six portent des charges de couleur‡. Les gluons ont donc remplacé les mésons (tableau 15.1) comme particules transportant la force d'interaction forte (de couleur).

Une propriété intéressante de la force de couleur est qu'elle augmente avec la distance; au fur et à mesure que deux quarks s'approchent de très près l'un de l'autre (ou, de façon équivalente, ont de hautes énergies), la force entre eux s'approche de zéro; on appelle cette propriété la **liberté asymptotique**.

Comme nous l'avons vu, on considère que les particules W^+, W^- et Z^0 jouent le rôle d'intermédiaires de la force d'interaction faible. Celle-ci agit sur la «charge faible» de chacune des particules. Chaque particule élémentaire possède donc une charge électrique, une charge faible, une charge de couleur et une masse gravitationnelle, quoique, pour une particule donnée, l'une ou plusieurs de ces valeurs puissent être nulles. Par exemple, tous les leptons ont une charge de couleur nulle, de sorte qu'ils n'interagissent pas par interaction forte.

En résumé, les théories les plus récentes considèrent que les particules élémentaires authentiques sont les leptons, les quarks et les bosons jauges (photon, W et Z et les gluons), et peut-être d'autres bosons. On observe expérimentalement le photon et les leptons; les W^+, W^- et Z^0 furent aussi observés expérimentalement. Jusqu'à maintenant, toutefois, on n'a observé que des combinaisons de quarks (baryons et mésons), et il semble probable que les quarks et les gluons libres ne sont pas observables. Certains physiciens croient, cependant, que les leptons et les quarks ne sont pas fondamentaux, mais qu'ils sont composés d'objets encore plus fondamentaux; seul l'avenir le dira.

Un aspect important des travaux théoriques actuels est la tentative pour trouver une base unifiée à toutes les forces dans la Nature. Ceci était un vieil espoir d'Einstein, qu'il ne put jamais réaliser. Weinberg, Glashow et Salam émirent, dans les années 1960, une théorie, dénommée «théorie de jauge», qui unifie les interactions faible et électromagnétique. Dans cette **théorie électrofaible**, les forces faible et électromagnétique sont vues comme deux manifestations différentes d'une même interaction, plus fondamentale, dite électrofaible. La théorie électrofaible a connu un succès remarquable, notamment par la prédiction de l'existence des particules $W^\pm$ et Z^0 comme intermédiaires de la force faible; la théorie avait prédit une masse de 81 ± 2 GeV$/c^2$ pour les $W^\pm$ en excellent accord avec la valeur mesurée de $81{,}8 \pm 1{,}5$ GeV$/c^2$ (et une exactitude semblable pour le Z^0). La théorie électrofaible et la CDQ pour l'interaction forte constituent ce qu'on appelle aujourd'hui le **modèle normalisé**.

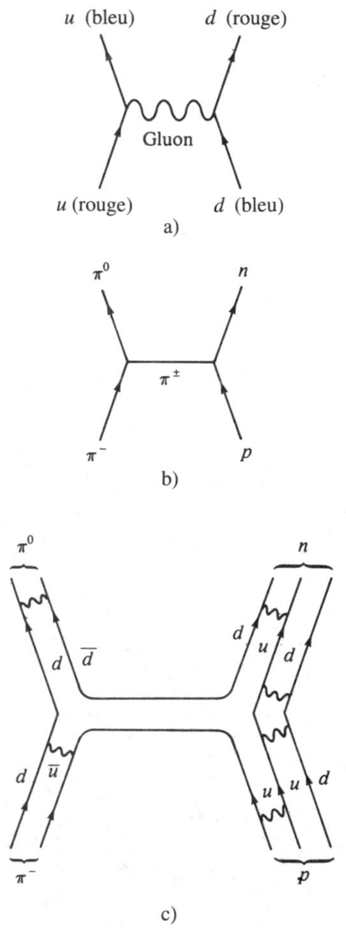

FIGURE 15.14 a) La force entre deux quarks et qui les retient ensemble, dans un proton par exemple, est transportée par un gluon et, dans le cas illustré ici, l'échange du gluon produit un changement de couleur. b) Le processus d'interaction forte $\pi^- p \to \pi^0 n$ avec l'échange d'un méson π chargé (+ ou − selon qu'on considère qu'il bouge vers la gauche ou la droite). c) Représentation par les quarks du même processus $\pi^- p \to \pi^0 n$; le pion intermédiaire ($d\bar{u}$ ou $\bar{d}u$) peut être interprété comme l'annihilation d'une paire $u\bar{u}$ avec la production d'une paire $d\bar{d}$. Les lignes ondulées entre les quarks représentent les échanges de gluon qui retiennent les hadrons ensemble.

† La force d'interaction forte entre les hadrons semble faible, cependant, en comparaison de la force qui s'exerce directement entre les quarks, à l'intérieur d'un hadron.
‡ Comparez ceci à l'interaction électromagnétique où le photon n'a pas de charge électrique. Comme les gluons ont une charge de couleur, ils peuvent s'attirer et forment des particules composées (les photons ne le peuvent pas). On cherche de telles «balles de colle» mais on n'en a pas observées jusqu'à maintenant.

15.10 Les théories de grande unification

À la suite du succès de la théorie électrofaible unifiée, on a récemment tenté de l'incorporer, ainsi que la CDQ pour la force d'interaction forte (de couleur), dans une **théorie de grande unification** (TGU). Une théorie de grande unification des interactions électromagnétique, faible et forte est une théorie selon laquelle, par exemple, il n'existe qu'une classe de particules (les leptons et les quarks appartiennent à la même famille et peuvent se transformer librement les uns dans les autres) ou selon laquelle les trois forces constituent des aspects différents d'une même force unique sous-jacente. Selon la théorie, toutefois, l'unité ne se produit qu'à une échelle de moins de 10^{-31} m: lorsque deux particules élémentaires (leptons ou quarks) s'approchent l'une de l'autre à une distance inférieure à cette **échelle d'unification**, la distinction, apparemment fondamentale, entre les différentes interactions cesse d'exister, et un quark peut sans difficulté se transformer en un lepton, ou inversement. Les leptons et les quarks appartiendraient à la même famille et les nombres baryoniques et leptoniques ne seraient pas conservés. Les interactions faible, électromagnétique et forte (de couleur) se fondraient en une seule force de grandeur unique.

Comment un lepton pourrait-il devenir un quark, et inversement? La théorie prédit l'existence de nouvelles particules pouvant être échangées entre un quark et un lepton qui permettraient à l'un de se transformer en l'autre, tout comme le pion chargé entre le π^- et le p dans la figure 15.14b permet au proton de devenir un neutron. La masse de ces nouvelles particules échangées, conformément au principe d'incertitude tel qu'il est appliqué dans le présent chapitre (équation 15.3 avec $d \approx 10^{-31}$ m), serait d'environ 10^{15} GeV/c^2, ou 10^{15} fois la masse du proton. Avec une masse si incroyablement grande, il y a peu d'espoir de les observer en laboratoire. C'est aussi cette énorme masse qui fait en sorte que les nombres baryoniques et leptoniques sont conservés dans les réactions observées, car la probabilité de produire une particule aussi massive, même comme particule d'échange virtuelle et même aux énergies les plus élevées obtenues en laboratoire, est extrêmement petite.

On appelle **brisure de symétrie** le phénomène qui se produit entre la distance d'unification de 10^{-31} m et des distances plus normales (plus grandes). Prenons l'analogie d'un atome dans un cristal. Profondément à l'intérieur de l'atome, la symétrie est élevée; dans les couches les plus profondes, le nuage électronique est sphériquement symétrique. Plus à l'extérieur, cette symétrie se brise: les nuages électroniques sont distribués préférentiellement le long des lignes joignant les atomes dans le cristal. De façon similaire, la théorie suppose que la force entre les particules élémentaires devient une seule et même force à 10^{-31} m: elle est symétrique et ne privilégie pas un type de «charge» au détriment d'un autre. À de plus grandes distances, toutefois, cette symétrie se brise et nous voyons trois forces distinctes. (Dans le «modèle normalisé» des interactions électrofaibles (section 15.9), la brisure de symétrie entre les interactions électromagnétique et faible se produit à environ 10^{-18} m.)

Comme l'unification se produit à des distances extrêmement petites et à des énergies tellement énormes, il est difficile d'éprouver la théorie expérimentalement. Ce n'est toutefois pas complètement impossible. Une prédiction possiblement vérifiable est l'hypothèse, présentée à la fin de la section 15.4, que le proton pourrait se désintégrer (par exemple par $p \rightarrow \pi^0 e^+$), violant ainsi la conservation du nombre baryonique. Ceci pourrait se produire si deux quarks, à l'intérieur du proton, s'approchaient à environ 10^{-31} m l'un de l'autre. Ceci est toutefois hautement improbable à des températures et à des énergies normales; la désintégration d'un proton ne peut donc être qu'un phénomène fort improbable. Dans sa forme la plus simple, la théorie de grande unification (TGU) évalue la durée de vie du proton, pour le mode de désintégration $p \rightarrow \pi^0 e^+$, à $\approx 10^{31}$ années, et ceci vient d'entrer dans le domaine du mesurable. La désintégration du proton n'a pas encore été observée, et les expériences font penser que la limite inférieure de la durée de vie du proton pour le mode ci-dessus est d'environ $2{,}5 \times 10^{32}$ années, un ordre de grandeur plus grand que la prédiction. Voilà qui semble peut-être une déception mais qui, d'un autre côté, présente un défi. En effet, les théories de grande unification plus complexes ne sont pas touchées par ce résultat.

Une autre prédiction intéressante des théories de grande unification se rapporte à la cosmologie (chapitre 16). On pense que durant les 10^{-35} s après le «big bang» hypothétique qui a créé l'Univers, la température était si élevée que les particules avaient des énergies correspondant à l'échelle d'unification. Le nombre baryonique, semble-t-il, n'était alors pas conservé, et ceci pourrait expliquer la prédominance observée de la matière ($B > 0$) sur l'antimatière ($B < 0$) dans l'Univers.

Ce dernier exemple est intéressant parce qu'il illustre le lien étroit entre les recherches aux deux extrémités des échelles de grandeur: les théories sur les objets les plus petits (les particules élémentaires) influencent fortement notre compréhension de l'ensemble de l'Univers. Nous nous pencherons plus longuement sur cette question au chapitre suivant.

Les tentatives pour incorporer aussi la gravité dans une même théorie pour unifier les quatre forces dans la Nature sont encore plus ambitieuses. La théorie des **super-cordes**, une nouvelle théorie développée au milieu des années 1980 qui semble unifier avec succès les quatre forces, traite les particules élémentaires (tableau 15.5) non comme des points, mais comme des cordes unidimensionnelles d'environ 10^{-35} m de long. Il est très difficile, cependant, de vérifier cette théorie expérimentalement. Le monde des particules élémentaires ouvre continuellement de nouvelles fenêtres sur l'Univers. Les développements prochains dans ce domaine de recherche promettent d'être passionnants.

RÉSUMÉ

On utilise les accélérateurs de particules pour provoquer l'accélération des particules chargées comme des électrons ou des protons jusqu'à de très hautes énergies. Comme les particules de haute énergie ont de courtes longueurs d'onde, on peut les utiliser pour sonder la structure des particules à de très petites distances et en détail. Les énergies cinétiques élevées permettent aussi la création de nouvelles particules lors de collisions (en raison de $E = mc^2$). Dans les accélérateurs Van de Graaff et linéaires, on utilise de hautes tensions pour faire accélérer les particules sur un parcours rectiligne. Dans les cyclotrons et les synchrotrons, on utilise un champ magnétique pour maintenir les particules sur un parcours circulaire et on les accélère à intervalle régulier au moyen de hautes tensions.

Une *antiparticule* a la même masse que sa particule mais une charge opposée. Certaines autres propriétés sont aussi opposées: par exemple, l'antiproton a un *nombre baryonique* (nombre de nucléons) opposé à celui du proton. Toutes les réactions entre des noyaux ou des particules obéissent aux lois de la conservation de la quantité de mouvement, de la masse-énergie, du moment angulaire, de la charge électrique, du nombre baryonique et des trois nombres leptoniques. Certaines particules ont une propriété, l'*étrangeté*, qui est conservée par l'interaction forte, mais non par l'interaction faible. On pense que les propriétés les plus récemment observées, le charme, la beauté («bottomness») et (supposément) la vérité («topness») sont également conservées par l'interaction forte mais non par l'interaction faible.

Tout comme on peut dire que la force électromagnétique est due à un échange de photons, on pense que l'interaction forte est transportée par les *mésons* qui possèdent une masse au repos ou, selon une théorie plus récente, par des *gluons* sans masse. Les particules W et Z transportent la force d'interaction faible. Ces médiateurs des forces fondamentales (le photon, le W, le Z et les gluons) sont appelés des *bosons de jauge*.

On peut classer les autres particules en *leptons* et en *hadrons*. Les leptons participent aux interactions faible et électromagnétique. Les hadrons participent aussi à l'interaction forte. On peut classer les hadrons en *mésons*, de nombre baryonique nul, et en *baryons* de nombre baryonique non nul.

Toutes les particules, sauf le photon, l'électron, les neutrinos et (au moins jusqu'à maintenant) le proton, se désintègrent avec des demi-vies mesurables variant entre 10^{-25} s et 10^{3} s. La demi-vie dépend de la force qui domine la désintégration. Les désintégrations faibles ont le plus souvent des demi-vies supérieures à environ 10^{-13} s. Les désintégrations électromagnétiques ont des demi-vies de l'ordre de 10^{-16} s à 10^{-19} s. Les particules de plus courtes durées de vie, appelées les *résonances*, se désintègrent par interaction forte et ne survivent typiquement qu'environ 10^{-23} s.

Les théories les plus récentes en physique des particules élémentaires postulent l'existence de *quarks* qui seraient les constituants de base des hadrons. Initialement, on supposa l'existence de trois quarks (appelés u, d et s). Des observations récentes suggèrent que trois quarks additionnels, appelés c, b et t, sont nécessaires. On pense qu'il existe le même nombre de quarks que de leptons (six de chaque) et que les quarks et les leptons constituent les particules élémentaires authentiques, avec les bosons de jauge (γ, W, Z et les gluons). On dit que les quarks ont des *couleurs* et, selon la *chromodynamique quantique* (CDQ), la force de couleur forte agit entre leurs charges de couleur et elle est transmise par les *gluons*. La *théorie électrofaible* considère les interactions faible et électromagnétique comme deux aspects d'une même interaction sous-jacente. On se réfère à la CDQ et à la théorie électrofaible comme au *modèle normalisé*.

Les *théories de grande unification* des forces suggèrent que les interactions faible, électromagnétique et forte apparaissent, à de très petites distances (10^{-31} m) et à très hautes énergies, comme une même force et que la différence fondamentale entre les quarks et les leptons disparaît.

QUESTIONS

1. Qu'est-ce qui limite l'énergie maximale atteinte par des protons dans un cyclotron ordinaire? Comment réussit-on à dépasser cette limite dans un synchrotron?

2. Un proton dans un synchrotron a une vitesse de 0,99 c. Que faut-il faire pour augmenter son énergie?

3. Écrivez une réaction entre deux nucléons, semblable à l'équation 15.4, qui produirait un π^-.

4. Un proton qui bouge à une très haute vitesse, de sorte que son énergie cinétique est beaucoup plus grande que son énergie au repos (m_0c^2), peut-il se désintégrer par $p \rightarrow n + \pi^+$?

5. En quoi consisterait un «antiatome» composé d'antiparticules? Que se produirait-il si de l'*antimatière*, composée de tels antiatomes, entrait en contact avec notre monde matériel normal?

6. La présence d'un neutrino parmi les produits de désintégration d'une particule signifie-t-elle nécessairement que la désintégration s'est produite par la force d'interaction faible? Est-ce que toutes les désintégrations dues à l'interaction faible produisent un neutrino?

7. Quelle particule, dans une désintégration, identifie-t-elle l'interaction électromagnétique?

8. Pourquoi un neutron se désintègre-t-il par interaction faible même si le neutron et l'un de ses produits de désintégration (le proton) interagissent fortement?

9. Auxquelles des quatre interactions (forte, électromagnétique, faible, gravitationnelle) un électron participe-t-il? Un neutrino? Un proton?

10. Vérifiez si la charge et le nombre baryonique sont conservés dans chacune des désintégrations du tableau 15.2.

11. Quelles désintégrations de particules, dans le tableau 15.2, se produisent-elles par interaction électromagnétique?

12. Quelles désintégrations de particules, dans le tableau 15.2, se produisent-elles par interaction faible?

13. Par quelle interaction le $\Sigma^\pm$ se désintègre-t-il en Λ^0? Pourquoi? Qu'en est-il du Σ^0 se désintégrant en Λ^0?

14. Le baryon Δ a un spin de $\frac{3}{2}$, un nombre baryonique 1 et une charge $Q = +2$, $+1$, 0 ou -1. Pourquoi n'y a-t-il pas d'état de charge $Q = -2$?

15. Quelles désintégrations de particules, dans le tableau 15.4, se produisent-elles par interaction électromagnétique?

16. Quelles désintégrations de particules, dans le tableau 15.4, se produisent-elles par interaction faible?

PROBLÈMES

SECTION 15.1

1. (I) Quelle est l'énergie totale d'un proton dont l'énergie cinétique est de 15,0 GeV?

2. (I) Calculez la longueur d'onde d'un électron de 30 GeV.

3. (I) Quelle est la grandeur du champ magnétique utilisé dans un cyclotron dans lequel des protons font $1{,}9 \times 10^7$ révolutions à la seconde?

4. (I) La tension entre les dés d'un cyclotron est de 50 kV. Combien de révolutions les protons doivent-ils faire pour atteindre une énergie cinétique de 15 MeV?

5. (I) Quelle est l'énergie totale d'un proton dont l'énergie cinétique est de 25 GeV? Quelle est sa longueur d'onde?

6. (I) Si des particules α accélèrent grâce au cyclotron de l'exemple 15.2, quelle doit être la fréquence de la tension appliquée aux dés?

7. (I) Quel est le temps d'une révolution complète pour un proton de très haute énergie dans l'accélérateur, d'un diamètre de 2,0 km, du Fermilab?

8. (II) *a*) Si le cyclotron de l'exemple 15.2 fait accélérer des particules α, quelle énergie maximale peuvent-elles atteindre? Quelle est leur vitesse? *b*) Répondez aux mêmes questions pour des deutons ($^2_1$H). Pour chaque cas, quelle est la fréquence de tension d'accélération requise?

9. (II) Quelle longueur d'onde et quel pouvoir de révolution maximal peut-on atteindre avec des protons de 400 GeV?

10. (II) On injecte des protons dans le synchrotron du Fermilab, de 1,0 km de rayon, à une énergie de 8,0 GeV. S'ils accélèrent de 2,5 MeV à chaque révolution, quelle distance parcourent-ils et approximativement combien de temps prennent-ils pour atteindre les 400 GeV?

11. (II) Quelle est l'intensité du champ magnétique requise pour le synchrotron du Fermilab, d'un rayon de 1,0 km, pour des protons de 400 GeV? Utilisez la masse relativiste.

12. (II) Montrez que l'énergie d'une particule (charge e) dans un synchrotron, dans la limite relativiste ($v \approx c$), est donnée par E (en eV) $= Brc$, où B est la grandeur du champ magnétique et r, le rayon de l'orbite (en unités SI).

SECTIONS 15.2 À 15.5

13. (I) Tracez un diagramme de Feynman pour la réaction $n + p \rightarrow n + p + \pi^0$.

14. (I) Tracez un diagramme de Feynman pour l'annihilation $p\overline{p}$ avec la production de deux pions.

15. (I) Tracez un diagramme de Feynman pour l'effet photoélectrique.

16. (I) Deux protons se dirigent l'un vers l'autre à des vitesses égales. Quelle doit être l'énergie cinétique minimale de chacun pour qu'un méson π^0 soit créé? (Voir le tableau 15.2.)

17. (I) Combien d'énergie est libérée dans la désintégration $\pi^+ \rightarrow \mu^+ + \nu_\mu$?

18. (I) Environ combien d'énergie est libérée lorsqu'un Λ^0 se désintègre en $n\pi^0$? (Voir le tableau 15.2.)

19. (I) *a*) Combien d'énergie est libérée lorsqu'un électron et un positron s'annihilent l'un l'autre? *b*) Combien d'énergie est libérée lorsqu'un proton et un antiproton s'annihilent?

20. (I) Combien faut-il d'énergie pour produire une paire neutron-antineutron?

21. (II) Quelles sont les désintégrations possibles parmi les suivantes? Dites quelles lois les désintégrations interdites violeraient.
   a) $\Xi^0 \rightarrow \Sigma^+ + \pi^-$
   b) $\Omega^- \rightarrow \Sigma^0 + \pi^- + \nu$
   c) $\Sigma \rightarrow \Lambda + \gamma + \gamma$

22. (II) Quelles désintégrations sont-elles possibles parmi les suivantes et par quelle interaction se produisent-elles? Dites quelles lois les désintégrations interdites violeraient.
   a) $\pi^- p \rightarrow K^+ \Sigma^-$
   b) $\pi^+ p \rightarrow K^+ \Sigma^+$
   c) $\pi^- p \rightarrow \Lambda^0 K^0 \pi^0$
   d) $\pi^+ p \rightarrow \Sigma^0 \pi^0$
   e) $\pi^- p \rightarrow p e^- \overline{\nu}_e$
   f) $\pi^- p \rightarrow K^0 p \pi^0$
   g) $K^- p \rightarrow \Lambda^0 \pi^0$
   h) $K^+ n \rightarrow \Sigma^+ \pi^0 \gamma$
   i) $K^+ \rightarrow \pi^0 \pi^0 \pi^+$
   j) $\pi^+ \rightarrow e^+ \nu_e$

23. (II) Quelles sont les longueurs d'onde des deux photons produits lorsqu'une paire proton-antiproton au repos s'annihile?

24. (II) Quelles sont les longueurs d'onde des deux photons produits lorsqu'une paire électron-positron, chacun d'une énergie cinétique de 300 keV, s'annihile?

25. (II) Dans la désintégration rare $\pi^+ \rightarrow e^+ + \nu_e$, quelle est l'énergie cinétique du positron?

26. (II) Quelle énergie cinétique minimale un neutron et un proton doivent-ils avoir s'ils voyagent à la même vitesse l'un vers l'autre, entrent en collision et produisent une paire K^+K^- en plus d'eux-mêmes? (Voir le tableau 15.2.)

27. (II) La masse d'un π^0 peut être mesurée par l'observation de la réaction $\pi^- + p \rightarrow \pi^0 + n$ à une très faible énergie cinétique du π^- (supposez cette énergie nulle). L'énergie cinétique observée du neutron est alors de 0,60 MeV. Utilisez la conservation de l'énergie et de la quantité de mouvement pour déterminer la masse du π^0.

28. (II) Pour la désintégration $\Lambda^0 \rightarrow p\pi^-$, calculez *a*) la valeur Q (énergie libérée) et *b*) l'énergie cinétique du p et du π^-. (Utilisez les formules relativistes.)

29. (II) Calculez l'énergie cinétique de chacun des deux produits dans la désintégration $\Xi^- \rightarrow \Lambda^0\pi^-$.

30. (III) Un méson π^+ pourrait-il être produit par un proton de 100 MeV frappant un proton au repos? Quelle énergie cinétique minimale doit-il avoir?

31. (III) Pour la réaction, $p + p \rightarrow 3p + \overline{p}$ où l'un des protons initiaux est au repos, montrez, à l'aide des formules relativistes, que l'énergie de seuil est $6m_pc^2$, où m_p est la masse du proton, et que cette énergie est égale à trois fois la valeur Q de la réaction.

32. (III) Pour produire un pion par les réactions de l'équation 15.4, calculez pour chacune *a*) la valeur Q de la réaction, *b*) l'énergie de seuil ($K_{\min}$ pour un proton frappant un proton cible au repos). Utilisez les formules relativistes.

33. (III) Calculez l'énergie cinétique maximale de l'électron dans la désintégration $\mu^- \rightarrow e^- + \overline{\nu}_e + \nu_\mu$. (Indice: dans quelle direction les deux neutrinos doivent-ils partir relativement à l'électron pour donner à celui-ci son énergie cinétique maximale? L'énergie de même que la quantité de mouvement sont conservées. Utilisez les formules relativistes.)

34. (III) Déterminez l'énergie cinétique maximale *a*) du positron et *b*) du π^- dans la désintégration $K^0 \rightarrow \pi^- + e^+ + \nu_e$.

SECTIONS 15.6 À 15.10

35. (I) La largeur mesurée du méson ψ est de 63 keV. Estimez sa durée de vie.

36. (I) La largeur mesurée du méson ψ' est de 215 keV. Estimez sa durée de vie.

37. (I) Quelle est la largeur en énergie (ou l'incertitude) *a*) du η, *b*) du Σ^0?

38. (I) Utilisez la figure 15.12 pour estimer la largeur en énergie et la durée de vie de la résonance Δ.

39. (I) On pense que le méson B^- est une combinaison de quarks $b\overline{u}$. *a*) Montrez que ceci est en accord pour tous les nombres quantiques. *b*) Quelles sont les combinaisons de quarks pour B^+, B^0 et $\overline{B}^0$?

40. (II) Quelles sont les combinaisons de quarks qui peuvent former *a*) un neutron, *b*) un antıneutron, *c*) un Λ^0, *d*) un $\overline{\Xi}^0$?

41. (II) Quelles particules les combinaisons de quarks suivantes produisent-elles? *a*) uud, *b*) $\overline{u}\overline{u}\overline{s}$, *c*) $\overline{u}s$, *d*) $d\overline{u}$, *e*) $\overline{c}s$.

42. (II) Quelle est la combinaison de quarks nécessaire pour produire un méson D^0 ($Q = B = S = 0$, $C = +1$)?

43. (II) Le méson D_S^+ a $S = C = +1$, $B = 0$. Quelle combinaison de quarks pourrait le produire?

44. (II) *a*) Montrez que la distance d'unification de 10^{-31} m dans une des théories récentes de grande unification est équiva-

lente à une énergie d'environ 10^{15} GeV. Utilisez le principe d'incertitude ou la formule de la longueur d'onde du Français de Broglie et expliquez-en l'application. *b)* Calculez à quelle température cela correspond.

45. (II) La brisure de symétrie de la théorie électrofaible se produit à environ 10^{-18} m. Montrez que ceci correspond à une énergie qui est de l'ordre de la masse du $W^{\pm}$.

46. (II) Tracez des diagrammes de Feynman possibles en utilisant des quarks (comme dans la figure 15.14c) pour les réactions *a)* $pn \rightarrow pn$, *b)* $\overline{p}p \rightarrow \pi^{+}\pi^{-}$.

47. (II) Tracez un diagramme de Feynman possible pour les quarks (figure 15.14c) pour la réaction $K^{-}p \rightarrow K^{-}p$.

CHAPITRE

16

L'ASTROPHYSIQUE ET LA COSMOLOGIE

Le chapitre précédent portait sur les plus petits objets de l'Univers: les particules élémentaires. Le présent chapitre traitera des plus grands: les étoiles et les galaxies. Situés aux antipodes l'un de l'autre, les domaines des particules élémentaires et du cosmos, comptent parmi les sujets les plus intéressants et les plus fascinants de la science; aussi étonnant que cela puisse paraître, ils sont reliés de manière fondamentale malgré leur grande différence, comme nous l'avons déjà suggéré au chapitre 15.

Dans l'usage courant, le terme **astrophysique** désigne l'application des techniques et des idées de la physique à l'étude du ciel. Notre conception actuelle de l'Univers repose sur la *théorie de la relativité générale* d'Einstein, ainsi que sur sa théorie de la gravitation; dans la structure à grande échelle de l'Univers, en effet, la gravité est l'interaction dominante. La **cosmologie** moderne, la science qui étudie l'Univers dans son entier, est également fondée sur les théories d'Einstein. La cosmologie vise tout particulièrement à établir le cadre théorique permettant de comprendre l'Univers tel qu'on l'observe, son origine et son évolution future. Les questions posées en cosmologie sont complexes et difficiles; les réponses possibles sont souvent inimaginables. En voici un exemple: «L'Univers a-t-il toujours existé ou y a-t-il eu un commencement dans le temps?» Les deux possibilités sont difficiles à imaginer: le temps qui s'étire indéfiniment vers le passé ou alors un moment particulier qui a marqué le commencement de l'Univers (mais alors, qu'y avait-il avant?). Et qu'en est-il des dimensions de l'Univers? Est-il infini (comment imaginer l'infini?) ou est-il de dimensions finies (autre casse-tête, car nous ne pouvons pas nous questionner sur ce qu'il y a au-delà, puisque l'Univers est tout ce qui existe).

Quoique nous ne ferons que survoler de façon qualitative l'astrophysique et la cosmologie, nous discuterons néanmoins de leurs concepts les plus importants. Commençons par décrire ce qu'on peut voir si on regarde vers l'espace.

16.1 Les étoiles et les galaxies

Selon les Anciens, les étoiles étaient fixes, à l'exception de quelques-unes qui semblaient se déplacer (les planètes), sur une sphère située au-delà de la dernière planète. L'Univers se limitait à cela et nous, habitants de la Terre, étions en son centre ou presque. Toutefois, notre vision de l'Univers se transforma radicalement dans les siècles qui suivirent les premières observations télescopiques du ciel par Galilée, vers 1610. Nous ne pensons plus être au centre de tout et nous nous rendons compte que l'Univers est beaucoup plus grand que nous le croyions. Les distances dont on parle ici sont si énormes que nous devons les exprimer selon le temps mis par la lumière pour les parcourir: par exemple, 1 seconde-lumière = $(3{,}0 \times 10^8\ \text{m/s})(1{,}0\ \text{s}) = 3{,}0 \times 10^8\ \text{m} = 3{,}0 \times 10^5\ \text{km}$; 1 minute-lumière = 18×10^6 km; 1 année-lumière (al) est

$$1\ \text{al} = (2{,}998 \times 10^8\ \text{m/s})(3{,}156 \times 10^7\ \text{s/an}) = 9{,}46 \times 10^{15}\ \text{m} \approx 10^{13}\ \text{km}.$$

D'ordinaire, on exprime les distances au Soleil et à la Lune en mètres ou en kilomètres; nous pourrions cependant le faire en utilisant la vitesse de la lumière. La distance de la Terre à la Lune est de 384 000 km, ou de 1,28 secondes-lumière. La distance de la Terre au Soleil est de $1{,}50 \times 10^{11}$ m, ou de 150 000 000 km, ce qui est égal à 8,3 minutes-lumière. L'étoile la plus proche de nous, après le Soleil, est l'Alpha du Centaure, située à environ 4,3 al.

Par une nuit claire et sans Lune, on peut voir des milliers d'étoiles de différents degrés de brillance, ainsi qu'un filet ressemblant à des nuages appelé la Voie lactée. Galilée fut le premier à observer, vers 1610, que la Voie lactée comprenait un nombre incommensurable d'étoiles séparées. Un siècle et demi plus tard (vers 1750), Thomas Wright émit l'hypothèse que les étoiles de la Voie lactée formaient un disque d'étoiles s'étendant dans un plan sur de grandes distances, disque que nous appelons maintenant la **Galaxie** (d'un mot grec qui signifie «Voie lactée»).

Notre Galaxie a un diamètre d'environ 100 000 années-lumière et une épaisseur d'environ 6000 années-lumière. Elle a un noyau central protubérant et des bras en spirales (figure 16.1). Le Soleil, qui semble n'être tout juste qu'une étoile parmi tant d'autres, se trouve un peu plus près de la périphérie que du centre de la Galaxie, c'est-à-dire à environ 28 000 al du centre. Notre Galaxie contient environ 10^{11} étoiles. Le Soleil fait une révolution complète autour du noyau galactique en environ 200 millions d'années, sa vitesse étant d'approximativement 250 km/s par rapport au centre de la Galaxie. La masse totale de toutes les étoiles de notre Galaxie est d'environ 3×10^{41} kg.

Les télescopes permettent de distinguer dans le ciel, en plus des nombreuses étoiles à l'intérieur et à l'extérieur de la Voie lactée, plusieurs taches floues ressemblant à des nuages. Certaines d'entre elles, comme celles des constellations d'Andromède et d'Orion, peuvent être vues à l'œil nu par une nuit claire. Certaines sont des *amas d'étoiles*, des groupes si denses qu'ils paraissent être des nuages. D'autres sont des nuages de gaz brillants appelés *nébuleuses* (du latin *nebulosa*, qui veut dire «brouillard»).

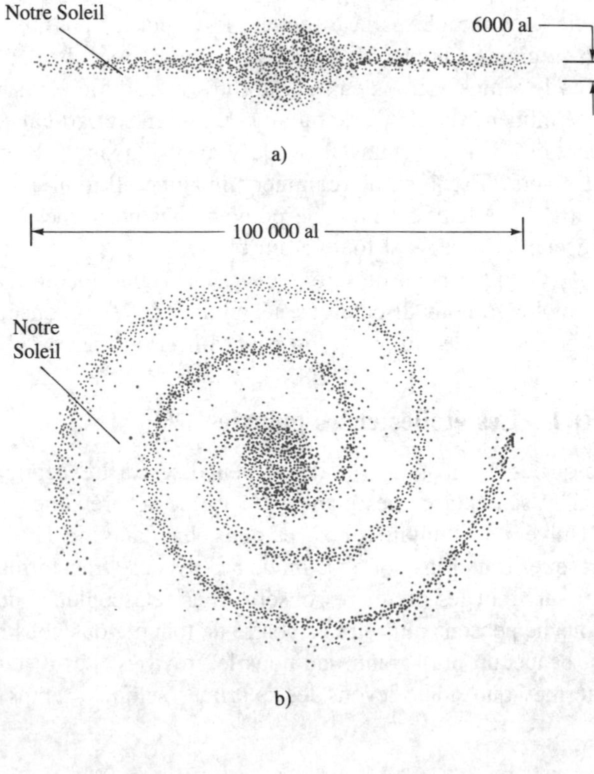

FIGURE 16.1 Notre Galaxie telle que nous la verrions de l'extérieur: a) «vue latérale» dans le plan du disque; b) «vue de haut». (Si seulement nous pouvions la voir vraiment de l'extérieur!)

Une troisième catégorie est encore plus fascinante: ces taches peuvent avoir une forme elliptique assez régulière et semblent se trouver à une très grande distance de notre Galaxie. Emmanuel Kant (vers 1755) fut probablement le premier à émettre l'hypothèse que ces objets étaient des disques circulaires comme notre propre Galaxie: leur apparence elliptique s'explique par le fait que nous les voyons à un angle, et ils paraissent pâles en raison de leur grand éloignement. Au début, tout le monde n'accepta pas l'idée que ces objets étaient situés en dehors de notre Galaxie (objets «extragalactiques»). Les immenses télescopes construits au XXe siècle permirent de distinguer des étoiles individuelles à l'intérieur de ces nébuleuses extragalactiques et de découvrir que plusieurs d'entre elles avaient des bras en spirales. Edwin Hubble (1889-1953), qui effectua la plupart des observations de ce type, dans les années 1920, à l'aide d'un télescope de 2,5 m (100 pouces)[†], sur le mont Wilson dans l'État de la Californie aux États-Unis, put aussi montrer que ces objets étaient véritablement extragalactiques à cause de leur grand éloignement. (La nébuleuse d'Andromède est à une distance de plus de 2 millions d'années-lumière, soit 20 fois le diamètre de notre Galaxie.) Il fut donc établi que ces nébuleuses étaient des galaxies semblables à la nôtre. Aujourd'hui, les plus grands télescopes permettent de voir environ 10^{11} galaxies (figure 16.2). (Notez qu'il est d'usage de donner une lettre majuscule au mot galaxie seulement lorsqu'il s'agit de la nôtre.)

Les galaxies tendent à se regrouper en **amas de galaxies** qui en comprennent seulement quelques-unes ou plusieurs milliers. En outre, les amas eux-mêmes semblent être organisés en ensembles encore plus grands: en amas d'amas de galaxies, ou **superamas**. Les galaxies les plus proches de nous sont situées à environ 2 millions d'années-lumière. Les galaxies les plus lointaines visibles avec des télescopes optiques se trouvent plus d'un millier de fois plus loin, à une distance d'environ 3×10^9 al (tableau 16.1). Des indices récents donnent à penser que les galaxies et les amas de galaxies ne sont pas distribués de façon aléatoire dans l'espace, mais à la façon de bulles, autour de vastes régions vides ayant des diamètres de l'ordre de 10^8 al.

À côté de ce vaste Univers, les créatures terrestres que nous sommes peuvent bien se sentir petites et anonymes; cette façon de voir contraste beaucoup avec celle qui avait cours il y a tout juste quelques centaines d'années et qui nous plaçait au centre de l'Univers. Si toutefois cette vision moderne de l'Univers semble trop attristante, nous pouvons voir les choses de façon philosophique: toutes ces observations et toutes ces interprétations ont été faites ici, sur Terre, et toutes ces idées ont été créées également ici, sur Terre. Qui peut prétendre que nous n'avons aucune importance dans l'Univers, même si nous n'occupons pas une position géométriquement centrale?

FIGURE 16.2 Photographies de galaxies.

En plus des étoiles ordinaires, des amas d'étoiles, des galaxies et des amas et superamas de galaxies, l'Univers contient un certain nombre d'autres objets intéressants. Parmi ceux-ci, on trouve des sortes d'étoiles étranges, appelées *géantes rouges*,

TABLEAU 16.1
Distances célestes

Objet	Distance approximative de la Terre (al)
Lune	4×10^{-8}
Soleil	$1,5 \times 10^{-5}$
Autres planètes (jusqu'à Pluton)	6×10^{-4}
Étoile la plus proche (α-Centauri)	4
Centre de notre Galaxie	3×10^4
Galaxie la plus proche	2×10^6
Galaxie la plus lointaine visible optiquement	3×10^9

[†] Le 2,5 m (soit 100 pouces) réfère au diamètre du grand miroir courbé. Plus le miroir est grand, plus il recueille de lumière et moins il se produit de diffraction; et donc plus d'étoiles, même des moins lumineuses, peuvent être vues (chapitres 4 et 6).

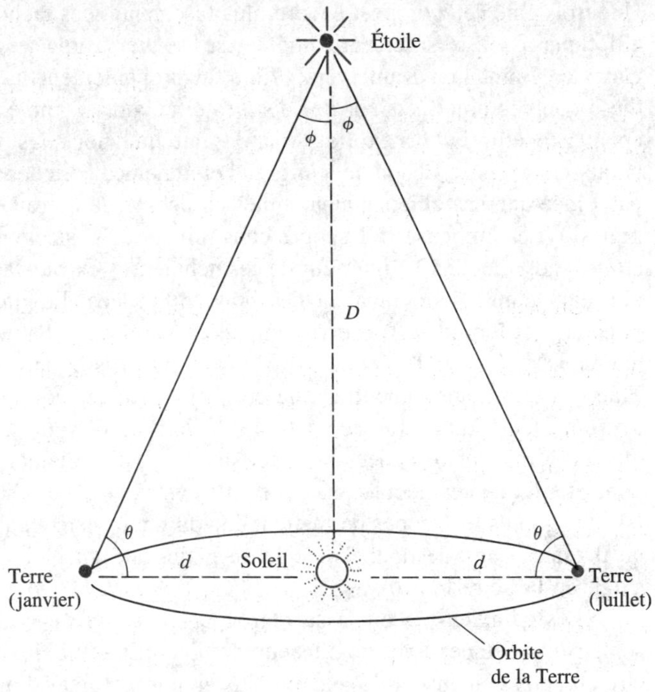

FIGURE 16.3 Distance d'une étoile déterminée par la *parallaxe* (non à l'échelle).

naines blanches, *étoiles à neutrons*, *trous noirs* (au moins théoriquement), et des étoiles en explosion appelées *novas* et *supernovas.* Il y a aussi des *quasars* (des objets quasi-stellaires) qui, si nos évaluations de leur éloignement sont correctes, sont des galaxies des milliers de fois plus brillantes que les galaxies ordinaires. De plus, il y a des radiations qui atteignent la Terre, mais qui ne proviennent pas des points brillants que nous appelons des étoiles: il s'agit d'un fond de rayonnement qui semble provenir uniformément de toutes les directions dans l'Univers. Nous traiterons de tous ces phénomènes plus loin.

Nous avons mentionné sans trop nous y arrêter les immenses distances qui existent entre les objets de l'Univers. Cependant, comment peut-on mesurer ces distances? Une technique de base utilise la géométrie élémentaire pour obtenir la **parallaxe** d'une étoile. Par parallaxe, on entend le déplacement apparent d'une étoile relativement au fond constitué par les étoiles plus distantes, dû au mouvement de la Terre autour du Soleil. Comme on peut le voir à la figure 16.3, l'angle de visée d'une étoile par rapport au plan de l'orbite terrestre (angle θ) est mesuré à différents moments de l'année. Comme nous connaissons la distance d de la Terre au Soleil, nous pouvons reconstruire les triangles droits représentés sur la figure et déterminer[†] ainsi la distance D de l'étoile.

EXEMPLE 16.1 Déterminez la distance D d'une étoile si la mesure de l'angle θ dans la figure 16.3 donne 89,99994°.

SOLUTION L'angle ϕ dans la figure 16.3 est de 0,00006° ou environ de 1×10^{-6} radians. La distance D de l'étoile est donc

$$D = \frac{d}{\tan \phi} = \frac{d}{\phi} = \frac{1{,}5 \times 10^{8} \text{ km}}{1 \times 10^{-6} \text{ rad}} = 1{,}5 \times 10^{14} \text{ km}$$

ou d'environ 15 al. (Nous pouvons utiliser l'égalité $\tan \phi \approx \phi$, car ϕ est très petit.)

[†] C'est essentiellement de cette manière qu'on détermine la hauteur des montagnes, par «triangulation».

On exprime souvent les distances des étoiles par les angles de parallaxe donnés en secondes d'arc: 1 seconde (1″) est $\frac{1}{60}$ d'une minute (′) d'un arc, qui est $\frac{1}{60}$ d'un degré, de sorte que $1'' = \frac{1}{3600}$ d'un degré. De cette manière, on exprime la distance en **parsecs** (ce qui signifie angle de *par*allaxe en *sec*ondes d'un arc) où le parsec (pc) est défini comme $1/\phi$ et où ϕ est donné en secondes. Dans l'exemple précédent, $\phi = (6 \times 10^{-5})^\circ(3600) = 0{,}22''$; nous pouvons donc dire que l'étoile se trouve à une distance de $1/0{,}22'' = 4{,}5$ pc. Il est facile de montrer que

$$1 \text{ parsec} = 3{,}26 \text{ al.}$$

On peut se servir de la méthode des parallaxes pour déterminer la distance d'étoiles situées aussi loin qu'à 100 années-lumière (≈ 30 parsecs). Au-delà de cette limite, les angles de parallaxes sont trop petits pour qu'on puisse les mesurer. Pour les distances plus grandes, il faut utiliser des techniques plus fines. On peut, par exemple, comparer les brillances apparentes des galaxies et, en appliquant la loi de l'inverse du carré (l'intensité est inversement proportionnelle au carré de la distance), estimer leurs distances relatives. Cette méthode ne peut pas être très précise puisque nous ne pouvons pas supposer que toutes les galaxies ont le même éclat intrinsèque. On arrive à une meilleure évaluation en comparant les étoiles les plus brillantes dans des galaxies ou les galaxies les plus brillantes dans les amas de galaxies. Il est raisonnable de supposer, par exemple, que les étoiles les plus brillantes dans toutes les galaxies sont semblables et qu'elles ont environ le même éclat intrinsèque. Ainsi, leur brillance *apparente* peut constituer une mesure de leur distance.

Une autre technique importante pour estimer la distance est celle du «décalage vers le rouge» dans les spectres de raies des éléments, qui est lié à l'expansion de l'Univers, comme nous le verrons à la section 16.4.

Plus nous regardons loin, moins nos techniques de mesure sont fiables, de sorte que les mesures des grandes distances sont plus incertaines.

16.2 L'évolution stellaire; la naissance et la mort des étoiles

Les étoiles semblent ne jamais changer. Nuit après nuit, le ciel ne laisse voir, semble-t-il, aucune variation significative. Et en effet, à l'échelle du temps humain, la grande majorité des étoiles (sauf les novas et les supernovas) ne changent que très peu. Quoique les étoiles *semblent* fixes les unes par rapport aux autres, plusieurs d'entre elles se déplacent suffisamment pour qu'on puisse en détecter le mouvement. Les vitesses des étoiles par rapport aux étoiles avoisinantes peuvent même se mesurer en kilomètres à la seconde, mais vu leur grande distance, ce mouvement n'est détectable que par des mesures minutieuses. De plus, il y a une grande variation dans la brillance des étoiles. Les écarts de brillance sont dus aux différences existant à la fois dans les quantités de lumière émise par les étoiles et dans leurs distances.

Un paramètre utile pour caractériser une étoile ou une galaxie est sa *luminosité absolue*, L, c'est-à-dire l'énergie totale qu'elle émet en watts. Un autre paramètre important est sa *brillance apparente*, l, définie comme la puissance reçue sur Terre par unité de surface perpendiculaire à la direction de la lumière. D'après la loi de la conservation de l'énergie et en ne tenant pas compte de l'absorption dans l'espace,

$$l = \frac{L}{4\pi d^2},$$

où d est la distance de la Terre à l'étoile ou à la galaxie considérée.

EXEMPLE 16.2 Supposons qu'une certaine étoile ait une luminosité absolue égale à celle du Soleil, mais qu'elle soit située à une distance de 10 pc. Par quel facteur apparaîtra-t-elle moins lumineuse que le Soleil?

SOLUTION En appliquant la loi de l'inverse du carré mentionnée plus haut, nous voyons que l'étoile apparaît moins lumineuse par un facteur de

$$\frac{l_1}{l_2} = \frac{d_2^2}{d_1^2} = \frac{(1{,}5 \times 10^8 \text{ km})^2}{(10 \text{ pc})^2(3{,}26 \text{ al/pc})^2(10^{13} \text{ km/al})^2} \approx 10^{-13}.$$

À cause des très grandes variations des brillances apparentes, les astronomes expriment la brillance à l'aide d'une échelle logarithmique. On définit la **magnitude apparente**, m, de façon que pour deux objets dont les luminosités, l_1 et l_2, diffèrent par un facteur de 100, leurs magnitudes apparentes, m_1 et m_2, diffèrent par 5; autrement dit,

$$\frac{l_1}{l_2} = 100^{(m_2 - m_1)/5} \tag{16.1a}$$

ou

$$m_2 - m_1 = 2{,}5 \log_{10} (l_1/l_2). \tag{16.1b}$$

Historiquement, on a choisi le point zéro de façon que les étoiles les plus brillantes (autres que le Soleil) aient $m \approx 1$. Aujourd'hui, la définition du point zéro est $l\,(m = 0) = 2{,}52 \times 10^{-8}$ W/m^2. Les étoiles visibles (à part le Soleil) sont définies par les domaines $m \approx -1$ (les plus brillantes) à $m = 6$ (tout juste visibles à l'œil nu). Les étoiles ayant des magnitudes apparentes supérieures à 6 peuvent être vues seulement à l'aide d'un télescope. Le Soleil, à cette échelle, a une magnitude apparente d'environ -27 (notez le signe négatif).

On définit la **magnitude absolue**, M, d'un objet comme la magnitude apparente que l'objet aurait à une distance de 10 pc. Il est facile de montrer (problème 16) que

$$M = m - 5 \log_{10} (d/10), \tag{16.2}$$

où d est la distance en parsecs de l'objet. Pour le Soleil, $M \approx 4{,}7$, ce qui est typique pour une étoile, alors que pour les galaxies les plus brillantes, $M \approx -22$. Ceci semble indiquer que le nombre d'étoiles dans une galaxie est d'environ (équation 16.1a)

$$\frac{L_{\text{gal}}}{L_{\text{ét}}} \approx \frac{l_{\text{gal}}\,(10 \text{ pc})}{l_{\text{ét}}\,(10 \text{ pc})} \approx 100^{(4{,}7 + 22)/5} \approx 5 \times 10^{10},$$

puisque les luminosités absolues sont proportionnelles à la brillance apparente à 10 pc.

L'étude approfondie des étoiles rapprochées a montré que, pour la plupart des étoiles, la luminosité absolue dépend de la masse: *plus une étoile est massive, plus grande est sa luminosité.* Un autre paramètre important d'une étoile est la température de sa surface, qu'on peut déterminer d'après la gamme des fréquences électromagnétiques qu'elle émet, tout comme pour un corps noir (section 9.1). Comme nous l'avons vu au chapitre 9, les spectres des corps présentent des fréquences d'autant plus élevées (et des longueurs d'onde d'autant plus petites, du rouge vers le bleu), que les corps sont plus chauds. Les températures superficielles typiques des étoiles varient d'environ 3500 K (rougeâtre) à peut-être 50 000 K (bleuâtre).

Une importante découverte astronomique faite au tournant du siècle nous apprit que, pour la plupart des étoiles, la couleur est liée à la luminosité absolue, et donc à la masse. Une façon commode de présenter cette relation consiste à utiliser un diagramme dit de Hertzsprung-Russell (ou diagramme H-R). L'un des axes d'un diagramme H-R indique la magnitude absolue tandis que l'autre indique la température, chaque étoile étant représentée par un point sur le diagramme (figure 16.4). La plupart des étoiles se trouvent sur la bande diagonale appelée la **série principale**. Dans le coin inférieur droit, on trouve les étoiles les plus froides, de couleur rougeâtre; elles sont les moins lumineuses et doivent donc être de masses plus petites. Plus haut vers la gauche, on trouve des étoiles de plus en plus chaudes qui sont d'un blanc jaunâtre,

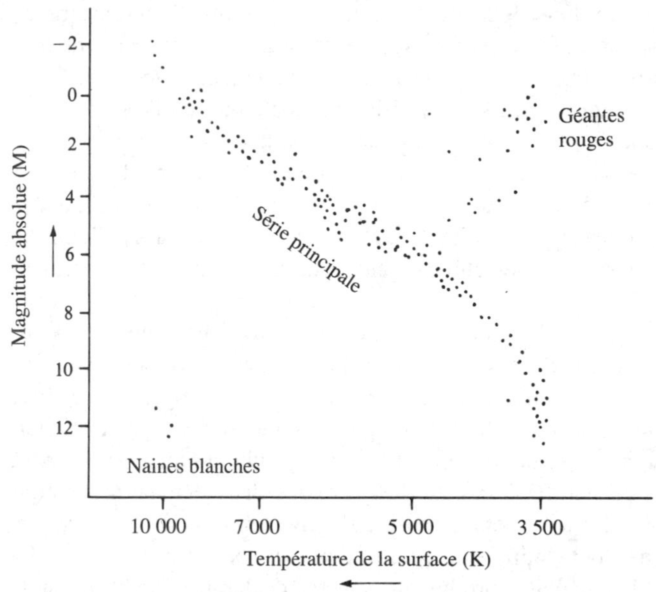

FIGURE 16.4 Diagramme de Hertzsprung-Russell (H-R).

comme notre Soleil. Encore plus haut, on trouve des étoiles encore plus massives et plus lumineuses, de couleur bleuâtre. Les étoiles qui se trouvent sur cette bande diagonale sont appelées les *étoiles de la série principale.* Il y a aussi des étoiles qui se trouvent en dehors de la série principale. Au-dessus, à droite, on retrouve des étoiles extrêmement grandes avec de fortes luminosités, mais ayant des températures basses correspondant à une couleur rougeâtre; on appelle ces étoiles des *géantes rouges.* Dans le coin inférieur gauche, il y a quelques étoiles de faible luminosité mais de température élevée; ce sont des *naines blanches.*

Pourquoi y a-t-il différents types d'étoiles? Les étoiles sont-elles toutes nées dans l'état où elles sont présentement? Chaque type d'étoile ne représente-t-il pas plutôt un âge différent dans le cycle de vie d'une étoile? C'est cette dernière hypothèse que les astronomes et les astrophysiciens acceptent aujourd'hui. Notez, toutefois, que nous ne pouvons suivre qu'une partie infime du cycle vital d'une étoile donnée, puisque les étoiles vivent pendant des périodes immensément plus longues que nous, de l'ordre de millions ou de milliards d'années. Néanmoins, tentons de suivre le processus de l'**évolution stellaire** de la naissance à la mort d'une étoile, comme les astrophysiciens le conçoivent aujourd'hui.

Les étoiles naissent, pense-t-on, lorsque des nuages gazeux (constitués surtout d'hydrogène) se contractent sous l'influence de la gravité. Un grand nuage gazeux peut alors se fragmenter en plusieurs masses en contraction, chacune centrée autour d'une région où la densité était seulement un peu plus grande qu'aux points avoisinants. Après la formation de telles «globules», la gravité tend inexorablement à ramener chacun vers son centre de gravité. Au fur et à mesure que les particules d'une telle *proto-étoile* accélèrent vers l'intérieur, leur énergie cinétique augmente. Lorsque l'énergie cinétique est suffisamment grande, la barrière coulombienne qui maintient les noyaux d'hydrogène séparés peut être franchie et la fusion nucléaire peut avoir lieu. Dans une étoile comme le Soleil, la «combustion» de l'hydrogène suit le cycle proton-proton (section 14.4, équation 14.6), dans lequel 4 protons fusionnent pour former un noyau $^{4}_{2}\mathrm{He}$ avec l'émission de rayons γ et de neutrinos; ces réactions requièrent une température d'environ 10^7 K, ce qui correspond à une énergie cinétique (kT) moyenne d'environ 1 keV. (Dans les étoiles plus massives, le cycle du carbone produit le même effet net, quatre $^{1}_{1}\mathrm{H}$ donnant un $^{4}_{2}\mathrm{He}$; section 14.4.) Les réactions de fusion ont lieu principalement dans la région centrale de l'étoile, appelée *noyau*, où la température T est suffisamment élevée. (La température superficielle est, bien entendu, beaucoup plus basse, de l'ordre de quelques milliers de kelvins.) L'énorme quantité d'énergie libérée par ces réactions de fusion crée une pression suffisante pour arrêter la contraction gravitationnelle, et notre proto-étoile, dorénavant réellement une jeune *étoile*, se stabilise sur la série principale. L'endroit précis de la série principale où l'étoile se retrouve dépend de sa masse. Plus une étoile est massive, plus elle est haute (et vers la gauche) dans le diagramme. Pour atteindre cette étape, il faut peut-être 30 millions d'années, si c'est une étoile comme notre Soleil; l'étoile y restera† environ 10 milliards d'années (10^{10} années). Quoique la plupart des étoiles soient vieilles de milliards d'années, certains indices donnent à croire que des étoiles sont en train de naître en ce moment même.

Alors que l'hydrogène brûle, l'hélium produit, qui est plus dense, tend à s'accumuler en plein centre de l'étoile. Pendant que ce noyau d'hélium grandit, dans une couche qui l'entoure l'hydrogène continue de brûler. Et au fur et à mesure que l'hydrogène du noyau se consume, la production d'énergie diminue, de sorte qu'éventuellement elle ne suffit plus à empêcher l'immense force gravitationnelle de faire à nouveau se contracter et se réchauffer le noyau. L'hydrogène dans l'enveloppe autour du noyau brûle alors encore plus vivement à cause de l'augmentation de température, ce qui amène l'expansion de l'enveloppe externe de l'étoile et son refroidissement. La température superficielle, ainsi réduite, produit un spectre de lumière dominé par le rouge. L'étoile ne fait plus maintenant partie de la série principale. Elle est devenue plus rouge et, au fur et à mesure qu'elle augmente de dimensions, elle devient plus brillante. Elle s'est donc déplacée vers la droite et vers le haut dans le diagramme H-R (figure 16.5). Alors qu'elle se déplace vers le haut, l'étoile entre dans le stade des **géantes rouges**. Notre Soleil, par exemple, se trouve sur la série principale depuis environ $4\frac{1}{2}$ milliards d'années. Il y restera probablement encore pendant 4 ou 5 milliards d'années. (Réjouissons-nous!) Lorsqu'il quittera la série principale, sa taille augmentera (comme toute géante rouge) et il occupera peut-être tout l'espace situé à l'intérieur de l'orbite de Vénus ou même de la Terre.

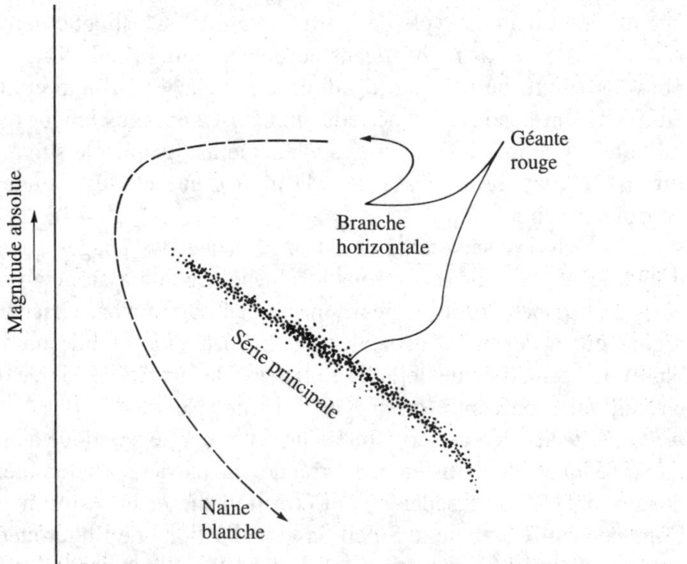

FIGURE 16.5 Représentation de l'évolution d'une étoile comme le Soleil sur un diagramme H-R.

† Comme les étoiles plus massives sont plus chaudes et que la barrière coulombienne est donc plus facilement franchie, elles brûlent beaucoup plus vite et épuisent leur combustible plus rapidement, ce qui diminue leur durée de vie. Une étoile 10 fois plus massive que le Soleil, par exemple, ne demeurera sur la série principale que 10^7 années environ. Les étoiles moins massives que le Soleil, dont la durée de vie est de 10^{10} années, vivent beaucoup plus longtemps que lui.

Alors que l'enveloppe d'une étoile s'étend, son noyau rapetisse et se réchauffe. Lorsque la température atteint environ 10^8 K, l'hélium, qui possède une barrière coulombienne plus élevée, peut entrer en fusion. Les réactions sont

$$\begin{aligned} {}^4_2\text{He} + {}^4_2\text{He} &\longrightarrow {}^8_4\text{Be} + \gamma \qquad (Q = -95 \text{ keV}) \\ {}^4_2\text{He} + {}^8_4\text{Be} &\longrightarrow {}^{12}_{6}\text{C} + \gamma. \qquad (Q = 7{,}4 \text{ MeV}) \end{aligned} \tag{16.3}$$

La première réaction est (légèrement) endothermique, et le ${}^8_4$Be formé est instable et peut se désintégrer rapidement (10^{-16} s) en deux particules alpha. La seconde réaction doit donc se produire très rapidement après la première, ce qui est possible grâce à la section efficace particulièrement élevée de cette deuxième réaction. L'effet net est

$$3\ {}^4_2\text{He} \longrightarrow {}^{12}_{6}\text{C}. \qquad (Q = 7{,}3 \text{ MeV})$$

La combustion de l'hélium entraîne un changement majeur dans l'étoile; celle-ci se déplace rapidement vers la «branche horizontale» du diagramme H-R (figure 16.5). Pendant que le carbone s'accumule, mais avant que le ${}^4_2$He ne soit complètement utilisé, d'autres réactions, comme la suivante, sont possibles:

$${}^4_2\text{He} + {}^{12}_{6}\text{C} \longrightarrow {}^{16}_{8}\text{O} + \gamma \tag{16.4a}$$

et, à un moindre degré,

$${}^4_2\text{He} + {}^{16}_{8}\text{O} \longrightarrow {}^{20}_{10}\text{Ne} + \gamma \tag{16.4b}$$

$${}^4_2\text{He} + {}^{20}_{10}\text{Ne} \longrightarrow {}^{24}_{12}\text{Mg} + \gamma. \tag{16.4c}$$

L'hydrogène et l'hélium sont, de loin, les éléments les plus courants dans l'Univers, H constituant environ $\frac{3}{4}$ de la masse des éléments et He, environ $\frac{1}{4}$. Suivent en ordre d'abondance le C et le O, comme on pouvait s'y attendre puisqu'ils sont produits dans les réactions ci-dessus.

Une fois tout le He brûlé, le noyau ne pourra pas se contracter suffisamment pour entrer dans un autre stade de combustion (du C et du O) si la masse de l'étoile est inférieure à environ 0,7 masse solaire. Si la masse est supérieure à cette valeur, le noyau peut se contracter et se réchauffer davantage, ce qui rend possibles les réactions de fusion entre les noyaux atomiques de C et de O à environ $6–7 \times 10^8$ K et 1×10^9 K respectivement. Parmi les réactions les plus probables, on a

$$\begin{aligned} {}^{12}_{6}\text{C} + {}^{12}_{6}\text{C} &\longrightarrow {}^{24}_{12}\text{Mg} + \gamma \\ {}^{16}_{8}\text{O} + {}^{16}_{8}\text{O} &\longrightarrow {}^{28}_{14}\text{Si} + {}^4_2\text{He} \\ &\longrightarrow {}^{31}_{16}\text{S} + n. \end{aligned}$$

Dans la région $T = 2{,}5–5 \times 10^9$ K, des éléments plus lourds peuvent être créés, jusqu'à ${}^{56}_{26}$Fe et ${}^{56}_{28}$Ni. Toutefois le processus de **nucléosynthèse**, qui forme des noyaux lourds par fusion de noyaux plus légers, se termine à ce point. Comme nous l'avons vu à la figure 13.1, l'énergie de liaison moyenne par nucléon commence à diminuer lorsque A devient plus grand que 60 environ. Des fusions supplémentaires requerraient de l'énergie plutôt qu'elles n'en libéreraient, et tout noyau plus grand qui serait produit se désintégrerait rapidement.

Ce qui se passe ensuite dépend de la masse de l'étoile. Si celle-ci a une masse résiduelle inférieure à environ 1,4 masse solaire† (valeur connue sous le nom de *limite de Chandrasekhar*), aucune énergie de fusion supplémentaire ne peut être produite, et l'étoile s'effondre sous l'action de la gravité. Au fur et à mesure qu'elle rapetisse, l'étoile se refroidit et suit typiquement la route représentée à la figure 16.5, descendant du coin supérieur gauche vers le coin inférieur droit, ce qui fait d'elle une **naine**

† Cette valeur de coupure se rapporte à la masse de l'étoile *après* la perte de masse durant le stade de la géante rouge. Une étoile dont la masse résiduelle est 1,4 masse solaire devait avoir une masse initiale d'environ 6 ou 8 masses solaires.

blanche. Une naine blanche de masse égale à celle du Soleil aurait environ la taille de la Terre. Ce qui détermine sa taille (problème 20) est que son effondrement doit s'arrêter au point où les fonctions d'onde électroniques commencent à se chevaucher puisque, en vertu du principe d'exclusion de Pauli, deux électrons ne peuvent se trouver dans le même état quantique. Une naine blanche continue de perdre son énergie interne en diminuant de température et en devenant de plus en plus pâle jusqu'à ce que sa lumière s'éteigne. Elle devient alors une *naine noire*, un morceau de cendre froid et sombre.

Les étoiles plus massives (avec des masses résiduelles supérieures à 1,4 masse solaire) suivent une évolution tout à fait différente. Une étoile ayant une telle masse peut se contracter sous l'action de la gravité et se réchauffer encore plus, jusqu'à atteindre des températures extrêmement élevées. L'énergie cinétique des noyaux est alors si grande que la fusion des éléments plus lourds que le fer peut se produire, même si ces réactions demandent de l'énergie. De plus, les collisions à haute énergie peuvent aussi entraîner la fission des noyaux de fer et de nickel en noyaux de He, et éventuellement en protons et en neutrons:

$$^{56}_{26}\text{Fe} \longrightarrow 13\ ^{4}_{2}\text{He} + 4n$$

$$^{4}_{2}\text{He} \longrightarrow 2p + 2n.$$

Ces réactions (endothermiques) requièrent de l'énergie mais, à des températures et des pressions extrêmement élevées, l'énergie est disponible en abondance, assez même pour forcer les électrons et les protons à se combiner pour former des neutrons dans une désintégration β inverse:

$$e^- + p \longrightarrow n + \nu.$$

Au fur et à mesure que le noyau de l'étoile se contracte sous l'effet des énormes forces gravitationnelles, cette masse formidable devient essentiellement un gigantesque noyau atomique composé presque exclusivement de neutrons. La taille de l'étoile n'est plus limitée par le principe d'exclusion appliqué aux électrons, mais plutôt par celui qui s'applique aux neutrons, et l'étoile se contracte rapidement pour former une **étoile à neutrons**. La contraction du noyau de l'étoile a comme conséquence une grande réduction de l'énergie potentielle gravitationnelle. D'une manière ou d'une autre, cette énergie doit être libérée. Et en effet, dans les années 1930, l'hypothèse fut émise que l'effondrement du noyau pouvait s'accompagner d'une explosion cataclysmique dont l'énergie gigantesque pouvait donner naissance à quasiment tous les éléments du tableau périodique et éjecter toute l'enveloppe externe de l'étoile (figure 16.6) en répandant son contenu dans l'espace interstellaire. On pense aujourd'hui que ces explosions, qui sont à l'origine de l'un des types de **supernovas** observés, croit-on (il peut y avoir aussi d'autres mécanismes), ont produit les éléments lourds présents dans notre système solaire, c'est-à-dire la matière dont nous et notre environnement sommes faits. Lors d'une explosion de supernova, on observe que la brillance de l'étoile augmente soudainement de plusieurs milliards de fois en seulement quelques jours, puis diminue graduellement dans les mois suivants. On a observé une telle supernova en 1987 dans l'appendice de notre Galaxie qu'on appelle le grand nuage de Magellan, à environ 170 000 al de distance seulement; cette supernova était visible à l'œil nu dans l'hémisphère Sud. On aperçoit assez fréquemment des supernovas dans les galaxies éloignées, mais cette dernière, appelée SN1987a, est la première à s'être produite assez près pour être visible à l'œil nu depuis la célèbre supernova de 1604, qui était la première depuis l'invention du télescope, et que Kepler et Galilée ont eu l'occasion d'observer. Deux autres supernovas visibles à l'œil nu furent rapportées en 1006 et 1054. La seconde fut observée par les astronomes chinois et ses restes, au milieu desquels se trouve maintenant un **pulsar**, sont encore visibles dans le ciel (dans la nébuleuse du Crabe). Les pulsars sont des objets astronomiques qui émettent des impulsions bien définies de radiation à intervalles réguliers, de l'ordre d'une seconde. On croit maintenant qu'il

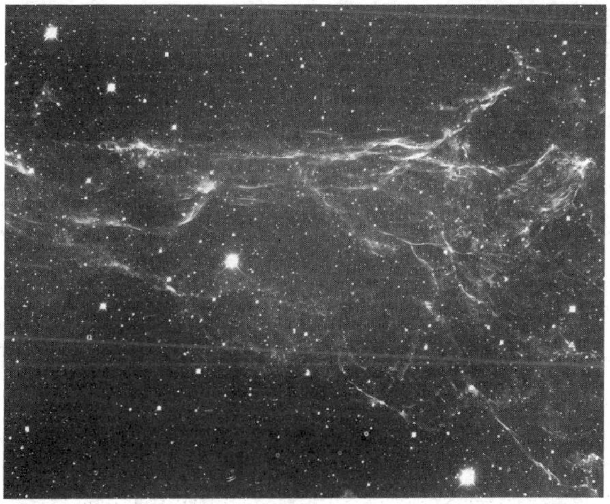

FIGURE 16.6 Photographie d'un gaz se dispersant dans le ciel après l'explosion d'une supernova. (Gracieuseté de l'Observatoire Lick.)

s'agit d'étoiles à neutrons qui, à cause de la conservation du moment angulaire, voient leur vitesse de rotation augmenter considérablement au fur et à mesure que leur moment d'inertie diminue dramatiquement lorsqu'elles se contractent. Le champ magnétique intense de ces étoiles en rotation rapide (peut-être aussi élevé que 10^6 à 10^{10} T) pourrait piéger et accélérer des particules chargées qui émettraient des radiations en un faisceau tournant avec l'étoile. La découverte des pulsars, en 1967, constitue un argument en faveur de la théorie selon laquelle les étoiles à neutrons sont le résultat d'explosions de supernovas.

Le noyau d'une étoile à neutrons se contracte jusqu'à ce que tous les neutrons soient aussi près les uns des autres que lorsqu'ils sont dans un noyau atomique. La densité d'une étoile à neutrons est donc de l'ordre de 10^{14} fois celle des solides et des liquides que nous connaissons. Une étoile à neutrons de masse 1,5 fois celle de notre Soleil aurait un diamètre d'environ 10 km seulement (problème 21).

Si la masse d'une étoile à neutrons est inférieure à approximativement 2 ou 3 masses solaires, son évolution subséquente est similaire à celle d'une naine blanche. Si au contraire cette masse est supérieure, la force gravitationnelle très grande fait se contracter l'étoile jusqu'à un diamètre encore plus petit et une densité encore plus grande, de sorte que même le principe d'exclusion pour les neutrons est en un sens violé. La gravité est si grande que même la lumière émise par une telle étoile ne peut s'échapper: elle est ramenée par la force gravitationnelle. En d'autres mots, la vitesse de libération près d'une telle étoile est plus grande que c, la vitesse de la lumière. Comme aucune radiation ne peut s'échapper d'une telle étoile, nous ne pouvons pas la voir: elle est noire. Un corps peut cependant passer près d'elle et sa trajectoire être déviée par son champ gravitationnel, mais s'il s'approche trop de l'étoile, il sera avalé pour ne plus jamais sortir. C'est ce qu'on appelle un **trou noir**. La théorie prédit l'existence des trous noirs. Quoique l'observation n'ait pas encore permis de confirmer de façon certaine leur existence, des indices probants semblent indiquer la présence d'un trou noir gigantesque au centre de notre Galaxie (on estime sa masse à plusieurs millions de fois celle du Soleil) et il semble possible que plusieurs sinon toutes les galaxies aient des trous noirs en leur centre.

16.3 La relativité générale: la gravité et la courbure de l'espace

Nous avons vu que la gravité joue un rôle dominant dans les phénomènes ayant cours dans les étoiles et, en général, dans l'évolution de l'Univers en son entier. Les raisons pour lesquelles la gravité, et non une autre des quatre interactions de la Nature, joue le rôle principal dans l'Univers sont 1) qu'elle est à longue portée et 2) qu'elle est toujours attractive. Les interactions nucléaires faibles et fortes n'agissent que sur de petites distances, de l'ordre de la dimension d'un noyau; elles n'ont donc aucun effet sur des distances astronomiques (quoique, bien entendu, elles agissent entre les noyaux atomiques présents dans les étoiles pour produire des réactions nucléaires). La force électromagnétique, comme la gravité, agit sur de grandes distances, mais elle peut être aussi bien attractive que répulsive. Et comme l'Univers ne semble pas contenir de grandes régions ayant une charge électrique nette, on ne trouve pas de grande force nette. La gravité, elle, agit comme une force attractive entre *toutes* les masses. Il n'y a qu'un type de masse dans l'Univers, alors qu'il y a deux types de charge électrique, + et −.

Cependant, la force de gravité telle qu'elle est décrite par Newton dans sa loi de la gravitation universelle présente des anomalies à une échelle cosmologique. Einstein, dans sa théorie de la relativité générale, développa une théorie de la gravité qui résout ces problèmes et qui forme la base de la dynamique cosmologique. Dans la théorie de la relativité restreinte (chapitre 8), Einstein fit remarquer qu'il ne semblait pas être possible pour un observateur de déterminer si un référentiel donné était au repos ou s'il se déplaçait à vitesse constante sur une trajectoire rectiligne. Par conséquent, selon Einstein, les lois de la physique doivent être les mêmes dans différents référentiels inertiels. (Comme nous l'avons vu, les *parcours* réels des objets sont ordinairement différents dans des référentiels différents.) Le fait de ne tenir compte que des référentiels en mouvement uniforme constitue jusqu'à un certain point une restriction. Qu'en est-il du cas général du mouvement, dans lequel les référentiels peuvent avoir une *accélération*?

FIGURE 16.7 Ascenceur en chute libre. Le livre, une fois lâché, flotte près de la main de son propriétaire.

C'est dans la *théorie de la relativité générale* qu'Einstein s'attaqua au problème des référentiels en accélération et qu'il développa une théorie de la gravité. Les mathématiques de la relativité générale sont très complexes; nous traiterons donc du sujet surtout de façon qualitative.

Commençons par le **principe d'équivalence**, dont nous avons déjà brièvement parlé au chapitre 6 du tome 1:

> **Aucune expérience effectuée dans une petite région de l'espace ne peut permettre de distinguer entre un champ gravitationnel et une accélération uniforme équivalente.**

Considérons, par exemple, une personne dans un ascenceur en chute libre près de la surface de la Terre. Si notre observateur laisse tomber un livre, que se passe-t-il? La gravité attire le livre vers le bas, mais au même taux ($g = 9{,}8\ \mathrm{m/s^2}$) auquel la personne et l'ascenceur tombent. Le livre reste donc suspendu à côté de la main de l'observateur (figure 16.7). L'effet est exactement le même que si le référentiel était au repos et qu'*aucune* force n'agissait. Supposons maintenant que l'ascenceur est très loin dans une région de l'espace dépourvue de champ gravitationnel. Si la personne lâche le livre, celui-ci flotte, tout comme dans la figure 16.7b. Si l'ascenceur subissait plutôt une accélération vers le haut de $9{,}8\ \mathrm{m/s^2}$, l'observateur verrait le livre tomber avec une accélération de $9{,}8\ \mathrm{m/s^2}$, exactement comme si la gravité attirait le livre vers le bas. Selon le principe d'équivalence, l'observateur ne peut pas savoir si le livre tombe à cause de l'accélération vers le haut de l'ascenceur ou à cause d'un champ gravitationnel agissant vers le bas. Les deux descriptions sont équivalentes.

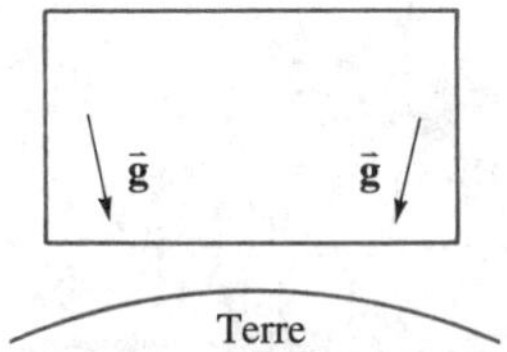

FIGURE 16.8 Dans un très grand laboratoire près de la surface de la Terre, $\vec{g}$, à différents endroits, pointerait dans des directions différentes.

Nous avons spécifié une «petite région de l'espace» dans l'énoncé du principe d'équivalence parce que, dans le monde réel, il est difficile de trouver un champ gravitationnel uniforme. À la surface de la Terre, par exemple, $\vec{g}$ semble uniforme sur une petite région de l'espace. Supposons toutefois que notre laboratoire couvre une grande région de l'espace comme dans la figure 16.8. Comme $\vec{g}$ pointe vers le centre de la Terre et donc dans différentes directions à différents points, nous pouvons détecter cet écart entre divers emplacements (et/ou la dépendance en $1/r^2$ de la force gravitationnelle) et ainsi distinguer $\vec{g}$ d'une accélération uniforme.

Si nous effectuons nos expériences dans une région raisonnablement petite de l'espace, nous ne pouvons pas faire de distinction. Ainsi, dans un ascenceur en chute libre près de la surface de la Terre, les objets se déplaceraient comme s'il n'y avait pas de gravité. L'ascenseur constitue un **référentiel inertiel local**. On qualifie le référentiel de «local» pour les raisons mentionnées précédemment et d'«inertiel» parce que la loi de l'inertie est valide quand la force de gravité n'entre pas en jeu: si aucune autre force n'agit, un objet initialement au repos demeure au repos dans ce système, et ainsi de suite. De tels référentiels inertiels jouent un rôle important dans la théorie de la relativité générale. Ils sont plus généraux que les référentiels newtoniens parce qu'ils ne sont pas nécessairement non accélérés relativement à d'autres référentiels inertiels ou aux «étoiles fixes».

À la section 6.8 du tome 1, nous avons vu une autre façon d'énoncer le principe d'équivalence: la masse gravitationnelle est équivalente à la masse inertielle. En appliquant le principe d'équivalence, on peut montrer que la lumière doit être déviée par la force gravitationnelle d'un corps massif. Nous n'effectuerons pas de calculs compliqués, mais nous imaginerons une expérience pour nous donner une idée approximative. Soit un ascenseur dans une région vide de l'espace où aucune force de gravité n'agit. Supposons qu'un faisceau de lumière provenant de l'extérieur pénètre dans l'ascenseur par un trou situé sur le côté. Si l'ascenseur est au repos (figure 16.9a), le faisceau le traverse en ligne droite d'un côté à l'autre et produit un point lumineux sur la paroi opposée. Si au contraire l'ascenseur est en train d'accélérer vers le haut (figure 16.9b), le faisceau suivra cette fois aussi une ligne droite allant d'un côté à l'autre dans un référentiel au repos. Dans l'ascenseur, toutefois, on observera que le faisceau se courbe vers le bas. Pourquoi? Parce que durant le temps mis par la lumière pour parcourir la distance d'un côté à l'autre de l'ascenseur, ce dernier monte à une vitesse toujours plus grande. Or selon le principe d'équivalence, un référentiel en accélération vers le haut est équivalent à un champ gravitationnel vers le bas. On peut donc dire que le parcours courbe de la lumière dans la figure 16.9b représente l'effet d'un champ gravitationnel. On s'attend donc à ce que la gravité exerce une force sur un faisceau lumineux et le dévie en courbant son parcours rectiligne! Ceci est une prédiction importante de la théorie de la relativité générale d'Einstein, et elle peut être prouvée. La déviation subie par un faisceau lumineux relativement à un parcours rectiligne doit être petite, même lorsque le faisceau passe près d'un corps massif. (Par exemple, la lumière près de la surface de la Terre ne descendrait que de 10^{-10} m après avoir parcouru 1 km, ce qui est de l'ordre du diamètre d'un petit atome et ne peut être détecté.) Le corps massif le plus près de nous est le Soleil, et on a calculé que la lumière provenant d'une étoile éloignée est déviée de seulement 1,75″ d'arc (ce qui est très petit mais détectable) en passant près du Soleil (figure 16.10). Toutefois, une telle mesure ne peut s'effectuer que durant une éclipse solaire totale, pour que l'éclat énorme du Soleil n'empêche pas de percevoir la lumière de l'étoile passant tout près. Une éclipse opportune se produisit en 1919, et des scientifiques se rendirent dans l'Atlantique sud pour l'observer. Leurs photos des étoiles autour du Soleil révélèrent des écarts conformes à la prédiction d'Einstein. Une manchette de journal pouvait se lire ainsi: «La lumière surprise en train de plier». La loi universelle de la gravitation de Newton et le principe d'équivalence

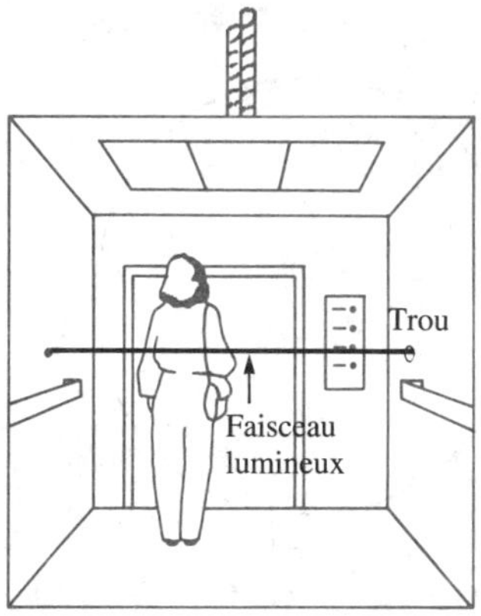

a)

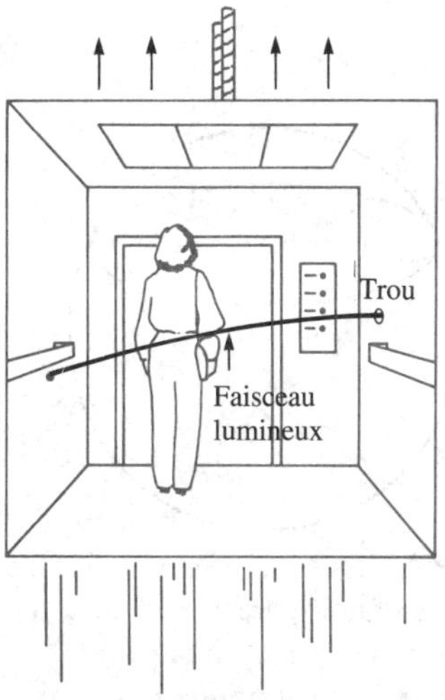

b)

FIGURE 16.9 La déviation (exagérée) d'un faisceau lumineux dans un ascenseur b) accélérant vers le haut. En a), il n'y a pas d'accélération.

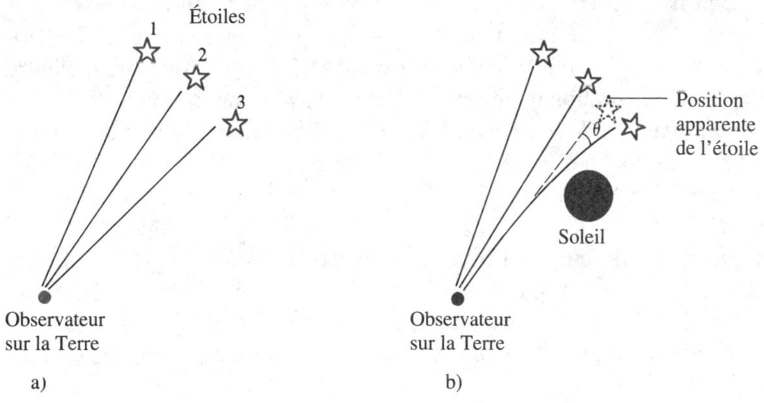

FIGURE 16.10 a) Trois étoiles dans le ciel. b) La lumière de l'une de ces étoiles passe près du Soleil dont la gravité dévie les rayons, l'étoile apparaissant ainsi plus haute qu'elle ne l'est en réalité.

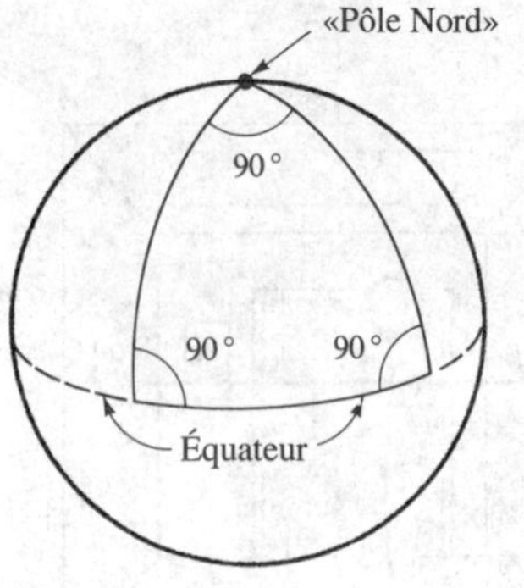

FIGURE 16.11 Sur une surface courbe à deux dimensions, la somme des angles d'un triangle peut ne pas être 180°.

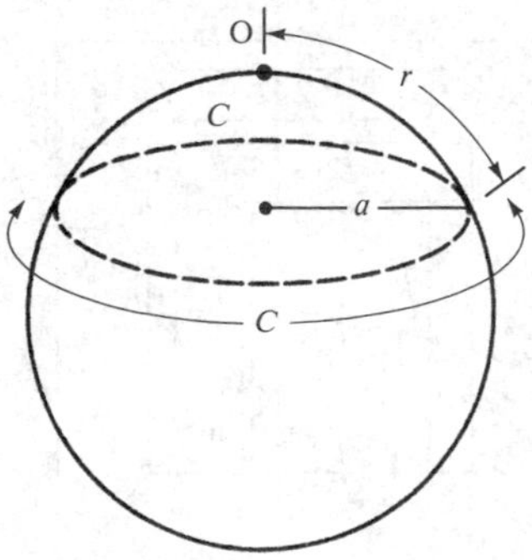

FIGURE 16.12 Sur une surface sphérique, on trace un cercle de circonférence C autour d'un centre situé en un point O. Le rayon est la distance r le long de la surface. (Dans notre vue à trois dimensions, on peut dire que $2\pi a = C$; comme $r > a$, alors $2\pi r > C$.)

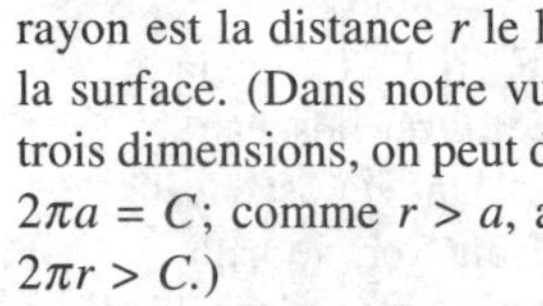

FIGURE 16.13 Exemple d'une surface à deux dimensions ayant une courbure négative.

permettent aussi de prédire un infléchissement gravitationnel de la lumière si on la considère comme composée de photons de masse $m = E/c^2$ (problème 27). Mais la déviation ainsi calculée est la moitié de celle prévue par la théorie de la relativité générale d'Einstein; or, c'est ce dernier résultat qui est observé.

Un faisceau de lumière est censé suivre le parcours le plus court et le plus direct entre deux points. Autrement, un autre objet pourrait voyager d'un point à l'autre en un temps plus court et ainsi avoir une plus grande vitesse que celle de la lumière, ce qui contredit clairement la théorie de la relativité restreinte. Si un faisceau lumineux suit une trajectoire courbe (comme nous le mentionnions ci-dessus), alors cette trajectoire courbe doit être la distance la plus courte entre deux points; ceci semble indiquer que *l'espace lui-même est courbe*, et que c'est le champ gravitationnel qui est la cause de cette courbure. Et en effet, la courbure de l'espace ou plutôt la courbure de l'espace-temps à quatre dimensions est un aspect fondamental de la relativité générale.

Que veut-on dire par *espace courbe*? Pour comprendre, rappelons-nous que la façon dont nous percevons normalement le monde est en accord avec la géométrie plane d'Euclide. Dans la géométrie plane, il y a plusieurs axiomes et théorèmes que nous tenons pour acquis, comme celui selon lequel la somme des angles d'un triangle quelconque est de 180°. Les mathématiciens ont imaginé aussi d'autres géométries, non euclidiennes, qui supposent un espace courbe. Il est déjà très difficile d'imaginer un espace courbe à trois dimensions, mais il est presque impossible d'imaginer un espace-temps courbe à quatre dimensions. Nous tenterons donc d'expliquer l'idée d'espace courbe à l'aide de surfaces à deux dimensions.

Considérons, par exemple, la surface (à deux dimensions) d'une sphère. Elle est de toute évidence courbée (figure 16.11), au moins pour nous qui la voyons de l'extérieur, dans notre monde à trois dimensions. Comment, toutefois, des créatures imaginaires à deux dimensions pourraient-elles déterminer si leur espace à deux dimensions est plat (un plan) ou courbe? Elles pourraient y arriver en considérant la somme des angles d'un triangle. Si la surface est plane, la somme des angles est de 180°. Mais si leur espace est courbe et qu'elles construisent un triangle suffisamment grand, la somme des angles *ne sera pas* de 180°. Pour construire un triangle sur une surface courbe, sur une sphère par exemple, il faut utiliser l'équivalent d'une ligne droite, soit une **géodésique**, c'est-à-dire la plus petite distance entre deux points. Sur une sphère, une géodésique est un arc d'un grand cercle (un arc contenu dans un plan passant par le centre de la sphère) comme l'équateur et les longitudes terrestres. Considérons, par exemple, le grand triangle de la figure 16.11 dont deux côtés sont des segments de longitudes allant du pôle Nord jusqu'à l'équateur et le troisième est un segment de l'équateur. Les deux segments de longitudes font des angles de 90° avec l'équateur (examinez un globe terrestre pour vous rendre compte par vous-même); s'ils font, disons, un angle de 90° l'un avec l'autre au pôle Nord, la somme de ces angles est de 90° + 90° + 90° = 270°. On voit clairement qu'il *ne s'agit pas* là d'un espace euclidien. (Notez toutefois que lorsque le triangle est petit comparativement au rayon de la sphère, la somme des angles est presque de 180° et le triangle semble plat.)

Une autre façon de vérifier la courbure de l'espace est de mesurer le rayon r et la circonférence C d'un cercle de grande dimension. Sur une surface plane, $C = 2\pi r$. Toutefois, sur une surface sphérique à deux dimensions, C est *inférieur* à 2π (figure 16.12). La constante de proportionnalité entre C et r est *plus petite* que 2π. On dit qu'une telle surface a une *courbure positive*. Sur la surface semblable à une selle de la figure 16.13, la circonférence d'un cercle est plus grande que $2\pi r$ et la somme des angles d'un triangle est plus petite que 180°. On dit qu'une telle surface possède une *courbure négative*.

Maintenant, qu'en est-il de notre Univers? À l'échelle cosmologique (et non pas seulement près d'une grande masse), quelle est la courbure d'ensemble de l'Univers? Cette courbure est-elle positive, négative, ou encore l'Univers est-il plat (courbure nulle)? Au XIXe siècle, Carl Friedrich Gauss (1777-1855) chercha à déterminer si notre

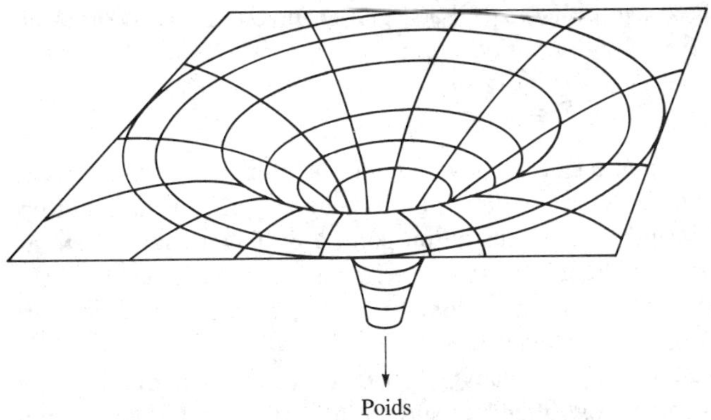

FIGURE 16.14 Analogie de la feuille de caoutchouc pour un espace-temps courbé par la matière.

espace naturel à trois dimensions déviait de l'espace euclidien en mesurant les angles d'un triangle formé par des rayons lumineux reliant les sommets de trois montagnes. Il fut incapable de mettre en évidence un écart par rapport à 180°; aucune expérience faite jusqu'à ce jour n'est assez précise pour détecter un écart quelconque.

Néanmoins, la question de la courbure de l'espace dans le monde réel est très importante en cosmologie. Et la réponse n'est pas encore connue. Si l'Univers a une courbure positive, alors l'Univers est *fini*, ou *fermé*. Ceci ne veut pas dire que dans un tel univers les étoiles et les galaxies s'étendraient jusqu'à une certaine limite au-delà de laquelle il n'y aurait que du vide. Les galaxies rempliraient plutôt tout l'espace et l'espace se replierait et «se fermerait sur lui-même». Il n'y aurait pas de limite ou de côté dans un tel univers. Une particule se déplaçant en ligne droite dans une direction particulière reviendrait éventuellement à son point de départ, quoique beaucoup plus tard. Demander «qu'y a-t-il au-delà d'un tel univers fermé?» est futile, puisque l'Univers comprend tout ce qui existe. D'autre part, si la courbure était nulle ou négative, l'Univers serait *ouvert*. Il s'étendrait à l'infini sans jamais se replier sur lui-même. Un univers ouvert serait *infini*. La question de savoir si l'Univers est ouvert ou fermé dépend, en partie, de la masse totale de l'Univers, comme nous le verrons à la section 16.7. Si cette masse est suffisamment grande, elle rend l'espace courbé positivement, fermé et fini.

Selon la théorie d'Einstein, l'espace-temps est courbe, en particulier localement près des corps massifs. Pour visualiser cela, imaginons l'espace comme étant une mince feuille de caoutchouc; si on suspend un poids lourd à la feuille, celle-ci se déforme comme dans la figure 16.14. Le poids correspond à une masse énorme qui fait se courber l'espace (l'espace lui-même!). Ainsi, dans la théorie d'Einstein[†], on ne parle pas de «force» de gravité agissant sur les corps. On dit plutôt que les corps et les rayons lumineux se déplacent le long de géodésiques (l'équivalent des droites dans la géométrie plane) dans un espace-temps courbe. Ainsi, un corps au repos ou se déplaçant lentement près de la grande masse de la figure 16.14 suit une géodésique vers ce corps.

La courbure extrême de l'espace-temps représentée à la figure 16.14 pourrait être produite par un **trou noir**. Un trou noir, comme nous l'avons vu à la section précédente, est si dense que même la lumière ne peut s'en échapper. Pour devenir un trou noir, un corps de masse M doit subir un **effondrement gravitationnel** en se contractant

[†] Alexander Pope (1688-1744) écrivit une épitaphe pour Newton:

> La Nature et ses lois se cachaient dans la nuit
> Dieu dit: Newton soit! Et la lumière se fit.

Sir John Squire (1884-1958), qui n'était peut-être pas très à l'aise avec les raisonnements élaborés d'Einstein, ajouta:

> Cela ne dura pas. Sur un ordre du Démon
> *Einstein nous arriva*, ramenant la confusion.

(Je remercie D. Edgell pour avoir attiré mon attention sur la deuxième citation.)

sous l'effet de son propre poids, jusqu'à ce qu'il atteigne un rayon appelé le **rayon de Schwarzschild**,

$$R = \frac{2GM}{c^2},$$

où G est la constante de gravitation et c, la vitesse de la lumière. Si un corps se contracte au-delà de ce rayon, la théorie de la relativité générale prévoit qu'il s'effondrera rapidement ($\approx 10^{-5}$ s) jusqu'à n'être plus qu'un point à $r = 0$, formant une **singularité** infiniment dense. Cette prédiction n'est pas certaine, cependant, puisque dans ces conditions nous devons combiner la mécanique quantique et la gravité, une unification de théories qui n'est pas encore réalisée.

Le rayon de Schwarzschild représente aussi l'**horizon des événements** d'un trou noir. Par horizon des événements, on entend la surface à l'intérieur de laquelle tout signal émis sera incapable de sortir et donc de nous informer des événements qui se produisent à l'intérieur. Au fur et à mesure qu'une étoile s'effondre en un trou noir, la lumière qu'elle émet est attirée de plus en plus fortement par la gravité, mais nous pouvons toujours la voir. Une fois que la matière passe à l'intérieur de l'horizon des événements, la lumière émise ne peut plus s'échapper car elle est ramenée par la gravité[†]. Tout ce qu'on peut connaître sur un trou noir est sa masse, son moment angulaire (il se peut qu'il existe des trous noirs en rotation) et sa charge électrique. Aucune autre information, aucun détail sur sa structure ou sur la sorte de matière dont il est formé ne peuvent être connus.

(Certains trous noirs peuvent avoir une fin curieuse. Les équations qui décrivent l'effondrement semble indiquer une ré-explosion d'une étoile vers l'extérieur, ce qui pourrait avoir lieu dans un *autre* univers lié au nôtre mais différent. Un objet explosant de cette manière à travers son rayon de Schwarzschild se comporterait comme un trou noir avec le temp renversé. On pourrait donc l'appeler un **trou blanc**. On a émis l'hypothèse que certaines supernovas sont en fait des trous blancs.)

Comment pourrions-nous observer des trous noirs? Nous ne pourrions pas les voir parce qu'aucune lumière ne peut s'en échapper. Ce serait des objets noirs dans un ciel noir. Toutefois, ils exerceraient une force gravitationnelle sur les objets avoisinants. Le trou noir hypothétique au centre de notre Galaxie fut découvert en examinant le mouvement de la matière dans son voisinage. Une autre technique consiste à examiner les étoiles qui semblent tourner comme si elles étaient des membres d'un *système binaire* (deux étoiles tournant autour de leur centre de gravité commun), quoique leur compagnon soit invisible. Si l'étoile invisible est un trou noir, on pourrait s'attendre à ce qu'elle arrache de la matière gazeuse à son compagnon visible. Au fur et à mesure que cette matière approche l'horizon événementiel, elle devrait subir une très forte accélération et émettre des rayons X d'un type caractéristique. À l'heure actuelle, il existe des preuves raisonnablement fiables de la présence d'un trou noir dans le système binaire Cygnus X-1; des observations supplémentaires seront nécessaires pour trancher la question.

16.4 L'expansion de l'Univers

À la section 16.2, nous avons vu comment les étoiles individuelles évoluent de leur naissance jusqu'à leur mort, en naines blanches, en étoiles à neutrons et en trous noirs; mais qu'en est-il de l'Univers lui-même? Est-il statique ou évolue-t-il? L'évolution des étoiles suggère l'idée de l'évolution de l'Univers dans son ensemble; voyons quels sont les arguments en faveur de cette thèse.

Dans sa théorie de l'Univers, Newton supposait que celui-ci était *statique*: aucun changement à grande échelle ne se produit au cours des années. Newton sentait très

[†] Selon la mécanique quantique, de la matière et de la radiation pourraient s'échapper d'un trou noir en vertu de l'effet tunnel, mais le taux auquel cela se produirait serait extrêmement bas.

bien les difficultés liées à l'idée d'un univers fini ou infini. S'il est fini et qu'il a une limite, alors la question se pose tout naturellement: «Qu'y a-t-il au-delà de la limite?» Mais s'il y a quelque chose au-delà de la limite, pourquoi une telle région ne feraitelle pas aussi partie de l'Univers? De plus, un univers statique et fini semblerait être instable; en effet, pourquoi la gravité ne réunit-elle pas toute la matière au centre? Il est aussi très difficile d'imaginer un univers infini. Un tel univers présente en effet de nombreux problèmes, dont l'un est connu sous le nom de **paradoxe de Olbers**: *pourquoi le ciel est-il noir la nuit?* Kepler avait conclu que si l'Univers était infini, avec des étoiles uniformément distribuées partout, alors toute ligne de vision devrait éventuellement tomber sur la surface d'une étoile. Le ciel devrait donc apparaître brillant partout. Il conclua que l'Univers ne pouvait pas être infini (une conclusion qui présente elle-même des problèmes comme nous l'avons vu). La question n'est cependant pas aussi simple: les étoiles ne sont pas des points, mais elles ont des tailles finies (elles sous-tendent un angle fini, quoique très petit) et le ciel nocturne pourrait donc être brillant même si l'Univers était fini.

Il existe des solutions possibles au paradoxe de Olbers. Ainsi, l'Univers pourrait être infini en étendue mais non infiniment vieux, de sorte que la lumière provenant d'étoiles lointaines ne nous aurait pas encore atteints. On croit généralement que cette idée, ainsi que la réduction de l'énergie lumineuse due au décalage vers le rouge dans l'expansion de l'Univers (dont nous allons parler bientôt) fournit une solution au paradoxe de Olbers. Cependant, des preuves de ces deux idées (l'Univers n'a pas toujours existé et il n'est pas statique) ne furent trouvées que bien après le début du XXe siècle. Même Einstein, lorsqu'il travaillait aux solutions de ses équations de la relativité générale, en 1917, supposait que l'Univers était statique.

L'une des plus importantes idées scientifiques de ce siècle atteste que les galaxies lointaines s'éloignent de nous à toute allure et que plus elles sont loin plus elles s'éloignent rapidement. Dans le reste de cet ouvrage, nous verrons comment les astronomes en arrivèrent à cette étonnante conclusion et quelle est la signification de celleci au regard de l'histoire passée ainsi que future de l'Univers.

L'idée selon laquelle l'Univers est en expansion fut d'abord émise par Hubble en 1929. Elle était basée sur les observations du déplacement Doppler de la lumière émise par les étoiles. Au chapitre 2, nous avons vu comment la fréquence et la longueur d'onde du son sont modifiées lorsque la source s'approche ou s'éloigne de l'observateur. Si la source s'approche de nous, la fréquence est plus haute et la longueur d'onde est plus petite. Si la source s'éloigne, la fréquence est plus basse et la longueur d'onde est plus grande. L'effet Doppler se produit aussi pour la lumière, mais la longueur d'onde (ou la fréquence) modifiée est donnée par une formule légèrement différente que pour le son parce que, dans le cas de la lumière (selon la relativité restreinte), on ne peut pas distinguer entre le mouvement de la source et celui de l'observateur. (Souvenez-vous que le son se propage dans la matière, tel l'air, ce qui n'est pas le cas de la lumière car, selon la relativité, il n'y a pas d'éther). Il est facile de montrer (problème 35) que, selon la relativité restreinte,

$$\lambda' = \lambda\sqrt{\frac{1 + v/c}{1 - v/c}}, \tag{16.5}$$

où λ est la longueur d'onde émise telle qu'on l'a vue dans le référentiel de la source et où λ' est la longueur d'onde mesurée dans un référentiel s'éloignant de la source avec une composante radiale de vélocité v_x le long de la ligne de vision. Notez que cette relation dépend seulement de la vitesse relative v_x. (Pour un mouvement relatif où la source et l'observateur vont l'un vers l'autre, $v_x < 0$ dans cette formule.) Ainsi, si une source émettant de la lumière d'une certaine longueur d'onde s'éloigne de nous, la longueur d'onde que nous observons est plus grande: la couleur de la lumière (si elle est visible) est décalée vers l'extrémité rouge du spectre visible, un effet appelé **décalage vers le rouge**. Si la source s'approche de nous, la couleur est décalée vers l'extrémité bleue du spectre (longueur d'onde plus petite). La grandeur du décalage dépend de la vitesse de la source. Pour des vitesses bien en deça de la vitesse de la lumière, la variation relative de la longueur d'onde est proportionnelle à la vitesse de la source vers nous ou au loin de nous (comme c'est le cas pour le son):

$$\frac{\Delta\lambda}{\lambda} = \frac{\lambda' - \lambda}{\lambda} \approx \frac{v_x}{c} \quad [v_x << c] \tag{16.6}$$

(problème 36).

Dans les spectres d'étoiles et de galaxies, on observe des raies correspondant aux raies de spectres de certains atomes (section 9.9). Hubble trouva que les raies observées dans les spectres de galaxies étaient généralement *décalées vers le rouge* et que la grandeur du décalage semblait proportionnelle à la distance de la galaxie par rapport à nous. Autrement dit, il observa que la vitesse v d'une galaxie s'éloignant de nous est proportionnelle à sa distance d:

$$v = Hd. \tag{16.7}$$

Cette relation est connue comme la **loi de Hubble** et la constante H porte le nom de *constante de Hubble* (même s'il ne s'agit peut-être pas d'une constante). La loi de Hubble ne fonctionne pas bien pour les galaxies proches de nous; en fait, certaines d'entre elles se déplacent vers nous (elles sont «décalées vers le bleu»); mais on croit que ceci est dû simplement au caractère aléatoire du mouvement des galaxies. Pour les galaxies plus lointaines, la vitesse d'éloignement (la loi de Hubble) est beaucoup plus grande que le mouvement aléatoire, et c'est donc elle qui domine.

La valeur de H n'est pas connue très précisément. On l'estime généralement à

$$H \approx 50 \text{ km/s/Mpc}$$

(c'est-à-dire 50 km/s par mégaparsec de distance). Si on utilise les années-lumière, $H \approx 15$ km/s par million d'années-lumière de distance. Toutefois, H pourrait être aussi bas que 40 km/s/Mpc ou aussi élevé qu'environ 100 km/s/Mpc. Cette assez grande incertitude découle principalement de l'incertitude dans la mesure de la distance.

Que signifie le fait que les galaxies lointaines s'éloignent toutes de nous et ce, à des vitesses d'autant plus grandes qu'elles sont loin de nous? Tout se passe comme s'il s'était produit une grande explosion dans un passé lointain. À première vue, nous avons l'impression d'être au milieu de l'expansion, mais ce n'est pas le cas. En fait, un observateur voit l'expansion de la même manière quel que soit le point de l'Univers où il se trouve. Pour en comprendre la raison, examinons la figure 16.15. La partie 16.15a montre ce que nous voyons à partir de la Terre (ou de notre Galaxie). Les vélocités des galaxies avoisinantes sont indiquées par des flèches pointant dans la direction directement opposée à nous, et d'autant plus grandes que les galaxies sont plus lointaines. Maintenant, que se passerait-il si nous étions dans la galaxie appelée A dans la figure 16.15a. De la Terre, la galaxie semble se déplacer vers la droite à une vitesse $\vec{\mathbf{v}}_A$, représentée par la flèche pointant vers la droite. Si nous étions *dans* la galaxie A, la Terre nous apparaîtrait en mouvement vers la gauche à la vitesse $-\vec{\mathbf{v}}_A$. Pour déterminer les vitesses des autres galaxies relativement à A, on ajoute le vecteur vitesse, $-\vec{\mathbf{v}}_A$, à tous les vecteurs vitesse de la figure 16.5a. Cela nous donne la figure 16.15b. De toute évidence, l'Univers s'éloigne de la galaxie A également, et les vitesses des galaxies s'éloignant de A sont proportionnelles à leur distance de A.

On peut donc décrire ainsi l'expansion de l'Univers: toutes les galaxies s'éloignent *les unes des autres* à un taux moyen d'environ 50 km/s par mégaparsec de distance entre elles (ou 15 km/s par million d'années-lumière de séparation). Les conséquences de cette découverte fondamentale sont énormes et nous en discuterons bientôt.

Il convient à ce moment-ci de mentionner l'existence d'une catégorie d'objets nommés objets «quasi-stellaires» ou **quasars**, qui ne semblent pas obéir à la loi de Hubble. Les quasars sont aussi brillants que les étoiles proches, mais ils présentent des décalages vers le rouge très prononcés. Si les quasars participent normalement à

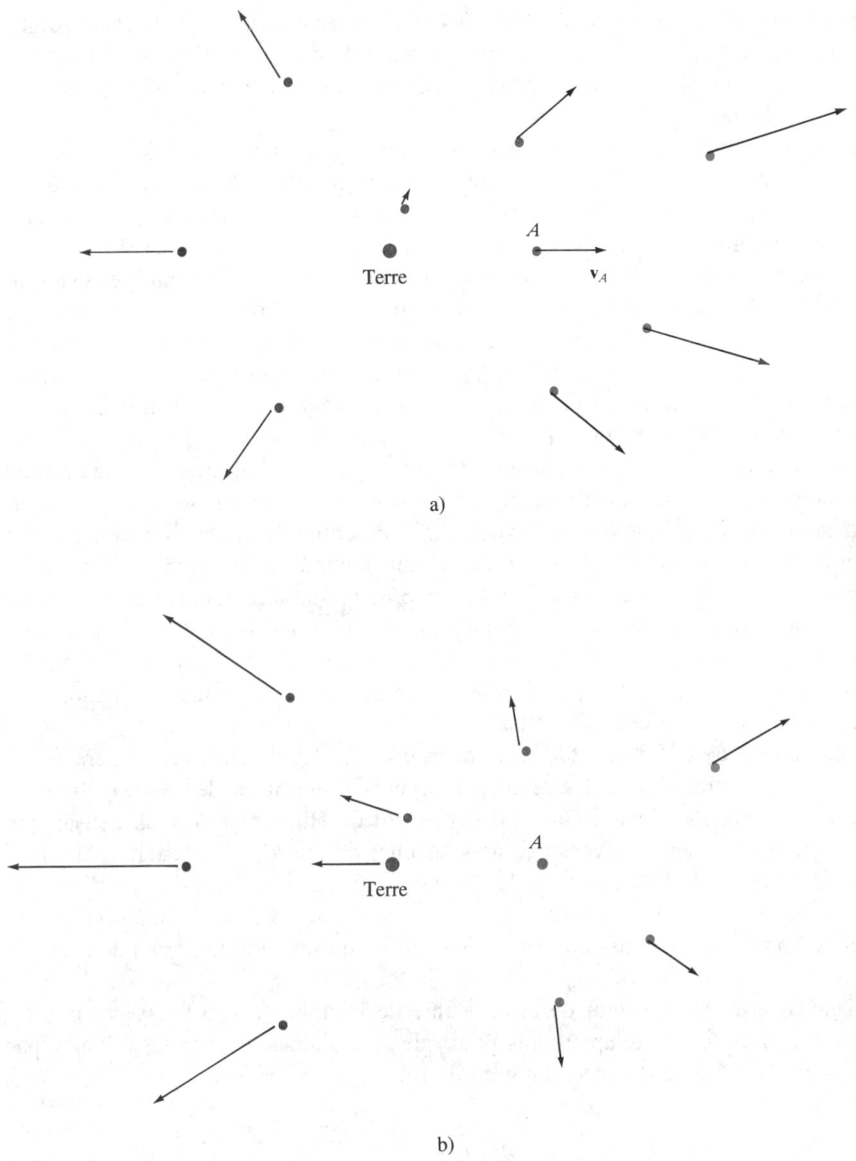

FIGURE 16.15 Observé de n'importe quel point, l'expansion de l'Univers est la même.

l'expansion de l'Univers, conformément à la loi de Hubble, leur décalage marqué vers le rouge indique qu'ils sont très lointains. Dans ce cas, ils doivent être incroyablement brillants, parfois des milliers de fois plus brillants que les galaxies normales. D'autre part, on a émis l'hypothèse que certains quasars ne sont pas anormalement brillants, mais qu'ils sont plus près de nous que ne l'indique leur décalage vers le rouge. Dans ce cas, on échangerait un problème de brillance non résolu par un problème de décalage vers le rouge non résolu. Une observation intéressante veut que la densité de population des quasars augmente avec la distance. S'ils sont à une grande distance de nous, comme leur décalage vers le rouge le suggère, ceci pourrait vouloir dire qu'ils étaient plus fréquents dans l'Univers primitif qu'ils ne le sont présentement. Si au contraire ils sont beaucoup plus près de nous, comme leur brillance semble le laisser croire, il semblerait que *nous* soyons à un endroit spécial de l'Univers, c'est-à-dire à l'endroit où les quasars sont les moins nombreux. La plupart des astronomes refusent d'accepter cette thèse qui violerait une supposition fondamentale en cosmologie, soit le *principe cosmologique*, dont nous parlerons bientôt. Selon une hypothèse récente qui résoudrait la question des quasars, ces mystérieux objets seraient des noyaux de galaxies qui émettraient des quantités énormes d'énergie en attirant de la matière avoisinante, par exemple lorsque des galaxies «entrent en collision». Si le centre d'une galaxie est un trou noir, le fait qu'une grande quantité de matière soit accélérée vers lui libérerait une quantité d'énergie prodigieuse. Il semble donc possible que les quasars soient alimentés par des trous noirs.

Selon une supposition fondamentale en cosmologie, à une échelle cosmologique l'Univers apparaît identique à des observateurs situés à différents endroits à un même moment. En d'autres mots, l'Univers est à la fois isotropique (il semble le même dans toutes les directions) et homogène (il apparaîtrait identique s'il était observé d'ailleurs, par exemple d'une autre galaxie). Cette supposition porte le nom de **principe cosmologique**. À l'échelle locale, disons dans notre système solaire ou à l'intérieur de notre Galaxie, il est clair que ce principe ne s'applique pas (le ciel a un aspect différent selon l'endroit d'où on l'observe). Cependant, à une échelle cosmologique, on pense depuis très longtemps que ce principe est valide: la densité moyenne de galaxies et d'amas de galaxies semble être la même dans toutes les régions du ciel. L'expansion de l'Univers est en accord avec le principe cosmologique (figure 16.15), et l'uniformité du fond de rayonnement cosmique (dont nous parlerons dans la section suivante) est un argument en sa faveur. En fait, le principe cosmologique permet de traiter l'Univers comme une unique entité susceptible d'évolution, et non comme un ensemble aléatoire de corps matériels. On peut également énoncer ce principe de la façon suivante: la Terre n'a rien de spécial à l'échelle cosmologique; nos observations à grande échelle ne sont pas différentes de celles qui pourraient être faites ailleurs dans l'Univers. Comme les choses ont changé depuis l'époque, vieille d'à peine quelques centaines d'années, où nous croyions occuper le centre de l'Univers!

L'expansion de l'Univers, telle que décrite par la loi de Hubble, suggère fortement que les galaxies devaient être plus rapprochées les unes des autres autrefois qu'elles ne le sont maintenant. Qui plus est, la loi de Hubble permet de penser que toutes les galaxies se sont trouvées très près les unes des autres à un certain point dans le passé. Il s'agit là du fondement de la théorie du *Big Bang* à l'origine de l'Univers (dont traite la section suivante), selon laquelle on peut concevoir le commencement de l'Univers comme une immense explosion. Voyons ce qu'on peut dire alors de l'âge de l'Univers.

Si nous utilisons la valeur de la constante de Hubble, $H \approx 15$ km/s par million d'années-lumière, alors le temps requis pour que les galaxies en arrivent à leur séparation actuelle a été de 10^6 années-lumière divisées par 15 km/s:

$$t_0 = \frac{d}{v} \approx \frac{(10^6 \text{ al})(10^{13} \text{ km/al})}{(15 \text{ km/s})(3 \times 10^7 \text{ s/an})} \approx 20 \times 10^9 \text{ années,}$$

où 20 milliards d'années. L'âge de l'Univers calculé de cette manière, que nous pourrions appeler le *temps d'expansion caractéristique* ou l'«âge de Hubble» et qui est égal à l'inverse de la constante de Hubble (équation 16.7), $t_0 = 1/H$, est probablement surévalué. L'âge réel de l'Univers devrait être moindre, puisque les galaxies n'ont pas toujours voyagé à des vitesses fixes mais qu'elles ont ralenti sous l'effet de leur attraction gravitationnelle mutuelle. De 10 à 15 milliards d'années serait sans doute une meilleure estimation.

Il existe deux autres méthodes indépendantes pour vérifier l'âge de l'Univers. La première est la détermination de l'âge de la Terre (et du système solaire) d'après la radioactivité, surtout à l'aide de l'uranium, qui établit l'âge du système solaire à environ $4\frac{1}{2}$ milliards d'années. Deuxièmement, à l'aide de la théorie de l'évolution stellaire, on a évalué l'âge des étoiles à environ 10 à 15 milliards d'années. Ces évaluations indépendantes et sans lien les unes avec les autres concordent avec un Big Bang qui se serait produit il y a 10 à 15 milliards d'années. La valeur plus basse déterminée à l'aide de la radioactivité concorde aussi puisqu'il y a lieu de penser que la formation de la Terre (et la solidification des roches) s'est produite après le commencement de l'Univers lui-même.

Avant de discuter plus en détail de la théorie du Big Bang, nous traiterons brièvement de l'une des autres hypothèses sur l'origine de l'Univers, soit le **modèle de l'état stationnaire** selon lequel l'Univers est infiniment vieux et apparaît maintenant comme il est toujours apparu†. Selon le modèle de l'état stationnaire, aucun changement à grande échelle ne s'est produit dans l'Univers dans son ensemble et il n'y a jamais eu de Big Bang. Pour maintenir cette vision des choses malgré le recul des galaxies les unes par rapport aux autres, la conservation de la masse-énergie doit être violée. C'est-à-dire qu'on suppose que de la matière est continuellement créée, ce qui garde constante la densité de l'Univers. Le taux de création de masse requis est très petit, environ 1 nucléon par mètre cube chaque 10^9 années. Ceci est beaucoup trop petit pour être détecté et ne peut donc être vérifié.

Le modèle de l'état stationnaire et celui du Big Bang se livrèrent une saine compétition dans les années 1940 et 1950. Cependant, la découverte du fond de rayonnement cosmique (section suivante) donna au modèle du Big Bang une longueur d'avance.

16.5 Le Big Bang et le fond de rayonnement cosmique

Comme nous l'avons vu, l'expansion de l'Univers semble indiquer que la matière de l'Univers était beaucoup plus rapprochée autrefois qu'elle ne l'est présentement. Ceci constitue le fondement de la thèse selon laquelle l'Univers a commencé, il y a 10 à 15 milliards d'années, par une énorme explosion dénommée le **Big Bang**.

S'il y a eu un Big Bang, il doit s'être produit simultanément en tous les points de l'Univers. Et si l'Univers est *fini*, l'explosion doit avoir eu lieu dans un volume extrêmement petit, presque ponctuel. Il ne faut toutefois pas imaginer ce point de matière extrêmement dense comme étant une masse concentrée au milieu d'un espace beaucoup plus grand. Au contraire, le point dense initial *était* l'Univers, l'Univers entier. Il n'y avait rien d'autre. Si, d'autre part, l'Univers est *infini*, alors l'explosion doit s'être produite en *tous* points de l'Univers puisqu'un univers infini, même s'il était plus petit à un temps antérieur, aurait néanmoins été infini. Dans les deux cas, lorsqu'on dit que l'Univers était autrefois plus petit que maintenant, on veut dire que la séparation moyenne entre les galaxies était moindre. Ce sont donc les *dimensions de l'Univers lui-même* qui ont augmenté depuis le Big Bang.

Quelles sont les preuves en faveur du Big Bang? D'abord les évaluations de l'âge de l'Univers d'après l'expansion de Hubble, d'après l'évolution stellaire et d'après la radioactivité, convergent toutes vers un certain point dans le temps pour le début de l'Univers, comme nous l'avons vu à la section précédente. Un autre élément de preuve crucial fut la découverte, en 1960, du «fond de rayonnement cosmique», qui a eu lieu de la manière suivante.

En 1964, Arno Penzias et Robert Wilson rencontraient des problèmes avec ce qu'ils supposaient être un «bruit» de fond, ou des «parasites», dans leur radiotélescope (une grande antenne servant à capter les ondes radio provenant de l'espace). Ils avaient beau essayer, ils ne réussissaient pas à éliminer ces parasites. Ils devinrent bientôt convaincus que ces ondes étaient réelles et qu'elles provenaient de l'extérieur de notre Galaxie. Ils effectuèrent des mesures précises à une longueur d'onde $\lambda = 7{,}35$ càm, ce qui se trouve dans la région micro-onde du spectre électromagnétique (figure 12.13 du tome 2; ce rayonnement est appelé «micro-ondes» parce que sa longueur d'onde, quoique beaucoup plus grande que celles de la lumière visible, est néanmoins plus petite que celles des ondes radio ordinaires, qui sont typiquement de quelques mètres ou centaines de mètres). On découvrit que l'intensité de cette radiation ne variait pas selon l'heure du jour ou la période de l'année. Elle ne dépendait pas non plus de la direction; elle arrivait de toutes les régions de l'Univers avec une intensité égale (à

† La conclusion que l'Univers est uniforme dans le temps comme dans l'espace est essentiellement une extension du principe cosmologique et on l'appelle parfois le *principe cosmologique parfait*.

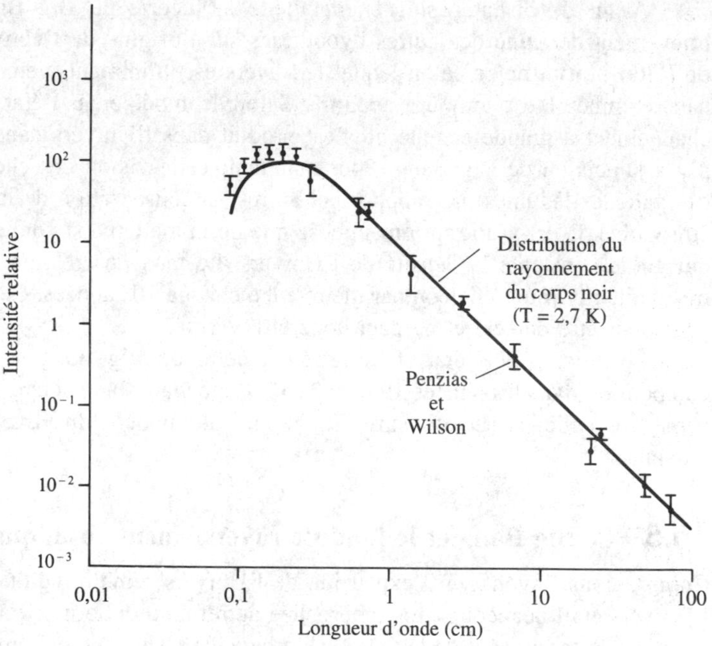

FIGURE 16.16 Spectre du fond de rayonnement cosmique montrant la distribution du rayonnement du corps noir et les mesures expérimentales, y compris celle de Penzias et Wilson. (Les barres verticales représentent l'incertitude expérimentale de chaque mesure.)

une précision supérieure à une partie par milliers)†. Il fallait donc conclure que ce rayonnement provenait de l'extérieur de notre Galaxie, donc qu'il émanait de l'Univers tout entier.

L'intensité de ce rayonnement à $\lambda = 7{,}35$ cm correspond au rayonnement du corps noir (section 9.1) pour une température d'environ 3 K, ou 2,7 ± 0,1 K, comme des mesures plus précises l'ont déterminé. Lorsqu'on mesura le rayonnement à d'autres longueurs d'onde, on se rendit compte que les intensités suivaient la dépendance attendue pour un corps noir (figures 16.16 et 9.1), avec un maximum près de 0,1 cm correspondant à une température de 2,7 K.

La découverte de ce **fond de rayonnement cosmique** à une température de 2,7 K est considérée comme l'une des découvertes cosmologiques les plus importantes de notre siècle. (L'autre est l'expansion de l'Univers de Hubble.) Elle est très significative parce qu'elle apporte un support important à la théorie du Big Bang et qu'elle nous donne des moyens d'imaginer les conditions qui existaient au tout début de l'Univers. En fait, à la fin des années 1940, George Gamow et ses collaborateurs calculèrent que le commencement de l'Univers par un Big Bang aurait dû entraîner précisément ce fond de rayonnement cosmique.

Pour comprendre cela, voyons à quoi le Big Bang aura pu ressembler. Il a dû y avoir une prodigieuse libération d'énergie concentrée. La température a dû être extrêmement élevée, si élevée en fait qu'il ne pouvait absolument pas y avoir d'atomes dans les premières étapes de l'Univers. Celui-ci devait, au contraire, n'être composé que de rayonnement (photons) et de particules élémentaires. L'Univers devait être opaque, les photons étant en un sens «piégés» puisqu'ils devaient être diffusés ou absorbés dès leur émission, surtout par des électrons. Le fond de rayonnement cosmique constitue en fait un excellent élément de preuve que la matière et le rayonnement ont été autrefois en équilibre à très haute température. Au fur et à mesure que l'Univers s'est étendu, l'énergie a été dispersée en un volume de plus en plus vaste et la température a baissé. Ce n'est que lorsque la température atteignit environ 3000 K que les noyaux et les électrons purent rester ensemble sous forme d'atomes. Avec la disparition des électrons libres, la radiation a été libérée («découplée» de la matière pourrait-on dire)

† Cette uniformité remarquable du fond de rayonnement cosmique est en accord avec le principe cosmologique. Une non-uniformité détectée de moins de 0,1 % reflète sans doute la vitesse de notre Galaxie (environ de 600 km/s) par rapport à la distribution globale de la matière et du rayonnement dans l'Univers.

et s'est répandue dans tout l'Univers. Au fur et à mesure que l'Univers s'étendait, les longueurs d'onde du rayonnement ont aussi augmenté, en se décalant vers le rouge, c'est-à-dire vers des longueurs d'onde plus grandes correspondant à une température plus basse (rappelez-vous la loi de Wien, $\lambda_{max} T =$ constante, à la section 9.1), jusqu'à ce qu'elles atteignent le fond de rayonnement de 2,7 K observé aujourd'hui.

Quoique l'énergie totale associée au fond de rayonnement cosmique soit beaucoup plus grande que celle des autres sources de rayonnement (comme la lumière émise par les étoiles), elle est petite comparativement à l'énergie et à la masse (souvenez-vous que $E = mc^2$) associées à la matière. En fait, on pense aujourd'hui que le rayonnement constitue moins de $\frac{1}{1000}$ de l'énergie de l'Univers; aujourd'hui l'Univers est *dominé par la matière.* Il n'en a pas toujours été ainsi, toutefois. Le fond de rayonnement cosmique suggère fortement qu'aux premiers temps de son histoire, l'Univers était *dominé par le rayonnement*†; mais comme nous le verrons à la section suivante, cette période dura moins de $\frac{1}{10\,000}$ de l'histoire de l'Univers (jusqu'à maintenant).

16.6 Le modèle cosmologique normalisé: les débuts de l'Univers

Il est aujourd'hui généralement admis que les tout premiers moments du Big Bang ont dû déterminer l'évolution de l'Univers. Durant les deux dernières décennies, une théorie convaincante de l'origine et de l'évolution de l'Univers, connue sous le nom de **modèle normalisé**, a été développée. Malgré le désaccord de quelques-uns, la plupart des cosmologues appuient le modèle normalisé. Cette théorie repose, en grande partie, sur les progrès théoriques et expérimentaux récents de la physique des particules élémentaires. En fait, ces dernières années, la cosmologie et la physique des particules élémentaires se sont guidées l'une l'autre de manière surprenante.

Remontons maintenant aux temps les plus anciens, aussi près que possible du Big Bang, et tentons de reconstituer, en suivant le modèle normalisé, le scénario des

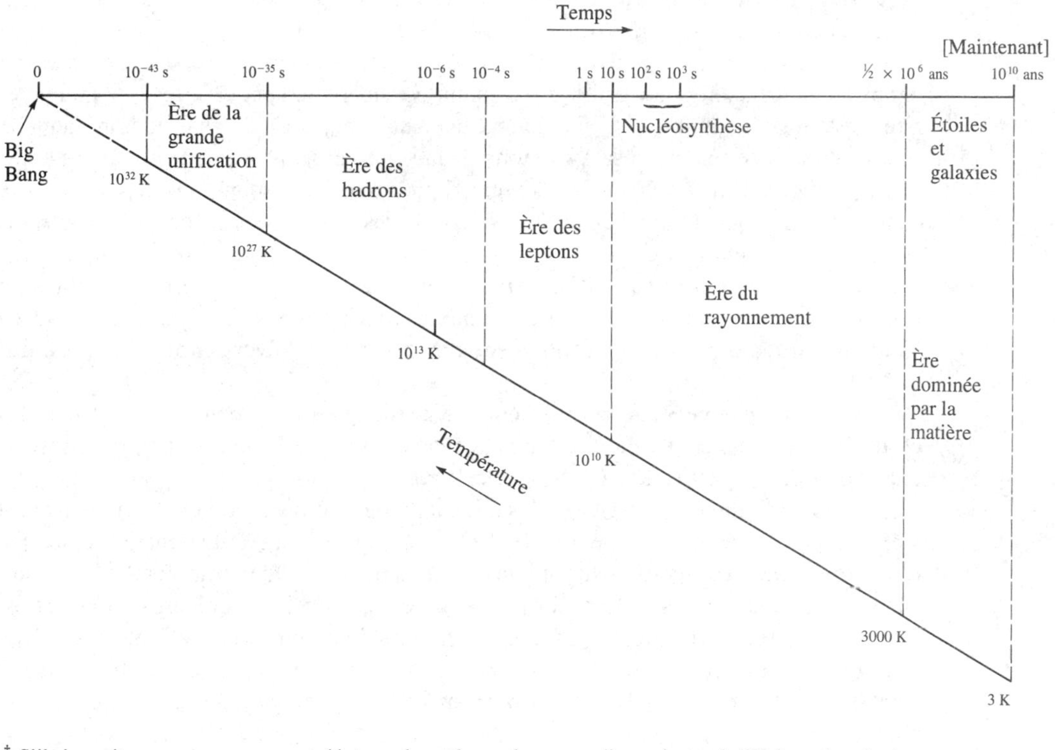

FIGURE 16.17 Représentation graphique du développement de l'Univers après le Big Bang selon le modèle normalisé.

† S'il n'y avait pas eu un rayonnement si intense durant les quelques premières minutes de l'Univers, les réactions nucléaires auraient peut-être produit un pourcentage beaucoup plus grand de noyaux lourds que ce que nous observons aujourd'hui. Au lieu de cela, près de 75 % de la matière visible est de l'hydrogène, supposément parce que le rayonnement intense désintégra tous les noyaux lourds en leurs protons et neutrons constituants dès qu'ils furent formés.

événements qui ont suivi le le Big Bang, lorsque l'Univers commença son expansion et se refroidit graduellement. Au début, nous traiterons d'intervalles de temps extrêmement petits et de températures extrêmement hautes, bien supérieures à tout ce qui existe aujourd'hui dans l'Univers. La figure 16.7 est une représentation graphique des événements; il peut être utile de la consulter au cours de notre discussion.

Nous commençons à un point qui se situe une fraction infinitésimale de seconde seulement après le Big Bang, 10^{-43} s. Certes il s'agit là d'un temps incroyablement court, mais la présente théorie permet néanmoins de faire des prédictions pour cette période, quoique de nature quelque peu spéculative. On ne peut rien dire sur ce qui s'est passé avant 10^{-43} s, car nous ne disposons pas encore d'une théorie des effets quantiques sur la gravité, qui serait nécessaire à cause des densités et des températures incroyablement élevées existant à ce moment-là. Cependant, on imagine qu'antérieurement à 10^{-43} s les quatre interactions de la Nature étaient unifiées: il n'y avait qu'une seule force. La température était vraisemblablement d'environ 10^{32} K, ce qui signifie que les particules se déplaçaient dans toutes les directions avec une énergie cinétique moyenne de 10^{19} GeV:

$$kT \approx \frac{(1{,}4 \times 10^{-23}\ \mathrm{J/K})(10^{32}\ \mathrm{K})}{(1{,}6 \times 10^{-19}\ \mathrm{J/eV})} \approx 10^{28}\ \mathrm{eV} = 10^{19}\ \mathrm{GeV}.$$

À $t = 10^{-43}$ s, on pense qu'une sorte de «transition de phase» s'est produite, durant laquelle l'interaction gravitationnelle s'est pour ainsi dire «condensée» en une force distincte. Cette transition de phase, de même que les autres qui suivirent, sont à peu près analogues aux transitions de phase de l'eau qui, en se refroidissant, passe de l'état gazeux à l'état liquide par condensation, puis à l'état de glace par congélation. La symétrie des quatre interactions fut alors brisée, mais les interactions forte, faible et électromagnétique étaient encore unifiées. C'est à ce moment que l'Univers entra dans l'**ère de la grande unification** (ainsi appelée d'après la théorie de la grande unification, traitée au chapitre 15). Il n'y avait pas de distinction entre les quarks et les leptons; les nombres de baryons et de leptons n'étaient pas conservés. Très peu de temps après, pendant que l'Univers s'étendait considérablement et après que la température ait chuté à environ 10^{-27} K, il y eut une autre transition de phase durant laquelle l'interaction forte se condensa à son tour. Cela se produisit probablement 10^{-35} s après le Big Bang. L'Univers était alors rempli d'une espèce de soupe aux leptons et aux quarks. Les leptons comprenaient des électrons, des muons, des tauons, des neutrinos et toutes leurs antiparticules. Les quarks étaient initialement libres (ce que nous n'avons jamais observé dans l'Univers actuel), mais ils commencèrent bientôt à se «condenser» en particules plus conventionnelles: en nucléons et autres hadrons et en leurs antiparticules. Avec ce **confinement des quarks**, l'Univers entra dans l'**ère des hadrons**.

On peut imaginer cette «soupe» comme un mélange de particules, d'antiparticules et de photons, tous en nombres à peu près égaux, entrant fréquemment en collision les uns avec les autres et échangeant de l'énergie.

Lorsque l'Univers fut vieux de seulement une microseconde (10^{-6} s) environ, il s'était déjà refroidi jusqu'à environ 10^{13} K, ce qui correspond à une énergie cinétique d'environ 1 GeV, et la vaste majorité des hadrons disparut. Pour comprendre pourquoi, concentrons-nous sur les hadrons les plus familiers: les nucléons et leurs antiparticules. Lorsque l'énergie cinétique moyenne des particules était un peu plus élevée que 1 GeV, des protons, des neutrons et leurs antiparticules étaient continuellement créés à partir de l'énergie des collisions entre les photons et les autres particules, comme dans la réaction

$$\text{photons} \longrightarrow p + \overline{p},\ n + \overline{n}.$$

Tout aussi rapidement, cependant, les particules et les antiparticules s'annihilaient comme, par exemple, dans la réaction

$$p + \bar{p} \longrightarrow \text{photons ou leptons.}$$

Les processus de création et d'annihilation de nucléons étaient donc en équilibre. Les nombres de nucléons et d'antinucléons étaient élevés; les électrons, les positrons et les photons se retrouvaient en quantités pratiquement équivalentes. Toutefois, au fur et à mesure que l'Univers se refroidissait et que l'énergie cinétique moyenne des particules chutait sous 1 GeV environ, soit l'énergie minimale nécessaire pour créer des nucléons et des antinucléons (approximativement 940 MeV chacun) dans une collision typique, le processus de création de nucléons s'arrêta. Le processus d'annihilation continua, lui, jusqu'à ce qu'il ne reste presque plus de nucléons. Mais pas tout à fait jusqu'à zéro. Pour expliquer le monde actuel qui est composé principalement de matière alors qu'on observe très peu d'antimatière, nous devons supposer que, plus tôt dans l'évolution de l'Univers, peut-être environ 10^{-35} s après le Big Bang, le nombre de quarks dépassa légèrement le nombre d'antiquarks[†]. Cela entraîna un léger excédent de nucléons par rapport aux antinucléons. Et ce sont ces nucléons «en trop» dont nous sommes faits aujourd'hui. L'excédent de nucléons par rapport aux antinucléons était environ d'une partie par 10^9. Plus tôt, dans l'ère des hadrons, il y avait presque autant de nucléons que de photons. Après la fin de cette ère, les nucléons «en trop» étaient donc seulement un par 10^9 photons environ, et ce rapport s'est maintenu jusqu'à nos jours. Le nombre de protons, de neutrons et de toutes les autres particules plus lourdes se trouva énormément réduit environ 10^{-6} s après le Big Bang. Les hadrons les plus légers, les pions, disparurent comme les nucléons l'avaient fait; comme c'était les hadrons ayant la plus petite masse (140 MeV), ils furent les derniers hadrons à disparaître, environ 10^{-4} s après le Big Bang. Les particules plus légères, dont les électrons, les positrons, les neutrinos et les photons (en nombres à peu près égaux), prédominèrent, et l'Univers entra dans l'**ère des leptons**.

Après sa première seconde complète d'existence (certainement la seconde la plus mouvementée de l'Histoire!), l'Univers s'était refroidi jusqu'à environ 10 milliards de degrés, 10^{10} K. L'énergie cinétique moyenne était d'à peu près 1 MeV. Cela constituait encore suffisamment d'énergie pour créer des électrons et des positrons et compenser leurs annihilations, puisque leur masse représente 0,511 MeV. Il y avait donc environ autant de e^+ et de e^- que de photons. Quelques secondes plus tard, cependant, la température avait baissé suffisamment pour qu'il ne soit plus possible de former des e^+ et des e^-. L'annihilation ($e^+ + e^- \rightarrow$ photons) continua et, comme les nucléons avant eux, les électrons et les positrons disparurent tous de l'Univers, sauf un léger excédent d'électrons relativement aux positrons (électrons qui devaient éventuellement se combiner avec des noyaux pour former des atomes). Ainsi, à environ $t = 10$ s après le Big Bang, l'Univers entra dans l'**ère du rayonnement**. Ses constituants majeurs étaient maintenant des photons et des neutrinos. Toutefois, les neutrinos, qui ne sont sensibles qu'à l'interaction faible, n'interagissaient que rarement. Ainsi, l'Univers, dans lequel avait jusque là régné un équilibre entre la matière et le rayonnement, devint **dominé par le rayonnement**: il y avait beaucoup plus d'énergie dans le rayonnement que dans la matière et cette situation devait durer presque un million d'années.

Cependant, durant les quelques minutes suivantes, des événements cruciaux se produisirent. Environ 2 ou 3 minutes après le Big Bang, la fusion nucléaire commença. La température était tombée à environ 10^9 K (ce qui correspond à une énergie cinétique moyenne d'approximativement 100 keV); cette température permettait aux nucléons de

[†] Une autre possibilité est qu'il y avait une parfaite symétrie entre les quarks et les antiquarks, la matière et l'antimatière, mais que l'Univers se sépara d'une certaine manière en différents domaines, dont certains contenaient seulement de la matière et d'autres seulement de l'antimatière. Si c'était le cas, nous devrions nous attendre à ce que des antiparticules provenant de tels domaines lointains nous atteignent, au moins occasionnellement, dans les rayons cosmiques; mais on n'en a jamais détecté aucune.

fusionner en se frappant les uns les autres (section 14.4), mais n'était pas assez élevée pour que les noyaux nouvellement formés soient rapidement détruits par des collisions subséquentes. Du deutérium, de l'hélium et de très petites quantités de lithium furent probablement créés. Cependant, l'Univers se refroidissait trop rapidement et aucun noyau plus lourd ne fut créé. Après seulement quelques minutes, probablement pas même un quart d'heure, la température baissa suffisamment pour que la nucléosynthèse soit interrompue, pour ne plus reprendre avant des millions d'années (dans les étoiles). Donc, après la première heure (approximativement) de l'Univers, la matière était faite surtout de noyaux nus d'hydrogène (environ 75 %) et d'hélium (environ 25 %)† ainsi que d'électrons. Toutefois, le rayonnement (photons) continuait à dominer.

Notre histoire touche à sa fin. L'événement important suivant se produisit quelques centaines de milliers d'années plus tard. L'Univers s'était étendu jusqu'à environ $\frac{1}{1000}$ de sa taille actuelle et la température était tombée jusqu'à 3000 K. L'énergie cinétique moyenne des noyaux, des électrons et des photons était de quelques électron-volts. Cela correspond aux énergies d'ionisation des atomes, ce qui signifie que, au fur et à mesure que la température s'abaissait au-dessous de ce point, les électrons pouvaient s'installer sur une orbite autour des noyaux nus et y rester (sans en être éjectés par des collisions), formant ainsi des atomes. Avec la naissance des atomes, les photons, qui étaient continuellement diffusés par les électrons libres, purent se déplacer beaucoup plus facilement à travers l'Univers. L'énergie totale contenue dans le rayonnement avait continué à diminuer (en se décalant vers le rouge au fur et à mesure de l'expansion de l'Univers) jusqu'au point où elle devint à peu près égale à l'énergie totale contenue dans la matière. Pendant que l'Univers continuait son expansion, le rayonnement se refroidit davantage (jusqu'à 2,7 K de nos jours, formant le fond de rayonnement cosmique que nous recevons aujourd'hui de tous les points de l'Univers) et perdit de l'énergie. Toutefois, la masse des particules matérielles ne diminua pas, de sorte que vers cette époque l'énergie de l'Univers devint de plus en plus concentrée dans la matière plutôt que dans le rayonnement: l'Univers devint **dominé par la matière**, comme c'est le cas aujourd'hui‡.

Peu après la naissance des atomes, les étoiles et les galaxies se formèrent, probablement par autogravitation autour de concentrations de masse (inhomogénéités). Cela se produisit environ un million d'années après le Big Bang. L'Univers continua d'évoluer (section 16.2) jusqu'à aujourd'hui, quelque 15×10^9 années plus tard.

Ce scénario n'est en aucune façon «prouvé». Il ne fournit pas non plus de réponses à toutes les questions. Il nous donne toutefois une première image, pas nécessairement exacte, de la façon dont l'Univers commença et évolua. Il présente cependant certaines difficultés, dont quelques-unes ont été résolues à l'aide d'une modification à la théorie, proposée pour la première fois au début des années 1980 et appelée **scénario inflationnaire**. Selon le scénario inflationnaire, aux premiers stades de l'évolution cosmologique, avant environ 10^{-35} s après le Big Bang, l'Univers subit une expansion exponentielle très rapide associée à des transitions de phase (brisure de symétrie) qui séparèrent l'interaction forte de l'électrofaible (comme nous l'avons déjà mentionné dans le présent chapitre). Après la brève période inflationnaire, le scénario revient à l'expansion normale dont nous avons déjà discuté. L'avantage du scénario inflation-

† Cette prédiction, faite par le modèle normalisé, d'une production primordiale d'hélium de 25 % est tout à fait en accord avec les résultats expérimentaux (l'Univers *contient effectivement* environ 25 % de He) et elle représente un argument de poids en faveur du modèle normalisé du Big Bang. De plus, la théorie nous apprend qu'une abondance de 25 % pour l'hélium est tout à fait compatible avec l'existence de trois types de neutrinos, ce qui correspond au nombre observé jusqu'à ce jour. Et de cette abondance découle une limite supérieure de quatre pour le nombre de types de neutrinos possibles. En fait, le quatrième objet pourrait être une autre sorte de particule de faible masse, telle un *photino* ou un *gravitino* par exemple. Nous avons ici une situation où la cosmologie fait véritablement une prédiction spécifique concernant la physique fondamentale.

‡ Quoique aujourd'hui la matière contienne une plus grande fraction de l'énergie de l'Univers que le rayonnement, il y a beaucoup plus de photons (peut-être 10^9 fois plus) que d'atomes, de noyaux et d'électrons, mais chaque photon (à $T \approx 2{,}7$ K) possède très peu d'énergie.

naire est qu'il fournit des explications naturelles à un certain nombre de problèmes non résolus par le modèle normalisé, à savoir pourquoi l'Univers est si près d'être plat et pourquoi le fond de rayonnement cosmique est si uniforme.

Il existe cependant des questions que nous n'avons pas encore traitées comme: y a-t-il eu un stade avant le Big Bang ou le temps ne commença-t-il qu'avec le Big Bang? Et qu'en est-il du futur de l'Univers? Nous nous intéresserons à ces questions dans la dernière section de cet ouvrage.

16.7 L'avenir de l'Univers

Selon le modèle normalisé du Big Bang, l'Univers évolue et change. Les étoiles évoluent et finissent leur vie en naines blanches, en étoiles à neutrons ou en trous noirs. En même temps, l'Univers dans son ensemble est en expansion. Une question importante consiste à savoir si l'expansion de l'Univers continuera pour toujours. Cette question est liée à la courbure de l'espace-temps (section 16.3) et à celle de savoir si l'Univers est ouvert (et infini) ou fermé (et fini). Il y a trois possibilités (figure 16.18). Si la courbure de l'Univers est *négative*, l'expansion de l'Univers n'arrêtera jamais, quoiqu'elle devrait diminuer en raison de l'attraction gravitationnelle de ses parties. Un tel univers serait *ouvert* et infini. Si l'Univers est *plat* (sans courbure), cela signifie qu'il serait encore une fois ouvert et infini mais que son expansion approcherait lentement un taux nul. Enfin, si l'Univers a une courbure *positive*, il est *fermé* et fini. L'effet de la gravité, dans ce cas, serait assez important pour que l'expansion s'arrête éventuellement et que l'Univers commence alors à se contracter. Toute la matière s'effondrerait éventuellement sur elle-même en un **Big Crunch** («grand écrasement»). Si, dans ce dernier cas, l'expansion maximale de l'Univers correspond à, disons, une séparation intergalactique double de ce qu'elle est maintenant, l'expansion maximale se produirait dans 30 ou 40 milliards d'années. Alors, à la suite de la contraction de l'Univers, le Big Crunch aurait lieu environ 100 milliards d'années après le Big Bang.

Savoir si nous vivons dans un univers ouvert et en expansion continuelle ou dans un univers fermé qui se contractera éventuellement est une question fondamentale en cosmologie. Nous ne connaissons cependant pas la réponse. Comment pourrions-nous la découvrir? Une façon de le faire serait de déterminer la densité de masse moyenne dans l'Univers. Si la densité de masse moyenne est au-dessus d'une valeur connue sous le nom de **densité critique**, qu'on estime à environ

$$\rho_c \approx 10^{-26}\ \mathrm{kg/m^3}$$

(c'est-à-dire quelques nucléons/m^3 en moyenne dans tout l'Univers), alors la gravité empêchera l'expansion de continuer éternellement et fera éventuellement se contracter l'Univers dans un Big Crunch. En d'autres termes, il y aurait suffisamment de masse

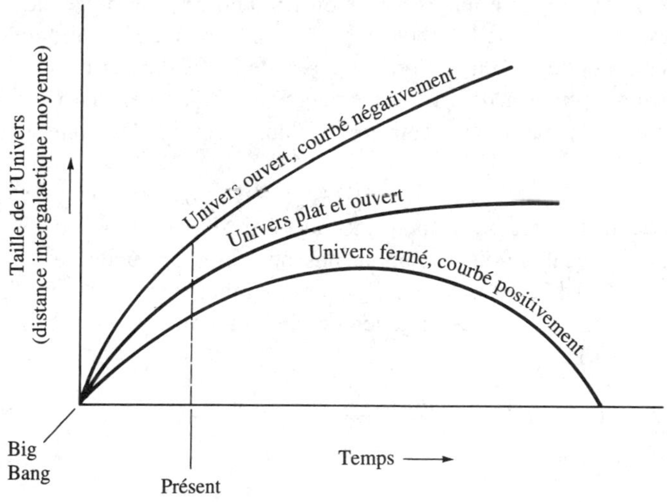

FIGURE 16.18 Trois possibilités futures pour l'Univers.

pour que la gravité donne à l'espace-temps une courbure nulle ou positive. Si la densité est en fait égale à la densité critique, l'Univers doit être plat et ouvert. Si la densité est inférieure à la densité critique, l'Univers a une courbure négative et est ouvert ainsi qu'en expansion éternelle.

On a fait beaucoup d'efforts pour mesurer la densité réelle de l'Univers. Les évaluations de la quantité de matière visible dans l'Univers donnent une densité d'un ordre de grandeur plus petit que la densité critique, ce qui semble indiquer un Univers ouvert. Cependant, selon certains indices, il existerait dans l'Univers une quantité significative de matière non lumineuse, souvent appelée la **masse manquante**, ce qui porterait la densité à presque exactement ρ_c. Par exemple, l'observation des galaxies en rotation semble indiquer qu'elles tournent comme si elles avaient une masse de beaucoup supérieure à celle qu'on peut voir. L'observation du mouvement des galaxies dans les amas paraît aussi indiquer que leur masse est beaucoup plus importante que ce qu'on peut voir. De plus, la théorie inflationnaire, qui est très estimée, fournit un argument de poids en faveur de la thèse selon laquelle ρ est précisément égal à ρ_c, et l'espace à grande échelle est, par conséquent, euclidien. S'il y a de la matière non lumineuse dans l'Univers, de quoi est-elle faite? Une possibilité est que la masse manquante est constituée de particules exotiques à interaction faible (de types non encore détectés) ou peut-être de petits trous noirs primordiaux créés dans les premiers temps de l'Univers. Une autre possibilité est que les neutrinos, dont on croyait à un certain moment qu'ils n'avaient pas de masse, ont en fait une masse au repos non nulle. Comme l'Univers contient probablement approximativement autant de neutrinos de chaque type que de photons (c'est-à-dire environ 10^9 fois le nombre de nucléons, quoique ce fond de neutrinos n'ait pas encore été détecté), des neutrinos ayant une masse même aussi faible que 30 à 50 eV environ suffiraient à amener la densité réelle de l'Univers au niveau de la densité critique. La supernova de 1987 constitua une occasion unique de mesurer la masse des neutrinos, au moins pour les neutrinos électroniques. Si les neutrinos ont une masse au repos non nulle, alors leurs vitesses sont inférieures à celle de la lumière ($v < c$). Dans ce cas, les neutrinos à haute énergie émis par la supernova devraient arriver à la Terre avant les neutrinos de moindre énergie émis au même instant. Comme ils parcourent une distance d'environ 170 000 années lumière à partir de SN1987a, la différence de temps devrait être mesurable. Pour obtenir une idée de la grandeur de l'effet, considérons l'exemple suivant.

EXEMPLE 16.3 Supposons qu'on détecte sur la Terre deux neutrinos (par la réaction $\overline{\nu}_e + p \rightarrow n + e^+$) provenant de SN1987a à dix secondes d'intervalle et que leurs énergies cinétiques mesurées soient respectivement de 20 MeV et de 10 MeV. *a*) Estimez la masse au repos du neutrino, m_0, à l'aide de ces données et en supposant que les neutrinos ont été émis en même temps. *b*) Selon les modèles théoriques des explosions de supernovas, on estime que les neutrinos sont émis en un coup qui dure de une ou deux secondes à peut-être 10 s. Si on suppose que les neutrinos ne sont pas émis simultanément mais plutôt à un moment quelconque durant cet intervalle de 10 s, que peut-on dire de la masse du neutrino en s'appuyant sur les données précédentes?

SOLUTION *a*) On pense que la masse du neutrino doit être inférieure à 100 eV (d'après des mesures faites en laboratoire); comme nos neutrinos ont une énergie cinétique de 20 MeV et de 10 MeV, on peut faire l'approximation $m_0c^2 << E$ et prendre E (l'énergie totale) comme étant essentiellement égale à l'énergie cinétique. D'après les équations 8.7 et 8.11, on a

$$E = mc^2 = \frac{m_0c^2}{\sqrt{1 - v^2/c^2}}.$$

Nous isolons v, la vitesse d'un neutrino ayant une énergie E:

$$v = c\left(1 - \frac{m_0^2c^4}{E^2}\right)^{1/2} = c\left(1 - \frac{m_0^2c^4}{2E^2} + ...\right),$$

où nous avons utilisé l'expansion binomiale $[(1 + x)^{1/2} = 1 + \frac{1}{2}x + ...$; voir l'appendice A] et où nous avons ignoré les termes de plus grand ordre puisque $m_0^2c^4 << E^2$. Le temps t pris par un neutrino pour parcourir une distance d (=170 000 al) est

$$t = \frac{d}{v} = \frac{d}{c\left(1 - \dfrac{m_0^2c^4}{2E^2}\right)} \approx \frac{d}{c}\left(1 + \frac{m_0^2c^4}{2E^2}\right),$$

où nous avons à nouveau utilisé l'expansion binomiale $[(1 + x)^{-1} = 1 - x + ...]$. La différence entre les temps d'arrivée de nos deux neutrinos d'énergies $E_1 = 20$ MeV et $E_2 = 10$ MeV est de

$$t_2 - t_1 = \frac{d}{c}\frac{m_0^2c^4}{2}\left(\frac{1}{E_2^2} - \frac{1}{E_1^2}\right).$$

En isolant m_0c^2 et en posant $t_2 - t_1 = 10$ s, on obtient

$$m_0c^2 = \left[\frac{2c(t_2 - t_1)}{d}\frac{E_1^2 E_2^2}{E_1^2 - E_2^2}\right]^{1/2}$$

$$= \left[\frac{2(3 \times 10^8 \text{ m/s})(10 \text{ s})}{(1,7 \times 10^5 \text{ al})(10^{16} \text{ m/al})}\frac{(400 \text{ MeV}^2)(100 \text{ MeV}^2)}{(400 \text{ MeV}^2 - 100 \text{ MeV}^2)}\right]^{1/2}$$

$$= 22 \times 10^{-6} \text{ MeV} = 22 \text{ eV}.$$

On évaluerait la masse du neutrino à 22 eV, mais il y aurait bien entendu une incertitude expérimentale.

b) Si les deux neutrinos d'énergie $E_1 = 20$ MeV et $E_2 = 10$ MeV avaient été émis à des moments différents pendant un intervalle de 10 s, alors la différence de 10 s entre leurs temps d'arrivée pourrait être due à une différence de 10 s entre leurs temps d'émission. Dans ce cas, nos données laisseraient la possibilité d'une masse au repos nulle et signifieraient une *limite supérieure* de 22 eV pour la masse du neutrino.

Dans la réalité, le détecteur le plus sensible consistait en une masse de plusieurs tonnes d'eau située dans une chambre souterraine. Ce détecteur enregistra 11 événements en 12 secondes, probablement par les réactions $\bar{\nu}_e + p \rightarrow n + e^+$ et (de façon moins probable) $\nu + e^- \rightarrow \nu + e^-$. Il n'existait pas de corrélation claire entre l'énergie et le temps d'arrivée. Néanmoins, une analyse rigoureuse permit d'établir une limite supérieure d'environ 20 eV pour la masse du neutrino électronique. En 1988, il semble encore prématuré d'exclure la possibilité que le neutrino soit capable de «fermer» l'Univers.

Un autre facteur qui pourrait, si nous pouvions le mesurer assez précisément, indiquer si l'Univers est fermé ou ouvert est le **paramètre de décélération**. Il s'agit d'une mesure du taux de ralentissement de l'expansion de l'Univers. Toutefois, pour mesurer ce taux, il faut regarder très loin en arrière dans le temps, jusqu'aux galaxies les plus lointaines, dont la lumière, que nous recevons maintenant, a été émise à un temps plus proche du commencement de l'Univers. À cette époque, le taux d'expansion était beaucoup plus rapide qu'aujourd'hui. Malheureusement, il n'est pas encore possible de connaître de façon suffisamment précise la distance de ces galaxies. Cette méthode ne fournit donc pas de réponse à la question de savoir si l'Univers est ouvert ou fermé. Une analyse connexe récente du nombre de galaxies en fonction du décalage vers le rouge (c'est-à-dire de la distance) donne un résultat compatible avec $\rho = \rho_c$, quoique les incertitudes expérimentales imposent des limites assez larges pour ρ. Néanmoins, l'hypothèse d'un univers aussi simple que possible, n'ayant aucune courbure totale, est attrayante.

Si l'Univers est ouvert, comment évoluera-t-il dans le futur? Selon les théories les plus récentes qui s'appuient dans une grande mesure sur la théorie des particules élémentaires, après environ 10^{18} années une grande partie de la matière des galaxies se sera dispersée dans l'Univers à la suite de collisions entre les étoiles. La matière restante se condensera éventuellement en «trous noirs galactiques» massifs. Des amas de ces trous noirs se joindront alors en «trous noirs supergalactiques» extrêmement massifs. Enfin, les trous noirs eux-mêmes «s'évaporeront» (leur matière «fuira» lentement en vertu du phénomène quantique de l'effet tunnel). Ce phénomène est si lent qu'il prendrait un temps de l'ordre de 10^{100} années. L'Univers serait alors un gaz ténu formé d'électrons, de positrons, de neutrinos et de photons.

D'autre part, si l'Univers est fermé, il pourrait inverser son évolution et commencer à se contracter avant même que toutes les étoiles se soient consumées. Pendant la contraction de l'Univers, le rayonnement de fond augmenterait en énergie et en température. L'Univers retournerait peut-être simplement sur ses pas, si ce n'était des trous noirs. Au fur et à mesure que la densité augmenterait et que l'Univers se précipiterait vers sa fin inexorable dans le Big Crunch, les trous noirs pourraient avaler de plus en plus de matière jusqu'à ce que l'Univers entier se fonde en un seul trou noir supermassif, qui serait alors l'Univers.

Si l'Univers est fermé, que se produira-t-il après le Big Crunch? Nous ne le savons pas, bien entendu. Ce qui est possible, cependant, est un «rebond», c'est-à-dire que le noyau dense et brûlant du Big Crunch pourrait exploser à nouveau, ce qui donnerait lieu à un autre univers en expansion. Donc l'Univers pourrait être cyclique (figure 16.19). Un tel univers **cyclique** ou **à pulsations** suggérerait une réponse possible à une de nos questions «insolubles» favorites: que s'est-il passé avant le Big Bang? D'après ce modèle, il y aurait simplement eu le cycle précédent. Il y aurait toutefois un certain nombre de questions laissées sans réponse comme: «Quand tout cela a-t-il commencé?»

Les questions posées en cosmologie peuvent sembler parfois absurdes, car elles sont si éloignées de la «réalité». On peut toujours dire: le Soleil brille, il va continuer à briller pour un temps inimaginablement long, tout va bien. Néanmoins, les questions de la cosmologie sont profondes et elles fascinent l'intellect humain. Un aspect de ces questions, qui est particulièrement troublant, est celui-ci: on a effectué des calculs sur la formation et l'évolution de l'Univers en faisant délibérément varier (très légèrement) les valeurs de certaines constantes physiques. Le résultat? Un univers dans lequel la vie ne pourrait pas exister. Cela a donné naissance au **principe anthropique**, qui stipule que si l'Univers était différent de ce qu'il est, même de très peu, nous ne pourrions pas exister. Il semble que l'Univers ait été délicatement ajusté, presque comme s'il avait été conçu en prévision de notre venue.

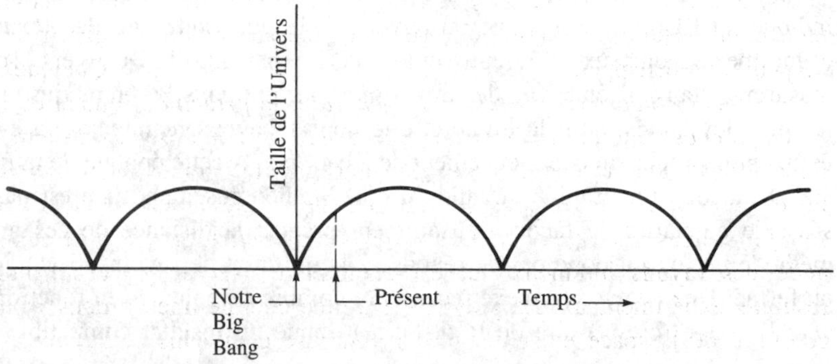

FIGURE 16.19 Modèle cyclique de l'Univers. Quoique les cycles illustrés soient ici les mêmes, ils pourraient avoir des périodes différentes et des taux d'expansion différents.

Le ciel nocturne contient des myriades d'étoiles, dont celles de la Voie lactée, qui est une «vue latérale» de notre *Galaxie* prise le long du plan du disque. Notre Galaxie comprend environ 10^{11} étoiles. En plus de notre Galaxie, il y a des milliards d'autres galaxies. On mesure les distances astronomiques en *années-lumière* (1 al $\approx 10^{13}$ km). L'étoile la plus proche se trouve à une distance d'environ 4 al et la galaxie la plus proche, à 2 millions al. Notre disque galactique a un diamètre de 100 000 al. On exprime souvent les distances en *parsecs*, où 1 parsec = 3,26 al.

On croit que les étoiles commencent leur vie sous la forme de masses d'hydrogène gazeux en effondrement (des proto-étoiles). Au fur et à mesure de leur contraction, elles se réchauffent (leur énergie potentielle est transformée en énergie cinétique). Lorsque la température atteint 10 millions de degrés, la fusion nucléaire commence, ce qui entraîne la formation d'éléments plus lourds (*nucléosynthèse*), surtout de l'hélium au début. L'énergie libérée durant ces réactions contrebalance la force gravitationnelle, et la jeune étoile se stabilise sur la *série principale.* La fantastique luminosité des étoiles provient de l'énergie libérée durant ces réactions thermonucléaires. Après des milliards d'années, au fur et à mesure que l'hélium s'accumule dans le noyau de l'étoile et que l'hydrogène se consume, le noyau se contracte et se réchauffe davantage. L'enveloppe s'étend et se refroidit et l'étoile devient une *géante rouge* (de plus grand diamètre et de couleur plus rouge). Le stade suivant de l'évolution stellaire dépend de la masse de l'étoile. Les étoiles dont la masse résiduelle est inférieure à environ 1,4 masse solaire se refroidissent davantage et deviennent des *naines blanches* qui pâlissent de plus en plus et qui, éventuellement, s'éteignent complètement. Les étoiles plus lourdes se contractent davantage en raison de leur gravité plus grande: la densité atteint presque la densité nucléaire, la pression énorme force les électrons à se combiner avec des protons pour former des neutrons, et l'étoile devient essentiellement un immense noyau atomique de neutrons. C'est ce qu'on appelle une *étoile à neutrons*; on pense que l'énergie libérée par la contraction finale du noyau d'une telle étoile produit une *supernova.* Si la masse résiduelle de l'étoile est supérieure à 2 ou 3 masses solaires, elle peut se contracter encore davantage et former un *trou noir*, qui est si dense qu'aucune matière ou lumière ne peut s'en échapper.

Dans la *théorie de la relativité générale*, le *principe d'équivalence* veut qu'un observateur ne puisse faire la différence entre une accélération et un champ gravitationnel. En d'autres mots, les masses gravitationnelle et inertielle sont les mêmes. La théorie prédit une déviation gravitationnelle des rayons lumineux qui est compatible avec les résultats expérimentaux. La gravité est traitée comme une courbure de l'espace et du temps, la courbure étant plus prononcée près des corps massifs. L'Univers dans son ensemble est peut-être courbé. Si suffisamment de masse existe, la courbure de l'Univers est positive et l'Univers est *fermé* et *fini*; autrement, il est *ouvert* et *infini.*

Les galaxies lointaines présentent un *décalage vers le rouge* des raies spectrales, qu'on interprète comme étant un déplacemen Doppler. L'Univers semble être en expansion, ses galaxies s'éloignant les unes des autres à des vitesses (v) proportionnelles à la distance (d) entre elles:

$$v = Hd,$$

ce qu'on appelle la *loi de Hubble* (H est la constante de Hubble). Cette expansion de l'Univers suggère qu'il a commencé par une explosion, le *Big Bang*, qui a probablement eu lieu il y a 10 à 15 milliards d'années. Les *quasars* sont des objets montrant un décalage important vers le rouge (ce qui laisse supposer qu'ils se trouvent à de grandes distances) et ayant une grande luminosité (ce qui laisse supposer qu'ils sont proches, ou plus probablement, qu'ils émettent une quantité d'énergie extraordinaire). Le *principe cosmologique* suppose que l'Univers, à grande échelle, est homogène et isotropique.

Un argument de poids en faveur du modèle du *Big Bang* a été la découverte du *fond de rayonnement cosmique*, qui suit la distribution spectrale attendue pour un rayonnement du corps noir à une température de 2,7 K. Le *modèle normalisé* du Big Bang fournit un scénario possible sur la façon dont l'Univers s'est formé durant son expansion et sur son refroidissement après le Big Bang. Selon ce modèle, à partir de 10^{-43} s après le Big Bang il y eut une série de *transitions de phase* durant lesquelles les interactions de la Nature, qui étaient auparavant unifiées, se «condensèrent» une par une. Le *scénario inflationnaire* suppose que durant l'une de ces transitions de phase, l'Univers subit une expansion de type exponentielle, rapide mais de courte durée. Jusqu'à environ 10^{-35} s, il n'y avait pas de distinction entre les quarks et les leptons. Peu après, les quarks formèrent des hadrons dans lesquels ils sont *confinés* (l'*ère des hadrons*). Environ 10^{-6} s après le Big Bang, la majorité des hadrons disparurent, ce qui marqua le début de l'*ère des leptons.* Lorsque l'Univers eut atteint l'âge de 10 s environ, les électrons avaient eux aussi presque tous disparus et l'Univers devint *dominé par le rayonnement.* Quelques instants plus tard, la nucléosynthèse commença, mais elle ne dura que quelques minutes. Il fallut ensuite plusieurs centaines de milliers d'années pour que l'Univers soit suffisamment refroidi et pour que les électrons se combinent avec les noyaux et forment des atomes. À peu près à la même époque, le fond de rayonnement s'était étendu et refroidi tellement que son énergie totale égalait l'énergie dans la matière. Au fur et à mesure que le rayonnement se refroidissait davantage tout en perdant de l'énergie, l'Univers devint *dominé par la matière* (pas en nombre, mais en énergie). Peu après, les étoiles et les galaxies se formèrent, produisant un univers qui différait peu de celui d'aujourd'hui, 10 ou 15 milliards d'années plus tard.

Si l'Univers est *ouvert*, il continuera de s'étendre indéfiniment. S'il est *fermé*, la gravité sera suffisamment forte pour arrêter son expansion, et l'Univers commencera éventuellement à s'effondrer sur lui-même pour finir dans un *Big Crunch* (grand écrasement). Pour savoir si l'Univers est ouvert ou fermé, il faut déterminer si sa densité de masse moyenne est supérieure ou inférieure à une densité critique. Si l'Univers est fermé, il pourrait rebondir à la suite du Big Crunch et peut-être s'étendre à nouveau, de manière *cyclique*.

QUESTIONS

1. On considérait autrefois que la Voie lactée était «nuageuse». Ce n'est plus le cas aujourd'hui. Expliquez.
2. Expliquez pourquoi certaines galaxies ont des bras.
3. Si vous mesuriez les parallaxes des étoiles à partir de la Lune au lieu de la Terre, quelles corrections devriez-vous faire? Quels changements se produiraient-ils si vous mesuriez les parallaxes à partir de Mars?
4. Une étoile est en équilibre lorsqu'elle émet à sa surface autant d'énergie que celle produite dans son noyau. Que se passe-t-il lorsqu'elle commence à produire plus d'énergie qu'elle n'en émet? Moins d'énergie? Expliquez.
5. Décrivez une géante rouge. Énumérez quelques-unes de ses propriétés.
6. Choisissez un point sur le diagramme H-R, tracez plusieurs directions à partir de ce point, puis décrivez les changements qui auraient lieu dans une étoile se déplaçant dans chacune de ces directions.
7. Le diagramme H-R révèle-t-il quelque chose sur le noyau d'une étoile?
8. Pourquoi certaines étoiles finissent-elles en naines blanches tandis que d'autres finissent en étoiles à neutrons ou en trous noirs?
9. Qu'est-ce qu'une géodésique? Quel est son rôle dans la relativité générale?
10. Énoncez le paradoxe d'Olber dans vos propres mots. Comment le résout-on?
11. Si on découvrait que le décalage vers le rouge des raies spectrales des galaxies était dû à autre chose que l'expansion, comment notre vision de l'Univers en serait-elle affectée? Y aurait-il des preuves contradictoires? Discutez.
12. Toutes les galaxies semblent s'éloigner de nous. Sommes-nous donc au centre de l'Univers?
13. Si vous vous trouviez dans une galaxie près de la limite de l'Univers observable, les galaxies du côté de la Voie lactée sembleraient-elles s'approcher ou s'éloigner de vous? Expliquez.
14. La lumière solaire réfléchie par la Lune présente-t-elle un décalage vers le rouge ou vers le bleu, relativement à la lumière solaire directe? Ce décalage peut-il être mesuré?
15. Quelle est la différence entre l'âge de Hubble et l'âge réel de l'Univers? Lequel est le plus grand?
16. Comparez une explosion terrestre au Big Bang. Penchez-vous sur des questions comme les suivantes. Les débris s'éloigneraient-ils à une vitesse d'autant plus grande qu'ils seraient plus éloignés de l'endroit initial de l'explosion, comme c'est le cas pour le Big Bang? Les débris s'arrêteraient-ils? À quel type d'univers cela correspondrait-il: ouvert ou fermé?
17. Lorsque le noyau initial a explosé, créant ainsi l'Univers, dans quoi s'est-il étendu? Discutez.
18. Expliquez ce qu'est le fond de rayonnement cosmique de 2,7 K. D'où provient-il? Pourquoi sa température est-elle maintenant si basse?
19. La naissance des atomes, c'est-à-dire la combinaison des électrons avec des noyaux autour desquels ils tournent, s'est produite lorsque l'Univers s'est refroidi à environ 3000 K et est généralement appelée *recombinaison*. Pourquoi ce terme est-il trompeur?
20. Pourquoi les atomes ne pouvaient-ils pas exister jusqu'à presque un million d'années après le Big Bang?
21. Les muons ont une masse d'environ 100 MeV/c^2. Quand, approximativement, la plupart d'entre eux sont-ils disparus de l'Univers?
22. Expliquez pourquoi on dit qu'aujourd'hui l'Univers est dominé par la matière, alors qu'il y a probablement environ 10^9 fois plus de photons que de particules massives.
23. Si l'Univers est ouvert, qu'arrivera-t-il éventuellement au fond de rayonnement cosmique? S'il est fermé?
24. Quelles sont les conditions qui pourraient permettre à l'Univers de s'effondrer sur lui-même éventuellement?

PROBLÈMES

SECTIONS 16.1 ET 16.2

1. (I) Une étoile présente un parallaxe de 0,33 secondes d'arc. À quelle distance se trouve-t-elle?
2. (I) L'angle de parallaxe d'une étoile est de 0,00014°. À quelle distance se trouve l'étoile?

3. (I) Une étoile est distante de 30 parsecs. Quelle est son angle de parallaxe? Exprimez votre réponse *a*) en secondes d'arc et *b*) en degrés.

4. (I) Quel est l'angle de parallaxe d'une étoile située à 30 années-lumière de nous? Combien de parsecs cela représente-t-il?

5. (I) Une étoile se trouve à 60 parsecs de la Terre. Combien faut-il de temps à sa lumière pour nous parvenir?

6. (I) Si une étoile est deux fois plus distante qu'une autre, est-ce que l'angle de parallaxe de la première est plus grand ou plus petit que celui de la seconde? Par quel facteur?

7. (I) Supposez que les étoiles les plus proches de nous ont une luminosité intrinsèque à peu près identique à celle du Soleil. Leur brillance apparente, toutefois, est environ 10^{11} fois moindre que celle du Soleil. À partir de ces données, estimez la distance de ces étoiles. (Newton fit ce calcul, quoiqu'il fit une erreur numérique d'un facteur de 100.)

8. (I) Montrez que la magnitude absolue du Soleil est d'environ 4,7, ce qui est typique pour une étoile.

9. (I) Vérifiez les Q pour les réactions de combustion du He des équations 16.3. (La masse du $^{8}_{4}Be$ est de 8,005308 u.)

10. (I) Calculez le Q pour les réactions de fusion des équations 16.4.

11. (II) Lorsque notre Soleil deviendra une géante rouge, quelle sera sa densité moyenne s'il s'étend jusqu'à l'orbite de Vénus ($1{,}1 \times 10^{11}$ m du Soleil)?

12. (II) Calculez la densité d'une naine blanche dont la masse est égale à celle du Soleil et dont le rayon est égal à celui de la Terre. De combien de fois cette valeur est-elle supérieure à la densité de la terre?

13. (II) Une étoile à neutrons dont la masse est 1,5 masse solaire a un rayon d'environ 11 km. Calculez sa densité moyenne et comparez-la à celle d'une naine blanche (problème 12) et à celle de la matière nucléaire.

14. (II) Si la magnitude absolue d'une étoile est de M, quelle est sa luminosité absolue L?

15. (II) Les plus grands télescopes peuvent, à la limite, détecter des objets dont la magnitude apparente est de 22,7. À quelle distance notre Soleil pourrait-il se trouver tout en étant détectable à l'aide d'un tel télescope?

16. (II) Démontrez l'équation 16.2 sur la magnitude absolue d'une étoile ou d'une galaxie, en partant de l'équation 16.1.

17. (II) Utilisez la conservation du moment angulaire pour estimer la vitesse angulaire d'une étoile à neutrons résultant de l'effondrement d'une étoile dont le rayon était égal à celui du Soleil (7×10^8 m), dont la masse était 1,5 fois celle du Soleil, et qui effectuait une rotation en un mois environ (comme notre Soleil).

18. (II) Par quel facteur l'énergie cinétique de rotation varie-t-elle lorsque l'étoile du problème 17 s'effondre en une étoile à neutrons?

19. (II) On observe qu'un certain pulsar, qu'on croit être une étoile à neutrons de masse 1,5 fois celle du Soleil, a une vitesse de rotation de 1,0 tr/s qui diminue au taux de une partie par 10^9 par jour. Si la perte d'énergie cinétique de rotation est entièrement transformée en rayonnement, quelle est la puissance de l'émission de l'étoile?

20. (III) Estimez le rayon d'une naine blanche dont la masse est égale à celle du Soleil, en supposant qu'il y ait N nucléons et $\frac{1}{2}N$ électrons (pourquoi $\frac{1}{2}$?): *i*) Utilisez la statistique de Fermi-Dirac (section 12.6) pour montrer que l'énergie totale de tous les électrons est

$$E_e = \frac{3}{5}\left(\frac{1}{2}N\right)\frac{h^2}{8m_e}\left(\frac{3}{\pi}\frac{N}{2V}\right)^{2/3}.$$

[Indice: utilisez les équations 12.12 et 12.13; on suppose que les électrons occupent les niveaux d'énergie allant de 0 à l'énergie de Fermi.] *ii*) Les nucléons contribuent à l'énergie totale surtout par la force gravitationnelle. (Notez que l'énergie de Fermi pour les nucléons est négligeable comparativement à celle pour les électrons. Pourquoi?) Utilisez une forme gravitationnelle de la loi de Gauss pour montrer que l'énergie potentielle gravitationnelle totale d'une sphère uniforme de rayon R est

$$-\frac{3}{5}\frac{GM^2}{R},$$

en considérant l'énergie potentielle d'une couche sphérique de rayon r due seulement à la masse à l'intérieur de la couche (pourquoi?) et intégrez de $r = 0$ à $r = R$. *iii*) Exprimez l'énergie totale comme la somme de ces deux termes, posez $dE/dR = 0$ pour trouver le rayon d'équilibre et évaluer ce rayon pour une masse égale à celle du Soleil ($2{,}0 \times 10^{30}$ kg).

21. (III) Déterminez le rayon d'une étoile à neutrons en utilisant la même méthode que dans le problème 20, mais pour N neutrons seulement. Montrez que le rayon d'une étoile à neutrons de 1,5 masse solaire est d'environ 11 km.

SECTION 16.3

22. (I) Décrivez un triangle, tracé sur la surface d'une sphère, pour lequel la somme des angles est *a*) de 360° et *b*) de 180°.

23. (I) Montrez que le rayon de Schwarzschild pour une étoile ayant une masse égale à celle *a*) du Soleil est de 2,95 km et *b*) de la Terre est de 8,9 mm.

24. (I) Quel est le rayon de Schwarzschild pour une galaxie typique?

25. (II) Quelle est la somme des angles maximale pour un triangle sur une sphère?

26. (II) Calculez, à l'aide de la mécanique newtonienne, la vitesse de libération pour un astre qui s'est effondré jusqu'à son rayon de Schwarzschild.

27. (II) Déterminez le rayon de Schwarzschild à l'aide de la théorie gravitationnelle classique (newtonienne) en calculant, pour une sphère de masse M, le rayon maximal R tel qu'un photon (masse au repos = 0) puisse s'échapper de la surface. (La relativité générale donne $R = 2GM/c^2$.)

28. (III) *a*) Montrez que, selon la relativité restreinte et la loi de la gravitation de Newton, un photon de masse $m = E/c^2$ qui frôle le Soleil est dévié d'un angle $\Delta\theta$ donné par

$$\Delta\theta = \frac{2GM}{c^2R},$$

où G est la constante gravitationnelle, R et M sont le rayon et la masse du Soleil, et c est la vitesse de la lumière. *b*) Substituez à ces symboles leurs valeurs et montrez que $\Delta\theta = 0{,}87"$. (La relativité générale prédit un angle deux fois plus grand, 1,74".)

SECTION 16.4

29. (I) Le décalage vers le rouge d'une galaxie indique une vitesse de 2500 km/s. À quelle distance se trouve-t-elle?

30. (I) Si une galaxie s'éloigne de nous à 1 % de la vitesse de la lumière, à quelle distance se trouve-t-elle approximativement?

31. (I) Évaluez la vitesse d'une galaxie (relativement à nous) qui se trouve près de la «limite» de l'Univers, soit à 10 milliards d'années-lumière de distance.

32. (I) Calculez approximativement l'âge de l'Univers à l'aide de la constante de Hubble. Supposez *a*) que $H = 15$ km/s/Mal et *b*) que $H = 30$ km/s/Mal.

33. (II) Évaluez le taux auquel les atomes d'hydrogène devraient être créés, selon le modèle de l'état stationnaire, pour maintenir la densité présente de l'Univers à environ 10^{-27} kg/m^3, en supposant que l'expansion de l'Univers corresponde à une constante de Hubble de $H = 50$ km/s/Mpc.

34. (II) Évaluez la longueur d'onde observée pour la raie de 656 nm de la série de Balmer de l'hydrogène dans le spectre d'une galaxie dont la distance est *a*) de $1{,}0 \times 10^6$ al, *b*) de $1{,}0 \times 10^8$ al, *c*) de $1{,}0 \times 10^{10}$ al.

35. (II) *a*) Démontrez la formule du déplacement Doppler pour la lumière (équation 16.5) à l'aide de la théorie de la relativité restreinte. [Indice: procédez comme vous l'avez fait pour le son à la section 2.17, mais tenez compte de la dilatation temporelle prescrite par la théorie de la relativité.] *b*) Calculez la vitesse d'une galaxie si la mesure terrestre de la longueur d'onde pour la raie de l'hydrogène à 434 nm donne 610 nm.

36. (II) Utilisez le résultat du problème 35 pour montrer que le déplacement Doppler de la longueur d'onde est $\Delta\lambda/\lambda \approx v/c$ (équation 16.6) pour $v << c$.

SECTIONS 16.5 À 16.7

37. (I) Calculez la longueur d'onde au maximum de la distribution du rayonnement du corps noir à 2,7 K à l'aide de la loi du déplacement de Wien.

38. (I) Calculez ce que la densité critique, $\rho_c \approx 10^{-26}$ kg/m^3, représente en nombre moyen de nucléons par mètre cube.

39. (II) On pense que la taille de l'Univers (la distance moyenne entre les galaxies) à chaque étape de son évolution a été inversement proportionnelle à la température absolue. Évaluez la taille de l'Univers, comparativement à aujourd'hui, *a*) à $t = 10^6$ ans, *b*) à $t = 1$ s, *c*) à $t = 10^{-6}$ s, *d*) à $t = 10^{-35}$ s.

40. (II) À quel moment, approximativement, l'Univers s'est-il refroidi sous le seuil de température nécessaire à la production *a*) de kaons ($M \approx 500$ MeV/c^2), *b*) de Υ ($M \approx 9500$ MeV/c^2), *c*) de muons ($M \approx 100$ MeV/c^2)?

41. (II) Estimez la masse au repos du neutrino (en eV) qui fournirait la densité critique nécessaire pour fermer l'Univers. Supposez que la densité des neutrinos est, comme celle des photons, environ 10^9 fois celle des nucléons, et que les nucléons forment seulement *a*) 2 % de la masse nécessaire ou *b*) 5 % de la masse nécessaire.

APPENDICE

A

FORMULES MATHÉMATIQUES

a) FORMULE QUADRATIQUE

Si

$$ax^2 + bx + c = 0$$

alors

$$x = \frac{-b \pm \sqrt{b^2 - 4ac}}{2a}$$

b) DÉVELOPPEMENT EN SÉRIE DE BINÔME

$$(1 + x)^n = 1 + nx + \frac{n(n-1)}{2!}x^2 + \frac{n(n-1)(n-2)}{3!}x^3 + \ldots$$

$$(x + y)^n = x^n\left(1 + \frac{y}{x}\right)^n = x^n\left[1 + n\frac{y}{x} + \frac{n(n-1)}{2!}\frac{y^2}{x^2} + \ldots\right]$$

c) AUTRES FORMES DE DÉVELOPPEMENT EN SÉRIE

$$e^x = 1 + x + \frac{x^2}{2!} + \frac{x^3}{3!} + \ldots$$

$$\ln(1 + x) = x - \frac{x^2}{2} + \frac{x^3}{3} + \frac{x^4}{4} + \ldots$$

$$\sin\theta = \theta - \frac{\theta^3}{3!} + \frac{\theta^5}{5!} - \ldots$$

$$\cos\theta = 1 - \frac{\theta^2}{2!} + \frac{\theta^4}{4!} - \ldots$$

$$\tan\theta = \theta + \frac{\theta^3}{3} + \frac{2}{15}\theta^5 + \ldots \qquad |\theta| < \frac{\pi}{2}$$

En général:

$$f(x) = f(0) + \left(\frac{df}{dx}\right)_0 x + \left(\frac{d^2f}{dx^2}\right)_0 \frac{x^2}{2!} + \ldots$$

d) AIRES ET VOLUMES

Objet	Aire de surface	Volume
Cercle, rayon r	πr^2	—
Sphère, rayon r	$4\pi r^2$	$\frac{4}{3}\pi r^3$
Cylindre circulaire droit, rayon r, hauteur h	$2\pi r^2 + 2\pi rh$	$\pi r^2 h$

e) **FONCTIONS TRIGONOMÉTRIQUES**
(Voir diagramme)

$$\sin\theta = \frac{o}{h} \qquad \operatorname{cosec}\theta = \frac{1}{\sin\theta} = \frac{h}{o}$$

$$\cos\theta = \frac{a}{h} \qquad \sec\theta = \frac{1}{\cos\theta} = \frac{h}{a}$$

$$\tan\theta = \frac{o}{a} = \frac{\sin\theta}{\cos\theta} \qquad \operatorname{cotan}\theta = \frac{1}{\tan\theta} = \frac{a}{o}$$

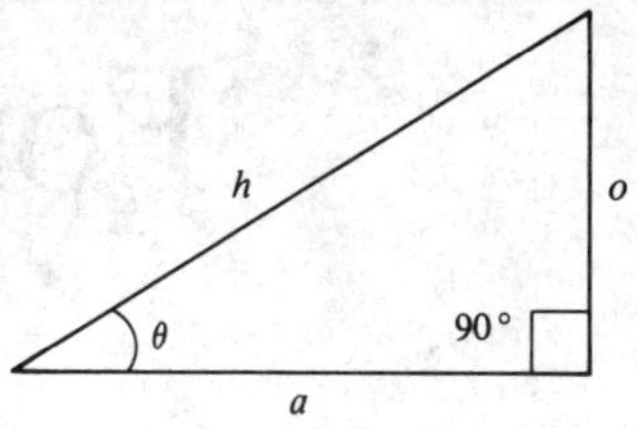

$a^2 + o^2 = h^2$ (théorème de Pythagore)

f) **ÉGALITÉS TRIGONOMÉTRIQUES**

$$\sin^2\theta + \cos^2\theta = 1 \quad \sec^2\theta - \tan^2\theta = 1 \quad \operatorname{cosec}^2\theta - \operatorname{cotan}^2\theta = 1$$

$$\sin 2\theta = 2\sin\theta\cos\theta$$

$$\cos 2\theta = \cos^2\theta - \sin^2\theta = 2\cos^2\theta - 1 = 1 - 2\sin^2\theta$$

$$\tan 2\theta = \frac{2\tan\theta}{1-\tan^2\theta}$$

$$\sin(A \pm B) = \sin A\cos B \pm \cos A\sin B$$

$$\cos(A \pm B) = \cos A\cos B \mp \sin A\sin B$$

$$\tan(A \pm B) = \frac{\tan A \pm \tan B}{1 \mp \tan A\tan B}$$

$$\sin\tfrac{1}{2}\theta = \sqrt{\frac{1-\cos\theta}{2}} \qquad \cos\tfrac{1}{2}\theta = \sqrt{\frac{1+\cos\theta}{2}} \qquad \tan\tfrac{1}{2}\theta = \sqrt{\frac{1-\cos\theta}{1+\cos\theta}}$$

$$\sin A \pm \sin B = 2\sin\left(\frac{A \pm B}{2}\right)\cos\left(\frac{A \mp B}{2}\right)$$

Pour tout triangle (voir diagramme):

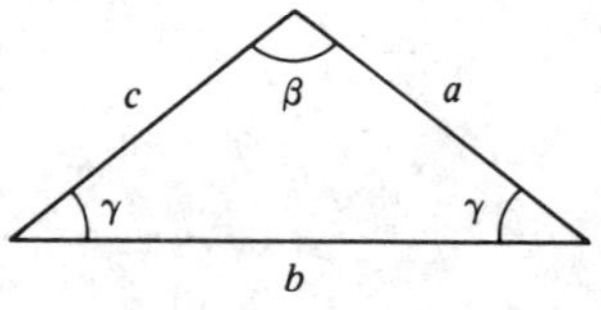

$$\frac{\sin\alpha}{a} = \frac{\sin\beta}{b} = \frac{\sin\gamma}{c} \qquad \text{(Loi des sinus)}$$

$$c^2 = a^2 + b^2 - 2ab\cos\gamma \qquad \text{(Loi des cosinus)}$$

APPENDICE

B

DÉRIVÉES ET INTÉGRALES

a) DÉRIVÉES: RÈGLES GÉNÉRALES

$$\frac{dx}{dx} = 1$$

$$\frac{d}{dx}[af(x)] = a\frac{df}{dx} \quad (a = \text{constante})$$

$$\frac{d}{dx}[f(x) + g(x)] = \frac{df}{dx} + \frac{dg}{dx}$$

$$\frac{d}{dx}[f(x)g(x)] = \frac{df}{dx}g + f\frac{dg}{dx}$$

$$\frac{d}{dx}[f(y)] = \frac{df}{dy}\frac{dy}{dx} \quad [\text{dérivées successives}]$$

$$\frac{dx}{dy} = \frac{1}{\left(\dfrac{dy}{dx}\right)} \quad \text{si } \frac{dy}{dx} \neq 0.$$

b) DÉRIVÉES: FONCTIONS PARTICULIÈRES

$$\frac{da}{dx} = 0 \quad (a = \text{constante})$$

$$\frac{d}{dx}x^n = nx^{n-1}$$

$$\frac{d}{dx}\sin ax = a\cos ax$$

$$\frac{d}{dx}\cos ax = -a\sin ax$$

$$\frac{d}{dx}\tan ax = a\sec^2 ax$$

$$\frac{d}{dx}\ln ax = \frac{1}{x}$$

$$\frac{d}{dx}e^{ax} = ae^{ax}$$

c) INTÉGRALES INDÉFINIES: RÈGLES GÉNÉRALES

$$\int dx = x$$

$$\int af(x)\,dx = a\int f(x)\,dx \quad (a = \text{constante})$$

$$\int [f(x) + g(x)]\,dx = \int f(x)\,dx + \int g(x)\,dx$$

$$\int u\,dv = uv - \int v\,du \quad (\text{intégration par parties})$$

d) INTÉGRALES INDÉFINIES: FONCTIONS PARTICULIÈRES

(On peut ajouter n'importe quelle constante du côté droit de chaque équation.)

$$\int a\,dx = ax \quad (a = \text{constante})$$

$$\int x^m\,dx = \frac{1}{m+1}x^{m+1} \quad (m \neq -1)$$

$$\int \sin ax\,dx = -\frac{1}{a}\cos ax$$

$$\int \cos ax\,dx = \frac{1}{a}\sin ax$$

$$\int \tan ax\,dx = \frac{1}{a}\ln|\sec ax|$$

$$\int \frac{1}{x}dx = \ln x$$

$$\int e^{ax}\,dx = \frac{1}{a}e^{ax}$$

$$\int \frac{dx}{x^2 + a^2} = \frac{1}{a}\tan^{-1}\frac{x}{a}$$

$$\int \frac{dx}{x^2 - a^2} = \frac{1}{2a}\ln\left(\frac{x-a}{x+a}\right) \quad (x^2 > a^2)$$

$$= -\frac{1}{2a}\ln\left(\frac{a+x}{a-x}\right) \quad (x^2 < a^2)$$

APPENDICE

C

CONSTANTES ET FACTEURS DE CONVERSION

Constantes fondamentales

Quantité	*Symbole*	*Valeur approximative*	*Valeur actuelle la plus précise*†
Vitesse de la lumière dans le vide	c	$3{,}00 \times 10^{8}$ m/s	$2{,}99792458 \times 10^{8}$ m/s
Constante gravitationnelle	G	$6{,}67 \times 10^{-11}$ N·m²/kg²	$6{,}67259(85) \times 10^{-11}$ N·m²/kg²
Nombre d'Avogadro	N_A	$6{,}02 \times 10^{23}$ mol^{-1}	$6{,}0221367(36) \times 10^{23}$ mol^{-1}
Constante des gaz	R	8,315 J/mol·K = 1,99 cal/mol·K = 0,082 atm·L/mol·K	8,314510(70) J/mol·K
Constante de Boltzmann	k	$1{,}38 \times 10^{-23}$ J/K	$1{,}380658(12) \times 10^{-23}$ J/K
Charge d'un électron	e	$1{,}60 \times 10^{-19}$ C	$1{,}60217733(49) \times 10^{-19}$ C
Constante de Stefan-Boltzmann	σ	$5{,}67 \times 10^{-8}$ W/m²·K⁴	$5{,}67051(19) \times 10^{-8}$ W/m²·K⁴
Perméabilité du vide	μ_0	$4\,\pi \times 10^{-7}$ T·m/A	
Permittivité du vide	$\varepsilon_0 = (1/c^2\mu_0)$	$8{,}85 \times 10^{-12}$ C²/N·m²	$8{,}854187817... \times 10^{-12}$ C²/N·m²
Constante de Planck	h	$6{,}63 \times 10^{-34}$ J·s	$6{,}6260755(40) \times 10^{-34}$ J·s
Masse de l'électron au repos	m_e	$9{,}11 \times 10^{-31}$ kg = 0,000549 u = 0,511 MeV/c^2	$9{,}1093897(54) \times 10^{-31}$ kg = $5{,}48579903(13) \times 10^{-4}$ u
Masse du proton au repos	m_p	$1{,}6726 \times 10^{-27}$ kg = 1,00728 u = 938,3 MeV/c^2	$1{,}6726231(10) \times 10^{-27}$ kg = 1,007276470(12) u
Masse du neutron au repos	m_n	$1{,}6750 \times 10^{-27}$ kg = 1,008665 u = 939,6 MeV/c^2	$1{,}6749286(10) \times 10^{-27}$ kg = 1,008664904(14) u
Unité de masse atomique (1 u)		$1{,}6605 \times 10^{-27}$ kg = 931,5 MeV/c^2	$1{,}6605402(10) \times 10^{-27}$ kg = 931,49432(28) MeV/c^2

† Tiré de E. R. Cohen et B. N. Taylor, *Committee on Data For Science and Technology*, CODATA, Bulletin N° 63 (1986). Les nombres entre parenthèses indiquent l'incertitude expérimentale normalisée dans les derniers chiffres. Les valeurs sans parenthèses sont significatives (c'est-à-dire qu'il s'agit de quantités mesurées).

Autres données utiles

Équivalent en joules de 1 cal	4,184 J
Zéro absolu (0 K)	−273,15 °C
Terre:	
Masse	$5{,}98 \times 10^{24}$ kg
Rayon (moyen)	$6{,}38 \times 10^{6}$ m
Lune:	
Masse	$7{,}4 \times 10^{22}$ kg
Rayon (moyen)	$1{,}74 \times 10^{6}$ m
Soleil:	
Masse	$2{,}0 \times 10^{30}$ kg
Rayon (moyen)	7×10^{8} m
Distance de la Terre au Soleil (moyenne)	$1{,}50 \times 10^{11}$ m
Distance de la Terre à la Lune (moyenne)	$3{,}84 \times 10^{8}$ m

L'alphabet grec

Alpha	Α	α	Nu	Ν	ν
Bêta	Β	β	Xi	Ξ	ξ
Gamma	Γ	γ	Omicron	Ο	ο
Delta	Δ	δ	Pi	Π	π
Epsilon	Ε	ε	Rhô	Ρ	ρ
Zêta	Ζ	ζ	Sigma	Σ	σ
Êta	Η	η	Tau	Τ	τ
Thêta	Θ	θ	Upsilon	Υ	υ
Iota	Ι	ι	Phi	Φ	ϕ, φ
Kappa	Κ	κ	Khi	Χ	χ
Lambda	Λ	λ	Psi	Ψ	ψ
Mu	Μ	μ	Oméga	Ω	ω

Unités de conversion (équivalents)

Longueur

1 po = 2,54 cm
1 cm = 0,394 po
1 pi = 30,5 cm
1 m = 39,4 po = 3,28 pi
1 mi = 5280 pi = 1,61 km
1 km = 0,621 mi
1 mille nautique = 6080 pi = 1,85 km
1 fermi = 1 femtomètre (fm) = 10^{-15} m
1 angström = (Å) = 10^{-10} m
1 année-lumière = $9,46 \times 10^{15}$ m
1 parsec = 3,26 années-lumière

Temps

1 jour = $8,64 \times 10^{4}$ s
1 année = $3,156 \times 10^{7}$ s

Vitesse

1 mi/h = 1,47 pi/s = 1,61 km/h = 0,447 m/s
1 km/h = 0,278 m/s = 0,621 mi/h
1 pi/s = 0,305 m/s = 0,682 mi/h
1 m/s = 3,28 pi/s = 3,60 km/h
1 noeud = 1,151 mi/h = 0,5144 m/s

Angle

1 radian (rad) = 57,30° = 57°18′
1° = 0,01745 rad
1 r/min (tour par minute) = 0,1047 rad/s

Masse

1 unité de masse atomique (u) = $1,6605 \times 10^{-27}$ kg
1 slug = 14,6 kg
1 kg = 0,0685 slug
[Le poids de 1 kg équivaut à 2,21 lb lorsque g = 9,80 m/s^2.]

Force

1 lb = 4,45 N
1 N = 10^{5} dynes = 0,225 lb

Énergie et travail

1 J = 10^{7} ergs = 0,738 pi·lb
1 pi·lb = 1,36 J = $1,29 \times 10^{-3}$ BTU = $3,25 \times 10^{-4}$ kcal
1 kcal = $4,18 \times 10^{3}$ J = 3,97 BTU
1 BTU = 252 cal = 778 pi·lb = 1054 J
1 eV = $1,602 \times 10^{-19}$ J
1 kWh = $3,60 \times 10^{6}$ J = 860 kcal

Puissance

1 W = 1 J/s = 0,738 pi·lb/s
1 hp (É.-U.) = 550 pi·lb/s = 746 W
1 hp (métrique) = 735 W

Pression

1 atm = 1,013 bar = $1,013 \times 10^{5}$ N/m^2
= 14,7 lb/po^2 = 760 torr
1 lb/po^2 = $6,90 \times 10^{3}$ N/m^2
1 Pa = 1 N/m^2 = $1,45 \times 10^{-4}$ lb/po^2

Valeurs de certains nombres

$\pi = 3{,}1415927$	$\sqrt{2} = 1{,}4142136$	$\ln 2 = 0{,}6931472$	$\log_{10} e = 0{,}4342945$
$e = 2{,}7182818$	$\sqrt{3} = 1{,}7320508$	$\ln 10 = 2{,}3025851$	$1 \text{ rad} = 57{,}2957795°$

Signes mathématiques et symboles

$\vec{F}$	La demi-flèche indique que la quantité F est vectorielle.		
$\hat{r}$	L'accent circonflexe indique que la quantité r est un vecteur unitaire.	$\ll$	beaucoup plus petit que
$\propto$	proportionnel à	$\leqslant$	plus petit ou égal à
$=$	égal à	$\geqslant$	plus grand ou égal à
$\approx$	plus ou moins égal à	Σ	sommation
$\neq$	pas égal à	$\bar{x}$	valeur moyenne de x
$>$	plus grand que	Δx	variation de x
$\gg$	beaucoup plus grand que	$\Delta x \to 0$	Δx tend vers 0
$<$	plus petit que	$n!$	$n(n-1)(n-2) \ldots 1$

Unités dérivées du SI et abréviations

Quantité	*Unité*	*Abréviation*	*En unités de base*†
Force	newton	N	$\text{kg}\cdot\text{m/s}^2$
Énergie et travail	joule	J	$\text{kg}\cdot\text{m}^2/\text{s}^2$
Puissance	watt	W	$\text{kg}\cdot\text{m}^2/\text{s}^3$
Pression	pascal	Pa	$\text{kg}/(\text{m}\cdot\text{s}^2)$
Fréquence	hertz	Hz	s^{-1}
Charge électrique	coulomb	C	$\text{A}\cdot\text{s}$
Potentiel électrique	volt	V	$\text{kg}\cdot\text{m}^2/(\text{A}\cdot\text{s}^3)$
Résistance électrique	ohm	Ω	$\text{kg}\cdot\text{m}^2/(\text{A}^2\cdot\text{s}^3)$
Capacitance	farad	F	$\text{A}^2\cdot\text{s}^4/(\text{kg}\cdot\text{m}^2)$
Force du champ magnétique	tesla	T	$\text{kg}/(\text{A}\cdot\text{s}^2)$
Courant magnétique	weber	Wb	$\text{kg}\cdot\text{m}^2/\text{A}\cdot\text{s}^2$
Inductance	henry	H	$\text{kg}\cdot\text{m}^2/(\text{s}^2\cdot\text{A}^2)$

† kg = kilogramme (masse), m = mètre (longueur), s = seconde (temps), A = ampère (courant électrique).

Multiplicateurs métriques (SI)

Préfixe	*Abréviation*	*Valeur*
Téra	T	10^{12}
Giga	G	10^{9}
Méga	M	10^{6}
Kilo	k	10^{3}
Hecto	h	10^{2}
Déca	da	10^{1}
Déci	d	10^{-1}
Centi	c	10^{-2}
Milli	m	10^{-3}
Micro	μ	10^{-6}
Nano	n	10^{-9}
Pico	p	10^{-12}
Femto	f	10^{-15}

APPENDICE

D

TABLEAU PÉRIODIQUE DES ÉLÉMENTS

Symbole — **Cl** 17 — Numéro atomique
Masse atomique§ — 35,453
$3p^5$ — Configuration électronique

Groupe I	Groupe II	Éléments de transition										Groupe III	Groupe IV	Groupe V	Groupe VI	Groupe VII	Groupe 0
H 1 1,0079 $1s^1$																	**He** 2 4,0026 $1s^2$
Li 3 6,94 $2s^1$	**Be** 4 9,01218 $2s^2$											**B** 5 10,81 $2p^1$	**C** 6 12,011 $2p^2$	**N** 7 14,0067 $2p^3$	**O** 8 15,9994 $2p^4$	**F** 9 18,9984 $2p^5$	**Ne** 10 20,17 $2p^6$
Na 11 22,9898 $3s^1$	**Mg** 12 24,305 $3s^2$											**Al** 13 26,9815 $3p^1$	**Si** 14 28,0855 $3p^2$	**P** 15 30,9738 $3p^3$	**S** 16 32,06 $3p^4$	**Cl** 17 35,453 $3p^5$	**Ar** 18 39,948 $3p^6$
K 19 39,0983 $4s^1$	**Ca** 20 40,08 $4s^2$	**Sc** 21 44,9559 $3d^14s^2$	**Ti** 22 47,90 $3d^24s^2$	**V** 23 50,9415 $3d^34s^2$	**Cr** 24 51,996 $3d^54s^1$	**Mn** 25 54,9380 $3d^54s^2$	**Fe** 26 55,847 $3d^64s^2$	**Co** 27 58,9332 $3d^74s^2$	**Ni** 28 58,71 $3d^84s^2$	**Cu** 29 63,546 $3d^{10}4s^1$	**Zn** 30 65,38 $3d^{10}4s^2$	**Ga** 31 69,735 $4p^1$	**Ge** 32 72,59 $4p^2$	**As** 33 74,9216 $4p^3$	**Se** 34 78,96 $4p^4$	**Br** 35 79,904 $4p^5$	**Kr** 36 83,80 $4p^6$
Rb 37 85,467 $5s^1$	**Sr** 38 87,62 $5s^2$	**Y** 39 88,9059 $4d^15s^2$	**Zr** 40 91,22 $4d^25s^2$	**Nb** 41 92,9064 $4d^45s^1$	**Mo** 42 95,94 $4d^55s^1$	**Tc** 43 98,9062 $4d^55s^2$	**Ru** 44 101,07 $4d^75s^1$	**Rh** 45 102,906 $4d^85s^1$	**Pd** 46 106,4 $4d^{10}5s^0$	**Ag** 47 107,868 $4d^{10}5s^1$	**Cd** 48 112,41 $4d^{10}5s^2$	**In** 49 114,82 $5p^1$	**Sn** 50 118,69 $5p^2$	**Sb** 51 121,75 $5p^3$	**Te** 52 127,60 $5p^4$	**I** 53 126,90 $5p^5$	**Xe** 54 131,30 $5p^6$
Cs 55 132,905 $6s^1$	**Ba** 56 137,33 $6s^2$	57-71†	**Hf** 72 178,49 $5d^26s^2$	**Ta** 73 180,947 $5d^36s^2$	**W** 74 183,85 $5d^46s^2$	**Re** 75 186,207 $5d^56s^2$	**Os** 76 190,2 $5d^66s^2$	**Ir** 77 192,22 $5d^76s^2$	**Pt** 78 195,09 $5d^96s^1$	**Au** 79 196,966 $5d^{10}6s^1$	**Hg** 80 200,59 $5d^{10}6s^2$	**Tl** 81 204,37 $6p^1$	**Pb** 82 207,2 $6p^2$	**Bi** 83 208,980 $6p^3$	**Po** 84 (209) $6p^4$	**At** 85 (210) $6p^5$	**Rn** 86 (222) $6p^6$
Fr 87 (223) $7s^1$	**Ra** 88 226,025 $7s^2$	89-103‡	**Rf** 104 (261) $6d^27s^2$	**Ha** 105 (260) $6d^37s^2$	106 (263)	107 (262)	108 (265)	109 (266)									

† **Série des lanthanides**	**La** 57 139,906 $5d^16s^2$	**Ce** 58 140,12 $5d^14f^16s^2$	**Pr** 59 140,908 $4f^36s^2$	**Nd** 60 144,24 $4f^46s^2$	**Pm** 61 (145) $4f^56s^2$	**Sm** 62 150,4 $4f^66s^2$	**Eu** 63 151,96 $4f^76s^2$	**Gd** 64 157,25 $5d^14f^76s^2$	**Tb** 65 158,925 $5d^14f^86s^2$	**Dy** 66 162,50 $4f^{10}6s^2$	**Ho** 67 164,930 $4f^{11}6s^2$	**Er** 68 167,26 $4f^{12}6s^2$	**Tm** 69 168,934 $4f^{13}6s^2$	**Yb** 70 173,04 $4f^{14}6s^2$	**Lu** 71 174,967 $5d^14f^{14}6s^2$
‡ **Série des actinides**	**Ac** 89 (227) $6d^17s^2$	**Th** 90 232,038 $6d^27s^2$	**Pa** 91 231,036 $5f^26d^17s^2$	**U** 92 238,029 $5f^36d^17s^2$	**Np** 93 237,048 $5f^56d^07s^2$	**Pu** 94 (244) $5f^66d^07s^2$	**Am** 95 (243) $5f^76d^07s^2$	**Cm** 96 (247) $5f^76d^17s^2$	**Bk** 97 (247) $5f^86d^17s^2$	**Cf** 98 (251) $5f^{10}6d^07s^2$	**Es** 99 (253) $5f^{11}6d^07s^2$	**Fm** 100 (257) $5f^{12}6d^07s^2$	**Md** 101 (258) $5f^{13}6d^07s^2$	**No** 102 (259) $6d^07s^2$	**Lr** 103 (260) $7s^27p^1$

§ Les masses atomiques correspondent aux valeurs moyennes des isotopes calculées en pourcentage d'après leur quantité à la surface de la Terre. Pour la plupart des éléments instables, le nombre de masse qui a été indiqué entre parenthèses est celui de l'isotope le plus stable qu'on connaisse.

APPENDICE

E

LISTE D'ISOTOPES CHOISIS†

(1) Numéro atomique *Z*	(2) Élément	(3) Symbole	(4) Nombre de masse *A*	(5) Masse atomique‡	(6) Pourcentage d'abondance ou mode de désintégration (éléments radioactifs seulement)	(7) Demi-vie (éléments radioactifs seulement)
0	(neutron)	*n*	1	1,008665	β^-	10,6 min
1	Hydrogène	H	1	1,007825	99,985	
	Deutérium	D	2	2,014102	0,015	
	Tritium	T	3	3,016049	β^-	12,33 ans
2	Hélium	He	3	3,016029	0,00014	
			4	4,002603	≈ 100	
3	Lithium	Li	6	6,015123	7,5	
			7	7,016005	92,5	
4	Béryllium	Be	7	7,016930	EC, γ	53,3 jours
			9	9,012183	100	
5	Bore	B	10	10,012938	19,8	
			11	11,009305	80,2	
6	Carbone	C	11	11,011433	β^+, EC	20,4 min
			12	12,000000	98,89	
			13	13,003355	1,11	
			14	14,003242	β^-	5730 ans
7	Azote	N	13	13,005739	β^+	9,96 min
			14	14,003074	99,63	
			15	15,000109	0,37	
8	Oxygène	O	15	15,003065	β^+, EC	122 s
			16	15,994915	99,76	
			18	17,999159	0,204	
9	Fluor	F	19	18,998403	100	
10	Néon	Ne	20	19,992439	90,51	
			22	21,991384	9,22	
11	Sodium	Na	22	21,994435	β^+, EC, γ	2,602 ans
			23	22,989770	100	
			24	23,990964	β^-, γ	15,0 h
12	Magnésium	Mg	24	23,985045	78,99	
13	Aluminium	Al	27	26,981541	100	
14	Silicium	Si	28	27,976928	92,23	
			31	30,975364	β^-, γ	2,62 h
15	Phosphore	P	31	30,973763	100	
			32	31,973908	β^-	14,2 jours
16	Soufre	S	32	31,972072	95,0	
			35	34,969033	β^-	87,4 jours

† Ces renseignements proviennent de *Chart of the Nuclides*, 12e édition, 1977, et de C. M. Lederer et V. S. Shirley, éditeurs, *Table of Isotopes*, 7e édition, John Wiley & Sons, Inc., New York, 1978.

‡ Les masses qui apparaissent dans la colonne (5) sont celles de l'atome neutre incluant les électrons *Z*.

(1) Numéro atomique Z	(2) Élément	(3) Symbole	(4) Nombre de masse A	(5) Masse atomique †	(6) Pourcentage d'abondance ou mode de désintégration (éléments radioactifs seulement)	(7) Demi-vie (éléments radioactifs seulement)
17	Chlore	Cl	35	34,968853	75,77	
			37	36,965903	24,23	
18	Argon	Ar	40	39,962383	99,60	
19	Potassium	K	39	38,963708	93,26	
			40	39,964000	β^-, EC, γ, β^+	$1{,}28 \times 10^9$ ans
20	Calcium	Ca	40	39,962591	96,94	
21	Scandium	Sc	45	44,955914	100	
22	Titane	Ti	48	47,947947	73,7	
23	Vanadium	V	51	50,943963	99,75	
24	Chrome	Cr	52	51,940510	83,79	
25	Manganèse	Mn	55	54,938046	100	
26	Fer	Fe	56	55,934939	91,8	
27	Cobalt	Co	59	58,933198	100	
			60	59,933820	β^-, γ	5,271 ans
28	Nickel	Ni	58	57,935347	68,3	
			60	59,930789	26,1	
29	Cuivre	Cu	63	62,929599	69,2	
			65	64,927792	30,8	
30	Zinc	Zn	64	63,929145	48,6	
			66	65,926035	27,9	
31	Gallium	Ga	69	68,925581	60,1	
32	Germanium	Ge	72	71,922080	27,4	
			74	73,921179	36,5	
33	Arsenic	As	75	74,921596	100	
34	Sélénium	Se	80	79,916521	49,8	
35	Brome	Br	79	78,918336	50,69	
36	Krypton	Kr	84	83,911506	57,0	
37	Rubidium	Rb	85	84,911800	72,17	
38	Strontium	Sr	86	85,909273	9,8	
			88	87,905625	82,6	
			90	89,907746	β^-	28,8 ans
39	Yttrium	Y	89	88,905856	100	
40	Zirconium	Zr	90	89,904708	51,5	
41	Niobium	Nb	93	92,906378	100	
42	Molybdène	Mo	98	97,905405	24,1	
43	Technétium	Tc	98	97,907210	β^-, γ	$4{,}2 \times 10^6$ ans
44	Ruthénium	Ru	102	101,904348	31,6	
45	Rhodium	Rh	103	102,90550	100	
46	Palladium	Pd	106	105,90348	27,3	
47	Argent	Ag	107	106,905095	51,83	
			109	108,904754	48,17	
48	Cadmium	Cd	114	113,903361	28,7	
49	Indium	In	115	114,90388	95,7; β^-	$5{,}1 \times 10^{14}$ ans
50	Étain	Sn	120	119,902199	32,4	
51	Antimoine	Sb	121	120,903824	57,3	
52	Tellure	Te	130	129,90623	34,5; β^-	2×10^{21} ans
53	Iode	I	127	126,904477	100	
			131	130,906118	β^-, γ	8,04 jours
54	Xénon	Xe	132	131,90415	26,9	
			136	135,90722	8,9	
55	Césium	Cs	133	132,90543	100	
56	Baryum	Ba	137	136,90582	11,2	
			138	137,90524	71,7	

† Les masses qui apparaissent dans la colonne (5) sont celles de l'atome neutre incluant les électrons Z.

(1) Numéro atomique Z	(2) Élément	(3) Symbole	(4) Nombre de masse A	(5) Masse atomique†	(6) Pourcentage d'abondance ou mode de désintégration (éléments radioactifs seulement)	(7) Demi-vie (éléments radioactifs seulement)
57	Lanthane	La	139	138,90636	99,911	
58	Cérium	Ce	140	139,90544	88,5	
59	Praséodyme	Pr	141	140,90766	100	
60	Néodyme	Nd	142	141,90773	27,2	
61	Prométhium	Pm	145	144,91275	EC, α, γ	17,7 ans
62	Samarium	Sm	152	151,91974	26,6	
63	Europium	Eu	153	152,92124	52,1	
64	Gadolinium	Gd	158	157,92411	24,8	
65	Terbium	Tb	159	158,92535	100	
66	Dysprosium	Dy	164	163,92918	28,1	
67	Holmium	Ho	165	164,93033	100	
68	Erbium	Er	166	165,93031	33,4	
69	Thulium	Tm	169	168,93423	100	
70	Ytterbium	Yb	174	173,93887	31,6	
71	Lutécium	Lu	175	174,94079	97,39	
72	Hafnium	Hf	180	179,94656	35,2	
73	Tantale	Ta	181	180,94801	99,988	
74	Tungstène (wolfram)	W	184	183,95095	30,7	
75	Rhénium	Re	187	186,95577	62,60; β^-	4×10^{10} ans
76	Osmium	Os	191	190,96094	β^-, γ	15,4 jours
			192	191,96149	41,0	
77	Iridium	Ir	191	190,96060	37,3	
			193	192,96294	62,7	
78	Platine	Pt	195	194,96479	33,8	
79	Or	Au	197	196,96656	100	
80	Mercure	Hg	202	201,97063	29,8	
81	Thallium	Tl	205	204,97441	70,5	
82	Plomb	Pb	206	205,97446	24,1	
			207	206,97589	22,1	
			208	207,97664	52,3	
			210	209,98418	α, β^-, γ	22,3 ans
			211	210,98874	β^-, γ	36,1 min
			212	211,99188	β^-, γ	10,64 h
			214	213,99980	β^-, γ	26,8 min
83	Bismuth	Bi	209	208,98039	100	
			211	210,98726	α, β^-, γ	2,15 min
84	Polonium	Po	210	209,98286	α, γ	138,38 jours
			214	213,99519	α, γ	164 μs
85	Astate	At	218	218,00870	α, β^-	≈ 2 s
86	Radon	Rn	222	222,017574	α, γ	3,8235 jours
87	Francium	Fr	223	223,019734	α, β^-, γ	21,8 min
88	Radium	Ra	226	226,025406	α, γ	$1{,}60 \times 10^3$ ans
89	Actinium	Ac	227	227,027751	α, β^-, γ	21,773 ans
90	Thorium	Th	228	228,02873	α, γ	1,9131 an
			232	232,038054	100, α, γ	$1{,}41 \times 10^{10}$ ans
91	Protactinium	Pa	231	231,035881	α, γ	$3{,}28 \times 10^4$ ans
92	Uranium	U	232	232,03714	α, γ	72 ans
			233	233,039629	α, γ	$1{,}592 \times 10^5$ ans
			235	235,043925	0,72; α, γ	$7{,}038 \times 10^8$ ans
			236	236,045563	α, γ	$2{,}342 \times 10^7$ ans
			238	238,050786	99,275; α, γ	$4{,}468 \times 10^9$ ans
			239	239,054291	β^-, γ	23,5 min

† Les masses qui apparaissent dans la colonne (5) sont celles de l'atome neutre incluant les électrons Z.

(1) Numéro atomique *Z*	(2) Élément	(3) Symbole	(4) Nombre de masse *A*	(5) Masse atomique†	(6) Pourcentage d'abondance ou mode de désintégration (éléments radioactifs seulement)	(7) Demi-vie (éléments radioactifs seulement)
93	Neptunium	Np	239	239,052932	β^-, γ	2,35 jours
94	Plutonium	Pu	239	239,052158	α, γ	$2,41 \times 10^4$ ans
95	Américium	Am	243	243,061374	α, γ	$7,37 \times 10^3$ ans
96	Curium	Cm	245	245,065487	α, γ	$8,5 \times 10^3$ ans
97	Berkélium	Bk	247	247,07003	α, γ	$1,4 \times 10^3$ ans
98	Californium	Cf	249	249,074849	α, γ	351 ans
99	Einsteinium	Es	254	254,08802	α, β^-, γ	276 jours
100	Fermium	Fm	253	253,08518	EC, α, γ	3,0 jours
101	Mendélévium	Md	255	255,0911	EC, α	27 min
102	Nobélium	No	255	255,0933	EC, α	3,1 min
103	Lawrencium	Lr	257	257,0998	α	$\approx$ 35 s
104	Rutherfordium (?)	Rf	261	261,1087	α	1,1 min
105	Hahnium (?)	Ha	262	262,1138	α	0,7 min
106			263	263,1184	α	0,9 s

† Les masses qui apparaissent dans la colonne (5) sont celles de l'atome neutre incluant les électrons *Z*.

APPENDICE

F

CORRIGÉ DES PROBLÈMES IMPAIRS

CHAPITRE 1

1. 2,5 m/s
3. 0,46 s
5. 123 Hz
7. a) $1,4 \times 10^3$ m/s, b) $4,1 \times 10^3$ m/s
9. $1,8 \times 10^3$ m
11. b) $2\sqrt{L/g}$
13. a) l'intensité tombe à $\frac{1}{4}$; b) l'amplitude tombe à $\frac{1}{2}$.
19. $D = D_M \sin(2\pi x/\lambda + \omega t + \phi)$
21. a) 41 m/s; b) $6,4 \times 10^4$ m/s²; c) 40,5 m/s, $8,2 \times 10^3$ m/s²
23. D (cm) $= -0,020 \cos(8,01x - 2,76 \times 10^3 t)$; [$x$ en m, t en secondes]
25. b) $D = 0,45 \cos(3,0x - 6,0t + 1,2)$; d) $D = 0,45 \cos(3,0x + 6,0t + 1,2)$
27. b) $D = 1,00 \sin(2,09x + 1,26 \times 10^3 t + 0,93)$ [D et x en cm, t en secondes]
33. c) $A_T = \left(\dfrac{2k_1}{k_2 + k_1}\right)A$
35. 13°
37. c) *toute* l'énergie est cinétique (la corde a une grande vitesse transversale)
39. 587 Hz
41. 1,83 m
45. a) 5,2 cm; b) 4,3 cm, 9,2 Hz, 97 cm/s; c) $2,2 \times 10^2$ cm/s
47. 1,0 m/s
49. $3,1 \times 10^2$ Hz
53. a) 784 Hz, $1,18 \times 10^3$ Hz; 880 Hz, $1,32 \times 10^3$ Hz; b) 1,26; c) 1,12; d) 0,794

CHAPITRE 2

1. a) $5,76 \times 10^{-3}$ m, b) $1,37 \times 10^{-3}$ m
3. 71 m
5. a) $1,1 \times 10^{-8}$ m, b) $1,1 \times 10^{-10}$ m
7. a) $p = (4,0 \times 10^{-5}) \cos(0,95x - 3,1 \times 10^2 t)$, b) $p = (4,0 \times 10^{-3}) \cos(95x - 3,1 \times 10^4 t)$; p en Pa, x en m et t en s
9. a) $p = p_{M\text{-muscle}}$

$$\cos\left[\frac{2\pi}{(2,4 \times 10^{-4})}(x - 1200t)\right];$$

$p = p_{M\text{-os}}$

$$\cos\left[\frac{2\pi}{(5,6 \times 10^{-4})}(x - 2800t)\right];$$

b) $p = p_{M\text{-muscle}}$

$$\cos\left[2\pi\left(\frac{x}{2,4 \times 10^{-4}} - (5,0 \times 10^6)t\right)\right],$$

$p = p_{M\text{-os}}$

$$\cos\left[2\pi\left(\frac{x}{5,6 \times 10^{-4}} - (5,0 \times 10^6)t\right)\right]$$

11. a) l'onde à haute fréquence a deux fois l'amplitude de pression de l'autre; b) l'onde à haute fréquence a quatre fois l'intensité de l'autre
13. a) 9, b) 9,5 dB
15. $1,6 \times 10^6$
17. a) $5,35 \times 10^{-5}$ m, b) 29,7 Pa
19. 30 dB
21. a) $5,0 \times 10^{-6}$ W, b) 20 millions de personnes
23. 86 dB
25. a) $20 \log\left(\dfrac{P_M}{P_{M0}}\right)$, b) 191 dB
27. a) 130 dB, b) 95 dB, c) 53 dB
29. 0,17 m du bout
31. 0,32 m
33. $3,4 \times 10^3$ Hz
35. 274 m/s
37. a) $2,8 \times 10^2$ m/s, 40 N; b) 0,19 m; c) *violon*: 880 Hz, *tuyau fermé*: 1320 Hz
39. 635 Hz
41. $3,0 \times 10^2$ N
43. 15 Hz, 3,8 Hz
45. $7,8 \times 10^2$ Hz
47. 9 Hz
49. $d = \frac{1}{2}\lambda$
51. a) 12 Hz; b) 29 m
53. $\approx l\lambda/8d$
55. 2,7 Hz
57. $1,57 \times 10^3$ Hz
59. 72,2 m/s
61. 90 à la minute
63. d) 650 Hz; e) 677 Hz; f) 678 Hz
65. a) 3,08; b) 19,0°
67. a) 2,4°; b) 10,4°
69. p est plus petit d'un facteur 0,595; diminue plus lentement que la loi en inverse du carré.

CHAPITRE 3

1. a) $2,21 \times 10^8$ m/s, b) $1,99 \times 10^8$ m/s
3. 3 m
5. $4,0 \times 10^{16}$ m
7. $3,4 \times 10^3$ rad/s
11. $5,9 \times 10^{-6}$ m²
15. 12,0 cm
19. a) $\approx -6,7$ cm; b) -10 cm; c) 1,0 mm, à l'endroit
23. $-2,2$ m
25. 1,6 m
29. 31°
31. 41,9°
39. $n \geq 1,8$
41. $n \geq 1,4$
43. 53,8°

CHAPITRE 4

1. a) $d_i = 96$ cm; b) oui, oui, 64 cm à gauche de la surface; c) $d_i = 2,2$ m
3. a) au centre du contenant, b) 8,6 cm du bord du bocal entre l'observateur et le centre du bocal
5. 2,5 m
9. 1,53
11. diamètre de 0,47 mm
13. a) 150 mm derrière la lentille, hauteur = 0,17 cm, réelle et renversée; b) 122 mm devant la lentille, hauteur = 0,14 cm, virtuelle et à l'endroit
15. Remplacez n par n/n'.
17. 0,88 m
21. 3,5 m
25. 20,2 cm derrière la seconde lentille; 0,512
27. a) 12,5 cm, b) 8,3 cm
29. 2,1 X pour l'enfant; 3,8 X pour un œil normal.
31. a) 76 cm devant la lentille, b) 6,6 X
33. $M = -16$; 53,1 cm
35. $M = -92$
37. $M = +12$
39. 6,4 X
41. a) 16 cm, b) 160 X
43. a) $d_o = 1,07$ cm, b) 190 X
45. +3,5 D
47. a) $-2,75$ D, b) 36 cm
49. Supérieure: $P = -0,48$ D, inférieure: $P = +1,3$ D.
51. +0,90 D
53. $-23,6$ cm

CHAPITRE 5

3. 97 μm
5. 1,99 mm

7. La figure est renversée: les franges brillantes remplacent les franges sombres et vice versa.
9. 425 nm
11. $L \approx 10^{-16}$ H; $C \approx 10^{-16}$ F, non, ces valeurs sont trop petites.
13. 0,82°
15. $\lambda = 500{,}0$ nm: $\theta = 73{,}19°$, $\lambda = 712{,}0$ nm: $\theta = 71{,}99°$
17. 1/4
21. a) $I_\theta = (I_0/9)(1 + 2\cos\delta)^2$; b) maxima principaux: $d \sin\theta = m\lambda$; minima: $d \sin\theta = (m + \frac{1}{3})\lambda$ et $d \sin\theta = (m + \frac{2}{3})\lambda$, $m = 0, 1, 2, ...$
23. $\lambda = 643$ nm (orange)
25. 114 nm
29. 11,7 μm
31. 813 nm
35. 5,7 m; 11,2 m
37. 838 nm
39. 1,0044
41. Les franges disparaissent quand les franges brillantes de la raie à 589,0 nm coïncident avec des franges sombres de la raie à 589,6 nm;
43. a) 17 lm/W, b) 157 tubes

CHAPITRE 6

1. 3,18°
3. $D = \lambda$
7. c) 1,43 π (différence de 4,7 %); 2,46 π (différence de 1,6 %)
9. $d = 8\,D$
13. a) 3, b) 23, c) 9, d) 13 plus 2 incomplètes
15. $\alpha = 57{,}5°$, $\varepsilon = 226$ nm
17. a) 1,4, b) 240 nm
19. $f/2$: 750 traits/mm, $f/16$: 89 traits/mm
21. a) oui, b) 15 km
25. $1{,}07 \times 10^3$ traits/cm
27. 0,75 μm
29. 74 cm
33. 592,8 nm et 868,0 nm
35. 518 nm, 593 nm, 737 nm
41. $5{,}8 \times 10^3$ traits/cm
43. a) $6{,}9 \times 10^{-4}$ rd/nm dans le premier ordre, $1{,}6 \times 10^{-3}$ rd/nm dans le second ordre; b) $1{,}6 \times 10^{-4}$ dans le premier ordre, $3{,}2 \times 10^4$ dans le second ordre; c) 0,026 nm dans le premier ordre, 0,013 nm dans le second ordre
45. $\Delta f = f/Nm$
47. a) 34°; b) 0,13 nm

CHAPITRE 7

1. $I = I_0/4$
3. a) 35°; b) 63°
5. $I = 0{,}629\, I_0$
7. a) zéro; b) $I = I_0/8$; c) zéro
11. 49,6°
13. 36,9°; 48,8°; 53,1°
15. a) 0,074 mm
17. polarisée linéairement, $\frac{1}{2}I$
19. $1{,}89 \times 10^{-6}$ m
23. a) polarisée elliptiquement; b) polarisée linéairement

CHAPITRE 8

1. 0,781 μs
3. $1{,}5 \times 10^2$ m
5. 0,95 c
7. a) 8,92 m de long, 1,45 m de haut; b) 13,0 s; c) 0,760 c; d) 13,0 s
9. 0,93 c
11. a) $x = 397$ m, $y = 20$ m, $z = 0$; b) $x = 1{,}52 \times 10^3$ m, $y = 20$ m, $z = 0$
13. a) 0,80 c; b) 0,80 c, opposé à a)
15. 60 m/s, 24° au-dessus de l'axe des x
17. $v = 0{,}90\, c$, $\theta = 43°$
19. a) $L = L_0[1 - (v^2/c^2)\cos^2\theta]^{1/2}$; b) $\theta' = \tan^{-1}[(\tan\theta)/(1 - v^2/c^2)^{1/2}]$
23. 0,866 c
25. 7×10^{-8} %
27. $\rho' = \rho_0/(1 - v^2/c^2)$
29. $4\, m_0c^2 = 3{,}3 \times 10^{-13}$ J = 2,0 MeV
31. $8{,}19 \times 10^{-14}$ J = 0,511 MeV
33. $m = 2\, m_0 = 3{,}34 \times 10^{-27}$ kg; $v = 0{,}866\, c$
35. $v = 0{,}745\, c$, $p = 3{,}06 \times 10^{-22}$ kg m/s
37. $3{,}5 \times 10^{-5}$ g
41. 1,34 T

CHAPITRE 9

1. $5{,}4 \times 10^{-20}$ J = 0,34 eV
3. a) $2{,}7 \times 10^{-34}$ J; b) $2{,}2 \times 10^{35}$; c) $4{,}5 \times 10^{-36}$; non
5. a) 3,11 eV; b) 1,79 eV; c) $4{,}14 \times 10^{-7}$ eV
7. $K = 0{,}11$ eV; $v = 2{,}0 \times 10^5$ m/s
11. a) aucun n'est éjecté; b) 1,17 eV
13. $8{,}3 \times 10^4$ photons/s
15. b) 0,041 nm
17. $6{,}6 \times 10^{-24}$ kg · m/s; $2{,}2 \times 10^{-32}$ kg
19. a) $7{,}10 \times 10^{-13}$ m, b) $2{,}42 \times 10^{-12}$ m, c) $4{,}84 \times 10^{-12}$ m
21. a) $5{,}92 \times 10^{-3}$; 0,0202; 0,0404; b) 61,2 eV, 209 eV, 418 eV
25. $E = 212$ MeV; $\lambda = 5{,}87 \times 10^{-15}$ m
27. $1{,}6 \times 10^{-11}$ m
29. 1836
31. a) 490 V, b) $5{,}7 \times 10^5$ V
37. $4{,}0 \times 10^{-3}$
39. 10,2 eV
41. 122 eV
43. 91,4 nm
47. $1{,}09 \times 10^{-8}$
49. $n = 4{,}3 \times 10^3$; $E = -7{,}2 \times 10^{-7}$ eV
51. oui; $v = 7{,}3 \times 10^{-3}\, c$
53. 103 nm, 122 nm, 657 nm
57. c) 150 eV, d) $1{,}6 \times 10^{-66}$ J, e) 0,19 nm

CHAPITRE 10

1. $1{,}8 \times 10^{-7}$ m
3. $5{,}3 \times 10^{-11}$ m
5. $7{,}2 \times 10^3$ m/s
7. a) $1{,}2 \times 10^{-34}$ m, b) $1{,}9 \times 10^{-32}$ kg · m/s, c) $1{,}1 \times 10^{-30}$ m
9. 200 MeV
11. ≈ rayon de Bohr
15. b) 4 s
17. $\psi(x) = A \sin kx + B \cos kx$; a) $k = 3{,}5 \times 10^9$ m^{-1}; b) $k = 6{,}3 \times 10^{12}$ m^{-1}
21. $3{,}6 \times 10^6$ m/s
23. a) $5{,}2 \times 10^{-8}$ m, b) $2{,}2 \times 10^{-10}$ m
25. a) $1{,}2 \times 10^{-10}$ m, b) $1{,}0 \times 10^{-10}$ m
27. a) $x = (2m - 1)L/2n$, $m = 1, 2, ..., n$; b) $x = mL/n$, $m = 0, 1, ..., n$
29. a) 1,5 eV, $A \sin[(2\pi \times 10^9\ \text{m}^{-1})x]$; 6,0 eV, $A \sin[(4\pi \times 10^9\ \text{m}^{-1})x]$; 14 eV, $A \sin[(6\pi \times 10^9\ \text{m}^{-1})x]$; 24 eV, $A \sin[(8\pi \times 10^9\ \text{m}^{-1})x]$; $A = 6{,}3 \times 10^4\ \text{m}^{-\frac{1}{2}}$. b) 55 nm, 69 nm, 100 nm, 120 nm, 160 nm, 270 nm
31. a) 51 MeV, 210 MeV, 460 MeV, 820 MeV; b) $A \sin[(\frac{1}{2}\pi \times 10^{15}\ \text{m}^{-1})x]$; $A \sin[(\pi \times 10^{15}\ \text{m}^{-1})x]$, $A \sin[(\frac{3}{2}\pi \times 10^{15}\ \text{m}^{-1})x]$, $A \sin[(2\pi \times 10^{15}\ \text{m}^{-1})x]$, où $A = 3{,}2 \times 10^7\ \text{m}^{-\frac{1}{2}}$, c) $\lambda = 8{,}1$ fm, $E = 150$ MeV; rayon gamma
33. $\sqrt{2/L}\cos(\pi x/L)$, $\sqrt{2/L}\sin(2\pi x/L)$, $\sqrt{2/L}\cos(3\pi x/L)$, $\sqrt{2/L}\sin(4\pi x/L)$
35. a) 0,39, b) 0,20, c) 0,20, d) 0,20
37. 0,03 nm
41. $\approx 10^{-41}$ A

CHAPITRE 11

1. 0, 1, 2, 3, 4 ou 5
3. 32 états
5. $n = 5, 6, 7, ...$; $m_l = 0, \pm 1, \pm 2, \pm 3, \pm 4$; $m_s = \pm\frac{1}{2}$
7. a) 7; b) $-0{,}278$ eV; c) $l = 4$, $L = \sqrt{20}\hbar$; d) 0, ± 1, ± 2, ± 3, ± 4
9. b) 2, 6, 10, 14, 18, 22, 26
11. a) 2p, 3p, 4p, 4f, 5p, 5f; b) 4
13. a) ϕ peut avoir n'importe quelle valeur, b) L_x et L_y peuvent avoir n'importe quelle valeur qui satisfasse $L_x^2 + L_y^2 + L_z^2 = L^2$
15. a) $e^{-1}/\sqrt{\pi r_0^3}$, b) $e^{-2}/\pi r_0^3$, c) $4e^{-2}/r_0$
19. 0,541 %
21. b) 44 %
23. a) $1{,}2 \times 10^{-14}$, b) $1{,}1 \times 10^{-7}$
29. 5,3 %
31. a) $P_r = (4r^2/27r_0^3)[1 - (2r/3r_0) + (2r^2/27r_0^2)]e^{-2r/3r_0}$, c) $12{,}4r_0$
33. 14
35. 3,4 eV
37. b) $Z = 1, 5, 9, 18$
39. $4{,}1 \times 10^{-11}$ m; infini
43. 0,20 nm
45. $3{,}3 \times 10^3$ °C/min
47. chrome
51. a) 0,26 mm, b) 0,13 mm
53. a) $j = \frac{1}{2}$, $J = \sqrt{3}\hbar/2$; $j = \frac{3}{2}$, $J = \sqrt{15}\hbar/2$; b) $j = \frac{5}{2}$, $J = \sqrt{35}\hbar/2$; $j = \frac{7}{2}$, $J = 3\sqrt{7}\,\hbar/2$; c) $j = \frac{3}{2}$, $J = \sqrt{15}\hbar/2$; $j = \frac{5}{2}$, $J = \sqrt{35}\hbar/2j$
55. a) 0,4 T, b) 0,4 T
57. $1{,}3 \times 10^{-2}$ J, $4{,}0 \times 10^{16}$ photons
59. $6{,}1 \times 10^{-31}$ dans E_1, $1{,}2 \times 10^{-37}$ dans E_2

CHAPITRE 12

1. 5,1 eV
3. 5 eV
5. 13 eV
7. $1{,}3 \times 10^{14}$ Hz, 0,54 eV
9. $1{,}79 \times 10^{-4}$ eV
11. 0,236 nm

13. 0,98004 u, b) 482 N/m
15. a) 40 N/m, b) 7×10^{12} Hz
19. a) $2,7 \times 10^{-47}$ kg · m², b) 0,13 nm
21. b) −6,9 eV, c) −10,8 eV, d) 3 %
23. $1,8 \times 10^{21}$ états
25. a) 6,94 eV, b) 6,77 eV, c) aucune solution
27. 0,063
29. 3,2 eV; $1,1 \times 10^{6}$ m/s
31. a) $1,80 \times 10^{29}$ m^{-3}, b) 3
35. a) 0,021, b) 0,979, c) 0,021
39. $4,0 \times 10^{-8}$ m; 2×10^{2} atomes
41. a) $2N$, b) $6N$, c) $6N$, d) $2N\,(2l + 1)$
43. $2,3 \times 10^{5}$
45. a) $9,4 \times 10^{-2}$ eV, b) $6,3 \times 10^{-10}$ m
47. 0,60 V
49. a) 260, b) $2,1 \times 10^{4}$
51. a) 7,2 mA, b) 14 mA
53. 14 mA
55. a) 150 V < V_{source} < 350 V,
b) 3,7 kΩ < R_{charge} < ∞.

CHAPITRE 13

1. 3728 MeV/c^2
3. a) $4,8 \times 10^{-15}$ m, b) 27
5. a) $2,3 \times 10^{17}$ kg/m³, b) 180 m, c) $2,6 \times 10^{-10}$ m
9. 340 MeV
11. 2,22 MeV
13. a) 31,99 MeV, 5,33 MeV/nucléon; b) 1636 MeV, 7,87 MeV/nucléon
15. 18,72 MeV
17. a) 0,002603 u, 2,425 MeV; b) 0 u, 0 MeV; c) −0,094905 u, −88,40 MeV; d) 0,043925 u, 40,92 MeV; e) $\Delta \gtrsim 0$ pour $0 < A \lesssim 16$ et $A \gtrsim 216$; $\Delta < 0$ pour $16 \lesssim A \gtrsim 216$
21. $\Delta m > 0$ pour tous, tous impossibles.
25. a) $^{32}_{16}$S, b) 31,972072
27. 0,862 MeV
29. b) 0,959 MeV, 0,959 MeV, 0
31. $^{228}_{90}$Th, 228,02873
33. a) 4,49 MeV; b) 1,9 fm, 7,4 fm; c) 35 MeV; d) 50 fm
35. a) $1,4 \times 10^{32}$ années, b) 56 ans
37. 3 h
39. $1,6 \times 10^{-2}$
41. $3,7 \times 10^{21}$
43. a) $3,0 \times 10^{16}$, b) $5,9 \times 10^{15}$, c) $1,3 \times 10^{14}$ désintégrations/s, d) 25 min
45. 6×10^{3} années
47. $3,3 \times 10^{-12}$ kg
49. 1 : 60
51. 41 ans
53. $N_0(1 - e^{-\lambda t})$
55. b) 0,368

CHAPITRE 14

1. non
3. 17,35 MeV libérés
5. 18,000952 u
7. a) oui, b) 18,85 MeV
11. a) $\leq (R_1 + R_2)$, b) $\pi(R_1 + R_2)^2$
15. a) 1,1 μm, b) 1,1 mm
17. 126,5 MeV
19. $7,8 \times 10^{17}$
21. 0,12 g
23. 1 g
25. 0,14
27. 1,5
29. 1,3 keV
35. 0,12 g
37. $6,28 \times 10^{14}$ J/kg
39. 2×10^{30} J
41. a) 6,6 fois plus élevée, b) $2,6 \times 10^{9}$ K
43. a) 5×10^{31} m^{-3}, b) 6×10^{-12} s
45. $3,7 \times 10^{3}$
47. 35 J
49. 90 heures
51. 0,22 μg
53. 4,5 m
55. 7,041 m, onde radio

CHAPITRE 15

1. 15,9 GeV
3. 1,2 T
5. 26 GeV, $4,8 \times 10^{-17}$ m
7. 21 μs
9. $3,11 \times 10^{-18}$ m, $3,11 \times 10^{-18}$ m
11. 1,3 T
17. 33,9 MeV
19. a) 1,022 MeV, b) 1876,6 MeV
21. a) interdite: conservation de l'énergie, b) interdite: conservation du nombre leptonique, c) possible.
23. $1,32 \times 10^{-15}$ m chacun
25. 69,3 MeV
27. 133,5 MeV/c^2
29. 8,6 MeV pour le Λ^0, 57,2 MeV pour le π^-
33. 52,3 MeV
35. $1,0 \times 10^{-20}$ s
37. a) >660 eV, b) 11 keV
39. b) $\bar{b}u$, $b\bar{d}$, $\bar{b}d$
41. a) proton, b) $\overline{\Sigma}^-$, c) K^-, d) π^-, e) D_s^-
43. $c\bar{s}$

CHAPITRE 16

1. 3,0 pc
3. a) 0,033 seconde d'arc, b) $9,3 \times 10^{-6}$ degré
5. 196 ans
7. 5×10^{16} m ≈ 5 al
11. $3,6 \times 10^{-4}$ kg/m³
13. $5,4 \times 10^{17}$ kg/m³, 3×10^{8} plus grand qu'une naine blanche, ≈ 2 fois la densité nucléaire.
15. $4,0 \times 10^{4}$ pc
17. 1×10^{4} rad/s
19. 5×10^{25} W
21. $R = (9/4\pi^2)^{2/3}\,(h^2/4\,Gm^{8/3}\,M^{1/3})$
25. 540°
27. $2Gm/c^2$
29. 50 Mpc
31. 0,5 c
33. ≈ 1 atome/m³ par 10^{10} ans
35. b) 0,328 c
37. 1,1 mm
39. a) 10^{-3}, b) 3×10^{-9} c) 3×10^{-13}, d) 3×10^{-27}
41. a) 50 eV/c^2, b) 20 eV/c^2

INDEX

Veuillez prendre note des abréviations suivantes: *n* (note en bas de page), *p.s.* (pages suivantes) et *déf.* (définition).

Aberration
  astronomique, 199
  chromatique, 100*n*, 111
  de lentilles, 110-111
  sphérique, 70, 110
Abondances naturelles, 353
Accélérateur, 409-414
  à haute énergie, 409-414
  de Stanford, 413
  linéaire, 413
Accommodation de l'œil, 105
Activité, 366-368, 395
  d'une source, 395
  optique, 182-183
Addition de vitesses relativiste, 213-214
ADN, 327, 395
Alpha du Centaure, 434
Amplificateur, 346-347
Amplitude
  de pression, 39
  ondulatoire, 3, 10, 37
Analyse optique de contrainte, 183
Analyseur (de la lumière polarisée), 178
Angle
  critique, 77
  de Brewster, 182
  de polarisation, 179
  de réflexion, 21, 63
  d'incidence, 21, 63, 75
Angstrom (unité), 128*n*
Anneaux de Newton, 135-138
Année-lumière (unité), 434
Annihilation, 418, 457
Antimatière, 429, 457
Antineutron, 418, 419
Antinœuds, 26
Antiparticules, 364, 418-421, 426, 456
Antiproton, 418
Arago, François, 144
Arc-en-ciel, 128
Astigmatisme, 108-110
  hors axe, 110
Astrophysique, 377 et *p.s.*
Atmosphère, couleur de l', 189
Atomes, 241-250 (*voir aussi* Structure atomique *et* Théorie cinétique)
  complexes, 293, 303
  d'hydrogène, 243-250, 285-293
  énergie de liaison dans les, 246
  énergie d'ionisation dans les, 246-248
  hydrogénoïdes, 244 et *p.s.*, 248, 250
  moments angulaires dans les, 244
  niveaux d'énergie dans les, 244-249
ATP, 321
Augmentation de masse en relativité, 214-216
Axe
  optique, 183
  principal, 70

Balles de colle, 427*n*
Balmer, J. J., 243
Bande
  de conduction, 340-343
  de valence, 340-343
  d'énergie, 340-343
Bang supersonique, 54-56
Barn (unité), 381
Barres de contrôle, 384
Barrière de Coulomb, 279-280, 379, 391, 439
Baryon (*déf.*), 421
Base (d'un transistor), 346
Beauté et quark de beauté, 423-426
Becquerel, Henri, 359
Becquerel (unité), 395
Bethe, Hans, 390
Bevatron, 418
Big Bang, 429, 452-462
Big Crunch, 459
Biréfringence, 177, 183-185
Bohr, Niels, 235, 244, 248-249, 266, 363
Boîte rigide, particule dans une, 272-275
Bombe
  à hydrogène, 391
  atomique, 385
Bose, S. N., 296*n*
Boson, 296*n*, 336*n*, 420, 421, 423, 426-427
  de jauge, 421, 427
Bragg, W. H., 171
Bragg, W. L., 171
Brewster, David, 182
  loi de, 182
Brillance apparente (étoiles et galaxies), 437
Brisure de symétrie, 428, 456
Broglie, Louis de (*voir* De Broglie)

Capture d'électron, 364
CDQ, 417, 426-429
Cellule photoélectrique, 230
Cercle de moindre confusion, 110
CERN, 412, 417
Chadwick, James, 352
Chamberlain, O., 418
Chambre
  à brouillard, 372
  à bulles, 372
  à dards, 372
  à fils, 372
Champ
  dans les particules élémentaires, 415
  gravitationnel, 444-445
Charge
  de couleur et force de couleur, 426
  faible, 427
Charme, 423-426
Chluorure de sodium, lien chimique du, 317-318, 320-321, 333
Chromodynamique quantique, 426-429
Ciel bleu, 189
Circuits intégrés, 347
Coefficient
  de réflexion, 278
  de transmission, 278
Cœur d'un réacteur, 384
Collecteur, 345
Complémentarité, principe de, 235-237
Compteur à scintillations, 371-372
Compteur Geiger, 371
Compton, A. H., 232-233
Condition
  aux limites, 272, 276
  quantique de Bohr, 244, 249
Conducteurs, théorie quantique des, 339-342
Conductivité
  électrique, 334-335
  thermique, 334-335
Configuration électronique, 296
Confinement (fusion), 392-393
  inertiel, 393-394
  magnétique, 392-393
Conservation, loi(s) de
  de l'étrangeté, 423
  du nombre de baryons, 418-419, 428, 456
  du nombre de leptons, 418-419, 456
  du nombre de nucléons, 365, 418-419
  en physique nucléaire et des particules, 365, 418-419
Constante de désintégration, 366-367
  radioactive, 366-367
Constante
  de Madelung, 334
  de Rydberg, 243, 247
  de structure fine, 303
Contraction des longueurs, 207-208
Conventions de signe (optique géométrique), 75, 86-87, 91-92
Conversion interne, 365
Cordes vibrantes, 26-30, 44-45
Cornée, 105
Cosmologie, 429, 433-466
Couches et sous-couches, 297-298
Couleur de la lumière en relation avec la fréquence et la longueur d'onde, 123-124, 125
Couleurs des étoiles, 438-439
Courbure
  de champ, 111
  de l'Univers (espace-temps), 446-448, 459-462
Crépuscule, 189
Cristallographie, 171
  et rayons X, 171
Critère de Rayleigh, 152-153
Curie, M. et P., 359
Cycle
  du carbone, 390
  proton-proton, 390-391, 439
Cyclotron, 411-412
  fréquence du, 411

Datation
  au carbone, 370
  par radioactivité, 370
Davisson, C. J., 237
Dé, 411
De Broglie, Louis, 236-237, 249
Décalage vers le rouge, 54, 437, 449 et *p.s.*
Décibel (dB), 39
Défauts de l'œil, 105-110
Delta, particule, 422

Demi-vie, 365-368
Densité critique de l'Univers, 459-462
Densité de probabilités, 258, 270, 274, 277, 285-286, 290-293, 297, 316-319
  radiales, 291-293
Densité d'états, 335-340
Dérivées, 269
  partielles, 14
Désintégration
  béta, 360, 362-365, 366, 419
  gamma, 360, 365
  radioactive (*voir* Radioactivité)
  radioactive des particules élémentaires, 418-427 (*voir* Radioactivité)
Désintégration alpha, 360-362, 366
  et effet tunnel, 279, 361-362
Détecteur semiconducteur, 371
Detection de la radiation, 370-372
Déterminisme, 265
Deutérium, 377, 383, 390-391
Dextrogyre, 183
Diagramme de phaseur, interférence et diffraction de la lumière dans un, 129-133, 147-149, 164-168
Diagramme H-R, 438-441
Diamant, 128
Dichroïsme, 185
Diffraction, 25-26, 117, 144-171, 305
  dans l'expérience de la double fente, 152
  de Fraunhofer, 145 et *p.s.*
  de Fresnel, 145
  de la lumière, 117, 144-175
  des électrons, 237
  des rayons X, 170-171
  des vagues, 25-26
  et distinction avec l'interférence, 152
  limite au pouvoir de séparation des lentilles due à la, 152-159
  par des ouvertures circulaires, 152
  par une fente unique, 145-150
Diffusion de la lumière, 189
  par l'atmosphère, 189
Diffusion élastique, 380
Dilatation temporelle, 203-206
Diode, 343-347, 371
  à effet tunnel, 280
  Zener, 345
Dioptrie, 109
Dipôles et moments dipolaires
  des atomes, 327
  des noyaux, 327
Dirac, P. A. M., 287, 336*n*
Dispersion, 17, 128
  angulaire, 168-170
Dispositif
  électronique, 343-347
  non linéaire, 345
  thermonucléaire, 391
Disque d'Airy, 152
Distance
  de l'image, 66, 86, 89
  de l'objet, 66, 86, 89
Distance focale
  d'une lentille, 87, 88, 90, 92
  d'un miroir sphérique, 70, 75
Distorsion par des lentilles, 111
Distribution de Boltzman, 304
Diviseur de faisceaux, 138
Dopage des semiconducteurs, 342 et *p.s.*
Dose absorbée, 396
Dosimétrie, 395-397
Dualité onde-particule, 235-237, 250
  de la matière, 236-237, 250, 257-258, 259-260
Durée de vie, 362, 375-376 (*voir aussi* Demi-vie)
Dynode, 371

$E = mc^2$, 217-220
Eau lourde, 383
Eau, molécule d', 318, 320
Écart type, 260*n* et *p.s.*
Échelle d'unification, 428
Éclairement, 139
EDQ, 415
Effet
  Compton, 232-233
  photoélectrique, 230-231
  tunnel, 278-280, 362, 448*n*
  Zeeman, 287, 302
Effet Doppler, 51-54
  pour la lumière, 449-450
Efficacité
  biologique relative, 396
  lumineuse, 143
Effondrement gravitationnel, 447
Einstein, Albert, 192-193, 196, 199-201, 206, 214, 218, 227-232, 266, 304, 385, 427, 444-448
Électrodynamique quantique, 415
Électron
  comme particule bêta, 360, 362
  comme particule élémentaire, 418-421
  dans l'expérience de la double fente, 258
  en production de paire, 234-235
  longueur d'onde d'un, 236-237
Électron-volt (unité), 356
Éléments
  de transition, 298
  et origine dans l'Univers, 441-442
  liste des, 474-475
  tableau périodique des, 296-298, 353*n*
Émetteur, 346
Émission
  stimulée, 304-306
  thermo-ionique, 335
Émulsion (détecteur), 371
Énergie
  au repos, 218-220
  cohésive interne, 334
  d'activation, 320
  de désintégration (*déf.*), 361
  de dissociation, 317
  de l'état fondamental, 273, 331
  de liaison, 246
  de lien, 317, 327
  de réaction, 378
  de vibration moléculaire, 330-333
  des ondes, 9-10
  d'ionisation, 246-248
  électrique (*voir* Énergie électrique)
  et équivalence avec la masse, 217-220
  et principe d'incertitude, 261, 277
  quantification de l', 227, 244-250, 273
  seuil, 379
Énergie cinétique en relativité, 217-219
Énergie de liaison
  dans les atomes, 246
  dans les molécules, 317, 319, 321
  dans les noyaux, 357-359, 382
  dans les solides, 334
Énergie potentielle
  pour les barrières et les puits carrés, 272-279
  pour les liens moléculaires, 319-321, 330-331
Équation
  de Bragg, 171
  des lentilles minces, 90-92
Équation d'onde, 13-16
  de Schrodinger, 257, 266-278, 286
Équivalence, principe d', 444-445
Ère de la grande unification, 456
Espace
  absolu, 194, 200
  courbure de l', 446, 459-462
  euclidien et non euclidien, 446-447
  quantification de l', 287, 301
  relativité de l', 207-210, 211-214
Espace-temps, 209-210
  à quatre dimensions, 209-210
État
  d'énergie dans les atomes, 244-249
  excité d'un atome, 246 et *p.s.*
  fondamental d'un atome, 246 et *p.s.*
  lié, 276
  métastable, 305, 365
  stationnaire de l'atome, 244 (*voir aussi* État d'énergie)
Éther, 195-199
Étoile, 433-443
  à neutrons, 442-443
  géante rouge, 439
ETP, 401
Étrangeté et particule étrange, 422-423
Évolution stellaire, 437-443
Expansion, 6
  binomiale, 461
  de l'Univers, 448-462
Expérience de la double fente (lumière), 121-124
  de Young, 121-124
  et intensité de la figure, 129-134, 150-152
  pour les électrons, 257-258
Expérience de Stern-Gerlach, 301-302
Expériences «gedanken», 201

Facteur
  de Boltzman, 304, 337
  de multiplication, 384
  de qualité, 396
Faisceau
  collimaté, 398
  en collision, 413-414
Fermi
  distribution de, 337-338
  énergie de, 336-340, 341
  gaz de, 336
  niveau de, 336-340
  température de, 350
  vitesse de, 338-339
Fermi-Dirac, statistiques de, 336-337
Fermi, Enrico, 235, 256, 296*n*, 336*n*, 363-364, 379, 381-389, 422
Fermilab, 412-413
Fermions, 296*n*, 336, 423, 426
Feynman, Richard, 415
  diagramme de, 415, 421*n*, 427
Fibre optique, 80-81
Figures de diffraction, 144 et *p.s.*
  de rayons X, 170-171
  d'ouvertures circulaires, 152
  d'une fente unique, 145-150
Figures d'interférence
  et double fente avec la diffraction, 150-152
  et double fente, 121-124, 258
  et fente multiple, 159-161, 164-168
Fission
  bombe à, 389
  fragments de, 382-389
  nucléaire, 381-385
Fitzgerald, G. F., 199, 207*n*
Fluorescence, 303-304
Flux
  d'énergie rayonnée, 139
  lumineux, 139
Fonction d'onde, 257-258, 266-279, 285-286, 290-293, 317
  d'un puits carré, 272-277
  de l'atome H, 285-286, 290-293
  de la lumière visible, 121, 124, 125-128
  mesure de la, 161-171
Fond de rayonnement cosmique, 453-454, 458, 462
«Foot-candle» (unité), 139
Force
  à courte et à longue portée, 359, 443-444
  couleur et, 426
  de gravité, 259-261, 417, 429, 433, 444-448
  d'interaction faible, 359, 364, 417-429, 443
  d'interaction forte, 358-361, 364, 443
  électromagnétique, 415, 417, 420-421, 428-429, 444
  gravitationnelle, 359
  nucléaire, 358-361, 415-429, 443
  types de, dans la Nature, 417-429
Force nucléaire, 357-359, 364, 415-429, 443
  d'interaction faible, 359, 364, 417-429, 443-444
  d'interaction forte, 359-361, 415-429, 443-444
Formule
  de Balmer, 243, 247
  quadratique, 255
Foucault, Jean, 120
Foyer, 70, 74, 87, 88
Franges d'interférence, 123
Fraunhofer, diffraction de, 145 et *p.s.*
Fréquence
  de la lumière, 121
  de résonance, 26
  d'un son audible, 37
  d'une onde, 4
  fondamentale, 27, 44-45
  naturelle, 26 (*voir aussi* Fréquence de résonance)

Fresnel, Augustin, 144
diffraction de, 145
Frisch, O., 381
Front d'onde, 21
Fusion nucléaire, 389-394, 439-442, 458
dans les étoiles, 440-441, 458

Galaxies, 434-438, 450 et *p.s.*
Galilée, 62, 66, 99-101, 193, 194*n*, 210, 433, 442
Gamow, George, 454
Gap d'énergie, 340-342
Gauss, Carl Friedrich, 446
Gaz noble, 297, 335
Générateur et accélérateur de van de Graaff, 410
Géodésique, 446
Germer, L. H., 237
Glaser, D., 372
Glashow, S., 427
Gluons, 418, 427
Grandissement latéral, 73, 92
Graphique de Moseley, 298
Gravité, 265-266, 417, 429, 433, 443-448
Gravitino, 458*n*
Graviton, 417
Gray (unité), 396
Grimaldi, Francesco, 117, 124
Grossissement (Grandissement)
angulaire, 98
conventions de signe pour le, 73, 92
d'un microscope, 104, 153-158
d'un microscope électronique, 240-241
d'un miroir, 73
d'un télescope, 99, 153
d'un verre grossissant, 97-98
d'une combinaison de lentilles, 97
d'une lentille, 92
latéral, 92
longitudinal, 83
utile, 158-159, 241
Grossissement angulaire, 98
dans les atomes, 244, 287-290, 300-303
des noyaux, 356-357
total, 302-303
Guide de lumière, 80-81

Hadrons, 415-429
ère des, 456-457
Hahn, Otto, 381
Halogène, 297
Harmoniques, 27-28, 45
h traversé d'une barre ($\hbar$), 267
Heisenberg Werner, 225, 255-256, 259-260
principe d'incertitude de, 259-265, 277, 317
Hertzsprun-Russell, diagramme de, 438-441
Hologrammes, 306-310
Hooke, Robert, 135*n* et *p.s.*
Horizon événementiel, 448
Hubble, Edwin, 435, 449-450
loi de, 450-452
Huygens, Christian, 116
principe de, 116-121
Hydrogène
lien, 327
molécule d', 316-317, 319, 330-331
Hydrogène, atome d'
mécanique quantique et, 285-293
spectre de l', 246
théorie de Bohr et, 244-250
Hypermétropie, 105, 108
Hypothèse quantique de Planck, 227

Ignition (fusion), 392
Illusion d'optique, 75
Image
comme figure de diffraction minuscule, 152-153
distance de l', 66, 86, 89
formée par un miroir plan, 63-66
formée par un miroir sphérique, 67-75
formée par une lentille, 87-97
réelle, 66, 72, 88
virtuelle, 66, 89
Imagerie
médicale, 397-404
par résonance magnétique, 403-404

Impulsion ondulatoire, 2-3
Incidence, angle d', 21, 63, 75
Indice de réfraction, 63, 121
dans des matériaux biréfringents, 184
dans la loi de Descartes, 75-77
dépendant de la longueur d'onde (dispersion), 128
Intégrales et intégrations, 258
Intensité
de figures d'interférence et de diffraction, 129-134, 145-153
de la lumière, 125, 134-135, 139, 231
de sources cohérentes et incohérentes, 134-135
des ondes, 9-10, 39-44 (*voir aussi* Lumière)
du son, 39-44
Interaction
de photons, 234-235
des particules, 418-419
spin-orbite, 303
Interférence, 23-24
constructive , 23, 49, 123, 317
dans les couches minces, 135-138
destructive, 23, 49, 123
de vagues sur l'eau, 24
d'ondes lumineuses, 121-124, 129-134, 135-138, 150-152, 159, 165
d'ondes sonores, 49-51
d'ondes sur une corde, 23
et diffraction, distinctions entre, 152
par des pellicules minces, 135-138
Interféromètre, 138-139
Interprétation de Copenhague de la mécanique quantique, 266
Isolants
électriques, 339-342
thermiques, 339-342
Isomère, 365
Isotopes, 353
table des, 476-479

J (moment angulaire total), 302-303
J/ψ particule, 423-425
Jonction p-n, 343-346, 371
Jumelles, 80, 101

K, particule (kaon), 420, 422

Lame
demi-onde, 188
quart-d'onde, 188
Land, Edwin, 177
Laser, 304-310
lumière, 125
Laue, Max von, 170
Lawrence, E. 0., 411
Lawson, critère de, 392-394
Lentille, 85-111
aberrations d'une, 110-111
achromatique, 111
composite, 111, 155
convergente, 88 et *p.s.*
cylindrique, 109
de contact, 110
de l'œil, 105-109
de verre correcteur, 108-110
distance focale d'une, 87, 89, 90, 92
divergente, 88 et *p.s.*
éléments d'une, 111
et verres, 109-110
grandissement de, 92
immergée dans l'huile, 154-155
magnétique, 241
mince, 87-111
objectif de, 99, 101, 153-158
oculaire, 99, 101
pouvoir de séparation d'une, 152-159
puissance d'une (dioptrie), 109-110
revêtement d'une, 137
Leptons
ère des, 457
nombre de, 419-421, 423, 425, 428-429, 456
tauons, 421, 420, 425
Liaison
dans les molécules, 316-327
dans les solides, 327 et *p.s.*
Liberté asymptotique, 427

Lien
chimique, 316-327
covalent, 316 317, 320, 334
de van der Waals, 327
dipolaire, 327
et force de van der Waals, 327
faible, 327, 335
hydrogène, 327
ionique, 317-318, 320-321, 334
métallique, 334
moléculaire, 316-327
partiellement ionique des liens covalents, 318, 334
Limite de Chandrasekhar, 441
Limite de séparation, 153-157
d'un microscope, 153-158
d'un télescope, 153-154
Loi
de Descartes, 76-77
de la désintégration radioactive, 366
de la gravitation universelle de Newton, 444-445
du déplacement de Wien, 226
Loi de Brewster, 182
Lois du mouvement de Newton, 192, 216, 257, 266
Longueur d'onde, 4
comme limite de séparation, 155
de Compton, 234
dépendant de l'indice de réfraction, 121
des particules matérielles, 236
selon de Broglie, 236, 249
Longueur
du mètre étalon, 139
propre, 207
Lorentz, H. A., 199
Loupe, 97-99
Lumen (unité), 139
Lumière, 61-191 (*voir aussi* Diffraction, Interférence, Intensité, Figure d'interférence, Réflexion, Réfraction)
blanche, 128
cohérente, 124-125, 134-135, 304
comme onde électromagnétique, 61
couleur de la, et longueur d'onde, 123, 125-129
de l'atmosphère, 189
déviation gravitationnelle de la, 445
diffusion, 189
dualité onde-particule de la, 235-236
fréquences de, 121
infrarouge, 128
intensité de la, 125, 139
longueur d'onde de la, 120-121, 124, 125-128
modèle particulaire de la, 61 et *p.s.*
monochromatique (*déf.*), 121
non polarisée (*déf.*), 177
polarisée, 176-189
polarisée linéairement, 176-185, 189
sources cohérentes de, 124-125, 134-135
sources incohérentes de, 124-125, 134-135
théorie ondulatoire de la, 116, 191
théorie photonique de la, 227-236
ultraviolette (UV), 128
visible, longueur d'onde de la, 121, 124, 125-128
vitesse de la, 62-63, 120-121, 195-201, 216
Luminosité (étoiles et galaxies), 437-438
absolue, 437
Lunetier, équation du, 90
Lunettes
d'approche, 100
galiléennes, 100-101

Magnéton
de Bohr, 301-302
nucléaire, 357
Magnitude (étoiles et galaxies), 437-438
absolue, 438
apparente, 438
Malus, loi de, 177, 178*n*
Masse
atomique, 265-268
au repos, 214, 216-220, 363
critique, 384-385
en théorie de la relativité, 214-220
gravitationnelle, 427
manquante, 460-462
réduite, 328-331
relativiste, 214-220
Matériau anisotrope, 183

Maxwell, James Clerk, 195
  équations de, 212
  théorie de l'électromagnétisme de, 192, 195
Mécanique quantique, 255-351
Meitner, Lise, 256, 381
Mendeleev, Dmitri, 296
Mésons, 416-427
  échange de, 416-417
Métaux
  alcalins, 297
  théorie de l'électron libre dans les, 335-342
Mètre étalon, longueur du, 139
Mètre (unité), 139
MeV (million électron-volts) (*voir* Électron-volt)
Michelson, A. A., 62-63, 138-139, 196-199
  interféromètre de, 138-139, 196-199
Michelson-Morley, expérience de, 196-199, 200
Microscope, 101-105
  électronique, 240-241, 280
  grossissement d'un, 104-105, 153-158
  grossissement utile d'un, 158
  limite de séparation d'un, 153-154
Microscope électronique
  à balayage, 240-241
  à transmission, 240-241
Miroir
  concave, 67
  de Lloyd, 142
  distance focale d'un, 70, 75
  équation du, 72-75
  parabolique, 71, 100
  plan, 63-67
  sphérique, 67-75
  utilisé dans un télescope, 100
Mise hors service d'une centrale nucléaire, 385
Modèle
  atomique de Bohr, 244-250, 255, 285, 286-287, 300
  de la goutte, 381
  de l'état stationnaire de l'Univers, 453
  particulaire de la lumière, 61 et *p.s.*
  vectoriel (atomes), 312
Modèle normalisé
  en cosmologie, 455-462
  particules élémentaires du, 426-428
Modérateur, 383-385
Molécule, 316-333
  liens dans une, 316-327
  polaire, 318
  spectres d'une, 327-333
Moment angulaire, 244
  nucléaire, 356
  orbital dans les atomes, 287-290, 300-303
Moment magnétique, 300-303, 357
Morley, E. W., 196-199
Moseley, H. G. J., 298
Moteur thermique, 385
Mouvement, 192-224
  loi newtonienne du, 192, 216
  ondulatoire, 1-30
  relatif, 192-221
Muon, 416-417, 420, 421
Mur du son, 55
Myopie, 105-110

Naine blanche, 439-440
Naine noire, 442
Nature ondulatoire de la matière, 236 et *p.s.*
Nébuleuse, 434
Neutrino, 363, 419-422, 457, 460-462
  masse du, 420, 460-461
Neutron, 352, 420
  dans la fission, 381-384
  retardé, 384
  thermique, 381
Newton, Isaac, 100*n* et *p.s.*, 117-121, 135 et *p.s.*, 192, 447*n*, 448 et *p.s.*
Niveau
  accepteur, 343
  d'intensité, 39-44
  donneur, 343
Niveaux d'énergie
  dans les atomes, 244-249, 287-289
  dans les molécules, 327-331
  dans un puits carré, 272, 286
Nombre
  de baryons, 418-421, 426, 429, 456
  de masse atomique, 353
  de neutrons, 353
  de nucléons, 365
  d'ondes, 11
Nombre(s) quantique(s), 244 et *p.s.*, 273, 286-290
  dans l'atome H, 286-290
  du moment angulaire de rotation, 328-329, 333
  magnétique, 287-288, 300-301
  pour les atomes complexes, 293-298
  pour les molécules, 328-333
  principal, 286-290
Normalisation, 268, 270 et *p.s.*, 273-275
Notation spectroscopique, 289, 302
Novas, 436
Noyau, 352 et *p.s.*
  complexe, 381
  composé, 381
  fils et parent (*déf.*), 360
Nuage électronique, 285-286, 316-319
Nucléide (*déf.*), 352
Nucléon (*déf.*), 352
Nucléosynthèse, 441-442, 458
Numéro atomique, 293, 298-299, 352-353

Objectif, 99, 101
Oculaire, 99, 101
Œil
  défauts de l', 105
  et accommodation, 105
  normal (*déf.*), 105
  points proche et distant de l', 97, 105
  pouvoir de séparation de l', 158
  structure et fonction de l', 105-110
Onde(s), 1-30 (*voir aussi* Lumière *et* Son)
  amplitude d'une, 3, 10, 37
  continue (*déf.*), 3
  de choc, 54-56
  de pression, 38 et *p.s.*
  de surface, 9
  déplacement des, 11
  diffraction des, 25-26
  électromagnétique, 61 (*voir aussi* Lumière)
  énergie dans les, 9-10
  et tremblements de terre, 8
  fréquence des, 4
  harmonique (*déf.*), 12
  impulsion, 2-3
  infrasoniques, 37
  interférence des, 23-25
  longitudinales, 5 et *p.s.*, 37-39
  lumineuses, 116-191
  mécaniques, 1-30
  périodiques (*déf.*), 3
  plane, 270
  réflexion des, 17-21
  réfraction des, 21-23
  représentation mathématique des, 10-13, 37-39
  sonores, 36-60
  sphériques, 10
  stationnaires, 26-30
  transversales, 5 et *p.s.*
  ultrasoniques, 37
  vitesse des, 4-8
Ondes sonores, 36-60
  et effet Doppler, 51-54
  et intensité (dB), 39-44
  infrasoniques, 37
  interférence entre des, 49-51
  source des, 44-48
  sphériques, 10
  stationnaires, 26-30
  supersoniques, 37
  transversales, 5 et *p.s.*
  ultrasoniques, 37
  vitesse des, 36-37
Oppenheimer, J. Robert, 385
Optique
  géométrique, 62-84
  physique, 116-191
Ordre d'interférence ou figure de diffraction, 123, 159, 161, 171
Oscillateur harmonique simple et vibration moléculaire, 330-333
Ouïe, seuil de l', 39
Ouverture numérique, 154
Paquet d'ondes, 270-271
Paradoxe
  de l'horloge (*voir* Paradoxe des jumeaux)
  de Olbers, 449
  des jumeaux, 206
Parallaxe, 436-437
Paramètre de décélération, 461
Parsec (unité), 437
Partage d'électron, 316
Particule
  alpha (ou rayon), 360-362
  bêta, 360, 362
  de Yukawa, 415-417
  interagissant fortement (*déf.*), 421
  libre et équation de Schrodinger, 266-267, 270-271
  virtuelle, 415
  W, 417, 421, 427
  Z, 418, 420, 421, 427
Pauli, Wolfgang, 256, 296, 363
Pénétration de barrière, 277-280, 361-362
Penzias, Arno, 453
Phase des ondes, 11, 24
Phosphorescence, 304
Photino, 458*n*
Photon, 227-236, 257-258, 415, 419-422, 456-457, 460, 462 (*voir aussi* Rayon gamma, Rayons X)
Photosynthèse, 232
Physique
  classique (*déf.*), 192, 265
  de la matière condensée, 333-347 (*voir aussi* Physique du solide)
  des hautes énergies, 409-432
  des particules, 409-432
  des particules élémentaires, 409-432
  du solide, 333-347
  moderne (*déf.*), 192
  nucléaire, 352-408
Pion, 218, 416-421
Plan focal, 88
Planck, Max, 227
  constante de, 227
  hypothèse quantique de, 227
Plasma, 392-394
Plutonium, 379, 385-389
Point
  d'équilibre (fusion), 392
  distant de l'œil, 97, 105
  proche de l'œil, 97, 105
Point-image, 399
Poisson, Simon, 144
Polarisation de la lumière, 176-189
  circulaire, 185-188
  de l'atmosphère, 189
  elliptique, 188
  linéaire, 176-185, 189
  par réflexion, 179-182, 189
Polariseur, 178
Polaroïd, 177-179
Pompage optique, 305
Population inversée, 305
Positron, 234-235, 363, 401, 418
Pouvoir de séparation
  de l'œil humain, 158
  d'une lentille, 152-158
Presbytie, 108
Principe
  anthropique, 462
  cosmologique, 452 et *p.s.*
  de complémentarité, 235-237
  de correspondance, 220-221, 249, 256
  de Fermat, 83-84
  de relativité, 193-194, 200 et *p.s.*
  d'exclusion de Pauli, 296, 316-319, 336, 421*n*, 423, 426-427, 442
  d'incertitude, 259-265, 277, 317
Principe cosmologique, 452 et *p.s.*
  parfait, 453*n*
Prisme, 128
Probabilité en mécanique quantique, 258, 261-266
Production de paire, 234-235
Proto-étoile, 439
Proton, 352, 420-421
  désintégration en, 421, 428
Puce, 343-347

Puissance
de grossissement, 98, 99 (*voir aussi* Grossissement)
de résolution (*voir* Résolution)
d'une lentille, 109-110
Puits de potentiel, 272-277
Pulsar, 442
Pupille, 105

Qualité d'un son, 48
Quantification
de l'énergie, 227, 244-250
du moment angulaire, 244
Quantité
de lumière captée, 100
de mouvement relativiste, 214-216, 220
Quantités complexes, 258*n*, 267*n*, 270, 293*n*
Quarks, 418, 423-429, 456
beauté et vérité, 424-425
Quasar, 436, 450

Rad (unité), 396
Radar, 54
Radiation(s)
d'objets chauds, 164, 225-227
dommages de la, 394-395
dose de, 395-397
d'un corps noir, 225-227
infrarouge, 128
ionisante (*déf.*), 394
maladie causée par les, 397
mesure de la, 395-397
nucléaire, 359-372, 394-397
synchroton, 412
X (*voir* Rayons X)
Radioactivité, 359-370
alpha, 360-362, 366
artificielle, 360
béta, 360, 362-365, 366
dosage de la, 395-397
gamma, 360, 365
nature probabiliste de la, 366
naturelle, 360
taux de désintégration, 365-368
Radionucléide (*déf.*), 395
Raies
d'absorption, 164, 242, 329, 333
K, 298
Rapport gyromagnétique, 302
Raréfaction, 6
Rayon, 21, 61
de Bohr, 245, 285
de Schwarzschild, 448
d'un noyau, 353
extraordinaire, 184
gamma, 360, 365
infrarouge, 128
ordinaire, 183
paraxial (*déf.*), 85
Rayonnement, ère du, 457
Rayonnement de freinage, 299
Rayons X, 170-171, 298-300, 365, 397-401
spectre des, 298-300
Réacteur
à fusion, 384-385
nucléaire, 382-389, 390-394
Réaction
endothermique (*déf.*), 378
exothermique (*déf.*) 378
nucléaire, 377-380
Réaction en chaîne auto-entretenue, 382-389
Redresseur, 345
Réflecteur, 100
Réflecteur parabolique, 71, 100
Réflexion
angle de, 21, 63
changement de phase durant la, 136-138
de la lumière, 63-75
de pellicules minces, 135-136
diffuse, 63
interne totale, 77-81
loi de la, 63
Réfraction, 21-23, 75-77
à une surface sphérique, 85-87
angle de, 21, 23, 75
de la lumière, 75-76, 117-121
des vagues sur l'eau, 21-23
double, 177, 183-185
et la loi de Descartes, 75-76, 121
indice de, 63
loi de la, 22, 75-76, 117-121
par des lentilles minces, 87-97
Relativité galiléenne-newtonienne, 192-197, 210-211
Relativité restreinte, théorie de la, 192-224
et constance de la vitesse de la lumière, 200-201
et espace-temps à quatre dimensions, 209-210
et l'apparence des objets, 208
et la masse, 214-220
et le temps, 203, 205-206, 209-210
et les longueurs, 207-210
et les transformations de Lorentz, 211-214
postulats de la, 199-201
relation masse-énergie en, 217-220
simultanéité en, 201-203
Rem (unité), 396
Réseau
cristallin, 333
de réflexion, 159
de transmission, 159 et *p.s.*
structure d'un, 333, 342
Réseau de diffraction, 159-170
pouvoir de résolution d'un, 168-170
Résolution
d'un microscope électronique, 241
d'un réseau de diffraction, 168-170
pouvoir de, 168-170
utilisant des particules élémentaires, 409
Résonance, 26-30
d'une particule, 421-422
Résonance magnétique nucléaire, 401-404
Résultat nul, 199
Rétine, 105
Retombées radioactives, 389
Révision mathématique, 255-259
RMN (*voir aussi* Résonance magnétique nucléaire), 401-404
Röntgen (unité), 396
Röntgen, W. C., 170, 398
Roemer, Ole, 62
Rubbia, Carlo, 417
Russell, Bertrand, 237
Rutherford, Ernest, 241, 352, 360, 377
modèle de l'atome de, 241-243

Salam, A., 427
Saveur (des particules élémentaires), 426
Schrodinger, Erwin, 225, 255-256, 257
équation de, 257, 266-278, 286
Section efficace, 380-381
neutronique, 381, 383
totale, 381
Segré, E., 418
Semiconducteur(s), 341-347
de type *n*, 342 et *p.s.*
de type *p*, 342 et *p.s.*
intrinsèque (*déf.*), 341
Séparation de variables, 269
Séquence principale, étoiles de la, 438-439
Série
de Balmer, 243, 246-247
de désintégrations, 368-369
de désintégrations radioactives, 368-369
de Lyman, 243, 247
de Paschen, 243, 247
Sievert (unité), 396
Silicium, 341 et *p.s.*
Simultanéité, 201-203
Singularité, 448
SLAC, 413 (*voir aussi* Accélérateur linéaire de Stanford), 413
SN 1987a, 442, 460-461
Snell, Willebrord, 76
Source
de lumière incohérente, 124-125, 134-135
lumineuse cohérente, 124-125, 134-135
radioactive, 395
Spectographe optique, 164 et *p.s.*
Spectre
atomique, 242-243, 246-248
continu, 160, 161
d'absorption, 164, 242, 247
de bande, 328, 333
de lumière visible, 120-121, 124, 125-129
d'émission, 161, 225-227, 242-243, 246-248
d'émission atomique, 164*n*, 242-243, 246-248
de raies, 164, 242 et *p.s.*
électromagnétique, 125-129
émis par des corps chauds, 164, 225-227
moléculaire, 327-333
visible, 125-128
Spectrophotomètre, 164
Spectroscope et spectroscopie, 161-164, 168-170
Spin de l'électron, 287-288, 302-303
SSC, 414
Statistiques de Bose-Einstein, 336*n*
Strassmann, Fritz, 381
Structure atomique
mécanique quantique de la, 285-304
modèle de Bohr de la, 244-250
premiers modèles de la, 241-242
Structure fine, 287, 303
Substances
isotropes, 116, 183
lévogyres, 182
Supercollisionneur supraconducteur (SSC), 414
Supernovas, 436, 442-443, 460-461
Superposition, principe de, 15, 16-17
Synchrocyclotron, 412
Synchroton, 412
Systèmes de référence, 192 et *p.s.*
inertiels, 192 et *p.s.*
transformations entre les, 192-214
Systèmes de référence inertiels, 192 et *p.s.*
équivalence de tous les, 195, 200
transformation entre les, 210-214

Tableau périodique, 296-298, 352 et *p.s.*
Table d'harmonie, 45
Tache
de diffraction, 152
jaune, 105
Tachyon, 217
Technique
écho-spin, 404
itérative, 399-401
Télescope, 99-101
à réflecteur, 100
astronomique, 99-100
Cassegrain, 101
galiléen, 100-101
grossissement d'un, 99, 153
keplérien, 99
lentille de champ d'un, 101
limite de séparation d'un, 153
newtonien, 101
réfracteur, 99
terrestre, 100-101
Temps
absolu, 194
et relativité, 201-206, 209-210, 211-214
propre, 205
Tension de polarisation, 343, 346
Tévatron, 412
TGU (*voir aussi* Théorie de grande unification), 428, 429
Théorie
corpusculaire de la lumière, 227-236
de grande unification, 428-429
de la relativité (*voir* Relativité)
de la relativité générale, 199-200, 207 et *p.s.*, 433, 443-448
de la relativité restreinte (*voir* Relativité, théorie restreinte de la)
de Rayleigh-Jeans, 226
des bandes dans les solides, 340-343
des électrons libres dans les métaux, 335-340
des supercordes, 429
du rayonnement de Wien, 226
électrofaible, 428-429
ondulatoire de la lumière, 116-191
Théorie quantique, 225-254
de la lumière, 227-236
des atomes, 244-250
du rayonnement des corps noirs, 227
Thomson, G. P., 237
Thomson, J. J., 237, 241
Tokamak, 392-393

Tomographie, 397-404
assistée par ordinateur, 398-401
par émission de positrons, 401
Traçages, 371
Transformation
de Lorentz, 212-214
galiléenne, 210-211
masse-énergie, 217-220
Transistor, 345-346
Transition
interdite, 289, 332
permise, 289, 329, 331, 332
Transmutation d'éléments, 360, 377-380
Transporteurs de forces, 415 et *p.s.*
Travail d'extraction, 231, 340
Triangulation, 436*n*
Tritium, 391-394
Trou
blanc, 448
dans les semiconducteurs, 342-344, 346
noir, 443, 447, 452, 460, 462
Tube
à décharge, 242-243
colonne d'air vibrante dans un, 45-47
photomultiplicateur, 371-372

Unité de masse atomique unifiée, 356
Univers (*voir aussi* Cosmologie)
avenir de l', 459-462
courbure de l', 446, 459-462
expansion de l', 448-462
modèle normalisé de l', 455-462
ouvert ou fermé, 447, 459-462
Univers inflationnaire, 458
Uranium, 368, 370, 382-389
enrichi, 383

Valence, 297
Valeur
de Q, 361-362, 378
mesurée de g, 302
Vénus, phases de, 99
Verre(s)
correcteurs, 105-110
grossissant, 97-99
Vibration
comme source d'ondes, 1-4, 36, 44-48
de colonnes d'air, 44-48
de cordes, 26-30, 44-48
Vie moyenne, 376
Virgule, 110
Vitesse
de la lumière, 62-63, 117-121, 195-201, 216
de phase, 4, 12
des ondes, 4-5
du son, 36-37
limite, 216-217
relative, 202, 211, 213-214
supersonique, 37, 54
Vitesse de la lumière, 62-63, 117-121, 195-201, 216
constance de la, 200-201
en tant que vitesse limite, 216-217
mesure de la, 62-63
Vitesse du son, 36-37
supersonique, 37, 54
ultrasonique, 37
Voie lactée, 99

Weinberg, S., 427
Wilson, Robert, 453

Young, Thomas, 121, 123
Yukawa, Hideki, 415, 416

Sources des photographies

1.22 D. C. Giancoli; **3.2** AIP Niels Bohr Library; **3.18a)** D. C. Giancoli; **3.23** Hank Morgan/Photo Researchers; **5.4** AIP Niels Bohr Library; **6.15** Georg Gerster, Rapho/Photo Researchers; **7.9** Robert Mark, Princeton University; **8.1 (haut)** Gracieuseté du Hebrew University of Jerusalem, Israël; **8.1 (en bas à gauche)** Ullstein Bilderdienst; **8.1 (en bas à droite)** AIP Niels Bohr Library; **9.3** Ullstein Bilderdienst; **9.8** Photo de S. A. Goudsmit, AIP Niels Bohr Library, Goudsmit Collection; **9.9** AIP Niels Bohr Library; **9.15** AIP Niels Bohr Library, Bainbridge Collection; **10.1** AIP Niels Bohr Library; **10.2** AIP Niels Bohr Library, Segre Collection; **10.16a) et b)** Dr C. F. Quate/*Physics Today*, août 1986.

ANNEXES

Pour comprendre

Adresses utiles

Index

Pour comprendre

A

Accident corporel de la circulation : est défini comme accident corporel de la circulation tout accident impliquant au moins un véhicule routier en mouvement, survenant sur une voie ouverte à la circulation publique, et dans lequel au moins une personne est blessée ou tuée. Sont exclus les actes volontaires (homicides volontaires, suicides) et les catastrophes naturelles.
Sont comptées comme « tuées » les victimes d'accidents décédées sur le coup ou dans les trente jours qui suivent l'accident. Avant le 1er janvier 2005 le délai retenu n'était que de six jours.
Sont comptées comme « blessées » les victimes d'accidents ayant subi un traumatisme nécessitant un traitement médical (avec ou sans hospitalisation).
Le coefficient de passage estimant le nombre de tués à trente jours à partir du nombre de tués à six jours est de 1.057. Il est valable depuis 1993.

Activités marchandes : on considère qu'une unité a des activités marchandes lorsqu'elle les vend (en grande partie ou en totalité) à des prix économiquement significatifs.

Administrations publiques : ensemble des unités institutionnelles dont la fonction principale est de produire des services non marchands ou d'effectuer des opérations de redistribution du revenu et des richesses nationales. Elles tirent la majeure partie de leurs ressources de contributions obligatoires. Le secteur des administrations publiques comprend les administrations publiques centrales, les administrations publiques locales et les administrations de Sécurité Sociale.

Administrations publiques locales : comprennent les collectivités locales et les organismes divers d'administration locale (ODAL). Les collectivités locales regroupent les collectivités territoriales à compétence générale (communes, départements et régions), les groupements de communes à fiscalité propre (communautés urbaines, communautés d'agglomération et communautés de communes) et certaines activités des syndicats de communes. Les ODAL regroupent principalement des établissements publics locaux (centres communaux d'action sociale, caisses des écoles, services départementaux d'incendie et de secours,...), les établissements publics locaux d'enseignement (collèges, lycées d'enseignement général et professionnel), les associations récréatives et culturelles financées majoritairement par les collectivités territoriales et les chambres consulaires (commerce et industrie, agriculture et métiers).

ADSL : technologie d'accès à Internet qui tire parti des hautes fréquences de la ligne téléphonique pour transmettre des données numériques à très haute vitesse. En raison de son faible coût, cette technologie est largement mise en œuvre par les fournisseurs d'accès à Internet pour le support des accès dits « haut débit ». La terminologie française préfère l'expression « raccordement numérique asymétrique » (RNA) ou « liaison numérique à débit asymétrique », mais c'est l'acronyme ADSL qui est le plus couramment utilisé.

Aide sociale : destinée aux personnes dont les ressources sont trop faibles pour faire face aux besoins liés au handicap, à la maladie, à la vieillesse et à des difficultés sociales ou économiques, elle dispense des prestations et des services répartis en trois secteurs principaux : l'aide aux personnes âgées, l'aide aux personnes handicapées et l'aide sociale à l'enfance. Depuis le 1er janvier 1984, la quasi-totalité de l'aide sociale a été transférée aux départements.

Association européenne de libre-échange (AELE) : la convention de Stockholm, le 20 novembre 1959, a donné naissance à l'Association européenne de libre-échange. Elle avait pour objectif de créer une zone de libre-échange pour les pays d'Europe non-membres de la Communauté économique européenne (CEE) et de contrebalancer celle-ci en regroupant les pays qui ne souhaitent pas entrer dans la CEE. Peu à peu, nombre de membres de l'AELE ont rejoint la Communauté européenne (par exemple, le Royaume-Uni en 1973, la Suède en 1995, etc.). Trois pays de l'AELE (l'Islande, le Liechtenstein et la Norvège) et l'Union européenne ont constitué l'Espace économique européen (EEE) en 1994, étendant ainsi les attributions de l'AELE.
L'AELE compte aujourd'hui 4 États : la Norvège et la Suisse (membres originels), l'Islande (adhésion en 1970) et le Liechtenstein (adhésion en 1991).
En plus des 3 États qui ne sont membres que de l'Espace économique européen (tous les membres de l'AELE sauf la Suisse), la Communauté européenne et les 27 États membres de l'Union européenne sont également considérés comme signataires de l'accord de libre-échange.

B

Balance commerciale : dans les échanges extérieurs, la balance commerciale ne prend en compte que les biens, les services étant exclus. La comptabilité nationale procède à l'évaluation des importations et des exportations de biens à partir des statistiques douanières de marchandises. Des correctifs sont apportés à celles-ci : d'une part, les échanges se rapportant à la récupération sont déduits des flux douaniers, d'autre part, on y ajoute ceux de matériel militaire ainsi que l'avitaillement des navires et des avions. Si la valeur des

exportations dépasse celle des importations, on dit qu'il y a excédent commercial ou que la balance commerciale est excédentaire. Si les importations sont supérieures aux exportations, le pays a un déficit commercial ou sa balance commerciale est déficitaire.
En France, la balance commerciale ne couvre que les biens. Les services sont pris en compte dans la **balance des biens et des services** contrairement à d'autres pays où la balance commerciale couvre les biens et les services.

Bâtiment et travaux publics (BTP), au sens des comptes nationaux : ensemble des activités de la branche « Bâtiment, génie civil et agricole » (BGCA), plus communément appelée BTP, y compris production des entreprises du semi-public, des administrations et celle des ménages (y compris la fraude fiscale et le « travail au noir » qui sont estimés). Les services et biens industriels des entreprises liées à la construction, mais dont l'activité principale est autre, sont également incorporés dans le BTP. Les ouvrages réalisés à l'étranger ne sont pas pris en compte.

Besoin ou capacité de financement : solde du compte de capital. Il est égal à l'épargne brute augmentée des transferts nets en capital et diminuée des dépenses faites à des fins d'accumulation du capital non financier : FBCF, variations de stocks, acquisitions nettes d'objets de valeur et d'actifs non financiers non produits (terrains, actifs incorporels...). On parle de capacité de financement si le solde est positif et de besoin de financement s'il est négatif.
Ce solde au sens de la comptabilité nationale diffère légèrement de l'excédent ou du déficit public au sens du traité de Maastricht (déficit public notfiié). L'écart provient d'un traitement différent des flux nets d'intérêts liés aux contrats d'échange de taux et de devises (opérations de swaps) effectuées par les administrations publiques.

Branche ou branche d'activité : regroupe des unités de production homogènes, c'est-à-dire qui fabriquent des produits (ou rendent des services) qui appartiennent au même item de la nomenclature d'activité économique considérée. Au contraire, un secteur regroupe des entreprises classées selon leur activité principale.

Brevet d'études professionnelles (BEP) : diplôme sanctionnant un cycle de un ou deux ans après la troisième.

BIT : le Bureau international du travail (BIT) est un organisme rattaché à l'ONU et chargé des questions générales liées au travail dans le monde, il réside à Genève. Il harmonise les concepts et définitions relatives au travail et à l'emploi, en particulier celles relatives à la population active occupée et aux chômeurs.

C

CAF (coût, assurance, fret) : les importations en France sont valorisées avec les coûts d'acheminement (transport et assurance) jusqu'à la frontière française.

Capacité de financement : voir « besoin ou capacité de financement ».

Cause de décès : les statistiques sont élaborées à partir de la confrontation des certificats médicaux de décès adressés à l'Inserm par les Directions départementales de l'action sanitaire et sociale, avec les données sociodémographiques, transmises par l'Insee. Toute déclaration de décès est en principe accompagnée par la déclaration de la cause de décès dressée sur bulletin anonyme. Celle-ci est codée selon les règles de classification internationale des maladies. L'importance de certaines maladies, qui peuvent être « impliquées » dans le décès sans être considérées comme la cause immédiate de celui-ci, est sous-estimée : c'est le cas des maladies circulatoires, de l'alcoolisme et du tabagisme.

Certificat d'aptitude professionnelle (CAP) : diplôme se préparant en 2 ans après la troisième ou en un an dans le cadre de la Loi quinquennale sur l'emploi, le travail et la formation professionnelle.

Centre national d'enseignement à distance (CNED) : établissement principalement chargé d'assurer un enseignement par correspondance à tous les niveaux de l'enseignement scolaire et qui s'étend aux formations universitaires ainsi qu'à la présentation des concours administratifs, auprès de personnes en situation de formation initiale ou engagées dans la vie active.

Charbon : ce terme recouvre la houille, le lignite, le coke, les agglomérés et les produits de récupération. La houille est plus riche en carbone et a une teneur en eau et en matières volatiles plus faibles que le lignite. Le coke de houille est obtenu par carbonisation de la houille.

Chiffre d'affaires : représente le montant des affaires (hors taxes) réalisées par l'entreprise avec les tiers dans l'exercice de son activité professionnelle normale et courante. Il correspond à la somme des ventes de marchandises, de produits fabriqués, des prestations de services et des produits des activités annexes.

Collectivités territoriales : structures administratives françaises, distinctes de l'administration de l'État, qui doivent prendre en charge les intérêts de la population d'un territoire précis. Sont définies comme collectivités territoriales : les communes (et leurs regroupements), les départements et les départements d'outre-mer, les régions et les régions d'outre-mer, les collectivités à statut particulier et les collectivités d'outre-mer.
L'expression « collectivité locale » désigne dans le langage courant ce que la Constitution nomme « collectivité territoriale ».

Commerce : regroupe les entreprises ou établissements dont l'activité principale est l'achat de produits achetés à des tiers pour la revente en état, sans transformation. Cette activité peut comporter accessoirement des activités de production.

Commerce de détail : comprend les entreprises ou établissements dont l'activité principale consiste à vendre des marchandises, dans l'état où elles sont achetées, généralement à une clientèle de particuliers, quelles que soient les quantités vendues.

Commerce de gros : comprend les entreprises ou établissements dont l'activité principale consiste à acheter et à entreposer des marchandises et à les vendre généralement à des détaillants, à des utilisateurs professionnels ou à des collectivités, voire à d'autres grossistes ou intermédiaires, et ce quelques soient les quantités vendues.

Commerce et réparation automobile : comprend les entreprises ou établissements de commerce de gros ou de détail, sous toutes leurs formes, en neuf comme en occasion, de véhicules automobiles, y compris véhicules utilitaires et motos, de leurs pièces et le commerce de détail de carburant, ainsi que les services de réparation et de maintenance de ces véhicules.

Consommateur de drogue illicite : la consommation est qualifiée de plusieurs manières :
- expérimentation : au moins un usage au cours de la vie (cet indicateur sert principalement à mesurer la diffusion d'un produit dans la population).
- usage occasionnel : au moins un usage dans l'année (pour le tabac, il s'agit des personnes déclarant fumer ne serait-ce que de temps en temps).
- usage régulier : au moins trois consommations d'alcool dans la semaine, tabagisme quotidien, usage de somnifères ou tranquillisants dans la semaine, 10 consommations de cannabis dans le mois.– usage quotidien.

Consommation d'énergie corrigée des variations climatiques : calculée en tenant compte d'un indice de rigueur climatique (0,94 en 2006, 0,87 en 2007). On obtient ainsi la consommation avec des conditions climatiques « normales ».

Consommation totale d'énergie primaire : égale à l'ensemble des consommations d'énergie de l'économie sous forme primaire (c'est-à-dire non transformée après extraction), et marginalement sous forme de dérivés non énergétiques (goudrons, bitume, lubrifiants...).

Contrat ou emploi aidé : un contrat aidé est un contrat de travail dérogatoire au droit commun, pour lequel l'employeur bénéficie d'aides, qui peuvent prendre la forme de subventions à l'embauche, d'exonérations de certaines cotisations sociales, d'aides à la formation. Le principe général est de diminuer, par des aides directes ou indirectes, les coûts d'embauche et/ou de formation pour l'employeur. Ces emplois aidés sont, en général, accessibles prioritairement à des « publics cibles », tels les personnes « en difficulté sur le marché du travail » ou les jeunes. Ils relèvent du secteur marchand (c'est le cas par exemple des contrats « initiative emploi ») ou du secteur non marchand (contrats « d'avenir » par exemple). Dans le second cas, ils sont le plus souvent conclus par des associations, des collectivités territoriales ou des établissements publics.

Contrat d'avenir : contrat qui s'adresse aux allocataires de minima sociaux : bénéficiaires du RMI, de l'allocation de solidarité spécifique (ASS), de l'allocation de parent isolé (API) ou de l'allocation aux adultes handicapés (AAH). Il s'agit d'un contrat de travail à durée déterminée et à temps partiel (26 heures de travail hebdomadaire). Le contrat d'avenir est conclu, en principe, pour une durée de 2 ans. Il peut être renouvelé dans la limite de 12 mois, soit un total de 36 mois (pour les bénéficiaires âgés de plus de 50 ans et les personnes reconnues travailleur handicapé, la limite de renouvellement peut être de 36 mois, portant à 5 ans la durée totale). Ce contrat s'adresse aux employeurs du secteur non marchand (collectivités territoriales et autres personnes morales de droit public ; personnes morales de droit privé chargées de la gestion d'un service public ; associations ; structures d'insertion par l'activité économique, notamment ateliers et chantiers d'insertion). L'employeur bénéficie de différentes aides :
- une aide forfaitaire mensuelle versée par l'État ou le conseil général (selon la nature du minimum social perçu par la personne embauchée) qui correspond au montant de l'allocation de RMI garanti à une personne isolée ;
- une aide mensuelle versée par l'État, visant à prendre en charge une partie du coût du salaire supporté par l'employeur ,
- une exonération de cotisations sociales, dans la limite du Smic.

Contrat jeunes en entreprise (CJE) : aussi qualifié de dispositif de « soutien à l'emploi des jeunes en entreprise » (SEJE) vise, par le versement à l'employeur d'une aide forfaitaire de l'État, à favoriser l'embauche en contrat à durée indéterminée de jeunes éloignés de l'emploi. Instituée au second semestre 2002, cette mesure a été plusieurs fois réformée. Actuellement, elle s'applique aux jeunes âgés de 16 à 25 ans révolus :
- dont le niveau de formation est inférieur à celui d'un diplôme de fin de second cycle long de l'enseignement général, technologique ou professionnel ;
- ou qui résident en zone urbaine sensible (ZUS) ou encore qui sont titulaires du contrat d'insertion dans la vie sociale, et ce quel que soit leur niveau de qualification.

Pour les CDI conclus à compter du 15 juin 2006, le soutien de l'État est de 400 € par mois pour un contrat à temps plein. L'aide est accordée pour une durée de 2 ans, avec un abattement de 50 % au titre de la deuxième année du contrat. Pour les contrats de professionnalisation à durée indéterminée conclus à compter du 15 juin 2006, le soutien de l'État est de 200 € par mois pour un contrat à temps plein. L'aide est accordée pour une durée de 2 ans, avec un abattement de 50 % au titre de la deuxième année du contrat.
Pour les contrats conclus avant le 15 juin 2006, le contrat doit être un CDI, conclu avec un jeune de 16 à 22 ans révolus ou 25 ans révolus si le jeune est d'un niveau de formation VI ou V bis et bénéficiaire du contrat d'insertion dans la vie sociale (CIVIS). Le soutien de l'État est de 150 € ou 300 € par mois si le jeune est d'un niveau de formation VI ou V bis. L'aide est accordée pour une durée de 3 ans, avec un abattement de 50 % au titre de la troisième année du contrat.
À compter du 1er janvier 2008, le dispositif CJE a fusionné avec le Contrat initiative emploi (CIE).

Contrat « Madelin » : permet à un entrepreneur individuel dans le cadre d'un contrat d'assurance de bénéficier d'une déduction fiscale sur les cotisations qu'il verse, afin de se constituer une retraite complémentaire.

Correction territoriale : dans les comptes nationaux, la correction territoriale représente les dépenses des résidents à l'étranger moins les dépenses des non-résidents en France.

Cotisations sociales : ensemble des versements que les individus et leurs employeurs effectuent aux administrations de sécurité sociale et aux régimes privés. Elles se décomposent en cotisations à la charge des employeurs, cotisations à la charge des salariés et cotisations à la charge des travailleurs indépendants et des personnes n'occupant pas d'emploi.

Création d'entreprise : depuis le 1er janvier 2007, la notion de création d'entreprise s'appuie sur un concept harmonisé au niveau européen pour faciliter les comparaisons : la création d'entreprise correspond à la mise en œuvre de nouveaux moyens de production. La nouvelle notion de création d'entreprises est plus large que celle de création ex-nihilo puisqu'elle inclut notamment les réactivations d'entreprises dont la dernière cessation remonte à plus d'un an et les reprises d'entreprises s'il n'y a pas continuité de l'entreprise. On considère qu'il n'y a pas continuité de l'entreprise entre le cédant et le repreneur s'il y a soit un changement d'activité économique, soit un changement de localisation de l'entreprise.
Depuis le 1er janvier 2007, la statistique de créations d'entreprises concerne l'ensemble des activités marchandes hors agriculture.

Crimes et délits constatés en France – Criminalité : les crimes et délits constatés en France sont des faits bruts portés pour la première fois à la connaissance des services de police et de gendarmerie. Leur qualification peut être modifiée par l'autorité judiciaire. Sont exclus des statistiques de la criminalité constatée l'ensemble des contraventions ainsi que les délits relatifs à la circulation routière, les actes de police administrative et les infractions relevées par d'autres administrations (douanes, services fiscaux et répression des fraudes, inspection du travail...).
Le **crime** est l'infraction la plus grave, jugée par la cour d'assises et dont l'auteur encourt une peine de réclusion criminelle, à perpétuité ou à temps à laquelle peuvent s'ajouter des amendes et toute autre peine complémentaire. La tentative de crime est punie comme le crime (homicide volontaire, coups mortels, viol, vol à main armée...).
Le **délit** est une infraction jugée par le tribunal correctionnel, passible d'une peine d'emprisonnement (qui ne peut dépasser 10 ans) d'une amende, d'une peine de jour-amende, d'un stage de citoyenneté, d'une peine de travail d'intérêt général, d'une peine privative ou restrictive de libertés (suspension ou annulation du permis de conduire ou du permis de chasser, confiscation, interdiction d'émettre des chèques, interdiction d'exercer certaines activités professionnelles...) ou d'une peine complémentaire. Lorsqu'un délit est puni de l'emprisonnement, celui-ci peut être remplacé par une peine alternative.

D

Déchets municipaux : ensemble des déchets dont l'élimination relève de la compétence de la collectivité. Parmi les déchets municipaux, on distingue les ordures ménagères, les encombrants des ménages, les déchets dangereux des ménages, les déchets du nettoiement, les déchets de l'assainissement collectif, les déchets verts des ménages et des collectivités locales.

Décile : si on ordonne une distribution de salaires, de revenus, de chiffre d'affaires..., les déciles sont les valeurs qui partagent cette distribution en dix parties égales. Ainsi, pour une distribution de salaires :
- le premier décile (noté généralement D1) est le salaire au-dessous duquel se situent 10 % des salaires ;
- le neuvième décile (noté généralement D9) est le salaire au-dessous duquel se situent 90 % des salaires.
- Le premier décile est, de manière équivalente, le salaire au-dessus duquel se situent 90 % des salaires ; le neuvième décile est le salaire au-dessus duquel se situent 10 % des salariés.
- Les déciles d'une distribution permettent de calculer des rapports interdéciles :
- le rapport D9/D1 met en évidence l'écart entre le haut et le bas de la distribution ; c'est une des mesures de l'inégalité de cette distribution ;
- le rapport D9/D5 compare le haut de la distribution à la valeur médiane (valeur au-dessous et au-dessus de laquelle se trouvent 50 % de la distribution) ;

- le rapport D5/D1 compare la médiane au bas de la distribution.

Déclaration annuelle de données sociales (DADS) : formalité déclarative que doit accomplir toute entreprise employant des salariés, en application de l'article R243-14 du code de la Sécurité sociale (Décret du 24 mars 1972) et des articles 87.240 et 241 de la loi 51-711 du 7 juin 1951 du code Général des Impôts.
Dans ce document commun aux administrations fiscales et sociales, les employeurs, y compris les administrations et les établissements publics, fournissent annuellement et pour chaque établissement, la masse des traitements qu'ils ont versés, les effectifs employés et une liste nominative de leurs salariés indiquant pour chacun, le montant des rémunérations salariales perçues.
Le champ de l'exploitation des DADS par l'Insee couvre actuellement l'ensemble des employeurs et de leurs salariés, à l'exception des agents des ministères, titulaires ou non, des services domestiques (division 95 de la NAF) et des activités extra-territoriales (division 99 de la NAF). Le champ de la publication des résultats exclut en outre les apprentis, les stagiaires, les emplois aidés, les dirigeants salariés de leur entreprise ainsi que les agents des collectivités territoriales.

Déficit public : le déficit public correspond au besoin de financement des administrations publiques (secteur institutionnel S13 de la comptabilité nationale) auquel est ajouté le solde des gains et des pertes des opérations sur swaps (produits dérivés). Le besoin de financement est le solde du compte de capital : il intègre non seulement les dépenses courantes de fonctionnement et les opérations de redistribution, mais aussi les dépenses en capital, l'investissement (FBCF) ainsi que les transferts en capital et les impôts en capital. Le déficit public est notifié à la Commission européenne deux fois par an (fin mars et fin septembre).

Dépense courante de santé : somme des dépenses engagées par les financeurs de l'ensemble du système de santé. Elle couvre un champ plus large que celui de la consommation médicale totale puisqu'elle intègre les indemnités journalières, les subventions reçues par le système de santé, les dépenses de prévention collective, de recherche et de formation médicales et celles de la gestion de l'administration sanitaire.

Dépense de consommation des ménages : se limite aux dépenses que les ménages supportent directement. Elle comprend la part des dépenses de santé, d'éducation, de logement, restant à leur charge, après remboursements éventuels. On y inclut aussi les loyers imputés, que les ménages propriétaires de leur résidence principale se versent implicitement à eux-mêmes.

Dépense intérieure d'éducation : représente toutes les dépenses effectuées, sur le territoire national, par l'ensemble des agents économiques, administrations publiques centrales et locales, entreprises et ménages, pour les activités d'éducation : activités d'enseignement scolaire et extra-scolaire de tous niveaux, activités visant à organiser le système éducatif (administration générale, orientation, documentation pédagogique et recherche sur l'éducation), activités destinées à favoriser la fréquentation scolaire (cantines et internats, médecine scolaire, transports) et les dépenses demandées par les institutions (fournitures, livres, habillement).

Dépense intérieure de recherche et de développement (DIRD) : travaux de R&D exécutés sur le territoire national quelle que soit l'origine des fonds. Une partie est exécutée par les administrations (DIRDA), l'autre par les entreprises (DIRDE). Elle comprend les dépenses courantes (masse salariale des personnels de R&D et dépenses de fonctionnement) et les dépenses en capital (achats d'équipements nécessaires à la réalisation des travaux internes à la R&D et opérations immobilières réalisées dans l'année).
Les résultats présentés pour l'année 2005 ne sont pas directement comparables avec les résultats 2004 publiés. En effet, plusieurs changements méthodologiques sont intervenus. Ils permettent d'améliorer la qualité de l'information sur la recherche publique et privée mais introduisent des ruptures de séries. Ces changements sont les suivants :

- l'évaluation de la dépense de recherche des administrations a été améliorée par la suppression de doubles comptes portant sur les ressources contractuelles des universités ;
- l'évaluation de la dépense de recherche des entreprises a été améliorée par l'utilisation d'un système de pondération reflétant mieux les différentes catégories d'entreprises.

Afin de pouvoir comparer les années 2004 et 2005, la nouvelle méthodologie a été utilisée pour recalculer les données 2004.

Dépense nationale de recherche et de développement (DNRD) : mesure sans double compte l'effort financier des acteurs économiques nationaux, quelle que soit la destination des financements. L'écart entre le montant de la DIRD et celui de la DNRD représente le solde des échanges en matière de R&D entre la France et l'étranger, y compris les organisations internationales.

Dépense pour l'emploi (DPE) : mesure financière des efforts consentis par la nation dans la lutte pour l'emploi et contre le chômage. Elle comprend l'indemnisation du chômage et les actions de politique d'emploi conduites par le ministère en charge de l'emploi, mais aussi par les autres administrations (agriculture, économie et finances, etc.). Pour ces dernières, n'entrent dans le champ que les actions qui reposent sur un critère explicite de création ou de maintien de l'emploi, ou encore de sortie du marché du travail. Elle comprend :

1. L'indemnisation du chômage total (allocations de chômage) ;
2. L'incitation au retrait d'activité (préretraites) ;
3. La formation professionnelle (des demandeurs d'emploi et des salariés du secteur concurrentiel) ;
4. La promotion de l'emploi et la création d'emploi ;

5. L'incitation à l'activité ;
6. Le maintien de l'emploi (indemnisation du chômage partiel et diverses mesures d'accompagnement des restructurations) ;
7. Le fonctionnement du marché du travail (fonctionnement de l'ANPE principalement).
La DPE est traditionnellement répartie en dépenses dites « passives » (catégories 1 et 2) pour celles correspondant à des revenus de remplacement, et « actives » pour les autres qui retracent les différentes facettes de la politique de l'emploi ainsi que les moyens administratifs qu'elle sollicite. Ce classement est indicatif, car un certain nombre de dispositifs présentent des caractéristiques des deux ordres.

Dépenses de services culturels et récréatifs : elles comprennent :
- les dépenses culturelles de spectacles (cinéma, télévision, théâtre, music-hall, manèges forains, cirque, corrida, parcs d'attractions, bals et discothèques),
- les entrées dans les musées et monuments,
- les services de bibliothèques et de location de cassettes vidéos et de DVD ;
- les dépenses liées aux sports : entrées dans les piscines, les terrains de golf..., abonnements à des clubs sportifs et leçons assurées par des professeurs de sport indépendants ;
- les jeux de hasard et d'argent, y compris les casinos.

La dépense des ménages est la différence entre les sommes engagées et les sommes encaissées (perte nette). Pour les casinos, la perte nette des ménages est égale au produit brut réalisé par l'ensemble des casinos. Ne sont pas pris en compte : les achats de livres, de journaux, de DVD et de cassettes vidéo préenregistrées.

Dépôt de brevet : il existe trois voies possibles pour déposer un brevet :
- la demande de brevet français à l'Inpi : le brevet permet une protection de vingt ans sur le territoire national, à partir de la date de dépôt ;
- la demande de brevet européen à l'Office européen des brevets (OEB) : une fois délivré, le brevet se divise en autant de brevets nationaux que les pays désignés lors du dépôt, permettant une protection de vingt ans à compter du dépôt ;
- la demande de brevet international, dite PCT, à l'Organisation mondiale de la propriété intellectuelle : elle permet de déposer une demande de brevet dans les pays signataires du PCT (137 à ce jour), grâce à une procédure unique et centralisée.

Dette publique : telle que définie dans le traité de Maastricht, elle est brute, ce qui signifie que les actifs financiers des administrations publiques ne sont pas déduits de leurs dettes. Elle est évaluée en valeur nominale et est consolidée des dettes entre administrations publiques. Elle exclut certains types de passifs, essentiellement les comptes à payer.

Dette publique notifiée (ou dette publique) : la dette publique notifiée est évaluée en valeur brute, on ne déduit pas tous les actifs détenus par les administrations publiques. Elle est consolidée, on déduit de la dette les éléments détenus par des administrations publiques, comme par exemple les dépôts des collectivités locales au Trésor public. Enfin, elle est évaluée en valeur nominale, c'est-à-dire à la valeur de remboursement de la dette et non à la valeur de marché comme cela est fait dans les comptes nationaux.

Divorce : rupture légale du mariage. Il existe plusieurs formes de divorce : le divorce par consentement mutuel (sur requête conjointe ou demande acceptée), pour rupture de la vie commune (après 6 ans de séparation) ou pour faute. Trois types de jugements peuvent être prononcés :
- un jugement de séparation de corps. Ce jugement doit être mentionné en marge de l'acte de mariage mais ne permet pas de remariage. Il est révocable sur simple accord des époux lors de la reprise de la vie commune.
- une conversion de séparation de corps. Elle transforme une séparation de corps en divorce et permet le remariage.
- un divorce sur demande directe accueillie. Ce jugement doit être mentionné en marge de l'acte de mariage. Il est irrévocable et permet le remariage.

Durée du travail : fixée à 35 heures hebdomadaires pour toutes les entreprises depuis le 1er janvier 2002, la durée légale du travail effectif est une durée de référence, un seuil à partir duquel sont calculées les heures supplémentaires. Il ne s'agit ni d'une durée minimale (les salariés peuvent être employés à temps partiel), ni d'un maximum : des heures supplémentaires peuvent être accomplies dans le respect des durées maximales au-delà desquelles aucun travail ne peut-être demandé.
La durée hebdomadaire moyenne s'applique à une semaine normale sans événement exceptionnel (jour férié, congé, etc.) : elle inclut donc toutes les heures habituellement effectuées y compris les heures supplémentaires régulières, rémunérées ou non.
La durée annuelle rémunérée des salariés cumule durée collective, heures supplémentaires rémunérées et congés payés. Il s'agit donc d'une durée effective individuelle.

E

Effet de serre : échauffement des couches inférieures de l'atmosphère dû à l'absorption du rayonnement infrarouge émis par le sol sous l'effet des rayons solaires. Les principaux gaz à effet de serre direct sont le dioxyde de carbone (CO_2), le méthane (CH_4), le protoxyde d'azote (N_2O) ainsi que l'hexafluorure de soufre (SF_6), les hydrofluorocarbures (HFC) et les perfluorocarbures (PFC), familles de composés halogénés. D'autres gaz contribuent indirectement à l'accroissement de l'effet de serre, en intervenant dans la formation de polluants secondaires comme l'ozone ou les aérosols.

Emploi aidé : voir « Contrat aidé ».

Emploi en équivalent temps plein ou emploi en nombre de personnes : l'emploi peut se mesurer en nombre de personnes ayant travaillé, même pendant une durée limitée. On peut aussi mesurer les emplois en équivalent temps-plein. C'est le nombre total d'heures travaillées dans l'activité considérée divisé par la moyenne annuelle des heures travaillées dans des emplois à plein temps sur le territoire économique (France métropolitaine et Dom).

Énergie primaire : ensemble des produits énergétiques non transformés, exploités directement ou importés. Ce sont principalement le pétrole brut, les schistes bitumineux, le gaz naturel, les combustibles minéraux solides, la biomasse, le rayonnement solaire, l'énergie hydraulique, l'énergie du vent, la géothermie et l'énergie tirée de la fission de l'uranium.

Énergies renouvelables : les énergies renouvelables n'utilisent pas le stock de ressources naturelles épuisables. Elles contribuent à la diversification et à la sécurité d'approvisionnement en énergie. Elles présentent également l'avantage, par rapport aux combustibles fossiles, de ne pas émettre de gaz à effet de serre lors de la production ou de l'utilisation d'énergie (solaire, éolien, hydraulique) ou bien, dans le cas de la biomasse, d'avoir un bilan nul (on considère alors que le carbone ainsi brûlé est recyclé par la végétation). C'est pourquoi leur développement constitue l'une des voies privilégiées pour lutter contre le changement climatique.

Énergies renouvelables thermiques : principalement composées par le bois, les déchets de bois, les déchets urbains solides et les biocarburants. Elles sont désormais prises en compte dans le calcul du taux d'indépendance énergétique ce qui entraîne une hausse d'environ 2 points sur l'ensemble de la période (1970-2002).

Enquête annuelle d'entreprise (EAE) : réalisée chaque année auprès d'un échantillon d'entreprises de l'industrie manufacturière par le Sessi, des industries agroalimentaires par le Scees, des transports et de la construction par le Sesp, du commerce et des autres services non financiers par l'Insee.
Les résultats concernent les entreprises de France métropolitaine employant 20 salariés ou plus ou réalisant plus de 5 millions d'euros de chiffre d'affaires, et exerçant à titre principal une activité industrielle de transformation agroalimentaire (hors transformation du tabac) ou d'entreposage frigorifique pour l'enquête dans les IAA.

Enquête Ecmoss (Enquête sur le coût de la main-d'œuvre et la structure des salaires) : cette enquête a pour objectif le suivi annuel de la structure des rémunérations et du coût du travail. Elle vient se substituer à trois enquêtes existantes : l'enquête Acemo annuelle auprès des entreprises de 10 salariés ou plus, réalisée par la Dares et deux enquêtes européennes quadriennales sur le coût de la main-d'œuvre (Ecmo) et la structure des salaires (ESS), réalisées par l'Insee.
Les enquêtes administrées durant les années 2006 et 2007 comporteront un volet sur la structure des salaires plus développé, celles administrées en 2008 et 2009 un questionnement sur le coût de la main-d'œuvre plus approfondi.
Les résultats français de ces enquêtes sont comparables avec ceux des autres États membres de l'Union européenne puisque les éléments constitutifs de la rémunération, du coût du travail et du temps de travail sont définis des manière harmonisée au niveau européen par le règlement-cadre n° 530/1999 du 9 mars 1999 et les règlements d'application « Coût de la main-d'œuvre » n° 1737 et « Structure des salaires » n° 1138 du 21 octobre 2005.

Enquête Emploi : l'enquête Emploi en continu est une enquête auprès des ménages, portant sur toutes les personnes de 15 ans ou plus vivant en France métropolitaine. C'est une enquête trimestrielle dont la collecte a lieu en continu sur toutes les semaines de chaque trimestre. Environ 38 000 ménages ordinaires répondent chaque trimestre (c'est-à-dire les habitants de 38 000 logements, à l'exception des communautés : foyers, cités universitaires, hôpitaux, prisons), soit autour de 72 000 personnes de 15 ans ou plus. Cet échantillon est partiellement renouvelé chaque trimestre. L'enquête en continu est prolongée par une enquête postale auprès des non-répondants, dont les résultats sont disponibles plus tardivement. Environ 1 500 ménages répondent à cette enquête.
L'enquête Emploi annuelle dans les Dom est effectuée tout au long du deuxième trimestre de l'année dans les quatre départements d'outre-mer (Guadeloupe, Guyane, Martinique, La Réunion). Son échantillon contient 20 000 ménages.
L'Insee s'est rapproché de l'interprétation communautaire (celle d'Eurostat) de la définition du chômage au sens du BIT. Désormais le simple renouvellement de l'inscription à l'ANPE n'est plus considéré comme un acte de démarche active de recherche d'emploi. L'Insee a par ailleurs procédé à un ensemble d'améliorations méthodologiques concernant la prise en compte des résultats d'une enquête sur la non-réponse et le perfectionnement des méthodes de pondération. Le champ a été également restreint à la population des ménages ordinaires.

Enquête de victimation : l'ensemble des indicateurs fournis par les enquêtes de victimation permet de mieux connaître les catégories de la population ou bien les territoires qui sont les plus exposés à telles ou telles sortes d'atteintes. Ils permettent aussi de mesurer l'existence et la nature éventuelle d'un lien entre degré d'exposition ou de victimation et opinions sur la sécurité. Ils permettent aussi d'évaluer le nombre d'atteintes qui ne sont pas enregistrées par les services de police ou de gendarmerie au regard de celles qui sont comptabilisées dans les statistiques officielles.

Enquête Logement : une des principales enquêtes de l'Insee par son ancienneté (1955), sa fréquence (elle est réalisée environ tous les quatre ans) et la taille de son échantillon (43 000 logements répondants en 2006). Elle permet de décrire les caractéristiques sociodémographiques et économiques des ménages et les modalités d'occupation de leur résidence principale. Elle recense également les autres logements possédés ou utilisés. Le champ de l'enquête est constitué des seuls logements ordinaires, à l'exclusion des logements collectifs tels que les foyers, internats ou casernes, et des habitations mobiles.

Enquête Revenus fiscaux et sociaux : les enquêtes Revenus fiscaux s'appuient sur les déclarations fiscales d'un échantillon représentatif de 36 000 ménages issus de l'enquête Emploi de l'Insee. Le champ retenu est celui des personnes vivant en France métropolitaine et appartenant à des ménages ordinaires dont la personne de référence n'est pas étudiante et dont le revenu déclaré est positif ou nul. Il exclut donc les personnes en institution, ainsi que les personnes sans-domicile qui sont les plus en difficulté.
En 2005 et 2006, les enquêtes ont été améliorées sur deux points : l'intégration de prestations sociales réelles (et non plus estimées sur barèmes) et la prise en compte plus complète des revenus des produits financiers. Dans la nouvelle série, appelée **enquête Revenus fiscaux et sociaux (ERFS)**, les montants réellement perçus par les ménages sur l'année de revenu considérée sont collectés auprès de la Caisse nationale des allocations familiales (Cnaf), de la Caisse nationale assurance vieillesse (Cnav) et de la Caisse centrale de la mutualité sociale agricole (CCMSA). Par ailleurs, le recours aux fichiers des organismes gestionnaires a permis d'intégrer dans l'enquête des ménages, globalement plus pauvres que l'ensemble des ménages (1,2 % de l'échantillon), qui n'avaient pas été retrouvés dans le fichier fiscal. Sont ajoutés au revenu des ménages, les revenus générés par différents produits financiers non recensés par la source fiscale et estimés selon des modèles statistiques.
Le changement de série a modifié à la hausse les principaux indicateurs.

Enseignement extra-scolaire : regroupe les activités du Conservatoire national des Arts et métiers, celles des conservatoires municipaux et des établissements dispensant de l'éducation non formelle.

Enseignement relevant de l'adaptation et de l'intégration scolaire (AIS) : est assuré pour le niveau du premier degré, dans des établissements spécifiques ou dans des classes d'établissements ordinaires ; ces classes sont appelées classes d'intégration scolaire spécialisées (CLIS). Il existe aussi des CLIN, classes d'initiation permettant l'accueil d'enfants non francophones arrivant sur le territoire français ; pour le niveau du second degré, par les établissements régionaux d'enseignement adapté (EREA), sections d'enseignement général et professionnel adapté (SEGPA) présentes dans les collèges ou les UPI, unités pédagogiques d'intégration, présentes en collèges et en lycées.

Entreprise artisanale au sens juridique : selon la loi du 5 juillet 1996 relative au développement et à la promotion du commerce et de l'artisanat, « doivent être immatriculées au répertoire des métiers les personnes physiques et les personnes morales qui n'emploient pas plus de 10 salariés et qui exercent à titre principal ou secondaire une activité professionnelle indépendante de production, de transformation, de réparation ou de prestation de services relevant de l'artisanat et figurant sur une liste établie par décret en Conseil d'État ». Sous certaines conditions, les entreprises qui le souhaitent peuvent rester immatriculées au répertoire des métiers au-delà du seuil des 10 salariés (on parle de « droit de suite »). Seules les personnes ayant la qualification requise peuvent se prévaloir auprès de leur clientèle de la qualité d'artisan ou du titre de maître artisan. Le nombre d'entreprises artisanales ne coïncide pas avec celui des artisans, car plusieurs artisans peuvent être associés au sein d'une même entreprise.

Épargne : au sens de la comptabilité nationale, solde du compte d'utilisation du revenu disponible ou du compte d'utilisation du revenu disponible ajusté. Pour les ménages, celui-ci est égal au revenu disponible diminué de la dépense de consommation, ou au revenu disponible ajusté diminué de la consommation finale effective. L'épargne peut être calculée nette, si l'on retranche la consommation de capital fixe.

Épargne salariale : ensemble de dispositifs dont l'objectif est d'associer les salariés aux résultats de leur entreprise et de favoriser l'épargne collective et le développement des investissements des entreprises. Distincte du salaire, modalité de reconnaissance du travail fourni et élément de motivation la participation financière fait le plus souvent partie de la politique de rémunération globale de l'entreprise. Les sommes qui en sont issues n'ont toutefois pas le caractère de rémunération au sens du Code de la sécurité sociale. Les dispositifs d'actionnariat salarié sont parties intégrantes de l'épargne salariale et de la participation ; ils vont aussi émerger de nouvelles règles quant à la participation à la gestion et aux instances de l'entreprise.

La loi du 8 février 2008 « pour le pouvoir d'achat » permet aux salariés de débloquer, par anticipation, tout ou partie de leurs droits à participation aux résultats de l'entreprise (hors droits affectés sur un PERCO) affectés au plus tard le 31 décembre 2007, pour leur valeur au jour du déblocage. Ce déblocage exceptionnel est autorisé dans la limite d'un plafond global, net de prélèvements sociaux, de 10 000 € par salarié.

Espace économique européen (EEE) : regroupe les 27 états membres de l'Union européenne et trois des quatre États membres de l'Association européenne de libre-échange (AELE). L'objectif de l'Espace économique européen (EEE) est d'étendre le marché intérieur de la Communauté européenne à des pays de l'Association européenne de libre-échange (AELE) qui ne veulent pas ou ne sont pas prêts pour entrer dans l'Union européenne (UE). L'EEE vise ainsi à lever les obstacles pour créer un espace de liberté de circulation analogue à un marché national. A ce titre, il inclut :
– les quatre grandes libertés de circulation du marché intérieur : des personnes, des marchandises, des services et des capitaux ;
– des politiques communautaires dites politiques « horizontales », principalement la politique de concurrence.
En revanche, cet accord présente certaines limites :
– le libre-échange est limité : il ne couvre pas certains secteurs comme l'agriculture et la pêche.
– l'extension du marché intérieur n'est pas complète : la libre circulation des personnes ne vaut que pour les travailleurs salariés (alors qu'elle est totale pour tous dans l'Union européenne) ; les contrôles aux frontières entre l'UE et les trois pays AELE subsistent ; il n'y a pas de rapprochement des fiscalités.
L'EEE n'est pas une union douanière (pas de tarif extérieur commun) ; il n'a pas non plus de politique commerciale commune vis-à-vis du reste du monde.
L'EEE exclut les autres éléments de l'intégration européenne qui sont : l'union économique et monétaire, la politique extérieure et de sécurité commune, la coopération en matière de justice et d'affaires intérieures.

Estimations de population : la situation démographique fait l'objet d'estimations annuelles qui deviennent définitives lorsque les résultats d'un nouveau recensement de la population sont disponibles. Avec la mise en œuvre de la nouvelle méthode de recensement, basée sur des enquêtes annuelles étalées sur un cycle de cinq ans, la situation démographique de 2007, comme celle des années précédentes, sera établie de façon définitive quand les résultats des cinq enquêtes annuelles 2004 à 2008 seront connus. Les collectes déjà réalisées contribuent à une première estimation de ces résultats. Ceux-ci ont conduit à réviser à la hausse la population déduite des données du dernier recensement de 1999, du solde migratoire et du solde naturel. Un ajustement de l'ordre de 436 000 a donc été réparti uniformément sur les années 1999 à 2003. Le niveau de cet ajustement n'a pas été révisé cette année.

Établissements publics de coopération intercommunale (EPCI) : regroupements de communes ayant pour objet l'élaboration de « projets communs de développement au sein de périmètres de solidarité ». Ils sont soumis à des règles communes, homogènes et comparables à celles de collectivités locales. Les communautés urbaines, communautés d'agglomération, communautés de communes, syndicats d'agglomération nouvelle, syndicats de communes et les syndicats mixtes sont des EPCI.

État civil : depuis la Révolution, un cadre législatif régit l'enregistrement des naissances, mariages, décès, de même que les autres faits relatifs à l'état des personnes (divorces, reconnaissances, légitimations, adoptions). C'est sur cette base que s'est élaboré le recueil de données pour l'établissement des statistiques de l'état civil. Tout événement relatif à l'état civil doit faire l'objet d'un acte dressé sur un registre spécial, selon des normes précises, par une personne chargée des fonctions d'officier de l'état civil. Chaque commune a un service de l'état civil. Le maire est officier de l'état civil de droit, mais peut déléguer ses fonctions à un adjoint, un conseiller municipal ou un agent communal. Tous les événements qui ont lieu dans la commune doivent être enregistrés. En outre, certains événements ayant eu lieu ailleurs ou ayant fait l'objet par ailleurs d'actes authentiques (ou de jugements) doivent aussi être transcrits (transcription de tout acte de décès ayant eu lieu ailleurs d'une personne domiciliée dans la commune, transcription d'un jugement d'adoption) ou mentionnés en marge d'actes dressés dans la commune (mention en marge des actes de naissance et de mariage des intéressés d'un jugement de divorce par exemple).

Étranger : personne qui réside en France et ne possède pas la nationalité française, soit qu'elle possède une autre nationalité (à titre exclusif), soit qu'elle n'en ait aucune (c'est le cas des personnes apatrides). Les personnes de nationalité française possédant une autre nationalité (ou plusieurs) sont considérées en France comme françaises. Un étranger n'est pas forcément immigré, il peut être né en France (les mineurs notamment). À la différence de celle d'immigré, la qualité d'étranger ne perdure pas toujours tout au long de la vie : on peut, sous réserve que la législation en vigueur le permette, devenir français par acquisition.

Excédent brut d'exploitation (EBE) : solde du compte d'exploitation, pour les sociétés. Il est égal à la valeur ajoutée, diminuée de la rémunération des salariés, des autres impôts sur la production et augmentée des subventions d'exploitation. Pour les entreprises individuelles, le solde du compte d'exploitation est le revenu mixte. L'excédent d'exploitation peut être calculé net, si l'on retranche la consommation de capital fixe.

Exploitation agricole à responsabilité limitée (EARL) : forme de société civile spécifique à l'agriculture, régie par le code rural, elle est plus souple que le GAEC : la société unipersonnelle ou entre époux est admise, la participation de tous les associés aux travaux n'est pas obligatoire. En revanche, les associés ne bénéficient pas de la transparence juridique. La responsabilité financière des associés est limitée.

F

FAB (franco à bord) : les exportations à partir de la France sont valorisées avec les coûts d'acheminement jusqu'à la frontière française.

Fonction publique : on distingue trois fonctions publiques, la fonction publique d'État (FPE), la fonction publique territoriale (FPT) et la fonction publique hospitalière (FPH). Au sens strict, un agent de la fonction publique travaille dans un organisme dans lequel le recrutement se fait sur la base du droit public. Néanmoins, certaines missions de service public sont assurées, hors de ce périmètre, par des agents travaillant dans d'autres types d'organismes publics, par des organismes privés, ou par des entreprises publiques ou privées.
Ces personnes travaillent dans les services civils et militaires de l'État (administrations centrales et services déconcentrés), dans les collectivités territoriales (régions, départements, communes) et dans les établissements publics à caractère administratif nationaux ou locaux, tels que CNRS, universités, hôpitaux publics, centres de gestion de la fonction publique territoriale, caisses des écoles...
Il existe deux définitions de l'emploi public qui renvoient à chacune des approches, juridique ou économique, choisies pour le mesurer :
- l'approche au sens de l'Observatoire de l'emploi public repose sur des critères juridiques combinant statut de l'employeur et statut de l'agent : relève de la fonction publique tout agent qui travaille dans un organisme à caractère administratif recrutant des agents de droit public.
- l'approche économique est celle de la comptabilité nationale qui comptabilise l'ensemble des personnels des services publics financés majoritairement par prélèvements obligatoires.

Formation professionnelle continue : elle se répartit en deux grands secteurs distincts :
- actions financées par les entreprises, qui ont l'obligation de consacrer 1,6 % de la masse salariale (entreprises de dix salariés et plus) ou 0,55 % (entreprises de moins de dix salariés) à la formation continue ;
- actions financées par les fonds publics, essentiellement consacrées aux demandeurs d'emploi et à la promotion sociale.

G

Groupe de sociétés ou d'entreprises : ensemble de sociétés contrôlées majoritairement, directement ou indirectement, par une même société, elle-même non contrôlée majoritairement par une autre société (directement ou indirectement) ; cette dernière société est appelée société-mère ou tête de groupe. Le lien de dépendance est mesuré par la part des voix détenues en assemblée générale ordinaire. On définit :
– le contour restreint ou « noyau dur » du groupe comme l'ensemble des entreprises détenues directement ou indirectement à plus de 50 % par une société mère, tête de groupe ; la société mère n'est détenue majoritairement, ni directement ni indirectement, par aucune autre société. Dans cette définition, les groupes forment des ensembles disjoints deux à deux ;
– le contour « élargi » du groupe comme l'ensemble de toutes les sociétés dépendant du groupe, quel que soit leur degré de dépendance vis-à-vis du centre de décision. Au niveau statistique, le contour élargi des groupes est formé de l'ensemble des sociétés appartenant au contour élargi d'au moins un groupe, sans pouvoir associer une société à un groupe plutôt qu'à un autre.

Groupement agricole d'exploitation en commun (GAEC) : forme de société spécifique à l'agriculture, régie par le code rural, le GAEC se caractérise principalement par la participation de tous les associés aux travaux, une responsabilité financière limitée et le principe de transparence : les associés conservent sur le plan économique, social et fiscal leur statut de chef d'exploitation.

H

Hospitalisation complète : définie selon la nature de l'unité d'accueil. Il s'agit d'unités d'hébergement des patients pour une durée généralement supérieure à une journée. Elle comprend également les unités fermées le week-end (hospitalisation dite de semaine).

Hospitalisation partielle : concerne l'accueil de jour et de nuit et les unités ayant des activités d'anesthésie ou de chirurgie ambulatoire. Elle fait partie, avec l'hospitalisation à domicile (HAD) des alternatives à l'hospitalisation à temps complet.

Hôtellerie de chaîne : ensemble des hôtels homologués ayant une enseigne d'un groupe hôtelier quel que soit leur statut juridique. Les hôtels de chaîne sont en grande majorité homologués. Il arrive qu'une partie des hôtels d'une même enseigne ne soit pas classée.

Hôtellerie homologuée : les hôtels sont classés ou homologués tourisme par arrêté préfectoral après délibération de la commission départementale d'action touristique. Ils sont classés en six catégories (ou à 4 étoiles et 4 étoiles luxe). Les conditions requises portent sur le nombre de chambres, les locaux communs, l'équipement de l'hôtel, la surface et le confort des chambres, le niveau de service rendu par le personnel de l'hôtel.

Hôtellerie de plein air (camping) : les campings-caravanings sont homologués par arrêté préfectoral. Ils sont classés de 1 à 4 étoiles, mention « loisir » ou « tourisme », dès lors qu'ils comportent un emplacement loué au passage. Les conditions requises portent sur les équipements communs, les équipements sanitaires, l'accessibilité aux personnes handicapées.

I

Immatriculation d'un véhicule neuf : tout propriétaire d'un véhicule à moteur, qui souhaite le mettre en circulation pour la première fois, doit adresser au préfet du département de son domicile une demande de certificat d'immatriculation en justifiant de son identité et en déclarant son domicile.
Un certificat d'immatriculation, dit « carte grise», établi dans les conditions fixées par le ministre chargé des transports, après avis du ministre de l'Intérieur, est remis au propriétaire ; ce certificat indique le numéro d'immatriculation assigné au véhicule.

Immigré : selon la définition adoptée par le Haut Conseil à l'Intégration, un immigré est une personne née étrangère à l'étranger et résidant en France. Les personnes nées françaises à l'étranger et vivant en France ne sont donc pas comptabilisées. À l'inverse, certains immigrés ont pu devenir français, les autres restant étrangers. Les populations étrangère et immigrée ne se confondent pas totalement : un immigré n'est pas nécessairement étranger et réciproquement, certains étrangers sont nés en France (essentiellement des mineurs). La qualité d'immigré est permanente : un individu continue à appartenir à la population immigrée même s'il devient français par acquisition. C'est le pays de naissance, et non la nationalité à la naissance, qui définit l'origine géographique d'un immigré.

Impôts sur la production et les importations : versements obligatoires sans contrepartie, en espèces ou en nature, prélevés par les administrations publiques ou par les institutions de l'UE et qui frappent la production et l'importation de biens et de services, l'emploi de main d'œuvre et la propriété ou l'utilisation de terrains, bâtiments et autres actifs utilisés à des fins de production. Ces impôts sont dus indépendamment de la réalisation de bénéfices d'exploitation. Ils comprennent les impôts sur les produits et les autres impôts sur la production.
Indicateur conjoncturel de fécondité : somme des taux de fécondité par âge observés une année donnée. Il est équivalent au nombre moyen d'enfants que mettrait au monde une génération de femmes qui, tout au long de leur vie, auraient à chaque âge les taux de fécondité observés l'année considérée. L'évolution de l'indicateur conjoncturel de fécondité donne une mesure synthétique de l'évolution des taux de fécondité, indépendamment de la structure par âge de la population.

Indicateur conjoncturel de fécondité : somme des taux de fécondité par âge observés une année donnée. Il est équivalent au nombre moyen d'enfants que mettrait au monde une génération de femmes qui, tout au long de leur vie, auraient à chaque âge les taux de fécondité observés l'année considérée. L'évolution de l'indicateur conjoncturel de fécondité donne une mesure synthétique de l'évolution des taux de fécondité, indépendamment de la structure par âge de la population.

Indices de prix à la production : les indices de prix à la production (IPP) dans l'industrie pour le marché français mesurent l'évolution des prix de transaction, hors TVA, de biens issus des activités de l'industrie et vendus sur le marché français. Les indices de prix à la production dans l'industrie pour les marchés extérieurs traduisent l'évolution des prix de transaction (convertis en euros, donc incluant les effets de change), FAB, de biens issus des activités de l'industrie française et vendus sur les marchés extérieurs. La combinaison de ces deux indices détermine les indices de prix à la production dans l'industrie (marché français et marchés extérieurs). Ces indices sont calculés à partir de relevés de prix mensuels de quelques 24 000 produits recueillis auprès d'un échantillon représentatif de 4 200 entreprises dans le cadre de l'enquête Observation des prix de l'industrie et des services aux entreprises.

Indice des prix à la consommation harmonisé (IPCH) : indicateur permettant d'apprécier le respect du critère de convergence portant sur la stabilité des prix, dans le cadre du traité de l'Union européenne (Maastricht). Cet indice est conçu pour des comparaisons internationales. La différence essentielle avec l'indice des prix à la consommation national tient dans le traitement de la protection sociale et de l'enseignement.

Indices boursiers européens : depuis 1998, les Bourses de Paris, Francfort et Zurich, ont créé des indices européens, en association avec la société **Dow-Jones**. On distingue deux indices de référence : le Dow Jones STOXX pour l'Europe (y compris la Norvège et la Suisse) et le Dow Jones Euro STOXX pour la zone euro.

Industries agroalimentaires (IAA) : les industries agricoles et alimentaires (ou agroalimentaires) correspondent au code EB de la nomenclature économique de synthèse (NES) :

- industrie des viandes ;

- industrie du lait ;
- industrie des boissons ;
- travail du grain, fabrication d'aliments pour animaux ;
- industries alimentaires diverses ;
- industrie du tabac.

Les comptes des industries agro-alimentaires évaluent la production des branches au prix de base qui comprend les subventions sur les produits reçues par les producteurs et exclut les impôts sur les produits payés par ces derniers (ces impôts sont particulièrement importants dans le cas de l'alcool ou du tabac). La viticulture est considérée comme une activité agricole et le vin comme un produit des IAA. La production de vin figure donc dans l'activité des branches agricoles et non dans celle des IAA. Mais les statistiques du commerce extérieur font figurer le vin dans les échanges de produits des IAA. L'activité de production des charcutiers commerçants et des boulangers est intégrée dans les comptes des branches des IAA.

Industries manufacturières : industries des biens de consommation, des biens intermédiaires, des biens d'équipement et de l'automobile. Industries de transformation des biens, c'est-à-dire principalement des industries de fabrication pour compte propre mais elles concernent aussi la réparation de l'installation d'équipements industriels ainsi que des opérations de sous-traitance pour un tiers donneur d'ordre (section D de la Nomenclature d'activités française rév.1).

Inflation : perte du pouvoir d'achat de la monnaie qui se traduit par une augmentation générale et durable des prix. Elle doit être distinguée de l'augmentation du coût de la vie. La perte de valeur des unités de monnaie frappe l'économie nationale, sans discrimination entre les catégories d'agents. En revanche, l'augmentation du coût de la vie affecte la répartition fonctionnelle et personnelle des revenus, sans toucher à la relation entre la masse monétaire et le produit national définissant le pouvoir d'achat de la monnaie.

Inflation sous-jacente : l'indice désaisonnalisé permet de dégager une tendance de fond de l'évolution des prix. Il exclut les prix soumis à intervention de l'État et les produits à prix volatils, qui subissent des mouvements très variables dus à des facteurs climatiques ou à des tensions sur les marchés mondiaux. Ainsi sont notamment exclus les produits frais (fruits, légumes, poissons et crustacés), les produits laitiers, les viandes, les fleurs et plantes, l'énergie, le tabac et les tarifs publics.

Inserm : seul organisme public français entièrement dédié à la recherche biologique, médicale et sur la santé des populations. Ses chercheurs ont pour vocation l'étude de toutes les maladies humaines des plus fréquentes aux plus rares.

Intérim : l'opération de « travail intérimaire » (ou « intérim » ou « travail temporaire ») consiste à mettre à disposition provisoire d'entreprises clientes, des salariés qui, en fonction d'une rémunération convenue, sont embauchés et rémunérés à cet effet par l'entreprise de travail intérimaire (ou entreprise de travail temporaire).

J

Juridiction : ce terme désigne un tribunal ou une cour.

Les juridictions de l'ordre administratif sont chargées de juger les affaires opposant des personnes privées à l'administration. Les juridictions de l'ordre judiciaire sont chargées de juger les litiges entre les personnes privées et les personnes poursuivies pour infraction à la loi pénale.

Chaque type de juridiction peut comprendre des juridictions de droit commun et des juridictions d'exception. Les juridictions de droit commun ont compétence générale pour statuer sur tous types de litiges, dans toutes matières, sauf lorsqu'une compétence spéciale est expressément attribuée à une autre juridiction. Au premier degré, la juridiction civile de droit commun est le tribunal de grande instance. Les juridictions pénales de droit commun sont le tribunal de police, le tribunal correctionnel et la cour d'assises. Au second degré, la cour d'appel est la juridiction de droit commun.

L

Licence-Master-Doctorat (LMD) : à la rentrée 2005, l'ensemble des universités, à l'exception de l'université Antilles-Guyane, ont offert des formations Licence-Master-Doctorat (LMD). Les disciplines pluri-lettres-Langues-sciences humaines et pluri-Sciences ont été créées dans le cadre de la réforme LMD. Le Cursus Licence correspond aux trois premières années d'études supérieures. Le Cursus Master permet, dans un même domaine de formation, d'organiser une palette de parcours facilitant l'orientation progressive des étudiants, soit dans une voie à dominante professionnelle débouchant sur un « master professionnel », soit dans une voie à dominante recherche débouchant sur un « master recherche ». Le Cursus Doctorat, à vocation recherche, conduit à la thèse.

Loi organique relative aux lois de finances (Lolf) : promulguée le 1er août 2001 et mise en œuvre en 2005, elle réforme en profondeur la gestion de l'État. Le budget général de l'État est désormais découpé en 34 missions, c'est-à-dire par politique publique. La mission peut donc dépendre d'un ou plusieurs ministères participant à cette action publique. Les charges budgétaires de l'État sont réparties sous sept titres : les dotations des pouvoirs publiques, les dépenses de personnels, les dépenses de fonctionnement, les charges de la dette de l'État, les dépenses d'investissement, les dépenses d'intervention et les dépenses d'opérations financières.

M

Ménage : un ménage, au sens statistique, est défini comme l'ensemble des occupants d'une résidence principale, qu'ils aient ou non des liens de parenté. Un ménage peut ne comprendre qu'une seule personne. Ne font pas partie des ménages les personnes vivant dans des habitations mobiles (y compris les mariniers et les sans-abri), ni la population des communautés (foyers de travailleurs, maisons de retraite, résidences universitaires, maisons de détention...).

Milieu ouvert : les condamnés exécutant leur peine en milieu ouvert sont soumis à diverses obligations, sous le contrôle du juge de l'application des peines, qui est assisté d'un service pénitentiaire d'insertion et de probation. On distingue principalement :

- les condamnés à une peine d'emprisonnement assortie d'un sursis avec mise à l'épreuve ;
- les condamnés à un travail d'intérêt général, qui accomplissent, au profit d'une collectivité publique, d'un établissement public ou d'une association, un travail non rémunéré d'une durée de 40 à 240 heures ;
- les libérés conditionnels, qui en raison de gages sérieux de réadaptation sociale, sont mis en liberté par anticipation, sous condition de se soumettre au contrôle du juge de l'application des peines et de respecter diverses obligations pendant un délai au moins égal au reliquat de la peine.

Minima sociaux : visant à assurer un revenu minimal à une personne (ou à sa famille) en situation de précarité, ce sont des prestations sociales non contributives, c'est-à-dire qu'elles sont versées sans contrepartie de cotisations. Le système français de minima sociaux comporte divers dispositifs, dont un spécifique aux départements d'outre-mer. Le RMI qui vise à lutter contre les exclusions est un des plus connus. Les autres allocations visent des publics spécifiques confrontés à un risque de grande pauvreté, par exemple, les chômeurs de très longue durée, avec l'allocation de solidarité spécifique (ASS) pour ceux ayant épuisé leurs droits à l'assurance chômage, les personnes handicapées (allocation aux adultes handicapés – AAH), les personnes âgées (minimum vieillesse). Ce type de prestations est versé sous conditions de ressources, permettant donc aux bénéficiaires de parvenir au niveau du minimum concerné.

Minimum vieillesse : ensemble de prestations destinées à garantir, sous certaines conditions, un revenu minimum à toute personne âgée de 65 ans ou plus (ou 60 ans en cas d'inaptitude au travail), française ou étrangère, résidant en France. Depuis le 1er janvier 1994, elles sont financées par le Fonds de solidarité vieillesse.

N

Naissance : toute naissance survenue sur le territoire français fait l'objet d'une déclaration à l'état civil. Cette déclaration doit être faite dans les trois jours suivant l'accouchement, le jour de l'accouchement n'étant pas compté dans ce délai. Depuis mars 1993, l'officier de l'état civil enregistre un acte de naissance si l'enfant a respiré. Dans le cas contraire, il enregistre un acte d'enfant sans vie. La qualité juridique d'un enfant à la naissance désigne le statut matrimonial de sa mère. Les enfants « légitimes » sont ceux dont les parents sont mariés. La naissance est qualifiée de « hors mariage » (anciennement qualifiée de « naturelle » ou encore « illégitime ») dans le cas contraire. Un enfant né hors mariage dont la mère se marie est dit légitimé par le mariage. Mais, la distinction entre enfants « légitimes » et enfants « naturels » n'existe plus en France. L'ordonnance du 5 juillet 2005, entrée en vigueur en juillet 2006, a en effet fait disparaître du code civil ces deux notions devenues caduques dans la mesure où les droits des enfants nés hors mariage sont les mêmes que ceux des enfants nés de couples mariés.

Nationalisation, privatisation, respiration : ces termes traduisent les mouvements des entreprises entre le secteur public et le secteur privé. Lorsque l'État prend le contrôle direct d'une entreprise, i.e. lorsqu'il détient plus de 50 % de son capital, on parle de nationalisation (cf. loi du 11/2/1982). Lorsque l'État perd le contrôle direct d'une entreprise au profit du secteur privé, on parle de privatisation (cf. lois du 6/7/1986 et du 19/6/1993). Les achats ou ventes de tout ou partie du capital des filiales, directes ou indirectes, des entreprises publiques qui font « entrer » ou « sortir » des entreprises du secteur public constituent la respiration.

Nationalité : lien juridique qui relie un individu à un État déterminé. De ce lien découlent des obligations à la charge des personnes qui possèdent la qualité de Français, en contrepartie desquelles sont conférés des droits politiques, civils et professionnels, ainsi que le bénéfice des libertés publiques. La nationalité française peut résulter :

- d'une attribution par filiation (droit du sang) ou par la naissance en France (droit du sol) ;
- d'une acquisition à la suite d'évènements personnels (mariage avec un Français, par exemple) ou d'une décision des autorités françaises (naturalisation). La nationalité française est attribuée de plein droit à la naissance :
- à l'enfant, légitime ou naturel, dont l'un des parents au moins est français (droit du sol) ;

- à l'enfant, légitime ou naturel, né en France lorsque l'un de ses parents au moins y est lui-même né (double droit du sol).

Niveaux de formation :
- Niveau VI : sorties du 1er cycle du second degré (6ème, 5ème, 4ème) et des formations préprofessionnelles en un an.
- Niveau V bis : sorties de 3ème générale, de 4ème et 3ème technologiques et des classes du second cycle court avant l'année terminale.
- Niveau V : sorties de l'année terminale des cycles courts professionnels et abandons de la scolarité du second cycle long avant la classe terminale.
- Niveau IV : sorties des classes terminales du second cycle long et abandons des scolarisations post-baccalauréat avant d'atteindre le niveau III.
- Niveau III : sorties avec un diplôme de niveau bac + 2 ans (DUT, BTS, DEUG, écoles des formations sanitaires ou sociales, etc.).
- Niveaux II et I : sorties avec un diplôme de second ou troisième cycle universitaire ou un diplôme de grande école.

Nomenclature d'activités française pour l'artisanat (NAFA) : établit la liste détaillée des activités entrant dans le champ de l'artisanat. Elle est une simple déclinaison de la NAF, détaillant les classes de la NAF en vigueur en un ou plusieurs postes. Ceux-ci sont identifiés par le code de la classe NAF correspondante auquel est ajouté une lettre. La NAFA est utilisée par les CFE (centres de formalités des entreprises) des Chambres de métiers pour codifier l'activité principale au répertoire des métiers (APRM) qui est une des variables caractérisant l'entreprise dans le répertoire SIRENE.
Une « NAFA 2008 » est en vigueur depuis le premier janvier 2008 (elle détaille la NAF2008 entrée en vigueur à la même date). Les données portant sur les périodes postérieures à cette date seront publiées selon cette nouvelle version.

Nomenclature des professions et des catégories socioprofessionnelles (PCS) : a remplacé, en 1982, la CSP. Elle classe la population selon une synthèse de la profession (ou de l'ancienne profession), de la position hiérarchique et du statut (salarié ou non).
Elle comporte trois niveaux d'agrégation emboîtés :
- les groupes socioprofessionnels (8 postes) ;
- les catégories socioprofessionnelles (24 et 42 postes) ;
- les professions (497 postes dont 486 postes d'actifs).

Cette version (PCS-2003) est en vigueur depuis le 1er janvier 2003. Les premier et deuxième niveaux sont restés inchangés par rapport à la version en vigueur de 1982 à 2003. La rénovation de 2003 a donc porté uniquement sur le troisième niveau qui comprenait 455 postes dans la version 1982. Elle a permis de regrouper des professions dont la distinction était devenue obsolète, et d'en éclater d'autres afin de tenir compte de l'apparition de nouveaux métiers ou de nouvelles fonctions transversales aux différentes activités industrielles. Il existe une version de la nomenclature des professions plus détaillée à l'usage des entreprises, dite PCS-ESE-2003.

Nomenclature économique de synthèse : double nomenclature nationale (d'activités économiques et de produits) agrégée, pertinente pour l'analyse économique et adoptée par l'Insee en 1994. Les regroupements constitués sont un dénominateur commun pour la présentation des statistiques économiques agrégées, valable pour tous les domaines : ils visent à refléter, autant que possible, le comportement d'agents confrontés à leur marché, alors que la structuration de la NACE (nomenclature des activités dans la Communauté européenne) et de la NAF (nomenclature d'activités française) font intervenir d'autres critères comme les spécificités techniques du processus de production ou l'organisation en filières de production. La NES comprend trois niveaux comportant respectivement 16, 36 et 114 positions.

Nuitées : nombre total de nuits passées par les clients dans l'établissement ; deux personnes séjournant trois nuits dans un hôtel comptent ainsi pour six nuitées.

O

Organisation de coopération et de développement économique (OCDE) : regroupe les gouvernements de 30 pays attachés aux principes de la démocratie et de l'économie de marché en vue de soutenir une croissance économique durable, développer l'emploi, élever le niveau de vie, maintenir la stabilité financière, aider les autres pays à développer leur économie et contribuer à la croissance du commerce mondial. Les pays membres de l'organisation sont l'Allemagne, l'Australie, l'Autriche, la Belgique, le Canada, la Corée, le Danemark, l'Espagne, les États-Unis, la Finlande, la France, la Grèce, la Hongrie, l'Islande, l'Irlande, l'Italie, le Japon, le Luxembourg, le Mexique, la Norvège, la Nouvelle-Zélande, les Pays-Bas, la Pologne, le Portugal, la République tchèque, le Royaume-Uni, la Slovaquie, la Suède, la Suisse et la Turquie.

Organisation des pays exportateurs de pétrole (OPEP) : créée en 1960 (Conférence de Bagdad), siège à Vienne et regroupe onze pays (Arabie saoudite, Irak, Iran, Koweït, Venezuela, Qatar, Indonésie, Libye, Émirats arabes unis, Algérie et Nigeria). Elle se fixe pour objectif de coordonner les politiques pétrolières des États membres, à la fois pour rentabiliser les investissements des producteurs et assurer l'approvisionnement des consommateurs.

Organismes de placement collectif en valeurs mobilières (OPCVM) : intermédiaires financiers qui donnent à leurs souscripteurs la possibilité d'investir sur des marchés financiers auxquels ils n'auraient que difficilement accès autrement (marchés financiers et monétaires étrangers, actions non cotées,...). L'activité principale des OPCVM consiste à collecter des fonds en émettant des titres financiers auprès de divers agents (particuliers, entreprises, etc.) en vue d'acquérir certains actifs financiers.
On distingue traditionnellement deux grandes catégories d'OPCVM selon leur mode d'organisation : d'une part, les Sociétés d'investissement à capital variable (SICAV) qui sont des sociétés avec conseil d'administration et, d'autre part, les Fonds communs de placement (FCP) ainsi que leurs déclinaisons (Fonds commun de placement en entreprises, etc.) qui n'ont pas de personnalité juridique et qui sont créés à l'instigation d'une société de gestion et d'une banque dépositaire.
L'Autorité des marchés financiers distingue six grandes familles d'OPCVM selon la nature des fonds gérés : OPCVM monétaires, obligataires, actions, à fonds alternatifs, à fonds à formule et diversifiés.

Outre-mer : la République française comprend les départements et régions d'outre-mer (Dom-Rom) et les collectivités d'outre-mer (Com) et les territoires d'outre-mer (Tom).
Les collectivités d'outre-mer (Com) désignent le statut juridique de certains territoires de la République française, depuis la révision constitutionnelle du 28 mars 2003, statut régi par l'article 74 de la Constitution. Elles regroupent des anciens territoires d'outre-mer ainsi que d'autres collectivités territoriales à statut particulier. L'administration des fonctions régaliennes (défense, police, justice, trésor) est assurée par l'État français.Il existe actuellement six collectivités d'outre-mer. Ces territoires ont des statuts et une organisation interne très divers, précisés pour certains par la loi organique du 21 février 2007 :
1. Saint-Pierre-et-Miquelon qui fut un département d'outre-mer de 1976 à 1985.
2. Mayotte qui porte le nom de « collectivité départementale de Mayotte » depuis 2001.
3. Wallis et Futuna possède une organisation très spécifique qui n'est pas subdivisée en communes. L'archipel est organisé en trois circonscriptions territoriales, correspondant chacune à un royaume de droit coutumier, compétent dans certains domaines (la gestion d'un domaine public coutumier, etc.).
4. La Polynésie française (océan Pacifique), ensemble de 5 archipels français correspondant à 5 subdivisions administratives (Îles Marquises, Îles-du-Vent, Îles Tuamotu-Gambier, Îles Australes et Îles-sous-le-Vent) est également une collectivité d'outre-mer. Elle bénéficie d'une large autonomie politique.
5. Saint-Barthélemy, île des petites Antilles (Caraïbe), et Saint-Martin, moitié septentrionale de l'île du même nom des petites Antilles sont des Com, depuis la loi organique de 2007. A partir des communes de Saint-Martin et Saint-Barthélemy, issues du Dom de Guadeloupe, la création de ces deux collectivités est effective depuis le 15 juillet 2007.

Les départements d'outre-mer sont des collectivités territoriales intégrées à la République française au même titre que les départements ou régions de la France métropolitaine. Chacun de ces départements constitue une région mono-départementale, dite « région d'outre-mer » depuis la révision constitutionnelle de 2003. Les quatre Dom sont : la Guadeloupe, la Martinique, la Guyane et La Réunion.

Les territoires d'outre-mer (Tom) font partie intégrante de la République française, mais ont des statuts différents de ceux des départements d'outre-mer ou des collectivités d'outre-mer. Ils comprennent :
– les terres australes et antarctiques françaises (TAAF) ;
– les Îles éparses de l'Océan indien.
La Polynésie française, ancien territoire d'outre-mer est désormais une collectivité d'outre-mer. La Nouvelle-Calédonie est également un ancien territoire d'outre-mer.

P

Pacte civil de solidarité (PACS) : contrat entre deux personnes majeures, de sexe différent ou de même sexe, pour organiser leur vie commune. Il a été promulgué par la loi du 15 novembre 1999. Il établit des droits et des obligations entre les deux contractants, en terme de soutien matériel, de logement, de patrimoine, d'impôts et de droits sociaux. En revanche, il est sans effet sur les règles de filiation et de l'autorité parentale si l'un des contractants est déjà parent.
Le Pacs peut être dissous par la volonté de l'un ou des deux contractants, qui adresse(nt) une déclaration au tribunal d'instance. Il est automatiquement rompu par le mariage ou par le décès de l'un ou des deux contractants.

Parc national : territoire classé par décret en Conseil d'État pour l'intérêt de la conservation de son milieu naturel et pour le préserver. Il comporte généralement une zone centrale strictement protégée et une zone périphérique davantage consacrée au développement culturel, social et économique du territoire.

Patrimoine national : se comprend comme le patrimoine des résidents sur le territoire national. Il est composé du patrimoine non financier et du patrimoine financier net, solde des créances et dettes vis-à-vis de l'étranger. Au niveau national, le montant des actifs et des passifs financiers se compense aux relations avec l'extérieur près.

Pavillon : pour les véhicules routiers, pays d'immatriculation ; pour les bateaux, registre d'immatriculation, comparable au registre d'état civil. Tous les bateaux ont un pavillon (et un seul) ; tous les États ont au moins un pavillon. Certains pays ont un pavillon « ouvert » sur lequel sont enregistrés des navires dont le propriétaire n'a pas la nationalité du pays. Un navire peut avoir par, exemple, un armateur norvégien et un pavillon des Bahamas. Le « pavillon » d'un pays ne reflète pas sa puissance maritime. Tous les bateaux ont un pavillon (et un seul) ; tous les États ont au moins un pavillon. Certains pays ont un pavillon « ouvert » sur lequel sont enregistrés des navires dont le propriétaire n'a pas la nationalité du pays. Un navire peut avoir par, exemple, un armateur norvégien et un pavillon des Bahamas. Le « pavillon » d'un pays ne reflète pas sa puissance maritime.

Plan d'épargne entreprise (PEE) : permet aux salariés de se constituer un portefeuille de valeurs mobilières, avec l'aide de leur entreprise. Bloquées pendant 5 ans minimum, les sommes détenues proviennent des versements volontaires des salariés et de l'abondement de l'entreprise. Il peut également être alimenté par l'intéressement et la participation.

Plan d'épargne retraite populaire (PERP) : contrat d'assurance, souscrit de façon individuelle et facultative, accessible à toute personne quelle que soit sa situation professionnelle. Cette épargne est versée sous forme de rente viagère, en complément de la retraite.

Plan d'épargne pour la retraite collective (PERCO) : doit être institué dans toute entreprise par accord collectif. L'adhésion individuelle n'est cependant pas automatique. Il permet au salarié de se constituer une épargne, accessible au moment de la retraite sous forme de rente ou, si l'accord collectif le prévoit, sous forme de capital.

Population active occupée « au sens du BIT » : comprend les personnes (âgées de 15 ans ou plus) ayant travaillé (ne serait-ce qu'une heure) au cours d'une semaine de référence, qu'elles soient salariées, à leur compte, employeurs ou aides dans l'entreprise ou l'exploitation familiale. Elle comprend aussi les personnes pourvues d'un emploi mais qui en sont temporairement absentes pour un motif tel qu'une maladie (moins d'un an), des congés payés, un congé de maternité, un conflit du travail, une formation, une intempérie,... Les militaires du contingent, les apprentis et les stagiaires rémunérés effectuant un travail font partie de la population active occupée.

Population mondiale : estimations de population fondées sur de récents recensements, des données nationales officielles ou des projections des Nations Unies et du Bureau du Recensement Américain. Les effets de mouvements de réfugiés, du grand nombre de travailleurs étrangers et des changements de population attribuables à la conjecture politique sont, autant que faire se peut, pris en considération.

Population reference bureau (PRB) : organisme indépendant à but non lucratif, il est situé à Washington. Il travaille à partir de sources diverses : division de la Population des Nations Unies, US Bureau of the Census, Banque mondiale, Union européenne, Conseil de l'Europe, offices nationaux de statistique, centres de recherche.

Pouvoir calorifique : quantité de chaleur dégagée par la combustion complète de l'unité de combustible considéré. La notion de pouvoir calorifique ne s'applique donc qu'aux combustibles. On distingue notamment :

- pouvoir calorifique inférieur (PCI). Dégagement maximal théorique de la chaleur lors de la combustion, non compris la chaleur de condensation de la vapeur d'eau produite lors de la combustion.
- pouvoir calorifique supérieur (PCS). Dégagement maximal théorique de la chaleur lors de la combustion, y compris la chaleur de condensation de la vapeur d'eau produite lors de la combustion.

Pour le gaz naturel, la différence entre PCS et PCI est de l'ordre de 10 %.

Pouvoir d'achat de la monnaie : quantité de biens et de services qu'il est possible de se procurer avec une unité monétaire. Du fait de la hausse des prix, le pouvoir d'achat de la monnaie se déprécie au cours du temps. Pour observer l'évolution réelle de l'activité économique (production, consommation,...), il est donc nécessaire de tenir compte des effets de l'inflation. On distingue ainsi les évolutions à prix courants (sans correction de l'effet de l'inflation) des évolutions à prix constants (avec correction de l'effet de l'inflation). Dans le premier cas il s'agit d'une évolution en valeur et dans le second d'une évolution en volume.
Pour mesurer l'inflation (ou la déflation), on utilise en général l'indice des prix à la consommation.

Prélèvements obligatoires : impôts et cotisations sociales effectives reçues par les administrations publiques et les institutions européennes. Cotisations sociales et impôts sont comptabilisés pour leurs montants dus, mais les prélèvements obligatoires sont nets des montants dus non recouvrables. Le taux de prélèvements obligatoires est le rapport des prélèvements au PIB.

Prix courants, prix constants : les prix courants sont les prix tels qu'ils sont indiqués à une période donnée, ils sont dits en valeur nominale. Les prix constants sont les prix en valeur réelle c'est-à-dire corrigés de la hausse des prix par rapport à une donnée de base ou de référence. On utilise de la même façon les termes euros ou francs constants et euros ou francs courants.

Prix de base auquel est valorisée la production : égal au prix facturé par le producteur diminué des impôts sur les produits qu'il paie, et augmenté des subventions sur les produits qu'il reçoit.

Les aides à l'agriculture sont classées par la Comptabilité nationale en subventions sur les produits (paiement à la surface pour les grandes cultures, prime à la vache allaitante...), et en subventions d'exploitation (paiement unique par exploitation aides agri-environnementales, aides pour calamités agricoles...).

Production (au sens de la comptabilité nationale) : activité exercée sous le contrôle et la responsabilité d'une unité institutionnelle qui combine des ressources en main-d'œuvre, capital et biens et services pour fabriquer des biens ou fournir des services, et résultat de cette activité. Les processus purement naturels sans intervention ou contrôle humain ne font pas partie de la production.

Production brute d'électricité : mesurée aux bornes des groupes des centrales, elle comprend donc la consommation des services auxiliaires et les pertes dans les transformateurs des centrales.

Produit net bancaire : différence entre les produits et les charges d'exploitation bancaires hors intérêts sur créances douteuses mais y compris les dotations et reprises de provisions pour dépréciation des titres de placement.

Produit intérieur brut (PIB) : agrégat représentant le résultat final de l'activité de production des unités productrices résidentes. Il peut se définir de trois manières : la somme des valeurs ajoutées brutes des différents secteurs institutionnels ou des différentes branches d'activité, augmentée des impôts moins les subventions sur les produits (lesquels ne sont pas affectés aux secteurs et aux branches d'activité) ; la somme des emplois finals intérieurs de biens et de services (consommation finale effective, formation brute de capital fixe, variations de stocks), plus les exportations, moins les importations ; la somme des emplois des comptes d'exploitation des secteurs institutionnels : rémunération des salariés, impôts sur la production et les importations moins les subventions, excédent brut d'exploitation et revenu mixte.

Projections de population : une projection de population fournit une image de ce que pourrait être la population à venir, sous certaines hypothèses établies à partir de la connaissance du passé. Ces hypothèses portent sur trois composantes : la fécondité, la mortalité et les migrations. Comme le contexte social et sanitaire et les comportements individuels évoluent de façon difficilement prévisible, surtout à horizon lointain, l'évolution réelle de population diverge souvent de celles prévues dans les projections : les projections ne constituent en aucun cas des prévisions pour l'avenir. Toutefois, elles offrent un cadre de réflexion pour les politiques publiques et pour les aménagements collectifs. Souvent des variantes sont réalisées pour illustrer la sensibilité des résultats des projections aux hypothèses. Ainsi, par exemple, celles réalisées en 2006 montrent que le vieillissement de la population française est une tendance structurelle forte.

Projection de population active : la méthode de projection combine, pour différentes catégories de sexe et d'âge atteint en fin d'année, les projections de population totale de l'Insee et des projections de taux d'activité.

Ces dernières s'appuient sur une modélisation économétrique des taux qui isole une tendance d'évolution (appréhendée par une fonction logistique du temps), et lui superpose certains facteurs d'inflexion : évolution de l'apprentissage, impacts des réformes des retraites de 1993 et de 2003, ainsi que l'impact à venir de l'allongement de la durée des études. Ces impacts sont évalués par le modèle de comportement Destinie de l'Insee qui simule des trajectoires de vie et projette la situation des retraités.

Les projections des effectifs éligibles aux dispositifs de retraites anticipées proviennent du conseil d'orientation des retraites (Cor) et sont calculées à partir des prévisions de la caisse nationale d'assurance vieillesse (Cnav).

La modélisation des taux d'activité cherche à isoler une tendance de long terme et ne prend donc pas en compte la situation conjoncturelle à court terme. L'ampleur des fluctuations futures d'activité selon la situation conjoncturelle peut néanmoins être approchée au moyen des variantes « haute » et « basse » d'activité.

Protocole de Kyoto : en décembre 1997, le protocole de Kyoto a fixé un objectif de réduction pour les émissions agrégées de six gaz à effet de serre (CO_2, N_2O, CH_4, HFC, PFC, SF_6). 38 pays industrialisés se sont engagés à réduire globalement leurs émissions de 5,2 % sur la période 2008-2012, par rapport aux niveaux de 1990. L'Union européenne s'est engagée solidairement à respecter un objectif de – 8 %. La France et l'UE ont ratifié le protocole le 31 mai 2002.

R

Recensement de la population : le recensement de la population a pour objectifs le dénombrement des logements et de la population résidant en France et la connaissance de leurs principales caractéristiques : sexe, âge, activité, professions exercées, caractéristiques des ménages, taille et type de logement, modes de transport, déplacements quotidiens. Institué en 1801, le recensement s'est déroulé tous les 5 ans jusqu'en 1936. De 1946 à 1999, les intervalles intercensitaires ont varié de 6 à 9 ans. Les informations recueillies intéressent les collectivités territoriales, les services de l'État mais aussi les entreprises, sociologues, urbanistes... Elles sont une aide pour définir :

- au niveau national les politiques sociales et les infrastructures à mettre en place ;

- au niveau local les politiques urbaines, de transport, de logement, d'équipements culturels et sportifs, les infrastructures scolaires et la mise en place de structures d'accueil pour les jeunes enfants et les personnes âgées. Pour les acteurs privés, le recensement sert aux projets d'implantation d'entreprises ou de commerces et services.

La loi du 27 février 2002, relative à la démocratie de proximité, a modifié en profondeur les méthodes de recensement. Depuis janvier 2004, le comptage traditionnel est remplacé par des enquêtes de recensement annuelles. Les communes de moins de 10 000 habitants continuent d'être recensées exhaustivement, comme lors des précédents recensements mais une fois tous les 5 ans au lieu de tous les 8 ou 9 ans. Les communes de 10 000 habitants ou plus font désormais l'objet d'une enquête annuelle auprès d'un échantillon de 8 % de la population, dispersé sur l'ensemble de leur territoire. Au bout de 5 ans, tout le territoire de ces communes est pris en compte et les résultats du recensement sont calculés à partir de l'échantillon de 40 % de leur population ainsi constitué.

À partir de la fin de l'année 2008, à l'issue des cinq premières enquêtes de recensement, l'Insee publiera les premières populations légales des communes, calculées à partir du nouveau recensement. À partir de 2009, les résultats statistiques complets sur les habitants et leurs logements seront progressivement publiés.

Jusqu'à la publication du premier décret d'authentification des populations légales issues du recensement rénové, les populations authentifiées en 1999 (ou à la suite de recensements complémentaires) restent en vigueur.

Réforme du système de retraite : la loi du 21 août 2003 est entrée en vigueur au 1er janvier 2004. Les principaux changements introduits par la loi sont l'alignement de la durée de cotisation des agents de la Fonction Publique sur celle des salariés du privé (40 ans) entre 2004 et 2008, puis le passage progressif à 41 ans pour tous les salariés en 2012 et enfin l'indexation des pensions sur les prix.

Répertoire des entreprises contrôlées majoritairement par l'État (RECME) : créé par un décret du 22 octobre 1984, il est géré par l'Insee. Une entreprise est inscrite au répertoire dès lors que l'État détient, directement ou par l'intermédiaire d'autres entreprises contrôlées, la majorité du capital ou des droits de vote dans les instances délibérantes.

Réserve naturelle : territoire classé lorsque la conservation du milieu naturel (faune, flore, eaux, sol...) présente une importance particulière et qu'il convient de le soustraire à toute intervention artificielle susceptible de le dégrader.

Résultat agricole net : valeur ajoutée nette au coût des facteurs, c'est-à-dire la valeur ajoutée nette à laquelle sont ajoutées les subventions d'exploitation et retranchés les autres impôts sur la production (dont les impôts fonciers). Son évolution peut être rapportée à celle du nombre d'unités de travail annuel (ou équivalent temps plein) : on obtient ainsi l'évolution du résultat agricole net par actif.

Retraite : ensemble des prestations sociales que perçoit une personne au-delà d'un certain âge du fait qu'elle-même ou son conjoint a exercé une activité professionnelle et a cotisé à un régime d'assurance vieillesse. Il existe deux sortes de pensions : celles de droits directs (droits acquis par un individu en contrepartie de ses cotisations passées) et celles de droits dérivés ou pensions de réversion qui profitent au veuf, à la veuve ou à l'orphelin du cotisant après le décès de celui-ci.

Retraite par répartition : les cotisations, versées par les actifs au titre de l'assurance vieillesse, sont immédiatement utilisées pour payer les pensions des retraités. Ce système repose donc sur une forte solidarité entre générations. Son équilibre financier dépend du rapport entre le nombre de cotisants et celui des retraités. Les taux de croissance des revenus et de la population active occupée constituent dès lors les deux principaux facteurs d'évolution.

Retraite par capitalisation : les actifs d'aujourd'hui épargnent en vue de leur propre retraite. Les cotisations font l'objet de placements financiers ou immobiliers, dont le rendement dépend essentiellement de l'évolution des taux d'intérêt. Cette capitalisation peut être effectuée dans un cadre individuel ou collectif, ce qui peut permettre de réintroduire une dose de solidarité.

Revenu d'entreprise agricole net : on retranche au résultat agricole net la rémunération des salariés, les charges locatives (fermage), les intérêts sur emprunts. Son évolution peut être rapportée à celle du nombre d'unités de travail annuel (ou équivalent temps plein) non salarié : on obtient ainsi l'évolution du revenu d'entreprise agricole net par actif non salarié.

Revenu disponible des ménages : au sens de la comptabilité nationale, revenu résultant de la répartition de la valeur ajoutée, de la distribution des revenus de la propriété et des opérations de redistribution. Plus concrètement, le revenu disponible brut (RDB) est la part de revenu qui reste à disposition des ménages pour la consommation et l'épargne une fois déduits les prélèvements sociaux et fiscaux. Le RDB comprend les revenus d'activités (salaires et traitements bruts des ménages, augmentés des bénéfices des entrepreneurs individuels), les revenus du patrimoine hors plus values latentes ou réalisées (dividendes, intérêts et loyers), les transferts (notamment les indemnités d'assurance nettes des primes) et les prestations sociales (allocations familiales, minima sociaux, pensions de retraite, indemnités chômage...). Le RDB est diminué des impôts directs (impôts sur le revenu, taxe d'habitation, CSG, CRDS...) et des cotisations sociales versées. En revanche, les droits de succession ne figurent pas dans ce décompte.

Dans l'ERFS, le revenu disponible est proche du concept de RDB au sens de la comptabilité nationale, mais son champ est un peu moins étendu. Il comprend les revenus déclarés au fisc, les revenus financiers non déclarés et imputés (produits d'assurance-vie, livrets exonérés, PEA, PEP, CEL, PEL) et la plupart des prestations sociales (hors certains régimes employeurs). Tous ces revenus sont nets d'impôts directs.

Revenu libéral des médecins (net de charges) : établi à partir d'une estimation des honoraires et des charges par spécialité. On étudie le revenu des omnipraticiens, ainsi que de quatorze spécialités : anesthésistes, cardiologues, chirurgiens (dont chirurgiens orthopédiques), dermatologues, gastroentérologues, gynécologues (médicaux et obstétriciens confondus), ophtalmologues, ORL, pédiatres, pneumologues, psychiatres (y compris neuropsychiatres), radiologues, rhumatologues et stomatologues.

Revenu minimum d'insertion (RMI) : créé en 1988, il a pour objectif de garantir un niveau minimum de ressources et faciliter l'insertion ou la réinsertion de personnes disposant de faibles revenus. Le RMI est une allocation dite « différentielle » : l'intéressé touche la différence entre le montant du RMI et ses ressources mensuelles. Les ressources prises en compte pour le calcul du RMI sont celles du demandeur mais aussi de son conjoint ou concubin et l'allocation dépend également des personnes à sa charge.

Revenu mixte : solde du compte d'exploitation pour les entreprises individuelles, contenant deux éléments indissociables : la rémunération du travail effectué par le propriétaire et éventuellement les membres de sa famille, et son profit en tant qu'entrepreneur.

Revenu primaire : revenu directement lié à une participation des ménages au processus de production. La majeure partie des revenus primaires des ménages est constituée de la rémunération des salariés, laquelle comprend les salaires et les cotisations sociales. Ces revenus comprennent aussi des revenus de la propriété résultant du prêt ou de la location d'actifs financiers ou de terrains (intérêts, dividendes, revenus fonciers…).

Revenu salarial : le concept de revenu salarial se situe à mi-chemin entre le prix du travail (le salaire horaire) et le niveau de vie des personnes. Il correspond à la somme de tous les salaires, nets de toutes cotisations sociales, y compris CSG (contribution sociale généralisée) et CRDS (contribution au remboursement de la dette sociale) perçus par un individu au cours d'une année donnée. Par définition, le revenu salarial n'intègre pas les revenus des activités non salariées, dont un salarié poly-actif peut éventuellement bénéficier, et les revenus non directement liés à l'activité et provenant de mécanismes redistributifs (comme la prime pour l'emploi) ou assurantiels (comme les allocations chômage).

S

Salaire brut ou net : le salaire est le paiement du travail convenu entre un salarié et son employeur. Le salaire brut correspond à l'intégralité des sommes perçues par le salarié au titre de son contrat de travail, avant toute déduction de cotisations obligatoires. Il intègre les participations.

Dans la fonction publique, le salaire brut s'obtient en ajoutant au traitement indiciaire brut l'indemnité de résidence (0 à 3 % du traitement brut), le supplément familial de traitement éventuel, les primes et les indemnités (en excluant les éventuels avantages en nature). Les primes et indemnités comprennent l'ensemble des compléments et rémunérations annexes, y compris la NBI, nouvelle bonification indiciaire ; seule en est exclue l'indemnité logement des instituteurs.

Le salaire net (de prélèvements sociaux) est le salaire que perçoit effectivement le salarié. Calculé dans les secteurs privé et semi-public à partir du salaire net fiscal disponible dans les DADS (déclarations annuelles de données sociales), il est net de toutes cotisations sociales, y compris CSG (contribution sociale généralisée) et CRDS (contribution au remboursement de la dette sociale). Il ne comprend pas les participations (qui ne sont pas imposables). Dans la fonction publique d'État, le salaire est calculé à partir des fichiers de paye de la comptabilité publique.

Salaire minimum dans l'Union européenne : un salaire minimum légal national s'applique dans 20 états membres de l'Union Européenne à 27 (Belgique, Bulgarie, Espagne, Estonie, Irlande, Grèce, France, Hongrie, Lettonie, Lituanie, Luxembourg, Malte, Pays-Bas, Pologne, Portugal, Roumanie, Slovaquie, Slovénie, République tchèque et Royaume-Uni). Dans les autres pays, ce salaire minimum légal n'existe pas.

Salaire minimum interprofessionnel de croissance (Smic) : salaire horaire minimum légal en France métropolitaine ainsi que dans les départements d'outre-mer et dans la collectivité territoriale de Saint-Pierre-et-Miquelon. Il a été institué par une loi du 2 janvier 1970 et il a pris, avec le minimum garanti, la succession du SMIG (salaire minimum interprofessionnel garanti), créé en 1950.

Le Smic est revalorisé au 1er juillet de chaque année en fonction de l'évolution de l'indice des prix à la consommation (indice pour les « ménages urbains dont le chef est ouvrier ou employé, hors tabac »), à laquelle on ajoute la moitié de la croissance du pouvoir d'achat du salaire horaire de base ouvrier (SHBO). Il est également revalorisé à chaque hausse d'au moins 2 % de l'Indice des prix (hors tabac). Le gouvernement peut aussi ajouter « un coup de pouce » à ces augmentations.

Secteur d'activité : regroupe des entreprises de fabrication, de commerce ou de service qui ont la même activité principale (au regard de la nomenclature d'activité économique considérée). L'activité d'un secteur n'est donc pas tout à fait homogène et comprend des productions ou services secondaires qui relèveraient d'autres items de la nomenclature que celui du secteur considéré. Au contraire, une branche regroupe des unités de production homogènes.

Services administrés ou non marchands : on considère qu'une unité rend des services non marchands lorsqu'elle les fournit gratuitement ou à des prix qui ne sont pas économiquement significatifs. Ces activités de services se rencontrent dans les postes suivants de la NES : éducation, santé, action sociale (EQ) et administration (ER).

Services aux entreprises :

- postes et télécommunications ;
- conseils et assistance ;
- services opérationnels ;
- recherche et développement.

L'Insee classant les services marchands en fonction de leur utilisateur principal, les services de télécommunication, les services juridiques, les activités de contrôles, les analyses techniques...sont des services aux entreprises même lorsqu'ils sont partiellement consommés par les ménages.

Services aux particuliers :

- hôtels et restaurants ;
- activités récréatives, culturelles et sportives ;
- services personnels et domestiques.

Services des postes et télécommunications : comprennent deux grandes catégories :

- les télécommunications, qui englobent la transmission de sons, d'images et d'autres informations par téléphone, télex, télégramme, câble, radio ou télévision, satellite, courrier électroniques, télécopie..., y compris les communications par réseaux, les téléconférences et les services d'appui ;
- les services de poste et de messagerie, recouvrant la levée, le transport et la distribution du courrier (lettres, journaux, périodiques, brochures et autres ouvrages imprimés) et des colis par les administrations nationales des postes et autres opérateurs, ainsi que les services des guichets postaux et de location de boîtes postales.

Services marchands : on considère qu'une unité rend des services marchands lorsqu'elle les vend (en grande partie ou en totalité) à des prix économiquement significatifs. Ces activités de services correspondent aux intitulés et code de la NES (nomenclature économique de synthèse) : commerce (EJ), transports (EK), activités financières (EL), activités immobilières (EM), services aux entreprises (EN), services aux particuliers (EP).

Sine (Système d'information sur les nouvelles entreprises) : ce dispositif d'enquêtes vise à étudier de façon permanente et régulière les caractéristiques et la vie des nouvelles entreprises. Le système a démarré en 1994 avec l'interrogation d'un échantillon d'entreprises créées ou reprises au cours du premier semestre 1994. Ces entreprises sont suivies pendant cinq ans par un questionnement lors de leur troisième et cinquième anniversaire. Trois autres cohortes, celles des entreprises nées respectivement en 1998, 2002 et 2006, sont entrées dans le dispositif Sine. Les statistiques relatives à la cohorte 2006 concernent l'ensemble des activités marchandes hors agriculture. Ces statistiques prennent en compte le concept de création d'entreprise en vigueur depuis le 1er janvier 2007.

Société civile d'exploitation agricole (SCEA) : régie par les dispositions du code civil et ayant pour objet d'exercer une activité agricole. La responsabilité financière des associés n'est pas limitée.

Sociétés non financières : ensemble des unités institutionnelles qui sont des producteurs marchands dont la fonction principale consiste à produire des biens et des services non financiers, et dont les opérations de répartition et les opérations financières sont séparées de celles de leurs propriétaires.

Solde du commerce extérieur : différence entre la valeur des exportations et celle des importations entre deux pays (ou deux zones). Il peut être relatif à un produit ou à l'ensemble des échanges. Le rapport entre ces deux valeurs est appelé taux de couverture.

Sous-emploi : recouvre les personnes qui ont un emploi à temps partiel, qui souhaitent travailler plus d'heures, et qui sont disponibles pour le faire ou qui cherchent à le faire (ou qui ont trouvé un emploi qui commence plus tard). Sont également incluses les personnes ayant involontairement travaillé moins que d'habitude, pour cause de chômage partiel par exemple, qu'elles travaillent à temps plein ou à temps partiel.

Superficie agricole utilisée (SAU) : notion normalisée dans la statistique agricole européenne qui comprend non seulement les terres arables et les cultures permanentes, mais aussi les prairies, les pâturages permanents et les jachères.

Surpeuplement : le nombre de pièces nécessaires au ménage est calculé de façon normative par l'Insee : une pièce de séjour pour le ménage ; une pièce pour chaque personne de référence d'une famille ; une pièce pour les personnes hors famille non célibataires et les célibataires de 19 ans et plus ; pour les célibataires de moins de 19 ans, une pièce pour deux enfants s'ils sont du même sexe ou ont moins de 7 ans ; sinon une pièce par enfant. Le logement est surpeuplé s'il compte moins de pièces que la norme. Selon cette norme, une personne seule doit disposer de deux pièces. Les logements d'une pièce sont donc considérés comme surpeuplés.

T

Taux de couverture : rapport entre la valeur des exportations et celle des importations entre deux pays (ou deux zones). Il peut être relatif à un produit ou à l'ensemble des échanges. La différence entre les deux valeurs est appelée solde du commerce extérieur.

Taux d'effort : égal au rapport entre la dépense en logement d'un ménage et son revenu. La dépense en logement peut inclure ou non les charges (charge financière simple ou totale).
Le taux d'effort est dit « net » si l'aide au logement perçue par le ménage est défalquée de la dépense de logement et « brut » dans le cas contraire.
Cet indicateur permet de mesurer le poids de la dépense liée à l'occupation du logement sur le budget des ménages et le pouvoir « solvabilisateur » des aides.

Taux d'emploi : rapport entre le nombre d'individus de la classe ayant un emploi et le nombre total d'individus dans la classe. Il peut être calculé sur l'ensemble de la population d'un pays, mais on se limite le plus souvent à la population en âge de travailler (généralement définie, en comparaison internationale, comme les personnes âgées de 15 à 64 ans), ou à une sous-catégorie de la population en âge de travailler (femmes de 25 à 29 ans par exemple).

Taux de survie : la durée de vie des entreprises est obtenue par la différence entre la date de cessation économique et celle de création. Le taux de survie à 3 ans est donc égal au nombre d'entreprises de la génération N actives lors de leur 36ème mois, divisé par le nombre d'entreprises créées l'année N. Les statistiques sur le taux de survie concernent l'ensemble du secteur marchand, hors agriculture et services financiers. Ces statistiques prennent en compte le concept de création d'entreprise en vigueur depuis le 1er janvier 2007.

Taux d'indépendance énergétique : rapport entre la production nationale d'énergies et les disponibilités totales en énergies primaires, une année donnée. Ce taux peut se calculer pour chacun des grands types d'énergies ou globalement toutes énergies confondues. Un taux supérieur à 100 % (cas de l'électricité) traduit un excédent de la production nationale par rapport à la demande intérieure et donc un solde exportateur.

Taxe sur la valeur ajoutée (TVA) : impôt qui se calcule sur le prix de vente hors taxes de tous les biens et services. Elle est payée dans sa totalité par le consommateur final. Les entreprises (fabricants, commerçants...) encaissent la TVA à chaque vente et la reversent à l'État, déduction faite de la TVA qu'elles ont elles-mêmes payée lors de l'achat du produit ou des matières premières.

Technologies de l'information et de la communication (TIC) : selon l'OCDE, on qualifie de secteurs des technologies de l'information et de la communication (TIC) les secteurs suivants :
- secteurs producteurs de TIC (fabrication d'ordinateurs et de matériel informatique, de TV, radios, téléphone,...) ;
- secteurs distributeurs de TIC (commerce de gros de matériel informatique,...) ;
- secteurs des services de TIC (télécommunications, services informatiques, services audiovisuels,...). Par complémentarité, on peut parler de secteurs « non-TIC » pour toutes les autres activités.

Terme de l'échange : rapport, pour un produit donné, entre l'indice du prix des exportations et celui des importations. Les indices sont exprimés selon une même année de base. Une amélioration des termes de l'échange de 1 % signifie que la croissance du prix des exportations est 1 % plus forte que celle du prix des importations. Elle signifie aussi une détérioration de la compétitivité-prix française. Inversement une baisse des termes de l'échange signifie une amélioration de la compétitivité-prix. Ce rapport peut être calculé par produit, pour un ensemble de produits ou globalement.

Tonne-kilomètre : unité de mesure sommable correspondant au transport d'une tonne sur une distance d'un kilomètre. Ce terme est défini par analogie avec la notion de « travail » en physique. Par rapport aux tonnes, les tonnes-kilomètres ont l'avantage d'être « additives » : un déplacement de 10 tonnes sur 100 kilomètres suivi d'un déplacement de 10 tonnes sur 50 kilomètres donnent au total 1500 tonnes-kilomètres, alors que l'addition des poids transportés n'a pas de sens.

Tonne d'équivalent CO_2 : pour exprimer les émissions de gaz à effet de serre en tonnes d'équivalent CO_2, on pondère les émissions de chaque gaz par un coefficient tenant compte de son pouvoir de réchauffement comparé à celui du CO_2. Ce coefficient est de 1 pour le CO_2, de 21 pour le CH_4, de 310 pour le N_2O, de 23 900 pour le SF_6, de 140 à 11 700 pour les HFC et de 2 100 à 9 200 pour les PFC.

Tourisme : activités déployées par les personnes au cours de leurs voyages et séjours dans des lieux situés en dehors de leur environnement habituel pour une période consécutive qui ne dépasse pas une année, à des fins de loisirs, pour affaires et autres motifs non liés à l'exercice d'une activité rémunérée dans le lieu visité.

Traitement indiciaire brut : s'obtient en multipliant l'indice majoré par la valeur du point. C'est le traitement avant tout complément et retenue.

Traité de Maastricht : impose aux États membres de satisfaire simultanément à cinq critères de convergence pour participer à la monnaie unique : stabilité des prix, maîtrise des déficits publics, stabilité des changes et caractère durable de la convergence mesuré par le niveau du taux d'intérêt nominal à long terme.

U

Union européenne (UE) : créée le 1er janvier 1993 par l'application du Traité de Maastricht, l'Union européenne (UE) prend le relais dans la construction européenne de la CEE (Communauté économique européenne). L'UE est une union intergouvernementale, mais n'est pas un État destiné à se substituer aux États membres existants. Elle est une entité juridique indépendante des États qui la composent et dispose de compétences propres (politique agricole commune, pêche, politique commerciale, etc.), ainsi que des compétences qu'elle partage avec ses États membres. Elle est reconnue comme étant une organisation internationale. Sur le plan économique, elle dispose d'une union douanière, ainsi que pour treize de ses États membres, d'une monnaie unique, l'euro. L'Union est donc une structure supranationale hybride empreinte à la fois de fédéralisme et d'inter-gouvernementalisme. Aujourd'hui, les pays de l'Union européenne sont au nombre de 27.

Unité de dimension européenne (UDE) : pour chaque activité d'une exploitation (par exemple blé, vache laitière ou vigne). Une marge brute standard (MBS) est estimée sur la base de sa superficie (ou du nombre de têtes) et d'un coefficient régional. La somme de ces marges pour une exploitation est sa dimension économique, exprimée en Unités de Dimension européenne (1 UDE = 1 200 euros).

V

Vacances : selon l'Organisation mondiale du tourisme (OMT), on appelle vacances, depuis 1995, l'ensemble des déplacements d'agrément comportant au moins quatre nuits consécutives hors du domicile. Sont exclus des vacances :

- les déplacements professionnels ;
- les voyages d'études ;
- les séjours motivés par la maladie ou le décès d'un proche ;
- les séjours de santé dans des établissements spécialisés ;
- les courts séjours d'agrément (deux ou trois nuitées) et les week-ends réguliers. C'est cette notion qui est utilisée dans les enquêtes permanentes sur les Conditions de vie des ménages de l'Insee (EPCV).

Cette définition, que l'on retrouve dans les enquêtes de même type dans l'ensemble des pays de la Communauté européenne, exclut les week-ends. Elle ne recouvre pas la notion courante de tourisme. Elle est à la fois plus large, en comprenant tous les séjours dans les familles ou les endroits non touristiques et plus étroite, puisque le tourisme d'affaires n'est pas étudié.

Valeur ajoutée : solde du compte de production. Elle est égale à la valeur de la production diminuée de la consommation intermédiaire.

Validation des acquis de l'expérience : constitue une voie d'obtention des diplômes au même titre que la voie scolaire, l'apprentissage ou la formation continue des adultes. Elle prend en compte les compétences professionnelles acquises au travers d'activités salariées, non salariées et bénévoles, en rapport direct avec le contenu du titre ou du diplôme. La durée de l'expérience considérée est au moins de trois ans. Toutes les certifications (diplôme, titres, certificats) à visée professionnelle, peuvent ainsi être délivrées par l'État, les branches professionnelles ou des organismes privés et doivent obligatoirement avoir été recensées dans le RNCP (répertoire national de la certification professionnelle).

Voyage : est défini comme tout départ du domicile, avec retour à celui-ci et au moins une nuit passée en dehors. Les déplacements professionnels n'en font pas partie.

Cette notion est principalement utilisée dans le cadre des enquêtes réalisées conjointement par la direction du Tourisme (au ministère en charge du Tourisme) et la Sofres sur le Suivi des Déplacements Touristiques des Français (SDT).

Z

Zone euro : ensemble géographique constitué par les 15 pays de l'Union européenne qui ont adopté l'euro comme monnaie nationale. Plusieurs critères sont nécessaires pour rejoindre la zone euro, notamment : un déficit public inférieur à 3 % du PIB, une dette publique ne dépassant pas 60 % du PIB, une inflation maîtrisée (à savoir un taux d'inflation ne dépassant pas de plus de 1,5 points celui des 3 pays ayant la plus faible inflation), une variation contenue du taux d'intérêt à long terme (ne dépassant pas de plus de 2 points celui des 3 pays les plus stables en matière de prix), des marges de fluctuation du Système monétaire européen (SME) devant être respectées et une indépendance de la banque centrale du pays.

La zone euro a été créée en 1999 par 11 des 15 pays que l'UE comptait alors, rejoints par la Grèce en 2001, la Slovénie en 2007 et par Chypre et Malte en 2008.

La Suède et le Danemark ont décidé lors de référendums qu'ils n'adoptaient pas l'euro pour l'instant ; le Royaume-Uni ne participe pas à la monnaie unique.

Les 15 États membres constituant la zone euro sont : l'Allemagne, l'Autriche, la Belgique, Chypre, l'Espagne, la Finlande, la France, la Grèce, l'Irlande, l'Italie, le Luxembourg, Malte, les Pays-Bas, le Portugal et la Slovénie.

Adresses et sites Internet utiles

Ademe	**Agence de l'environnement et de la maîtrise de l'énergie** ⊠ 27, rue Louis Vicat - 75737 Paris Cedex 15 ☎01 47 65 20 00 @ www.ademe.fr
APE	**Agence des participations de l'État** ⊠Télédoc 536 139, Ru de Bercy - 75572 Paris Cedex 12 ☎ 01 44 87 72 94 @ www.ape.bercy.gouv.fr
AIE	**Agence internationale de l'énergie** ⊠ 9, rue de la Fédération - 75739 Paris Cedex 15 ☎ 01 40 57 65 00 @ www.iea.org
ANAEM	**Agence nationale de l'accueil des étrangers et des migrations** ⊠ 44, rue Bargue - 75732 Paris Cedex 15 ☎ 01 53 69 53 70 @ www.anaem.social.fr
Arcep	**Autorité de régulation des communications électroniques et des postes** ⊠ 7, square Max-Hymans - 75730 Paris Cedex 15 ☎ 01 40 47 70 00 @ www.arcep.fr
BCE	**Banque centrale européenne** ⊠ Kaiserstrasse 29 D-60311 Postfach 16 03 19 Frankfurt-am-Main - Allemagne ☎ 00 49 69 1344 0 @ www.ecb.int
BDF	**Banque de France** ⊠ 31, rue Croix-des-Petits-Champs - 75049 Paris Cedex 01 ☎ 01 42 92 42 92 @ www.banque-france.fr
BIT	**Bureau international du travail** ⊠ 98, rue de Sèvres - 75007 Paris ☎ 01 53 69 12 12 @ www.ilo.org
CNAMTS	**Caisse nationale d'assurance maladie des travailleurs salariés** ⊠ 50, avenue du Professeur André Lemierre - 75986 Paris Cedex 20 ☎ 01 72 60 10 00 @ www.ameli.fr
CNAV	**Caisse nationale d'assurance vieillesse** ⊠ 110, avenue de Flandre - 75951 Paris Cedex 19 ☎ 01 55 45 50 00 @ www.cnav.fr
CNAF	**Caisse nationale des allocations familiales** ⊠ 32, avenue Sibelle - 75685 Paris Cedex 14 ☎ 01 45 65 52 52 @www.caf.fr
Cereq	**Centre d'études et de recherche sur les qualifications** ⊠ 10, place de la Joliette, BP 176 - 13474 Marseille Cedex 02 ☎ 04 91 13 28 28 @ www.cereq.fr

Citépa	**Centre interprofessionnel technique d'études de la pollution atmosphérique** ✉ 7, cité Paradis - 75010 Paris ☎ 01 44 83 68 83 @ www.citepa.org
CNC	**Centre national de la cinématographie** ✉ 12, rue de Lübeck - 75784 Paris Cedex 16 ☎ 01 44 34 34 40 @ www.cnc.fr
CCAF	**Comité central des armateurs de France** ✉ 47, rue de Monceau - 75008 Paris Cedex 15 ☎ 01 53 89 52 52 @ www.armateursdefrance.org
CCFA	**Comité des constructeurs français d'automobiles** ✉ 2, rue de Presbourg - 75008 Paris ☎ 01 49 52 51 00 @ www.ccfa.fr
CPDP	**Comité professionnel du pétrole** ✉ 212, avenue Paul Doumer - 92508 Rueil-Malmaison Cedex ☎ 01 47 16 94 60 @ www.cpdp.org
CSA	**Conseil supérieur de l'audiovisuel** ✉ Tour Mirabeau - 39-43, quai André Citroën - 75739 Paris Cedex 15 ☎ 01 40 58 38 00 @ www.csa.fr
CNAM	**Conservatoire national des arts et métiers** ✉ 292, rue Saint-Martin - 75141 Paris Cedex 13 ☎ 01 40 27 20 00 @ www.cnam.fr
Euronext	**Euronext - Direction des études et de la stratégie** ✉ 39, rue Cambon - 75001 Paris ☎ 0 800 271 271 @ www.euronext.com
EITO	**European information technology observatory** @ www.eito.com
Eurostat	**Eurostat - Office statistique des communautés européennes** ✉ 5, rue A. Weicker, L-2721 LUXEMBOURG ☎ 00 352 4301 1 @ epp.eurostat.ec.europa.eu/
FFSA	**Fédération française des sociétés d'assurances** ✉ 26, boulevard Haussmann - 75009 Paris ☎ 01 42 47 90 00 @ www.ffsa.fr
FAO	**FAO - Organisation des Nations Unies pour l'alimentation et l'agriculture** ✉ Via delle terme di Caracalla - 00153 Rome - Italie ☎ +33 39 06 57051 @ www.fao.org
Idate	**Idate** ✉ BP4167 - 34092 Montpellier Cedex 5 ☎ 04 67 14 44 44 @ www.idate.fr

Ined	**Institut national d'études démographiques** ✉ 133, boulevard Davout - 75980 Paris Cedex 20 ☎ 01 56 06 20 00 @ www.ined.fr
Inserm	**Institut national de la santé et de la recherche médicale** ✉ 101, rue de Tolbiac - 75654 Paris Cedex 13 ☎ 01 44 23 60 00 @ www.inserm.fr
Ires	**Institut de recherches économiques et sociales** ✉ 16, bd du Mont d'Est - 93192 Noissy le Grand Cedex ☎ 01 48 15 18 90 @ www.ires-fr.org
	La documentation française ✉ 29-31, quai Voltaire - 75344 Paris Cedex 07 ☎ 01 40 15 70 00 @www.ladocumentationfrancaise.fr

Ministère de l'Agriculture et de la Pêche

DPMA	**Direction des Pêches maritimes et de l'Aquaculture** ✉ 3, Place de Fontenoy - 75007 Paris ☎ 01 49 55 82 00 @www.agriculture.gouv.fr
Scees	**Service central des enquêtes et des études statistiques** ✉ 251, rue de Vaugirard - 75732 Paris Cedex 15 ☎ 01 49 55 85 06 @ www.agriculture.gouv.fr
Ofimer	**Office national interprofessionnel des produits de la mer** ✉ TSA 50005 - 93555 Montreuil-sous-Bois Cedex ☎ 01 73 30 37 00 @www.ofimer.fr

Ministère du Budget, des Comptes publics et de la Fonction Publique

DGAFP	**Direction générale de l'Administration et de la Fonction publique** ✉ 32, rue de Babylone - 75700 Paris SP 07 ☎ 01 42 75 80 00 @www.fonction-publique.gouv.fr
DGCP	**Direction générale de la Comptabilité publique** ✉ 139, rue de Bercy, Télédoc 330 - 75572 Paris Cedex 12 ☎ 01 40 04 04 04 @www.finances.gouv.fr
DGI	**Direction générale des Impôts** Programme Copernic ✉ Bât E Turgot - 86-92, allée de Bercy - 75572 Paris Cedex 12 ☎ 01 53 18 00 07 @www.finances.gouv.fr
	Direction du Budget ✉ 139, rue de Bercy, Télédoc 241 - 75572 Paris Cedex 12 ☎ 01 40 04 04 04 @www.budget.finances.gouv.fr

Direction générale des Douanes et Droits indirects
✉ 8, rue de la Tour-des-Dames - 75436 Paris Cedex 09
☎ 01 40 04 04 04
@www.douane.gouv.fr

Ministère de la Culture et de la Communication

Deps — **Département des Études, de la Prospective et des Statistiques**
✉ 182, rue Saint-Honoré - 75033 Paris Cedex 01
☎ 01 40 15 79 17
@www.culture.gouv.fr

Ministère de la Défense

OED — **Direction des Affaires financières**
Observatoire économique de la défense
✉ 14, rue Saint-Dominique - 00450 Armées
☎ 01 42 19 33 49
@www.defense.gouv.fr

Ministère de l'Écologie, de l'Énergie, du Développement durable et de l'Aménagement du territoire

Direction de la Sécurité et de la Circulation routières
✉ Arche de la Défense, Paroi Sud - 92055 La Défense Cedex
☎ 01 40 81 21 22

DAEI — **Direction des Affaires économiques et internationales**
Sesp — **Service économie, statistiques et prospective**
✉ Tour Pascal A - 92055 La Défense Cedex
☎ 01 40 81 21 22
@www.equipement.gouv.fr

Direction des Études Économiques et de l'Évaluation Environnementale
✉ 20, avenue de Ségur - 75302 Paris 07 SP
☎ 01 42 19 20 21
@ www.ecologie.gouv.fr

DTMRF — **Direction des Transports maritimes, routiers et fluviaux**
✉ Arche de la Défense, Paroi Sud - 92055 La Défense Cedex
☎ 01 40 81 71 47

Fédération des Parcs Naturels Régionaux de France
✉ 9, rue Christiani - 75018 Paris
@ www.parcs-naturels-regionaux.tm.fr

Ifen — **Institut français de l'environnement**
✉ 5, route d'Olivet - BP 16105 - 45061 Orléans Cedex 2
☎ 02 38 79 78 78
@ www.ifen.fr

Ministère de l'Économie, de l'Industrie et de l'Emploi

Afii — **Agence Française pour les Investissements Internationaux**
✉ 77 bd Saint-Jacques - 75680 Paris Cedex 14
☎ 01 44 87 17 17
@www.afii.fr

DCASPL — **Direction du Commerce, de l'Artisanat, des Services et des Professions Libérales**
✉ 3-5, rue Barbet de Jouy - 75353 Paris 07 SP
☎ 01 43 19 24 24

Direction du Tourisme
✉ 23, place de Catalogne - 75685 Paris Cedex 14
☎ 01 70 39 93 00
@ www.tourisme.gouv.fr

ODIT France — **Observation, développement et ingénierie touristiques**
✉ 23, place de Catalogne - 75685 Paris Cedex 14
☎ 01 70 39 94 00
@ www.odit-france.fr

DGCCRF — **Direction générale de la Concurrence, de la Consommation et de la Répression des fraudes**
✉ 59, boulevard Vincent Auriol, Télédoc 071 - 75703 Paris Cedex 13
☎ 01 44 87 17 17
@ www.finances.gouv.fr

Sessi — **Service des Études et des Statistiques Industrielles**
✉ 10, rue Auguste Blanqui - 93186 Montreuil Cedex
☎ 01 41 63 58 01
@ www.industrie.gouv.fr

Ministère de l'Éducation nationale

Depp — **Direction de l'Évaluation, de la Prospective et de la Performance**
✉ 61-65, rue Dutot - 75732 Paris Cedex 15
☎ 01 55 55 77 01
@ www.education.gouv.fr

Ministère de l'Intérieur, de l'Outre-mer et des Collectivités territoriales

Direction centrale de la Police judiciaire
✉ 11, rue des Saussaies - 75800 Paris
☎ 01 49 27 49 27

DGCL — **Direction générale des Collectivités locales**
✉ 2, place des Saussaies - 75800 Paris
☎ 01 40 07 60 60
@ www.interieur.gouv.fr

INHES — **Institut national des hautes études de sécurité**
OND — **Observatoire national de la délinquance**
✉ 3, av. du Stade-de-France, Les Borromées - 93218 Saint-Denis-La-Plaine Cedex
☎ 01 55 84 53 00
@ www.inhes.interieur.gouv.fr

OCRTIS — **Office central pour la répression du trafic illicite des stupéfiants**
✉ 111, rue des trois Fontanots - 92000 Nanterre
☎ 01 49 27 49 27

Ministère de la Justice

S/D SED — **Direction de l'Administration générale et de l'Équipement**
Sous-direction de la statistique, des études et de la documentation
✉ 14, rue des Cévennes - 75015 Paris
☎ 01 44 77 66 27
@ www.justice.gouv.fr

Ministère de la Santé, de la Jeunesse, des Sports et de la Vie associative

DHOS — **Direction de l'Hospitalisation et de l'Organisation des soins**
✉ 14, avenue Duquesne - 75350 Paris Cedex 07 SP
☎ 01 40 56 60 00
@ www.santé.gouv.fr

Drees — **Direction de la Recherche, des Études, de l'Évaluation et des Statistiques**
✉ 14, avenue Duquesne - 75350 Paris 07 SP
☎ 01 40 56 60 00
@ www.sante.gouv.fr/drees/

DRHACG — **Direction des Ressources humaines, de l'Administration et de la Coordination générale**
✉ 95, avenue de France - 75650 Paris Cedex 13
☎ 01 40 45 95 76
@ www.jeunesse-sports.gouv.fr

Ministère du Travail, des Relations sociales, de la Famille et de la Solidarité

CEE — **Centre d'études de l'emploi**
✉ Imm. Le Descartes 1, 29, promenade Michel-Simon - 93166 Noisy-le-Grand Cedex
☎ 01 45 92 68 00
@ www.cee-recherche.fr

Dares — **Direction de l'Animation de la Recherche, des Études et des Statistiques**
✉ 39-43, quai André Citroën - 75902 Paris Cedex 15
☎ 01 44 38 38 38
@ www.travail-solidarite.gouv.fr/

OCDE — **Organisation de coopération et de développement économiques**
✉ 2, rue André-Pascal - 75775 Paris Cedex 16
☎ 01 45 24 82 00
@www.oecd.org

ONU — **Organisation des Nations Unies**
✉ Palais des Nations 8-14, avenue de la Paix CH - 1211 Genève 10 - Suisse.
@www.unctad.org

OMS — **Organisation mondiale de la santé**
✉ 20, avenue Appia CH - 1211 Genève 27 - Suisse.
@www.who.ch

PRB — **Population reference bureau**
✉ 1875 Connecticut Avenue NW, Suite 520, Washington DC 20009-5728 - USA
☎ 202 483 1100
@www.prb.org

Premier Ministre

Credoc — **Centre de recherche pour l'étude et l'observation des conditions de vie**
✉ 142 rue Chevaleret - 75013 Paris
☎ 01 40 77 85 09
@ www.credoc.fr

Direction du Développement des Médias
✉ Hôtel de Clermont - 69, rue de Varenne - 75007 Paris
☎ 01 42 75 80 00
@ www.ddm.gouv.fr

Observatoire de la parité entre les femmes et les hommes
✉ 35, rue Saint-Dominique - 75007 Paris
☎ 01 42 75 77 76
@ www.observatoire-parité.gouv.fr

Unedic — **Union nationale pour l'emploi dans l'industrie et le commerce**
✉ 80, rue de Reuilly - 75012 Paris
☎ 01 53 17 20 00

UIT — **Union internationale des télécommunications**
✉ Place des Nations - 1211 Genève 20 - Suisse
☎ +41 22 730 21 11
@ www.itu.int

Index alphabétique

A

Accident de la route 92
Accident du travail 92
Accidents technologiques 22
ACCRE 144
Accroissement naturel, population 24
Actif 44
Actif financier 120
Action 122
Activité 38
Activité préalable 144
Activités immobilières 178
Adaptation et intégration scolaire (AIS) 100
Administration publique 118, 124, 126
Administration publique locale 130
ADSL 82
Aéroport 188
Âge 34
Agent de l'État 52, 60
Agglomération 12
Agrégats monétaires 118
Agriculture 158, 160
Aide à l'emploi 48
Aide sociale 70
Aire urbaine 18
Alcool 98
Alimentation 74
Allocataires 70
Apprentis, apprentissage 48, 106
Aquaculture 160
Artisanat 152
Association européenne de libre-échange (AELE) 10
Assurance 180
Audiovisuel 82, 184
Automobile 166
Avion 188

B

Baccalauréat 100, 106
Balance commerciale 136
Balance des biens et des services 134
Banque 180
Bâtiment 168
Bibliothèque 82
Biens durables 76
Bilan démographique 32, 34
Bilan énergétique 170
Bourse 122
Branche 114, 162
Brevet 156
Brevet d'aptitude professionnelle (BEP) 100
BTP 168
BTS 102
Budget 74
Budget de l'État 124, 126
Budget général 128
Bureau International du Travail (BIT) 46

C

CAF-FAB 134, 136, 138, 164
Camping 186
Capacité et besoin de financement 124, 134
Captures 160
Carte bancaire 180
Catégorie socio-professionnelle 36
Catégorie statutaire 52
Cause médicale 92
Centre national d'enseignement à distance 104
Certificat d'aptitude professionnelle (CAP) 100
Charbon 172
Chercheur 154
Chiffre d'affaires 146, 164, 180, 182, 186
Chômage 46, 54
Cinéma 82, 184
Collectivité d'outre-mer 16
Collectivité territoriale 130
Commerce 176
Communauté d'agglomération 130
Communauté de communes 130
Communauté urbaine 130
Commune 18
Communications électroniques 182
Concentration économique 148
Concert 82
Condamnation, condamné 90

Confort 84
Consommation 76, 96, 98, 110, 116, 172
Consommation d'énergie 170, 174
Consommation de capital fixe 158
Consommation finale des ménages 74
Consommation intermédiaire 158
Construction 168
Construction automobile 166
Contrat à durée déterminée 50
Contrat aidé 48, 50, 52, 56
Contrat en alternance 48
Correction territoriale 134
Cotisant, cotisation 68
Cotisation sociale 70
Couple 26, 28
Coût de la main d'œuvre 62
Coût salarial 62
Créateur 144
Création d'entreprise 144
Crédit 118
Crime, criminalité 88, 90
Critères de convergence 132
Croissance 112
Crustacés 160
CSP 44
Culture 82

D

DEA, DESS, DEUG, DEUST 102
Décès 32, 92, 98
Déchets 22
Décile 58, 60
Déclaration annuelle de données sociales (DADS) 58, 60
Défaillance d'entreprise 144
Déficit commerce extérieur 138
Déficit public 124, 128
Délinquance 88
Délit 88, 90
Densité automobile 166
Dentiste 94
Département 14
Département d'outre-mer 16
Dépense d'éducation 104
Dépense pour l'emploi 48
Dépenses budgétaires 128
Dépenses d'investissement 130
Dépenses de consommation 76
Dépenses de fonctionnement 130
Dépenses de logement 86
Dépenses de protection de l'environnement 20
Dépenses de santé 96
Dépenses de services culturels et récréatifs 82
Dépôt de brevet 156
Descendance finale 30
Détenu 90
Dette publique 124, 128
Développement durable 20
Diplôme 102, 106
DIRD 154
Discipline enseignée 102
Dispositifs Robien - Borloo 168
Disque 184
Divorce, divortialité 26
DNRD 154
Dotation globale d'équipement 130
Dotation globale de fonctionnement 130
Drogue 98
Durée de vie moyenne 32
Durée du travail 50
DVD 82

E

Échanges extérieurs 136
École d'ingénieurs 102
Effet de serre 22
Effet de structure de carrière 60
Élections 38
Électricité 174
Élève 100
Émission 122
Émission de gaz 22
Emploi 52, 54, 56, 58
Emploi aidé 52, 54
Endettement 118
Énergie 150, 170, 174
Énergie renouvelable 20, 170
Enfant 30
Enquête emploi 46
Enseignant 104
Enseignement premier degré 100, 104
Enseignement professionnel 102
Enseignement second degré 100, 104
Enseignement supérieur 102, 104
Entreprise 146, 152
Entreprise artisanale 152
Entreprise individuelle 152
Entreprise publique 150

Éolien 20
Épargne 120
Épargne salariale 120
EPCI 130
Équipement 76
Équipement des ménages 78
Espace économique européen (EEE) 10
Espace protégé 20
Espérance de scolarisation 100
Espérance de vie 32
Établissement de crédit 180
Établissement de santé 94
Établissement privé sous contrat 104
Établissement public de coopération intercommunale 130
Établissement scolaire 104
État 150
Étranger 40
Étudiant 102
Euro 132
Euronext 122
Excédent brut d'exploitation (EBE) 164
Excédent commerce extérieur 138
Excédent naturel 24
Exploitation agricole 160
Exportation 134, 136, 138

F

Famille 28
Famille monoparentale 28
Famille nombreuse 28
FBCF 110
Fécondité 30
Fédération sportive 80
Femme 38
Fiscalité locale 130
Flux d'investissements 140
Fonction de consommation 116
Fonction publique 52, 60
Forêt 20
Formation 106
Foyer fiscal 126

G

Gaz 174
Génération (âge) 30, 34
Grande école 102
Groupe d'entreprises 148
Groupement de communes à fiscalité propre 130

H

Hébergement touristique 186
Homme 38
Hôpital 94
Hôtel 186
Houille 172
Hypermarché 176

I

Immatriculation (automobile) 166
Immigré 40
Importation 134, 136, 138
Impôts 126
Indépendance énergétique (taux) 170
Indice 116
Indice boursier 122
Indice de prix à la production 164
Industrie manufacturière 114, 164
Industries agroalimentaires (IAA) 162
Inflation 116
Informatique 38
Infraction 90
Innovation 156
Insécurité routière 92
Institutions européennes 126
Intercommunalité 130
Intérim 50
Internet 38, 78, 182
Investissement 110, 120
Investissements internationaux 140
Jauge brute 190
Jeune 34, 54
Jeux de hasard 80
Juridiction 90
Justice 90

L

Laboratoire 94
Lecture 82

Licence sportive 80
Licence-Master-Doctorat (LMD) 102
Lit 94
Locataire 86
Logement 84, 86, 168
Loi de finances 124, 128
Loisirs 74, 80
Longévité 32
Loyer 86

M

Maladie professionnelle 92
Marché financier 122
Marge 110
Mariage 26
Médecin 94, 96
Médicament 96
Ménage 28, 64, 76, 82, 118
Métropole 14
Microgroupe 148
Micro-ordinateur 78
Milieu fermé, ouvert 90
Mineur 88
Minima sociaux 70
Mise en chantier 168
Monnaie 118
Mortalité 32, 92
Multimédia 78
Musée 82

N

NAFA 152
Naissance 30
NAR 152
Natalité 30
Nationalisation 150
Nationalité 40
Naturalisation 40
Niveau de vie 64, 66
Nuitée 186
Nuptialité 26

O

Obligation 122
ODAC 124
Omnipraticien 94
OPCVM 118
Orientation technico-économique 160

P

Pacte civil de solidarité (Pacs) 26
Parc national 20
Parents 30
Parité 38
Part de marché (commerce) 176
Patrimoine 120
Pauvreté 66
Pavillon 190
Pays candidats 10
Pêche 160
Peine principale 90
Pension 68
PERCO 68
Permis de construire 168
PERP 68
Personne âgée 34
Personnel non-salarié, salarié 178
Pétrole 172
Pharmacie 94
PIB 110, 112, 132
PMU 80
Poissons 160
Pôle urbain 18
Pollution 22
Population 14, 24, 34
Population active 44
Population occupée 44
Population pénale 90
Port 188
Pouvoir d'achat 64, 74
Prélèvements obligatoires 124, 126
Presse 182
Prestations familiales 70
Prestations sociales 64, 70
Prévenu 90
Privatisation 150
Prix 116
Prix à la production 164
Prix courants, constants 60
Production 114, 172
Production agricole 158
Production animale, végétale 158
Production d'énergie 20, 174
Production industrielle 164

Production thermique 20
Productivité 112
Produit net bancaire 180
Professeur 104
Profession de santé 94
Projection 34, 44
Propriétaire 86
Protection sociale 70
Pyramide (âge) 34

Q

Qualité de l'air 22

R

Rapport interdécile 60
Réassurance 180
Recettes fiscales 126
Recherche 154
Récupération 20
Région 14
Région d'outre-mer 16
Rémunération 60
Répertoire des entreprises contrôlées majoritairement par l'État (RECME) 150
Réserve naturelle 20
Réserves de charbon, de pétrole 172
Résidence principale, secondaire 84
Ressources naturelles 20
Retraite 52, 68
Revenu 38, 58, 64, 66, 110
Revenu disponible 74, 120
Revenu minimum d'insertion 70

S

Salaire 58, 60, 62
Salaire horaire de base ouvrier 62
Salaire minimum 62
Santé 96
SARL 152
SAU 160
Scolarisation 100
Secteur d'activité 56, 148, 178
Secteur hospitalier 96
Sécurité sociale 70, 96
Séjour 80
Services administrés ou non marchands 56, 114
Services aux entreprises 178
Services aux particuliers 178
Services marchands 56, 114, 178
Sida 92
Sine 144
Site culturel ou récréatif 186
Smic 58, 62
Société anonyme 152
Société par actions simplifiées 152
Société 148
Soins 96
Solde commerce extérieur 138
Solde migratoire, naturel 14, 24
Sports 80
Statut juridique 152
Superficie du logement 84
Supermarché 176
Surface de vente 176
Surpeuplement 84

T

Tabac 98
Taux d'accroissement naturel 24
Taux d'activité 44
Taux d'effort 86
Taux d'emploi 44, 54
Taux d'intérêt 118
Taux d'investissement 114
Taux d'utilisation des capacités de production 114
Taux de change 132
Taux de chômage 46, 54
Taux de couverture 134, 136
Taux de création 144
Taux de criminalité 88
Taux de divorce 26
Taux de fécondité 30
Taux de mortalité 32, 92
Taux de natalité 30
Taux de nuptialité 26
Taux de pauvreté 66
Taux de plainte 88
Taux de scolarisation 106
Taux de survie 144
Technologies de l'information et de la communication (TIC) 74, 76, 78, 156
Téléphonie 78, 182

Télévision 82
Temps partiel 50
Termes de l'échange 136
Territoire d'outre-mer 16
Titulaire, non-titulaire 52
Tourisme 186
Toxicomanie 98
Trafic 188
Train 188
Traité de Maastricht 124, 132
Transport 188, 190
Travaux publics 168

U

Union 26
Union européenne 10
Unité urbaine 18
Université 102
Urbanisation 12

V

Vacances 80
Valeur ajoutée 110, 112, 114, 146, 158, 178, 186
Validation des acquis de l'expérience 106
Véhicule utilitaire 166
Véhicule 76
Vidéo 184
Vieillissement 34
Vignoble 158
Ville 12, 18
Vins 74, 98, 158, 160
Voiture particulière 166
Vol 88
Voyage, voyageur 80, 188

Z

Zone euro 10, 116, 124, 132, 140

Dans la même collection

Parus

L'économie française, édition 2008
Femmes et Hommes - Regards sur la parité, édition 2008
L'industrie en France, édition 2007
Le commerce en France, édition 2007
Les services en France - Services aux entreprises, édition 2007
France, portrait social, édition 2007
Les salaires en France, édition 2007

A paraître

L'emploi, édition 2008
Le tourisme en France, édition 2008

Imprimerie JOUVE

11, boulevard de Sébastopol 75001 Paris

Dépôt légal : septembre 2008